GREWAL | LEVY | PERSAUD | LICHTI

Babson College   Babson College   University of Ottawa   Wilfrid Laurier University

MARKETING

2e édition

Adaptation française   **Stéphane Gauvin**   **William Menvielle**   **Isabelle Garnier**
Université Laval   Université du Québec à Trois-Rivières   Université Laval

Achetez en ligne ou en librairie
En tout temps, simple et rapide!
www.cheneliere.ca

Marketing
2e édition

Traduction et adaptation de : *Marketing, Second Canadian Edition*
de Dhruv Grewal, Michael Levy, Ajax Persaud et Shirley Lichti
© 2012 McGraw-Hill Ryerson Limited, a Subsidiary of The McGraw-Hill
Companies (ISBN 978-0-07-038548-1)

© 2015 **TC Média Livres Inc.**
© 2011 Chenelière Éducation inc.

Conception éditoriale : Eric Monarque
Édition et coordination : David Bouchet
Traduction pour la 2e édition : Louise Drolet
Traduction de l'édition précédente : Louise Drolet, Laurence Perron
et Johanne Tremblay
Révision linguistique et correction d'épreuves : Christine Langevin
Adaptation de la conception graphique originale : Inspire Design
Impression : TC Imprimeries Transcontinental

**Catalogage avant publication
de Bibliothèque et Archives nationales du Québec
et Bibliothèque et Archives Canada**

Grewal, Dhruv

  [Marketing. Français]

  Marketing

  2e édition.

  Traduction de : Marketing, 2nd Canadian ed.

  Comprend des références bibliographiques et un index.

  ISBN 978-2-7651-0737-8

  1. Marketing – Manuels d'enseignement supérieur. i. Levy, Michael, 1950- . ii. Persaud, Ajax, 1959- . iii. Lichti, Shirley. iv. Gauvin, Stéphane. v. Menvielle, William. vi. Garnier, Isabelle, 1973- .
vii. Titre. viii. Titre : Marketing. Français.

HF5415.M2932314 2015   658.8   C2014-942732-8

5800, rue Saint-Denis, bureau 900
Montréal (Québec) H2S 3L5 Canada
Téléphone : 514 273-1066
Télécopieur : 514 276-0324 ou 1 800 814-0324
info@cheneliere.ca

ISBN 978-2-7651-0737-8

Dépôt légal : 2e trimestre 2015
Bibliothèque et Archives nationales du Québec
Bibliothèque et Archives Canada

Imprimé au Canada

2 3 4 5 6 ITIB 21 20 19 18 17

Gouvernement du Québec – Programme de crédit d'impôt pour l'édition de livres – Gestion SODEC.

Ce projet est financé en partie par le gouvernement du Canada

Avant-propos

Qu'est-ce que le marketing ?

La fonction du marketing comporte plusieurs facettes, mais son rôle fondamental est de créer de la valeur. En voici deux exemples.

Il n'y a pas si longtemps, l'eau était l'élément naturel fondamental par excellence.

Du confort de votre foyer, vous n'aviez qu'à ouvrir le robinet chaque fois que vous vouliez boire de l'eau, vous laver, etc. S'inspirant des pratiques d'entreprises européennes comme Perrier, en France, et San Pellegrino, en Italie, des entreprises canadiennes comme Aberfoyle Springs, Clearly Canadian, Canadian Springs et Montclair ont créé de nouveaux produits ayant une valeur aux yeux des consommateurs en embouteillant de l'eau dans des contenants attrayants et faciles à emporter. Aujourd'hui, l'eau embouteillée représente une industrie planétaire de 85 milliards de dollars américains[1], et sa consommation dans le monde dépassait les 200 milliards de litres en 2009. Il s'agit d'une augmentation de 5,5 % sur cinq ans[2].

Pourquoi des gens sont-ils prêts à payer près de 100 $ pour un pantalon de yoga lululemon alors qu'ils pourraient s'en acheter un chez Walmart pour moins de 20 $?

La réponse réside dans la valeur de la marque. Des marques comme lululemon se sont créé une niche grâce à des publicités audacieuses, des matériaux innovants et des styles inédits. Lorsque les faiseurs de tendances ont adopté ces marques, d'autres ont suivi.

Ces exemples, qui sont tirés de ce manuel, illustrent bien les défis que notre discipline doit relever. Si certains voient l'explosion du marché de l'eau embouteillée et du vêtement de mode comme de bons exemples de création de valeur, un nombre grandissant de consommateurs et de professionnels se demandent s'il ne s'agit pas plutôt de bons exemples de destruction de l'environnement sans valeur ajoutée. Un marché peut exister en dépit du fait qu'il soit globalement indésirable. Nos sociétés sont de plus en plus conscientes de ce genre de dilemmes. Nous avons décidé de ne pas remettre en question le principe du libre choix individuel, mais nous profitons de l'occasion pour signaler que ces situations sont de plus en plus fréquentes et posent des questions difficiles aux gestionnaires marketing. Une ère nouvelle s'ouvre donc devant nous, et ce sont ces défis que nous tenterons de mettre en perspective dans cet ouvrage.

Quels que soient votre âge, votre sexe ou l'endroit où vous vivez, vous possédez déjà quelques notions de marketing.

Vous faites face aux mécanismes du marketing depuis votre enfance lorsque, par exemple, vous accompagniez votre mère ou votre père à l'épicerie et réclamiez une marque de céréales aperçue chez votre ami ou à la télévision. Vous accordiez de la valeur à la prime offerte à l'intérieur de la boîte, tandis que vos parents accordaient de la valeur à l'information nutritionnelle apparaissant sur le côté de la boîte. Dès lors que vous commencez à explorer les multiples façons dont les entreprises et les marques créent de la valeur pour leurs clients, vous commencez aussi à mesurer le jeu complexe de décisions et d'activités nécessaires pour vous offrir les produits et les services que vous utilisez chaque jour.

L'omniprésence et la puissance d'Internet ont créé un marché de consommateurs plus informés et plus éclairés que jamais. Les personnes qui enseignent le marketing de l'avenir doivent tenir compte de l'aptitude du consommateur à évaluer la place de marché depuis son clavier et à distinguer le bon grain de l'ivraie. *Marketing* se penche sur les concepts et les outils fondamentaux qu'utilisent les praticiens du marketing pour créer de la valeur.

Une approche intégrée

Nous pouvons dire avec fierté que notre manuel intègre la définition du marketing qu'en donne l'Association canadienne du marketing. Il adopte une perspective axée sur la valeur et met l'accent sur le processus de création de valeur ajoutée, de communication de celle-ci aux consommateurs, de même que sur une gestion des relations avantageuse autant pour l'organisation que pour ses parties prenantes.

Caractéristiques de l'édition française

Notre objectif est de mettre entre les mains des étudiants un texte rédigé en français qui décrit la réalité du marketing tel qu'il est pratiqué ici, au Québec, mais aussi au Canada anglais et aux États-Unis, des marchés voisins qui représentent des occasions d'affaires importantes pour les entreprises nationales ou des occasions d'emploi pour les finissants.

Nous avons évidemment adapté le texte lorsque le contexte québécois le justifie (par exemple, au Québec, il est interdit de faire de la publicité destinée aux enfants, une pratique qui est courante ailleurs en Amérique du Nord; ou encore, les entreprises sont liées par une garantie légale plus généreuse au Québec qu'ailleurs). Nous nous sommes cependant tenus au texte original en ce qui concerne la plupart des exemples, de sorte que le lecteur acquiert une meilleure compréhension de la diversité des pratiques commerciales. Et si nous avons apporté quelques précisions lorsque nous croyions que la présentation d'un concept pouvait être améliorée – en prenant en considération notamment les commentaires de nombreux professeurs ayant adopté la première édition de ce livre –, nous avons consciemment évité de modifier le texte, même si parfois notre opinion pouvait différer de celle des auteurs originaux.

Le résultat final est un texte rigoureux sur le plan conceptuel, qui s'appuie sur un vaste panorama des pratiques du marketing ici et ailleurs. Qui plus est, le livre se présente, fait rare dans le monde francophone, en couleurs, détail aux yeux de certains, mais qui revêt une certaine importance, notamment en reproduisant les publicités dans leurs couleurs originales ou mettant en évidence des emballages ou des logos dont la signification s'exprime vraiment de cette sorte. Ainsi, les universités offrant des programmes d'études bilingues auront un matériel équivalent dans la langue de Shakespeare et celle de Molière.

Une approche pratique

Cet ouvrage se distingue par son point de vue résolument pratique : les lecteurs n'y apprendront pas uniquement ce qu'est le marketing, mais aussi ses mécanismes et sa raison d'être. La matière y est présentée de façon que les étudiants acquièrent une solide compréhension des principes du marketing et qu'ils puissent les mettre en pratique pour résoudre des problèmes concrets, prendre des décisions éclairées et formuler des stratégies.

Les chapitres de ce manuel présentent de nombreux exemples qui montrent comment les entreprises utilisent la stratégie de marque, l'emballage, la fixation de prix, la vente au détail, le service et la publicité pour créer de la valeur à l'intention des consommateurs. À ce titre, nous présentons le concept de valeur dans le chapitre 1 et en traitons jusqu'à la fin du manuel. Des rubriques illustrent de façon détaillée des questions relatives à l'éthique, au marketing durable, au marketing des médias sociaux et au marketing entrepreneurial.

Remerciements

Remerciements de l'édition originale américaine

Dhruv Grewal désire remercier les personnes suivantes : James Littlefield, professeur de marketing, Virginia Tech ; Kent B. Monroe, John M. Jones, professeurs de marketing, University of Illinois ; A. Coskun Samli, professeur de marketing, University of North Florida ; Dianna L. Stone, professeur de management, University of Central Florida.

Michael Levy aimerait exprimer sa reconnaissance à : James L. Ginter, professeur émérite, The Ohio State University ; Roger A. Kerin, Harold C. Simmons, professeurs distingués de marketing, Southern Methodist University ; Mike Harvey, professeur de *Global Business*, The University of Mississippi ; Bernard J. LaLonde, professeur émérite, The Ohio State University ; Barton A. Weitz, JCPenney Eminent Scholar, The University of Florida.

Remerciements de l'édition canadienne anglaise

Nous dédions cet ouvrage à ceux dont l'influence a marqué les premières années de notre carrière.

Ajax Persaud souhaite remercier les personnes suivantes : Ken Danns, professeur, University of Guyana ; Leland Paul, professeur, University of Guyana ; Vinod Kumar, professeur, Eric Sprott School of Business, Carleton University ; Uma Kumar, professeur, Eric Sprott School of Business, Carleton University.

Shirley Lichti exprime sa gratitude à : Gordon McDougall, professeur émérite, School of Business and Economics, Wilfrid Laurier University ; Auleen Carson, professeur à la retraite, School of Business and Economics, Wilfrid Laurier University ; David Goodwin, professeur, Digital Arts Communication, University of Waterloo ; Brad Davis, professeur de marketing, School of Business and Economics, Wilfrid Laurier University.

Nous n'aurions pu accomplir seuls le travail que vous tenez entre vos mains. Nous souhaitons particulièrement remercier Stacey Biggar, qui, jusqu'à la fin du projet, a consacré ses précieux talents d'assistante de recherche, de rédactrice et de correctrice à la réussite de cet ouvrage. Nous n'aurions pu respecter toutes nos échéances sans elle. Nous remercions également les nombreux étudiants, chargés de cours et professeurs de la Wilfrid Laurier University, qui ont pris le temps de nous transmettre leurs commentaires et leurs impressions sur le contenu des chapitres, les cas et les exercices de la première version.

Par ailleurs, nous souhaitons remercier Priya Persaud, qui a travaillé comme assistante de recherche sur cet ouvrage, et Gautam Lamba, qui nous a aidés à rassembler une somme considérable d'articles de recherche. Nous voulons également remercier Kashif Memon, de la University of Waterloo, pour la conception du site Grewal Connect.

Nous adressons des remerciements particuliers à l'équipe talentueuse de McGraw-Hill Ryerson, Leanna MacLean, Andria Fogarty, Amy Rydzanicz, Alison Derry, Tracy Leonard, Deborah Cooper-Bullock, and Joy Armitage Taylor, sans qui notre travail aurait sans doute été beaucoup plus fastidieux. Nous avons eu un grand plaisir à travailler avec vous.

Des quatre coins du pays, des confrères et des consœurs spécialistes du marketing nous ont fait parvenir leurs commentaires et leurs critiques constructives. Nous les saluons avec gratitude :

Thomas Arhontoudis, George Brown College ; Harp Arora, University of Waterloo ; Arun Bhardwaj, NAIT ; Mark Boivin, University of Calgary ; Brian Broadway, Seneca College ; Janice Brown, Seneca College ; Alan Chapelle, Vancouver Island University ; Jane-Michelle Clark, York University ; Russell Currie, University of British Columbia ; Glen Davis, Red River College ; Ray Friedman, Lethbridge College ; Markarand Gulawani, Grant MacEwan University ; Dwight Heinrichs, University of Regina ; Marion Hill, SAIT Polytechnic ; Warveni Jap, Thompson Rivers University ; Denyse Lafrance, Horning Nipissing University ; Irene Lu, Carleton University ; Elaine MacNeil, Cape Breton University ; Michael Madore, University of Lethbridge ; Diamond Meuse, Eastern College ; Miguel Morales, St. Mary's University ; David Moulton, Douglas College ; Brent Pearce, Concordia University ; Margery Taylor, George Brown College ; William Thurber, York University.

Je souhaite remercier ma femme, Vidya, et mes enfants, Priya et Ryan, pour leur amour, leur soutien et leur sens de l'humour, sans lesquels l'écriture de ce livre n'aurait pas été aussi agréable. – *Ajax Persaud*

À mon mari, John, et à mon fils Stephen, qui, durant la démarche de recherche et d'écriture, m'ont patiemment encouragée et soutenue. – *Shirley Lichti*

Remerciements de l'adaptation française

Les auteurs souhaitent remercier toute l'équipe d'édition de Chenelière Éducation pour son excellent travail : Louise Drolet, pour la traduction ; Christine Langevin, pour la révision linguistique et la correction d'épreuves ; David Bouchet, éditeur et chargé de projet ; et Éric Monarque, éditeur-concepteur.

William Menvielle tient à souligner le travail de certains de ses étudiants de l'Université du Québec à Trois-Rivières, pour leurs recherches d'exemples et de données, leurs relectures, leurs conseils et leurs coups de main tout au long de cet ouvrage, en particulier Émilie Blanchard, Félix Poulin Castonguay et Dominique Lavergne. Il remercie également son frère et complice Loick Menvielle, professeur de marketing à l'EDHEC (France), pour ses conseils.

Je dédie ce livre à ma conjointe Louise et à mes trois filles, Heidi, Camille et Élodie, sources d'inspiration pour le choix de certains exemples, et de soutien pour l'adaptation de cette version. – *William Menvielle*

Présentation des auteurs

Auteurs de l'édition américaine originale

Dhruv Grewal

Dhruv Grewal, Ph.D. (Virginia Tech), est titulaire de la Chaire Toyota de commerce et affaires électroniques et professeur de mathématiques au Babson College. Il est membre émérite de l'Academy of Marketing Science. En 2010, il a obtenu le Prix Cutco/Vector des enseignants émérites, décerné par l'AMS, et le Lifetime Achievement Award in Retailing (groupe d'intérêt sur le commerce de détail de l'American Marketing Association). En novembre 2005, la Fordham University lui a attribué Lifetime Achievement in Behavioral Pricing Award. Il a également été désigné par ses pairs comme le premier contributeur aux six plus importantes revues de marketing entre 1991 et 1998 et de nouveau entre 2000 et 2007.

Le professeur Grewal a donné des séminaires et des cours à l'intention des gestionnaires et collaboré à des projets de recherche pour le compte de diverses entreprises, dont IRI, TJX, Radio Shack, Telcordia, Khimetriks, ProfitLogic, Monsanto, McKinsey, Ericsson, Council of Insurance Agents & Brokers (CIAB), Met-Life, AT&T, Motorola, Nextel, FP&L, Lucent, Sabre, Goodyear Tire & Rubber Company, Sherwin Williams, Esso International, Asahi, et pour de nombreux cabinets d'avocats. Il a donné des séminaires aux États-Unis, en Europe et en Asie.

Michael Levy

Michael Levy, Ph.D. (Ohio State University), est professeur de marketing du programme Charles Clarke Reynolds et directeur du Retail Supply Chain Institute au Babson College. Il a obtenu son doctorat en administration des affaires à la Ohio State University et fait ses études de 1er et 2e cycle en administration des affaires à la University of Colorado, à Boulder. Il a enseigné à la Southern Methodist University avant de devenir professeur et titulaire de la chaire de marketing à la Miami University.

Avant d'entreprendre une carrière universitaire, il a travaillé pour le compte de plusieurs détaillants et d'un distributeur d'articles ménagers du Colorado. Il a réalisé des projets de recherche auprès de nombreux détaillants et d'entreprises de technologie, dont Accenture, Federated Department Stores, Khimetrics (SAP), Mervyn's, Neiman Marcus, ProfitLogic (Oracle), Zale Corporation et plusieurs cabinets d'avocats.

Responsables de l'adaptation pour l'édition canadienne anglaise

Ajax Persaud

Ajax Persaud, Ph.D., est professeur agrégé de marketing et directeur du programme de M.Sc. en gestion de l'École de gestion Telfer de l'Université d'Ottawa. Il compte plus de 15 années d'expérience en enseignement postsecondaire dans des collèges et des universités situés au Canada et outre-mer. Le professeur Persaud a donné de nombreux cours de 1er et 2e cycle universitaire, notamment en marketing, marketing électronique, technologies numériques de marketing, marketing des hautes technologies, stratégie marketing, développement de nouveaux produits, finance entrepreneuriale, gestion de la R et D, gestion de la technologie et de l'innovation, économie et méthodes quantitatives. La qualité de son enseignement et de ses recherches lui a valu de nombreux prix et mentions d'excellence, dont un Prix d'excellence en éducation de l'Université d'Ottawa, en 2005.

Il a en outre donné de nombreux séminaires et ateliers à l'intention des gestionnaires, en plus d'offrir des services de conseil à de nombreuses petites entreprises en Guyane et au Canada. Donateur et bénévole au sein de sa collectivité, il s'investit auprès d'organismes voués à l'éducation et à l'aide aux enfants et aux jeunes défavorisés.

Shirley Lichti

Shirley Lichti, BA, MA, est chargée de cours à la School of Business and Economics de la Wilfrid Laurier University depuis 1993. Elle a donné divers cours de 1er et 2e cycle, dont une introduction au marketing, la construction et la gestion de produits, de services et de marques, le plan de communication intégré et le comportement du consommateur. Ayant œuvré durant 14 ans chez IBM, Mme Lichti a acquis une solide expérience en marketing, en publicité, en promotion et en formation. Elle a travaillé au Canada, dans les Caraïbes et au Japon.

Shirley Lichti dirige également Marketing Magic, une entreprise de conseil et de formation en communications marketing établie à Waterloo. Elle s'est illustrée comme conférencière principale lors de nombreuses conférences et a élaboré et donné des séminaires et des ateliers de marketing au sein de nombreuses organisations. Sa clientèle comprend de petites entreprises comme le Festival de Stratford, et des membres du *Fortune* 500, notamment la Financière Manuvie, Banque Scotia et Lexus Canada.

Responsables de l'adaptation pour l'édition canadienne française

Stéphane Gauvin

Stéphane Gauvin, Ph.D., est professeur titulaire au département de marketing de la Faculté des sciences de l'administration de l'Université Laval. Son enseignement s'appuie largement sur les technologies Internet qui ont été primées au Québec, aux États-Unis et en France.

Ses travaux de recherche portent sur l'impact qu'ont les technologies de l'information sur les pratiques d'affaires de même que sur la dynamique des groupes virtuels. M. Gauvin est Research Fellow de l'Institute for the Study of Business Markets et membre fondateur de l'Institut des affaires électroniques de l'Université Laval. Il a également agi à titre de consultant pour plusieurs entreprises et agences gouvernementales.

William Menvielle

William Menvielle, DBA, est professeur de marketing à l'Université du Québec à Trois-Rivières depuis 2004, où il enseigne les cours de fondements du marketing et le marketing international au 1er cycle. Il est aussi le premier diplômé du DBA de cette université.

Ses champs d'intérêt de recherche concernent la mesure de la satisfaction et le comportement d'achat sur Internet dans des contextes multiculturels, ainsi que le marketing de santé.

Le professeur Menvielle est auteur ou coauteur d'ouvrages, d'articles et de communications scientifiques. Il est aussi lauréat de prix, de bourses et de distinctions, dont le deuxième accessit pour le Prix d'innovation pédagogique en sciences de la gestion 2008, sous l'égide de l'Agence universitaire de la Francophonie. Il a également dirigé le programme de doctorat en administration de l'UQTR de 2011 à 2014.

Isabelle Garnier

Isabelle Garnier, MBA, est chargée d'enseignement à l'Université Laval, au sein du département de marketing de la Faculté des sciences de l'administration. Elle coordonne, avec le professeur Gauvin, le cours de fondement de 1er cycle en marketing à l'Université Laval. À titre d'enseignante, Isabelle Garnier intervient principalement au niveau du baccalauréat en administration.

Ses centres d'intérêt de recherche portent principalement sur la recherche en marketing et l'intégration des nouvelles technologies dans ce domaine.

Division des chapitres

La première partie du manuel, divisée en quatre chapitres, a pour thème central **l'évaluation du marché**. Après l'introduction au marketing du chapitre 1, le chapitre 2 porte sur la façon dont une organisation élabore un plan marketing. Entre autres thèmes principaux, ce chapitre s'intéresse aux moyens par lesquels une entreprise arrive à créer de la valeur, à offrir celle-ci au consommateur de façon efficace et à la lui faire connaître. Le chapitre 3 attire l'attention sur l'éthique en marketing et le marketing socialement responsable. Nous y présentons les modalités de la prise de décision éthique et relions les concepts clés en matière d'éthique au plan marketing, présenté dans le chapitre 2. Enfin, le chapitre 4, intitulé « L'analyse de l'environnement marketing », porte sur les moyens par lesquels les gestionnaires marketing arrivent à découvrir et à évaluer de façon systématique des occasions d'affaires. Les facteurs clés de l'environnement sont présentés pour montrer comment analyser ces occasions d'affaires et en tirer profit.

Cette partie comporte en outre :
- de nouvelles introductions avec des cas d'entreprises comme Tim Hortons, Kellogg's et Canadian Tire ;
- de nouvelles rubriques portant sur le marketing durable, le marketing et les médias sociaux, le marketing entrepreneurial, les forces d'Internet et les questions d'éthique ;
- une nouvelle présentation de l'environnement d'affaires (microenvironnement et macroenvironnement) ;
- une présentation simplifiée et plus pertinente du plan marketing, accompagnée d'un exemple présenté en annexe ;
- de nouvelles références, de nouveaux exercices et une nouvelle étude de cas sur Tim Hortons.

La deuxième partie du manuel compte trois chapitres qui visent à faire **comprendre le marché**. Le chapitre 5, consacré à la recherche en marketing et aux systèmes d'information marketing, présente les divers outils et techniques qu'utilisent les gestionnaires marketing pour déterminer des besoins et créer des produits et des services qui offriront de la valeur à leurs marchés cibles. Le chapitre 6 s'intéresse au comportement du consommateur et aborde tous les mécanismes qui sous-tendent sa décision d'acheter tel produit ou d'utiliser tel service. Le chapitre 7, consacré au commerce interentreprises, examine tous les aspects ayant trait aux motifs et aux mécanismes des transactions interentreprises.

Cette partie comporte en outre les modifications ou ajouts suivants :
- de nouvelles introductions présentant les entreprises E. D. Smith, Toyota et RBC ;
- de nouvelles rubriques portant sur le marketing durable, le marketing et les médias sociaux, les forces d'Internet et les questions d'éthique ;
- des contenus améliorés en ce qui concerne les facteurs influençant les processus et décisions d'achat ;
- de nouvelles références, de nouveaux exercices et de nouvelles études de cas sur les sondages sur appareils mobiles, Weight Watchers et Jenny Craig, et le *Globe and Mail*.

PARTIE 3
Le ciblage du marché

CHAPITRE 8   La segmentation, le ciblage et le positionnement

La troisième partie du manuel porte sur la façon de **cibler le marché.** Le chapitre 8 traite de la segmentation, du ciblage et du positionnement. Nous examinons comment les entreprises segmentent le marché, choisissent un marché cible et positionnent leur produit ou leur service en fonction des besoins et des désirs des consommateurs.

Cette partie comporte en outre les modifications ou ajouts suivants :
- une nouvelle introduction présentant les stratégies de ciblage de Coca-Cola ;
- de nouvelles rubriques portant sur le marketing durable, le marketing et les médias sociaux, les forces d'Internet, les questions d'éthique et le marketing entrepreneurial.

PARTIE 4
La création de valeur

CHAPITRE 9   Les décisions relatives au produit, à la stratégie de marque et à l'emballage
CHAPITRE 10 Le développement de nouveaux produits
CHAPITRE 11 Le service : un produit intangible

Marketing consacre trois chapitres à la **création de valeur.** Les chapitres 9 et 10 couvrent le développement et la gestion de produits et de marques. Bien qu'un grand nombre des concepts ayant trait à l'élaboration et à la gestion de services soient semblables à ceux qui concernent les marques physiques, le chapitre 11 examine, quant à lui, les défis propres au marketing des services.

Cette partie comporte en outre les modifications ou ajouts suivants :
- une nouvelle introduction au chapitre 10, présentant l'entreprise Inventables, chasseuse d'innovations, et la mise à jour des autres introductions ;
- de nouvelles rubriques sur le marketing durable, le marketing et les médias sociaux, les forces d'Internet, les questions d'éthique et le marketing entrepreneurial ;
- une mise à jour importante du chapitre 11 sur le marketing des services, incluant l'approche des sept « P » et des notions de services de base, de services périphériques et de services de base dérivés ;

- une présentation plus claire et pertinente des notions de produit, de ligne, de gamme et d'assortiment;
- une nouvelle étude de cas au chapitre 11, portant sur l'hôtellerie de luxe, et la mise à jour des autres études de cas.

PARTIE 5
La valeur transactionnelle

CHAPITRE 12 Les stratégies et concepts relatifs à la fixation des prix dans l'estimation de la valeur

Au sein d'une entreprise, la fixation des prix est l'activité qui vise à **négocier la valeur** en générant de l'argent et en influant sur les revenus. Le chapitre 12 examine l'importance de déterminer le juste prix, le ratio entre le prix et la quantité vendue, l'analyse du point mort, les conséquences des guerres des prix et l'effet d'Internet sur la façon de magasiner.

Cette partie comporte en outre les modifications ou ajouts suivants:
- une nouvelle introduction présentant la valeur perçue des nouvelles technologies du cinéma;
- de nouvelles rubriques portant sur le marketing durable, le marketing et les médias sociaux, les forces d'Internet, les questions d'éthique et le marketing entrepreneurial;
- des approches complémentaires quant à la notion de prix en situation oligopolistique, monopolistique et en situation de concurrence pure.

PARTIE 6
La distribution de valeur : concevoir le circuit de distribution et la chaîne d'approvisionnement

CHAPITRE 13 Les canaux de distribution : la stratégie de distribution
CHAPITRE 14 La vente au détail

Si Walmart est devenue le plus grand détaillant du monde, c'est principalement grâce à son système de **distribution de la valeur.** La livraison de marchandises aux magasins est calculée de manière à répondre à la demande au moment précis où elle se manifeste. Pour ce faire, Walmart a mis en place de nombreux programmes novateurs auprès de ses fournisseurs et des systèmes perfectionnés de transport et d'entreposage. *Marketing* consacre ainsi deux chapitres à la distribution de la valeur. Le chapitre 13 aborde les canaux et la stratégie de distribution de même que la chaîne d'approvisionnement. Le chapitre 14 se concentre sur le commerce de détail.

Cette partie comporte en outre les modifications ou ajouts suivants:
- de nouvelles introductions présentant une valeur sûre de l'industrie de la mode, Zara, et le géant américain, Apple;
- de nouvelles rubriques portant sur le marketing et les médias sociaux, le marketing durable, les forces d'Internet et le marketing entrepreneurial;
- la mise à jour des notions d'échange de données informatisé et de gestion de la chaîne d'approvisionnement;
- de nouvelles références et de nouveaux exercices.

Les méthodes visant à **communiquer de la valeur** sont plus complexes aujourd'hui en raison des nouvelles technologies ; les courriels, les blogues, le Web et la baladodiffusion enrichissent la stratégie de communication qui, jusqu'à récemment, misait uniquement sur la radio et la télévision pour relayer les messages aux consommateurs.

Marketing consacre deux chapitres à la communication de la valeur. Le chapitre 15 présente l'étendue du plan de communication intégrée. Le chapitre 16 porte sur quelques outils de la communication, soit la publicité, la promotion des ventes et la vente personnelle.

Cette partie comporte en outre les modifications ou ajouts suivants :
- de nouvelles introductions présentant McDonald's et Subaru ;
- de nouvelles rubriques portant sur le marketing et les médias sociaux, le marketing durable, les forces d'Internet et le marketing entrepreneurial ;
- des ajouts et des mises à jour quant à la notion de communication marketing intégrée ;
- de nouvelles références, de nouveaux exercices et une nouvelle étude de cas mettant en lumière les stratégies de la société Lions Gate Entertainment.

Le **marketing à l'échelle mondiale** concerne de plus en plus d'entreprises. En moins de 10 ans, lululemon est devenue une entreprise internationale et une grande réussite canadienne dans l'industrie du vêtement de sport et d'entraînement. Cependant, le marketing mondial touche même les petites entreprises, car elles achètent des matières premières, des produits et des services auprès d'entreprises situées dans d'autres pays. Le chapitre 17 est entièrement consacré à ce sujet, qui propose les modifications ou ajouts suivants :
- une nouvelle introduction présentant le cas de lululemon ;
- de nombreuses mises à jour sur les données mondiales ;
- de nouvelles rubriques sur le marketing et les médias sociaux, le marketing durable, les forces d'Internet et le marketing entrepreneurial ;
- de nouvelles références, de nouveaux exercices et une nouvelle étude de cas mettant en lumière les stratégies de l'entreprise canadienne lululemon.

Caractéristiques de l'ouvrage

Guider et optimiser l'apprentissage

Les objectifs d'apprentissage

Énumérés au début de chaque chapitre, les objectifs d'apprentissage en présentent les principaux sujets. Au fil des pages, un rappel de chaque objectif d'apprentissage apparaît en marge lorsqu'il en est question pour la première fois. Ces objectifs sont présentés de nouveau en fin de chapitre et résumés de façon à consolider l'apprentissage des principaux concepts.

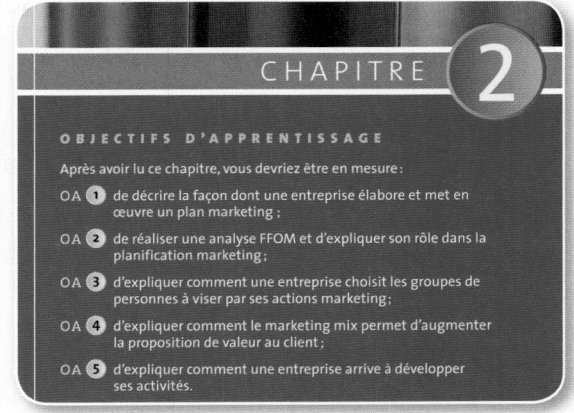

CHAPITRE 2

OBJECTIFS D'APPRENTISSAGE

Après avoir lu ce chapitre, vous devriez être en mesure :

OA **1** de décrire la façon dont une entreprise élabore et met en œuvre un plan marketing ;

OA **2** de réaliser une analyse FFOM et d'expliquer son rôle dans la planification marketing ;

OA **3** d'expliquer comment une entreprise choisit les groupes de personnes à viser par ses actions marketing ;

OA **4** d'expliquer comment le marketing mix permet d'augmenter la proposition de valeur au client ;

OA **5** d'expliquer comment une entreprise arrive à développer ses activités.

OA **1** Le plan marketing

Le plan marketing est un document écrit actuelle du marché, des opportunités d'a menaces possibles, les objectifs à atteindre, «P», le calendrier de mise en application

Les feuilles de route

Au début de chaque chapitre, une feuille de route présente, sous forme de graphique, les principales étapes que franchira le lecteur tout au long du chapitre. Par la suite, chaque étape est décrite en détail afin de permettre de mieux comprendre et intégrer la matière.

FEUILLE DE ROUTE

Le plan marketing

- Définir la mission/la vision
- Analyser la situation
- Reconnaître et évaluer les occasions d'affaires
- Mettre en œuvre le marketing mix
- Évaluer l'efficacité du plan marketing

Les stratégies de croissance

- Pénétration de marchés
- Développement de marchés
- Développement de produits
- Diversification

La stratégie de marketing et l'avantage concurrentiel durable

Les définitions en marge

Pour faciliter le processus d'apprentissage, les mots clés du chapitre sont repris en bleu et en gras dans la marge, accompagnés d'une définition brève et claire. Ces définitions figurent également dans le glossaire alphabétique à la fin du manuel.

processus de planification marketing (*marketing planning process*) Ensemble des étapes au travers desquelles passe un responsable lors de la conception d'un plan marketing.

du consommateur qu'à ceux de l'entreprise. Le Service du marketing peut informer la haute direction des occasions d'affaires et d'éventuelles menaces pour l'entreprise. De la même façon, il peut aviser les unités d'affaires stratégiques des changements relatifs aux habitudes de consommation ou les aider à mettre sur pied un service à la clientèle et des programmes de fidélisation communs à toutes les unités. Nous allons maintenant nous intéresser au **processus de planification marketing** touchant à un produit, à une marque ou à un marché en particulier.

Développer et illustrer le contenu

Outre son intérêt marqué pour le concept de valeur, *Marketing* s'appuie sur des exemples et des portraits d'entreprises qui illustrent les différents thèmes abordés – l'éthique, l'entrepreneuriat, Internet et les médias sociaux, le développement durable, la mondialisation –, toujours présentés dans le contexte du marketing.

Les cas d'introduction

En guise d'introduction, chaque chapitre commence par une mise en situation illustrant le contenu du chapitre. Ces mises en situation ont été soigneusement sélectionnées pour servir d'exemples de théorie mise en pratique par divers types d'entreprises.

Les rubriques

Le code de signalisation tricolore apposé sur les emballages des produits Kraft indique leur contenu en matières grasses, en sucre et en sel.

Question d'éthique Cette rubrique soumet au lecteur un cas qui illustre la notion de responsabilité sociale et présente les modalités de la prise de décision éthique.

Marketing entrepreneurial Pour illustrer l'esprit d'entreprise, cette rubrique présente des portraits d'entreprises innovantes et d'entrepreneurs qui ont réussi.

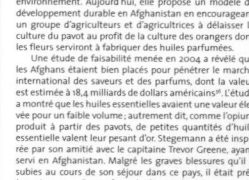

Le prix psychologique et le philosophie « Faites du parfum, pas la guerre » sur lesquels s'appuie le parfum 7 Virtues contribuent à faire vendre le produit.

Air Tansat est une des premières entreprises de transport aérien à avoir obtenu la certification Fly-360-Green^{MC}.

Marketing durable Il est question dans cette rubrique des enjeux environnementaux auxquels le professionnel du marketing est appelé à faire face.

Forces d'Internet La rubrique Forces d'Internet explore l'utilisation désormais incontournable d'Internet comme circuit de distribution et comme outil de marketing.

Forces d'Internet | **Vos idées en action chez Starbucks**

Les consommateurs utilisent Internet au quotidien pour échanger des renseignements, discuter de leurs centres d'intérêt et exprimer leurs doléances. Ayant compris que ses clients loyaux voulaient échanger des idées sur ses nouveaux produits, Starbucks a créé un site Web (www.mystarbucksidea.com) afin de leur faciliter la tâche. Comme ses clients savent mieux que quiconque ce qu'ils désirent et comment ils veulent être servis, Starbucks les encourage à exposer leurs idées, même les plus audacieuses.

Ce modèle de démocratie en action permet à tout internaute qui s'inscrit sur le site de formuler des suggestions. D'autres internautes peuvent en discuter et voter pour ou contre elles sur un forum en ligne pendant que Starbucks observe afin de repérer les idées les plus populaires. Des icônes placées à côté de chacune des « idées en action » indiquent si l'idée est à l'étude, déjà étudiée, en progression ou réalisée.

Cette participation des clients représente une mine d'or pour Starbucks qui les invite ainsi dans son laboratoire de recherche, pour ainsi dire. En intégrant les opinions de sa clientèle dans le processus de développement de produits, l'entreprise a accès à une source inépuisable d'idées nouvelles et de perfectionnements possibles, ainsi qu'à un marché test bien informé, et ce, à peu de frais.

Ce type de rétroaction a amené Starbucks à ajouter des boissons de soya à son menu afin de répondre aux besoins de ses clients intolérants au lactose. Bien que son site Web constitue l'endroit idéal pour recueillir les suggestions de ses clients sur de nouveaux produits, l'entreprise encourage également les visiteurs à exprimer leurs idées sur d'autres aspects, notamment dans les catégories « expérience » (commande, paiement, ramassage,

ambiance, lieux) et « engagement » (bâtir des communautés, responsabilité sociale).

Voici quelques-unes des suggestions formulées par les clients[1] :

- Créer un bâtonnet antidébordement pour empêcher le liquide de déborder par le couvercle des gobelets.
- Ne pas jeter les cartes Starbucks. Accorder plutôt un crédit de 25 cents aux clients qui acceptent de les recharger.
- Ajouter des glaçons faits de café aux cafés frappés pour éviter de les diluer.
- Offrir des plats sans gluten.

Pour éviter que les cartes Starbucks soient jetées, les clients ont suggéré d'accorder un crédit de 25 cents afin d'inciter à les recharger.

Marketing et médias sociaux | **Cineplex crée une communauté autour du divertissement**

Le lancement d'une communauté de réseautage social virtuelle (mycineplex.com) a donné à Cineplex Divertissement l'occasion d'expérimenter les médias sociaux. Devant le succès initial de son site Web, l'entreprise s'est empressée d'y ajouter une page Facebook, des concours, des sondages et des séances de questions et réponses afin d'encourager les interactions entre ses adeptes. Elle a publié des vidéos sur YouTube et créé une plateforme de partage de signets afin d'accroître la notoriété de sa marque et de communiquer le message que mycineplex était plus qu'un endroit où simplement vérifier les horaires des films.

L'adhésion à mycineplex est gratuite et rend plus concret un service par ailleurs intangible. La communauté virtuelle améliore l'expérience de divertissement pour les amateurs de cinéma, qui peuvent critiquer les films et en discuter avec d'autres adeptes. Les membres ont accès à des services uniques, comme des concours exclusifs, des projections de films en avant-première, des infolettres personnalisées et l'achat de billets en ligne et sur mobile[10]. Ainsi, Cineplex

a lancé, en exclusivité pour ses membres, un concours visant à promouvoir la sortie de la superproduction *Anges et démons*, inspirée du roman de Dan Brown. Ce concours donnait aux membres la chance de gagner des prix et illustrait ainsi certains avantages plus tangibles de l'adhésion au site.

En outre, son site permet à Cineplex de résoudre en partie le problème de la périssabilité de ses services. Les sièges vides des salles de cinéma ne peuvent être stockés pour un usage futur. En exploitant des outils de médias sociaux comme Facebook et Twitter, Cineplex incite ses membres à s'impliquer davantage afin de leur fournir des mises à jour au moment opportun. L'interactivité du site Web donne aux membres une foule de raisons d'aller plus souvent au cinéma de sorte qu'ils dépendent moins des médias grand public et passent plus de temps à bâtir une relation avec Cineplex. Il semble que les efforts de l'entreprise portent des fruits ; en effet, malgré l'effondrement des marchés boursiers en 2008, l'affluence dans les salles de cinéma a augmenté, tout comme les revenus de l'entreprise.

L'interactivité du site Web de Cineplex donne aux membres une foule de raisons d'aller plus souvent au cinéma.

Marketing et médias sociaux Cette rubrique aborde l'usage des médias sociaux, perçus comme un nouvel outil de ciblage marketing et de promotion des produits et des services.

Profil d'expert | Ami Shah

J'ai passé mon baccalauréat en administration des affaires à l'Université Wilfrid-Laurier. J'ai trouvé ce programme formidable, car il m'a procuré une expérience théorique et pratique du monde des affaires grâce à des programmes scolaires et coopératifs. C'est au cours de mes études que j'ai décidé d'orienter ma carrière vers le marketing.

J'ai décroché mon premier emploi chez Procter & Gamble (P&G) alors que j'étais encore à l'université. Après avoir rencontré des représentants de l'entreprise, j'ai eu l'impression que je m'y sentirais à l'aise, car nous avions des valeurs similaires. Je suis donc entrée dans la grande famille P&G et,

rétrospectivement, je suis vraiment contente d'avoir accepté cet emploi parce que j'ai adoré l'expérience.

J'ai débuté ma carrière en marketing à titre de directrice commerciale adjointe. Je me suis d'abord attaquée à deux marques de colorant capillaire dont la performance était médiocre : Natural Instincts et l'Image. Avec une équipe multidisciplinaire, j'ai évalué le marketing mix, puis j'ai élaboré et mis en œuvre des stratégies uniques pour augmenter la part de marché de chaque marque. Résultat : les ventes du colorant Natural Instincts, qui stagnaient depuis trois ans, ont augmenté de 15 % au cours de ma première année

Profil d'expert Cette rubrique, située à la fin de certains chapitres, présente l'emploi et le parcours de nouveaux diplômés en marketing.

Renforcer les acquis et prolonger l'étude du chapitre

En fin de chapitre, plusieurs rubriques viennent soutenir l'apprentissage :

Faites le point

OA 1 Décrivez le processus par lequel les entreprises communiquent avec les consommateurs

En apparence, la communication marketing intégrée est un jeu d'enfant : les consommateurs sont informés de l'existence d'un produit ou d'un service, celui-ci capte leur intérêt, ils désirent se procurer le produit ou le service, puis ils passent à l'action et l'achètent. Or, ce n'est pas aussi simple que cela. Premièrement, la communication marketing intégrée a un effet cumulatif. Les annonces passées influent sur les actions futures des consommateurs. Deuxièmement, comme chaque personne interprète les messages des campagnes de communication à sa façon, le gestionnaire marketing n'a pas toujours l'assurance qu'un message précis et

OA 3 Décrivez les étapes de l'élaboration d'un plan de communication marketing intégrée

Les entreprises définissent leur public cible, fixent des objectifs, établissent leur budget, communiquent le message, évaluent et choisissent les médias, créent la communication et, enfin, évaluent l'impact de celle-ci.

OA 4 Décrivez les appels publicitaires dont se servent les annonceurs pour attirer l'attention des clients

Les appels publicitaires sont rationnels ou émotionnels. L'appel rationnel exerce une influence sur les décisions d'achat

Faites le point Résume la matière du chapitre en lien avec les objectifs d'apprentissage.

Mots clés   Liste les mots défi-nis en marge dans le chapitre et se trouvant dans le glossaire.

Mots clés

- achat d'espace média, p. 516
- appel émotionnel, p. 515
- appel rationnel, p. 515
- argument publicitaire unique, p. 515
- blogue (ou carnet Web), p. 507
- boucle de rétroaction, p. 495
- bruit, p. 495
- calendrier d'insertions continues,
- communication marketing intégrée (CMI), p. 492
- couverture, p. 522
- décodage, p. 495
- effet décalé, p. 521
- émetteur, p. 493
- fréquence, p. 521
- marketing direct, p. 498
- marketing direct télévisuel, p. 502
- post-test, p. 520
- prétest, p. 520
- publicité, p. 496
- publicité mensongère, p. 493
- publipostage et courrier électronique, p. 499
- récepteur, p. 494
- règle simplifiée (ou heuristique), p. 513

Révision des concepts

1. Décrivez brièvement le processus de communication marketing et nommez les sources potentielles de bruit à chaque étape du processus.

2. Qu'est-ce qu'un plan de communication marketing intégrée ?

3. Décrivez les outils de communication marketing inté-grée utilisés par les gestionnaires marketing dans le cadre d'une campagne publicitaire.

4. Expliquez ce qui distingue la publicité de la promotion

communiquer avec leurs clients. En quoi ces médias modifient-ils la nature de la communication entre une entreprise et ses clients ?

7. Quelles sont les étapes de l'élaboration d'un plan de communication marketing intégrée ? Expliquez chacune d'elles brièvement.

8. Expliquez pourquoi une entreprise utiliserait une straté-gie d'aspiration par opposition à une stratégie de pres-sion dans ses communications marketing.

Révision des concepts   Permet de revoir, à l'aide de questions, les concepts abordés dans le chapitre.

Marketing appliqué   Aiguise le raisonnement critique des étu-diants et permet, à l'aide de questions, d'appliquer les prin-cipes théoriques étudiés.

Marketing appliqué

1. Juicy Couture, un fabricant de jeans design, a élaboré un nouveau plan de communication marketing inté-grée. L'entreprise a choisi d'annoncer ses jeans durant le bulletin de nouvelles de Radio-Canada et de CBC, et dans les magazines *Maclean's* et *Les Affaires*. Sa publicité annonce les nouveaux styles de la saison et met en vedette une jeune mannequin de 17 ans. Évaluez cette stratégie.

2. Noël approche et vous avez décidé d'acheter un bijou de Birks pour une personne qui vous est chère. Éva-luez comment les outils de communication utilisés par Birks (publicité, vente personnelle, relations publiques et médias électroniques) pourraient influer sur votre décision d'achat. En quoi l'importance relative de chaque

les prochaines fêtes de Noël. Cette interview fait-elle partie du plan de communication marketing intégrée de votre université ? Le cas échéant, est-elle profitable pour l'université ? De quelle façon ?

7. Un magasin de détail annonce des pantalons de yoga dans un quotidien local. Les ventes de pantalons aug-mentent considérablement au cours des deux semaines subséquentes de même que les ventes d'autres articles de sport. Quels sont les objectifs à court et à long terme de l'annonce à votre avis ? Expliquez votre réponse.

8. À titre de stagiaire chez Pneus Michelin, vous devez éta-blir un budget publicitaire. L'objectif du plan de commu-nication marketing intégrée est d'augmenter la part de

Internaute averti

1. Visitez le site Web de Cossette (http://www.cossette.com/fr/), une société-conseil en matière de plans de communication marketing intégrée. Ce site four-nitde nombreux exemples de plans de communica-tion marketing intégrée et des conseils en stratégie de communication. Sa section «Portfolio» est particuliè-rement intéressante. Sélectionnez un cas et répondez

2. L'association canadienne du marketing est la principale source d'information sur les activités relatives au marke-ting direct tant pour les universitaires que pour les prati-ciens. Le site de l'association (www.the-cma.org/french/) offre une pléthore de renseignements sur les pratiques de marketing direct et sur l'autoréglementation. À com-bien de marchés cibles différents l'Association s'adresse-

Internaute averti   Amène à mettre en pratique, sur Internet, la matière présentée dans le cœur du chapitre.

Étude de cas

DOVE ÉLARGIT LA DÉFINITION DE LA VRAIE BEAUTÉ CHEZ LES FEMMES... ET LES HOMMES

Dans un monde où les images de la beauté sont basées sur la séduction physique et les retouches numériques, l'*Initiative Vraie Beauté* de Dove apporte une bouffée de fraîcheur. La campagne, qui met en vedette de vraies femmes et non des mannequins professionnels, a été lancée au Canada par Unilever au début de 2004.

Lors d'une étude menée auprès de 3 200 femmes à l'échelle mondiale, Unilever a découvert que 76 % d'entre elles souhaitaient voir des portraits plus réalistes de la beauté dans la publicité. Seulement 2 % des femmes se décrivaient comme étant « belles ».

Selon Aleksandra Hoszowski, la chef de marque adjointe de Dove, l'approche d'Unilever en matière de plan de communication marketing intégrée consiste à axer sa campagne sur une idée clé des consommateurs. Or, l'idée clé qui est ressortie de l'étude était celle-ci : la définition actuelle de la beauté est trop étroite et les femmes souhaitent qu'elle change. Hoszowski affirme que Dove s'est donné pour mission d'élargir la définition de la beauté. L'*Initiative Vraie Beauté* s'appuie sur la croyance que la beauté existe à tout âge et dans des formes et des tailles variées, et que la vraie beauté peut être saisissante.

Étude de cas   Invite le lecteur à réfléchir à certains enjeux de marketing ou, encore, traite des stratégies d'une entreprise.

Table des matières

CHAPITRE 1

OBJECTIFS D'APPRENTISSAGE

Après avoir lu ce chapitre, vous devriez être en mesure :

OA **1** de définir le marketing et d'expliquer ses concepts clés ;

OA **2** d'expliquer comment les gestionnaires marketing ajoutent de la valeur à un produit ou à un service ;

OA **3** de décrire les quatre optiques du marketing ;

OA **4** de définir le rôle de la gestion de la relation client dans la création de valeur ;

OA **5** d'expliquer l'importance du marketing tant à l'intérieur qu'à l'extérieur de l'entreprise.

La définition du marketing

Le marketing est une pratique consistant essentiellement à créer de la valeur pour les consommateurs et les actionnaires de l'entreprise. Pour ce faire, comme vous le verrez tout au long de ce manuel, les gestionnaires marketing doivent établir et entretenir des relations durables et rentables avec les consommateurs. Ils doivent cerner leurs besoins et leurs désirs, et tenter de satisfaire ceux-ci en proposant aux consommateurs les biens et les services qu'ils veulent, en fixant des prix raisonnables et en choisissant un mode de communication et de distribution approprié.

Prenons l'exemple de Tim Hortons, la plus grande chaîne de restaurants à service rapide, spécialisée dans les cafés et les produits de pâtisserie. Lancée en 1964 à Hamilton en Ontario, voilà désormais plus de 50 ans que Tim Hortons crée de la valeur en misant sur un bon rapport qualité/prix de ses produits offerts partout au Canada et dans quelque 500 points de vente aux États-Unis et mis en marché par de nombreuses campagnes de communication (publicité à la télévision, à la radio et concours).

Tim Hortons innove régulièrement en proposant sans cesse de nouvelles catégories de produits aux consommateurs. Si, au début du concept, les consommateurs n'avaient droit qu'à du café et des beignes (beignets aux pommes ou hollandais), le restaurant s'est vite diversifié, lançant les Timbits en 1976 et toute une série de pâtisseries [muffins et gâteaux (1981), tartes (1982), croissants (1983), biscuits (1984)], mais aussi de produits salés [soupes et chili (1985), fèves au lard (1988)]. Lors de la décennie suivante, les consommateurs ont pu découvrir les sandwichs (1993) et leurs améliorations quelques années plus tard, les bagels (1996) et de nombreux cafés aromatisés. Les années 2000 ont été marquées par de nouveaux sandwichs, de nouvelles pâtisseries ou encore des yaourts.

Mais Tim Hortons offre plus que des produits au sein de ses restaurants. Pour les personnes pressées, il est aussi possible de commander pour emporter, en magasin ou au service à l'auto. L'entreprise s'est d'ailleurs implantée sur les principaux axes routiers en zone urbaine, proche des échangeurs d'autoroutes, dans des centres commerciaux ou des universités afin de maximiser sa visibilité et son accessibilité. Les restaurants sont ouverts 7 jours par semaine pour la plupart, et certains offrent un service 24h/24.

Enfin, les plus fidèles consommateurs peuvent aussi se procurer les différentes variétés de cafés (standard, décaféiné ou aromatisé) au sein des restaurants, mais aussi auprès de nombreuses épiceries. Depuis peu, Tim Hortons a conçu et mis en vente ses propres capsules T DISCs, dosettes intelligentes pour les machines automatiques Tassimo, permettant ainsi de retrouver chez soi le même café que celui servi au restaurant.

Mais Tim Hortons va plus loin que la simple vente de cafés, sandwichs ou pâtisseries. Assez rapidement d'ailleurs, dans le développement de l'entreprise, un des copropriétaires initiaux, Ron Joyce, crée la Fondation Tim Hortons pour les enfants défavorisés afin de rendre hommage à Tim Horton, l'autre copropriétaire original et ancien joueur de hockey des Maple Leafs de Toronto.

Même si Tim Hortons doit affronter une concurrence aux multiples visages (autres restaurants rapides, café dans les épiceries, dosettes café d'autres marques), il n'en demeure pas moins

que l'entreprise progresse inexorablement depuis 50 ans, en ouvrant de nouveaux points de vente (1 restaurant en 1964, 300 en 1987, 500 en 1991, 2 000 en l'an 2000 et plus de 3 000 aujourd'hui), mais aussi en lançant de nouveaux produits, année après année. Pour assurer cette réussite, Tim Hortons applique les concepts de base du marketing, en proposant les bons produits aux bons endroits aux bons consommateurs et en tissant des relations commerciales fructueuses avec ces derniers. Le slogan «Toujours frais» et un service exceptionnel demeurent la clé du succès.

Décrivez la valeur que Tim Hortons offre à ses clients. Quels sont, d'après vous, les principaux facteurs de la croissance et de la réussite phénoménales de Tim Hortons ?

Qu'est-ce que le marketing ?

Contrairement aux autres sujets que vous avez pu étudier, vous connaissez déjà très bien le marketing. Vous entamez votre journée en acceptant de vous laver une tasse pour déguster un café bien chaud. Puis, vous mettez de l'essence dans votre voiture. Vous assistez à un cours que vous avez choisi et payé. Le cours terminé, vous dînez à la cafétéria, faites un saut chez le coiffeur, téléchargez quelques chansons à partir du site iTunes d'Apple et allez au cinéma. Dans chaque cas, vous avez agi comme un acheteur et décidé si vous deviez ou non donner votre temps ou votre argent en contrepartie d'un service ou d'un produit particulier. Si, une fois de retour chez vous après le cinéma, vous décidez de vendre un CD aux enchères sur eBay, vous êtes devenu un vendeur. Et lors de chacune de ces transactions, vous avez fait du marketing, parce que vous avez participé à un échange de valeur afin de répondre à un besoin.

Dans ce premier chapitre, nous nous pencherons sur la nature du marketing et sur la façon dont il crée de la valeur pour les clients. Nous examinerons comment les quatre leviers d'action interconnectés d'un plan de marketing – les quatre «P», soit le produit (*product*), le prix (*price*), la distribution (*place*) et la communication (*promotion*) – permettent la création, l'échange, la distribution et la transmission de valeur. De même, nous verrons où le marketing est mis en œuvre et comment il a évolué vers le concept de marketing axé sur la valeur. Enfin, nous étudierons pourquoi le marketing est une fonction cruciale de toute entreprise prospère. Consultez la feuille de route qui suit pour connaître le contenu du chapitre.

FEUILLE DE ROUTE

- LA DÉFINITION DU MARKETING
- Qu'est-ce que le marketing ?
- Marketing mix
- Environnement marketing, consommateurs et entreprise
- Les optiques du marketing
- Le marketing axé sur la valeur
- L'importance du marketing

marketing (*marketing*)
Série de pratiques commerciales dont le but est de prévoir quels produits et services devraient être lancés sur le marché et de présenter ces derniers de manière à établir une relation durable avec la clientèle visée.

plan marketing
(*marketing plan*)
Document écrit comprenant une analyse de la situation actuelle, des opportunités d'affaires qui s'offrent à l'entreprise et des menaces possibles, les objectifs à atteindre, les stratégies relatives aux quatre «P», le programme d'action ainsi que l'état des résultats (et autres états financiers) prévisionnels.

L'Association canadienne du marketing indique que «le **marketing** est un ensemble de pratiques commerciales conçues pour planifier et présenter les produits ou les services d'une organisation de manière à développer des relations efficaces avec ses clients[1]». Que signifie cette définition au juste ? Un marketing efficace n'est pas une activité aléatoire ; il exige une planification soigneuse et prend en compte les répercussions éthiques de toutes les décisions de l'entreprise sur les consommateurs et la société en général. Les entreprises élaborent un **plan marketing** (chapitre 2), qui décrit les activités de marketing pour une période donnée. Ce plan précise, entre autres, comment le produit ou le service sera créé ou élaboré, quel en sera le prix ainsi que le lieu et le mode de distribution et de communication.

Dans tout échange, l'acheteur et le vendeur doivent être satisfaits de la valeur qu'ils retirent de la transaction. Dans notre exemple précédent, vous devez être satisfait, et même ravi, des chansons iTunes que vous avez téléchargées et Apple doit être satisfaite du montant que vous lui avez versé. Les aspects clés du marketing sont illustrés dans la figure 1.1, à la page suivante. Voyons comment ils se présentent dans la pratique.

OA **1**   **FIGURE   1.1   Les aspects clés du marketing**

Le marketing vise la satisfaction des besoins et des désirs des consommateurs

La compréhension et la satisfaction des besoins et des désirs des consommateurs sont essentielles au succès du marketing. Un **besoin** est une sensation de manque lié aux nécessités de la vie comme se nourrir, se vêtir, avoir un toit ou être en sécurité. Un **désir** est la façon particulière dont une personne décide de combler son besoin et qui est déterminée par ses connaissances, sa culture et sa personnalité. Par exemple, lorsque vous avez faim, vous avez besoin de nourriture. Certaines personnes voudront assouvir leur faim au moyen d'un sandwich ou d'un sous-marin, tandis que d'autres préféreront une soupe et une salade. La compréhension des besoins des consommateurs est abordée en détail dans le chapitre 6, qui porte sur le comportement du consommateur.

Si elle veut comprendre les besoins et les désirs des consommateurs, l'entreprise doit d'abord définir le type de clientèle ou de **marché** visé par son produit ou son service. En général, ce marché est constitué de tous les consommateurs qui veulent les produits ou les services d'une entreprise ou en ont besoin, et ont les moyens et la volonté de les acheter. Même si les gestionnaires marketing préféreraient vendre leurs produits et leurs services à tout le monde, cela ne serait pas pratique.

Les gestionnaires marketing divisent donc le marché en sous-groupes ou segments de population auxquels ils destinent leurs produits, leurs services ou leurs idées. Par exemple, bien que le marché des utilisateurs de dentifrice soit susceptible d'englober la plupart des habitants de la planète, les fabricants de Crest pourraient le diviser en catégories : les adolescents, les adultes et les personnes âgées, ou peut-être les fumeurs, les buveurs de café et les buveurs de vin. Si vous fabriquez un dentifrice qui enlève les taches de goudron et de nicotine, vous voudrez savoir pour quels segments du marché votre produit est le plus pertinent, puis vous assurer que votre stratégie de marketing répond aux besoins et aux désirs des groupes cibles, appelés **marché cible**. Le chapitre 8 explique comment les entreprises segmentent le marché en fonction des produits et des services qu'elles offrent, puis choisissent un segment comme cible ainsi que la meilleure façon d'atteindre ce segment. Pour cerner les groupes d'acheteurs qu'elle veut cibler, l'entreprise doit effectuer une étude de marché. Les types

besoin (*need*)
Sensation de manque lié à la condition humaine (se nourrir, se vêtir, avoir un toit, être en sécurité, avoir des relations affectives, combler ses aspirations, etc.).

désir (*want*)
Façon particulière dont une personne décide d'assouvir son besoin. Cela dépend de ses connaissances, de sa culture et de sa personnalité.

marché (*market*)
Groupe d'individus auquel s'intéresse une entreprise en vue de lui vendre un produit, un service ou une idée.

marché cible (*target market*)
Segment du public ou groupe de clients à qui une entreprise cherche à vendre ses produits ou ses services ; clients éventuels qui s'intéressent au produit ou au service et qui ont les moyens de se le procurer.

d'études de marché qui permettent aux gestionnaires marketing de prendre des décisions éclairées sur divers aspects du marketing mix sont décrits dans le chapitre 5.

Le marketing entraîne un échange de valeur

Le marketing est fondé sur un **échange** de biens de valeur entre l'acheteur et le vendeur de sorte que chacun y trouve son compte. Comme le montre la figure 1.2, le vendeur offre un produit ou un service, en communique la valeur au consommateur, puis en organise la distribution. L'acheteur complète l'échange en donnant de l'argent et de l'information au vendeur. Supposons que vous appreniez la sortie du dernier album de Cœur de pirate en regardant la chaîne Musique Plus ; l'animateur fait une critique du produit et mentionne que ce dernier est vendu sur iTunes. Vous achetez l'album en ligne. Outre qu'elle recueille les informations nécessaires à la facturation et à l'expédition de l'album, Apple enregistre les détails de la transaction : elle pourra utiliser ces informations au cours des prochains mois pour vous annoncer le lancement d'un nouvel album ou la tenue d'un concert dans votre région. Par conséquent, non seulement Apple fait de l'argent grâce à cette transaction, mais elle peut faire appel aux renseignements que vous lui donnez pour faciliter un échange futur et consolider sa relation avec vous – une valeur ajoutée tant pour vous que pour Apple.

Quand vous achetez un album de Cœur de pirate, vous participez à un échange. Vous obtenez la musique et votre partenaire d'échange obtient de l'argent et des renseignements sur vous.

Les décisions relatives au produit, au prix, à la distribution et à la communication

Depuis toujours, le marketing se divise en un ensemble de décisions interconnectées concernant le produit, le prix, la distribution et la communication, comme le montre la figure 1.3 à la page suivante[2]. Ensemble, ces décisions constituent le **marketing mix**, soit les moyens d'action mis en œuvre par une entreprise pour répondre aux désirs de ses marchés cibles. Mais à quoi chacune de ces décisions correspond-elle ?

Le produit : la création de valeur

L'un des principaux objectifs du marketing est de créer de la valeur en mettant au point une variété d'offres qui comprennent des biens, des services et des idées afin de répondre aux besoins des consommateurs. Prenons l'eau, par exemple. Il n'y a pas si longtemps, les consommateurs voyaient ce produit de base comme de l'eau, tout simplement. L'eau sortait du robinet, on la buvait et l'on se lavait avec. Mais, s'inspirant de sociétés européennes comme Perrier (France) et San Pellegrino (Italie), plusieurs sociétés canadiennes, telles que Clearly Canadian, Canadian Springs et Montclair, ont

échange (*exchange*)
Activité commerciale entre un vendeur et un acheteur au cours de laquelle chacun échange des biens de manière que chacun y trouve son compte.

marketing mix (ou quatre « P ») (*marketing mix [four Ps]*)
Dosage des moyens d'action dont une entreprise se sert pour satisfaire ses marchés cibles, soit le produit, le prix, la distribution (*place*) et la communication (*promotion*).

FIGURE	**1.2**	L'échange : la base de la relation vendeur-acheteur

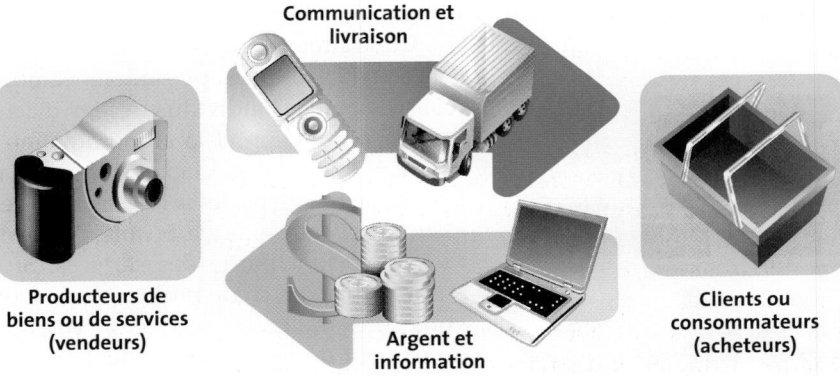

Communication et livraison

Producteurs de biens ou de services (vendeurs)

Argent et information

Clients ou consommateurs (acheteurs)

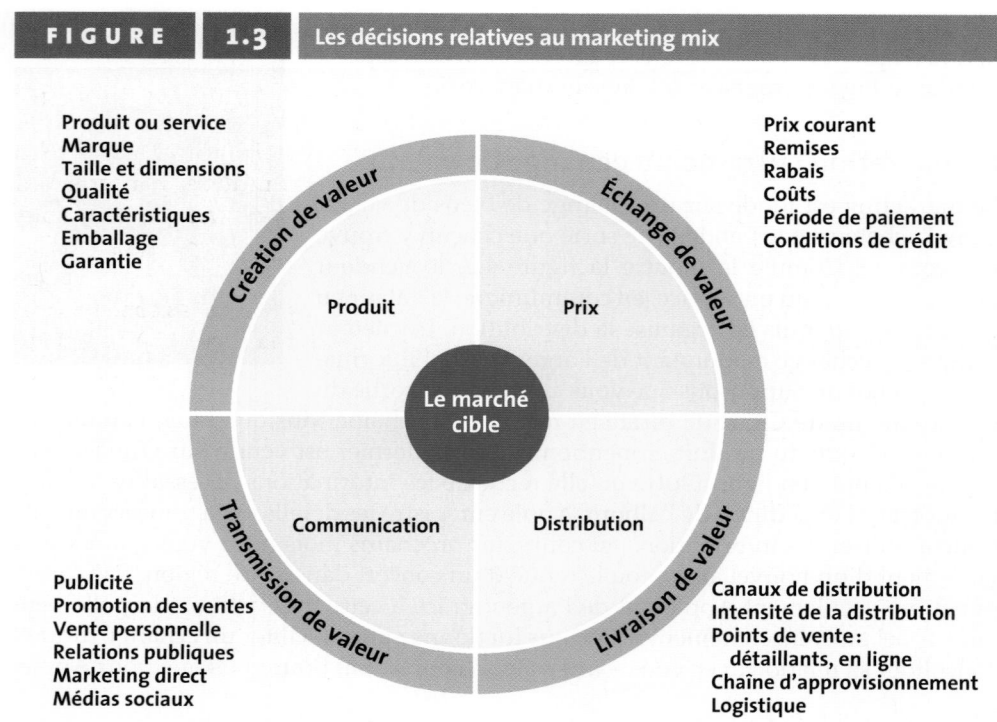

OA **2** **FIGURE** **1.3** Les décisions relatives au marketing mix

conçu un produit dont les consommateurs apprécient les bienfaits. En plus de rendre l'eau facilement accessible, cette valeur créée se trouve avant tout dans l'image de marque du produit, qui permet aux utilisateurs de clamer «Je suis en bonne santé», «Je suis intelligent» et «Je suis raffiné»[3]. Toutefois, depuis peu, l'eau embouteillée soulève une opposition croissante qui non seulement la présente comme inacceptable sur le plan de la responsabilité sociale, mais qui a également poussé certaines organisations à interdire la vente d'eau en bouteilles sur leur propriété. Ainsi, l'Université d'Ottawa a banni la vente d'eau embouteillée sur son campus et s'est déclarée «zone sans bouteilles d'eau»; elle a installé de nouvelles fontaines partout sur le campus au coût de 75 000 $[4]. La valeur consiste aussi pour l'usine d'embouteillage à proposer des bouteilles provenant de sources recyclées ou naturelles (faites à partir de plantes) et recyclables. L'entreprise doit contribuer au bien-être de la société.

bien (*good*)
Produit physique, qui peut être touché.

service (*service*)
Offre intangible qui requiert une action, une performance ou un effort qui n'est pas matériel.

Clearly Canadian a créé un produit dont les consommateurs apprécient les bienfaits.

Les **biens** sont des produits tangibles. Les vêtements Roots, la bière Boréale et le Kraft Dinner sont des exemples de biens parmi une multitude d'autres. Le groupe Robitaille, un important acteur du secteur agroalimentaire québécois, a lancé à la fin des années 1990 le porc Nagano, une viande de porc commercialisée dans plus de 200 supermarchés IGA au Canada. L'entreprise offre ainsi de la valeur à ses clients en leur proposant une viande plus savoureuse et plus juteuse (*voir la rubrique Marketing entrepreneurial, p. 17*).

Contrairement aux biens, les **services** sont des activités ou des prestations intangibles réalisées par des individus ou des machines, dont la production et la consommation sont simultanées et indissociables l'une de l'autre. Les voyages aériens, les services bancaires, les assurances, les soins de beauté et les divertissements font partie des services. Si vous assistez à un match de hockey ou de football, vous consommez un service. Si vous retirez de l'argent de votre compte dans un guichet automatique ou au comptoir, vous recourez à

un service. Dans ce cas, les guichets ajoutent généralement de la valeur à votre expérience bancaire du fait qu'ils sont bien situés, rapides et faciles à utiliser.

De nombreuses offres représentent une combinaison de produits et de services. Supposons que vous alliez chez Lunetterie New Look. Vous passez un examen de la vue (un service) et achetez de nouvelles lentilles cornéennes (un produit). Si vous aimez la musique de Taylor Swift, vous pouvez assister à l'un de ses concerts, qui sera présenté une seule fois à un moment et à un endroit précis. Au concert, vous pouvez acheter un album de la chanteuse – le bien tangible qui vous procure à la fois un produit et un service.

Les **idées** englobent les pensées, les opinions, les philosophies et les concepts qui peuvent aussi être commercialisés. Des groupes préconisant la sécurité à bicyclette vont dans les écoles, donnent des conférences et parrainent des concours d'affiches illustrant des casques de vélo à l'intention des enfants, leur principal marché cible. Ensuite, les parents ainsi que les frères et les sœurs, soit leur marché cible secondaire, s'investissent par leurs interactions avec les jeunes participant aux concours. L'échange de valeur a lieu lorsque les enfants écoutent la présentation du commanditaire et portent leur casque en faisant du vélo. Cela signifie qu'ils ont adopté le principe de sécurité commercialisé par le groupe, qu'ils ont «acheté» cette idée en quelque sorte. Dans les chapitres 9, 10 et 11 de ce manuel, vous en apprendrez davantage sur les décisions, théories, applications et stratégies propres au marketing de biens et de services.

idées (*ideas*)
Processus mental comprenant notamment les pensées, les opinions, les philosophies et les concepts.

Le prix : l'échange de valeur

Tout a un prix, même si ce prix n'est pas toujours pécuniaire. Le **prix** représente tout ce que l'acheteur accepte de donner (argent, temps, énergie) en échange d'un produit. Les gestionnaires marketing doivent fixer soigneusement le prix d'un produit en se fondant sur la valeur que lui attribue l'acheteur potentiel. Par exemple, Air Canada peut vous emmener de Toronto à Vancouver ou à New York. Le prix de votre billet dépend du moment où vous l'achetez (à l'avance ou à la dernière minute), de l'époque de l'année, de la classe que vous choisissez (économique ou affaires) et, depuis peu, du fait que vous avez ou non des bagages enregistrés. Les passagers qui voyagent sans bagage obtiennent maintenant un rabais sur le prix de leur billet. Si cela vous arrange d'acheter votre billet à la dernière minute pour aller skier entre Noël et le jour de l'An et que vous voyagiez en classe affaires, vous pouvez vous attendre à payer de quatre à cinq fois plus que le billet le moins cher. Vous échangez alors un prix plus bas contre la commodité. Lorsqu'ils fixent les prix, les gestionnaires marketing doivent deviner combien les consommateurs sont prêts à payer afin qu'ils soient satisfaits de leur achat et que le vendeur touche un profit raisonnable.

prix (*price*)
Somme des efforts que le client est prêt à faire (quant à l'argent, au temps, à l'énergie) afin de se procurer un produit ou un service.

De nombreuses offres sont une combinaison de biens et de services. À un concert de Taylor Swift, vous pouvez apprécier le spectacle (un service) et acheter son album (un bien).

La distribution : la livraison de valeur

La distribution est la troisième variable, après le produit et le prix, laquelle représente toutes les activités nécessaires pour acheminer le produit depuis son lieu de fabrication jusqu'au consommateur visé. Les décisions à cet égard concernent la mise sur pied d'un système qui permettra de distribuer le plus efficacement possible des quantités exactes du produit ou du service aux bons endroits et au bon moment afin de minimiser les coûts à l'échelle du système tout en donnant aux consommateurs le niveau de service demandé[5]. De nombreux gestionnaires marketing négligent l'importance de la gestion de la distribution dont une bonne partie des activités a lieu dans les coulisses. Mais faute d'un système de distribution solide et efficace, la marchandise n'est pas disponible à l'endroit ou au moment où les consommateurs veulent l'acheter. Ils sont déçus, et les ventes de même que les profits en souffrent. Nous verrons en détail les actions et les décisions relatives à la distribution dans le chapitre 13.

Pour comprendre comment la distribution ajoute de la valeur au produit, pensons à l'expérience de The Country Grocer, une petite épicerie indépendante qui a pignon sur rue à Ottawa. The Country Grocer a été la première épicerie canadienne indépendante à offrir ses produits en ligne. Son statut de commerce indépendant pourrait laisser croire que sa clientèle habite à quelques kilomètres du magasin. En fait, grâce à son site Web, The Country Grocer réalise plus de 30 % de ses ventes en Arctique de l'Est (à Iqaluit) et environ 5 % aux États-Unis. Les clients passent leur commande sur le site Web et The Country Grocer veille à livrer leurs achats à temps[6].

The Country Grocer est la première épicerie canadienne indépendante à vendre ses produits en ligne.

La communication : la transmission de valeur

Même les meilleurs produits et services ne se vendront pas si les gestionnaires marketing ne peuvent en communiquer la valeur à leurs clients. De très nombreuses entreprises de vente en ligne ont coulé à la fin des années 1990 en raison, entre autres, d'une mauvaise communication avec leur clientèle. Certaines de ces entreprises offraient des produits sensationnels à des prix très raisonnables, mais comme les clients ne les trouvaient pas sur Internet, elles ont fait faillite. La communication est le recours, de la part des gestionnaires marketing, à des techniques de présentation qui visent à informer les acheteurs potentiels, à les convaincre et à leur rappeler un produit ou un service afin d'influer sur leurs opinions ou de susciter chez eux une réaction. La communication marketing améliore généralement la valeur d'un produit ou d'un service, comme ce fut le cas pour les jeans Parasuco. Les publicités provocantes de l'entreprise contribuent à créer une image qui exprime plus que « Achetez ce vêtement, il vous ira bien ». Elles vendent plutôt la jeunesse, un style et du *sex-appeal*.

Les quatre « P » sont interconnectés. Bien que les gestionnaires marketing créent de la valeur au moyen de chacun des quatre « P », ils peuvent offrir une plus grande valeur aux consommateurs en les configurant comme un tout plutôt que comme des entités distinctes. Plus précisément, le produit ou le service offert doit répondre aux besoins et aux désirs spécifiques du marché cible, être vendu à un prix raisonnable et être offert aux endroits où les consommateurs veulent l'acheter, et sa présentation de même que le média choisi doivent être appropriés à la clientèle visée. Par exemple, les articles de luxe ou de haute couture signés Coach, Louis Vuitton et Swarovski sont bien faits, vendus à prix d'or, offerts dans certains points de vente exclusifs et annoncés uniquement dans certains médias dont les publicités mettent l'accent sur le style, la mode, le *sex-appeal*, etc.

Le marketing est façonné par des forces et des acteurs internes

Il est important de reconnaître que les activités de marketing d'une entreprise sont influencées non seulement par des facteurs internes, mais aussi par des forces, des organisations et des individus extérieurs à l'entreprise, comme le montre la figure 1.4. Les consommateurs sont au cœur de toutes les activités de marketing, et leur offrir la meilleure valeur qui soit permet de les attirer vers certains produits et de les fidéliser. Pour leur offrir la meilleure valeur, les gestionnaires marketing doivent exploiter au maximum les capacités internes de l'entreprise ; travailler efficacement avec leurs partenaires, comme les fournisseurs, les distributeurs et d'autres intermédiaires (institutions financières, agences de publicité, spécialistes de la recherche, etc.); et ne jamais cesser d'analyser l'environnement concurrentiel et d'y réagir.

Les fournisseurs ou même les cataclysmes naturels peuvent influer considérablement sur les activités de marketing d'une entreprise, avec des conséquences parfois dévastatrices. En mars 2011, un tremblement de terre suivi d'un tsunami ont détruit plusieurs réacteurs nucléaires au Japon, interrompant ainsi la production d'électricité et la production industrielle dans ce pays. Ce cataclysme naturel a également perturbé les entreprises nord-américaines qui dépendaient de fournisseurs ou d'intrants japonais. Ainsi, Honda et Toyota ont toutes deux réduit de façon

Parasuco est connue pour ses publicités provocantes qui ornent les panneaux d'affichage et pour son recours à des célébrités pour commercialiser ses vêtements en denim.

draconienne la production de leurs modèles 2011 en raison de la rareté de certains composants électroniques et d'autres pièces d'ordinaire importées du Japon. Cette réduction a entraîné une grave pénurie chez les concessionnaires de voitures japonaises canadiens et américains au printemps, l'une des saisons les plus rentables en ce qui concerne la vente de voitures neuves[7].

Le marketing est façonné par des forces et des acteurs externes

Comme le montre la figure 1.4, des forces extérieures à l'entreprise, telles que les facteurs culturels, démographiques, sociaux, technologiques, économiques, politiques et juridiques déterminent les activités de marketing d'une entreprise. Ainsi, les préoccupations liées à l'environnement de même qu'à l'obésité constituent deux tendances sociales qui sont en train de modifier les activités de mise en marché de la plupart des entreprises. En réaction à ces tendances, les gestionnaires marketing commencent à utiliser des emballages plus écologiques pour leurs produits; certains intègrent même des matériaux de rechange plus écologiques à leurs produits. En ce qui a trait à l'obésité, les gestionnaires marketing tentent de mettre

FIGURE	**1.4**	L'environnement marketing

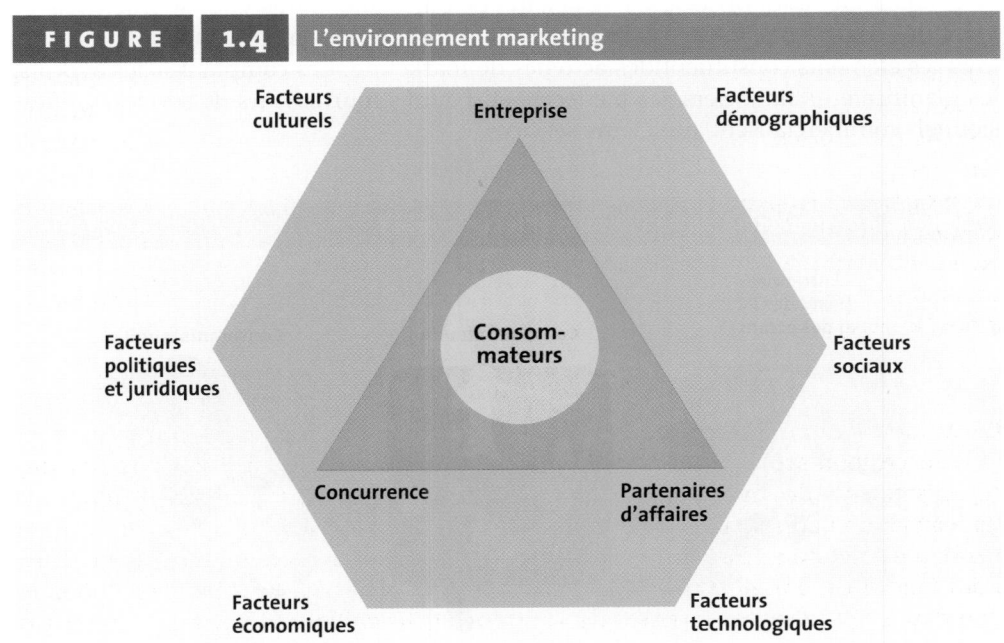

leurs produits en valeur en y apposant des mentions telles que «non gras», «faible en gras», «sans matières grasses», «sans sucre» ou «sans cholestérol».

De même, les détaillants en alimentation s'adaptent aux changements observés dans la composition de la population canadienne. Comme le nombre d'immigrants d'origine chinoise et sud-asiatique est en hausse actuellement au Canada et qu'il continuera sans doute d'augmenter au cours de la prochaine décennie, de nombreux détaillants alimentaires ont élaboré des produits et des services spécialement adaptés aux besoins de ces groupes. L'ouverture par Sobeys de ses magasins d'alimentation à rabais FreshCo illustre de façon retentissante les efforts déployés par un détaillant pour rejoindre et servir cette clientèle. L'agencement de ces magasins, les produits et le niveau de service offerts ainsi que les prix répondent spécifiquement aux besoins de ce segment de la population canadienne.

L'influence de tous ces facteurs est expliquée plus en détail dans le chapitre 4. La rubrique Marketing durable ci-contre décrit les efforts des gestionnaires marketing pour adopter des pratiques plus responsables socialement.

Le marketing est pratiqué tant par des individus que par des organisations

Imaginez comme votre vie serait compliquée si vous deviez acheter tout ce que vous consommez directement aux producteurs ou aux fabricants. Il vous faudrait aller d'une ferme à l'autre pour acheter votre nourriture et d'un fabricant à l'autre pour acheter la table, les assiettes et les couverts dont vous avez besoin pour manger. Heureusement, des intermédiaires comme les détaillants achètent de grandes quantités de marchandises aux producteurs et vous les revendent en petites quantités. Le processus par lequel les entreprises vendent leurs produits aux consommateurs est appelé **commerce de détail (ou B2C)**, tandis que l'échange de produits ou de services entre deux entreprises s'appelle **commerce interentreprises (ou B2B)**. Certaines entreprises comme General Electric (GE) s'adonnent à la fois au commerce de détail et au commerce interentreprises. Toutefois, avec l'apparition de divers sites Web comme eBay et Kijiji, et de services de paiement en ligne comme PayPal, les consommateurs ont commencé à vendre leurs produits et leurs services à d'autres consommateurs, créant ainsi une troisième catégorie: le **commerce interconsommateurs (ou C2C)**. Ces différentes transactions sont illustrées dans la figure 1.5. Les individus peuvent aussi mener des actions pour se commercialiser eux-mêmes. Ainsi, quand vous postulez un emploi, les recherches que vous faites sur l'entreprise, le CV et la lettre de présentation que vous soumettez avec votre demande, votre tenue vestimentaire et votre comportement pendant l'entrevue, tous ces éléments constituent des activités de marketing. Les comptables, les avocats, les planificateurs financiers, les médecins et d'autres fournisseurs de services professionnels commercialisent aussi leurs services.

commerce de détail (ou B2C)
(*business-to-consumers*) Activité économique (vente de produits ou de services) entre une entreprise et un consommateur.

commerce interentreprises (ou B2B)
(*business-to-business*) Activité économique (vente de produits ou de services) entre deux entreprises.

commerce interconsommateurs (ou C2C)
(*consumer-to-consumer*) Activité économique (vente de produits ou de services) entre deux consommateurs, comme on le voit souvent sur eBay, par exemple.

FIGURE 1.5 La pratique du marketing par les individus et les entreprises

Entreprise (fabrique des écrans d'ordinateurs) — B2B — Entreprise (vend des PC et des écrans) — B2C — Consommateur A — C2C — Consommateur B

| Marketing durable | Des pratiques de marketing plus vertes |

Aujourd'hui, la notion de développement durable, ou durabilité, est populaire dans divers segments de la société, comme les médias, les écologistes, les organismes sans but lucratif, les politiciens, les cadres d'entreprise et même les consommateurs. Mais qu'est-ce que la durabilité au juste, quels sont ses avantages et dans quelle mesure l'adoption de pratiques et de politiques de développement durable se répand-elle au sein des entreprises ?

Vous serez peut-être étonné d'apprendre que la définition de la durabilité semble varier en fonction des individus. Par exemple, dans un sondage mondial mené récemment auprès de 1749 cadres d'entreprise par McKinsey & Company, 55 % des répondants ont déclaré que la durabilité se rapportait à la gestion de questions environnementales telles que les émissions de gaz à effet de serre, l'efficacité énergétique, la gestion des déchets, le développement de produits écologiques et la conservation de l'eau. En outre, 48 % des répondants ont affirmé qu'elle était liée à des enjeux de gouvernance comme l'observation des règlements, l'adoption de pratiques éthiques et l'adhésion aux normes acceptées par l'industrie ; 41 % ont indiqué qu'elle touchait aussi la gestion de questions sociales comme les conditions et les normes de travail[8]. Bref, il semble que les organisations qui pratiquent la durabilité doivent s'efforcer de diriger leurs affaires de façon à minimiser les dommages environnementaux, à respecter des pratiques de bonne gouvernance et à répondre aux normes sociales.

Une approche globale et proactive de la durabilité repose en effet sur l'adoption de pratiques et de politiques centrées sur ces trois aspects : environnement, gouvernance et société. C'est donc dire qu'elles doivent être enchâssées dans toutes les facettes de l'organisation : gestion des ressources humaines, fabrication, mise en marché, production, planification, investissements et stratégie globale. En outre, la durabilité doit engager tous les employés, du PDG jusqu'à l'ouvrier d'atelier. L'adoption d'un plan global de développement durable est assez onéreuse, et un trop grand nombre d'entreprises se contentent de faire le strict minimum ou de mettre en œuvre des programmes à moindres frais. En fait, le sondage mondial mené par McKinsey & Company révèle que 36 % des dirigeants d'entreprise estiment que le principal avantage de la durabilité tient au fait qu'elle améliore la réputation de l'entreprise et de sa marque, tandis que moins de 20 % croient qu'elle augmente l'efficacité opérationnelle, diminue les coûts, offre des possibilités de croissance (nouveaux marchés et produits) ou renforce la position concurrentielle de l'entreprise.

Il est clair que nous en sommes aux premiers stades de l'adoption de politiques et de pratiques de développement durable, et il est normal qu'elle soit encore expérimentale et qu'elle provoque des sentiments d'euphorie, d'incertitude et de confusion. En général, la performance des organisations et des dirigeants s'améliore au fil du temps, à mesure que leurs connaissances s'approfondissent. Il faut s'attendre à ce qu'un nombre de plus en plus grand d'organisations mettent en œuvre de façon proactive des politiques et des pratiques de durabilité. Tout au long de ce manuel, nous présenterons divers exemples de pratiques de marketing durable adoptées par des sociétés canadiennes.

Peu importe que les organisations ou les individus s'adonnent au commerce B2B, B2C ou C2C, une chose paraît certaine : les **médias sociaux** sont rapidement en train de devenir une partie intégrante de leurs stratégies de mise en marché et de communication. Les politiciens en ont largement fait usage lors des élections fédérales en 2011 pour tenter de gagner le cœur et le vote des électeurs canadiens.

De plus, les médias sociaux ont joué un rôle spectaculaire dans les crises qui ont éclaté dans plusieurs pays du Moyen-Orient. Ils ont permis d'organiser des manifestations et de rapporter au reste du monde et en temps réel les événements qui s'y déroulaient. La rubrique Marketing et médias sociaux (*voir p. 15*) explique comment les gestionnaires marketing se servent des médias sociaux pour rejoindre leur clientèle.

média social (*social media*) Un média social est un média numérique visant à faciliter la création et le partage de contenu (information, connaissances, idées) généré par des utilisateurs qui collaborent et interagissent socialement.

Le marketing est pratiqué dans divers contextes

Beaucoup de gens croient que le marketing est une façon pour les entreprises de faire des profits, mais le marketing est aussi pratiqué par les organismes sans but lucratif (OSBL). Pensez à ce qui vous a poussé à choisir votre collège ou votre université indépendamment de votre famille, de vos amis et de l'aspect pratique. Il est probable que votre établissement d'enseignement ait mis au point un programme de marketing sophistiqué qui vise à attirer et à retenir les étudiants. Les hôpitaux, les salles de spectacles, les organismes caritatifs, les musées, les institutions religieuses, les politiciens et même les gouvernements ont recours au marketing pour communiquer leur message à leurs membres.

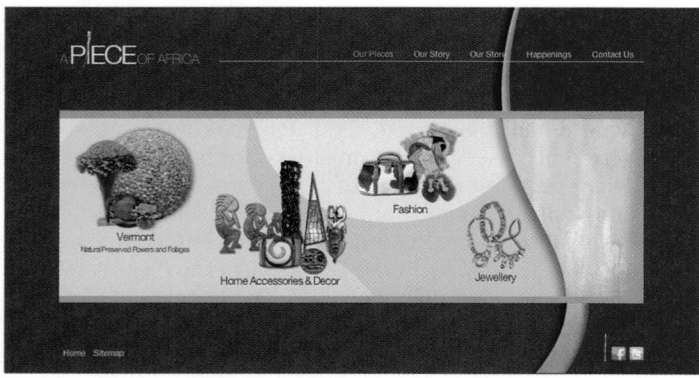

A Piece of Africa achète des œuvres à des artistes africains et les vend à des clients du monde entier par l'entremise de son site Web, créant ainsi un marché entièrement nouveau.

En outre, le marketing n'est pas seulement utile dans les pays ayant une économie bien développée. Il peut aussi stimuler les économies de pays en développement en mettant en contact des acheteurs et des vendeurs afin de créer de nouveaux marchés. A Piece of Africa, par exemple, achète des œuvres d'artistes africains et les vend à des clients du monde entier par l'entremise de son site Web, créant de la sorte un marché qui n'existerait pas autrement. Les clients ont ainsi accès à une foule de produits de divers pays, qui, auparavant, étaient offerts uniquement dans des galeries d'art à des prix exorbitants. Qui plus est, les artistes africains peuvent dépenser leurs revenus chez eux et stimuler de cette façon l'économie locale. Enfin, l'entreprise verse 3 % de ses recettes provenant des ventes en ligne à des projets humanitaires en Afrique, ce qui renforce son attrait en tant qu'entreprise responsable.

La campagne des Producteurs de lait du Québec bâtie autour du slogan « Tout va bien avec le lait » sensibilise le public aux bienfaits du lait tout en évoquant un aspect festif et en montrant à quel point le lait est complémentaire des autres types d'aliments.

Le marketing est souvent conçu de manière à profiter à une industrie tout entière et à aider une multitude d'entreprises simultanément. Au Québec, Les Producteurs de lait du Québec ont ainsi lancé une campagne très réussie avec le nouveau slogan « Tout va bien avec le lait », campagne dirigée vers différents marchés cibles. Cette campagne non seulement sensibilise le public aux bienfaits du lait, mais elle augmente aussi la consommation de lait dans divers segments visés[9]. Dans l'ensemble, cette campagne bénéficie à toute l'industrie laitière, et pas seulement à un exploitant de ferme laitière.

Maintenant que nous avons vu ce qu'est le marketing, voyons ses différentes optiques et comment il s'intègre dans l'univers du commerce et dans la société en général.

OA ③ Les optiques du marketing

Le marketing n'a pas acquis du jour au lendemain l'importance qu'il revêt en ce moment pour les individus, les entreprises et la société. Au cours des 100 dernières années, le marketing a cessé d'être une activité visant simplement à produire et à vendre des biens et des services pour devenir une fonction administrative intégrale ayant pour but de créer de la valeur pour les consommateurs et les actionnaires de l'entreprise. Afin de comprendre comment il a évolué et acquis sa fonction commerciale actuelle, qui consiste à créer de la valeur, nous survolerons quatre orientations possibles du marketing et quelques jalons de l'histoire du marketing (*voir la figure 1.6*).

L'optique de la production

Au tournant du XXe siècle, la plupart des entreprises cherchaient à maximiser la production et croyaient qu'un bon produit se vendrait de lui-même. En fait foi la célèbre phrase de Henry Ford, fondateur de la Ford Motor Company : « Le client peut choisir la couleur de sa voiture pourvu qu'elle soit noire. » Les fabricants cherchaient surtout à innover sans se préoccuper des besoins des consommateurs. Les magasins de détail étaient vus comme des endroits où entreposer les marchandises jusqu'à ce que des consommateurs veuillent les acheter. Les entreprises orientées vers le produit se concentraient sur l'élaboration et la distribution de produits innovants sans trop se demander si ces produits répondaient aux besoins de leurs clients.

Marketing et médias sociaux

Qu'est-ce qu'un média social?[10]

Lorsque vous entendez parler de médias sociaux, il y a de fortes chances pour que vous pensiez aussitôt à Facebook, YouTube, myspace et Twitter. À l'origine, beaucoup de ces sites étaient vus comme des endroits où les internautes échangeaient entre eux juste pour le plaisir. Or, les choses ont changé radicalement au cours des dernières années. Aujourd'hui, les gestionnaires marketing sont euphoriques à propos du potentiel commercial de ces sites. Il n'est pas étonnant, dans ce cas, qu'une de leurs préoccupations majeures soit d'élaborer une stratégie de marketing intégrée à l'égard des médias sociaux. Mais qu'est-ce qu'un média social au juste?

Le moins qu'on puisse dire, c'est qu'il existe autant de définitions d'un média social que de parfums de crème glacée dans un bar laitier Dairy Queen. En fait, une recherche rapide sur Google a produit plus de 25 définitions, un indice clair de la nature diversifiée de ces médias. En étudiant ces définitions et en réfléchissant au rôle des médias sociaux, nous sommes arrivés à la définition ci-dessous.

Un média social est un média numérique basé sur les technologies du Web 2.0, visant à faciliter la création et le partage de contenu (information, connaissances, idées) généré par des utilisateurs qui collaborent et interagissent socialement. Les utilisateurs agissent à la fois comme éditeurs et consommateurs en créant, communiquant ou fusionnant un contenu sous forme de vidéos, d'images et de textes. Les échanges et les relations établies au moyen d'un média social peuvent passer librement du virtuel à la vraie vie, et vice versa. Ils peuvent commencer en ligne et continuer hors ligne, ou le contraire. L'ouverture, l'authenticité et la transparence sont les pierres angulaires d'un média social efficace[11].

Les médias sociaux sont importants pour les gestionnaires marketing pour plusieurs raisons. D'abord, plus de 90 % des internautes canadiens jouent un rôle actif dans les médias sociaux, chaque visiteur s'engageant dans des interactions virtuelles pendant 7,8 heures en moyenne et téléchargeant une moyenne de 120 vidéos chaque mois[12]. Ensuite, les consommateurs échangent déjà sur les entreprises, leurs marques et leurs services; par conséquent, pour participer à ces échanges ou les amorcer, les entreprises doivent être présentes dans les médias sociaux. Enfin, les gestionnaires marketing peuvent atteindre un grand nombre de leurs objectifs dans les médias sociaux: promouvoir la responsabilité sociale de l'entreprise, établir des relations avec la clientèle, améliorer leur service à la clientèle, construire ou défendre leurs marques, engager les consommateurs dans la recherche et le développement de nouveaux produits, et recruter de nouveaux talents.

Bien qu'à l'heure actuelle les médias sociaux soient très populaires auprès des commerces de détail et de l'industrie des biens emballés pour la vente au détail, les entreprises, quels que soient leur taille, leur secteur d'activité ou leur type (B2B, B2C et C2C), s'y intéressent un peu plus chaque jour. Afin d'illustrer la façon dont les gestionnaires marketing appréhendent l'univers toujours fluctuant des médias sociaux, nous avons intégré la rubrique Marketing et médias sociaux dans chacun des chapitres de ce manuel.

Pour observer l'impact des médias sociaux sur le monde qui nous entoure, regardez la vidéo intitulée *The Social Media Revolution* sur YouTube.

FIGURE **1.6** L'évolution du marketing: production, vente, marché et valeur

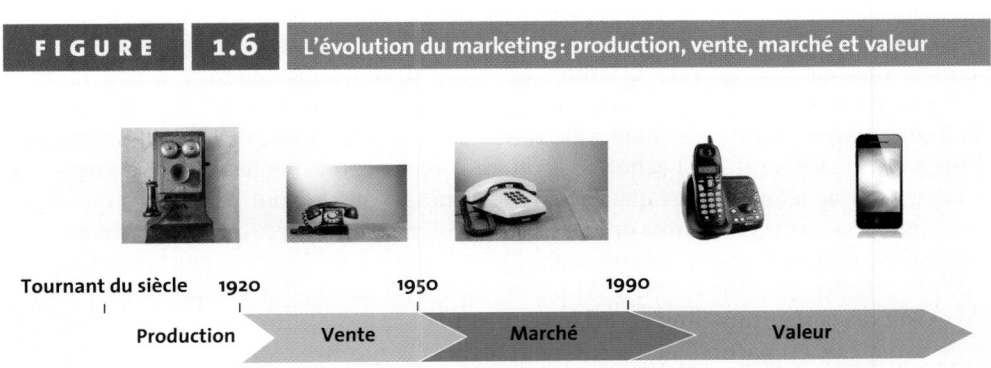

Tournant du siècle   1920   1950   1990

Production | Vente | Marché | Valeur

L'optique de la vente

Pour les entreprises orientées vers la vente, le marketing se résume essentiellement à une fonction de vente consistant à essayer de vendre le plus grand nombre de produits possible au lieu de se concentrer sur la fabrication de marchandises vraiment adaptées aux désirs des consommateurs. Ces entreprises comptent énormément sur la vente personnelle et la publicité pour attirer de nouveaux clients. Elles se concentrent sur chaque vente ou chaque transaction au lieu d'établir des relations à long terme avec leurs clients. En général, elles croient que si les consommateurs essaient leurs produits, ils les aimeront.

L'optique de l'orientation marché

Les entreprises qui pratiquent un marketing axé sur le marché se concentrent sur les besoins et les désirs des consommateurs avant de concevoir, de fabriquer ou de tenter de vendre leurs produits et leurs services. Elles croient que les consommateurs font des choix et achètent en tenant compte de facteurs comme la qualité, la commodité et le prix. Par essence, « le client est roi » et le marché est un marché d'acheteur, puisque les consommateurs exercent un pouvoir considérable. Ce type de stratégie de marketing consiste à comprendre les besoins des consommateurs et à les satisfaire au mieux.

L'optique du marketing de la valeur

Aujourd'hui, les entreprises les plus prospères sont orientées vers le marché[13]. Cela signifie qu'elles ont cessé de vouloir maximiser la productivité ou les ventes et s'efforcent plutôt de découvrir et de satisfaire les besoins et les désirs de leurs clients. Toutefois, les meilleures entreprises de marketing reconnaissent qu'un bon marketing ne consiste pas seulement à explorer et à satisfaire les désirs des consommateurs. En effet, pour être concurrentielles, les entreprises doivent offrir une valeur plus grande que celle de la concurrence.

La **valeur** est le rapport entre les avantages et les coûts d'un produit ou d'un service, ou ce que l'on obtient en échange de ce que l'on donne[14]. Dans le contexte du marketing, les consommateurs veulent un rendement honnête sous forme de biens ou de services pour leur argent durement gagné et leur précieux temps. Ils veulent des produits ou des services qui répondent à leurs besoins ou désirs particuliers et qui sont offerts à des prix concurrentiels.

Le défi que doivent relever les entreprises consiste à découvrir les biens et les services que les consommateurs recherchent et à les leur offrir tout en réalisant des profits. Ces consommateurs sont en quête de sens dans le choix des produits et des services : ceux-ci doivent répondre à leurs besoins, mais aussi avoir un impact positif sur la société. L'entreprise qui les propose doit épouser une cause et faire du bien à la société dans son ensemble[15].

Toute entreprise qui pratique un marketing axé sur la valeur doit adapter sa stratégie en fonction de ce à quoi ses clients attribuent de la valeur. Ainsi, les avantages d'un produit ou d'un service pourraient englober la rapidité, la commodité, la taille, la précision, le prix, l'économie ou la convivialité. Parfois, offrir une plus grande valeur signifie donner une grande quantité de marchandises en échange d'une somme d'argent relativement minime, comme un sous-marin de 30 cm à 5 $ chez Subway ou un diamant dont le prix de détail a été réduit de 40 % chez Costco. Toutefois, la valeur d'un produit dépend de l'acheteur potentiel et ce produit n'est pas toujours bon marché. Les acheteurs satisfaits des articles Louis Vuitton sont persuadés que leurs vêtements, sacs ou chaussures ont une valeur intéressante parce qu'ils ont obtenu une foule d'avantages à un prix raisonnable. De même, des adolescents peuvent être prêts à payer un surplus pour l'iPod d'Apple en raison de son design extraordinaire même s'il existe des substituts plus abordables. C'est là le pouvoir du marketing en général et de la marque en particulier. Le cas évoqué dans la rubrique Marketing entrepreneurial ci-contre illustre d'autres aspects de la valeur qui vont au-delà du coût et du prix.

valeur (*value*)
Rapport entre les avantages et les coûts d'un produit ou d'un service, ou encore ce que le consommateur obtient en retour de ce qu'il a donné.

Le marketing axé sur la valeur

Les consommateurs font des choix explicites ou implicites entre les avantages perçus d'un produit ou d'un service et son coût. Ils recherchent naturellement les options qui associent les meilleurs avantages aux coûts les plus bas. Les entreprises tentent de trouver un équilibre optimal entre maximiser les avantages offerts à leurs clients et minimiser leurs coûts, comme l'illustre la figure 1.7 à la page suivante.

Pour mieux comprendre le concept de valeur et pratiquer un **marketing axé sur la valeur**, une entreprise doit aussi savoir ce que les clients perçoivent comme les principaux avantages d'un produit ou d'un service et comment améliorer ceux-ci. Par exemple, réserver une chambre à l'hôtel Four Points Sheraton pourrait comporter certains avantages tels que la qualité exceptionnelle du service, la possibilité de faire la réservation à partir du site Web de l'entreprise et la qualité globale des chambres et des repas. En termes plus généraux, la qualité du service, la commodité et la qualité de la marchandise pourraient constituer des avantages critiques.

marketing axé sur la valeur (*value-based marketing*)
Stratégie qui vise à offrir aux consommateurs un produit ou un service dont les avantages dépassent grandement les coûts perçus (argent, temps, efforts) d'achat et d'utilisation, tout en assurant un bon rendement à l'entreprise.

Marketing entrepreneurial

Nagano, un porc plus tendre[16]

Le groupe Robitaille est un acteur important du secteur agroalimentaire québécois. Il a diversifié sa production dans la culture de céréales, l'élevage avicole ou porcin, ou encore la transformation de la viande. Il contrôle ainsi toutes les étapes de la chaîne de valeur, allant de l'alimentation des animaux à leur mise en marché pour le consommateur final. Au cours des années 1990, lors de négociations avec un partenaire japonais cherchant une viande de porc plus onctueuse, tendre et savoureuse, l'entreprise a mis sur le marché un produit répondant à ces critères. Comme les Jeux olympiques avaient lieu à Nagano, ville du Japon, le nom était tout trouvé pour baptiser la viande de ce nom. Il faut dire que l'entreprise a choisi d'adapter la marque, car le nom japonais *mugifugi*, signifiant littéralement « montagne d'orge » – cette céréale évoquant la noblesse au Japon – n'était pas facilement prononçable pour des Québécois.

Pour en arriver à ce résultat, la recette secrète se base non seulement sur un dosage de céréales (blé, orge, soya ou maïs), mais aussi sur un soin approprié donné aux animaux. Un cahier des charges rigoureux est imposé aux éleveurs, dont la marge de manœuvre est mince s'ils veulent collaborer avec le groupe Robitaille. Lors de l'étape de l'abattage et du découpage, à l'usine de Yamachiche, près de Trois-Rivières, le travail est fait à la main pour valoriser encore davantage les morceaux de qualité.

D'abord distribué uniquement auprès des professionnels (institutions et restaurants principalement), le porc Nagano est désormais accessible à tous les consommateurs depuis l'accord de distribution conclu avec la chaîne IGA. Les produits se situent donc dans une niche pour des consommateurs soucieux d'une qualité plus élevée et capables de payer un peu plus cher.

D'est en ouest, des millions de Canadiens peuvent désormais se procurer l'une des six coupes de viande (côtelettes avec ou sans manches, cubes, filets, porc haché ou burgers). Que ce soit donc pour ses clients japonais, pour les consommateurs canadiens ou encore pour l'Europe, puisque le groupe a obtenu les accords d'exportation depuis quelques années, l'entreprise s'adapte aux marchés et aux cultures locales pour proposer un produit répondant toujours plus aux goûts des consommateurs.

Conçue par le groupe Robitaille, la marque de viande de porc Nagano a d'abord été destinée au marché nippon, avant de s'ouvrir au marché québécois par l'entremise de la chaîne IGA. Résultat d'une production rigoureusement contrôlée, cette marque se consacre à un segment haut de gamme du marché de la viande.

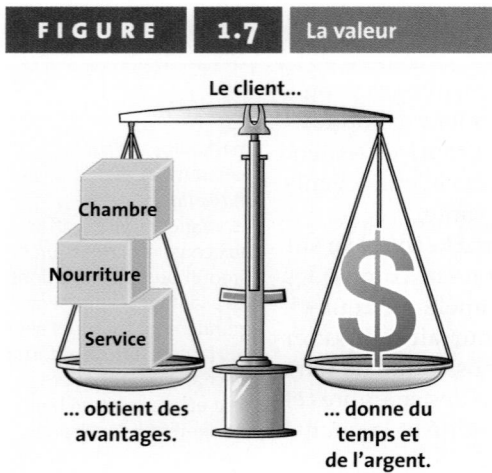

FIGURE 1.7 La valeur

Le client...

Chambre

Nourriture

Service

... obtient des avantages.

... donne du temps et de l'argent.

L'autre aspect de l'équation concerne la capacité de l'entreprise à fournir soit un meilleur produit ou service au même coût, soit le même niveau de qualité et de commodité à un coût moindre. Au regard du marketing axé sur la valeur, les éléments de coût potentiels pour le client de l'hôtel Four Points Sheraton engloberaient le prix de la chambre et des repas, le temps requis pour réserver une chambre ou remplir une fiche à l'hôtel et le risque de faire les frais d'une surréservation en arrivant à l'hôtel.

Comment les entreprises se font-elles concurrence sur la valeur ?

Avec une formule aussi simple, les gestionnaires marketing devraient pouvoir créer de la valeur systématiquement, n'est-ce pas ? Eh bien, ce n'est pas aussi évident. Dans notre monde en constante évolution, il est assez difficile de créer et d'offrir constamment de la valeur. Les perceptions des consommateurs changent rapidement, de nouveaux concurrents arrivent sans cesse sur le marché et les pressions mondiales modifient constamment les possibilités. C'est pourquoi les gestionnaires marketing doivent rester vigilants face au marché et personnaliser leurs offres de façon à répondre aux besoins de leurs clients et à devancer la concurrence.

Le marketing axé sur la valeur, toutefois, ne consiste pas uniquement à concevoir des produits et des services exceptionnels ; il doit être au cœur de toutes les fonctions de l'entreprise. Par exemple, Walmart n'attire pas les clients qui essaient d'impressionner leurs amis au moyen de leurs achats. Cette firme attire plutôt des clients qui recherchent un endroit pratique où trouver tout ce dont ils ont besoin à des prix modiques. Or, c'est là une valeur qu'elle leur offre systématiquement. Mais une bonne valeur ne se limite pas à des prix abordables. Même si Walmart vend des chaudrons, des casseroles et des cafetières à bas prix, les mordus de cuisine peuvent préférer le choix de produits, la qualité et les conseils experts des vendeurs d'un magasin Paderno. Les prix n'y sont pas aussi bas que chez Walmart, mais les clients de Paderno estiment qu'ils obtiennent une valeur intéressante en raison du choix de produits, de la qualité et du service offerts dans ce magasin. Même les organismes sans but lucratif doivent s'efforcer de créer de la valeur pour faire en sorte d'offrir des services de qualité aux parties prenantes tout en minimisant les collectes de fonds.

Que font les entreprises pour adopter une approche axée sur la valeur ?

Les entreprises adoptent une approche axée sur la valeur en se concentrant sur trois activités (*voir la figure 1.8*). Premièrement, elles transmettent les données sur leurs clients et leurs concurrents à tous les échelons de l'entreprise ainsi qu'aux entreprises qui participent à la distribution du produit ou du service sur le marché, comme les fabricants et les sociétés de transport. Deuxièmement, elles s'efforcent d'équilibrer les avantages et les coûts du produit ou du service pour les consommateurs. Troisièmement, elles cherchent à bâtir des relations durables et rentables avec leurs clients.

Transmettre l'information

Dans une entreprise qui pratique un marketing axé sur la valeur, les gestionnaires marketing partagent l'information relative à leurs clients et à leurs concurrents, recueillie grâce à la gestion de la relation client (*customer relationship management*, ou *CRM*), et la transmettent à toutes les divisions de l'entreprise. Ainsi, les dessinateurs de mode de Zara, un détaillant de vêtements espagnol, rassemblent des renseignements sur les achats et étudient les tendances des consommateurs afin de déterminer ce qu'ils voudront porter au cours des semaines suivantes. En même temps, les logisticiens, à qui il incombe d'acheminer la marchandise jusqu'aux magasins, utilisent cet historique des achats pour prévoir les ventes et attribuer les articles appropriés aux magasins individuels. L'échange et la coordination de ce type d'information constituent un facteur de succès essentiel à toute entreprise. Imaginez ce qui pourrait arriver si le Service des communications de Zara prévoyait une promotion spéciale, mais omettait de communiquer ses prévisions des ventes aux personnes chargées de créer les vêtements ou de les livrer aux magasins.

Équilibrer les avantages et les coûts

Les spécialistes du marketing axé sur la valeur comparent constamment les avantages perçus par les clients avec le coût de leurs offres. À cette fin, ils révisent les données disponibles sur les clients afin de trouver des moyens d'améliorer leur niveau de satisfaction et, ainsi, de les fidéliser. Cette approche axée sur la valeur a permis à Canadian Tire et à Walmart d'éclipser d'autres grands magasins de même qu'à WestJet et à Southwest Airlines de surclasser d'autres gros transporteurs. En outre, comme nous le remarquions dans l'introduction du chapitre, Tim Hortons, en plus de renouveler sans cesse son offre de produits et de rendre ceux-ci alléchants, fournit à sa clientèle un excellent service à des prix attrayants. L'astuce de Tim Hortons, qui a consisté à faire de la valeur perçue par le client la pièce maîtresse de sa stratégie de marketing, est l'un des facteurs qui lui ont permis de se distinguer de ses concurrents.

Jusqu'à tout récemment, prendre l'avion entre des pays d'Europe coûtait parfois plus cher que de partir d'Europe pour aller aux États-Unis. Mais des compagnies à prix modiques comme Ryanair et easyJet[17], ayant pris exemple sur Southwest Airlines et JetBlue, offrent désormais aux clients ce qu'ils veulent : des billets d'avion à prix modiques pour les vols intra-européens. Comme leurs homologues américaines, Ryanair et easyJet ne servent aucun repas à bord et utilisent généralement des aéroports excentrés comme Stansted, situé à environ 55 kilomètres au nord-est de Londres. De nombreux clients estiment que les avantages l'emportent largement sur les inconvénients mineurs.

Prenons, par exemple, le prix d'un billet Londres-Salzbourg à 65 $ ou Londres-Stockholm à 70 $. Ce sont des valeurs comme

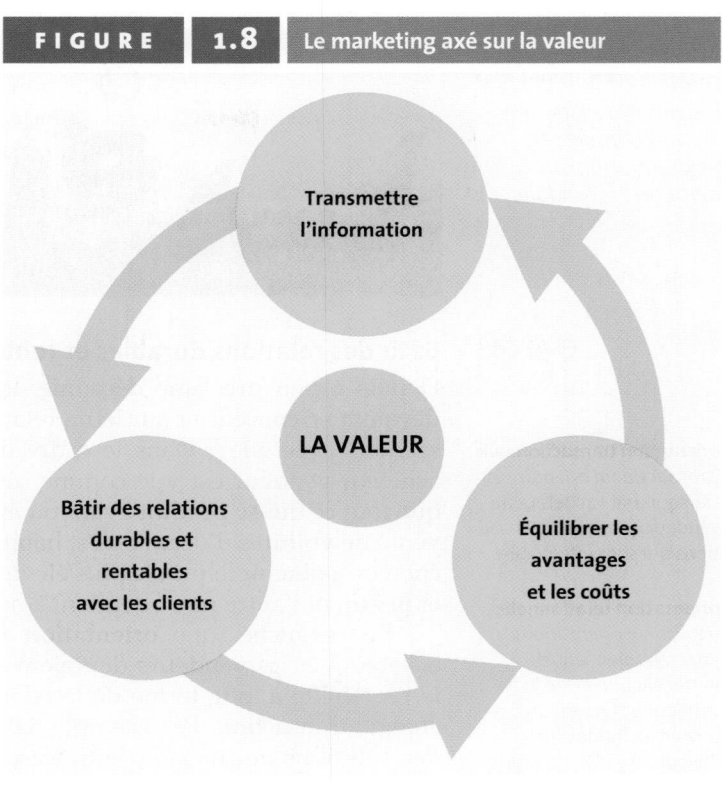

FIGURE **1.8** Le marketing axé sur la valeur

Transmettre l'information

LA VALEUR

Bâtir des relations durables et rentables avec les clients

Équilibrer les avantages et les coûts

Les dessinateurs de mode de Zara étudient les tendances des consommateurs et communiquent ensuite cette information à d'autres divisions en vue de prévoir les ventes et de coordonner les livraisons aux magasins.

Pour offrir à ses clients une meilleure valeur, la compagnie britannique easyJet ne sert pas de repas à bord de ses avions et utilise des aéroports secondaires.

celles-là qui ont permis aux compagnies américaines de vol à prix réduits de s'emparer d'environ 25 % du marché. Elles sont si populaires que certaines compagnies aériennes traditionnelles ont fondé leurs propres compagnies à faibles coûts : Singapore Airlines et Qantas, une société australienne, ont créé respectivement Tiger et Jetstar.

OA **4**

Bâtir des relations durables et rentables avec les clients

Depuis à peu près une décennie, les gestionnaires marketing ont compris qu'ils devaient se concentrer sur leurs relations avec la clientèle plutôt que sur leurs transactions avec elle[18]. Dans le cadre d'une **orientation transactionnelle**, la relation acheteur-vendeur est vue comme une série de transactions individuelles, de sorte que tout ce qui se produit avant ou après la transaction compte peu. Par exemple, la vente de voitures d'occasion est habituellement axée sur les transactions ; le vendeur cherche à obtenir le prix le plus élevé pour la voiture et l'acheteur, le prix le plus bas, et ni l'un ni l'autre ne s'attendent à négocier de nouveau ensemble par la suite.

En revanche, une **orientation relationnelle** repose sur le principe que les acheteurs et les vendeurs devraient établir une relation à long terme. Dans ce cas, la rentabilité à long terme de la relation l'emporte sur le profit réalisé au terme de chaque transaction. Par exemple, UPS travaille avec ses expéditeurs pour élaborer des solutions de transport efficaces. Au fil du temps, UPS s'intègre à la trame des organisations des expéditeurs et leurs opérations s'entremêlent. Dans ce scénario, UPS et les organisations clientes ont établi une relation à long terme.

Les entreprises adeptes du marketing axé sur la valeur utilisent aussi un processus appelé **gestion de la relation client**, une philosophie d'entreprise et un ensemble de stratégies, de programmes et de systèmes qui visent à repérer les meilleurs clients et à les fidéliser[19]. Les entreprises qui font systématiquement de la gestion de la relation client recueillent des données sur les besoins de leur clientèle, puis s'en servent pour cibler leurs meilleurs clients et leur offrir les produits, les services et les promotions qu'ils semblent apprécier le plus.

orientation transactionnelle (*transactional orientation*) Lien qui unit l'acheteur au vendeur quant aux transactions qui sont effectuées.

orientation relationnelle (*relational orientation*) Principe selon lequel la transaction entre le vendeur et l'acheteur devrait se fonder sur l'hypothèse d'une relation à long terme.

gestion de la relation client (*customer relationship management [CRM]*) Ensemble des approches, des stratégies et des systèmes publicitaires visant à reconnaître les clients loyaux et à encourager leur loyauté.

OA **5**

L'importance du marketing

Jadis, le marketing était seulement une pensée consécutive à la production. Les premiers principes de marketing ressemblaient à ceci : « Maintenant que nous avons fabriqué le produit, comment allons-nous nous en débarrasser ? » De nos jours, le marketing est devenu une fonction importante qui touche tous les aspects d'une entreprise ou d'une organisation, comme l'illustre la figure 1.9. Les gestionnaires marketing travaillent avec d'autres services comme les Services de recherche et développement (R et D), de l'ingénierie et de la production, pour faire en sorte que des produits innovants et de qualité, adaptés aux besoins des clients, soient disponibles en quantité suffisante, aux bons prix et aux bons endroits, c'est-à-dire partout où les clients souhaitent les acheter. Le marketing permet d'instaurer des relations intéressantes entre l'entreprise et ses fournisseurs, ses distributeurs et d'autres entreprises externes engagées dans le processus de commercialisation. Il cerne les éléments appréciés par les clients locaux et permet à l'entreprise d'acquérir une envergure mondiale.

Le marketing a aussi un impact appréciable sur les consommateurs. Sans marketing, ceux-ci auraient du mal à connaître les nouveaux produits et services. Vous pourriez même décider d'embrasser une carrière en marketing à la fin de vos études. Et si vous choisissez un autre domaine, vos connaissances en marketing vous aideront à vous « mettre en valeur » de telle sorte que vous pourriez décrocher l'emploi de vos rêves.

FIGURE	1.9	L'importance du marketing

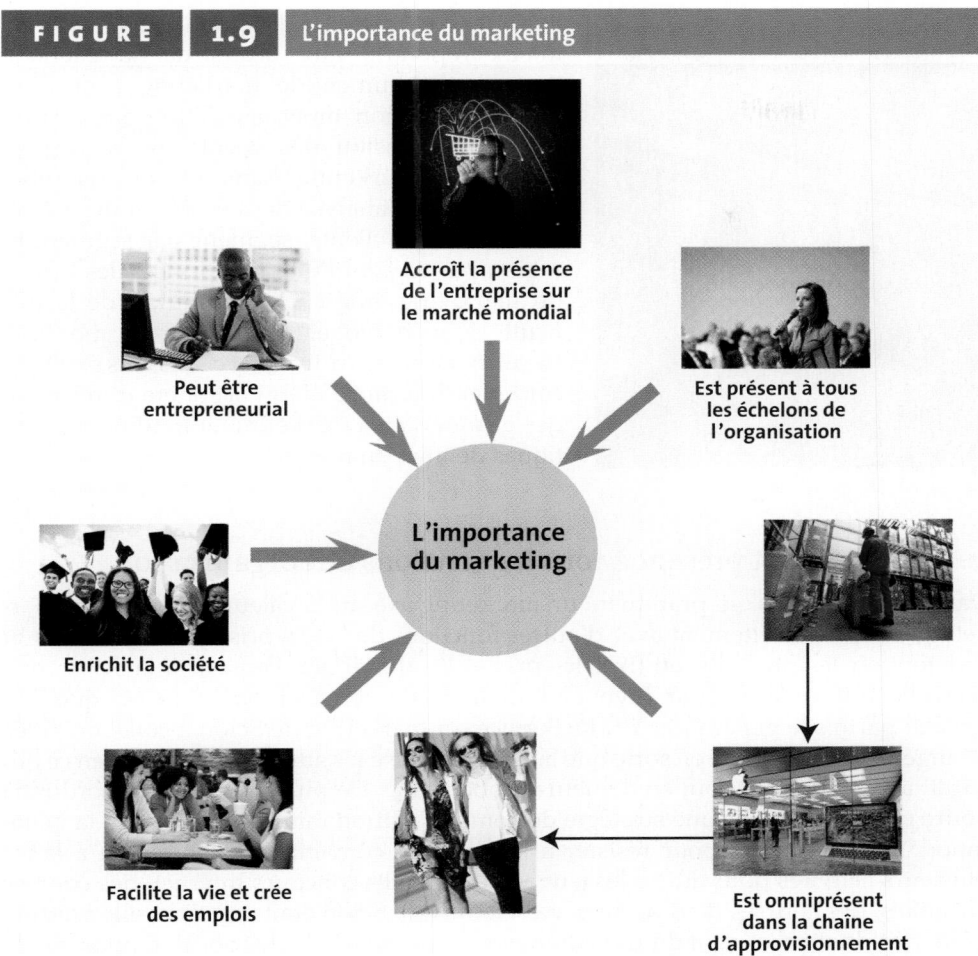

Le marketing accroît la présence de l'entreprise sur le marché mondial

Il y a une décennie, les produits Coca-Cola étaient vendus dans de nombreux pays, mais ce n'était pas le cas de Levi's et de beaucoup d'autres marques américaines et canadiennes. Or, aujourd'hui, la plupart des marques de jeans, y compris Levi Strauss & Co. et Parasuco, sont fabriquées ailleurs qu'au Canada et aux États-Unis et vendues presque partout sur la planète. Grâce à MTV et à d'autres entreprises de divertissements, au tourisme étranger à faible coût et à Internet, vous partagez un grand nombre de vos comportements de consommateur avec des étudiants de collèges et d'universités du monde entier.

Les dernières tendances en matière de mode, de musique et même de nourriture se propagent rapidement dans le monde entier. Inspectez le contenu de votre sac la prochaine fois que vous irez magasiner. Qu'il contienne des aliments ou des vêtements, vous y trouverez des produits fabriqués dans de nombreux pays: produits mexicains, jeans italiens, t-shirts chinois. Les fabricants et les détaillants de toute la planète continuent de faire des percées sur le marché canadien. Des sociétés comme Honda, Sony et Heineken réussissent aussi bien au Canada que dans leur pays d'origine. Le détaillant de mode H&M est présent dans 55 pays, dont le Canada[20]. Zara, son principal concurrent espagnol, a des boutiques dans 87 pays, y compris le Canada[21].

Ces marques sont vendues dans une multitude de pays.

Au Japon, Starbucks a modifié son menu de manière à répondre plus efficacement aux désirs de sa clientèle.

Starbucks a même adapté son menu afin de mieux répondre aux désirs de sa clientèle japonaise. Comment le marketing contribue-t-il à l'expansion mondiale d'une entreprise? La compréhension des clients est un aspect critique du marketing. Sans les connaissances découlant de l'analyse des besoins et des désirs des nouveaux clients, segment par segment et région par région, l'une des principales tâches du marketing, une entreprise aurait de la difficulté à se déployer sur le marché mondial. La rubrique Forces d'Internet ci-dessous explique comment Internet a élargi la sphère d'influence des gestionnaires marketing et modifié les pratiques de mise en marché.

Le marketing est présent à tous les échelons de l'organisation

Dans les entreprises qui pratiquent un marketing axé sur la valeur, le Service du marketing travaille étroitement avec d'autres fonctions de l'entreprise pour concevoir et promouvoir les produits, en fixer les prix et les distribuer. Pensons à la Scion, une nouvelle voiture lancée par Toyota à l'intention des jeunes moins fortunés que l'on appelle parfois la génération Y[22]. Le Service du marketing de Scion a collaboré avec les ingénieurs pour faire en sorte que la Scion dépasse les attentes des clients en ce qui a trait à la conception tout en demeurant abordable. De plus, la société a coordonné l'offre du produit avec une stratégie de communication innovante. Comme la génération Y est reconnue pour résister à la publicité conventionnelle, Toyota a lancé plusieurs activités pour attirer les jeunes, comme des concours Internet, des courses virtuelles, des courses de dragsters, etc. Comme la Scion était une nouvelle voiture, le Service du marketing a dû travailler avec le Service de la distribution pour que la publicité et les promotions soient diffusées sur les territoires de tous les distributeurs et que des voitures soient expédiées aux endroits où ces promotions étaient offertes. Les gestionnaires marketing ont donc la responsabilité de coordonner tous ces aspects de l'offre et de la demande.

Forces d'Internet   Le cybermarketing: passé, présent et futur[23]

C'est en 1993 que sont levées les restrictions sur l'utilisation commerciale d'Internet. Aussitôt, les médias, les entrepreneurs et d'autres personnes le présentent comme le «nouveau canal de distribution» qui allait révolutionner les pratiques commerciales. Entrepreneurs et investisseurs connaissent alors une période d'euphorie, d'expérimentation et de richesse instantanée, tandis que les entreprises établies vivent de l'incertitude et de la peur. Beaucoup d'entreprises traditionnelles dont les marques sont bien implantées croient qu'Internet n'est qu'une nouvelle lubie pendant que d'autres ne voient pas très bien comment l'intégrer à leurs pratiques existantes.

La peur de commettre des erreurs susceptibles de faire du tort à leurs marques pousse de nombreuses entreprises à créer des commerces «en ligne» distincts de leurs entreprises «physiques» ou «hors ligne».

La crainte des entreprises établies de se lancer dans le cybercommerce semble justifiée lorsque, en 2000, la croissance explosive des entreprises «point-com» s'effondre en quelques mois seulement. La faillite des cyberentreprises donne alors aux fabricants établis le temps de réfléchir à la façon d'intégrer Internet à leurs affaires et à leurs stratégies commerciales. Vers 2004, soit près d'une décennie plus tard, les gestionnaires marketing finissent par comprendre qu'une stratégie de marketing efficace repose sur une intégration des activités en ligne et hors ligne visant à offrir aux consommateurs une expérience homogène de « marketing multicanal ».

Lorsque les gestionnaires marketing ont commencé à faire du marketing en ligne, ils étaient surtout emballés à l'idée de concevoir le meilleur site Web qui soit grâce aux derniers logiciels de publication et à la technologie la plus innovante. Bien que la plupart des sites Web aient été textuels à l'origine, les gestionnaires marketing ont rapidement adopté les technologies multimédias, puisque leur objectif était de créer un site Web accrocheur qui attirerait des visiteurs et les inciterait à rester sur le site. Ils ne se sont pas demandé si les consommateurs avaient besoin de ces caractéristiques ou les appréciaient. Ce zoom initial sur la technologie et le produit nous rappelle l'ère du marketing orienté vers le marché du début du XXᵉ siècle. En 2012, deux décennies plus tard, nous observons que, bien que les sites Web soient beaucoup plus complexes sur le plan de la technologie, ils sont désormais centrés sur le consommateur et montrent comment les gestionnaires marketing peuvent utiliser la technologie pour déterminer les besoins des consommateurs et les satisfaire, et offrir à ceux-ci la meilleure valeur tout en générant des profits. Cette orientation semble beaucoup plus conforme à l'approche valeur décrite dans ce manuel. Mais comment sommes-nous passés d'une orientation technologique à un marketing de la valeur ? Quelles étapes ont été franchies en cours de route ?

De la page Web statique au marketing appliqué aux médias sociaux et au marketing mobile

Revenons en 1993, année qui marque les débuts de l'utilisation commerciale d'Internet ; les pages Web étaient alors statiques et textuelles, et les gestionnaires marketing s'en servaient pour promouvoir avec ardeur leurs produits et leur entreprise auprès des consommateurs. Les clients désireux d'acheter devaient composer un numéro de téléphone donné sur le site. Peu de temps après, le marketing par courriel s'est répandu et les gestionnaires se sont concentrés sur la façon d'écrire des courriels parfaits et de faire en sorte qu'ils atteignent leur clientèle cible. Les pages Web de deuxième génération étaient plus dynamiques et interactives, c'est-à-dire qu'elles répondaient aux demandes de renseignements des clients en temps réel, faisaient une plus grande place à la technologie multimédia et permettaient une modeste interactivité. Vinrent ensuite les logiciels de commerce électronique, grâce auxquels les clients pouvaient commander et payer des produits et des services en ligne. Cette innovation a pavé la voie à la croissance explosive du cybermarketing, puisque les gestionnaires marketing pouvaient désormais rejoindre leurs clients du monde entier par leurs boutiques en ligne et que ceux-ci pouvaient commander des produits et des services en tout temps et où qu'ils se trouvent. L'ère de la gratification instantanée et du magasinage ultrafacile semblait plus proche que jamais. Les transactions électroniques ont connu une croissance exponentielle année après année et cette croissance se poursuit sans relâche. Les transactions de type B2C, B2B et C2C conclues par l'entremise des sites de vente aux enchères ont, elles aussi, connu une progression exponentielle. Dans la phase suivante de son évolution, le cybermarketing est devenu personnalisé, c'est-à-dire qu'il donnait aux consommateurs la possibilité de personnaliser l'aspect et l'effet d'un site Web ainsi que les produits montrés en fonction de leurs préférences. Aujourd'hui, grâce aux sites de réseautage social comme myspace, YouTube, Facebook, Flickr et Twitter, et aux appareils portables comme les téléphones intelligents, le marketing appliqué aux médias sociaux et le marketing mobile font fureur. Qu'est-ce qui viendra ensuite ?

Internet est beaucoup plus sophistiqué aujourd'hui que dans les années 1990. Il a changé et continuera de se transformer. Nul ne peut prédire la nature de ces transformations avec certitude, mais il semble raisonnable de penser qu'à court terme au moins trois enjeux liés au cybermarketing continueront de tenir les gestionnaires marketing éveillés la nuit. Le premier enjeu consiste à deviner comment élaborer une stratégie de marketing multicanal gagnante capable d'évoluer avec l'apparition de nouvelles technologies (*consulter le chapitre 14 pour en apprendre davantage sur le marketing multicanal*). Le deuxième enjeu a trait à l'élaboration et à la mise en œuvre d'une stratégie de marketing mobile efficace et efficiente, compte tenu du potentiel commercial des téléphones intelligents et de la tendance croissante des Canadiens à délaisser leurs cellulaires au profit des téléphones intelligents. Enfin, le troisième enjeu consiste à trouver une stratégie rentable de marketing appliqué aux médias sociaux, étant donné que ce type de marketing en est à ses premiers balbutiements et n'a pas encore généré de profits pour les entreprises.

Si, au cours de la dernière décennie du XXᵉ siècle, l'avènement d'Internet a été marqué par l'euphorie, l'expérimentation et la confusion, durant la première décennie du XXIᵉ siècle, celui-ci a traversé une période de maturation. Les gestionnaires marketing ont élargi leur utilisation d'Internet pour leurs communications commerciales à tel point que cette plateforme a remplacé la télévision, la radio et les imprimés en tant que média publicitaire principal. De plus, Internet est devenu la principale source d'information pour les consommateurs. Les marketings mobile, multicanal et appliqué aux médias sociaux sont sans doute les prochaines frontières du cybermarketing.

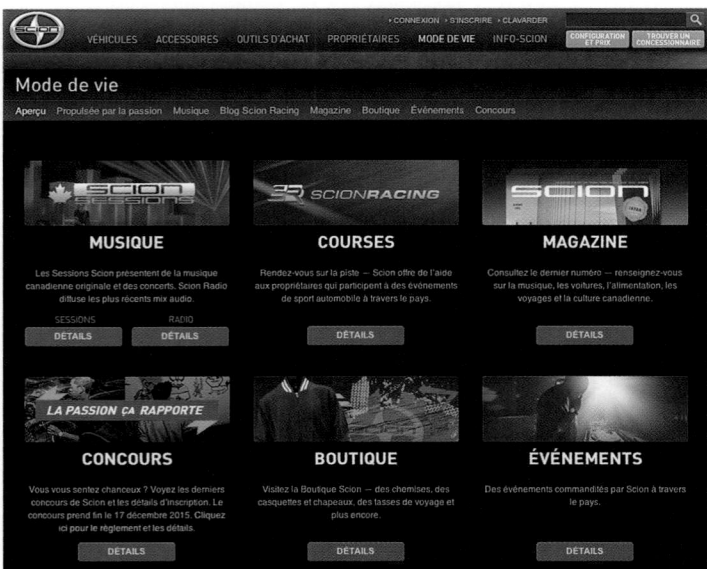

Toyota a utilisé une approche virtuelle novatrice pour attirer les jeunes conducteurs de la génération Y avec sa marque Scion.

chaîne d'approvisionnement
(supply chain)
Ensemble des entreprises qui fournissent des matières premières, et qui produisent et distribuent les produits finis vers les consommateurs cibles.

Le marketing est omniprésent dans la chaîne d'approvisionnement

Les entreprises travaillent rarement seules. Les fabricants achètent des matières premières et des composants à des fournisseurs et les transforment avant de les revendre à des détaillants et à d'autres commerces (*voir la figure 1.10*). Chaque fois que des matières premières ou des produits sont achetés ou vendus, ils sont acheminés ailleurs et doivent donc être entreposés dans un bâtiment géré par une organisation de plus. L'ensemble des entreprises qui fournissent des produits ou des services à un fabricant, qui participent au processus de fabrication ou à la distribution des produits finis au consommateur par un réseau de distributeurs et de détaillants constitue ce que l'on appelle une **chaîne d'approvisionnement**. Une chaîne d'approvisionnement bien gérée intègre de façon efficiente et efficace tous les participants (fournisseurs, fabricants, entrepôts, magasins et sociétés de transport) dans une chaîne de valeur continue où les bonnes quantités de marchandises sont produites et distribuées au bon endroit et au bon moment. Nous aborderons plus en détail la gestion de la chaîne d'approvisionnement dans le chapitre 13, mais pour l'instant, examinons son importance en ce qui a trait au marketing.

Il n'est pas rare que certains participants de la chaîne d'approvisionnement adoptent une orientation transactionnelle dans laquelle chaque maillon de la chaîne agit dans son propre intérêt. Ainsi, les fabricants veulent vendre le plus cher possible, tandis que les détaillants veulent acheter au prix le plus bas. Les membres de la chaîne d'approvisionnement ne collaborent pas et ne coordonnent pas leurs actions. Or, pour que la chaîne d'approvisionnement offre une valeur importante au client, les parties doivent établir des relations à long terme entre elles de manière à échanger des renseignements, à élaborer des prévisions conjointes et à coordonner l'expédition des marchandises. La gestion efficace des maillons d'une chaîne d'approvisionnement a souvent d'énormes répercussions sur la capacité d'une entreprise à satisfaire sa clientèle, un facteur qui entraîne une hausse de la rentabilité pour toutes les parties concernées.

Prenons Loblaw, la plus grande entreprise de distribution alimentaire au Canada, et ses rapports avec ses fabricants et ses partenaires commerciaux. Il y a quelques années, la chaîne d'approvisionnement de Loblaw présentait plusieurs lacunes qui augmentaient ses coûts de manière substantielle[24]. Ainsi, ses prévisions erronées de la demande incitaient ses partenaires commerciaux à stocker d'énormes quantités

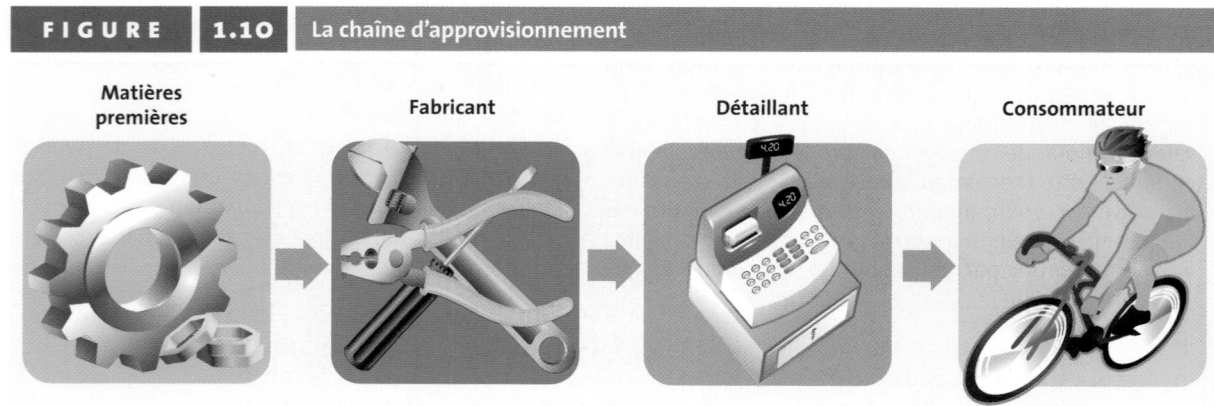

FIGURE 1.10   La chaîne d'approvisionnement

Matières premières → Fabricant → Détaillant → Consommateur

de marchandises afin de répondre à une demande imprévisible. En raison d'une utilisation inefficace des données sur les clients, le réapprovisionnement des stocks était basé sur des estimations plutôt que sur des données réelles. Chaîne d'approvisionnement décousue, collaboration et échange d'informations limités, approvisionnement variable, tous ces facteurs faisaient que les prévisions des ventes et les plans de production et de réapprovisionnement étaient fondés sur des données peu fiables. Depuis ce temps, la société a apporté des changements visant à améliorer l'efficacité de sa chaîne d'approvisionnement. Sa participation à un projet pilote destiné à l'industrie alimentaire et lié à l'identification par radiofréquence (RFID) lui permettra de comprendre et d'observer comment le RFID peut générer des profits. Ce projet est mené par le Centre RFID canadien. Les résultats préliminaires semblent indiquer que Loblaw a amélioré la gestion de ses stocks et son usage des promotions.

Le marketing facilite la vie

Les gestionnaires marketing vous fournissent, à vous en tant que consommateur, des choix de produits et de services ainsi que des renseignements sur ceux-ci de manière à répondre à vos besoins. Ils assortissent leur offre d'un prix qui vous satisfait de votre achat. Après la vente, ils vous proposent des garanties et des politiques de remboursement raisonnables. Les gestionnaires marketing se chargent aussi de mettre à votre disposition des endroits agréables et pratiques où magasiner, des heures d'ouverture appropriées, des produits et des services adaptés à vos désirs et des options d'achat. Ces éléments sont souvent désignés par les expressions utilité de temps, de lieu, de forme et de possession. En ouvrant ses portes 24 heures par jour, 7 jours par semaine, Couche-Tard accroît l'utilité de temps contrairement à un magasin qui ouvre seulement de 9 h à 17 h. De même, si Loblaw propose plusieurs marques de croustilles de formats différents, elle répond à différents besoins de sa clientèle et crée l'utilité de forme. Lorsque les concessionnaires de voitures vous donnent le choix d'acheter ou de louer une voiture, ils créent l'utilité de possession. Au fond, les gestionnaires marketing vous facilitent la vie et ajoutent ainsi de la valeur à leurs produits.

Le marketing ouvre des perspectives de carrière

Le marketing ouvre également une foule de perspectives de carrière exigeant des compétences variées. Parmi les postes créatifs, ceux d'artistes, de graphistes, d'artistes de la voix hors champ, d'animateurs, de compositeurs et de rédacteurs ne représentent que quelques-unes des possibilités dont peuvent profiter les personnes talentueuses. Dans un autre domaine, le marketing requiert des analystes de bases de données, des responsables d'études de marché et des gestionnaires des stocks capables d'assimiler rapidement des données, de les recouper et de détecter les tendances susceptibles de propulser une entreprise au sommet du marché ou de la détruire. Dans le domaine commercial, le marketing emploie des stratèges, des gestionnaires de projets, des chefs de produits et de marques, des associés aux ventes et des analystes capables de concevoir et de mettre en œuvre des stratégies de commercialisation complexes qui sont de nature à augmenter le résultat net. On trouve des postes liés au marketing dans tous les secteurs d'activité de l'économie canadienne. Les emplois se situent tant dans le secteur public que privé, des produits que des services (aux organisations ou aux personnes), au sein des OSBL, des coopératives, des grandes entreprises ou encore des PME.

Le marketing enrichit la société

Le marketing devrait-il se concentrer sur des facteurs autres que la rentabilité financière, comme la citoyenneté d'entreprise? Beaucoup de sociétés canadiennes parmi les plus réputées semblent le croire, car elles encouragent leurs employés à participer à des activités profitables pour leurs communautés et à s'investir dans des actions responsables et dans des organismes de charité. Ainsi, Hewlett-Packard (HP) Canada a donné du matériel informatique à deux communautés autochtones dans le cadre d'un projet pilote visant à améliorer le taux d'alphabétisation et les compétences en technologie des jeunes.

Guy Laliberté est le fondateur et le chef de la direction du Cirque du Soleil.

Plus de 700 jeunes à risque de ces communautés auront désormais accès à une technologie de pointe. Selon le président de la Fondation de la Gendarmerie royale du Canada, ce don de HP soutiendra les efforts de la Fondation pour détourner les jeunes de l'alcoolisme, de la toxicomanie, de la violence et du décrochage scolaire, et les orienter vers des activités positives[25]. Les sociétés canadiennes reconnaissent qu'une forte orientation sociale préserve à la fois leurs intérêts et ceux de leurs clients. Cette orientation indique aux consommateurs qu'ils peuvent faire affaire avec une entreprise en toute confiance. De plus, les investisseurs voient les entreprises responsables et ayant un sens éthique comme des investissements sûrs. De la même façon, les entreprises ont compris que leur priorité devrait être de manifester une conscience sociale en menant des actions responsables, car cela accroît leur bénéfice net à la longue[26].

Le marketing peut être entrepreneurial

Si le marketing joue un rôle primordial dans le succès des sociétés importantes, il est aussi en grande partie responsable du succès de nombreuses initiatives commerciales lancées par des entrepreneurs ou par des individus qui les organisent, les gèrent et en assument les risques[27]. La clé du succès de bon nombre de ces entrepreneurs réside dans le fait qu'ils mettent sur pied des entreprises visant à combler des besoins insatisfaits. Power Corporation du Canada de Paul Desmarais, Quebecor de Pierre Péladeau, les pharmacies Jean Coutu, le Cirque du Soleil de Guy Laliberté, Couche-Tard d'Alain Bouchard, ou encore Bombardier constituent des exemples d'entreprises et de leurs fondateurs qui ont réussi parce qu'ils ont compris les besoins de leurs clients et la notion de création de valeur.

Une autre entrepreneure et formidable stratège en marketing a pour nom Oprah Winfrey. Devenue milliardaire avant 50 ans par son seul mérite, Oprah Winfrey, autrefois la plus jeune et la première lectrice de nouvelles afro-américaine à la station WTVF-TV de Nashville, au Tennessee, est la troisième femme de l'histoire à diriger son propre studio de production. La bannière Oprah Winfrey regroupe Harpo Productions, Inc.; *O, The Oprah Magazine*; le magazine *O at Home*; Harpo Films; et le réseau de télévision Oxygen. De plus, ses œuvres philanthropiques sont nombreuses et variées. Grâce à la fondation Oprah Winfrey, des femmes du monde entier peuvent compter sur une championne pour défendre leurs droits en matière d'éducation et d'autonomisation. Ses efforts humanitaires en Afrique aident des milliers d'enfants à prendre un meilleur départ dans la vie, et ses démarches aux États-Unis ont incité l'ex-président Bill Clinton à promulguer le «projet de loi Oprah», qui visait la création d'une base de données nationale sur les pédophiles condamnés[28].

Oprah Winfrey a vu grand: Harpo Productions, Inc.; O, The Oprah Magazine; le magazine O at Home; Harpo Films; le réseau de télévision Oxygen, sans parler des œuvres philanthropiques de la fondation Oprah Winfrey.

Ces brillants entrepreneurs avaient une vision de la façon dont certaines combinaisons de produits et de services pouvaient répondre à des besoins insatisfaits. Tous ont entrevu les perspectives du marketing (c'est-à-dire les besoins à combler), effectué des études de marché approfondies et élaboré des produits et des services pour ensuite en communiquer la valeur à des consommateurs potentiels.

Faites le point

 **Définissez le marketing et expliquez ses concepts clés**

Le marketing se définit comme un «ensemble de pratiques commerciales conçues pour planifier et présenter les produits ou les services d'une organisation de manière à développer des relations efficaces avec ses clients». Il vise à créer de la valeur de multiples façons. Lorsque les gestionnaires marketing parviennent à créer de la valeur, leurs clients croient que les produits et les services de l'entreprise ont une valeur, c'est-à-dire qu'ils leur attribuent une valeur supérieure à leur coût.

Les gestionnaires marketing ajoutent aussi de la valeur aux produits et aux services au moyen de divers modes de communication, comme la publicité et la vente personnelle. Ces modes de communication leur permettent de renseigner les clients sur les bienfaits de leurs produits et services, accroissant ainsi leur valeur perçue.

Les gestionnaires marketing facilitent la transmission de valeur en s'assurant que les bons produits et services sont offerts aux bons endroits, aux bons moments et dans les quantités requises par les clients. Les meilleurs gestionnaires marketing ne cherchent pas à conclure une seule transaction avec leurs clients. Ils reconnaissent la valeur des clients loyaux et s'efforcent d'établir des relations durables et rentables avec eux.

 **Expliquez comment les gestionnaires marketing ajoutent de la valeur à un produit ou à un service**

La valeur représente la différence entre les avantages et le coût total de l'offre. Les entreprises peuvent accroître la valeur en augmentant les avantages perçus d'un produit ou d'un service ou en en réduisant le coût, ou les deux. Les meilleures entreprises adoptent une approche axée sur la valeur dans tout ce qu'elles font. Toute mesure qui n'augmente pas les avantages de l'offre ou n'abaisse pas son coût devrait sans doute être abandonnée. Les gestionnaires marketing ont également découvert qu'un des meilleurs moyens de conserver une avance durable sur leurs concurrents consiste à offrir à leurs clients une valeur appréciable.

Les entreprises adoptent une approche axée sur la valeur lorsqu'elles cherchent à en apprendre le plus possible sur leurs clients ainsi que sur leurs besoins et désirs. Elles transmettent cette information à tous les membres de la chaîne d'approvisionnement, en aval comme en amont, afin que la chaîne tout entière puisse se concentrer sur les clients. La clé d'un véritable marketing axé sur la valeur est la capacité à concevoir des produits et des services dont les avantages et les coûts sont parfaitement équilibrés : ni trop ni trop peu.

Enfin, les spécialistes du marketing axé sur la valeur ne se soucient pas nécessairement des profits qu'ils réaliseront au moment de la prochaine vente. Ils s'efforcent plutôt de bâtir une relation durable avec leurs clients afin de les fidéliser.

 **Décrivez les quatre optiques du marketing**

Les entreprises orientées vers la production ont tendance à croire qu'un bon produit se vendra tout seul. Les fabricants cherchent sans cesse à innover plutôt qu'à satisfaire les besoins des consommateurs et ils continuent de produire en tenant pour acquis que ces derniers achèteront leurs produits. Le marketing orienté vers la production, en supposant qu'il existe, consiste simplement à informer le client de l'existence d'un produit.

Les entreprises orientées vers la vente comptent sur des équipes de vente pour vendre leurs produits. Elles maximisent la production, puis recourent intensivement à la vente personnelle et à la publicité pour distribuer et vendre les produits. Dans ce cas, le marketing est axé uniquement sur la vente des produits.

Pour les entreprises dont l'approche est axée sur le marché, les clients sont rois. Ils décident de ce qui leur convient le mieux et réclament des caractéristiques précises. Au lieu de se contenter de produire et de vendre, les fabricants qui adoptent cette approche se renseignent sur les besoins et les désirs de leurs marchés cibles et créent des produits adaptés à ceux-ci. Le marketing joue alors un rôle crucial en publicisant les différents attributs, ou la valeur créée, de chaque produit.

Aujourd'hui, la plupart des entreprises prospères ont transcendé les autres stratégies et adopté une approche axée sur la valeur. En plus de découvrir les besoins et les désirs de leurs clients, elles doivent absolument leur offrir une meilleure valeur que leurs concurrents. La valeur est le rapport entre les avantages et les coûts d'un produit ou d'un service ou encore ce que le consommateur obtient en échange de ce qu'il a donné. Le marketing joue ici un rôle important non seulement en créant et en offrant un bien de valeur, mais aussi en communiquant la valeur de ce bien par rapport à celle d'autres produits sur le marché et en échangeant cette valeur avec les clients.

OA 4 Définissez le rôle de la gestion de la relation client dans la création de valeur

L'établissement de relations durables avec les clients, essentiel à la création de valeur, constitue la pierre angulaire de l'orientation relationnelle. Au contraire de l'orientation transactionnelle, l'orientation relationnelle consiste à adopter une stratégie commerciale qui identifie les clients loyaux et à bâtir des liens durables avec eux. C'est ce qu'on appelle la gestion de la relation client. Celle-ci vise à maximiser la valeur à long terme de la relation acheteur-vendeur plutôt que les profits découlant de chaque transaction. La gestion de la relation client consiste aussi, dans bien des cas, à recueillir des données sur les clients afin de cibler les clients les plus susceptibles de profiter de promotions ou d'offres précises.

 **Expliquez l'importance du marketing tant à l'intérieur qu'à l'extérieur de l'entreprise**

Le marketing joue un rôle crucial à l'intérieur comme à l'extérieur de l'entreprise. De nombreuses sociétés vendent désormais leurs produits dans un grand nombre de pays, ce qui complique la tâche des gestionnaires marketing. Les entreprises prospères intègrent le marketing à tous les échelons de leur organisation de manière à coordonner leurs activités de marketing avec celles d'autres divisions fonctionnelles comme la conception des produits, la production, la logistique ou les ressources humaines.

De plus, le marketing facilite le flux des produits dans la chaîne d'approvisionnement, depuis les matières premières jusqu'au consommateur. Sur le plan personnel, le marketing facilite votre processus d'achat, et la connaissance du marketing sera susceptible de vous aider dans la carrière que vous embrasserez.

Le marketing joue un rôle important dans la société lorsqu'il soutient des pratiques commerciales solides et éthiques. Par exemple, une entreprise a une conduite « exemplaire » lorsqu'elle parraine des collectes de fonds à l'intention d'organismes caritatifs, mais cet effort contribue aussi à fidéliser ses clients. Enfin, le marketing est la pierre angulaire de l'entrepreneuriat. Si de nombreuses entreprises extraordinaires ont vu le jour grâce à des gestionnaires marketing remarquables, il n'en reste pas moins que l'esprit d'entreprise imprègne les décisions relatives au marketing dans toutes les entreprises, grandes ou petites.

Mots clés

- besoin, p. 6
- bien, p. 8
- chaîne d'approvisionnement, p. 24
- commerce de détail (ou B2C), p. 12
- commerce interconsommateurs (ou C2C), p. 12
- commerce interentreprises (ou B2B), p. 12

- désir, p. 6
- échange, p. 7
- gestion de la relation client, p. 20
- idées, p. 9
- marché, p. 6
- marché cible, p. 6
- marketing, p. 5
- marketing axé sur la valeur, p. 17

- marketing mix (ou quatre « P »), p. 7
- média social, p. 13
- orientation relationnelle, p. 20
- orientation transactionnelle, p. 20
- plan marketing, p. 5
- prix, p. 9
- service, p. 8
- valeur, p. 16

Révision des concepts

1. Qu'est-ce que le marketing et pourquoi semble-t-il si important quelle que soit la forme de l'entreprise et le secteur dans lequel elle intervient ? Distinguez dans votre réponse les entreprises qui ont pour clients d'autres entreprises et celles qui s'adressent aux consommateurs.

2. Le marketing mix (les quatre « P ») suffit-il à garantir un marketing efficace ? Expliquez votre réponse.

3. Décrivez l'effet d'une grève chez l'un des fournisseurs d'une entreprise ou de l'invention d'une nouvelle technologie sur les stratégies de marketing de cette dernière.

4. Exposez les principaux aspects du marketing axé sur la valeur. Nommez quatre moyens par lesquels le marketing crée de la valeur.

5. Expliquez le lien entre la valeur perçue par le client et la satisfaction de celui-ci.

6. En règle générale, les entreprises cherchent à générer des profits et à augmenter la valeur de leurs actions. Or, la définition du marketing ébauchée par l'Association canadienne du marketing à la page 5 ne mentionne pas explicitement les profits ni la valeur des actions. Pourquoi, à votre avis ? Ces éléments devraient-ils être inclus dans la définition ?

7. De nos jours, de nombreux gestionnaires marketing cherchent à vendre leurs produits et leurs services seulement à des marchés cibles plutôt qu'à un ensemble plus vaste d'acheteurs potentiels. Quelles sont les principales raisons qui les poussent à cibler des segments précis du marché ?

8. Expliquez pourquoi un marketing réussi repose sur la compréhension des besoins et des désirs des clients. Que font les gestionnaires marketing pour mieux comprendre ces besoins et ces désirs ?

9. Quelle stratégie de marketing est la plus susceptible de permettre à une entreprise de bâtir des relations durables et rentables avec sa clientèle ? Pourquoi ?

10. Expliquez comment le Service du marketing d'une entreprise crée ou ajoute de la valeur en travaillant étroitement avec les autres divisions de l'entreprise ainsi qu'avec ses fournisseurs et ses clients.

Marketing appliqué

1. Lorsque les fabricants de vêtements élaborent leurs stratégies de marketing, cherchent-ils d'abord à satisfaire les besoins ou les désirs de leurs clients ? Qu'en est-il d'une entreprise de services publics ? d'un fabricant de téléphones cellulaires ?

2. Choisissez un produit que vous utilisez tous les jours. Décrivez ses quatre « P » (produit, prix, distribution [*place*], communication [*promotion*]).

3. Nommez trois entreprises qui pratiquent à la fois le commerce de détail et le commerce interentreprises.

4. Choisissez une entreprise qui offre une bonne valeur à ses clients. Expliquez comment cette entreprise rivalise avec ses concurrents pour ce qui est de la valeur.

5. Supposons que vous soyez engagé par le Service du marketing d'un grand fabricant de produits de consommation tel que Colgate-Palmolive. Vous dînez avec quelques-uns de vos nouveaux collègues des Services des finances, de la production et de la logistique. Ceux-ci prétendent que la société pourrait économiser des millions de dollars simplement en fermant le Service du marketing. Élaborez des arguments pour les persuader du contraire.

6. Pourquoi les gestionnaires marketing jugent-ils important de répondre aux besoins de la société et de recourir à des pratiques commerciales éthiques ? Donnez un exemple de besoin de la société ou de pratique commerciale éthique ciblé par une entreprise particulière.

7. Visitez le site d'Apple (www.apple.com/ca/fr/) et comparez les plans marketing relatifs à deux tablettes de votre choix. Quels facteurs pourraient expliquer les différences que vous observez ?

8. Beaucoup de consommateurs remarquent à peine la différence entre l'eau Dasani commercialisée par Coca-Cola (www.dasani.com) et l'Aquafina vendue par PepsiCo (http://aquafina.ca/fr/). Toutefois, les deux sociétés et leurs clients fidèles soutiendraient que ces deux marques d'eau sont très différentes. Qu'en pensez-vous ? Expliquez comment les perceptions et les émotions des consommateurs peuvent influer sur la valeur qu'ils attribuent à un produit.

9. Comme nous l'avons vu dans ce chapitre, la gestion de la relation client est un aspect crucial du marketing axé sur la valeur. Choisissez n'importe quel grand détaillant canadien, tel que La Baie d'Hudson (www.labaie.com/), Loblaw (www.loblaw.ca) ou Pharmaprix (www.pharmaprix.ca), et expliquez comment il s'y prend pour bâtir des relations durables avec sa clientèle.

10. De nombreux analystes estiment que Starbucks est un concurrent de Tim Hortons. Visitez les sites Web de ces deux entreprises (http://fr.starbucks.ca/ et http://timhortons.com/ca/fr/index.php) pour mieux connaître leurs produits. Quelle est la principale proposition de valeur pour les catégories de produits (pâtisseries, cafés, etc.) ? Selon vous, quelle société l'emportera sur l'autre et pourquoi ?

Internaute averti

1. Happy Planet (www.happyplanet.com), un producteur de jus biologiques dont le siège social se trouve à Vancouver, est une étoile montante sur le marché des boissons biologiques ; l'entreprise distribue ses produits dans tout le Canada et dans certains États américains. Visitez son site Web et décrivez comment Happy Planet offre une valeur nettement supérieure à celle des détaillants en alimentation traditionnels. Décrivez comment la société communique aux consommateurs la valeur de ses produits par l'entremise de son site Web.

2. Lands' End (www.landsend.com/canada/) a conquis une part substantielle du marché en offrant une valeur supérieure aux consommateurs. Visitez son site Web, puis décrivez comment l'entreprise crée de la valeur et indiquez ce qui la distingue des fabricants de vêtements traditionnels. S'il n'est pas rare que Lands' End affiche des prix inférieurs à ceux de ses concurrents, elle offre aussi à ses clients des avantages non pécuniaires. Nommez quelques-uns de ces avantages.

Étude de cas

LA SAGA TIM HORTONS[29]

L'entreprise

La saga Tim Hortons commence en 1964 à Hamilton en Ontario (Canada), mais c'est surtout à partir de 1967 que la chaîne prend ses lettres de noblesse, puisque le célèbre joueur de hockey des Maple Leafs de Toronto, Tim Horton, s'associe avec Ron Joyce[30]. À partir de cette date mythique pour les Canadiens – puisque l'année 1967 est aussi celle de l'Exposition universelle et le centenaire de la fédération canadienne –, l'entreprise débute une aventure qui la mène de succès en

Au deuxième trimestre 2014, Tim Hortons comptait 4 546 restaurants, dont plus des deux tiers au Canada.

succès et la fait progresser d'un océan à l'autre, mais aussi en dehors du territoire national.

Pour preuve, voici quelques chiffres : le 500ᵉ restaurant est ouvert au Canada en 1991, le 1000ᵉ en 1995, le 1500ᵉ en 1997, le 2000ᵉ en 2000 (cela ne s'invente pas !), le 3000ᵉ en 2006 et le 4000ᵉ en 2011. C'est donc une croissance quasi exponentielle que démontre l'entreprise, ce qui encourage et rassure les associés, les actionnaires et... les clients.

Basée sur un système de franchises, Tim Hortons comptait, au deuxième trimestre 2014, 4 546 restaurants, dont plus des deux tiers au Canada (3 630). Le reste était situé hors frontières, mais la plus grande proportion se trouvait aux États-Unis (866)[31]. Le groupe est impressionnant si l'on en juge par la taille des ressources humaines. Mille huit cent personnes constituent la force vive des bureaux régionaux (services juridiques, franchisages, opérations, recherche et développement) tandis que plus de 83 000 personnes sont employées dans l'un ou l'autre des restaurants franchisés. En 2013, l'entreprise a enregistré des revenus de 3,26 milliards de dollars[32], une légère hausse comparativement à l'année précédente (3,12 milliards)[33].

L'année 2013 marque un tournant pour l'entreprise. En juillet, Tim Hortons embauche un nouveau président-directeur général Marc Caira, un ancien chef de la direction mondiale de Nestlé Professional[34]. Il s'agit d'un changement important pour l'organisation, dans la mesure où c'était la première fois qu'un cadre issu de l'extérieur de l'entreprise était nommé à ce poste. Mais l'acquisition en vaut la chandelle et elle porte fruit. Marc Caira entre en fonction avec en tête l'idée d'apporter du nouveau pour mieux rivaliser avec des concurrents plus ou moins directs comme McDonald's, Second Cup ou Starbucks.

Innovations : produits et processus[35]

Une innovation répond souvent à un dysfonctionnement ou à des lacunes dans la prestation de services ou dans l'offre de produits. C'est sur ces principes que Marc Caira entreprend d'apporter des changements au sein même de l'organisation.

Si, à l'origine, la chaîne de restaurants proposait du café et des beignes, elle a développé une offre de produits autour des collations avant de s'attaquer au marché des repas du midi, puis de fin de journée. Tour à tour, Tim Hortons a proposé des nouvelles pâtisseries, des sandwichs, des cafés aromatisés, puis des yogourts aux fruits au cours des 30 dernières années, au grand ravissement des clients.

Mais, justement, l'offre de pâtisseries avec 63 saveurs de beignes[36], sans compter les Timbits, muffins, biscuits et autres viennoiseries, est considérée comme trop importante pour Marc Caira. Son constat : les clients prennent plus de temps avant de se décider lorsqu'ils passent leur commande, ce qui ralentit la prestation de services. Ce phénomène est encore plus important au service à l'auto, pour lequel les clients ne peuvent baser leur choix sur la vue des produits derrière le comptoir. Le temps perdu engendre de l'irritation qui fait augmenter l'insatisfaction des consommateurs.

Par ailleurs, lorsqu'un plat nécessite une longue préparation – comme les sandwichs ou les cafés glacés –, il semble qu'il y ait une variation de la constance de la rapidité du service, mais aussi de la qualité, ce qui entraîne encore ici des critiques. Sur le plan du processus, une amélioration s'impose et le PDG souhaite revoir en profondeur la façon de servir ses clients. Le délai moyen pour servir les clients au service à l'auto est de 25 secondes, mais tous les restaurants n'atteignent pas cette cible.

Quant à l'offre des produits, Marc Caira souhaite la modifier et l'améliorer en proposant d'autres sortes de cafés, mais aussi du lait et des jus, et, de façon générale, des produits plus santé. Il ne faut pas oublier que Marc Caira vient de Nestlé, le groupe agroalimentaire suisse connu entre autres pour ses cafés et le concept Nespresso. Une offre de café Tim Hortons pour cafetières Nespresso pourrait-elle être envisagée ? La question reste en suspens, mais l'idée de proposer du café Tim Hortons dans des distributrices au sein des entreprises trotte dans la tête de Marc Caira.

Avant d'en arriver là et au sein même des restaurants, l'offre de boissons comme le lait et les jus doit attirer une clientèle plus jeune que Tim Hortons pourrait aller chercher en exploitant davantage et mieux les communications sur les réseaux sociaux. Une application pour téléphones mobiles est offerte et propose entre autres des fonctions telles que le localisateur de restaurants, le rechargement d'une Carte Tim© permettant de payer avec son téléphone cellulaire ou encore des renseignements nutritionnels sur les aliments vendus chez Tim Hortons. Cependant, il semble en falloir plus pour séduire les adeptes des téléphones cellulaires.

Enfin, des produits plus santé pourraient rejoindre des consommateurs soucieux de leur bien-être et des conséquences des choix alimentaires sur leur santé. Un onglet du site Web renseigne bien les consommateurs sur les calories ingurgitées – 300 calories pour un beignet aux pommes, 340 pour un grand latte glacé aromatisé –, mais la vision de Marc Caira est de modifier ces produits pour bonifier leur composition et rendre les consommateurs moins « coupables » face à ces douceurs pour le palais.

En termes de croissance, l'organisation veut encore augmenter sa présence au Canada. Même si près de 3 500 restaurants jalonnent le pays, le PDG croit qu'il y a encore de l'espace à occuper sur le territoire national et aux États-Unis. Dans un communiqué publié début 2014, le groupe mentionnait la volonté d'ouvrir pas moins de 800 restaurants, dont 500 au Canada[37], parfois sous forme de très petites surfaces comme à l'Université du Québec à Trois-Rivières (UQTR). Aux États-Unis, la volonté de s'approcher de partenaires locaux pourrait constituer une façon de se développer en profondeur sur ce marché, tout en minimisant le risque[38].

Cette stratégie est sans doute une façon de couper court à l'expansion de Starbucks, désireuse, elle aussi, de prendre position au Canada et au Québec en particulier[39], mais aussi pour contrer McDonald's et sa volonté d'offrir du café en vrac[40] ou de mettre encore plus dans l'ombre Second Cup et ses quelque 350 restaurants au pays.

Cette croissance est aussi manifestée en interne par la volonté – la nécessité ? – d'offrir des produits pour le souper. Cette action semble déjà avoir été entreprise si l'on en juge par le lancement du « poulet croustillant » au printemps 2014. Ce produit proche de l'offre déjà en vigueur chez McDonald's est une action permettant à la chaîne de restaurants d'entrer dans la cour des produits les plus consommés au Canada. Les sandwichs chauds au poulet représentent 19 % des sandwichs chauds au pays et connaissent une croissance importante de 9 %[41].

Avec cette offre, Tim Hortons répond aux besoins alimentaires des consommateurs à tout moment de la journée et des saisons : des boissons chaudes ou froides et des aliments salés ou sucrés, chauds ou froids.

Épilogue

En date du 24 août 2014, Burger King, le géant américain de la restauration rapide, faisait savoir son intention d'acheter Tim Hortons, pour devenir un des plus importants groupes mondiaux dans ce domaine. La transaction d'un montant de 12,5 milliards de dollars[42] a été concrétisée quelques jours plus tard. Détenues aux mains des mêmes propriétaires, les deux chaînes continueront de se développer sur le continent nord-américain, entre autres.

Questions

1. Quels sont les concurrents directs et indirects de Tim Hortons ? Pour répondre à cette question, utilisez vos connaissances personnelles, en les complétant avec une recherche documentaire.

2. Le présent chapitre aborde amplement la notion de valeur. Quelle est la valeur offerte par Tim Hortons à ses clients à l'heure actuelle ? Comment cette valeur évoluera-t-elle avec les changements amorcés par le nouveau PDG ?

3. Les propos tenus dans ce cas mentionnent que Tim Hortons risque de modifier son offre de produits. Selon vous, est-ce une bonne stratégie ? Cela risque-t-il de nuire à l'entreprise et de faire fuir des clients habitués à certains mets ?

4. Tim Hortons venant d'être achetée par Burger King, y a-t-il complémentarité au niveau de la clientèle cible ? de l'image ?

Répondez à ces questions en vous basant sur les faits mentionnés dans le cas, sur ceux que vous trouverez sur Internet et sur votre expérience personnelle de consommation, le cas échéant.

CHAPITRE 2

Après avoir lu ce chapitre, vous devriez être en mesure :

OA **1** de décrire la façon dont une entreprise élabore et met en œuvre un plan marketing ;

OA **2** de réaliser une analyse FFOM et d'expliquer son rôle dans la planification marketing ;

OA **3** d'expliquer comment une entreprise choisit les groupes de personnes à viser par ses actions marketing ;

OA **4** d'expliquer comment le marketing mix permet d'augmenter la proposition de valeur au client ;

OA **5** d'expliquer comment une entreprise arrive à développer ses activités.

L'élaboration des stratégies de marketing

Comme nous l'avons appris au chapitre 1, l'environnement de l'entreprise peut offrir aux gestionnaires marketing de nouvelles occasions de croissance et d'expansion, et présenter des menaces. De plus, l'entreprise peut se heurter à des problèmes ou à des difficultés en raison de l'exécution inefficace d'un plan marketing ou connaître une baisse de rendement. Dans ces conditions, elle doit prendre des mesures pour adapter sa stratégie de marketing de manière à corriger ses faiblesses, écarter les menaces ou saisir les occasions d'affaires. Voyons comment la Walt Disney Company (Disney), chef de file mondial dans la conception et la réalisation de parcs thématiques, fait face à ce genre de situation. Les dirigeants de Disney ont remarqué que l'achalandage de leurs parcs thématiques ne cessait de diminuer[1]. Les visiteurs ont admis que les longues files d'attente ainsi que le prix d'entrée élevé étaient probablement en cause. Disney a donc dû relever le défi lancé : ajuster sa stratégie en vue de rendre l'expérience plus agréable aux visiteurs et faire en sorte qu'il vaille la peine de payer 63 $ pour un laissez-passer d'une journée sur les lieux.

Pour ce faire, Disney a élaboré une stratégie basée sur l'utilisation des technologies qui rend l'expérience vécue par les visiteurs plus adaptée à leurs besoins et plus personnalisée que jamais. L'entreprise a tout mis en œuvre afin de réinventer complètement le concept, d'influer sur le comportement des visiteurs et d'éviter que des foules se massent aux mêmes endroits sur l'emplacement. À cet effet, Disney a eu recours au système GPS, à des capteurs intelligents, à la technologie sans fil ainsi qu'à des appareils mobiles.

C'est d'ailleurs le cas de l'« ami Mickey », une peluche de 26 centimètres qu'il est possible de louer ou d'acheter sur les lieux. Cette peluche est munie d'une unité centrale, d'une horloge interne, de petits haut-parleurs et d'un capteur infrarouge. Lorsqu'un client se déplace dans le parc thématique avec sa peluche Mickey, le capteur reçoit des données transmises à partir de balises dissimulées dans les lampadaires, sur les toits et dans les buissons.

Au moment où la peluche capte les données, elle se met à rire et à vibrer, ce qui signifie qu'elle a un « secret » à confier à son utilisateur. Ces secrets ont trait aux files d'attente les moins longues dans les environs, à l'heure du prochain défilé, ou alors il s'agit de remarques anecdotiques sur l'endroit où se trouve son utilisateur.

La peluche Mickey contient également 700 messages préenregistrés, tant des blagues que des jeux, qui visent à divertir les enfants pendant qu'ils attendent en file. La peluche parle même l'espagnol !

L'utilisation de données pour personnaliser l'expérience des clients ne s'arrête pas là. Par exemple, Disney prévoit maintenant envoyer des messages textes à ses clients sur leur cellulaire ou leur téléphone intelligent pour confirmer une réservation prise dans un restaurant, pour les informer de l'heure des feux d'artifice ou encore des heures de départ au golf. En outre, si un visiteur passe beaucoup de temps à visiter l'exposition sur les dinosaures au parc thématique Animal Kingdom et qu'il se procure un souvenir à la boutique, il souhaiterait peut-être recevoir un courriel lui annonçant la sortie d'un DVD sur le sujet.

Constatant que la popularité de Mickey Mouse diminue en raison de la concurrence féroce que lui livrent les personnages de Nickelodeon, Pixar et DreamWorks, Disney tente

de lui donner une nouvelle personnalité afin d'atteindre la nouvelle génération d'enfants et de consommateurs. Elle dévoilera progressivement le nouveau Mickey, d'abord dans le jeu vidéo *Epic Mickey* offert sur la console Nintendo Wii. Selon le *New York Times*, le jeu « montrera le côté plus sombre du personnage ». Le nouveau jeu présente un Mickey Mouse plus rusé, qui peut parfois se montrer « irascible, mais aussi héroïque alors qu'il traverse un territoire inhospitalier[2] ».

Les dirigeants de Disney savent bien que Mickey Mouse n'est pas n'importe quelle souris : c'est une souris qui vaut cinq milliards de dollars, et en remaniant sa personnalité, ils risquent de s'aliéner leur clientèle de base[3]. Selon vous, Disney a-t-elle raison d'essayer de modifier l'image de Mickey Mouse pour attirer une nouvelle génération de clients ou devrait-elle plutôt se concentrer sur sa clientèle de base ?

Les dirigeants de l'entreprise ont investi dans des technologies telles que l'« ami Mickey » pour que l'expérience Disney soit plus agréable et profitable à ses clients.

Dans ce chapitre, nous étudierons les divers niveaux de planification stratégique ainsi que chacune des étapes du plan marketing. Par la suite, nous chercherons à analyser une situation de marketing précise sous plusieurs angles en plus d'évaluer des occasions d'affaires. En outre, nous analyserons des stratégies adoptées par les gestionnaires marketing pour faire en sorte que l'entreprise qui les emploie grandisse. Finalement, nous chercherons à savoir comment le marketing mix permet d'augmenter la valeur économique d'un client. La feuille de route ci-contre vous présente le contenu de ce chapitre.

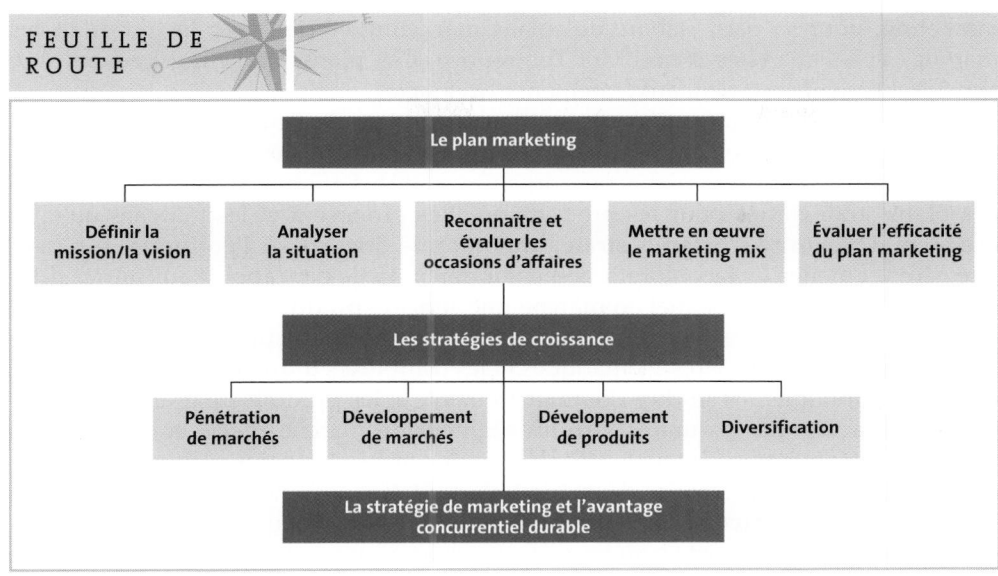

Les niveaux de planification stratégique dans l'entreprise

Un bon marketing ne s'obtient pas par hasard. Les entreprises comme Rona, Dollarama, La Baie d'Hudson et Disney planifient avec soin les stratégies de marketing qu'elles vont adopter en vue de réagir aux changements qui interviennent dans leur environnement, chez leurs clients et chez les concurrents. Dans la plupart des entreprises, la planification stratégique se fait au moins à deux niveaux : au niveau de l'entreprise et au niveau fonctionnel (*voir le tableau 2.1*). La planification au niveau de l'entreprise est réalisée par la haute direction et porte surtout sur l'orientation que doit prendre l'entreprise. Ainsi, les cadres supérieurs prennent les décisions relatives aux affaires de l'entreprise, définissent la mission ou la vision de cette dernière et fixent les buts à atteindre. La planification stratégique au niveau de l'entreprise s'intéresse à l'orientation de celle-ci à long terme, laquelle varie périodiquement pour s'adapter aux changements qui s'opèrent sur le marché. En général, la structure de gestion des grandes entreprises s'articule autour de fonctions d'affaires comme les ressources humaines, la recherche et développement, les finances, la production et le marketing. Habituellement, chacune de ces fonctions doit se charger d'une partie de la planification. Le Service du

TABLEAU 2.1	Les niveaux de planification stratégique		
Niveau de planification	**Champ d'application**	**Durée**	**Responsabilité**
Planification au niveau de l'entreprise	L'entreprise en entier	À long terme (5 ans)	Définir la mission, fixer les buts et définir le portefeuille d'activités de l'entreprise.
Planification au niveau de l'unité d'affaires stratégique (planification divisionnaire) (ne s'applique qu'aux grandes entreprises qui œuvrent dans plus d'un secteur d'activité)	Une seule unité d'affaires stratégique au sein de l'entreprise	À moyen ou à long terme (de 3 à 5 ans)	Fixer des buts à atteindre et déterminer le portefeuille de produits et de marchés de l'unité.
Planification au niveau fonctionnel (p. ex., la planification marketing)	Un portefeuille de produits, un seul produit, une seule marque ou un seul marché	À court ou à moyen terme (de 1 à 3 ans)	Élaborer un plan marketing pour chacun des produits, des marques ou des marchés.

marketing, pour sa part, élabore des plans marketing en lien avec les produits, les marques et les marchés concernant l'entreprise. Ces plans marketing peuvent être annuels, biennaux ou triennaux, rarement plus longs.

En plus de la planification stratégique au niveau de l'entreprise et au niveau fonctionnel, les grandes entreprises qui œuvrent dans plusieurs secteurs d'activité peuvent faire en sorte que chacune de leurs unités d'affaires stratégiques élabore des plans stratégiques pour les produits qu'elles proposent et les marchés qu'elles occupent. Une **unité d'affaires stratégique** est une division de l'entreprise qui peut être gérée et menée de façon pratiquement indépendante par rapport aux autres divisions, étant donné qu'elle met en marché une série de produits destinés à un groupe de consommateurs précis. Par exemple, Disney compte quatre unités d'affaires stratégiques : les médias, les parcs thématiques et les complexes touristiques, la production cinématographique (les studios d'enregistrement) et les produits de grande consommation. Chacune de ces unités vise un segment de marché précis et propose des produits différents pour lesquels elle élabore des plans stratégiques. Il est important de comprendre que le Service du marketing peut être sollicité pour la planification stratégique tant au niveau de l'entreprise qu'au niveau des unités d'affaires stratégiques, car sa tâche consiste à augmenter la valeur d'un produit, aussi bien aux yeux du consommateur qu'à ceux de l'entreprise. Le Service du marketing peut informer la haute direction des occasions d'affaires et d'éventuelles menaces pour l'entreprise. De la même façon, il peut aviser les unités d'affaires stratégiques des changements relatifs aux habitudes de consommation ou les aider à mettre sur pied un service à la clientèle et des programmes de fidélisation communs à toutes les unités. Nous allons maintenant nous intéresser au **processus de planification marketing** touchant à un produit, à une marque ou à un marché en particulier.

OA ① Le plan marketing

Le plan marketing est un document écrit comprenant une analyse de la situation actuelle du marché, des opportunités d'affaires qui s'offrent à l'entreprise et des menaces possibles, les objectifs à atteindre, les stratégies relatives à chacun des quatre « P », le calendrier de mise en application des stratégies ainsi que l'état des résultats *pro forma* et prévus (et autres états financiers)[4]. Les trois principales phases du processus de planification stratégique qui guident la rédaction d'un plan marketing sont la planification, la mise en œuvre et le contrôle. Bien que la plupart des gens ne possèdent pas de document écrit définissant ce qu'ils ont l'intention d'accomplir au cours de l'année et de quelle façon, les entreprises ont besoin de ce type de document. En effet, il est important que tous les membres impliqués dans l'exécution du plan marketing connaissent les objectifs globaux de l'entreprise et la façon dont elle prévoit les atteindre. D'autres parties prenantes, comme les investisseurs existants et potentiels, voudront aussi savoir ce que l'entreprise compte faire. Le plan marketing sert également de point de référence pour évaluer si l'entreprise a réalisé ses objectifs ou non.

La rédaction d'un plan marketing implique cinq étapes, comme illustré dans la figure 2.1. Au cours de la **phase de planification**, les gestionnaires marketing travaillent de concert avec les cadres supérieurs en vue de définir la mission ou la vision de l'entreprise ainsi que ses objectifs (étape 1). Ensuite, ils analysent la situation en déterminant la façon dont les divers acteurs associés à l'organisation influent sur la réussite de l'entreprise (étape 2). Vient ensuite la **phase de mise en œuvre** qui regroupe les étapes 3 et 4 du plan marketing. La troisième étape, qui relève toujours des gestionnaires marketing, consiste à reconnaître et à évaluer les occasions d'affaires en procédant à la segmentation, au ciblage et au positionnement (SCP) (étape 3). En se basant sur les résultats de l'étape 3, ils développent le marketing mix (les quatre « P ») et le mettent en œuvre. Ils affectent donc les ressources, se chargent de l'organisation du marketing et établissent le calendrier de mise en application des stratégies définies pour chacun des « P » du marketing mix (étape 4).

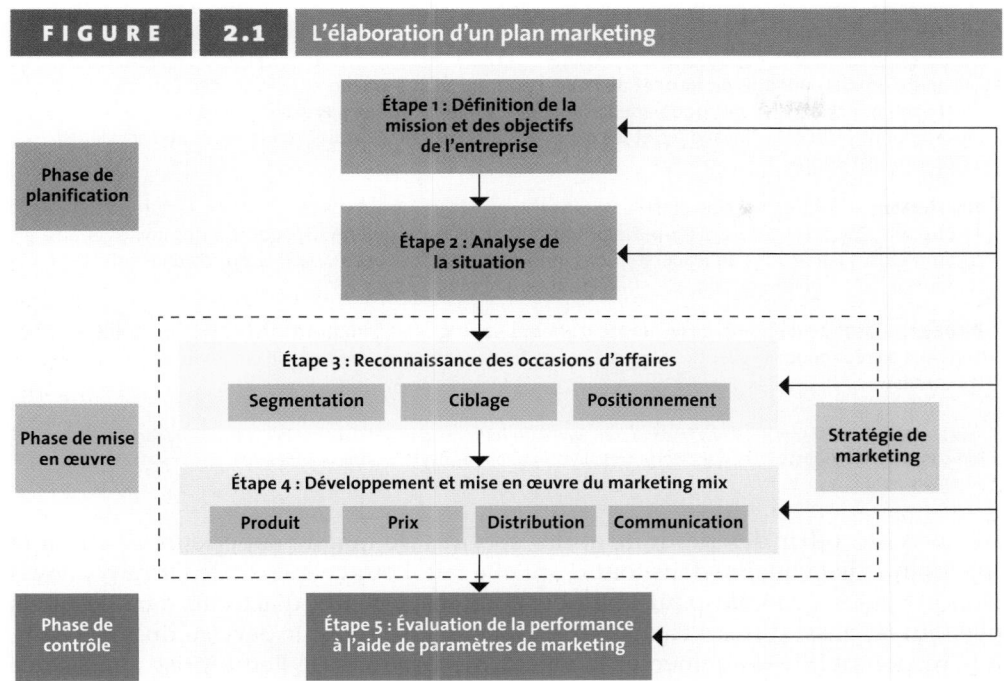

| FIGURE | 2.1 | L'élaboration d'un plan marketing |

Étape 1 : Définition de la mission et des objectifs de l'entreprise

Phase de planification

Étape 2 : Analyse de la situation

Étape 3 : Reconnaissance des occasions d'affaires

| Segmentation | Ciblage | Positionnement |

Phase de mise en œuvre

Stratégie de marketing

Étape 4 : Développement et mise en œuvre du marketing mix

| Produit | Prix | Distribution | Communication |

Phase de contrôle

Étape 5 : Évaluation de la performance à l'aide de paramètres de marketing

La dernière phase du plan marketing est la **phase de contrôle**. Elle vise à évaluer la performance de la stratégie de marketing et à y apporter des corrections (étape 5), s'il y a lieu.

Comme le révèle la figure 2.1, il n'est pas toujours nécessaire de passer par chacune des étapes du plan marketing. Par exemple, une entreprise pourrait choisir d'évaluer la performance de sa stratégie, puis passer directement à l'étape de l'analyse des environnements sans avoir à revoir sa mission.

En premier lieu, nous aborderons chacune des étapes de l'élaboration d'un plan marketing. Ensuite, nous verrons comment analyser une situation de marketing, puis reconnaître et évaluer des occasions d'affaires. Nous nous pencherons aussi sur les stratégies adoptées par les gestionnaires marketing pour faire grandir l'entreprise. Enfin, nous étudierons comment le marketing mix permet d'augmenter la proposition de valeur aux clients. L'annexe (*voir p. 618*) présente un exemple des grandes lignes d'un plan marketing et un modèle de plan marketing.

phase de contrôle
(*control phase*)
Étape du plan marketing au cours de laquelle les gestionnaires marketing évaluent la performance de leur stratégie commerciale et y apportent des corrections, s'il y a lieu.

Étape 1 : définir la mission de l'entreprise

L'**énoncé de mission** est une description générale des objectifs de l'entreprise et du champ d'activité qu'elle veut couvrir[5] dans le but de répondre à deux questions principales : de quel genre d'entreprise s'agit-il ? Comment faire pour atteindre les buts et les objectifs qui ont été fixés ? Les plus hauts échelons de l'entreprise doivent répondre à ces questions fondamentales avant que les gestionnaires marketing ne puissent faire leur travail. La plupart des organisations veulent que les actions prennent de la valeur et que les dividendes augmentent de manière que leurs actionnaires s'enrichissent le plus possible[6].

Par contre, il n'est pas rare que les propriétaires de petites entreprises aient d'autres objectifs, comme celui d'atteindre un certain revenu ou celui de ne pas prendre de risque. Le tableau 2.2, à la page suivante, donne plusieurs exemples d'énoncés de mission.

Les organismes sans but lucratif, comme la Fondation des maladies du cœur et de l'AVC, ont des objectifs non pécuniaires, comme celui d'améliorer la santé des Canadiens, en favorisant la recherche, la promotion de la santé et les représentations axées sur la santé. De son côté, Tim Hortons s'est donné une mission

énoncé de mission
(*mission statement*)
Description générale des objectifs de l'entreprise et du champ d'activité qu'elle veut couvrir dans le but de répondre à deux questions principales : de quel genre d'entreprise s'agit-il ? Comment faire pour atteindre les buts et les objectifs qui ont été fixés ?

TABLEAU	**2.2**	Des exemples d'énoncés de mission

La **Fondation des maladies du cœur et de l'AVC** a pour mission d'améliorer la santé des Canadiens, en favorisant la recherche, la promotion de la santé et les représentations en faveur de la santé afin de prévenir et de réduire les invalidités et les décès dus aux maladies cardiovasculaires et aux accidents vasculaires cérébraux.

Tim Hortons énonce sa mission ainsi :
« Notre mission directrice est d'offrir des produits et services de qualité supérieure à nos invités et aux communautés par le biais du leadership, des innovations et des partenariats. Notre vision est d'être toujours à la fine pointe de la qualité dans tout ce que nous faisons. »

Disney, qui compte de nombreuses unités d'affaires stratégiques, indique dans sa mission qu'elle s'engage à créer pour ses clients des expériences divertissantes empreintes de créativité et basées sur les contes.

Sources : « Qui sommes-nous ? », www.fmcœur.com ; www.timhortons.com/ca/fr/about/media-company-facts.html ; « Company Overview », http://thewaltdisneycompany.com/about-disney/company-overview (pages consultées le 2 décembre 2014).

très précise : offrir des produits et des services de qualité supérieure et être à la fine pointe de la qualité dans tout ce qu'elle fait. Pour ce qui est de Disney, sa mission est assez générale pour englober tous les secteurs d'activité dans lesquels elle œuvre, aussi différents soient-ils. Dans ces trois cas, le Service du marketing a la responsabilité d'augmenter la valeur des produits de l'entreprise auprès des consommateurs et des autres participants.

OA **Étape 2 : analyser la situation à l'aide de la matrice FFOM**

analyse de la situation
(*situation analysis*)
Deuxième étape du plan marketing qui consiste à analyser les forces et les faiblesses (environnement interne) ainsi que les opportunités et les menaces (environnement externe) propres à l'entreprise.

avantage concurrentiel durable (*sustainable competitive advantage*)
Situation de supériorité d'une entreprise qui lui permet de soutenir la concurrence.

Une fois que l'entreprise a défini sa mission, elle doit passer à l'**analyse de la situation**, c'est-à-dire à l'analyse de l'environnement interne, contrôlable (forces et faiblesses), et de l'environnement externe, incontrôlable (opportunités et menaces), représentée par le sigle FFOM. L'analyse de la situation comprend l'examen des tendances dans son secteur d'activité, ainsi que l'analyse de la clientèle et de la concurrence. De plus, les entreprises doivent évaluer les opportunités d'affaires et les incertitudes du marché découlant des changements culturels, démographiques, sociaux, technologiques, économiques et politiques (CDSTEP), comme décrits dans le chapitre 4.

Une analyse FFOM a pour but d'aider l'entreprise à déterminer les forces qui lui permettent de rivaliser efficacement avec la concurrence et les faiblesses qui l'exposent aux attaques de celle-ci. Elle lui permet aussi de déterminer son **avantage concurrentiel durable** ou ses avantages uniques qui ne peuvent être reproduits facilement par ses concurrents ainsi que la façon dont elle peut les exploiter pour saisir les occasions qui s'offrent à elle à la suite des changements survenus dans son environnement externe. Si elle comprend ses forces et ses faiblesses, l'entreprise est mieux placée pour corriger ces dernières et réagir aux menaces présentes dans son environnement externe. L'analyse FFOM oblige l'entreprise à évaluer d'un œil critique ses ressources, ses capacités, son organisation, ses stratégies et sa performance face à ses concurrents. De même, l'entreprise doit analyser soigneusement les changements qu'elle observe dans son environnement externe et comprendre leur incidence sur ses affaires, qu'ils représentent des menaces ou des opportunités. Une entreprise peut agir sur ses forces et ses faiblesses, et prendre des mesures pour consolider les premières et atténuer les secondes. Par contre, les opportunités et les menaces sont indépendantes de son contrôle ; elle doit donc les anticiper le plus tôt possible pour pouvoir tirer parti d'éventuelles opportunités de développement et se protéger de menaces potentielles.

Le tableau 2.3 présente plusieurs facteurs généraux qui sont généralement pris en compte lors d'une analyse FFOM. La pertinence de certains éléments dépend de la nature de l'entreprise. Cette liste vise seulement à donner un aperçu de ce qu'est une analyse FFOM et n'est pas du tout exhaustive.

T A B L E A U **2.3**	**Quelques exemples d'éléments pris en compte lors d'une analyse FFOM**	
Environnement	**Évaluation**	
	Positive	**Négative**
Interne	**Forces** ● Ressources et capacités supérieures ● Compétences exceptionnelles en gestion, en marketing et en technologie ● Grande notoriété de la marque ● Offre de produit de qualité supérieure ● Forte pénétration du marché ● Réseau de distribution étendu (national et mondial) ● Ressources financières considérables ● Excellent emplacement géographique ● Techniques brevetées/propriété intellectuelle ● Solide base de clients fidèles	**Faiblesses** ● Manque de ressources financières ● Insuffisance d'autres ressources et capacités ● Compétences insuffisantes en gestion, en marketing et en technologie ● Faible notoriété de la marque ou notoriété inexistante ● Faible pénétration du marché ou réseau de distribution limité ● Emplacement géographique médiocre ● Absence de techniques brevetées ● Base de clients limitée ou clientèle peu loyale ● Manque de crédibilité
Externe	**Opportunités** ● Changements culturels, démographiques, sociaux, technologiques, économiques et politiques qui permettent à l'entreprise de lancer des produits existants sur de nouveaux marchés ou de profiter de débouchés entièrement nouveaux ● Départs d'entreprises causés par des difficultés financières ou autres (p. ex., moins de concurrence) ● Lorsqu'une entreprise achète une autre entreprise, elle a accès à un nouveau marché, à une clientèle, à une technologie et à des compétences nouvelles, ainsi qu'à des ressources financières additionnelles.	**Menaces** ● Changements politiques ou réglementaires (p. ex., nouvelles lois touchant la conduite des affaires ou les produits) ● Nouveaux concurrents dans l'industrie ou sur le marché ● Nouvelle technologie susceptible de supplanter la technologie ou les pratiques commerciales existantes ● Catastrophes naturelles ou provoquées par l'homme ● Récession ou ralentissement économique affectant le pouvoir d'achat et la confiance des consommateurs ● Changements socioculturels ou démographiques

Regardons comment une entreprise comme la Walt Disney Company (Disney) pourrait procéder à l'analyse FFOM illustrée dans le tableau 2.4, à la page suivante. Les forces, dans le quadrant supérieur gauche, correspondent aux attributs positifs propres à l'entreprise. Disney est l'une des marques les plus connues, se classant neuvième parmi les 100 marques internationales les plus réputées. Le nom Disney est connu partout dans le monde, et lorsqu'un produit porte ce nom, le client qui l'achète sait qu'il sera diverti. En effet, Disney est une entreprise diversifiée qui opère dans quatre secteurs d'activité distincts : les médias, les parcs thématiques et les complexes touristiques, la production cinématographique (les studios d'enregistrement) et les produits de grande consommation. Cette diversité multiplie les occasions d'affaires, et donc de croissance de l'entreprise, tout en réduisant les risques. Son vaste réseau télévisuel, lequel comprend les chaînes ABC Family, Lifetime TV, A&E TV, Toon Disney, SOAPnet et ESPN, attire des téléspectateurs dont l'âge et les champs d'intérêt sont variés. Disney produit aussi des films qu'elle distribue partout dans le monde grâce à ses maisons de production (Walt Disney Pictures, Touchstone, Miramax et Dimension, notamment). Ses produits sont vendus directement aux clients dans les magasins Disney ou par des catalogues affiliés.

Les opportunités, dans le quadrant inférieur gauche du tableau 2.4, correspondent aux aspects positifs du milieu externe dans lequel œuvre Disney. Tout comme ses forces, les opportunités de l'entreprise sont multiples, y compris celle de pouvoir faire croître la marque Disney et ses unités d'affaires stratégiques tant aux États-Unis que partout ailleurs dans le monde. Par exemple, l'augmentation de la richesse dans les marchés internationaux offre à Disney des occasions de s'implanter

TABLEAU 2.4	L'analyse FFOM de Disney	
Environnement	**Évaluation**	
	Positive	Négative
Interne	**Forces** • Ressources et capacités supérieures : plus grande entreprise de médias et de divertissement au monde avec des actifs évalués à plus de 60 milliards de dollars américains • Pénétration du marché et distribution mondiales pour ses quatre unités d'affaires stratégiques : médias, parcs thématiques et complexes touristiques, production cinématographique et produits de grande consommation • Image de marque bien connue : en 2010, Disney se classait neuvième parmi les 100 marques internationales les plus réputées • Capacité d'innover : reconnue pour développer des attractions nouvelles et innovantes • Ses personnages (comme Mickey, Winnie l'Ourson) sont bien connus et aimés des consommateurs du monde entier. • Le Disney Store vend exclusivement des marchandises Disney et contrôle leur commercialisation.	**Faiblesses** • Confiance excessive dans ses relations dans certains secteurs d'activité et marchés • Concentration des revenus : environ 80 % des revenus de Disney proviennent des États-Unis, ce qui rend l'entreprise trop dépendante du marché américain. • Stratégie de normalisation : Disney exporte l'offre américaine vers les marchés internationaux au lieu de développer des offres adaptées aux marchés régionaux. • Le rendement médiocre du Hong Kong Disneyland et d'autres secteurs d'activité nuisent à l'image de marque de l'entreprise.
Externe	**Opportunités** • L'augmentation de la richesse dans les économies émergentes incite Disney à développer les marchés internationaux. • Possibilités d'expansion pour les entreprises existantes aux États-Unis • Possibilités d'expansion dans le domaine des croisières • Possibilité de construire de nouvelles attractions dans les parcs thématiques	**Menaces** • Augmentation de la pression concurrentielle dans certaines de ses unités d'affaires stratégiques • Ses propriétés pourraient être la cible d'une attaque terroriste. • Modification des règlements appliqués aux médias et à l'industrie du divertissement • Récession ou ralentissement économique sévère dans l'un ou l'autre marché où Disney est implantée.

sur ces marchés et c'est précisément ce que l'entreprise a fait. Disney a lancé deux chaînes de télévision en Inde, Disney Channel et Toon Disney, et sa chaîne Asian TV est offerte dans sept autres régions de l'Asie-Pacifique (Australie, Japon, Malaisie, Corée du Sud, Singapour, Brunei et Philippines)[7]. Ainsi, les possibilités de croissance sont illimitées pour ces marchés et pour les autres marchés que Disney a pénétrés.

Toute entreprise a des faiblesses, et Disney ne fait pas exception à cette règle. Les faiblesses, dans le quadrant supérieur droit du tableau 2.4, correspondent aux caractéristiques négatives de l'entreprise. En premier lieu, la croissance de Disney dépend grandement de la relation qu'entretient l'entreprise avec les chaînes de télévision câblées.

La vente de produits dérivés des films de Disney génère toujours des recettes considérables.

Sans elles, l'expansion de Disney serait menacée. En deuxième lieu, les activités qui sont exercées à l'étranger sont très risquées. Par exemple, Euro Disney n'a pas connu un franc succès à son ouverture. De la même façon, le Hong Kong Disneyland n'a pas répondu aux attentes des dirigeants. Son parc thématique Magic Kingdom perd de l'argent de façon continue depuis son ouverture en 2005[8]. Une telle situation risque de ternir l'image de Disney et de compromettre la croissance de l'entreprise en Asie[9]. En dernier lieu, le lien étroit entre les divers secteurs d'activité de Disney accroît le risque de réaction en chaîne. Ainsi, si un film ne connaît pas le succès escompté, les produits liés à ce film ne se vendront pas très bien non plus. Entre 2004 et 2006, les recettes provenant de la production cinématographique et de la vente de produits de consommation ont connu une chute de plus de 15 %. Si Disney connaît un mauvais rendement sur une période prolongée, les recettes et la rentabilité de l'entreprise seront gravement compromises.

Finalement, les menaces, dans le quadrant inférieur droit du tableau 2.4, correspondent aux aspects négatifs de l'environnement externe dans lequel œuvre une entreprise donnée. Dans le cas de Disney, les pressions exercées sur l'entreprise dans tous ses secteurs d'activité peuvent avoir une influence négative sur son rendement. Par exemple, les réseaux de télévision (comme CBS et Fox), la télévision par satellite ou par Internet (Netflix) et les réseaux de câblodistribution livrent une concurrence féroce aux studios et aux services de radiodiffusion de Disney. Une telle concurrence pourrait rendre difficile l'augmentation des recettes publicitaires de Disney. Les parcs thématiques et les complexes touristiques de Disney font aussi face à une forte concurrence, notamment de la part des parcs Paramount et des autres parcs d'attractions situés un peu partout aux États-Unis. Une autre menace que doit affronter Disney est l'abondance de réglementations qui caractérise l'industrie, tant aux États-Unis qu'ailleurs dans le monde. Ces réglementations pourraient empêcher Disney de diffuser certaines émissions, entre autres parce que la durée des annonces publicitaires est restreinte pendant les émissions jeunesse. En outre, toute tendance économique qui touche les entreprises en général aura aussi une incidence sur Disney. Enfin, la situation politique nationale et internationale place également les entreprises comme Disney dans une position délicate, faisant d'elles des cibles de choix pour une éventuelle attaque terroriste.

Étape 3 : reconnaître et évaluer les occasions d'affaires en utilisant la méthode segmentation, ciblage et positionnement (ou SCP)

OA **3**

Une fois la situation analysée, l'entreprise doit reconnaître et évaluer les occasions d'affaires en vue d'augmenter ses ventes et ses profits à l'aide du processus de **segmentation, ciblage et positionnement (ou SCP)**. Pour ce faire, l'entreprise doit d'abord connaître les besoins et les désirs des consommateurs ; c'est pourquoi elle doit procéder à l'étude du marché. Ensuite, elle doit séparer le marché ou les consommateurs en sous-groupes, qui correspondent à des segments de marché, déterminer les segments qui seront visés par sa stratégie de marketing, puis décider comment positionner ses produits et ses services de manière à répondre aux besoins des marchés cibles. Les critères servant à évaluer des segments de marché cibles sont expliqués en détail au chapitre 8.

segmentation, ciblage et positionnement (ou SCP) (*segmentation, targeting and positioning [STP]*) Processus utilisé par les entreprises pour cerner et évaluer les occasions d'affaires qui s'offrent à elles en vue d'augmenter les ventes et les profits.

La segmentation

Un marché comprend de nombreux types de consommateurs. La plupart des entreprises n'arrivent donc pas à satisfaire tout le monde. Par exemple, parmi les internautes, certains font des recherches en ligne, d'autres font des achats, d'autres encore se divertissent et bon nombre d'entre eux font les trois. Chacun de ces groupes peut constituer un **segment de marché**, soit un groupe de consommateurs qui réagissent sensiblement de la même manière aux actions de marketing d'une entreprise. L'action de diviser le marché en groupes de consommateurs selon leurs besoins, leurs désirs ou des éléments qui les caractérisent porte le nom de **segmentation du marché**. Ces consommateurs désirent donc généralement se procurer des produits et des services conçus à leur intention. Par exemple, la Pleasure Island de Disney cible les célibataires et les couples, l'Epcot cible les adultes et les familles avec des adolescents, et le Magic Kingdom, des familles avec de jeunes enfants. Les entreprises déterminent les segments de marché de diverses façons. Ainsi, Disney peut se servir de caractéristiques démographiques, comme le sexe, l'âge et le revenu, pour cerner les familles que pourrait intéresser le Magic Kingdom, mais utiliser des caractéristiques psychologiques ou comportementales (aimer faire la fête, aimer danser, etc.) pour trouver les célibataires et les couples ciblés par la Pleasure Island. Comme le montre le tableau 2.5 à la page suivante,

segment de marché (*market segment*) Groupe de consommateurs qui réagissent sensiblement de la même manière aux actions de marketing de l'entreprise.

segmentation du marché (*market segmentation*) Division du marché en groupes de consommateurs selon leurs besoins, leurs désirs ou des éléments qui les caractérisent. Ces consommateurs désirent généralement se procurer des produits et des services conçus à leur intention.

TABLEAU 2.5 Les segments de marché investis par Hertz					
	Segment 1	**Segment 2**	**Segment 3**	**Segment 4**	**Segment 5**
Segments	Célibataires et couples qui veulent s'amuser un peu	Clients commerciaux et familles qui préfèrent une voiture luxueuse	Consommateurs soucieux de l'environnement	Familles	Clients commerciaux
	Voitures de tourisme	Prestige	Voitures écologiques	VUS, minifourgonnettes et multisegments	Fourgonnettes et camions
Marques de voiture	Corvette ZHZ	Infiniti QX56	Toyota Prius	Toyota Rav 4	Ford Cargo Van
	Chevrolet Camaro	Cadillac Escalade	Ford Fusion	Ford Explorer	

PepsiCo Canada cible plusieurs marchés avec une grande variété de marques de croustilles et de boissons gazeuses.

ciblage (*target marketing/ targeting*)
Évaluation des attraits de divers segments de marché en vue de tenter de percer l'un d'eux.

positionnement
(*market positioning*)
Définition des variables du marketing mix visant à permettre aux clients ciblés de comprendre clairement l'utilité du produit et ce qu'il représente par rapport aux produits de la concurrence.

certains segments de marché ciblés par l'entreprise de location de voitures Hertz comprennent des célibataires et des couples qui veulent s'amuser un peu, des clients commerciaux et des familles qui préfèrent une voiture luxueuse, ainsi que des consommateurs ayant une conscience écologique. L'entreprise peut également segmenter le marché en fonction des avantages recherchés ou de facteurs socio-culturels, lesquels seront définis au chapitre 8.

Le ciblage

Lorsque les segments sont définis, l'entreprise évalue le facteur d'attraction de chacun d'eux et choisit le ou les segments sur lesquels elle se concentrera. Pour ce faire, l'entreprise a recours au **ciblage**. Comme nous l'avons mentionné précédemment, Disney a compris que le Magic Kingdom intéresse principalement les jeunes familles ; elle a donc concentré ses efforts commerciaux sur ce groupe de consommateurs. De la même manière, les fabricants de croustilles ont divisé le marché en plusieurs sous-marchés, ou segments. Par exemple, Frito Lay Canada produit ses croustilles Doritos à l'intention d'un segment de marché composé d'adolescents, et ses Lay's au wasabi et au cari à l'intention d'un segment composé de la clientèle canadienne d'origine asiatique[10]. Les critères servant à évaluer le facteur d'attraction d'un segment cible sont expliqués dans le chapitre 8.

Le positionnement

Finalement, une fois que l'entreprise a choisi les segments de marché sur lesquels elle se concentrera, elle doit déterminer la façon de se positionner au sein de ces derniers. Comme le positionnement concerne l'impression produite par la marque ou le produit sur le consommateur, les efforts des gestionnaires marketing visent surtout à orienter la perception que celui-ci a de leur marque ou de leur produit. Évidemment, tous les gestionnaires marketing souhaitent que leur marque ou leur produit dégage ce que l'entreprise souhaite qu'il dégage, mais bien peu y arrivent totalement. Ainsi, il est important d'avoir à l'esprit que le positionnement souhaité diverge souvent du positionnement réel. Dans le cas de Disney, celle-ci se définit comme une entreprise de divertissement, et c'est aussi ce que la plupart des clients perçoivent. De même, Massimo Dutti souhaite que sa marque incarne le chic urbain décontracté, et c'est ce à quoi la plupart des consommateurs l'associent. Le **positionnement** réside dans la définition des variables du marketing mix qui permettra aux clients ciblés de comprendre clairement l'utilité du produit et ce qu'il représente par rapport aux produits de la concurrence.

La définition des objectifs marketing

Normalement, le gestionnaire marketing a la responsabilité de définir les objectifs marketing spécifiques d'un produit ou d'une marque, et ce, pendant toute la durée du plan marketing. Ces objectifs peuvent porter sur les parts de marché, les recettes et la rentabilité cibles, sur le nombre de produits vendus ou sur la notoriété de la marque. Selon le plan marketing, les objectifs sont habituellement fixés pour une durée de un à trois ans. À la quatrième étape de l'élaboration du plan marketing, l'entreprise élabore et met en œuvre son marketing mix et affecte des ressources à différents produits et services.

Étape 4 : mettre en œuvre le marketing mix et affecter les ressources   OA

Une fois les possibilités de croissance cernées puis évaluées à l'aide du processus de SCP, l'action commence véritablement. L'entreprise sait quoi faire, comment le faire et quelles ressources elle doit allouer à tel ou tel autre produit. À cette étape, les chefs de produits élaborent et mettent en œuvre le marketing mix (les quatre « P ») pour chacun des produits et des services en fonction des caractéristiques auxquelles le marché cible attribue de l'importance (*voir la figure 2.2*). Parallèlement, les gestionnaires doivent prendre des décisions clés quant à l'affectation des rares ressources aux divers produits et services de l'entreprise. Chaque élément des quatre « P » doit être couvert afin que la stratégie de marketing soit cohérente.

FIGURE **2.2** **L'élaboration du marketing mix**

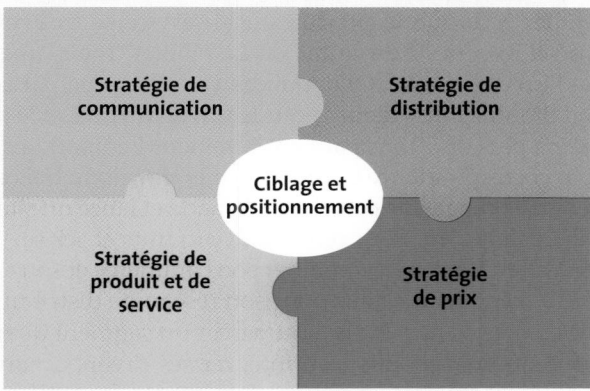

Le produit et la création de valeur

Les produits, incluant les services, constituent le premier des quatre « P ». Étant donné que la clé du succès d'un programme de marketing réside dans la création de valeur, l'entreprise tente d'élaborer des produits et des services dont la valeur est suffisamment élevée pour que certains consommateurs veuillent les acheter.

Folgers a créé de la valeur pour un produit et un marché qui n'existaient pas auparavant.

C'est le cas de Starbucks dont les produits ont une valeur suffisamment élevée aux yeux de nombreux consommateurs pour qu'ils acceptent de payer leur café plus de 4 $. Toutefois, des millions de consommateurs n'attribuent aucune valeur au café ou n'en boivent pas parce qu'il leur donne des brûlures d'estomac. Conscient de cela, P&G, le géant de l'industrie des produits de consommation, a lancé le café Simply Smooth de Folgers, torréfié pour convenir aux estomacs sensibles. Le café Simply Smooth n'attirera

pas les acheteurs de café traditionnels qui apprécient d'autres aspects du café, mais il peut créer une nouvelle catégorie de buveurs de café, permettant ainsi à P&G d'atteindre une clientèle qui n'en boirait pas normalement[11]. Vous en apprendrez davantage sur les décisions relatives aux produits et aux marques dans les chapitres 9 et 10.

Le prix et l'optimisation des revenus

Souvenez-vous que le prix est le deuxième élément du marketing mix. Selon le principe de l'échange, l'entreprise offre un produit ou un service, ou encore une combinaison des deux, pour lequel elle reçoit de l'argent en retour. Le marketing de la valeur est une pratique au cours de laquelle l'entreprise fixe le prix d'un produit de façon que le client considère qu'il en a pour son argent. Évidemment, il est primordial que l'entreprise sache avec précision quel produit vendre, où le distribuer et quelle approche adopter afin de réussir à le vendre. Il n'en demeure pas moins que la fixation du prix est la seule activité de marketing qui exerce une influence directe sur les revenus en faisant entrer de l'argent dans la caisse. Si le prix d'un produit est trop élevé, le volume des ventes sera faible, mais si le prix est trop bas, la marge de profit et les profits pourraient en souffrir inutilement. C'est pourquoi le prix d'un produit devrait être fixé à partir de la valeur que le client lui attribue. La prise de décision et les stratégies relatives à l'établissement des prix sont des thèmes abordés en détail dans le chapitre 12.

La distribution et la distribution de la valeur

Le troisième «P», qui signifie *place* en anglais, fait référence à la distribution du produit ou du service que l'entreprise offre aux consommateurs. Une fois la valeur créée, l'entreprise doit veiller à ce que le produit ou le service se trouve là où le client le veut, au moment où il le veut. C'est le cas de Lee Valley Tools, une petite entreprise d'Ottawa, devenue l'un des chefs de file mondiaux de la vente par correspondance et de la vente au détail d'outils innovateurs pour le travail du bois et le jardinage. L'entreprise a été fondée il y a plus de 30 ans par l'entrepreneur Leonard Lee. Il s'agissait alors d'un fournisseur par correspondance d'outils pour le travail du bois et le jardinage. Au fil des ans, Lee a ouvert 11 magasins partout au Canada et lancé un site Web commercial fonctionnel, www.leevalley.com. Pour rendre ses produits et ses services accessibles à tous ses clients, Lee Valley Tools a su combiner son commerce et son catalogue avec son site Web de manière à créer de la valeur pour son réseau de distribution.

Avec son site Web, Lee Valley Tools a pu percer un segment de marché plus vaste de façon efficace et économique. Elle a su intégrer ses divers canaux de distribution afin que l'expérience client soit harmonieuse, un générateur de valeur non négligeable pour toute entreprise[12]. Dans les chapitres 13 et 14, nous aborderons plus en détail les décisions relatives à la distribution. Bien que de nombreuses entreprises aient créé des sites Web sophistiqués et des stratégies complexes de marketing en ligne pour générer de la valeur pour leurs clients, on ne peut pas en dire autant des organismes sans but lucratif. Comme l'explique la rubrique Forces d'Internet ci-contre, au Canada, un grand nombre de ces organismes n'exploitent toujours pas le pouvoir d'Internet pour collecter des fonds, recruter des bénévoles et communiquer avec leur clientèle.

La communication et la communication de la valeur

Le dernier des quatre «P» du marketing mix signifie «promotion» en anglais; toutefois, nous lui préférons en français le terme «communication». La promotion, en français, est en effet un outil, parmi tant d'autres, de communication marketing. Les gestionnaires marketing présentent la valeur de ce qu'ils ont à offrir aux consommateurs, ce qu'on appelle la proposition de valeur, par l'intermédiaire de divers médias, dont la télévision, la radio, les magazines, la promotion des ventes, la publicité, la force de vente et Internet (une bénédiction pour les détaillants spécialisés). Les entreprises éloignées des grands centres peuvent dorénavant agrandir leur marché cible et viser le marché mondial. Les Canadiens qui vivent à l'étranger – en Afrique, en Australie ou en Nouvelle-Zélande, par exemple – peuvent commander leurs produits canadiens préférés en quelques clics seulement sur le site ontarien www.thecountrygrocer.com[13].

Sans but lucratif ne signifie pas « sans Internet »

Au Canada, il existe plus de 161 000 organismes sans but lucratif qui apportent des services inestimables au sein de leurs collectivités. La plupart d'entre eux transmettent leur vision, leurs valeurs fondamentales et leur mission par des moyens de communication traditionnels comme les médias imprimés, les messages d'intérêt public, le bouche-à-oreille et les événements promotionnels. Or, ces moyens de communication sont gourmands en argent et en ressources. Comme leurs revenus proviennent principalement de dons, ces organismes doivent être extrêmement rigoureux dans la gestion des fonds affectés au marketing et à la promotion. Ils doivent donc faire preuve d'inventivité pour maximiser l'impact de leur stratégie de marketing, et ce, tout en monopolisant le moins de ressources possible.

La plupart des organismes sans but lucratif reconnaissent qu'Internet constitue un moyen économique d'atteindre un large public et de créer une grande valeur. Par conséquent, ils sont de plus en plus nombreux à utiliser le Web pour faire connaître leur vision et fournir des renseignements sur leurs services. Toutefois, malgré cette présence en ligne, nombre d'entre eux n'exploitent pas pleinement les capacités d'Internet, souvent faute de personnel ayant les connaissances et les compétences nécessaires. Une étude menée par les professeurs Ajax Persaud et Judith Madill de l'École de gestion Telfer de l'Université d'Ottawa a révélé qu'un grand nombre d'organismes de bienfaisance ont des sites Web très élémentaires. Ces organismes utilisent principalement Internet pour présenter leurs services, mais ne l'utilisent que très rarement pour collecter des fonds, recruter des bénévoles ou bâtir des relations avec les donateurs, les bénévoles et d'autres mandants. Or, ces activités sont primordiales s'ils veulent parvenir à leurs fins. Rares sont les sites Web des organismes sans but lucratif qui contiennent des renseignements sur les emplois de bénévoles ou sur la possibilité de faire un don en ligne. Comme quelques grandes fondations et organismes de très grande envergure, l'Armée du Salut est l'un des rares organismes dont le site Web permet aux visiteurs de faire des dons directement ou de vérifier l'historique de leurs dons. Bien que ces organismes aient intégré Internet dans leur stratégie de marketing, ils pourraient faire beaucoup plus pour rendre leur présence en ligne plus efficace.

Une présence virtuelle fournit l'occasion de créer une plus grande valeur pour les donateurs. Les entreprises privées exploitent cette possibilité en créant des sites Web sophistiqués pour mieux servir leurs clients, mais surtout pour bâtir des relations avec eux. Il est donc temps que les organismes sans but lucratif s'inspirent des entreprises privées et utilisent les nombreux atouts des outils Web pour améliorer leur stratégie de marketing[14]. Et si vous cherchez un emploi stimulant pour mettre en application toutes les connaissances acquises lors de votre formation universitaire, vous devriez prendre le temps de regarder les opportunités du côté des organismes à but non lucratif. Ils vous attendent les bras ouverts !

L'Armée du Salut est l'un des rares organismes sans but lucratif qui exploite Internet efficacement.

De la même façon, l'entreprise Cupcakes by Heather and Lori (*voir la rubrique Marketing entrepreneurial, p. 54*), dont le siège social est situé dans le Lower Mainland de Vancouver, en Colombie-Britannique, vend des millions de petits gâteaux chaque semaine à des clients de partout au Canada et aux États-Unis[15]. Ces détaillants, ainsi que des milliers d'autres comme eux, ont su ajouter de la valeur à leur produit grâce à leurs stratégies de communication efficientes et efficaces. Ces stratégies seront décrites en détail dans les chapitres 15 et 16.

Ainsi, les gestionnaires marketing doivent trouver les modes de communication les plus efficients et efficaces, ce qui nous rappelle l'importance de comprendre le client, de créer de la valeur et de transmettre un message clair et pertinent au client.

Depuis quelque temps, un nombre croissant d'entreprises se servent d'Internet et de leur propre site Web pour faire de la publicité et communiquer avec leurs clients afin de bâtir une relation durable avec eux. Par exemple, les internautes peuvent se rendre sur le site Web de Lee Valley Tools pour commander des outils, mais l'entreprise se sert aussi de celui-ci pour annoncer les séances de formation qui ont lieu dans ses magasins. Au cours de ces séances, les clients apprennent à utiliser et à entretenir leurs outils et peuvent assister à des démonstrations sur des outils innovateurs qui ne sont pas encore sur le marché. Par ailleurs, le site de l'entreprise contient toute une série d'articles sur le travail du bois et le jardinage qui permettent aux clients d'en apprendre davantage sur ces sujets et de profiter pleinement de leur passe-temps de prédilection. De plus, les clients peuvent s'abonner à une infolettre contenant des renseignements techniques, les dates des futurs événements et salons commerciaux, les dernières nouvelles à propos de l'entreprise et des articles sur des thèmes liés au travail du bois et au jardinage. Les clients peuvent même transmettre un témoignage de leur expérience avec un outil donné. Ces témoignages sont affichés sur le site Web de l'entreprise pour que tous puissent en profiter. Tout compte fait, Lee Valley Tools élargit sa clientèle un client à la fois.

Les recherches ont démontré que ce type de campagne de communication est bien plus efficace qu'une publicité par correspondance ou qu'une annonce télévisée. Néanmoins, les gestionnaires marketing doivent rechercher un équilibre entre l'efficacité des moyens de communication employés et les coûts qu'ils entraînent. Bien des entreprises d'ici allouent une portion appréciable de leur budget de marketing non seulement à Internet, mais aussi à la promotion des ventes, car les consommateurs canadiens accordent une importance de plus en plus grande à la valeur des biens qu'ils achètent. En fait, au Canada, les entreprises dépensent maintenant davantage pour la promotion des ventes que pour la publicité[16]. Le parrainage d'activités-bénéfice ou d'activités communautaires gagne également en popularité à mesure que les entreprises cherchent à manifester une conscience sociale. La commandite d'entreprise est cependant considérée comme suspecte par certains segments de la population. La rubrique Question d'éthique ci-après examine les liens financiers entre les organismes de bienfaisance et les entreprises, ces liens soulevant des questions quant à la crédibilité des premiers et aux motivations des seconds.

Question d'éthique

La commandite d'entreprise : des motivations douteuses[17] ?

Un grand nombre de Canadiens dépendent des services offerts par des organismes de bienfaisance et ces derniers comptent en grande partie sur les dons des sociétés pour financer ces services. Ces organismes suscitent l'admiration parce qu'ils fournissent des services, instaurent des programmes et mobilisent des ressources tout en favorisant l'entraide au sein de la communauté. La plupart d'entre eux défendent une cause précise, comme la recherche sur le cancer ou les droits des femmes. Ils tentent de sensibiliser la population et de trouver des solutions afin d'améliorer la situation de leurs mandants. Ils dépendent fortement du travail des bénévoles et des dons individuels pour accomplir leur mission. Or, si les Canadiens sont généreux – 85 % d'entre eux en moyenne font des dons de charité[18] –, les entreprises restent les principales sources de financement des organismes de bienfaisance. Cette situation soulève des questions sur les partenariats entre les premiers et les seconds. Les choses se compliquent lorsque les organisations caritatives s'associent à des entreprises qui vendent des produits ou promeuvent des idées contraires à leur message ou à leur mission. Or, presque toutes les organisations de ce type font face à cette difficulté.

Il suffit de penser à la Fondation des maladies du cœur et de l'AVC, dont le mandat est d'éradiquer les maladies cardiovasculaires et de promouvoir une saine hygiène de vie. La Boston Pizza Foundation est l'un de ses principaux donateurs. Ses détracteurs allèguent que deux parts de la pizza au pepperoni fabriquée par la chaîne contiennent 400 calories et 900 milligrammes de sodium, rien pour combattre les maladies cardiovasculaires, quoi ! Pensons aussi à la Société canadienne du cancer, qui dénonce fermement les carcinogènes environnementaux. N'empêche qu'elle compte parmi ses principaux donateurs des entreprises comme Suncor Énergie, Syncrude Canada et Husky Energy, qui essuient les foudres des environnementalistes parce qu'elles relâchent des carcinogènes dans l'environnement et le polluent.

Comme ils dépendent fortement des dons des sociétés, les organismes de bienfaisance peuvent-ils demeurer fidèles à leur mission et susciter des changements positifs sans compromettre leur réputation ? Doivent-ils continuer à accepter des dons venant de sociétés contre lesquelles ils se battent ?

En plus d'élaborer les quatre « P » et d'affecter les ressources, les gestionnaires marketing doivent établir le calendrier de toutes les activités commerciales de l'entreprise ainsi que le personnel assigné à chacune d'elles. Le phénomène du goulot d'étranglement est ainsi évité et les activités du marketing mix peuvent se dérouler rondement et dans les délais. En outre, les gestionnaires marketing doivent structurer l'organisation chargée de mettre en œuvre le plan marketing. Cette dernière est généralement représentée par un organigramme. Dans la plupart des entreprises bien établies, l'organisation du marketing existe déjà et il suffit d'assigner les rôles qu'elle comprend aux employés du Service du marketing. En outre, l'organisation du marketing est en général responsable des décisions quotidiennes relativement à la mise en application du plan marketing.

Étape 5 : évaluer l'efficacité du plan marketing à l'aide d'indicateurs de performance marketing

La dernière étape consiste à évaluer les résultats du plan marketing et de sa mise en œuvre à l'aide de divers indicateurs. Ces indicateurs permettent de quantifier une tendance, une dynamique ou une caractéristique. Ils servent à expliquer ce qui s'est produit et à faire des projections dans le futur. On s'en sert aussi pour comparer les résultats de différentes régions, unités fonctionnelles, lignes de produits et périodes. À cette étape, l'entreprise peut déterminer si elle a atteint ou non ses objectifs en matière de performance. Lorsqu'elle comprend les causes de sa bonne ou de sa mauvaise performance (qu'elle ait dépassé, atteint ou raté les objectifs fixés), elle peut alors apporter des ajustements adéquats.

Normalement, les gestionnaires commencent par évaluer le programme de mise en œuvre. Leur analyse peut ensuite révéler que la stratégie choisie (ou même l'énoncé de mission) doit être repensée. Des problèmes peuvent survenir si l'entreprise met en application, même de façon exemplaire, une mauvaise stratégie, ou, si elle ne réussit pas à mettre en œuvre adéquatement une stratégie qui était pourtant parfaite sur le papier.

Qui est responsable de la performance ?

À chaque palier d'une organisation, l'unité fonctionnelle et son gestionnaire devraient être tenus responsables uniquement des revenus, des dépenses et des profits sur lesquels ils ont le contrôle. Les dépenses qui touchent plusieurs paliers de l'organisation, comme les dépenses de main-d'œuvre et de capital associées à l'exploitation du siège social de l'entreprise, ne devraient pas être assignées arbitrairement à des paliers inférieurs. Dans le cas d'un magasin, par exemple, il peut être pertinent d'évaluer les objectifs en matière de performance en fonction des ventes, du rendement des associés aux ventes et des coûts énergétiques. Mais si le siège social décide de solder un produit pour l'écouler plus rapidement et que les profits en souffrent, il serait injuste d'évaluer le rendement du gérant du magasin à la lumière de cette baisse des profits.

Les évaluations de la performance servent à mettre en évidence les éléments problématiques. Il est important d'examiner les causes d'une hausse ou d'une baisse de performance par rapport aux prévisions. Les gestionnaires qui ont fixé les objectifs ne possédaient peut-être pas la compétence nécessaire pour effectuer des estimations. Si c'est le cas, ils pourraient devoir suivre une formation en prévisions.

La performance réelle de l'entreprise est parfois différente des prévisions en raison de circonstances indépendantes de la volonté du gestionnaire. C'est le cas lorsque survient une récession. Si elle est subite, plus grave ou plus longue que prévu, il est pertinent de s'interroger : le gestionnaire a-t-il promptement ajusté les plans ? A-t-il modifié les politiques de prix et de promotion rapidement et de façon pertinente ? Bref, a-t-il tenté de redresser la situation ou ses réactions ont-elles empiré les choses ?

Les indicateurs relatifs aux objectifs de rendement

De nombreux facteurs contribuent au rendement global d'une entreprise de sorte qu'il est difficile de trouver un indicateur unique pour évaluer celui-ci. Une approche consiste à comparer la performance de l'entreprise dans le temps ou avec celle de la concurrence en se basant sur des indicateurs financiers communs comme les ventes et les profits. Une autre méthode consiste à considérer les produits ou services de l'entreprise comme un portefeuille. En tenant compte du rendement relatif de l'entreprise, on utilise les profits générés par certains produits ou services pour stimuler la croissance d'autres produits ou services.

Les indicateurs relatifs au rendement financier

Les revenus, ou les ventes, et les profits sont des indicateurs couramment utilisés pour évaluer le rendement d'une entreprise. Ainsi, les ventes constituent une mesure globale du niveau d'activité de l'entreprise. Toutefois, un gestionnaire pourrait facilement augmenter les ventes d'un produit en abaissant son prix, mais les profits (la marge brute) générés par ce produit en souffriraient. Il est évident que si l'on augmente un indicateur, on risque d'en diminuer un autre. Les gestionnaires doivent donc comprendre l'incidence de leurs actions sur les multiples indicateurs liés au rendement. Il est généralement déconseillé d'utiliser un indicateur unique, car il reflète rarement le tableau d'ensemble.

En plus d'évaluer ses ventes et ses profits en termes absolus, l'entreprise peut également vouloir mesurer leurs variations d'une période à une autre; en vérifiant, par exemple, s'ils ont progressé ou diminué depuis l'année précédente. Elle peut aussi confronter la croissance de ses ventes ou de ses profits avec celle d'autres sociétés de référence (par exemple, Pizza Pizza peut se comparer à Pizza Hut).

Les indicateurs servant à évaluer une entreprise dépendent: a) du palier d'organisation où la décision est prise; et b) des ressources que le gestionnaire contrôle. Par exemple, les cadres supérieurs exercent un contrôle sur toutes les ressources et les dépenses de l'entreprise, mais pour un directeur régional des ventes, ce contrôle se limite aux ventes et aux dépenses générées par sa propre force de vente.

Les indicateurs de responsabilité sociale

Comme les entreprises canadiennes sont de plus en plus convaincues de l'importance de manifester une conscience sociale, elles vont être de plus en plus nombreuses à déclarer des indicateurs de responsabilité sociale tels que l'impact sur l'environnement, la capacité à diversifier leur main-d'œuvre, les initiatives en matière de conservation de l'énergie et les politiques relatives à la protection des droits de leurs employés et des employés de leurs fournisseurs. La rubrique Marketing durable ci-contre présente un exemple qui illustre l'importance de ces indicateurs pour mesurer le rendement d'une entreprise.

Pour illustrer comment une entreprise évalue sa performance et fait les ajustements nécessaires, nous allons nous pencher sur le cas des Hôtels Fairmont, la plus importante compagnie de gérance d'hôtels de luxe en Amérique du Nord. Il y a quelques années, l'entreprise a créé un entrepôt de données, de manière à rendre le profil des clients accessible à tous les établissements Fairmont, à cibler des segments de marché précis en leur faisant parvenir des communications personnalisées, des primes et des rabais, à mieux gérer son programme de fidélisation de même qu'à recruter de nouveaux clients et à les fidéliser. Cet entrepôt de données est harmonieusement intégré au site Web des Hôtels Fairmont et au système informatisé de réservation et de gestion des propriétés. De plus, il permet de recueillir des renseignements sur les clients à partir de tous les points de communication (les médias utilisés par les clients pour entrer en contact avec Fairmont). Bref, grâce à la création de cet entrepôt de données, Fairmont peut maximiser ses recettes en se concentrant sur le marketing et sur la stratégie de marque destinés aux segments de grande valeur. En collectant toutes ces données, les Hôtels Fairmont peuvent ainsi mesurer l'efficacité précise des initiatives marketing prises pour chaque segment cible visé[19].

La planification stratégique ne suit pas un ordre séquentiel

Le processus de planification présenté dans la figure 2.1 (*voir p. 37*) laisse croire que les gestionnaires prennent les décisions stratégiques en suivant un ordre séquentiel précis. Autrement dit, après avoir défini la mission de l'entreprise, ils analyseraient

| Marketing durable | **Le Groupe Birks : un diamant brut[20] ?** |

Lorsqu'une entreprise recherche la durabilité, de petits changements peuvent faire une énorme différence. Les dirigeants du Groupe Birks constatent l'incidence de petits changements sur la performance économique, environnementale et sociale de leur entreprise. Dans une industrie où l'adoption de pratiques durables est très compliquée en raison de la nature de la chaîne d'approvisionnement, Birks tente de se distinguer par sa conscience sociale et en faisant de la durabilité son nouvel étalon-or. En effet, l'entreprise essaie d'acheter des diamants, de l'or et de l'argent de source éthique chaque fois qu'elle le peut. Elle fut d'ailleurs l'une des premières entreprises canadiennes à adhérer au processus de Kimberley[21], un système de traçabilité et de certification pour empêcher le trafic de diamants. Elle compte sur des associations stratégiques pour s'assurer que ses produits répondent à ses normes sociales et environnementales strictes. L'entreprise adhère également à la norme Green Gold, une certification attestant de l'approvisionnement sain pour les entreprises travaillant à l'extraction des produits du sous-sol[22].

Birks a également affirmé son engagement écologique en introduisant les sacs recyclables. Elle encourage aussi ses employés à lui suggérer des moyens d'améliorer son rendement durable. L'entreprise s'est aussi engagée dans la préservation culturelle et écologique de la forêt boréale du Canada, une première mondiale pour ce genre de commerce. Ce sont là quelques-uns des moyens que

Birks fait de la durabilité son nouvel étalon-or.

Birks a mis en œuvre pour accomplir son mandat d'être aussi durable que possible en s'attaquant aux aspects de ses opérations sur lesquels elle a le contrôle.

Les efforts de Birks en matière de durabilité peuvent lui assurer le succès et un avantage concurrentiel. Toutefois, ils auront peu d'incidence si l'entreprise ne fait pas connaître à ses partenaires les changements positifs qu'elle met en œuvre. Or, avant de pouvoir informer ceux-ci, elle doit posséder un moyen de mesurer les résultats de ces changements. Ce besoin met en lumière l'importance des paramètres de rendement. Des paramètres analytiques adéquats permettent aux organisations de recueillir des données qualitatives et quantitatives cruciales grâce auxquelles elles peuvent mesurer le succès de leurs stratégies en matière de durabilité. Grâce à ce suivi, Birks pourra respecter avec constance les normes sociales et écologiques qu'elle s'est fixées ; elle pourra aussi faire preuve d'une plus grande transparence et jouir d'une meilleure crédibilité aux yeux de ses partenaires. Une fois qu'elle aura utilisé ses paramètres analytiques pour éclairer ces derniers, Birks pourra exploiter ses initiatives en matière de développement durable comme point de différenciation. Si elle démontre de façon claire et convaincante à ses partenaires que les changements apportés font une énorme différence dans l'industrie de la joaillerie, Birks pourra sans doute conserver sa stabilité financière au sein d'une entreprise durable.

la situation, trouveraient les occasions d'affaires, évalueraient les choix qui s'offrent à eux, fixeraient des objectifs, affecteraient les ressources disponibles, planifieraient la mise en œuvre de la stratégie et, finalement, évalueraient son rendement et feraient les ajustements nécessaires. En réalité, il est possible de passer d'une étape à une autre, peu importe l'ordre dans lequel elles se trouvent. Par exemple, au cours de l'analyse de la situation, le gestionnaire pourrait découvrir qu'un autre choix s'offre à lui, même si ce choix ne fait pas partie de l'énoncé de mission. Le cas échéant, il faudrait revoir l'énoncé de mission en question. L'élaboration du plan de mise en œuvre peut également révéler une affectation insuffisante de ressources à un produit donné, ce qui empêcherait l'atteinte de son objectif. Dans un pareil cas, l'entreprise devra changer d'objectif ou augmenter la quantité de ressources affectée au produit en question. Le gestionnaire de produits pourrait également choisir de ne pas investir dans ce produit.

Maintenant que nous avons examiné les étapes du plan marketing, passons aux stratégies qui ont permis d'assurer la réussite de bon nombre d'entreprises. Nous nous pencherons d'abord sur l'analyse du portefeuille, puis sur les stratégies de croissance et, enfin, sur les quatre macrostratégies que les entreprises mettent en œuvre pour créer et préserver un avantage concurrentiel durable.

L'analyse de portefeuille

Au cours d'une analyse de portefeuille, les cadres évaluent les différents produits et activités de l'entreprise (son « portefeuille ») et affectent les ressources à leur disposition en

PC Mobile est l'un des secteurs d'activité du Choix du Président, une entreprise qui appartient aux Compagnies Loblaw ltée.

fonction des produits susceptibles d'être les plus rentables dans le futur. L'analyse de portefeuille est généralement effectuée au niveau de l'unité d'affaires stratégique ou de chaque ligne de produits de l'entreprise, mais les cadres peuvent également choisir d'y avoir recours pour évaluer une marque ou même un produit en particulier. Il est important de ne pas confondre le concept d'unité d'affaires stratégique avec celui de ligne de produits. Prenons l'exemple de Loblaw pour illustrer la distinction entre les deux. Les Compagnies Loblaw ltée offrent aux Canadiens des produits alimentaires, de pharmacie, de santé et de beauté, des vêtements, de la marchandise générale, ainsi que des produits et des services bancaires et de téléphonie mobile (PC Mobile), principalement sous la marque le Choix du Président[23]. Chacune de ces activités constitue une unité stratégique sectorielle. Par contre, une ligne de produits est un ensemble de biens que les consommateurs peuvent utiliser de la même manière, ou qu'ils trouvent semblables dans une certaine mesure. Ainsi, plusieurs lignes de produits composent l'unité d'affaires stratégique des services financiers le Choix du Président: les opérations bancaires PC[MD], la carte Mastercard[MD] PC[MD], les prêts hypothécaires et les contrats d'assurance.

L'ANALYSE DE PORTEFEUILLE À L'AIDE DE LA MATRICE BCG (BOSTON CONSULTING GROUP)

Selon l'une des méthodes d'analyse de portefeuille les plus populaires, celle élaborée par le Boston Consulting Group (BCG), l'entreprise divise ses produits selon deux axes, tels qu'illustrés dans la figure 2.3[24]. Les cercles représentent des marques et la taille de chaque cercle est directement proportionnelle aux ventes annuelles de la marque qu'il représente — les grands cercles indiquent des ventes plus importantes et les petits cercles, des ventes plus faibles. L'axe horizontal correspond

| FIGURE | 2.3 | La matrice BCG |

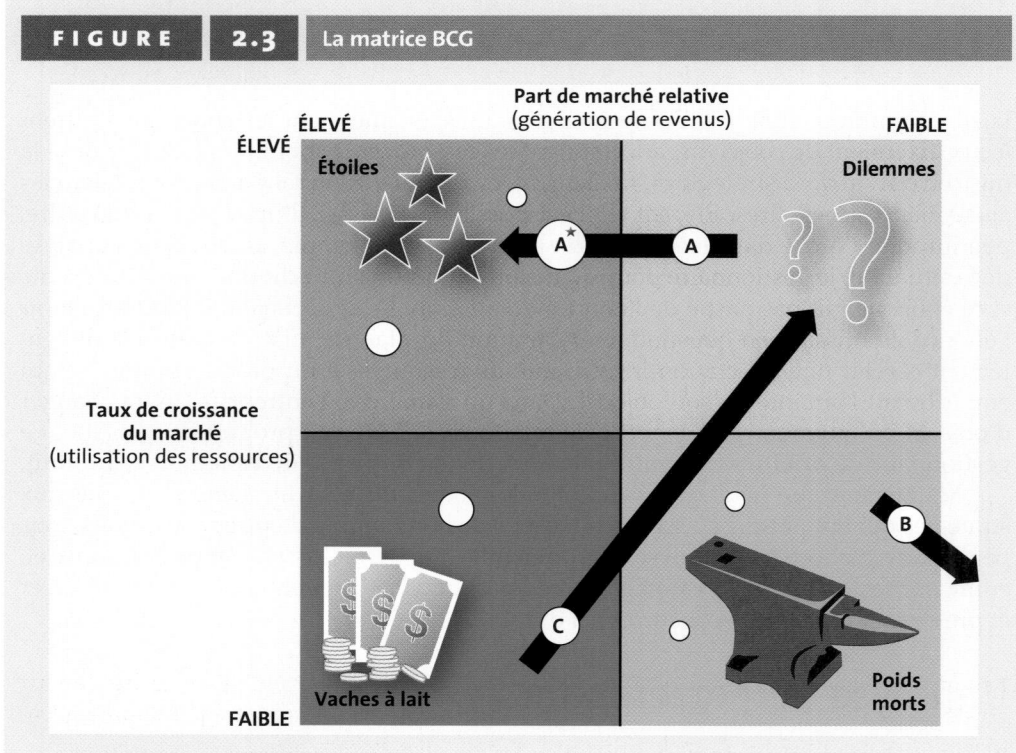

à la **part de marché relative**, soit le pourcentage du marché qu'occupe un produit donné[25]. Cet indicateur sert à positionner un produit sur un marché particulier. Généralement représenté sous forme d'unités, de recettes ou de ventes, il permet de calculer l'importance d'un produit par rapport à la marque ou au produit de la plus grande entreprise de l'industrie[26]. L'axe vertical, quant à lui, correspond au **taux de croissance du marché**, le taux d'accroissement annuel d'un marché sur lequel un produit est présent. Ce taux permet donc de mesurer à quel point le marché est avantageux. Finalement, chaque quadrant porte un nom choisi en fonction de la quantité de ressources que l'entreprise investit et génère.

Les étoiles   Les étoiles, dans le quadrant supérieur gauche, font partie des marchés dont le taux de croissance et la part de marché relative sont élevés. Toutefois, ce type de produits nécessite des investissements importants en ce qui a trait tant aux dépenses de communication qu'à l'établissement de nouvelles installations de production afin d'alimenter une croissance rapide. À mesure que la croissance ralentit, les étoiles passeront de grandes consommatrices à grandes génératrices de ressources avant de devenir des vaches à lait.

Les vaches à lait   Les vaches à lait, dans le quadrant inférieur gauche, font partie des marchés dont le taux de croissance est faible, mais dont la part de marché relative est élevée. Étant donné qu'elles ont déjà nécessité des investissements importants afin que leur part de marché relative soit élevée, elles génèrent maintenant un surplus de ressources, qu'il est possible d'utiliser pour financer les produits qui se portent moins bien, comme ceux se trouvant dans la case des dilemmes. Ainsi, dans la figure 2.3, l'entreprise investit le surplus de ressources généré par la marque C dans les produits du quadrant comportant des points d'interrogation.

Les dilemmes   Les dilemmes, dans le quadrant supérieur droit, font partie des marchés dont le taux de croissance est élevé, mais dont la part de marché relative est plutôt faible. Il s'agit souvent des produits qui nécessitent le plus d'effectifs, car ils doivent maintenir et peut-être même augmenter leur part de marché. L'entreprise doit alors décider s'il faut investir les revenus générés par les vaches à lait dans les dilemmes afin que ceux-ci deviennent des étoiles ou s'il vaut mieux retirer les ressources mises en place et soustraire progressivement le produit du marché. La marque A, par exemple, se situe actuellement dans les dilemmes, mais en y investissant des ressources, l'entreprise souhaite en faire une étoile.

Les poids morts   Les poids morts, dans le quadrant inférieur droit, font partie des marchés dont le taux de croissance et la part de marché relative sont faibles. Bien que ces produits puissent générer suffisamment de ressources pour subvenir à leurs propres besoins, les poids morts ne peuvent devenir des étoiles et devraient être retirés progressivement du marché, à moins qu'ils ne servent à faire mousser les ventes d'un autre produit ou qu'ils ne nuisent à la concurrence. Dans le cas présent, l'entreprise a décidé de cesser de fabriquer les produits de la marque B.

Même si elle aide à comprendre le concept d'affectation des ressources, la matrice BCG, ainsi que d'autres méthodes semblables, est souvent difficile à mettre en pratique. En fait, il est malaisé de mesurer la part de marché relative et le taux de croissance du marché. De plus, d'autres mesures peuvent servir à représenter la position concurrentielle d'un produit et l'attrait relatif d'un marché. Il existe également un autre enjeu : le risque d'entraîner une prophétie auto-générée, ou effet Pygmalion, en plaçant un produit dans un quadrant plutôt que dans un autre. En effet, imaginons qu'un produit soit classé dans les poids morts, alors qu'il pourrait être dans les dilemmes. Il se peut que l'entreprise cesse d'investir dans ce produit et qu'elle perde des ventes jusqu'à ce qu'elle finisse par abandonner le produit, alors que si elle avait investi suffisamment de ressources, le produit en question aurait pu être rentable.

Étant donné les limites que présentent de telles matrices, bon nombre d'entreprises ont choisi d'y substituer des approches plus équilibrées. En outre, au lieu de laisser les échelons supérieurs prendre toutes les décisions relatives à l'affectation des ressources, de plus en plus d'entreprises confient cette responsabilité à des échelons inférieurs et se servent d'un système de freins et de contrepoids. Ainsi, les directeurs de chacun des paliers sont forcés de négocier avec ceux des paliers qui les précèdent et qui les suivent avant de prendre une décision sans appel.

part de marché relative (*relative market share*) Mesure de la position d'un produit sur un marché en particulier, que l'on calcule en divisant les ventes du produit analysé par celles de la plus grande entreprise de l'industrie.

taux de croissance du marché (*market growth rate*) Taux d'accroissement annuel d'un marché sur lequel un produit est présent.

Les stratégies de croissance

OA **5**

Les entreprises cherchent à percer divers segments de marché dans le cadre de leur stratégie de croissance générale, laquelle peut comprendre les quatre principales stratégies qui apparaissent dans le tableau 2.6, à la page suivante[27].

TABLEAU 2.6	Les stratégies Marchés/Produits et services	
Marchés	**Produits et services**	
	Actuel	Nouveau
Actuel	Pénétration de marchés	Développement de produits
Nouveau	Développement de marchés	Diversification

Les lignes servent à distinguer les stratégies dont peut se servir l'entreprise sur le marché actuel de celles dont elle peut se servir pour pénétrer de nouveaux marchés. Les colonnes, quant à elles, distinguent ce que l'entreprise a à offrir sur le marché actuel des nouvelles occasions qui se présentent à elle. Examinons chacune des cases du tableau en détail.

La pénétration de marchés

La **stratégie de pénétration de marchés** se sert du marketing mix existant et est axée sur la clientèle déjà établie. On peut mettre en œuvre une telle stratégie en incitant les clients actuels à fréquenter davantage l'entreprise ou à faire davantage d'achats à chaque visite. La stratégie de pénétration de marchés requiert généralement plus d'efforts que les autres stratégies de croissance, notamment une augmentation de la publicité, des soldes et des offres promotionnelles ou une meilleure distribution dans les endroits où l'on vend déjà les produits et les services de l'entreprise.

Par exemple, les Hôtels Fairmont offrent à leur clientèle nombre de promotions et de rabais pendant toute l'année. Ainsi, avec ses tarifs estivaux spéciaux, Fairmont fait une offre alléchante à ses clients pendant l'été : toutes les personnes qui font une réservation pour au moins deux nuits avant une date précise et qui paient avec une carte American Express reçoivent un crédit pouvant aller jusqu'à 50 $ pour se procurer de la nourriture et des boissons ou encore obtiennent le double de points de voyage de l'une des compagnies aériennes participantes. Pour profiter de cette offre, le client doit faire sa réservation pour un séjour qui aura lieu entre mai et septembre[28]. En outre, le Club du Président Fairmont offre à ses 800 000 membres, dont la moitié sont des Canadiens, bien des avantages, dont celui de pouvoir réserver leur chambre et y faire livrer des vêtements, des chaussures et de l'équipement Adidas dans la taille voulue, et ce, au sein du programme *Fairmont en forme*[29]. Ces promotions et ces rabais incitent les clients actuels de Fairmont à fréquenter ses établissements plus souvent et à dépenser plus d'argent à chaque visite. La publicité, les programmes de fidélisation ou de récompenses et l'amélioration de l'ambiance dans les magasins (par l'agencement, l'éclairage, la musique, etc.) dans le but de rehausser l'expérience de magasinage sont d'autres stratégies de pénétration de marchés auxquelles les entreprises ont recours.

Le développement de marchés

La **stratégie de développement de marchés** se sert d'une offre déjà existante pour atteindre de nouveaux segments de marché, qu'ils soient intérieurs ou internationaux. La croissance internationale est souvent plus risquée que la croissance locale, car, en général, la réglementation, les traditions, le fonctionnement de la chaîne d'approvisionnement et la langue y sont différents. En 2007, les Hôtels Fairmont ont formé une coentreprise avec le Jin Jiang International Group, la plus grande chaîne d'hôtels chinoise, dans le but de rouvrir le Peace Hotel. Cet hôtel, situé à Shanghai, constitue un attrait incontournable depuis plus d'un siècle. Cette coentreprise, qui se nomme le Jin Jiang Fairmont Hotel, a ouvert ses portes à l'été 2010. Pour ce qui est de l'avenir, l'entreprise prévoit ouvrir de nouveaux hôtels Fairmont à Vancouver, au Caire, à Abou Dhabi, en Afrique du Sud ainsi qu'en Asie et au Moyen-Orient, où elle est présente, mais encore très peu[30].

En ouvrant de nouveaux hôtels et complexes hôteliers dans des pays comme la Chine (celui-ci se trouve à Shanghai), Fairmont a recours à une stratégie de développement de marchés.

Dans le même ordre d'idées, Forever 21, une marque créée à Los Angeles, pionnière du «chic bon marché» et qui vend aux adolescents et aux jeunes adultes des vêtements tendance inspirés des collections, ouvrait en 2007 son premier magasin phare au Canada, juste en face du Eaton Centre, à Toronto. Forever 21 compte suivre les traces de la firme suédoise H&M et de la firme espagnole Zara et ouvrir davantage de boutiques partout au Canada[31].

Le développement de produits

La troisième stratégie de croissance possible est la **stratégie de développement de produits**, où une entreprise propose à un marché cible existant un nouveau produit ou service. Par exemple, les Hôtels Fairmont souhaitaient que leur clientèle passe des canaux existants au site Web. L'entreprise a alors fait en sorte que son site simplifie le processus de réservation, le raccourcisse et offre en plus des forfaits à valeur ajoutée ainsi que des offres promotionnelles pertinentes. Pour améliorer encore davantage le service offert par Internet, elle met également à la disposition de sa clientèle un réseau sécurisé sans fil dans toutes ses installations. Selon le vice-président à la technologie, «certains de nos clients hébergent leur propre serveur et choisissent de travailler à l'hôtel, de la salle de réunion ou de leur chambre. Certains utilisent même le serveur de messagerie.» Le principe sous-jacent est de permettre aux clients qui se trouvent à l'hôtel pour affaires d'être aussi productifs dans leur chambre que s'ils étaient à leur bureau[32].

La diversification

La **stratégie de diversification**, la dernière stratégie de croissance présentée dans le tableau 2.6, consiste à lancer un nouveau produit ou service sur un segment de marché que l'entreprise ne couvre pas encore. Les occasions de diversification peuvent être connexes ou non. Lorsque la diversification est connexe, le marché cible ou le marketing mix actuel a des points communs avec la nouvelle occasion d'affaires. En d'autres mots, l'entreprise pourrait faire des achats auprès de vendeurs de son réseau, se servir du même système d'information, de distribution ou de gestion, ou encore faire passer dans les mêmes journaux des annonces publicitaires destinées à des marchés cibles semblables au marché dont font partie ses clients actuels. Au contraire, lorsque la diversification n'est pas connexe, le marché cible ou le marketing mix actuel ne présente pas de point commun avec le nouveau. Dans le cadre de leur stratégie de diversification connexe, les Hôtels Fairmont ont fait l'acquisition des hôtels Delta, la plus grande chaîne hôtelière de luxe du Canada, laquelle accueille une clientèle qui constitue un segment de marché inférieur à celui ciblé par Fairmont[33]. De même, les Hôtels Fairmont possèdent 35 % de la société de placement immobilier Legacy Hotels[34].

Bien que ces quatre stratégies de croissance posent des défis uniques aux gestionnaires, la stratégie de pénétration de marchés est la plus facile à mettre en œuvre, car elle est axée sur la promotion de produits existants auprès d'une clientèle déjà établie. Dans ce cas, les gestionnaires connaissent à la fois les produits et les marchés. En ce qui a trait au développement de marchés ou de produits, les gestionnaires ont expérimenté l'un, mais doivent se familiariser avec l'autre. La diversification oblige les gestionnaires à aller au-delà de leurs produits et marchés actuels de sorte que les risques d'erreur sont passablement plus élevés. La stratégie de croissance particulière que choisit une entreprise dépend, entre autres, de ses objectifs et de ses capacités. De plus, il n'est pas rare que les gestionnaires marketing déploient plusieurs stratégies de croissance simultanément.

Les gestionnaires marketing peuvent aussi formuler des stratégies visant à rationaliser leurs opérations commerciales, en se retirant d'un marché ou en réduisant leur portefeuille de produits, par exemple. Plusieurs raisons peuvent les pousser à faire l'un ou l'autre: ils ont pénétré un nouveau marché qu'ils connaissent très peu ou pas du tout; le désir de se diversifier les a amenés à lancer des produits ou à pénétrer des marchés qui ne s'accordent pas vraiment avec leur portefeuille de produits, leurs marchés ou leurs capacités actuels; ils ont développé des produits qui offrent très peu de valeur aux consommateurs; ou la demande de certains produits est en baisse.

stratégie de développement de produits (*product development strategy*) Stratégie de croissance selon laquelle une entreprise propose à un marché cible existant un nouveau produit ou service.

stratégie de diversification (*diversification strategy*) Stratégie d'expansion par laquelle une entreprise lance un nouveau produit ou service, ou développe un segment de marché qu'elle ne couvre pas encore.

La stratégie de marketing et l'avantage concurrentiel durable

Une stratégie de marketing doit donc définir: a) le ou les marchés ciblés par l'entreprise; b) le marketing mix adapté à chacun de ces marchés (les quatre «P»); et c) les bases sur lesquelles l'entreprise compte bâtir un avantage concurrentiel durable. Un avantage concurrentiel durable est un atout, valorisé par la clientèle cible, qui permet à l'entreprise de surpasser ses concurrents et qui ne peut être facilement reproduit, de sorte qu'il peut durer dans le temps.

Starbucks et Tim Hortons attirent des segments cibles opposés et mettent en œuvre leur marketing mix (les quatre «P») de manière différente. Essentiellement, elles ont adopté des stratégies de marketing très distinctes. Bien que les clients de ces deux entreprises viennent y déguster un bon café et une savoureuse pâtisserie, Starbucks tente d'attirer des clients qui veulent le faire dans une ambiance chaleureuse et sociable où des baristas amènes leur préparent des boissons élaborées. Et ces clients sont prêts à payer assez cher pour cela. Par contre, les clients de Tim Hortons ne recherchent pas une expérience particulière. Ils veulent juste acheter un bon café à un prix raisonnable et sortir du magasin rapidement.

Bâtir un avantage concurrentiel durable

Quel aspect du marketing mix de ses entreprises est susceptible de leur procurer un avantage concurrentiel durable? Après tout, on trouve des magasins et des restaurants qui servent du café et des pâtisseries dans tous les quartiers où il y a un Starbucks ou un Tim Hortons, et bon nombre de ces établissements proposent un excellent café et de délicieuses pâtisseries. Si Starbucks ou Tim Hortons baissaient leurs prix, nul doute que leurs concurrents du quartier leur emboîteraient le pas. S'ils lançaient un cappuccino tourbillon de menthe pour les Fêtes, d'autres restaurants les imiteraient. Ce n'est donc pas parce qu'une entreprise met en œuvre un élément du marketing mix plus efficacement que ses concurrents qu'elle est durable. L'avantage concurrentiel est une sorte de rempart que l'entreprise construit autour de sa position sur un marché donné. Si ce rempart est haut, ses concurrents peuvent difficilement atteindre les clients qui se trouvent à l'intérieur (et qui constituent le marché cible de l'entreprise).

Avec le temps, l'avantage concurrentiel durable perd de sa force en raison de l'énergie déployée par les concurrents, mais plus le rempart est haut et plus ses murs sont épais, plus l'entreprise peut conserver son avance sur la concurrence, supporter la pression qu'elle exerce sur elle et faire des profits sur une longue période. C'est pourquoi la détention d'un avantage concurrentiel durable constitue la clé d'une bonne performance financière à long terme[36].

Comme l'illustre la figure 2.4 à la page suivante, quatre macrostratégies axées sur certains éléments du marketing mix permettent de créer de la valeur et des avantages concurrentiels durables[37]:

- **L'excellence du service à la clientèle** accorde une importance particulière à la loyauté des clients et à la qualité du service à la clientèle.
- **L'excellence des opérations** accorde une importance particulière à l'efficience en ce qui a trait aux opérations et à la gestion de la chaîne d'approvisionnement.
- **L'excellence du produit** accorde une importance particulière à la fabrication de produits de haute qualité. Une valorisation de la marque efficace et un bon positionnement en sont la clé.
- **L'excellence de l'emplacement** accorde une importance particulière à l'emplacement physique de l'entreprise ainsi qu'à sa place sur Internet (référencement).

L'excellence du service à la clientèle

L'excellence du service à la clientèle est atteinte lorsqu'une entreprise parvient à élaborer des stratégies axées sur la valeur dans le but de garder sa clientèle loyale et d'offrir un service à la clientèle sans égal.

La rétention des clients loyaux Parfois, les moyens utilisés par une entreprise pour conserver un avantage concurrentiel durable contribuent à attirer des clients et à retenir les clients loyaux. Par exemple, une marque bien établie, une marchandise unique et un service à la clientèle exemplaire sont autant d'éléments qui raffermissent la loyauté de la clientèle. De plus, avoir une clientèle fidèle est un avantage concurrentiel en soi.

Plus qu'une simple préférence[38], la loyauté se manifeste par le refus de la part du client d'encourager la concurrence. Par exemple, les clients loyaux d'Apple continuent

excellence du service à la clientèle (*customer excellence*) Approche où une importance particulière est accordée à la loyauté des clients et à la qualité du service à la clientèle.

excellence des opérations (*operational excellence*) Importance particulière accordée à l'efficience en ce qui a trait aux opérations et à la gestion de la chaîne d'approvisionnement.

excellence du produit (*product excellence*) Importance particulière accordée à la fabrication de produits de haute qualité. Une valorisation de la marque efficace et un bon positionnement en sont la clé.

excellence de l'emplacement (*locational excellence*) Importance particulière accordée à l'emplacement physique de l'entreprise et à sa place sur Internet.

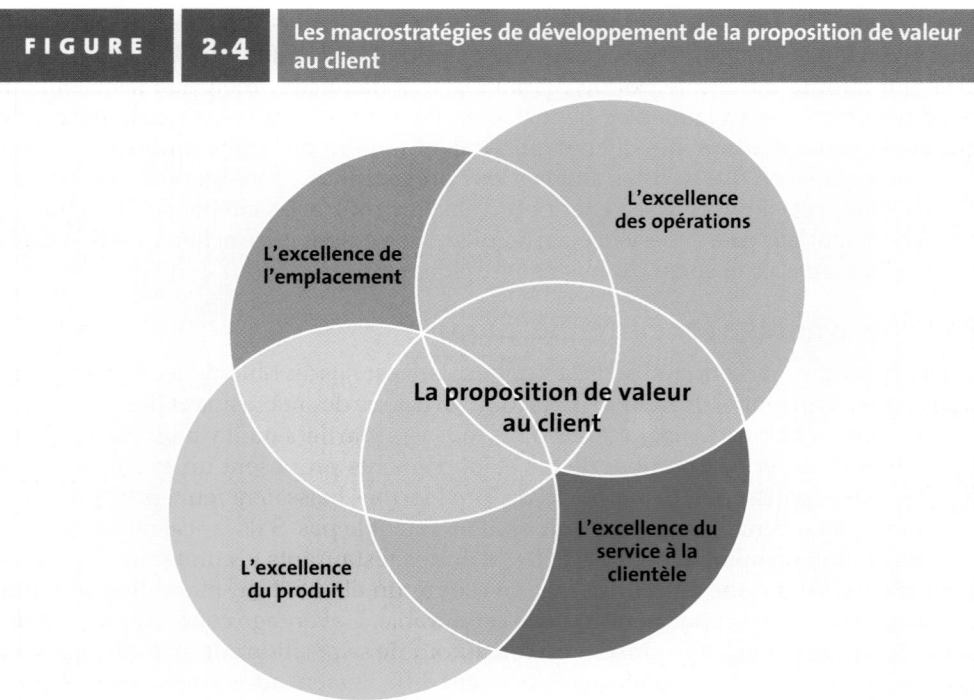

FIGURE   2.4   Les macrostratégies de développement de la proposition de valeur au client

d'acheter des iPod, des iPhone, des iPad et d'autres produits de cette marque, même si les produits de la concurrence sont aussi performants et moins chers, et que le service à la clientèle de ces entreprises est tout aussi excellent.

De plus en plus d'entreprises se rendent compte de l'importance de l'excellence du service en veillant à ce que la loyauté de la clientèle soit au centre de leur stratégie de marketing. Par exemple, un bon nettoyeur ne songe pas aux 2 $ que lui rapportent le nettoyage et le pressage d'une chemise; il cherche plutôt à satisfaire le client qui lui donne 25 $ par semaine, 50 semaines par année pendant 10 ans. Par conséquent, ce client vaut non pas 2 $, mais 12 500 $. Voir l'apport à long terme d'un client plutôt que de considérer chacune de ses transactions est la clé de tout bon programme de fidélisation de la clientèle[39].

Les gestionnaires marketing ont plusieurs méthodes à leur disposition pour encourager la loyauté des clients. L'élaboration d'une stratégie de positionnement claire et précise est une de ces méthodes. Par exemple, les clients loyaux de Vidéotron pour le service Internet résidentiel sont tellement satisfaits du service à la clientèle rapide, efficace et utile de l'entreprise qu'ils ne changeront pas de fournisseur, même s'ils pouvaient économiser quelques dollars. L'établissement d'un lien émotionnel entre le client et l'entreprise par le truchement d'un programme de fidélisation constitue une autre façon d'encourager la loyauté des clients[40]. Les programmes de fidélisation, qui font partie d'un programme plus général de gestion de la relation client que nous avons vu dans le chapitre 1, prédominent dans bien des industries (les industries aérienne, hôtelière, cinématographique et commerciale). En effet, 75 % des Canadiens et des Américains participent à au moins un programme de fidélisation[41]. Toutefois, les avantages dont profitent ces clients sont limités, car seul un faible pourcentage d'entre eux accumule suffisamment de points pour pouvoir obtenir une récompense. Les programmes de fidélisation sont donc une véritable manne pour les gestionnaires marketing. Ainsi, les entreprises sont en mesure de comparer les données sur les membres avec celles sur les achats effectués en vue de dresser un profil de la clientèle. Les entreprises se servent souvent de ces données pour personnaliser leurs offres et donc mieux répondre aux besoins de leur clientèle loyale.

Par exemple, en analysant le contenu de leurs bases de données, les institutions financières comme la Banque de Montréal établissent un profil des clients qui ont déserté l'entreprise afin de pouvoir déterminer quels clients sont susceptibles de le faire. Ensuite, l'entreprise peut mettre en œuvre des programmes de fidélisation pour que ses clients restent loyaux à leur banque.

Le service à la clientèle Le gestionnaire marketing peut également choisir de créer un avantage concurrentiel durable en offrant un excellent service à la clientèle[42], même s'il peut s'avérer difficile de rester constant. Étant donné que le service à la clientèle est assuré par des employés, il est évident que les risques d'irrégularité sont plus élevés que si le travail était fait par des machines. Les entreprises qui souhaitent offrir un service à la clientèle de qualité doivent donc inculquer les valeurs nécessaires à leurs employés, et ce, sur une longue période, de manière qu'elles fassent partie de la culture organisationnelle.

Même si les efforts et le temps requis sont considérables, une fois qu'une entreprise a acquis la réputation d'offrir un bon service à la clientèle, elle possède un avantage durable sur les autres entreprises, car ses concurrents sentiront de la pression s'ils veulent en faire autant.

L'excellence des opérations

Les opérations d'une entreprise sont considérées comme excellentes (la deuxième macrostratégie) lorsque la gestion de ses opérations et de sa chaîne d'approvisionnement atteignent l'efficience. Tous les gestionnaires marketing s'efforcent de donner à leurs clients la marchandise qu'ils veulent au moment où ils la veulent, dans les quantités requises et à un prix jugé adéquat. De cette façon, ils assurent de la valeur à leur produit, une bonne rentabilité à l'entreprise ainsi que la satisfaction des besoins de leurs clients. En outre, l'excellence des opérations permet à l'entreprise d'offrir son produit au meilleur rapport qualité/prix, et idéalement moins cher que la concurrence immédiate. Si elle ne peut aligner ou battre les prix de la compétition, elle devra investir davantage pour offrir un meilleur service, une plus vaste gamme de produits ou une plus belle présentation visuelle.

Il est possible d'atteindre un certain degré d'excellence des opérations en instaurant un système de distribution et d'information perfectionné ainsi qu'en nouant de bonnes relations avec les vendeurs. Tout comme la relation client, la relation avec les vendeurs doit être bâtie sur une longue période et ne doit pas pouvoir être minée facilement par un concurrent[43]. Telus, une des plus importantes entreprises de télécommunication au Canada, compte 8 millions d'abonnés à son réseau sans fil, 3,2 millions d'abonnés à son réseau conventionnel avec fil, 1,5 million d'abonnés à son service Internet et près de 900 000 clients pour son service Telus TV[44]. Dans cette industrie, le service à la clientèle est déterminant, car la concurrence par les prix est féroce. En évaluant son logiciel de gestion du service à la clientèle, Telus s'est rendu compte qu'il était lourd et inefficace, ce qui gênait son utilisation par les conseillers du Service à la clientèle. Par exemple, ces derniers devaient suivre une formation intensive de longue durée avant de pouvoir se servir du logiciel avec aisance. De plus, certains renseignements devaient être entrés plusieurs fois dans le système et il fallait de nombreuses applications pour arriver à servir ne serait-ce qu'un client. Le risque d'erreur était élevé et le temps passé à répondre aux demandes des clients était nettement trop long. Ce temps « perdu » aurait pu être utilisé pour la vente incitative ou la vente croisée. Afin de remédier à la situation, Telus a investi 6,5 millions de dollars pour munir plus de

Certaines entreprises possèdent un avantage durable sur les autres grâce à l'excellence de leurs opérations, laquelle passe par l'excellence en matière d'opérations et de gestion de la chaîne d'approvisionnement.

1 000 unités de service à la clientèle d'un bureau « intelligent », une application simple et efficace.

Depuis, les résultats sont impressionnants : la durée de la formation des anciens employés comme des nouveaux a été considérablement réduite, de même que le nombre de transferts d'appels. L'entreprise estime d'ailleurs les économies réalisées à plus de 1,3 million de dollars. En outre, la vente incitative et la vente croisée, tous produits confondus, ont fait un bond de 25 %. La vente de l'un de ces produits a même connu une hausse de 125 %. Finalement, Telus a obtenu la deuxième place au *Concours de l'informatique et de la productivité pour l'avenir* (CIPA) pour l'amélioration de l'excellence de ses opérations[45].

Une chaîne d'approvisionnement bien gérée et des relations solides avec les fournisseurs   Comme nous le verrons au chapitre 13, il est important de développer des partenariats solides avec les différents intervenants de la chaîne d'approvisionnement de l'organisation. Ces liens étroits permettent souvent d'optimiser la chaîne de valeur et contribuent à développer un avantage concurrentiel durable. Les entreprises qui bâtissent des relations solides avec les vendeurs obtiennent parfois certains droits exclusifs comme celui : a) de vendre un produit donné dans une région particulière ; b) de bénéficier de conditions d'achat qui ne sont pas accessibles à la concurrence ; ou c) d'obtenir des marchandises populaires qui viennent parfois à manquer.

La chaîne d'approvisionnement de Netflix représentait une innovation remarquable à ses débuts ; au plus fort de son succès, Netflix possédait en effet, aux États-Unis, plus de 50 centres de distribution (il lui en reste aujourd'hui une trentaine qu'elle envisage d'ailleurs fermer prochainement) qui lui permettaient de livrer des films à 97 % de ses abonnés, du jour au lendemain[46]. Lorsque les DVD revenaient à l'entrepôt, Netflix les classait aussitôt en vue des livraisons suivantes. De plus, elle triait ses colis postaux par code postal afin d'épargner cette tâche à son fournisseur de services postaux, ce qui diminuait ses frais d'expédition. Mais plus encore aujourd'hui, l'exemple de Netflix est une belle illustration de l'importance de faire évoluer sa stratégie de marketing. Avec les bouleversements technologiques des dernières années, cette entreprise a su tirer profit des goûts changeants des consommateurs et des innovations technologiques dans le domaine d'Internet. Netflix, qui a négocié des partenariats avec les plus importants studios de cinéma et certaines chaînes de télévision, est en train de recentrer ses activités sur la diffusion de vidéos à la demande. Au moment de son choix, le consommateur a donc accès, via le site Web de Netflix, à un catalogue impressionnant de films, de documentaires et de séries télévisées. Netflix pousse plus loin encore son souci d'optimiser son modèle d'affaires en développant ses propres séries télévisées : c'est une révision complète de son modèle d'affaires et de sa chaîne d'approvisionnement[47].

Comme Netflix, de nombreuses entreprises se tournent vers de nouvelles technologies pour améliorer leurs opérations et consolider leurs relations avec la clientèle. La rubrique Marketing et médias sociaux ci-contre explique comment les entreprises intègrent les médias sociaux à leurs stratégies de marketing.

La gestion des ressources humaines   Les employés jouent un rôle de premier plan dans le succès de toute entreprise. Ceux qui fournissent des services et entrent en relation avec les clients en particulier peuvent contribuer à fidéliser ceux-ci. Les employés compétents qui prennent à cœur les objectifs de l'entreprise sont des atouts cruciaux qui soutiennent la réussite d'entreprises comme WestJet, Delta Hôtels et Villégiatures et La Baie d'Hudson[48].

Mike Ullman, l'ancien président et chef de la direction de J.C. Penney, croit que les employés ont le pouvoir de créer un avantage concurrentiel durable[49] : « Les associés sont nos premiers clients. Si l'histoire sonne faux pour eux, impossible de la communiquer au client et de l'inspirer. » Afin d'inciter ses employés à s'investir dans l'entreprise, J.C. Penney a laissé tomber un grand nombre des artifices traditionnels qui caractérisaient l'ancien modèle d'organisation hiérarchique. Ainsi, au siège social

Marketing et médias sociaux

Les médias sociaux changent la donne[50]!

De plus en plus, les analystes commerciaux et les cadres d'entreprise se rendent compte que les médias sociaux changent la donne pour les gestionnaires marketing parce qu'ils ont le potentiel d'améliorer radicalement leur façon de gérer leurs opérations (excellence des opérations), de communiquer et d'interagir avec les clients (excellence du service à la clientèle) et même de concevoir les produits qu'ils fabriquent (excellence du produit).

Voyant que les consommateurs modernes utilisent les médias sociaux de façon intensive pour prendre leurs décisions d'achat, Susan Doniz, chef mondiale de l'information chez Aimia, observe : « Aujourd'hui, les consommateurs ne veulent plus que nous *leur* parlions : ils veulent que nous parlions *avec eux*. » De même, Cam Murray, ex-DPI de Fidelity Investments Canada, a remarqué que « dans le futur, les employés, les investisseurs et les conseillers en placement dirigeront leurs affaires d'une manière tout à fait différente de celle que j'ai imaginée ». Les implications sont claires : si les gestionnaires marketing veulent servir les consommateurs comme ils veulent l'être, les entreprises devront repenser leur façon d'organiser et de gérer leurs opérations. Au fond, si les clients ont déjà des discussions à propos des marques sur les médias sociaux, les gestionnaires marketing ne doivent pas se contenter d'écouter et de surveiller : ils doivent prendre part à ces discussions et même en engager de nouvelles.

C'est précisément ce que P&G Canada a fait dernièrement. Constatant que les nouvelles mamans, les femmes enceintes et les mamans en général constituaient les communautés virtuelles les plus actives, P&G a créé des espaces de blogage sur son site Web et encouragé les mères à y publier des billets au sujet de ses couches Pampers. L'entreprise est allée plus loin en demandant à quelques-unes des mères blogueuses les plus populaires de décrire ce qui leur plaisait ou déplaisait à propos des Pampers, en sachant fort bien que les autres mères reviendraient y ajouter leur mot. Cette expérience a été très instructive pour l'entreprise qui est désormais très active dans les médias sociaux. P&G a même développé PeopleConnect, une plateforme similaire à Facebook, pour permettre à ses employés de tenir leurs propres blogues, de devenir des contributeurs wikis et de former leurs propres groupes. Ces groupes sont ouverts et tous les internautes peuvent lire les blogues ou y participer.

De même, Fidelity Investments Canada, même si elle avance plus prudemment, a commencé à utiliser les blogues, les wikis, les balados et le clavardage pour encourager la collaboration. L'enthousiasme grandissant que suscitent les médias sociaux au sein de l'entreprise a poussé celle-ci à créer un outil de réseautage social appelé Innovation Station. Sur cette plateforme, les employés peuvent publier leurs idées sur divers sujets, comme les produits et le marketing, les rapports coûts/efficience et même la création d'espaces de travail verts. Selon Cam Murray, l'avantage réel de cet outil est qu'il fait en sorte que les « pépites » publiées sur le blogue s'affinent graduellement grâce aux commentaires des autres employés.

Murray conclut que les médias sociaux auront une incidence profonde sur la direction des affaires dans l'avenir. À preuve, la récente décision de General Motors d'annuler le lancement de son véhicule multisegment Buick, fondée en grande partie sur les nombreux gazouillis négatifs publiés sur Twitter. Au fond, les consommateurs veulent façonner les produits que les entreprises leur proposent et ils le feront, que celles-ci le veuillent ou non... grâce au pouvoir des médias sociaux !

de l'entreprise, situé à Plano, au Texas, tous les employés s'appellent par leurs prénoms, ont des horaires flexibles et peuvent suivre des ateliers sur le leadership organisés en vue de bâtir une future équipe de direction.

L'excellence du produit

L'excellence du produit, soit la troisième macrostratégie, découle du choix de la marque et du positionnement du produit. Certaines entreprises peinent à créer un avantage concurrentiel à partir de leur produit ou de leur service, surtout lorsque la concurrence parvient aisément à offrir la même chose.

Par contre, d'autres entreprises ont pu maintenir leur avantage concurrentiel en investissant dans la marque. Elles ont positionné leur produit ou leur service en faisant appel à une image précise et originale de même qu'en renforçant cette image à l'aide de leur marchandise, de leurs services et de la promotion qu'elles en ont faite. Prenons, par exemple, Tim Hortons et certaines des marques canadiennes les plus importantes selon l'évaluation d'Interbrand, soit la Banque TD, Shoppers Drug Mart / Pharmaprix, Canadian Tire, Molson et Dollarama. Toutes ces entreprises sont des chefs de file au sein de leur industrie, entre autres parce que leur marque est forte et bien positionnée sur le marché[51].

Apple est l'un des chefs de file du marché des produits électroniques. Grâce à sa combinaison iPod et iTunes, elle a détrôné des leaders du marché comme Sony et domine aujourd'hui le marché de la musique sur mobile. Même si ses détracteurs prétendent que la technologie de l'iPod n'a rien de révolutionnaire, le fait est qu'Apple a non seulement redessiné le baladeur numérique, mais elle en a fait un accessoire que les consommateurs sont fiers de transporter et de montrer. De plus, elle a révolutionné la façon d'acheter de la musique avec sa boutique en ligne iTunes Store. L'iPhone et l'iPad sont deux autres produits qui suscitent un engouement phénoménal et qui ont, eux aussi, contribué à consolider l'image de marque d'Apple en tant qu'entreprise technologique innovante et de renommée mondiale, réputée pour fabriquer des produits de qualité supérieure, bien conçus et chics. Comment Apple a-t-elle fait pour regagner le terrain perdu et détrôner les leaders du marché tout en créant un tel engouement pour sa technologie? Selon divers rapports, l'ex-PDG d'Apple, Steve Jobs, voyait Apple avant tout comme une entreprise de marketing: comprendre les besoins des consommateurs et y répondre est ce qu'elle fait de mieux. La technologie vient en second.

L'excellence de l'emplacement

L'emplacement est particulièrement important pour les détaillants et les fournisseurs de services. Beaucoup s'entendent pour dire que les trois éléments qui font le succès d'un commerce de détail sont l'emplacement, l'emplacement et l'emplacement. La plupart des gens qui veulent acheter un café ne veulent pas effectuer un long trajet à pied ou en voiture. Un avantage concurrentiel fondé sur l'emplacement est donc durable parce qu'il n'est pas facile à reproduire.

Tim Hortons et Starbucks ont bâti chacune un avantage concurrentiel solide avec le choix de leurs emplacements. Leurs commerces sont si nombreux sur certains marchés qu'un concurrent peut difficilement y pénétrer ou y trouver des emplacements privilégiés.

De multiples sources d'avantages

Cependant, dans la plupart des cas, une seule stratégie (des bas prix ou un excellent service à la clientèle) ne suffit pas si l'on veut obtenir un avantage concurrentiel durable[52]. Il faut donc que l'entreprise adopte plusieurs approches afin d'ériger le plus haut «mur» possible entre elle et ses concurrents. La compagnie aérienne WestJet, par exemple, y est parvenue en répondant aux besoins de ses clients, en leur offrant un bon service et des prix concurrentiels ainsi qu'en établissant une bonne relation avec eux. L'entreprise s'est toujours positionnée comme étant un transporteur aérien qui offre un bon service dont la valeur est appréciable: les clients sont conduits à destination à l'heure prévue et pour un prix raisonnable. Toutefois, les clients de WestJet n'ont pas d'attentes trop élevées: ils ne s'attendent pas à ce qu'on leur serve un repas ou qu'on leur affecte une place et ils savent que la compagnie aérienne ne dessert qu'un certain nombre d'aéroports[53]. Grâce à ces stratégies, WestJet jouit maintenant d'une clientèle nombreuse et loyale, et de très hauts remparts protègent sa position en tant qu'acteur de valeur au sein de l'industrie aérienne canadienne.

La compagnie aérienne WestJet offre à ses clients un bon service à bon prix et prend plaisir à le faire, ce qui crée de la valeur pour son service.

Profil d'expert   Kelli Wood

Après avoir terminé un baccalauréat en direction des affaires avec spécialisation en marketing à l'Université Wilfrid-Laurier, j'ai décidé de m'adonner à ma passion pour le sport en postulant un emploi à la Maple Leafs Sports and Entertainment (MLSE) à Toronto. La MLSE est la fière propriétaire des Maple Leafs et des Raptors de Toronto, et l'une des entreprises de sports et de loisirs les plus renommées du monde. En 2006, en partenariat avec la Ville de Toronto, la MLSE a acheté une franchise de la Ligue majeure de soccer (MLS) pour le marché torontois et créé le Toronto FC. Heureusement pour moi, celle-ci a ouvert un poste en marketing à peine quelques semaines après la fin de mes études.

Je devais trouver une manière créative de postuler cet emploi, car je savais que la concurrence serait féroce. En effet, les passionnés de sports à la recherche d'un emploi sont légion, et rares sont les gestionnaires marketing qui ont la chance de construire une marque à partir de rien. Je me suis dit que la meilleure façon de décrocher un poste en marketing consistait à montrer comment mettre en marché et positionner la marque la plus importante que j'aurais jamais à gérer : moi-même.

Mon CV original m'a permis non seulement d'être convoquée en entrevue avant plusieurs centaines de candidats, mais aussi de décrocher l'emploi de mes rêves.

J'ai travaillé au Toronto FC pendant presque cinq saisons, durant lesquelles j'ai organisé toutes les initiatives de marketing pour le club et participé au lancement de la marque, au match des étoiles de la MLS en 2008, à la rencontre amicale internationale qui a opposé le Toronto FC au Real Madrid ainsi qu'à la Coupe de la Ligue majeure de soccer en 2010. Notre minuscule équipe a remporté les plus grands honneurs au sein de l'industrie : nous avons fracassé d'innombrables records dans la vente de billets, les commandites et le travail créatif, et mérité l'un des prix les plus prestigieux de l'industrie en 2009 lorsque nous avons été nommés « Marque de l'année » par le *Strategy Magazine*.

En mars 2011, j'ai quitté la MLSE pour entrer chez Sid Lee, une agence de publicité montréalaise. Mon travail au sein de l'équipe responsable du compte d'une pépinière internationale d'idées nouvelles comme Sid Lee était à des années-lumière de celui que je faisais à la MLSE, où j'étais du côté du client dans un marché local de niche. J'ai toujours été passionnée par la créativité, et mon nouveau poste me donnait l'occasion d'être plus près du terrain, d'apprendre de nouvelles stratégies et d'acquérir de l'expérience dans la façon de développer des stratégies adaptées aux différents segments de marché et catégories de produits, le tout en travaillant avec des marques variées.

Faites le point

 **Décrivez la façon dont une entreprise élabore et met en œuvre un plan marketing**

Le plan marketing est l'outil de base de toute stratégie de marketing. Il comprend une analyse de la situation actuelle, des objectifs, les stratégies de marketing mix pour les quatre « P », ainsi que les états financiers qui en découlent. Il est issu d'un processus de planification stratégique qui comprend trois phases : la planification, la mise en œuvre et le contrôle. Pendant la phase de planification, les gestionnaires marketing définissent la mission ou la vision de l'entreprise en vue de répondre à la question suivante : « Dans quel domaine œuvrons-nous et que voulons-nous devenir ? » Au cours de cette phase, ils doivent réaliser une analyse de la situation afin de déterminer comment les différents intervenants dans ce marché, autant au sein de l'entreprise elle-même qu'à l'extérieur de cette dernière, vont affecter le succès de l'organisation.

Pendant la deuxième phase, soit la phase de mise en œuvre, l'entreprise doit reconnaître et évaluer les occasions d'affaires à l'aide du processus de segmentation, de ciblage et de positionnement, puis élaborer le marketing mix (les quatre « P »). Par la suite, les gestionnaires se concentrent sur la mise en œuvre du marketing mix, sur l'affectation des ressources, sur l'organisation du marketing de même que sur le calendrier d'application des différents plans d'action. Finalement, pendant la phase de contrôle, l'entreprise procède à l'évaluation de la performance afin de cerner ce qui a fonctionné et ce qui n'a pas fonctionné, et ce, dans le but de s'améliorer.

 **Réalisez une analyse FFOM et expliquez son rôle dans la planification marketing**

Souvenez-vous que le sigle FFOM signifie « forces, faiblesses, opportunités et menaces ». L'analyse FFOM a lieu au cours de la deuxième étape du processus de rédaction du plan marketing, soit l'analyse de la situation. En déterminant les points forts de l'entreprise (les forces), les points à améliorer (les faiblesses), les tendances dans son environnement externe qui pourraient lui donner un coup de pouce (les opportunités) et les aspects de l'environnement externe qui pourraient lui nuire (les menaces), les gestionnaires arrivent à évaluer la situation du marché avec justesse et peuvent ainsi planifier une stratégie de marketing en fonction de celle-ci.

 ### Expliquez comment une entreprise choisit les groupes de personnes à viser par ses actions marketing

Une fois que l'entreprise connaît les opportunités qui s'offrent à elle, elle doit choisir celles sur lesquelles elle se concentrera. Pour y arriver, les gestionnaires marketing se servent du processus de segmentation, de ciblage et de positionnement (SCP). L'entreprise segmente le marché de manière à le diviser en groupes de consommateurs selon leurs besoins, leurs désirs ou des éléments qui les caractérisent. Ces consommateurs désirent en effet, le plus souvent, se procurer des produits et des services conçus à leur intention. Une fois le marché segmenté, l'entreprise tente d'intéresser certains groupes en fonction de sa capacité à en satisfaire les besoins mieux que ses concurrents ou de façon plus rentable. C'est ce qu'on appelle le ciblage. Finalement, l'entreprise positionne ses produits ou ses services en fonction des variables du marketing mix de manière que les clients comprennent clairement l'utilité du produit et ce qu'il représente par rapport aux produits de la concurrence.

 ### Expliquez comment le marketing mix permet d'augmenter la proposition de valeur au client

Le marketing mix correspond aux quatre « P » (produit, prix, distribution [*place*] et communication [*promotion*]) et chacun de ceux-ci contribue à la valeur économique offerte au client. Pour créer de la valeur, l'entreprise doit offrir une série de produits et de services à un certain prix, afin que le marché cible perçoive le produit ou le service comme ayant un bon rapport qualité/prix. Ainsi, l'entreprise agit sur les deux premiers « P », le produit et le prix, afin de créer la meilleure valeur possible.

La distribution vise à créer de la valeur en acheminant chez les bons revendeurs et en quantité suffisante le produit ou le service adéquat aux clients, au moment où ceux-ci en ont besoin. Pour ce qui est de la communication, il s'agit de renseigner les clients et de les aider à se former une image positive de l'entreprise ainsi que des produits et services qu'elle propose.

 ### Expliquez comment une entreprise arrive à développer ses activités

Il existe quatre stratégies générales de croissance : la pénétration de marchés, le développement de marchés, le développement de produits et la diversification. La stratégie de pénétration de marchés cherche à diriger les efforts de l'entreprise vers la clientèle déjà établie en se servant du marketing mix existant. En d'autres mots, cette stratégie vise à inciter les clients à acheter davantage. Si la stratégie déployée est celle du développement de marchés, l'entreprise se servira du marketing mix existant pour attirer de nouveaux segments de marché, comme c'est le cas, par exemple, pour la croissance d'une entreprise sur le plan international. Le développement de produits est une stratégie de croissance selon laquelle une entreprise propose à un marché cible un nouveau produit ou service. Finalement, la diversification est une stratégie selon laquelle une entreprise lance un nouveau produit ou service sur un segment de marché qu'elle ne couvre pas encore. Parfois, l'entreprise n'a pas besoin de sortir de son champ d'expertise pour déployer une telle stratégie. C'est le cas, notamment, lorsqu'un fabricant de vêtements pour femmes se met à créer des vêtements pour hommes. Cependant, la stratégie de diversification peut être plus risquée, comme lorsqu'une entreprise décide d'œuvrer dans un secteur d'activité qui lui est inconnu. Les grandes firmes de marketing ont également recours à quatre macrostratégies afin de se munir d'un avantage concurrentiel durable : l'excellence du service, en encourageant la fidélité des clients et en offrant un service à la clientèle de haute qualité ; l'excellence des opérations, grâce à une gestion efficiente de la chaîne d'approvisionnement et des opérations ; l'excellence du produit, qu'il est possible d'atteindre grâce au choix de la marque et au positionnement ; et l'excellence de l'emplacement, à la fois physique et sur Internet.

Mots clés

Révision des concepts

1. Décrivez brièvement en quoi consiste chacune des trois phases du plan marketing : la planification, la mise en œuvre et le contrôle.

2. Qu'entend-on par « énoncé de mission ou de vision » ? À quoi cet énoncé sert-il et en quoi influe-t-il sur la planification marketing ?

3. Que signifie FFOM ? Donnez deux avantages de l'analyse FFOM. Pourquoi est-ce important de réaliser une telle analyse ?

4. Quels renseignements sont nécessaires en vue de procéder à une analyse FFOM ? Comment font les gestionnaires marketing pour se procurer de tels renseignements ?

5. Pourquoi la segmentation, le ciblage et le positionnement (ou SCP) sont-ils essentiels à la découverte et à l'évaluation des occasions d'affaires ? En quoi influent-ils sur l'élaboration du marketing mix (les quatre « P ») ?

6. Décrivez les quatre stratégies de croissance pour lesquelles les entreprises optent généralement. Servez-vous d'une chaîne de restaurants rapides ou d'épiceries (p. ex., Loblaw, Safeway ou Metro) pour illustrer chacune des stratégies.

7. Parmi les quatre stratégies de croissance dont il a été question dans le chapitre, laquelle est la plus risquée ? Laquelle est la plus facile à mettre en œuvre ? Pourquoi ?

8. Qu'est-ce qu'un avantage concurrentiel durable ? Pourquoi est-il important pour une organisation ? Quelles sont les différentes approches qui permettent de développer un tel avantage ?

9. En quoi consistent les quatre éléments qui font partie de la matrice BCG ? En quoi l'analyse de portefeuille est-elle un outil utile pour les gestionnaires marketing lors du processus de développement de la stratégie de marketing ?

10. Dans la matrice BCG, quelles décisions un gestionnaire marketing peut-il prendre lorsqu'un produit se retrouve dans une situation de dilemme ?

Marketing appliqué

1. Comment la compagnie aérienne WestJet est-elle parvenue à se créer un avantage concurrentiel durable ?

2. Procédez à l'analyse FFOM de votre collège ou de votre université.

3. Décrivez les principaux marchés cibles des Canadiens de Montréal, de Victoria's Secret et de Gatorade. Comment ces entreprises positionnent-elles leurs produits en vue d'attirer l'attention de leurs marchés cibles respectifs ?

4. Pensez à votre produit, à votre fournisseur de services ou à votre détaillant préféré. Comment les gestionnaires marketing arrivent-ils à leur créer de la valeur à partir du marketing mix ? Justifiez votre réponse.

5. Choisissez quatre détaillants, dont le premier augmente sa valeur grâce à l'excellence de son produit, le deuxième grâce à l'excellence de ses opérations, le troisième grâce à l'excellence de son emplacement et le dernier grâce à l'excellence de son service à la clientèle. Expliquez comment ces détaillants créent de la valeur.

6. Rendez-vous sur le site Web de votre banque et essayez de comprendre comment celle-ci se sert du processus de SCP en vue d'offrir à ses clients divers types de comptes bancaires (produits) dont les frais (prix) sont différents.

7. Identifiez, parmi vos connaissances ou en surfant sur Internet, une entreprise qui s'est développée en utilisant une stratégie de diversification. Cette stratégie de croissance par diversification a-t-elle été fructueuse pour l'entreprise ? Quels facteurs ont contribué, selon vous, à son succès ou à son échec ?

8. Avec quelques associés, vous songez à ouvrir un centre de santé/détente à proximité de l'université. Expliquez comment vous devriez vous y prendre pour segmenter le marché, quels segments vous souhaiteriez attirer et comment vous positionneriez votre service sur le marché cible choisi.

9. Vous venez de publiciser auprès des joueurs de soccer un nouveau sport de ballon que vous avez inventé. Ce nouveau sport se joue en équipe de deux, avec un ballon dont l'échange se fait principalement avec les pieds. Votre sport a connu un succès immédiat auprès de cette clientèle. Vous aimeriez tirer profit de ce succès et développer votre activité. Comment pourriez-vous procéder pour faire croître votre entreprise au cours des trois prochaines années ?

10. En utilisant le scénario du nouveau sport de ballon présenté à la question précédente, indiquez quelles analyses il serait pertinent de réaliser avant de sélectionner la stratégie de croissance la plus intéressante à mettre en place.

Internaute averti

1. Chocolats Favoris est une entreprise basée à Lévis, sur la rive sud de Québec. Ouverte depuis 1979, cette chocolaterie fait le bonheur de bon nombre de Québécois. Rachetée en 2012 par Dominique Brown, le créateur de Beenox, la petite chocolaterie de Lévis voit grand, et même très grand. Avec l'ouverture de nombreuses succursales un peu partout au Québec et la vente de certains de ses produits chez IGA, la croissance va bon train. En fouillant le site Web de Chocolats Favoris (www.chocolatsfavoris.com), tout en élargissant vos recherches à la presse quotidienne et d'affaires, identifiez les stratégies de croissance mises en place par Dominique Brown pour développer son entreprise.

2. De plus en plus d'entreprises œuvrent dans l'industrie des agences de rencontre. Parcourez le site Web de Lavalife (www.lavalife.com) afin de connaître les stratégies que de telles entreprises emploient pour aider leurs clients à rencontrer l'âme sœur. Ensuite, à l'aide d'une analyse FFOM, évaluez les éléments du milieu qui peuvent avoir une influence sur les services d'agences de rencontre en ligne.

Étude de cas

L'ÉQUIPE DE SOCCER DE TORONTO : DE LA RENAISSANCE À L'EXCITATION[54]

Lors de leur première partie de soccer à domicile, le 28 avril 2007, le club de Toronto a fait salle comble et joué sous les cris d'encouragement de 20 148 spectateurs[55]. Les partisans de tous les âges et de tous les milieux s'étaient réunis pour soutenir leur équipe préférée qui affrontait les Wizards de Kansas City[56]. Nombreux sont ceux qui arboraient de pied en cap les couleurs du club de Toronto et qui agitaient au-dessus de leur tête le foulard rouge et blanc. La foule s'est électrisée quand Andy Welsh, un joueur de Toronto, a eu l'occasion de marquer, mais s'est vu refuser le but. Malgré la foule en délire, les Wizards l'ont emporté 1 à 0[57].

Cette partie a marqué le retour du soccer professionnel au Canada, lequel avait disparu en 1984, l'année où les Blizzards de Toronto avaient dû se retirer en raison du démantèlement de la ligue. Malgré les obstacles, l'avenir du sport était prometteur. L'excitation créée par la Coupe du monde de la Fédération Internationale de Football Association (FIFA) se faisait encore sentir et le soccer avait atteint le premier rang des sports les plus télévisés au Canada. À tout moment, les amateurs peuvent regarder l'une des 500 parties de soccer diffusées sur les chaînes câblées. C'est plus que n'importe où ailleurs dans le monde[58]. L'engouement des partisans de l'équipe de Toronto était tel que même les plus anciens amateurs anglais en étaient impressionnés[59].

Pour faire revivre l'équipe de Toronto, il fallait dénicher un endroit où auraient lieu les parties de soccer. En effet, une entente ne pouvait être signée qu'à la condition qu'un stade soit trouvé. Des négociations ont alors débuté entre les divers paliers de gouvernement (municipal, provincial et fédéral), des entreprises privées et la Ligue majeure de soccer (MLS). Cela a nécessité une grande organisation ainsi que des plans d'affaires concrets. En octobre 2006, une entente préliminaire pour construire un stade au coût de 62,8 millions de dollars a été conclue par cinq financiers principaux. C'est ainsi que le stade extérieur BMO Field de 20 000 places a vu le jour, juste à temps pour la première partie du club[60].

La firme Maple Leafs Sports and Entertainment (MLSE), propriétaire de plusieurs équipes sportives, a été fort utile à la nouvelle équipe de soccer en raison de son expertise. Parmi les équipes canadiennes les plus populaires qu'elle dirige figurent les Raptors de Toronto. Même si une bonne performance sur le terrain peut attirer de nouveaux partisans, la MLSE savait que gagner n'est pas tout. Par exemple, les Maple Leafs de Toronto n'ont pas gagné la coupe Stanley depuis 1967, mais, chaque année, la franchise s'assure de la valeur et ne cesse de faire salle comble à l'Air Canada Centre.

Au bout du compte, pour ce qui est de l'équipe de soccer de Toronto, c'est le nombre de partisans qui témoignerait de la réussite du club. L'important, c'était de veiller à ce que le nombre de nouveaux partisans soit supérieur au nombre de personnes qui délaisseraient l'équipe. Avant même que cette dernière ne mette un pied sur le nouveau terrain, l'entreprise a dû élaborer une stratégie en vue de garantir la réussite à long terme du club de Toronto. Cette stratégie comprenait deux objectifs : créer une marque forte pour faire connaître la nouvelle équipe et ajouter une valeur dépassant celle que les partisans demandent dans toutes les interactions se déroulant avec eux.

La première étape en vue de créer une marque consistait à s'assurer que l'équipe pouvait représenter Toronto, mais aussi le reste du Canada. Il a donc été décidé que l'emblème de l'équipe serait rouge et blanc, et que le nom serait simple, afin que les partisans trouvent aisément des surnoms à l'équipe[61]. Plus tard, lorsque la saison a commencé, le réseau CBC a télédiffusé les matchs afin que les partisans puissent les regarder chez eux. Dans la communauté, la MLSE a travaillé dur pour pouvoir aider les moins nantis. Elle a notamment amassé des fonds qu'elle a remis à Right to Play, un organisme humanitaire qui fait participer les jeunes à des activités sportives[62].

L'une des questions cruciales relativement à la valeur du club était le prix des billets. Avec 20 000 billets à écouler et une demande incertaine, la MLSE a dû faire preuve de stratégie. Le prix de départ a été fixé en fonction des standards établis par la ligue, en espérant que les entreprises locales et les partisans se procureraient une bonne partie des abonnements. Ainsi, l'abonnement coûtait entre 285 $ et 1820 $ par partie, les billets réguliers entre 525 $ et 1840 $, et les billets pour enfants entre 304 $ et 874 $. Pour ce qui est des groupes, les billets pouvaient coûter aussi peu que 19 $ par partie. Le club de soccer de Toronto souhaitait attirer l'attention des mordus du soccer, ceux qui regardent les parties aux chaînes de télévision italiennes ou européennes et qui ont une équipe préférée à l'étranger, ceux qui sont enflammés par le sport. Les bas prix, les nouvelles acquisitions de l'équipe en matière de joueurs ainsi que le calendrier préliminaire de la saison ont engendré, fait surprenant, une forte demande. Ainsi, 14 000 abonnements se sont rapidement envolés. Fait encore plus surprenant, la foule était très diversifiée et comprenait bon nombre de jeunes professionnels[63]. Les 6 000 billets restants ont été réservés pour être vendus sous forme de billets simples ou de billets de mi-saison, afin de permettre aux partisans de toutes les classes sociales d'assister à un match.

Une autre décision clé a consisté à faire venir des équipes très connues à Toronto. C'est ainsi que des équipes internationales de haut calibre telles que le SL Benfica et l'Aston Villa se sont déplacées, entraînant, certes, un trou béant dans le budget de l'organisation, mais aussi la présence d'un grand nombre de partisans dans les gradins. Même si ces équipes ont coûté plus cher qu'elles n'ont rapporté, la croissance des matchs au sein de la franchise était assurée. En outre, la facilité d'accès des grands décideurs de l'organisation a créé une valeur supplémentaire pour celle-ci. Effectivement, même avant la première partie de l'équipe, les partisans ont été invités à rencontrer les joueurs et l'entraîneur Mo Johnston afin de discuter de soccer avec eux. La popularité de ces événements a été telle qu'ils ont été répétés[64].

L'équipe de Toronto a connu un début de saison plutôt lent, perdant 1 à 0 contre le Chivas USA, en Californie, le 7 avril 2007. Les défaites se sont ensuite succédé. Les joueurs de l'équipe ne semblaient pas en mesure de marquer et se sont inclinés quatre parties d'affilée. Ces défaites n'ont toutefois pas fait taire les partisans, qui ont continué d'être passionnés et d'encourager leur équipe. Tous les matchs se sont d'ailleurs joués à guichets fermés. Finalement, le 11 mai 2007, joueurs et partisans ont été récompensés, les premiers pour leur travail acharné et les seconds pour leur foi inébranlable. C'est ainsi que le club de Toronto a battu celui de Chicago 3 à 1[65]. Les cris de joie résonnaient dans tout le stade.

Le marketing est également un bon moyen de fidéliser les plus fervents partisans.

Une fois que tous les billets ont été vendus et que la malédiction a cessé de s'abattre sur la MLSE, cette dernière a pu se consacrer à l'avenir de l'équipe. Comment faire pour que la réussite de la jeune équipe torontoise se poursuive? Comment faire pour que les partisans soient toujours aussi nombreux?

Questions

1. À votre avis, quelle est la mission de l'entreprise? Considérez-vous qu'elle est pertinente? Justifiez vos réponses.

2. Évaluez la situation dans laquelle se trouve le club de soccer de Toronto à l'aide de l'analyse FFOM. Dans quelle mesure les objectifs de l'entreprise peuvent-ils mener à une réussite à long terme?

3. Selon vous, quel est l'avantage concurrentiel de l'équipe? Dans quelle mesure cet avantage est-il durable?

4. À votre avis, quel est le marché cible de l'organisation?

5. Décrivez comment le Toronto FC met en œuvre son marketing mix (les quatre « P ») pour que ses clients restent fidèles à la franchise.

6. Comment l'organisation pourrait-elle s'y prendre pour fidéliser les partisans de l'équipe de Toronto?

CHAPITRE ③

Après avoir lu ce chapitre, vous devriez être en mesure :

OA ① d'expliquer pourquoi les gestionnaires marketing devraient se soucier de l'éthique ;

OA ② de définir les caractéristiques d'une entreprise socialement responsable ;

OA ③ de décrire les modalités de la prise de décision éthique ;

OA ④ d'expliquer comment une entreprise peut intégrer l'éthique et la responsabilité sociale dans ses stratégies de marketing ;

OA ⑤ de décrire comment les consommateurs encouragent des pratiques commerciales éthiques et responsables.

L'éthique et le marketing responsable

ompte tenu de l'incidence croissante de la maladie coronarienne et de l'obésité en Amérique du Nord, les consommateurs et les groupes de revendication font pression sur l'industrie alimentaire pour qu'elle fabrique des aliments plus sains. Résultat : un grand nombre d'États américains ont banni les gras trans et obligé les restaurants rapides et d'autres chaînes comptant au moins 20 restaurants à afficher le nombre de calories sur leurs menus et leurs tableaux de menu, ainsi qu'aux points de services à l'auto[1]. Les graisses, les calories, les sucres et leurs succédanés sont tous des ingrédients désormais au banc des accusés. Et le sel n'est pas en reste, puisque l'Institute of Medicine a demandé à la Food and Drug Administration de réglementer la quantité de sel ajouté aux aliments préparés[2].

Ce type de législation jette un éclairage négatif sur les fabricants alimentaires, qui sont accusés de s'enrichir au détriment de la santé des gens. Plus l'entreprise est importante et prospère, plus elle s'expose à être surveillée de près et à faire les manchettes si elle utilise de mauvaises pratiques. Cette situation constitue tout un défi pour les gestionnaires marketing, qui doivent contrebalancer la publicité négative pour protéger la réputation de l'entreprise.

Kellogg's, leader mondial de la production de céréales et grand fabricant de grignotines, a été ciblée par l'organisme de réglementation des aliments du Royaume-Uni et par des groupes de promotion de la santé en raison de la quantité de sel contenue dans ses céréales[3]. La consommation de sel des Britanniques dépasse de 43 % la limite recommandée ; de plus, cette nation enregistre annuellement plus de 14 000 décès attribuables à l'hypertension artérielle, aux infarctus et aux accidents vasculaires cérébraux (AVC), des maladies associées à une consommation élevée de sodium. En conséquence, Kellogg's, qui déclarait des revenus nets de plus de 1,4 milliard de dollars en 2013[4], a annoncé qu'elle réduirait d'au moins un tiers la quantité de sel contenue dans certaines de ses céréales, éliminant ainsi environ 300 tonnes de sel du régime alimentaire des consommateurs.

Comme la nouvelle se propageait, Kellogg's a tenté de se positionner comme le leader de l'industrie plutôt que comme un bouc émissaire. Non seulement elle a accepté de réduire la teneur en sel de ses céréales, mais elle a souligné qu'elle le faisait graduellement depuis plus d'une décennie[5]. Elle a ensuite renforcé son message en demandant à tous les fabricants de céréales européens de suivre son exemple.

En demandant à ses concurrents de s'unir à ses efforts pour limiter la teneur en sel des aliments, Kellogg's faisait plus que lancer une initiative sanitaire. En effet, les papilles des consommateurs étant habituées aux aliments salés, l'entreprise craignait de perdre des clients si elle était la seule à réduire le taux de sodium de ses céréales. Toutefois, les gestionnaires marketing ont trouvé un moyen de transformer le négatif en positif. Au lieu d'essayer de dissimuler le problème, ils l'ont recadré et ont tiré parti de l'attention médiatique dont bénéficiait l'entreprise.

Cette approche se reflète aussi dans le message véhiculé par Kellogg's. Tout en cherchant de nouvelles formules qui, elle l'espère, seront savoureuses sans qu'elle soit obligée d'augmenter leur teneur en sucre ou en succédanés de sucre, Kellogg's s'est jointe à la cohorte d'entreprises qui publient des rapports sur la responsabilité sociale d'entreprise (RSE). Dans

En lançant une telle initiative « santé », Kellogg's a choisi de se concentrer sur la responsabilité sociale d'entreprise.

son rapport, Kellogg's décrit ses efforts et les défis qu'elle doit relever, lesquels sont liés, entre autres, aux différences de goût entre les pays, à la conviction des consommateurs que « moins de sel » égale « moins de goût » et à l'absence de substituts de sel. Bien que certains critiques avancent que publier un rapport RSE ne résout pas tout, ces documents montrent que les entreprises reconnaissent les problèmes et exposent les mesures qu'elles prennent pour les solutionner.

Quel objectif est le plus important pour une entreprise : faire des profits ou attirer des clients et les garder[6] ? Bien qu'une entreprise ne puisse pas survivre sans réaliser de profits, si la quête du profit est le seul moteur de ses actions, ses décisions à court terme pourraient lui faire perdre des clients à la longue. Certes, l'exercice de virtuosité auquel se livre Kellogg's pourrait s'apparenter à un effort pour consolider le plus possible son assise. Ce qui nous amène à parler du principal dilemme éthique auquel les gestionnaires marketing sont confrontés, à savoir comment trouver un équilibre entre les intérêts des parties prenantes et les besoins de la société. Dans le cas de Kellogg's, ils y sont parvenus en choisissant de se concentrer sur les bénéfices sociétaux à long terme, quitte à perdre des revenus à court terme.

Un autre exemple bien connu est celui de Mattel. L'entreprise a décidé de délocaliser en Chine la production de plus de 800 millions de ses jouets les plus populaires, y compris les poupées Barbie, les voitures Matchbox et la peluche Elmo, et elle aurait lésiné sur les contrôles de sécurité et sur la vérification de la conception des produits[7]. Des jouets supposément fabriqués par l'un des fournisseurs de Mattel provenaient en réalité d'une autre usine utilisant des peintures à base de plomb,

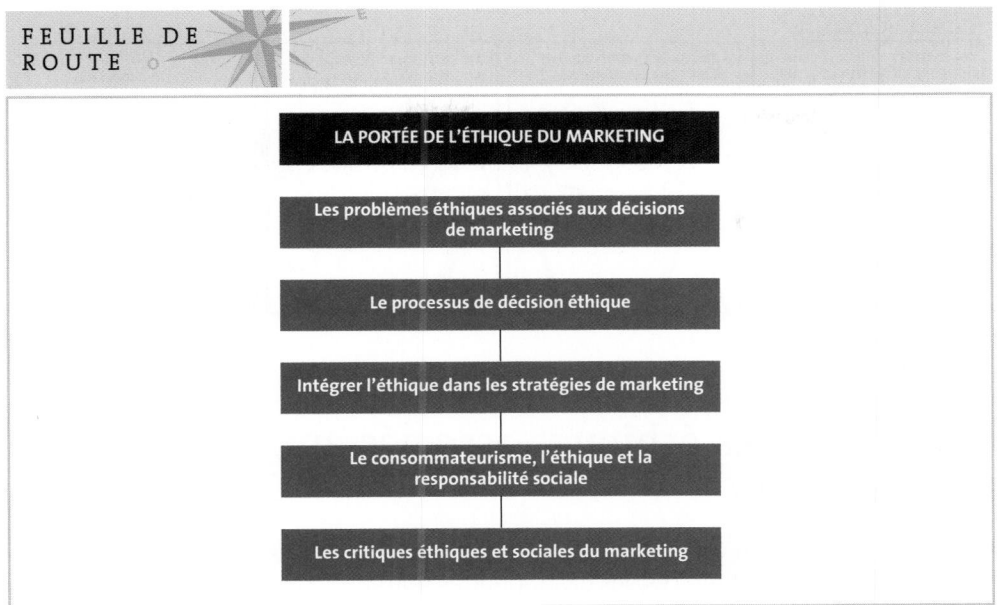

FEUILLE DE ROUTE

lequel peut provoquer des troubles sanguins et cérébraux surtout chez les enfants. Bien que le choix initial de Mattel semble avoir été motivé par les profits à court terme, l'entreprise a rappelé les jouets dangereux, démontrant ainsi qu'elle avait modifié ses priorités.

Lorsque les consommateurs estiment qu'ils ne peuvent plus faire confiance à une entreprise ou que celle-ci agit de façon irresponsable, ils cessent alors d'acheter ses produits ou ses services ou d'investir dans ses actions. Pour les gestionnaires marketing, l'entreprise doit à tout prix susciter et préserver la confiance des consommateurs en menant ses affaires de façon éthique.

Dans ce chapitre, nous examinerons d'abord ce qu'est l'éthique du marketing et la raison pour laquelle une conduite éthique est tellement importante pour le succès du marketing. Nous expliquerons ensuite comment les entreprises peuvent créer un climat éthique au sein de leurs effectifs et l'incidence des comportements individuels sur la capacité de l'entreprise à adopter un comportement éthique. Afin de vous aider à prendre des décisions éthiques en matière de marketing, nous vous fournirons aussi un modèle décisionnel. Ensuite, nous examinerons certains problèmes éthiques dans le contexte de la planification marketing stratégique (*voir le chapitre 2*). Enfin, nous vous présenterons des scénarios mettant en lumière les défis éthiques auxquels les gestionnaires marketing doivent souvent faire face. Référez-vous à la feuille de route ci-dessus pour vous guider dans le chapitre.

La portée de l'éthique du marketing

L'**éthique des affaires** est une branche de la philosophie qui étudie les règles et les principes d'éthique dans un contexte commercial, les divers problèmes éthiques pouvant survenir au sein des entreprises ainsi que les responsabilités ou les obligations spéciales de leurs membres[8]. La bande dessinée, à la page suivante, illustre l'importance de prendre des décisions éthiques. L'**éthique du marketing**, en revanche, se penche sur les problèmes d'éthique inhérents au marketing. Comme le marketing est souvent montré du doigt comme étant la principale cause d'un bon nombre de préoccupations d'ordre éthique (comme la promotion de produits de mauvaise qualité), quiconque participe à des activités de marketing doit reconnaître les implications morales de ses gestes. Ces activités peuvent comprendre des enjeux sociétaux comme la vente de produits ou de services non écologiques, des enjeux mondiaux comme le recours à des ateliers clandestins et des enjeux individuels comme la publicité trompeuse et la commercialisation de produits dangereux[9].

éthique des affaires (*business ethics*)
Branche de la philosophie qui étudie les règles et les principes d'éthique au sein d'une entreprise, les problèmes éthiques qui pourraient survenir ainsi que les responsabilités et les engagements des personnes qui travaillent dans cette entreprise.

éthique du marketing (*marketing ethics*)
Ensemble des problèmes d'éthique inhérents au marketing.

OA **1**   # Les problèmes éthiques associés aux décisions de marketing

Contrairement à ce qu'on observe au sein des autres fonctions commerciales comme la comptabilité ou les finances, les gestionnaires marketing interagissent directement avec le public. Comme ils jouissent d'une grande visibilité, il ne faut pas s'étonner que les professionnels du marketing et des ventes obtiennent parfois un score médiocre dans les évaluations des professions les plus dignes de confiance. Lors d'un sondage Gallup réalisé en 2011, les répondants ont accordé un score beaucoup plus élevé à la plupart des professions autres que celles liées au marketing. Les agents de télémarketing ont obtenu le score le plus bas et les publicitaires, un score à peine plus élevé, mais inférieur à celui des avocats[10] (*voir la figure 3.1*). Pour les gestionnaires marketing, qui dépendent de la confiance durable que leur accordent les clients, ce faible score est très décevant.

Tout n'est pas perdu, cependant. Un autre sondage a révélé que les deux tiers des Canadiens s'intéressent aux questions relatives à l'éthique et à la conscience sociale des entreprises, et les trois quarts des entreprises canadiennes s'investissent activement dans des activités responsables[11]. Toutefois, un grand nombre de consommateurs demeurent très sceptiques relativement au secteur des affaires, et en particulier quant au marketing. Mais étant donné que les gestionnaires marketing interagissent régulièrement avec un grand nombre d'entités extérieures à l'entreprise, ils ont une occasion en or de susciter la confiance du public. Comme le croient avec raison de nombreux responsables du marketing, il est très rentable de créer un climat éthique en faisant de la santé et du bien-être des consommateurs la priorité de l'entreprise.

La création d'un climat éthique sur le lieu de travail

climat éthique
(*ethical climate*)
Valeurs véhiculées au sein d'une entreprise ou d'une division de l'entreprise, lesquelles orientent les décisions qui sont prises et le comportement de chacun.

L'établissement d'un puissant **climat éthique** au sein d'une entreprise de marketing (ou du Service du marketing d'une entreprise) passe par l'élaboration d'un ensemble de valeurs régissant la prise de décision et les comportements. Tous les membres de l'organisation doivent posséder la même compréhension de ces valeurs, de la manière dont elles se traduisent dans les activités commerciales de l'organisation, et utiliser un langage similaire et cohérent pour en discuter.

Une fois ces valeurs comprises, l'entreprise doit élaborer un ensemble de règles explicites et implicites qui régiront toutes ses transactions. La haute direction doit s'engager à créer un climat éthique, mais tous les employés doivent démontrer le même engagement, car l'origine des conflits éthiques réside souvent dans les valeurs contradictoires des individus. Chaque individu prône ses propres valeurs et celles-ci provoquent parfois des conflits entre employés, voire des conflits intérieurs. Ainsi, une vendeuse peut se sentir poussée à réaliser une vente parce qu'elle doit pourvoir aux besoins de sa famille même si elle sent que le produit qu'elle vend ne convient

FIGURE 3.1 La perception des valeurs éthiques observées à l'égard de diverses professions

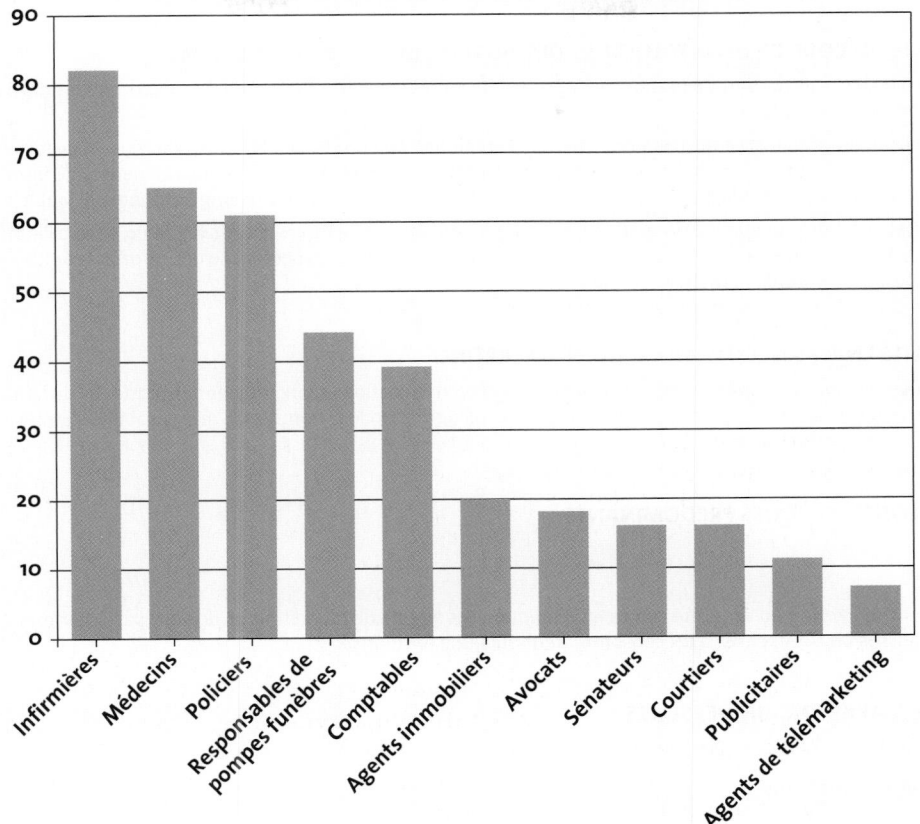

Pourcentage des répondants jugeant ces valeurs « très élevées » ou « élevées »

pas à tel ou tel client. Une fois les règles établies, un système de récompenses (pour les comportements appropriés, c'est-à-dire en accord avec les valeurs préconisées par l'entreprise) et de punitions (pour les comportements inappropriés) doit être mis en place.

De nombreuses professions, y compris le marketing, ont leur propre code de déontologie auquel adhèrent les membres de la profession, entreprises ou individus. Le Code de déontologie et les normes de pratique élaborés par l'Association cana-dienne du marketing (ACM) (*voir l'encadré 3.1 à la page suivante*), présentent les normes de comportement générales et les valeurs précises auxquelles les gestion-naires marketing devraient souscrire. Chaque sous-secteur du marketing, comme la recherche, la publicité ou la fixation des prix, possède son propre code de déon-tologie qui aborde les problèmes précis pouvant survenir pendant la conduite des affaires dans ce secteur.

Examinons maintenant le rôle des employés et la façon dont ils contribuent à créer un climat éthique au sein de l'entreprise.

L'influence de l'éthique personnelle

Toute entreprise est constituée d'individus ayant chacun leurs propres besoins et désirs. Nous verrons les raisons qui poussent les gens à prendre des décisions contraires à l'éthique et la manière dont les entreprises peuvent élaborer un processus décisionnel qui fait en sorte que leurs employés opèrent plus souvent des choix éthiques.

E N C A D R É | **3.1** | Le Code de déontologie de l'Association canadienne du marketing

CODE DE DÉONTOLOGIE ET NORMES DE PRATIQUE DE L'ASSOCIATION CANADIENNE DU MARKETING

[…]

B. RAISON D'ÊTRE DU CODE DE DÉONTOLOGIE ET DES NORMES DE PRATIQUE DE L'ACM

Ce Code de déontologie et des normes de pratique (le « Code ») de l'ACM est conçu pour établir et maintenir les normes de conduite en marketing au Canada.

Les agents de marketing reconnaissent que l'établissement et le maintien de normes de pratique rigoureuses constituent des responsabilités fondamentales envers le public. De telles normes sont essentielles pour que l'industrie mérite et conserve la confiance des consommateurs. Enfin, elles sont la pierre d'assise de la réussite d'une industrie du marketing autonome et viable au Canada.

Les membres de l'Association canadienne du marketing reconnaissent leur obligation – envers le public, envers l'intégrité de la discipline et envers les autres membres – d'adopter une pratique professionnelle respectueuse des normes les plus élevées sur le plan de l'honnêteté, de la vérité, de l'exactitude et de l'équité.

[…]

E. RESPONSABILITÉ ENVERS LA COMMUNICATION MARKETING

Les agents de marketing sont responsables du contenu de leurs communications marketing et des pratiques de leurs fournisseurs et des agences de publicité qui exécutent des communications marketing en leur nom. Cette responsabilité s'étend aux fournisseurs qui ne sont pas membres de l'ACM.

[…]

H. PRINCIPES DÉONTOLOGIQUES PRÉDOMINANTS

[…]

H2 Véracité

Les communications marketing doivent être claires et véridiques. Les agents de marketing ne doivent pas sciemment faire de représentations fausses ou trompeuses à un consommateur ou à une entreprise.

[…]

I. PRATIQUES DE MARKETING UNIVERSELLES

Ces pratiques s'appliquent quels que soient le secteur industriel, la sous-discipline ou le support publicitaire employé.

I1 Véracité des représentations

I1.1 Les agents de marketing ne doivent pas présenter sous un faux jour un produit, un service ou un programme de marketing et ne doivent pas induire en erreur par un énoncé, une démonstration ou une comparaison.

[…]

I2 Clarté

Les communications en marketing doivent être exécutées de manière à être simples et faciles à comprendre.

[…]

I5 Dissimulation

I5.1 Les agents de marketing ne doivent pas participer à des communications marketing sous un faux prétexte.

[…]

J. PROTECTION DES RENSEIGNEMENTS PERSONNELS

Tous les agents de marketing doivent observer la *Loi sur la protection des renseignements personnels et les documents électroniques* (LPRPDÉ) et/ou les lois provinciales sur la protection des renseignements personnels qui s'appliquent, de même que les dix principes de confidentialité suivants des Normes nationales du Canada et les cinq exigences supplémentaires exposées dans cette section.

[…]

J5 Origine des renseignements personnels

Les agents de marketing doivent fournir aux consommateurs l'origine de leurs renseignements personnels sur demande.

[…]

L. CONSIDÉRATIONS SPÉCIALES SE RAPPORTANT AU MARKETING DESTINÉ AUX ADOLESCENTS

[…]

L2 Responsabilité

Le marketing destiné aux adolescents impose aux agents du marketing des responsabilités spéciales. Ces derniers doivent faire preuve de discrétion et de sensibilité dans leur pratique de marketing destiné aux adolescents en tenant compte de l'âge, des connaissances, de la complexité et de la maturité des adolescents. Les agents de marketing doivent s'efforcer de ne pas tirer profit des adolescents et de ne pas les exploiter.

[…]

P. PROTECTION DE L'ENVIRONNEMENT

Les agents de marketing reconnaissent qu'il leur incombe de gérer continuellement leur entreprise de manière à minimiser les répercussions de leurs activités sur l'environnement.

[…]

Q. PROCÉDURE DE MISE EN APPLICATION DU CODE DE DÉONTOLOGIE ET DES NORMES DE PRATIQUE

Q1 Sur réception de la plainte d'un client alléguant une infraction au présent Code, qu'il s'agisse d'un membre de l'Association canadienne du marketing ou non, l'Association communiquera avec l'entreprise et utilisera ses procédures de médiation pour tenter de régler la plainte.

[…]

Source: Association canadienne du marketing, www.the-cma.org/french/ (page consultée le 13 novembre 2014).

Les origines des comportements contraires à l'éthique

Chaque personne est un produit de sa culture, de son éducation, de ses gènes et de diverses autres influences. Malgré toutes ces influences, la compréhension des êtres humains quant à ce qui est moral ou immoral ne cesse jamais de mûrir. Par exemple, un enfant de six ans pourrait penser que ce n'est pas grave de frapper son petit frère sur la tête avec un jouet; mais les adultes sont censés reconnaître que les interactions violentes avec autrui sont contraires à l'éthique. Chaque personne voit les choses à sa manière en fonction de son degré de compréhension des dilemmes éthiques.

Les scandales récents qui ont entaché la réputation de sociétés comme Enron, WorldCom, Bre-X, Nortel Networks et Hollinger poussent beaucoup de personnes à se poser deux questions simples en apparence: qu'est-ce qui amène les gens à agir de façon aussi nuisible? Est-ce que tous les individus qui adoptent ce type de comportement sont tout bonnement immoraux? Les réponses à ces questions sont complexes.

Dans bien des cas, ces gens sont obligés de choisir entre deux résultats contradictoires. Par exemple, le chef de marque d'un fabricant d'automobiles découvre, en parlant avec un membre de l'équipe du développement, que le nouveau modèle hybride écoénergétique, qui doit sous peu être produit en grandes quantités, présente un défaut de conception potentiellement dangereux. Le chef de marque peut retarder la production et corriger le défaut de conception, ce qui aura pour effet de décaler le calendrier de production, de différer les recettes et peut-être d'entraîner des licenciements et la perte de sa prime. Son autre choix consiste à aller de l'avant et à produire le véhicule malgré son défaut de conception en espérant qu'il n'occasionnera pas de blessures chez les consommateurs ni de pertes de revenus pour l'entreprise. Ce type de dilemme avec ses résultats contradictoires survient presque quotidiennement dans des milliers d'environnements d'entreprise différents.

Lors d'un sondage, on a demandé à des directeurs marketing s'ils avaient observé des comportements contraires à l'éthique chez leurs collègues de travail. Ils ont répondu qu'ils avaient vu des employés utiliser des tactiques de vente sous pression, mensongères ou trompeuses (45%); fausser le montant des profits, des ventes ou des recettes de l'entreprise (35%); taire ou détruire des renseignements susceptibles de nuire aux ventes ou à l'image de l'entreprise (32%); et faire de la publicité fausse ou trompeuse (31%)[12]. Tous ces gestionnaires marketing jugeaient-ils leur conduite contraire à l'éthique? Lorsqu'ils prennent des décisions liées au marketing, les gestionnaires se trouvent souvent devant le dilemme suivant: faire ce qui est

Jusqu'à 50% de réduction… Mais fait-on réellement des affaires? Le gérant avait-il augmenté artificiellement le prix de ses produits pour les solder aussitôt?

bénéfique pour eux et peut-être pour l'entreprise à court terme ou faire ce qui est juste et profitable pour l'entreprise et la société à long terme.

Ainsi, parce qu'il est convaincu que les profits de l'entreprise vont grossir dans les mois suivants, un gestionnaire peut croire qu'il est bénéfique pour lui-même, sa division et ses employés d'exagérer légèrement le montant des profits actuels. Une autre gestionnaire, qui se sent contrainte d'augmenter les ventes dans un magasin de détail, commande de nouveaux produits dont elle gonfle les prix artificiellement pour les réduire aussitôt. Les consommateurs sont ainsi amenés à croire à tort qu'ils font une affaire parce qu'ils considèrent le prix initial comme le prix « réel ». Chaque décision était peut-être défendable au moment où la personne l'a prise, mais elle peut aussi entraîner des conséquences éthiques et juridiques graves pour l'entreprise.

Pour éviter ces conséquences, l'entreprise doit aligner ses objectifs à long terme sur les objectifs à court terme de chacun de ses membres.

Dans l'exemple de la voiture hybride évoqué précédemment, le désir à court terme du chef de marque de toucher une prime se heurte à l'objectif à long terme de l'entreprise, qui est d'offrir à sa clientèle des voitures sécuritaires et fiables. Comme nous l'avons expliqué plus tôt, pour que les objectifs individuels s'alignent sur ceux de l'entreprise, celle-ci doit bénéficier d'un bon climat éthique et se doter de règles explicites régissant ses transactions, y compris d'un code de déontologie ainsi que d'un système de récompenses et de punitions. Dans les paragraphes suivants, nous étudierons le lien entre l'éthique et la responsabilité sociale de l'entreprise.

OA **2**

responsabilité sociale de l'entreprise (*corporate social responsibility*) Actions volontaires menées par une entreprise dans le but d'évaluer les répercussions éthiques, sociales et environnementales de ses opérations et d'aborder les préoccupations des parties prenantes.

Le lien entre l'éthique et la responsabilité sociale de l'entreprise

La **responsabilité sociale de l'entreprise** désigne les actions volontaires menées par une entreprise dans le but d'évaluer les répercussions éthiques, sociales et environnementales de ses opérations et d'aborder les préoccupations des parties prenantes[13]. Pour qu'une entreprise adopte un comportement responsable, ses employés doivent aussi appliquer des normes morales élevées et reconnaître l'incidence de leurs décisions individuelles sur les actions collectives de l'entreprise. Les entreprises qui jouissent d'un excellent climat éthique sont généralement plus responsables.

Idéalement, non seulement les entreprises devraient adopter des programmes socialement responsables, mais leurs employés devraient aussi démontrer un comportement éthique (*voir le quadrant supérieur gauche du tableau 3.1*). Par exemple, Danone, le fabricant de yogourts, fait depuis longtemps de la recherche interne sur la saine alimentation, laquelle appuie son engagement éthique à « apporter la santé par l'alimentation au plus grand nombre »[14]. Cette entreprise adopte également une conduite responsable en donnant de la nourriture et de l'argent à l'organisme de bienfaisance Feeding America, en encourageant ses employés à faire du bénévolat au sein de leur communauté, en commanditant la Fête des enfants et en s'efforçant de réduire son empreinte écologique. Or, on estime généralement que la responsabilité sociale va au-delà des normes éthiques auxquelles souscrit une entreprise. Par exemple, les employés d'une entreprise peuvent mener leurs activités d'une manière éthique, mais n'être pas considérés comme socialement responsables parce que leurs activités ont très peu d'impact sur d'autres personnes que les parties prenantes les

TABLEAU	**3.1**	**L'éthique et la responsabilité sociale**
	Pratiques socialement responsables	**Pratiques socialement irresponsables**
Pratiques éthiques	L'entreprise adopte des pratiques à la fois éthiques et socialement responsables.	L'entreprise adopte des pratiques éthiques, mais ne s'investit pas dans la collectivité.
Pratiques contraires à l'éthique	L'entreprise adopte des pratiques commerciales discutables, mais fait des dons substantiels à la collectivité.	L'entreprise adopte des pratiques qui ne sont ni éthiques ni socialement responsables.

plus proches d'eux, soit leurs clients, leurs collègues de travail et les actionnaires (*voir le quadrant supérieur droit du tableau 3.1*). Dans ce cas, on suppose qu'ils s'abstiendraient sans doute de participer à des actions bénévoles, comme le nettoyage d'un parc local ou l'entraînement de la ligue de baseball des jeunes du quartier, actions qui soutiennent les intérêts de la collectivité au sein de laquelle œuvre l'entreprise.

De même, certaines entreprises perçues comme étant socialement responsables n'en mènent pas moins des actions jugées contraires à l'éthique (*voir le quadrant inférieur gauche du tableau 3.1*). Une entreprise peut être vue comme une entreprise responsable parce qu'elle fait de généreux dons à des organismes de charité, alors qu'elle se livre à des pratiques promotionnelles douteuses. Le Bureau de la concurrence a imposé des pénalités à Sears Canada et à Suzy Shier, deux entreprises très responsables socialement, en raison de leurs pratiques commerciales discutables[15]. Suzy Shier a fait une entorse aux règlements en offrant ses vêtements à rabais au moyen d'étiquettes indiquant le prix « courant » et le prix « spécial », alors que ces vêtements n'avaient pas été vendus en quantités importantes ni pendant une période raisonnable au prix courant. Sur le plan de l'éthique, comment appelle-t-on une entreprise qui fait des profits de manière illicite, mais qui verse une fraction substantielle de ceux-ci à des organismes de charité? Bien sûr, les pires entreprises sont celles qui adoptent des comportements à la fois contraires à l'éthique et socialement inacceptables (*voir le quadrant inférieur droit du tableau 3.1*). Premier Fitness Clubs s'est vu imposer une amende de 30 000 $ en avril 2007 pour avoir enfreint quatre dispositions de la *Loi de 2000 sur les normes d'emploi* de l'Ontario relatives aux salaires dus à d'anciens employés. De plus, en novembre 2007, l'entreprise a payé une pénalité de 200 000 $ au Bureau de la concurrence et consenti à modifier certaines pratiques commerciales trompeuses[16]. Ces deux cas vont à l'encontre des normes concernant les pratiques commerciales socialement acceptables.

Consommateurs et investisseurs manifestent un intérêt de plus en plus marqué pour les produits et les services offerts par des entreprises citoyennes ainsi que pour les fonds éthiques. Le Conference Board du Canada affirme que la responsabilité sociale est le principal enjeu auquel font face les entreprises au XXIᵉ siècle. L'importance de cet enjeu est étayée par la découverte que la majorité des Canadiens récompensent ou punissent les entreprises selon qu'elles témoignent d'une bonne ou d'une mauvaise conscience sociale. Environ 55 % des Canadiens disent avoir acheté

COLLECTIVITÉS	ENVIRONNEMENT	MILIEU DE TRAVAIL	
Plus de 3 000 contributions au soutien du bénévolat des employés	**RÉDUCTION DE 21 %** DES ÉMISSIONS DE GAZ À EFFET DE SERRE DEPUIS 2009[1]	**HAUSSE DE 3 500** DU NOMBRE D'EMPLOYÉS À TEMPS PLEIN AU CANADA DEPUIS 2011	
Plus de 100 MILLIONS DE DOLLARS SOUS FORME DE PARRAINAGES, DE DONS ET D'INVESTISSEMENTS DANS LES COLLECTIVITÉS	Plus de 1 200 évaluations des risques environnementaux liés aux activités de crédit au Canada et aux États-Unis	**31 %** des cadres de niveau intermédiaire ou supérieur sont membres d'une minorité visible[2]	**46 %** des cadres de niveau intermédiaire ou supérieur sont des femmes[2]

INCIDENCE SUR L'ÉCONOMIE		MARCHÉ
54 milliards de dollars de prêts à des entreprises canadiennes[3]	**3,2 milliards de dollars** en impôt pour 2013[4]	**3,3 MILLIARDS DE DOLLARS EN INVESTISSEMENTS SOCIALEMENT RESPONSABLES** [5]

INTÉGRITÉ DE L'ENTREPRISE	
100 % DES EMPLOYÉS DOIVENT ACCEPTER DE SE CONFORMER À NOTRE CODE DE DÉONTOLOGIE	Nous servons nos clients dans **200 LANGUES**

Le tableau ci-contre montre quelques-uns des gestes posés par la Banque Royale du Canada au cours de l'année 2013.

Source: www.rbc.com/investisseurs/pdf/ar_2013_f.pdf, p. 7. (page consultée le 27 octobre 2014).

consciemment un produit ou un service à une entreprise plutôt qu'à une autre parce qu'elle était une entreprise citoyenne. Cinquante-deux pour cent des Canadiens ont refusé d'encourager des entreprises qu'ils jugeaient socialement irresponsables[17].

La Banque Royale du Canada (RBC) reconnaît le bien-fondé économique de souscrire aux principes du développement durable, qui pourraient s'avérer bénéfiques à court et à long terme pour ses actionnaires, ses clients et ses employés tout en protégeant l'environnement pour les générations futures. Cette conviction de la banque se manifeste par des dons, des parrainages et des subventions auprès de divers organismes de la collectivité, en embauchant des employés provenant de minorités culturelles ou encore en ayant une préoccupation pour l'environnement.

Une conduite responsable procure aux entreprises des bénéfices à la fois tangibles et intangibles. Le fait de mener des actions qui appuient les intérêts de la collectivité ne peut que favoriser la prospérité de celle-ci.

Prenons, par exemple, des entreprises comme Tim Hortons et Loblaw, qui ont mis en place des programmes cohérents pour venir en aide aux enfants canadiens. La Fondation Tim Horton pour les enfants a été créée en 1974 pour souligner l'amour que Tim Horton portait aux enfants et son désir d'aider les moins fortunés. C'est dans cet esprit que les propriétaires de restaurants Tim Hortons recueillent des dons publics tout au long de l'année et organisent un Jour des camps annuel au cours duquel ils font don à la Fondation de toutes les recettes provenant de la vente de cafés.

En 2013, la Fondation Tim Horton pour les enfants a lancé une campagne de financement nommée *Mission 10 millions* pour permettre à 16 000 enfants de milieux défavorisés du Canada de profiter d'un séjour dans un camp de vacances[18]. Depuis sa création, la Fondation a accueilli plus de 200 000 enfants, et les sommes recueillies permettent aussi la rénovation d'infrastructures ou l'ouverture de nouveaux camps, comme celui du Manitoba.

Une autre initiative concerne Loblaw et la Fondation pour les enfants le Choix du Président. Les 14 millions de dollars versés en 2013 visaient deux programmes en particulier : lutter contre la faim chez les enfants et soutenir des enfants ayant des besoins particuliers en leur permettant l'accès à des soins ou à un soutien matériel et physique[19].

De plus en plus, des entreprises comme RBC, Tim Hortons, Loblaw et bien d'autres intègrent des programmes socialement responsables dans la planification de leurs initiatives stratégiques. Mais, malheureusement, le fait d'être une entreprise citoyenne ne garantit pas que tous les employés ou toutes les divisions de l'entreprise agiront d'une manière éthique. Cela veut seulement dire que l'entreprise consacre du temps et des ressources à des projets communautaires qui ne visent pas directement à générer des profits.

On ne peut s'attendre à ce que tous les membres d'une entreprise adoptent toujours un comportement éthique. Cependant, un modèle de prise de décision éthique peut inciter les employés à œuvrer pour la réalisation d'objectifs éthiques communs.

C'est dans un camp de Tim Hortons comme celui-ci que s'amusent chaque année des milliers d'enfants. Ici, les Fermes Onondaga Tim Horton de St. George en Ontario.

OA **3**   # Le processus de décision éthique

La figure 3.2 illustre un processus décisionnel simple. Examinons chacune des étapes de ce processus.

Étape 1 : cerner les problèmes

La première étape du processus de décision éthique consiste à cerner les problèmes. À titre d'exemple, nous explorerons l'usage (ou le non-usage) que fait un cabinet de recherche en marketing des renseignements fournis par ses clients. L'un des

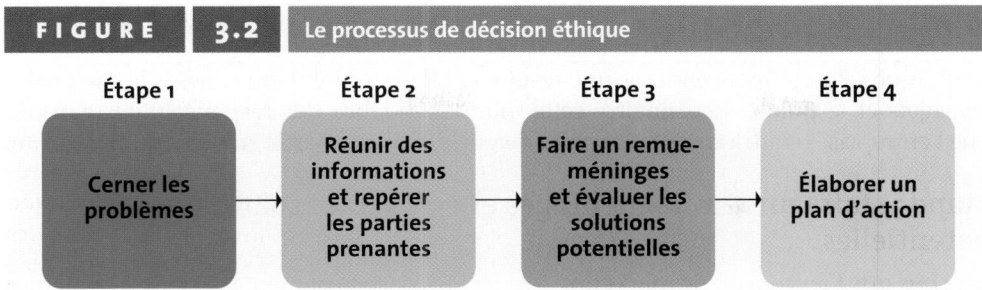

FIGURE 3.2 Le processus de décision éthique

Étape 1	Étape 2	Étape 3	Étape 4
Cerner les problèmes	Réunir des informations et repérer les parties prenantes	Faire un remue-méninges et évaluer les solutions potentielles	Élaborer un plan d'action

problèmes potentiels réside dans la manière de recueillir ces renseignements. Par exemple, le cabinet a-t-il informé les répondants du but réel de son étude? Un autre problème concerne la façon dont les résultats seront utilisés: pourraient-ils servir à tromper le public ou même à lui nuire?

Étape 2: réunir des informations et repérer les parties prenantes

À cette étape, l'entreprise se concentre sur la collecte d'informations liées à la question éthique, y compris tous les renseignements juridiques pertinents. Pour obtenir une vue d'ensemble, elle doit aussi repérer les individus et les groupes qui sont concernés par la manière dont le problème sera résolu.

Les parties prenantes englobent généralement les employés actuels et retraités de l'entreprise, les fournisseurs, le gouvernement, les groupes clients, les actionnaires, les environnementalistes et les membres de la collectivité au sein de laquelle l'entreprise exerce ses activités. De nombreuses sociétés vont plus loin et analysent aussi les besoins de l'industrie et de la collectivité mondiale, de même que ceux de parties prenantes «exceptionnelles», comme les générations futures.

Le tableau 3.2 représente une matrice d'analyse des parties prenantes adaptée à notre exemple[20]. Remarquez que chaque partie intéressée a une responsabilité envers les

TABLEAU 3.2 Une matrice d'analyse des parties prenantes applicable à un cabinet de recherche en marketing

Partie prenante	Préoccupations de la partie prenante	Résultats ou incidences sur la partie prenante	Stratégies potentielles pour obtenir l'appui de la partie prenante et atténuer l'incidence de la décision
Le public	• Obtention de résultats inexacts ou biaisés • Publication de résultats erronés, trompeurs ou isolés de leur contexte	• Perte de confiance dans les responsables de la recherche en marketing • Perte de confiance dans le processus de recherche en marketing	• Afficher des résultats exacts. • Indiquer le contexte de l'étude et la méthodologie employée. • Respecter le Code de déontologie de l'Association canadienne du marketing.
Les sujets ou répondants	• Intrusion dans leur vie privée; celle-ci ne sera pas respectée s'ils participent au sondage • Utilisation de la recherche en marketing comme prétexte pour vendre des produits ou des services	• Perte de confiance dans le processus de recherche en marketing • Refus de participer à d'autres études de marché • Divulgation de renseignements inexacts	• Respecter le Code de déontologie de l'Association canadienne du marketing. • Protéger les renseignements confidentiels des répondants. • Déclarer des résultats globaux plutôt que des résultats individuels.
Le client	• Étude de marché inutile • Utilisation d'un échantillon inadéquat pour faire des généralisations applicables au marché cible • Transmission à d'autres de données sensibles	• Réduction des dépenses de recherche en marketing et de la dépendance envers celle-ci • Prise de décisions en matière de marketing non fondées sur des recherches ou fondées sur des recherches inadéquates	• Faire en sorte que le responsable de la recherche en marketing signe une entente de confidentialité. • Respecter le Code de déontologie de l'Association canadienne du marketing.

autres. Dans ce cas-ci, le responsable de la recherche en marketing assume une responsabilité professionnelle envers le public, les sujets de recherche et l'entreprise cliente, tandis que cette dernière endosse une responsabilité déontologique envers le chercheur, les sujets et le public. Reconnaître cette interdépendance des responsabilités garantit que l'entreprise tiendra compte du point de vue de chaque partie en prenant sa décision.

Étape 3 : faire un remue-méninges et évaluer les solutions potentielles

Une fois que l'entreprise de marketing a repéré les parties prenantes et leurs problèmes et réuni les informations disponibles, toutes les parties qui sont engagées dans la décision doivent faire un remue-méninges afin d'élaborer diverses solutions. Dans notre exemple, voici quelques solutions envisageables : suspendre le projet de recherche, rendre les réponses anonymes, mettre sur pied une formation sur le Code de déontologie de l'ACM à l'intention de tous les responsables de la recherche, et ainsi de suite. La direction pourra ensuite réviser et raffiner ces solutions jusqu'à l'étape finale.

Étape 4 : élaborer un plan d'action

L'objectif de cette dernière étape du processus de décision éthique consiste à peser les diverses solutions et à choisir un plan d'action qui représente la solution la meilleure et la plus éthique pour les parties prenantes. La direction classera les solutions par ordre de préférence en précisant les avantages et les inconvénients de chacune. Elle doit aussi explorer tout problème juridique potentiel associé à chaque solution et, bien sûr, rejeter d'emblée toute activité illégale.

Afin de choisir un plan d'action approprié, les directeurs du marketing évaluent chaque solution à l'aide d'un processus analogue au questionnaire d'évaluation éthique présenté dans le tableau 3.3. Ici, le rôle du gestionnaire marketing consiste à s'assurer qu'il a respecté tous les critères liés à la prise de décision et à évaluer son degré de certitude quant à la conformité de sa décision avec les critères établis. Si le gestionnaire marketing doute de sa décision, il doit réexaminer les autres solutions potentielles.

Les décideurs qui ont recours à ce processus de décision éthique prennent en compte les questions éthiques pertinentes, évaluent les solutions possibles et choisissent un plan d'action qui les empêchera de commettre de graves fautes

TABLEAU 3.3 Un questionnaire d'évaluation éthique					
Question éthique	**Degré de certitude face à une décision**				
	Incertain				Certain
	1	2	3	4	5
1. Ai-je/Avons-nous réfléchi à toutes les questions éthiques associées à la décision à prendre ?					
2. Ai-je/Avons-nous consulté le plus grand nombre de personnes possible qui ont le droit de donner leur avis ou sont concernées par la prise de décision et l'élaboration de ce plan d'action ?					
3. Cette décision respecte-t-elle les droits et la dignité des parties prenantes ?					
4. Cette décision est-elle celle qui engendre le plus d'avantages et le moins d'inconvénients pour les parties prenantes ?					
5. Cette décision est-elle conforme aux règles morales généralement admises ?					
6. Cette décision me/nous paraît-elle satisfaisante ?					

Source : adapté de Kate McKone-Sweet, Danna Greenberg et Lydia Moland, *Approaches to Ethical Decision-making*, Babson Park, Mass., Babson College Case Development Center, 2003.

d'éthique. Le recours au code de signalisation tricolore pour identifier et comparer les aliments sains, tel que discuté dans la rubrique Question d'éthique (*voir p. 81*), met en lumière les enjeux éthiques auxquels les entreprises font face lorsqu'elles commercialisent leurs produits.

Intégrer l'éthique dans les stratégies de marketing

OA 4

Le processus de décision éthique n'est pas simple, mais il peut le devenir si les décideurs de l'entreprise s'habituent à réfléchir aux conséquences éthiques de leurs actions d'un point de vue stratégique. Nous examinerons ici comment la prise de décision éthique peut être intégrée dans le processus de planification marketing stratégique défini dans le chapitre 2. La figure 3.3 résume ce processus en soulignant les pièges éthiques potentiels à chaque phase.

Les questions varient à chaque phase du plan marketing. Par exemple, au cours de la phase de planification, l'entreprise doit déterminer le niveau d'engagement envers ses politiques et ses normes éthiques qu'elle est prête à annoncer

FIGURE 3.3 Les questions éthiques et le plan marketing

Définition de la mission ou de la vision de l'entreprise

Analyse de la situation
- Analyse FFOM
- Analyse de l'environnement d'affaires
- Analyse des tendances du marché
- Analyse de la concurrence

Reconnaissance et évaluation des occasions d'affaires
- Segmentation, ciblage et positionnement
- Élaboration du marketing mix (les quatre « P »)
- Fixation des objectifs de marketing

Mise en œuvre du marketing mix
- Conception de l'organisation du marketing
- Constitution du budget
- Préparation du calendrier et mise en œuvre du plan marketing

Évaluation de l'efficacité du plan marketing

Phase de planification

L'entreprise souhaite-t-elle formuler son engagement éthique dans son énoncé de mission ?

Est-elle prête à encourager l'instauration d'un climat éthique propre à lui donner une position éthique solide ?

Phase de mise en œuvre

L'entreprise devrait-elle cibler ce marché ?

Devrait-elle annoncer son produit sur ce marché ou de cette façon ?

Devrait-elle vendre son produit sur ce marché ou de cette façon ?

Le prix du produit est-il juste ?

Phase de contrôle

L'une ou plusieurs des actions de l'entreprise ont-elles eu des incidences négatives sur l'un ou l'autre groupe de parties prenantes ?

De nouvelles circonstances nécessitent-elles un changement de stratégie visant à éviter un problème éthique ?

L'entreprise est-elle prête à réagir rapidement si elle commet une faute d'éthique ?

publiquement. À la phase de mise en œuvre, elle ne se demande plus si elle « peut » offrir des produits ou des services d'une manière responsable et éthique, mais si elle « devrait » mettre en place des pratiques commerciales particulières. Au cours de la phase de contrôle, la tâche principale de l'entreprise consiste à s'assurer que toutes les questions éthiques potentielles soulevées pendant la phase de planification ont été abordées et que tous les employés de l'entreprise adoptent une conduite éthique. Examinons de plus près comment une entreprise peut intégrer l'éthique à chaque phase du plan marketing.

La phase de planification

Les gestionnaires marketing peuvent intégrer l'éthique dès le début du processus de planification simplement en incluant des mentions éthiques dans les énoncés de mission ou de vision de l'entreprise. De nombreuses entreprises canadiennes, comme la Banque Royale du Canada et Sleep Country, ont formulé des programmes et des politiques responsables et éthiques clairs, et elles reconnaissent que les profits et la conscience sociale vont de pair. Certaines entreprises intègrent à leur énoncé de mission les préceptes éthiques qui façonnent leur organisation. Les énoncés de mission d'organisations telles que The Body Shop et Ben & Jerry's reflètent l'excellent climat éthique dont bénéficient ces entreprises. Même de très grandes entreprises comme General Mills ont élaboré un énoncé de « valeurs » qui définit leurs priorités et leur engagement à promouvoir ces valeurs dans toutes leurs actions.

L'énoncé de mission de Ben & Jerry's reflète l'excellent climat éthique dont jouit l'entreprise.

Chaque année, General Mills publie un rapport dans lequel elle explique dans quelle mesure elle a respecté ses propres normes de conduite éthique[21]. Dernièrement, l'entreprise a annoncé qu'elle utiliserait désormais des grains entiers dans toutes ses marques de céréales, devenant ainsi le premier fabricant de céréales de grande consommation à le faire. Ce changement a été applaudi par les nutritionnistes qui prétendent que les grains entiers augmentent radicalement les qualités nutritives des céréales. Ce n'est pas nécessairement pour stimuler la demande que General Mills a opéré ce changement, mais plutôt, conformément à son énoncé de valeurs, pour améliorer la santé des consommateurs[22].

À la phase de planification, les énoncés de mission éthiques peuvent jouer un autre rôle en orientant l'analyse FFOM d'une entreprise. Ainsi, Fetzer Vineyards (*voir la rubrique Marketing entrepreneurial, p. 82*) a élaboré un énoncé de mission somme toute assez ambitieux.

General Mills utilisera désormais des grains entiers dans toutes ses marques de céréales, ce qui augmentera leur qualité nutritive.

La phase de mise en œuvre

Un aspect important de l'engagement continu de Fetzer Vineyards à respecter son énoncé de mission est la cohérence des valeurs définies dans celui-ci avec celles de son principal marché cible.

Toutefois, il arrive que, en choisissant un marché cible pour ses produits, une entreprise soit accusée de violer les normes éthiques. Lorsqu'il segmente un marché, le gestionnaire marketing détermine quels aspects du produit, du service et des efforts de marketing sont importants pour des groupes particuliers de

| Question d'éthique | **Un code de signalisation tricolore pour contrer la tendance à l'obésité**[23] |

L'obésité se répand à la vitesse d'une pandémie au Canada. Selon Statistique Canada, en 2013, 18,8 % des Canadiens se classaient dans la catégorie des personnes obèses. Si l'on combine les Canadiens ayant un surplus de poids et ceux qui sont obèses, ce chiffre atteint 62 % chez les hommes et 45,1 % chez les femmes[24]. La lutte contre l'obésité a entraîné la prolifération des régimes alimentaires, des programmes d'exercice, des livres sur les régimes et la perte de poids, ainsi que des centres d'entraînement physique. Cette situation n'est pas unique au Canada, puisque la Grande-Bretagne comme les États-Unis livrent des batailles similaires. La plus récente trouvaille pour contrer cette épidémie d'obésité est un système élaboré par la Food Standards Agency (FSA) britannique et rappelant les feux de signalisation tricolores, qui permet d'identifier et de classer les aliments en fonction de leur contenu en matières grasses, en sucre et en sel.

Le concept est plutôt simple. Un cercle rouge apposé sur l'emballage indique que l'aliment contient une grande quantité d'un ingrédient qui devrait être évité ou consommé avec modération. Un cercle jaune veut dire que l'aliment n'est ni riche ni pauvre en cet élément et qu'il représente un choix acceptable. Un cercle vert signale que l'aliment contient peu d'ingrédients nocifs pour la santé. Plus un aliment comporte de cercles verts, plus il constitue un choix sain. Selon la FSA, ce code de couleur a pour but de permettre aux consommateurs de faire des choix éclairés qui les aideront à équilibrer leur régime alimentaire. De plus, il leur permet de contrôler ce qu'ils mangent et de comparer les produits plus facilement, ce qui, à la longue, peut les amener à faire des choix plus sains. Le code de signalisation tricolore ne remplace pas l'information nutritionnelle qui figure normalement sur les emballages, mais il la complète. La FSA prétend même que les recherches qu'elle a menées sur une période de 20 mois démontrent que les consommateurs raffolent de ce système. Elle a donc lancé une campagne publicitaire dynamique pour sensibiliser les consommateurs au code tricolore. Une fois qu'ils seront informés et comprendront le nouveau code, ils pourront le réclamer à leur épicier.

Que pense l'industrie alimentaire (les épiceries et les fabricants alimentaires) de ce système ? Elle estime qu'il est nul et devrait être mis au rancart immédiatement, et elle fera tout ce qu'il faut pour le détruire. Un représentant de la FSA a décrit l'opposition de l'industrie alimentaire à son système comme « la plus féroce jamais vue ». Le directeur des communications de Kellogg's a déclaré qu'« en principe, nous ne pourrons jamais accepter le code de signalisation tricolore ».

L'industrie alimentaire préfère le système de l'apport nutritionnel recommandé (ANR) élaboré par les fabricants et les détaillants. Une coalition de fabricants

Le code de signalisation tricolore apposé sur les emballages des produits Kraft indique leur contenu en matières grasses, en sucre et en sel.

comme Kellogg's, Tesco, Danone, Unilever, Nestlé et Kraft prépare une campagne d'envergure afin de faire connaître ce système. La FSA soutient qu'elle recommandera à l'industrie alimentaire d'utiliser le code de signalisation tricolore sur les emballages. De nombreux groupes de consommateurs estiment que la présence de plusieurs codes différents sur les emballages pourrait embrouiller les consommateurs. En fait, le UK Heart Forum, au Royaume-Uni, accuse l'industrie alimentaire d'utiliser des valeurs ANR erronées de manière à faire passer leurs aliments pour plus sains qu'ils ne le sont en réalité. Ainsi, des normes pour adultes sont utilisées dans des produits destinés aux enfants, alors que les valeurs appropriées aux enfants diffèrent de celles des adultes. De même, les valeurs ANR du cola de marque Tesco s'appliquent à un format de 100 millilitres, alors que cette boisson est vendue en format de 330 millilitres.

Le UK Heart Forum a déclaré : « À une époque où les consommateurs réclament de l'aide pour s'alimenter plus sainement, certains fabricants et détaillants les déçoivent en utilisant des étiquettes trompeuses. Certains vont même jusqu'à trafiquer les étiquettes de manière à promouvoir leurs produits au lieu d'informer les consommateurs. » Les entreprises centrées sur le client ne devraient-elles pas donner aux consommateurs ce qu'ils veulent : le code de signalisation tricolore ? La réaction de l'industrie alimentaire est-elle éthique ? Le code tricolore fonctionnerait-il au Canada ? Comment le questionnaire d'évaluation éthique présenté dans le tableau 3.3 (*voir p. 78*) pourrait-il être utile aux détaillants et aux fabricants dans cette situation ?

consommateurs. Ces groupes peuvent être sensibles aux initiatives promotionnelles de l'entreprise, mais ne pas constituer un marché cible approprié. L'entreprise peut distribuer ses produits sur ce marché, mais elle ne devrait pas le faire.

Procter & Gamble (P&G) s'est associée avec le détaillant de vêtements pour pré-adolescents Limited Too afin de promouvoir sa brume pour le corps Secret. Cette promotion s'appuyait sur un concours ouvert aux fillettes de 7 à 14 ans seulement. Or, alors même qu'il visait ce groupe cible, le produit comportait une mise en garde indiquant qu'il devait être gardé hors de la portée des enfants. De plus, la brume était annoncée dans des magazines pour adolescents et préadolescents qui attiraient des lectrices de moins de 12 ans[25]. Il est clair que cette campagne de communication destinée à des fillettes était inappropriée, comme en témoigne la mise en garde qui se trouve sur l'étiquette du produit P&G, et elle a pris fin lorsque la Children's Advertising Review Unit du Better Business Bureau, le conseil américain des bureaux d'éthique commerciale, est intervenue pour demander à P&G de cesser la campagne commerciale de son produit auprès des enfants. Si P&G avait pris en compte tous les dilemmes éthiques potentiels pendant la phase de mise en œuvre de son plan marketing, elle aurait pu éviter le problème consistant à promouvoir sa brume auprès

Marketing entrepreneurial

La mission de Fetzer Vineyards bénéfique à tous

L'énoncé de mission de Fetzer Vineyards commence comme ceci :

> « Nous fabriquons nos vins de manière responsable. Buvez-les de façon responsable. »

En 1958, Barney et Kathleen Fetzer ont acheté un ranch délabré à Mendocino, en Californie, l'ont converti en vignoble et ont fondé Fetzer Vineyards. Au fil du temps, les Fetzer ont acheté d'autres vignobles et ils occupent aujourd'hui le sixième rang parmi les producteurs de vins de qualité aux États-Unis. L'entreprise Fetzer Vineyards est unique parce qu'elle s'est donné pour mission non seulement de produire des vins d'excellente qualité, mais aussi de protéger l'environnement et de profiter à la société.

L'énoncé de mission continue ainsi :

- « Notre entreprise cultive, fabrique et met en marché des vins d'une qualité et d'une valeur excellentes de manière responsable et dans le respect de l'environnement.

- Tout en travaillant dans le respect de l'esprit humain et en accord avec lui, nous nous engageons à partager nos connaissances sur la manière d'apprécier la nourriture et le vin et de les consommer avec modération et de façon responsable.

- Nous sommes déterminés à promouvoir la croissance et le développement continus de nos employés et de notre entreprise[26]. »

Tout en s'efforçant d'être à la hauteur de cet ambitieux énoncé de mission, Fetzer Vineyards a saisi des occasions que d'autres entreprises ayant une orientation similaire auraient sans doute ratées. Ainsi, l'entreprise s'est engagée à n'utiliser que des raisins biologiques dans sa gamme de vins Bonterra, qui ne contiennent donc aucun pesticide, fongicide ou fertilisant. Cette décision lui a permis de faire des économies, puisqu'elle n'a plus besoin d'acheter des produits chimiques ni de superviser la quantité de produits utilisée dans les vignobles[27]. Fetzer Vineyards a aussi mis sur pied des programmes d'éducation innovants pour ses employés, notamment un programme d'anglais langue seconde qui connaît beaucoup de succès. Déjà compatibles avec son énoncé de mission, ces initiatives bénéficient tant à l'entreprise qu'à ses employés et à la collectivité. Fetzer Vineyards est une entreprise prospère qui offre des produits plus sains à ses clients, un meilleur accès à l'instruction à ses employés et un environnement plus salubre à sa collectivité immédiate.

Fetzer Vineyards fabrique des vins biologiques.

des enfants tout en les mettant en garde contre ce même produit. La leçon à retenir ici: même les grandes entreprises qui ont des années d'expérience en marketing et un excellent code de déontologie peuvent faire des erreurs ou prendre de mauvaises décisions. C'est pourquoi les gestionnaires marketing devraient toujours être vigilants.

La question de l'allocation des ressources pendant la phase de mise en œuvre s'avère parfois un terrain miné sur le plan de l'éthique. L'industrie pharmaceutique est sans doute l'industrie la plus exposée aux accusations relatives à une allocation des ressources peu éthique. Les militants engagés dans la lutte contre le sida déclarent que les entreprises pharmaceutiques ne cherchent pas assez à mettre au point des médicaments abordables contre le sida à l'intention

Miriam Papps est membre de Students Against Sweatshops, un groupe d'étudiants de l'Université de Waterloo qui invite les étudiants à évaluer le comportement éthique des entreprises avant d'acheter leurs produits.

des citoyens pauvres des pays en développement. Certains responsables de la santé publique ont aussi tiré la sonnette d'alarme pour dénoncer le manque de recherches sur la prochaine génération d'antibiotiques à une époque où les bactéries deviennent de plus en plus résistantes aux médicaments existants. Les détracteurs de l'industrie pharmaceutique pointent aussi le doigt vers le nombre croissant de médicaments destinés à améliorer la qualité de vie, comme les médicaments pour lutter contre le dysfonctionnement érectile, l'obésité, la calvitie masculine ou la mycose des ongles. Ils voient dans cette augmentation une cause possible de l'absence de nouveaux traitements des maladies graves. Pourtant, les entreprises pharmaceutiques nient avec véhémence avoir détourné des fonds voués à la recherche sur des médicaments contre des maladies graves pour financer des médicaments susceptibles d'améliorer la qualité de vie.

Les décisions relatives au sourçage entraînent aussi des problèmes pour certaines entreprises. Beaucoup d'entreprises réputées sont accusées de fabriquer leurs produits dans des ateliers clandestins. Établir sa production dans un pays en développement est sans doute logique, puisque cela permet à l'entreprise de tirer parti des faibles coûts de production offerts dans les pays plus pauvres, mais cela ouvre aussi une boîte de Pandore sur le plan de l'éthique, le principal problème ayant trait à la responsabilité. En effet, à qui incombe-t-il de veiller à ce que les travailleurs des usines où sont fabriqués les produits soient traités équitablement et touchent un salaire suffisant? Dernièrement, Coca-Cola a fait face à une forte opposition de la part d'étudiants d'universités tant américaines que canadiennes relativement à ses pratiques commerciales en Colombie et ailleurs. Des étudiants de plus d'une douzaine de collèges et d'universités canadiens ont fait pression sur le conseil d'administration de leur institution pour l'inciter à ne pas renouveler son contrat avec Coca-Cola[28]. Même des personnes emblématiques comme Mary-Kate et Ashley Olsen ainsi que Kathie Lee Gifford ont été prises en défaut pour avoir omis d'assumer leurs responsabilités quant aux conditions des travailleurs des usines qui fabriquent les produits portant leur marque. Récemment, des organismes à vocation environnementale se sont joints aux attaques, soutenant que de nombreuses usines outre-mer ne respectaient pas les plus hautes normes environnementales.

Une fois la stratégie mise en œuvre, il faut établir des contrôles pour s'assurer que l'entreprise a vraiment fait ce qu'elle se proposait de faire. Ces activités ont lieu dans la phase suivante du plan marketing.

La phase de contrôle

Comme n'importe quelle activité propre à la phase de contrôle du plan marketing, les actions des gestionnaires doivent être évaluées dans une perspective éthique. Il importe de mettre des systèmes en place pour vérifier si chaque question potentiellement éthique soulevée au cours du processus de planification a été résolue avec succès. Les systèmes établis pendant la phase de contrôle doivent aussi être flexibles. L'apparition de nouvelles technologies et de nouveaux marchés engendre sans cesse de nouvelles questions éthiques. De nombreuses entreprises ont élaboré des plans d'intervention d'urgence au cas où quelqu'un trafiquerait leurs produits ou dans l'éventualité où un accident surviendrait dans une usine. Ces plans visent à montrer aux consommateurs, aux employés et à toutes les autres parties prenantes que l'entreprise connaît bien les problèmes potentiels et est équipée pour y faire face adéquatement. Les entreprises qui réagissent dès les premières heures pendant une crise, en activant un plan organisé et en exprimant leur compassion aux consommateurs touchés, subissent moins d'effets négatifs à long terme en ce qui a trait à leur réputation, à leur crédibilité et au degré de confiance des consommateurs à leur égard[29].

L'éthique demeure donc un élément crucial du processus de planification marketing stratégique, qui devrait être intégré dans tous les processus décisionnels d'une entreprise. La rubrique Forces d'Internet ci-contre décrit l'expérience de Google en Chine et illustre les dilemmes éthiques auxquels les entreprises doivent parfois faire face dans le cadre de leurs opérations internationales. Le point sensible concerne la difficulté de contrôler la violation potentielle des droits de la personne et des lois interdisant le travail des enfants. De nombreuses sociétés ont dû se défendre publiquement contre des allégations touchant la violation de ces droits et d'autres abus perpétrés dans les usines et les pays où leurs produits sont fabriqués[30].

Des scénarios pour mieux comprendre l'éthique

Dans les paragraphes suivants, nous vous présenterons divers scénarios destinés à vous amener à développer votre aptitude à reconnaître les questions éthiques. Il n'existe pas de solution parfaite aux dilemmes présentés ici, de même qu'il n'existe pas de solution parfaite aux nombreuses situations éthiques que vous rencontrerez au cours de votre carrière. Ces scénarios visent plutôt à aiguiser votre sens de l'éthique de même que votre capacité de raisonnement à cet égard.

L'encadré 3.2 (*voir p. 86*) présente des tests simples qui vous permettront d'évaluer les scénarios. En répondant à ces questions, vous pourrez évaluer votre propre réaction sur le plan éthique.

Scénario 1 : Qui appelle ?

Avant l'apparition des afficheurs sur les téléphones, les consommateurs se préoccupaient peu de savoir qui les appelait. Mais les pratiques frauduleuses de certaines entreprises poussent désormais les gens à se méfier et à regarder leur afficheur avant de répondre. Pour contourner cette réalité, les entreprises aux desseins malveillants, utilisent des codes pour ne pas être identifiées, ont recours à un numéro gratuit 1-800 ou encore à un affichage du type « Numéro confidentiel ». Cette pratique n'est pas illégale, mais elle manque parfois d'éthique dans la mesure où les organisations se cachent derrière une autre dénomination pour vendre des produits et des services en sollicitant les citoyens.

Est-ce une pratique que les entreprises devraient adopter ?

Scénario 2 : Accorder du crédit à des personnes peu solvables

Une société de vente à distance (VAD), qui commercialise des articles pour la maison et des meubles, des vêtements ainsi que des jouets pour enfants, cherchait un moyen d'atteindre un nouveau public et de stopper le déclin de ses ventes et de ses recettes. Elle a fait appel à un cabinet de recherche en marketing, qui a repéré un créneau nouveau, mais potentiellement risqué : les familles constituées d'un seul adulte à faible revenu. Ce créneau semblait prometteur en raison du nombre important de ce type de familles, même si la plupart d'entre elles disposaient de ressources financières limitées.

Le cabinet de recherche a proposé à la société de VAD d'offrir une politique de crédit généreuse permettant aux consommateurs d'acheter des marchandises à

Forces d'Internet | **Google en Chine : un combat éthique... et culturel**

Google, le moteur de recherche sur Internet le plus populaire, met un monde d'informations à notre portée. En se basant sur le principe que la liberté d'information est un droit fondamental et qu'elle est favorable aux entreprises[31], Google contribue largement à modifier notre perception, transformant notre sentiment de séparation (« nous contre eux ») en conscience d'appartenir à une communauté mondiale. Or, quand on fait des affaires dans un environnement mondial, on se heurte parfois à des valeurs et à des lois différentes, comme Google l'a constaté récemment dans le cadre de ses opérations en Chine[32].

La société Google est présente en terre chinoise depuis 2005. Lorsqu'elle a voulu s'implanter dans le plus grand marché virtuel au monde, elle a dû se plier aux lois du pays, qui l'obligeaient à filtrer et à censurer les résultats des recherches en ligne. Mais à la suite d'une attaque menée en 2010 par des pirates chinois, qui s'étaient introduits dans les comptes de messagerie de militants des droits de la personne, Google a commencé à rediriger les internautes chinois vers une version non censurée de son moteur de recherche hébergée à Hong Kong[33].

Google, appuyée en cela par la Maison Blanche, justifie sa décision en disant qu'elle a été motivée par l'attitude restrictive de la Chine envers les militants pour les droits de la personne et la liberté d'expression[34]. Mais le gouvernement chinois ne voit pas les choses du même œil. Soulignant l'obligation pour les entreprises opérant en Chine de se conformer aux lois chinoises, il insiste sur le fait que ses actions sont comparables à celles d'autres pays qui limitent l'accès aux contenus pornographiques ou violents, ou encouragent des comportements subversifs, extrémistes ou racistes. De plus, la Chine a réprimandé Google pour avoir transformé un enjeu commercial en enjeu politique.

D'autres entreprises Web se sont heurtées aux lois chinoises lorsqu'elles ont voulu faire des affaires sur ce marché en croissance. La décision de Google pourrait avoir une incidence sur l'avenir des entreprises étrangères en Chine, de même que sur la capacité de ce pays de croître et de s'intégrer au reste du monde.

Les normes éthiques conflictuelles compliquent le commerce mondial. En tant que société américaine, Google devrait-elle maintenir sa conviction relative à la « liberté de l'information » ou devrait-elle respecter les normes éthiques de chacun des pays où elle s'implante ?

Une copie d'écran de la page d'accueil du moteur de recherche de Google, version chinoise.

crédit jusqu'à concurrence de 500 $ sans vérification de leur solvabilité, pourvu qu'ils souscrivent au paiement direct de leur facture à partir d'un compte chèques. Comme il s'agirait de consommateurs peu solvables, les taux d'intérêt associés aux comptes de crédit seraient extrêmement élevés. Les responsables de la recherche estimaient que, même si la société de VAD enregistrait des pertes, les comptes payés seraient assez nombreux pour rendre son entreprise extrêmement rentable.

Selon vous, la société de VAD devrait-elle mettre en œuvre cette nouvelle stratégie ?

Scénario 3 : La réputation ternie du bijoutier

Gemmes de Rêve, une bijouterie fantaisie familiale, vendait ses produits uniquement à des grossistes. Récemment, toutefois, Gemmes de Rêve a été approchée par la charismatique Barbara Jobin, qui a convaincu ses propriétaires de vendre leurs produits par l'entremise d'un réseau de distributeurs qu'elle avait mis sur pied.

ENCADRÉ	**3.2**	Les six tests de l'action éthique

Le test de la publicisation
- Accepterais-je que l'action que je m'apprête à mener fasse la une de mon journal local ou d'un magazine national ?
- Que ressentirais-je après avoir mené cette action si tout le monde était au courant, y compris les personnes qui me sont les plus chères ?

Le test du mentor
- Que ferait la personne que j'admire le plus dans cette situation ?

Le test de l'admirateur
- Accepterais-je que la personne que j'admire le plus me voie agir ainsi ?
- Serais-je fier de cette action devant une personne dont j'admire énormément la vie et la personnalité ?
- Quelle action ou attitude de ma part susciterait la fierté à mon égard de la personne que j'admire le plus ?

Le test de la transparence
- Pourrais-je expliquer clairement l'action que j'envisage de mener en exposant mes raisons avec honnêteté et transparence d'une façon qui soit satisfaisante pour un juge juste et impartial ?

Le test du reflet dans le miroir
- Pourrai-je encore me regarder dans le miroir et respecter la personne que j'y vois ?

Le test de la règle d'or
- Aimerais-je être visé par cette action et par toutes ses conséquences potentielles ?
- Est-ce que je traite les autres comme j'aimerais être traité ?

Source : Tom Morris, *The Art of Achievement: Success in Business and in Life*, New York, Fine Communications, 2003.

Les distributeurs recrutaient des gens pour organiser des « soirées bijoux » dans leur foyer. Enchantée des recettes générées par ces soirées maison, la famille Drouin, propriétaire de Gemmes de Rêve, a alors projeté d'élargir le réseau de distribution.

Toutefois, Mme Drouin venait tout juste de recevoir une lettre de condoléances de la part d'une cliente qui avait assisté à une soirée bijoux. Inquiète, elle a communiqué avec l'auteure de la lettre, qui lui a expliqué que Barbara Jobin était venue à la soirée bijoux organisée dans l'église et avait raconté l'histoire de Gemmes de Rêve. Dans cette histoire, Mme Drouin était une jeune veuve qui se débattait pour sauver son entreprise après le décès de son mari au cours d'un voyage missionnaire. La femme, qui avait acheté pour 200 $ de bijoux à la soirée, a confié à Mme Drouin qu'elle espérait que cela l'aiderait. Mme Drouin était stupéfaite. Elle et son mari bien vivant venaient de célébrer leur 50e anniversaire de mariage.

Que devrait faire Mme Drouin maintenant ?

Scénario 4 : Pas étonnant que ce soit si bon

Délicieux Cola est un nouveau produit fabriqué par Boissons ABC et commercialisé avec le slogan « Détendez-vous avec Délicieux Cola ». Au contraire des autres colas sur le marché, Délicieux Cola ne contient pas de caféine. Il se positionne donc comme la boisson parfaite à consommer à la fin de la journée ou encore le weekend pour aider les consommateurs à décompresser. La réaction des consommateurs, et surtout des consommatrices, est fabuleuse et les ventes de Délicieux Cola grimpent rapidement.

Or, Boissons ABC n'a pas indiqué dans la liste d'ingrédients de Délicieux Cola que la boisson contient une petite quantité d'alcool, car elle n'est pas tenue de le faire sauf si le contenu en alcool est supérieur à 1%. Dans le cas présent, la boisson n'est pas considérée comme alcoolisée.

Mia Rodriguez, la directrice commerciale de Délicieux Cola, vient d'être mise au courant de la situation. Elle s'inquiète de l'impact de cette omission sur les consommateurs plus sensibles à l'alcool ou qui ne devraient pas en consommer, comme les femmes enceintes et les anciens buveurs.

Que devrait faire Mia? Que feriez-vous à sa place?

Scénario 5: L'idée brillante de Brillant Bébé

Bartok produit une gamme de jouets pour bébés sous la marque Brillant Bébé. Derniè-rement, Santé Canada a annoncé le rappel du module pour siège d'auto Brillant Bébé, un produit très populaire. Selon cet organisme, ce module comprend de petites pièces avec lesquelles un bébé pourrait s'étouffer. Le PDG de Bartok, Réjean Bartok, a convo-qué une réunion de la direction afin d'élaborer une stratégie en réaction au rappel.

Michel Laframboise, le directeur financier de Bartok, a déclaré que le rappel pourrait occasionner des pertes de un million de dollars pour la gamme Brillant Bébé. Signalant qu'aucun décès ni blessure n'avaient été associés au produit, mais seulement un risque de blessure, il a proposé que l'entreprise écoule les stocks res-tants du module au Mexique, un pays dépourvu d'organisme de réglementation. Suzanne Marquis, la directrice commerciale de Bartok, a de son côté suggéré qu'on vende le produit au Mexique sous une marque et un emballage différents afin d'évi-ter toute association avec le nom Brillant Bébé. Bien que légèrement méfiant, Réjean Bartok a accepté de cautionner ce plan afin d'éviter des pertes financières.

Qu'auriez-vous recommandé au PDG?

Le consommateurisme, l'éthique et la responsabilité sociale

OA 5

Comme nous l'avons démontré tout au long de ce chapitre, les entreprises qui n'ac-cordent pas une attention suffisante à leur conduite éthique et ne manifestent pas une solide conscience sociale sont souvent la cible de groupes de consommateurs et d'autres groupes de pression qui leur font une publicité négative et vont même jusqu'à boycotter leurs produits. *Consumer Reports* et *Protégez-vous* sont deux revues sérieuses qui visent à informer les consommateurs et à les protéger contre les produits dange-reux et les pratiques commerciales douteuses. *Consumer Reports* affirme que sa mission est de tester, d'informer et de protéger. Le **consommateurisme**, un mouvement social qui vise à protéger les consommateurs contre les pratiques commerciales empiétant sur leurs droits, ainsi qu'une conscience et un activisme écologiques accrus sont les deux facteurs clés qui ont soutenu la tendance à une plus grande responsabilité sociale de l'entreprise au Canada. Aujourd'hui, plus de 75% des sociétés canadiennes ont élaboré des politiques et des projets responsables visant à soutenir leurs collectivités[35].

De nombreuses entreprises ont établi des programmes relatifs à la responsabi-lité sociale qui permettent aux consommateurs de se départir de façon sécuritaire des produits qu'ils achètent afin de minimiser leur impact sur l'environnement. Depuis 2007, date d'introduction des sacs recyclables chez Loblaw, cette chaîne d'épicerie a vendu près de 46 millions de sacs verts. Elle a du même coup permis d'éviter la production et la distribution aux consommateurs de 6,2 milliards de sacs en plastique dont un grand nombre se serait retrouvé dans la nature[36]. De même, des entreprises comme Dell et Hewlett-Packard (HP) récupèrent désormais le matériel informatique usagé en vue de le recycler. Toutes les cartouches d'encre HP sont accompagnées d'instructions sur la façon de retourner les cartouches vides.

consommateurisme (*consumerism*) Mouvement social visant la protection des consommateurs contre les pratiques commerciales qui vont à l'encontre de leurs droits.

Loblaw propose à ses clients des sacs verts, à usages multiples.

Les fabricants de cellulaires commencent aussi à promouvoir le recyclage des vieux téléphones ainsi que des piles usagées et encouragent les consommateurs à les rapporter à des centres de recyclage dans tout le pays. Même les gouvernements se sont mis de la partie.

Le gouvernement de l'Île-du-Prince-Édouard a instauré un programme de récupération des accumulateurs au plomb[37] (qui englobent les batteries de tous les types de véhicules : automobiles, camions, motoneiges, motos, véhicules hors route, tondeuses autoportées) et adopté un règlement qui oblige les détaillants à majorer de 5 $ le prix d'une batterie neuve, sauf si le client rapporte sa vieille batterie dans les 30 jours. De son côté, le gouvernement de l'Ontario a établi un programme de consignation des bouteilles de vin et de spiritueux en vertu duquel les consommateurs reçoivent un remboursement quand ils rapportent leurs bouteilles vides au Beer Store au lieu de les déposer dans le bac de récupération ou le bac à ordures.

Les consommateurs se tournent de plus en plus vers les produits et les services des entreprises socialement responsables. La plupart des grandes entreprises ayant compris ce fait, elles annoncent activement leurs initiatives dans ce sens. The Co-operators, une coopérative d'assurances ayant son siège social à Guelph, en Ontario, a acquis la réputation de se soucier des besoins de ses membres et de leur qualité de vie au sein de leurs collectivités. La coopérative finance des événements liés à la sécurité, comme des cliniques d'inspection des sièges d'auto pour bébés, des programmes de sécurité à bicyclette et des initiatives contre l'alcool au volant, et parraine le programme Parents-Secours® du Canada dans le cadre de son programme de développement économique communautaire. Comme bien d'autres entreprises qui ont constitué des programmes relatifs à la responsabilité sociale, The Co-operators se concentre sur ce qu'on appelle le triple résultat net, soit la durabilité financière, sociale et environnementale d'une entreprise[38]. Chaque année, Sustainalytics, un cabinet spécialisé dans la recherche environnementale, sociale et de gouvernance, publie chaque année une liste des entreprises canadiennes championnes de la responsabilité sociale. Des entreprises de différents secteurs économiques figurent dans ce classement et se démarquent par leurs pratiques. Le Groupe Banque TD, Suncor, Molson Coors, Tim Hortons ou encore Rona, pour ne citer que celles-là, figurent dans ce classement[39].

La question qu'il faut se poser est la suivante : les consommateurs font-ils leur part pour promouvoir et appuyer les divers programmes relatifs à la responsabilité sociale qui visent à protéger l'environnement ? Quand vous achetez un nouvel appareil photo numérique ou un nouveau cellulaire, vous demandez-vous ce qu'il adviendra de votre vieil appareil ? Quand vous achetez un roman *Harry Potter*, savez-vous que l'auteure britannique J. K. Rowling a insisté pour que ses livres soient imprimés sur du papier respectueux des forêts anciennes[40] ? Les consommateurs américains ont boycotté les éditeurs américains et commandé *Harry Potter et le prince de sang-mêlé* à la société canadienne Raincoast Books, qui imprime ses livres depuis 2003 sur du papier recyclé[41]. Qu'en pensez-vous ? Les gestionnaires marketing devraient-ils s'engager davantage à éduquer les consommateurs sur les aspects négatifs de la consommation ou est-ce plutôt aux consommateurs de jouer un rôle proactif ?

Les critiques éthiques et sociales du marketing

Jusqu'ici, nous avons vu que les gestionnaires marketing, à tort ou à raison, sont souvent critiqués pour certaines de leurs pratiques commerciales. C'est le cas particulièrement lorsqu'ils trahissent la confiance de leurs clients ou du public, volontairement ou non, en adoptant des pratiques commerciales illégales ou contraires à l'éthique. Ainsi, les entreprises qui font la promotion de leurs produits et de leurs services auprès de groupes vulnérables, comme les personnes dépendantes de l'alcool, de la cigarette ou du jeu, ou encore les personnes âgées incapables de prendre une décision éclairée, sont souvent considérées comme peu scrupuleuses et immorales. Bien qu'il ne soit pas illégal de promouvoir des produits et des services auprès de ces groupes, cela soulève de sérieuses questions au sujet de la conduite éthique des entreprises. Une publicité de Dolce & Gabbana a été interdite dans plusieurs pays européens pour des motifs éthiques, car elle renforçait les stéréotypes sur le viol et la sexualité. Bien que cette publicité ne fût pas illégale, Dolce & Gabbana a réagi à cette opposition en la retirant. En 2011, le ministère de la Santé et des Services sociaux du Québec a lancé une campagne médiatique pour faire la promotion de la vaccination contre les virus du papillome humain (VPH). Cette publicité (controversée) comparant le vaccin à la ceinture de chasteté se voulait humoristique. Des médecins, des sexologues et des féministes l'ont dénoncée. Pourtant, le ministère a persisté et maintenu son slogan et son visuel[42]. Certains gestionnaires marketing s'adonnent à des pratiques illégales comme la publicité-leurre, qui vise à tromper les consommateurs sur les prix, les ventes et les caractéristiques de leurs produits[43].

Même si les entreprises sont souvent forcées de payer des pénalités lorsqu'elles sont condamnées, leurs comportements inappropriés détruisent la confiance des clients envers les gestionnaires marketing. Ces derniers sont aussi critiqués pour leur tendance à exagérer grossièrement les avantages des produits, une pratique prédominante chez ceux qui se spécialisent dans les produits de beauté, les produits antivieillissement et certains produits naturels. Enfin, on blâme les gestionnaires marketing parce qu'ils donnent aux clients l'impression que leur valeur tient davantage aux produits qu'ils achètent qu'à ce qu'ils sont comme personnes. Par exemple, les jeunes enfants et les adolescents se sentent souvent plus populaires ou meilleurs que leurs amis lorsqu'ils portent des vêtements, des chaussures et des accessoires estampillés par des griffes à la mode.

Faites le point

 **Expliquez pourquoi les gestionnaires marketing devraient se soucier de l'éthique**

La principale raison pour laquelle il faut se soucier de prendre des décisions éthiques tient au fait que c'est tout bonnement la meilleure chose à faire! Chaque employé devrait avoir à cœur de faire partie d'une entreprise responsable, mais cela est particulièrement important pour les gestionnaires marketing, qui interagissent le plus directement avec leurs clients et leurs fournisseurs, ce qui leur donne amplement l'occasion d'aborder des questions éthiques. Il est souvent difficile de prendre de bonnes décisions éthiques parce que celles-ci peuvent entrer en conflit avec les objectifs spécifiques ou généraux de l'organisation.

 **Définissez les caractéristiques d'une entreprise socialement responsable**

Individus et entreprises peuvent (et doivent) agir de manière éthique, mais il est possible que les incidences de leurs actes ne touchent personne d'autre que les parties prenantes immédiates, comme les employés, les clients et les fournisseurs. Pour être socialement responsable, une

entreprise doit aussi mener des actions qui profitent à l'ensemble de la collectivité, comme venir en aide aux victimes d'un cataclysme tel qu'un ouragan. Les entreprises responsables s'efforcent de conduire leurs opérations de façon à éliminer ou à minimiser leur impact négatif sur l'environnement et sur les groupes vulnérables de consommateurs comme les enfants, les personnes âgées et les personnes handicapées. Elles informent aussi les consommateurs des effets potentiellement nocifs de leurs produits, font la promotion de leurs produits et de leurs services d'une manière honnête et responsable, et prennent rapidement des mesures correctives s'il s'avère que leurs produits et leurs services présentent des défauts dangereux.

OA 3 Décrivez les modalités de la prise de décision éthique

Premièrement, une entreprise peut intégrer l'éthique et la responsabilité sociale dans son énoncé de mission. Deuxièmement, elle devrait élaborer des politiques et des procédures afin de veiller à ce que tous les membres de l'entreprise adoptent une conduite éthique et responsable. Troisièmement, l'entreprise peut modeler ses politiques en matière d'éthique sur un code de déontologie éprouvé comme celui de l'Association canadienne du marketing. Quatrièmement, lorsqu'elle prend des décisions à caractère éthique, l'entreprise peut utiliser un questionnaire d'évaluation éthique comme celui du tableau 3.3 (*voir p. 78*). L'entreprise peut aussi reconnaître et récompenser ses employés qui prennent des décisions éthiques.

discrimination excessive. Enfin, au cours de la phase de contrôle, les gestionnaires marketing doivent se demander s'ils ont véritablement agi d'une manière éthique et responsable. Dans le cas contraire, ils devraient voir à redresser la situation rapidement.

 **4 Expliquez comment une entreprise peut intégrer l'éthique et la responsabilité sociale dans ses stratégies de marketing**

L'entreprise peut veiller à intégrer les questions relatives à l'éthique et à la responsabilité sociale dans son processus de planification et même dans son énoncé de mission, pourvu que la haute direction s'engage à favoriser un excellent climat éthique au sein de l'organisation. Lorsqu'elle élabore une stratégie de marketing, l'entreprise devrait se demander non seulement si elle « peut » mettre en œuvre telle ou telle politique, mais aussi si elle « devrait » le faire. Elle doit s'assurer que son marketing mix – les quatre « P » – respecte les normes les plus élevées de responsabilité sociale, c'est-à-dire qu'elle doit concevoir des produits sécuritaires, fixer des prix équitables, promouvoir ses produits honnêtement et les distribuer sans

OA 5 Décrivez comment les consommateurs encouragent des pratiques commerciales éthiques et responsables

Le consommateurisme, qui vise à protéger les consommateurs des pratiques commerciales qui lèsent leurs droits, est un élément moteur qui stimule la tendance à une amélioration de l'éthique et de la responsabilité sociale. Malheureusement, de nombreux consommateurs ne profitent pas pleinement des multiples programmes relatifs à la responsabilité sociale mis sur pied par les entreprises et les gouvernements pour favoriser une plus grande responsabilité environnementale. De plus, les consommateurs ont formulé de nombreuses critiques relatives à l'éthique et à la responsabilité sociale des gestionnaires marketing, surtout quand ceux-ci trahissent leur confiance en recourant à des pratiques commerciales inappropriées.

Mots clés

- climat éthique, p. 70
- consommateurisme, p. 87
- éthique des affaires, p. 69
- éthique du marketing, p. 69
- responsabilité sociale de l'entreprise, p. 74

Révision des concepts

1. Expliquez ce que sont l'éthique et la responsabilité sociale de l'entreprise dans l'optique du marketing. Qu'est-ce qui distingue principalement l'éthique et la responsabilité sociale ?

2. Nommez quatre facteurs qui déterminent si une personne ou une entreprise se conduit d'une manière éthique. Indiquez les mesures qu'une entreprise peut prendre pour démontrer son engagement à se conduire d'une manière responsable.

3. Décrivez comment une entreprise peut intégrer l'éthique et la responsabilité sociale dans ses stratégies de marketing.

4. Expliquez comment le recours au code de signalisation tricolore sur les emballages pourrait ajouter de la valeur à l'offre des fabricants alimentaires aux consommateurs.

5. Peut-il arriver qu'une société pourvue d'un code de déontologie commette des fautes en matière d'éthique ? Pourquoi et dans quel cas cela peut-il se produire ?

6. Qu'est-ce que le consommateurisme ? Nommez deux organisations qui sont des championnes du

consommateurisme au Canada. Comment le consommateurisme encourage-t-il un comportement éthique et la responsabilité sociale au sein des entreprises canadiennes ?

7. Est-il possible d'éliminer ou de réduire les critiques relatives à la responsabilité sociale et à l'éthique des entreprises ? Quelles actions pourraient améliorer les choses à cet égard ?

8. La rubrique Forces d'Internet (*voir p. 85*) décrit les problèmes pouvant survenir lorsque des sociétés appartenant à une culture (les États-Unis) s'implantent dans une autre culture (la Chine) qui épouse des normes éthiques très différentes. Google peut avoir l'air d'essayer d'imposer ses normes éthiques à la Chine et de s'ingérer dans les affaires politiques internes de ce pays. Êtes-vous d'accord avec cette perception ? Les sociétés nord-américaines devraient-elles se plier aux normes des autres pays même si celles-ci sont contraires aux normes américaines ou canadiennes ?

9. De nombreux analystes laissent entendre que le marketing responsable n'est pas seulement une mode,

qu'il peut réellement augmenter les profits et la rentabilité de l'entreprise. Expliquez comment le marketing responsable peut le faire. Pouvez-vous nommer une ou deux sociétés canadiennes qui soutiennent que leurs programmes relatifs à la responsabilité sociale ont entraîné une hausse de leurs profits et de leur rentabilité ?

10. De nombreux gestionnaires marketing ont élaboré des programmes visant à aider les consommateurs à se

départir de leurs produits usagés d'une manière sécuritaire et écologique, soit en les recyclant, soit en les apportant à un détaillant ou à un centre de recyclage. Pourtant, des tonnes de matériaux recyclables aboutissent dans les dépotoirs partout au Canada. Quels facteurs pourraient expliquer le comportement des consommateurs qui ne se départent pas de leurs produits d'une manière écologique ?

Marketing appliqué

1. Pourquoi les gestionnaires marketing font-ils plus souvent face à des dilemmes éthiques que les membres d'autres fonctions de l'entreprise, comme les finances, la comptabilité ou l'immobilier ?

2. Expliquez pourquoi une entreprise pharmaceutique devrait instaurer et préserver un climat éthique au sein de son organisation. Appuyez votre réponse sur un ensemble d'arguments.

3. Une compagnie d'assurances fait de généreux dons à des organismes de charité et parraine des programmes de sensibilisation au cancer. Par ailleurs, elle n'accueille pas favorablement les réclamations de consommateurs âgés qui se fondent sur une police qu'ils souscrivent depuis des années. Évaluez cette entreprise en ce qui concerne l'éthique et la responsabilité sociale.

4. Un fabricant de vêtements canadien négocie avec une entreprise brésilienne en vue de faire fabriquer une nouvelle gamme de chandails. Le fabricant veut un chandail d'excellente qualité à un coût raisonnable, mais craint que les travailleurs brésiliens soient sous-payés et obligés de travailler de longues heures dans de mauvaises conditions. Élaborez une matrice d'analyse semblable à celle du tableau 3.2 (voir p. 77) afin d'évaluer l'incidence de cette décision sur les parties prenantes.

5. À partir du scénario que vous avez élaboré à la question 4, répondez au questionnaire d'évaluation éthique du tableau 3.3 (voir p. 78). Expliquez les raisons pour lesquelles vous avez indiqué tel ou tel degré de certitude à chaque question.

6. Voici l'énoncé de mission d'une entreprise qui fabrique des barres de céréales et d'autres goûters bons pour la santé : « Notre objectif est de vendre des produits savoureux et sains et d'apporter des bienfaits à la société tout en réalisant des profits. » Or, bien que les produits de l'entreprise soient biologiques, ils contiennent beaucoup de calories. L'entreprise verse une petite fraction de ses profits à Centraide. Évaluez son énoncé de mission.

7. Le fabricant évoqué à la question 6 songe à lancer une campagne publicitaire à l'intention des enfants ; celle-ci serait diffusée à la télévision le samedi matin. Expliquez pourquoi il devrait ou ne devrait pas le faire, selon vous.

8. Un inspecteur-hygiéniste a trouvé des crottes de rongeur dans un lot de céréales provenant du même fabricant. Comment celui-ci devrait-il réagir ?

9. Un détaillant de vêtements pour dames est jugé coupable d'avoir pratiqué une politique de prix discutable. Malgré la pénalité substantielle qui lui a été imposée, il ne modifie pas ses pratiques. Expliquez comment le consommateurisme pourrait forcer ce détaillant à se comporter d'une manière plus éthique à l'avenir.

10. Les consommateurs qui réprouvent la chasse aux bébés phoques ont exprimé leur mécontentement en réclamant un boycottage international des poissons et des fruits de mer canadiens. Bien que cette action puisse inciter l'industrie de la chasse aux phoques à modifier ses pratiques, elle pourrait aussi entraîner des pertes d'emplois. L'approche adoptée par les consommateurs est-elle la plus éthique ?

Internaute averti

1. Il se peut qu'aucune discipline ne soit autant scrutée en ce qui a trait aux normes de conduite éthique que le marketing direct, une technique de promotion qui utilise des véhicules impersonnels comme le téléphone, la poste ou Internet pour vendre des produits ou des

services[44]. Les questions éthiques relatives au marketing direct couvrent un large spectre parce que cette technique tire parti de toutes les formes de communication. L'Association canadienne du marketing (ACM), qui prend la question de l'éthique très au sérieux, a mis sur pied plusieurs programmes pour faire en sorte que ses membres respectent son Code de déontologie. Allez sur le site de l'ACM (www.the-cma.org/french/) et cliquez sur l'onglet «Information aux Consommateurs». Dans la liste des services offerts, quelles mesures l'Association peut-elle adopter pour aider les consommateurs et l'industrie à créer un marché plus éthique ?

2. Un nombre croissant d'entreprises claironnent leur engagement à mettre en œuvre des programmes de

responsabilité sociale. L'organisme The Corporate Social Responsibility Newswire suit ces initiatives de près et affiche sur son site Web des articles sur les agissements de diverses entreprises. Allez sur le site d'Industrie Canada (www.ic.gc.ca/eic/site/csr-rse.nsf/fra/h_rs00573.html). Parmi la liste des entreprises répertoriées comme ayant intégré le marketing vert, rédigez une description de l'entreprise choisie et de son initiative en matière de responsabilité sociale.

Étude de cas

QUELLE EST LA TAILLE DE VOTRE EMPREINTE CARBONE[45] ?

Les changements climatiques inquiètent de plus en plus les individus, les collectivités, les entreprises et les gouvernements. Depuis la révolution industrielle seulement, «les concentrations de dioxyde de carbone ont augmenté de 30 %, celles de méthane, de 145 % et celles d'oxyde nitreux, de 15 %[46]». Tout cela est attribuable à notre mode de vie de plus en plus mécanisé et axé sur la technologie. Il nous faut la voiture la plus grosse, la plus rapide et la plus solide, et nous réfléchissons rarement aux répercussions potentielles de nos choix sur l'environnement, en particulier le recours aux combustibles fossiles comme le charbon, le pétrole et le gaz naturel, qui servent à produire l'électricité nécessaire aux usines et aux voitures. En un siècle, nous avons défriché plus de terres pour l'utilisation humaine que pendant toute l'histoire de l'humanité. Nous avons détruit des forêts et des zones humides qui absorbent et stockent les gaz à effet de serre (GES) et régulent naturellement l'atmosphère. C'est pourquoi le problème des changements climatiques doit être abordé à l'échelle planétaire. Le dioxyde de carbone (CO_2) reste des centaines d'années dans l'atmosphère et les émissions se mélangent aisément, peu importe leur provenance.

Tout n'est pas perdu, cependant. Étant plus conscients des toxines qu'ils rejettent dans leur environnement, de nombreux citoyens ont décidé d'effectuer de petits changements qui peuvent s'additionner dans le cadre de l'effort pour réduire les émissions de gaz à effet de serre à l'échelle de la planète.

Au Royaume-Uni, faire ce qu'il faut pour l'environnement est devenu une nouvelle passion et, pour certains, une obsession. Dans un pays réputé pour ses modes, la mode la plus récente consiste à se poser la question suivante : de quelle taille est mon empreinte carbone ? L'empreinte carbone est une «mesure de l'impact des activités humaines sur l'environnement en ce qui touche la production de gaz à effet de serre mesurée en unités de dioxyde de carbone[47]». Nos actions polluantes permettent de mesurer notre empreinte individuelle.

En moyenne, un Britannique génère environ six tonnes de dioxyde de carbone par an. La nouvelle obsession des Britanniques s'est avérée bénéfique pour l'environnement, puisque beaucoup d'entre eux ont relevé le défi de réduire des chiffres aussi ahurissants.

Que vous viviez à Aberdeen ou au pays de Galles, vous trouverez des taxis carboneutres à peu près partout, qui sont prêts à vous emmener à des magasins carboneutres qui vendent des produits carboneutres[48]. Beaucoup de citoyens sollicitent l'aide d'écoconseillers pour évaluer leur maison et leur suggérer des façons de diminuer leur empreinte.

Là où moins, c'est mieux, l'achat de crédits compensatoires de carbone devient de plus en plus populaire. Vieux d'une décennie, ce système gagne en popularité depuis peu. Il constitue une autre façon pour les individus de compenser les dommages causés par leurs émissions de carbone. Les fournisseurs de crédits compensatoires fixent les prix en fonction de ce qu'il en coûte pour atténuer les dommages causés par les émissions, puis investissent ce montant dans un projet écologique en votre nom. Ce système de crédits compensatoires repose sur le principe que, même s'il ne peut effacer les dommages déjà causés, il nous permet de faire un peu plus pour améliorer notre environnement.

Les programmes de crédits compensatoires englobent des actions comme reboiser pour absorber l'excès de CO_2, produire de l'électricité à partir de l'énergie solaire et utiliser des ampoules et des voitures écoénergétiques. Sauver l'environnement n'est désormais plus un enjeu individuel. En effet, de nombreuses entreprises relèvent ce défi qu'elles voient comme une partie intégrante de leurs obligations envers la société. La firme Dell, par exemple, vient de lancer le programme *Plante un arbre pour moi*, qui permet aux acheteurs d'ordinateurs de contribuer à un fonds de conservation. Le coût est de 6,30 $ pour un ordinateur de bureau et de 2,10 $ pour un ordinateur portable. Ce programme repose sur le principe que les arbres plantés pour cette somme compenseront la pollution causée par la fabrication de l'ordinateur en moins de 70 ans[49]. Des agences de voyages comme Travelocity se sont même fixé comme but d'obtenir que 10 % de leurs clients achètent des crédits de carbone[50]. Air Canada a suivi le mouvement en s'associant avec Zerofootprint, un fournisseur de crédits compensatoires qui investit dans des projets de reboisement, afin de donner à ses clients la possibilité d'acheter des crédits de carbone pour compenser leur voyage. Zerofootprint utilise une calculatrice pour déterminer la part des émissions de CO_2 du client pour son voyage. Air Canada offre à ses clients une manière facile de payer le coût des crédits de carbone au moment de l'achat de leur billet ou à un autre moment. Si l'on tient compte des caractéristiques techniques actuelles des appareils d'Air Canada, un passager devra débourser 19,20 $ pour compenser sa part des émissions de carbone au cours d'un vol aller-retour entre Toronto et Londres et 12,80 $ pour un aller-retour entre Vancouver et Montréal[51].

La Carbon Neutral Company, qui est l'un des premiers fournisseurs mondiaux de crédits de carbone et cabinets de consultants en climat, se spécialise dans les programmes de crédits compensatoires, les stratégies de réduction des émissions de CO_2 et les services de marketing. Cette société recherche des fournisseurs et offre un programme de compensation carbone basé sur des projets d'efficacité énergétique et forestiers. Elle a investi dans plus de 170 projets mis en œuvre sur 5 continents. L'entreprise procure à ses clients les ressources nécessaires pour mieux évaluer leur risque carbone et leur propose un programme de réduction, d'évitement et de compensation qui répond à leurs objectifs commerciaux[52].

Au Canada, des agences gouvernementales et des entreprises ont mis sur pied des initiatives destinées à réduire leur empreinte carbone. Par exemple, le gouvernement de l'Ontario travaille de concert avec le Recycling Council of Ontario (www.rco.on.ca) et des associations de détaillants et de grossistes pour réduire de moitié le nombre de sacs en plastique utilisés dans la province. Les Ontariens ont ainsi reçu des incitations financières pour se servir des sacs en tissu ou en toile réutilisables. Si son programme est efficace, le nombre de sacs en plastique utilisé chaque jour en Ontario pourrait passer de 7 à 3,5 millions, soit 4 sacs par jour par personne[53]. Le gouvernement fédéral espère réduire les émissions des consommateurs moyens grâce à des stratégies comme la mise en œuvre de règlements sur les émissions de GES pour les véhicules légers (pour les modèles 2017 à 2025) et les véhicules lourds (pour les modèles 2014 à 2018) dans le cadre de la *Loi canadienne sur la protection de l'environnement* (1999)[54]. Il prévoit instituer des normes écoénergétiques ou améliorer les normes existantes pour des appareils comme les lave-vaisselle, les déshumidificateurs, les spas et les fournaises au gaz tout en supprimant les ampoules à incandescence. Des entreprises comme Loblaw vendent des sacs d'épicerie écologiques, dont le sac vert le Choix du Président, afin de réduire le nombre de sacs en plastique qui encombrent les dépotoirs.

Étant plus conscients des émissions nocives que nous libérons dans notre environnement, nous devrions tous faire notre part pour en réduire les effets. Les changements ne se réaliseront pas en un jour, mais plutôt un jour à la fois. Alors, la prochaine fois que vous prendrez vos clés de voiture, demandez-vous quelle est la taille de votre empreinte carbone.

Questions

1. À votre avis, dans quelle mesure l'achat de crédits de carbone est-il efficace pour réduire les émissions de CO_2 ?

2. Quel rôle les consommateurs peuvent-ils jouer dans la lutte contre les émissions de gaz à effet de serre ? Donnez trois exemples autres que ceux qui figurent dans le présent cas.

3. Suggérez d'autres moyens que l'achat de crédits de carbone pour réduire notre empreinte carbone.

CHAPITRE 4

OBJECTIFS D'APPRENTISSAGE

Après avoir lu ce chapitre, vous devriez être en mesure :

OA **1** de nommer les facteurs relatifs au microenvironnement d'une entreprise ;

OA **2** d'expliquer l'incidence des facteurs relatifs au microenvironnement d'une entreprise sur sa stratégie de marketing ;

OA **3** de nommer les facteurs relatifs au macroenvironnement d'une entreprise ;

OA **4** d'expliquer l'incidence des facteurs relatifs au macroenvironnement d'une entreprise sur sa stratégie de marketing ;

OA **5** de définir les grandes tendances sociales modernes et de décrire pourquoi elles influencent les décisions de marketing.

L'analyse de l'environnement marketing

omme nous l'avons vu au chapitre 2, une entreprise doit constamment surveiller ses environnements interne et externe afin de cerner les nouvelles occasions d'affaires ou les menaces potentielles qui pèsent sur elle. Ces analyses lui permettent de recenser ses forces et ses faiblesses par rapport à ses concurrents. Elle élabore ensuite des stratégies ou des plans d'action pour attaquer ses concurrents ou défendre sa position sur le marché. Voyons comment Canadian Tire, un fleuron du secteur de détail canadien, s'appuie sur une bonne connaissance de son environnement pour demeurer concurrentielle depuis près d'un siècle.

L'histoire de Canadian Tire commence en 1922 lorsque les frères John et Alfred Billes achètent le Hamilton Tire and Garage Limited, situé juste à l'ouest de Toronto. En 1927, les frères Billes rebaptisent l'entreprise Société Canadian Tire Limitée et la transforment en véritable acteur majeur du secteur du commerce de détail. Aujourd'hui, Canadian Tire compte quatre entités commerciales : le Groupe détail, les Services Financiers et la fiducie de placement CT REIT, PartSource et Mark's/L'Équipeur (anciennement Mark's Work Wearhouse). Le Groupe détail exploite plus de 491 magasins de détail qui vendent de tout : pièces et services d'entretien et de réparation d'automobiles, outils, articles de sport et de loisirs, équipements et articles pour la maison, etc. Les Services Financiers gèrent plus de cinq millions de cartes de crédit Options MasterCard en circulation actuellement. PartSource, une chaîne spécialisée dans la vente de pièces automobiles aux mécaniciens professionnels et aux bricoleurs, exploite 90 magasins. Mark's/L'Équipeur forme un réseau de 385 magasins dont 43 sont des franchises. L'entité détient 39 % des parts du marché des vêtements et de chaussures de travail[1]. En 2011, Canadian Tire a fait l'acquisition du Groupe Forzani, regroupant les bannières Sport Check, Sports Experts/Atmosphère, soit un total de 421 magasins. En 2013, Canadian Tire, par l'entremise de ses diverses entités, comptait plus de

L'excellente connaissance de l'environnement marketing permet à Canadian Tire de rester concurrentielle près de 100 ans après sa création.

85 000 employés et générait des revenus de 11,78 milliards de dollars ainsi que des profits de 564 millions de dollars.

La marque Canadian Tire est l'une des plus appréciées au Canada. Elle regroupe une gamme unique de produits et de services, un circuit de magasins modernes et un réseau mondial de fournisseurs. Canadian Tire est aussi le chef de file dans 17 des 20 principales catégories d'articles telles que les articles pour le jardin, l'exercice et la maison[2]. L'entreprise fait un excellent travail en exploitant sa marque phare dans ses multiples entreprises[3]. Devant le degré de succès de la société au fil des ans, on peut s'interroger sur le secret de cette réussite et se demander si l'histoire de la société a toujours été un long fleuve tranquille.

Canadian Tire a essuyé des revers à plusieurs reprises. Ainsi, en 1982, l'entreprise a ouvert des magasins aux États-Unis, mais son projet a échoué lamentablement et, en 1985, elle a dû se retirer[4]. En 1992, elle a tenté une nouvelle percée sur le marché américain sous la bannière Auto Source. Elle a connu un nouvel échec et fermé ses magasins trois ans plus tard, en 1995, après avoir subi des pertes faramineuses[5]. Malgré ces coups du sort et d'autres épreuves, Canadian Tire demeure une entreprise prospère et bien gérée. On a attribué son succès à de nombreux facteurs, notamment sa vision, sa bonne planification stratégique et l'excellente mise en œuvre de ses stratégies de marketing. Toutefois, un facteur important qui doit être pris en compte est la capacité de l'entreprise à comprendre et à gérer son microenvironnement et son macroenvironnement.

Ainsi, lorsque des géants mondiaux comme Walmart, Home Depot et Lowe's sont arrivés sur le marché canadien déjà encombré, de nombreux analystes craignaient que leurs solides ressources financières et leurs stratégies commerciales dynamiques signifient la ruine de Canadian Tire. Or, comme nous l'avons vu depuis une dizaine d'années, non seulement l'entreprise a réussi à tirer son épingle du jeu face à ces monstres mondiaux, mais sa croissance a été constante. Elle a mis en œuvre un vaste éventail de stratégies visant à améliorer son rapport coûts/bénéfices et sa productivité, à perfectionner son service à la clientèle, à consolider ses marques, à faire prospérer ses commerces, à renforcer son programme de fidélisation et à renouveler le concept de ses magasins. Par exemple, Canadian Tire a modifié, à plusieurs reprises, l'agencement de ses magasins pour s'adapter aux nouvelles tendances démographiques et sociales. En 2003, elle a lancé son nouveau concept de magasins 20/20[6], offrant une plus grande surface, de nouvelles gammes de produits élargies, un service d'assistance à la clientèle, de nouveaux panneaux intérieurs et une façade redessinée. Dernièrement, l'entreprise a dévoilé ses nouveaux concepts de magasins appelés magasins intelligents et magasins pour petit marché[7]. Les magasins intelligents ont un aménagement pratique et spacieux qui met en valeur les catégories en forte croissance et permet aux clients de trouver les produits plus rapidement grâce à une meilleure signalisation et à une contiguïté logique des produits. Les magasins pour petit marché intègrent un rayon Mark's/L'Équipeur, lorsque cela est possible. L'entreprise s'est adaptée à l'évolution de la technologie en intégrant son site Web dans les opérations de ses magasins physiques et elle a mis à niveau sa technologie de l'information et son infrastructure des communications. Elle a adopté une vaste gamme de technologies environnementales visant à diminuer son empreinte carbone. Elle a également poursuivi sa croissance avec l'acquisition de Mark's Work Wearhouse, s'attaquant à un marché cible élargi englobant les enfants et les jeunes femmes.

À l'instar d'autres commerces de détail, Canadian Tire ne peut échapper aux enjeux économiques et aux autres facteurs externes qui influent sur ses affaires, mais elle doit trouver un moyen de minimiser leur impact. Par exemple, à la suite de l'acquisition du Groupe Forzani, Canadian Tire en a profité pour rénover ou relocaliser quelques-uns des magasins afin de mieux répondre aux exigences et aux besoins des consommateurs. Dans une optique commerciale, l'entreprise a aussi amélioré la plateforme électronique et les applications numériques pour permettre aux clients d'avoir accès aux informations concernant les produits depuis leur téléphone cellulaire. En termes de développement durable, Canadian Tire a amélioré ses processus pour minimiser les empreintes énergétique et carbone. Ces gestes se matérialisent de la façon suivante : offre de facture électronique plutôt que papier pour les clients, mise en place d'un nouveau système de ventilation au sein des magasins pour économiser l'énergie et pour réduire les rejets de gaz à effet de serre, utilisation de trains routiers pour minimiser les rejets de gaz polluants et pour baisser les coûts. Canadian Tire doit aussi faire face à un environnement concurrentiel en pleine mutation. Walmart, Home Depot, Cabela's, Bass Pro Shops et Lowe's accentuent leur présence sur le territoire canadien. Les enseignes J.C. Penney, Kohl's, Saks Fifth Avenue ou Dick's Sporting Goods risquent de faire également leur entrée sur le marché au cours des années à venir.

Quant à l'environnement social et démographique, il a changé. Les consommateurs ne sont plus aussi fidèles aux marques et aux enseignes. Ils sont par ailleurs plus sensibles aux prix en raison d'une situation économique en mutation. Les outils électroniques leur permettent en plus de recevoir les offres des concurrents et d'opter pour les produits leur paraissant les plus accessibles sur le plan monétaire.

Quel est l'avantage concurrentiel durable de Canadian Tire selon vous ? Quels facteurs du macroenvironnement de l'entreprise ont semblé avoir une influence sur sa stratégie commerciale ?

Le cadre d'analyse de l'environnement marketing

Comme l'explique l'introduction au chapitre, les gestionnaires marketing qui comprennent et gèrent les changements dans leur environnement commercial sont capables d'adapter leur offre de produits et de services afin de répondre à de nouveaux défis et d'exploiter de nouvelles avenues. Ainsi, entre 2003 et 2008, sa compréhension du marché a incité Canadian Tire à lancer trois nouveaux concepts de magasins. De nombreux gestionnaires marketing innovent en surveillant et en analysant l'environnement marketing, comme le montre le cas de Kobo et des livres numériques décrit à la fin de ce chapitre. L'analyse de l'environnement marketing permet aussi aux gestionnaires d'évaluer leurs forces stables et la valeur de leurs produits et services, ainsi que toute faiblesse résultant des changements survenus dans cet environnement.

La feuille de route ci-dessous illustre la façon dont les entreprises s'y prennent pour procéder à l'analyse de leur environnement marketing à partir d'un cadre précis. L'analyse de l'environnement marketing inclut donc une analyse du microenvironnement, c'est-à-dire des environnements interne (les caractéristiques de l'entreprise telles que la structure de son administration, ses objectifs stratégiques, etc.) et externe (les fournisseurs, les intermédiaires, les consommateurs, etc.) immédiats de l'entreprise, et du macroenvironnement, c'est-à-dire l'environnement externe élargi de celle-ci (*voir la figure 4.1*). Cependant, comme nous l'avons déjà indiqué, le consommateur ne doit pas être mis de côté au cours de cette analyse. En effet, ce dernier est influencé directement par les actions accomplies par une entreprise, par celles de ses concurrents ou de ses partenaires d'affaires, qui travaillent à la fabrication et à la distribution des produits et des services offerts aux consommateurs.

L'entreprise, et indirectement les consommateurs, est influencée par le macroenvironnement qui l'entoure. Ce milieu se compose des facteurs culturels, démographiques, sociaux, technologiques, économiques, politiques et juridiques. Chacun de ces éléments ainsi que les liens qui les unissent seront étudiés plus en détail au fil du présent chapitre.

Le consommateur est le point central de tout effort de marketing. Ainsi, l'un des objectifs du marketing axé sur la valeur est d'offrir au consommateur une plus grande valeur que ce que peut lui offrir la concurrence. Pour ce faire, il est nécessaire que le gestionnaire marketing évalue le processus d'affaires de l'entreprise sous

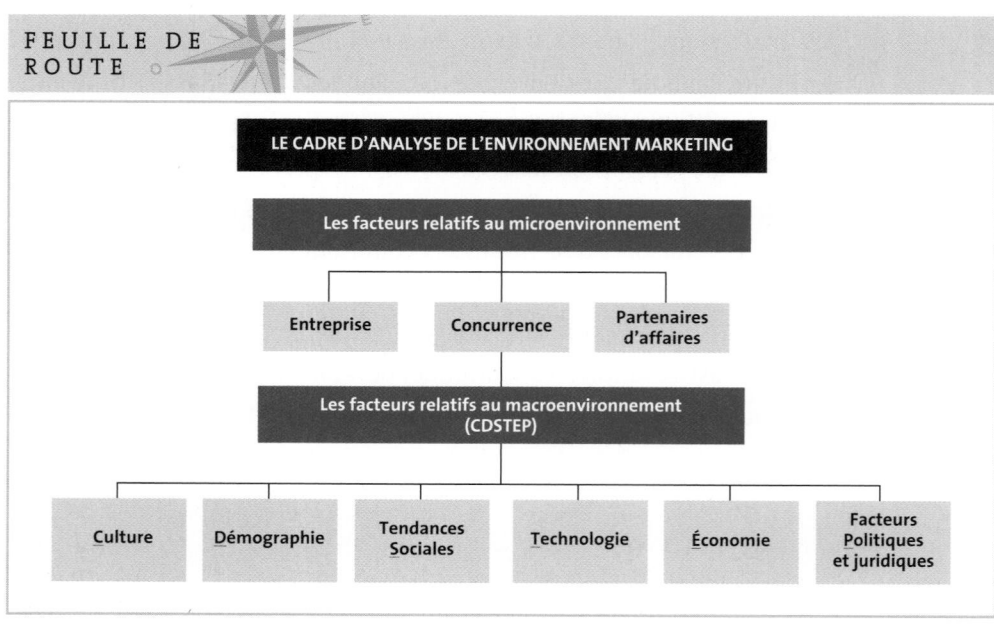

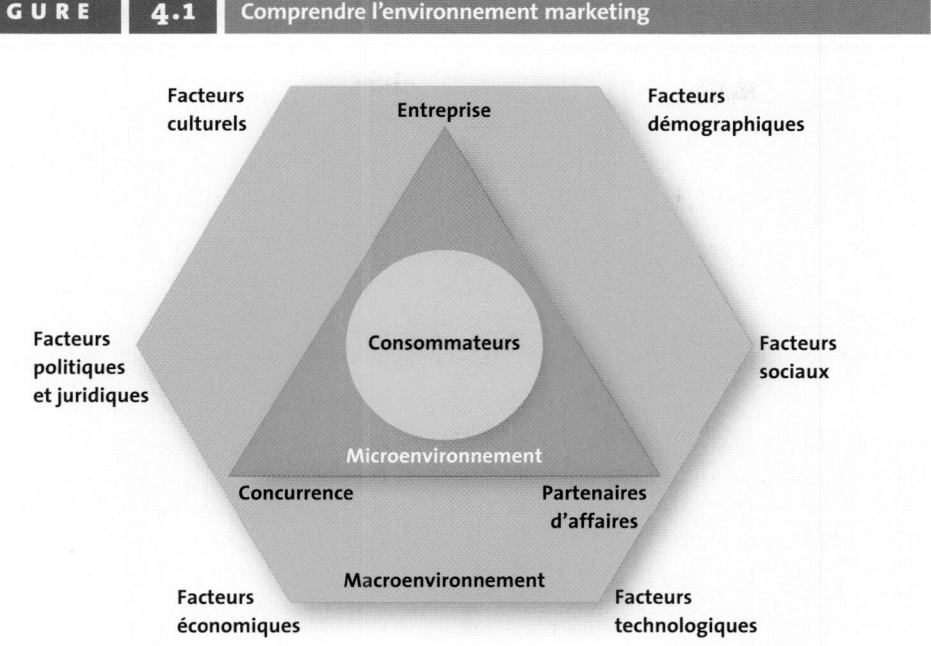

FIGURE **4.1** Comprendre l'environnement marketing

l'angle du consommateur[8]. Les besoins de ce dernier, de même que ses désirs et sa capacité à se procurer un bien ou un service, découlent d'un ensemble de facteurs qui changent avec le temps. Les entreprises ont recours à bon nombre d'outils pour être au courant de ce que font leurs concurrents et pour communiquer avec leurs partenaires. En outre, elles surveillent attentivement le macroenvironnement dans lequel elles évoluent afin de comprendre comment ces différents facteurs influencent les consommateurs et de planifier leurs réponses stratégiques en conséquence. Il arrive même qu'une entreprise réussisse à prévoir les tendances du marché.

Par exemple, les compagnies pharmaceutiques ont réussi à bien observer les consommateurs en vue de répondre à leurs besoins ainsi qu'aux tendances du marché. En effet, en étudiant le vieillissement des *baby-boomers,* ces compagnies ont mis en marché des médicaments formulés spécialement pour eux, lesquels réduisent le taux de cholestérol, améliorent les performances sexuelles, ralentissent le vieillissement, interrompent la chute de cheveux, et ainsi de suite. Que vont-elles encore inventer ? Il suffit de réfléchir aux besoins et aux désirs de cette génération pour que la réponse s'impose d'elle-même : toute une gamme de médicaments centrés sur le bien-être, dont certains qui augmentent l'intelligence, feront leur apparition, les premiers étant assurément des médicaments visant à préserver la mémoire[9].

Les facteurs relatifs au microenvironnement

OA **1**

La figure 4.2, à la page suivante, illustre les facteurs qui influent sur le microenvironnement des consommateurs : l'entreprise (par exemple, sa capacité), ses concurrents et ses partenaires d'affaires.

L'entreprise

OA **2**

Dans le microenvironnement d'une entreprise, le premier facteur qui influence le consommateur est l'entreprise elle-même. Les grandes firmes qui excellent dans l'utilisation des outils marketing concentrent leurs efforts sur les besoins du consommateur de manière à répondre à ceux qui correspondent aux principales compétences de l'entreprise. La force d'Apple, par exemple, réside dans la conception, la fabrication,

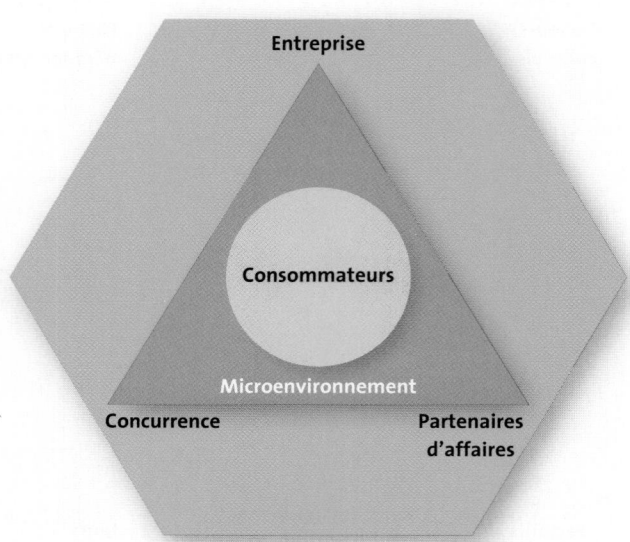

FIGURE **4.2** Comprendre le microenvironnement

la distribution et la promotion des ordinateurs Macintosh, mais Apple a su tirer profit de ses compétences en vue de percer le marché des baladeurs audionumériques grâce à son iPod. Apple a réussi parce qu'elle a remarqué l'intérêt des consommateurs pour les baladeurs à la fois élégants et pratiques. Ces appareils se sont même hissés au rang d'accessoire personnel. Les gestionnaires marketing peuvent avoir recours à certains outils, comme l'analyse FFOM, présentée dans le chapitre 2, afin de déterminer si une opportunité d'affaires semble avantageuse ou non en général, et plus spécifiquement au regard des compétences fondamentales de l'entreprise.

La concurrence

La concurrence a aussi une incidence sur le consommateur final. En effet, davantage de concurrence signifie davantage de choix pour le consommateur, ce qui a un impact sur sa décision d'achat. Il est impératif pour un gestionnaire marketing de comprendre les concurrents de l'entreprise, incluant leurs forces et leurs faiblesses, ainsi que les réactions possibles aux actions de mise en marché de son entreprise. Lorsque Colgate a lancé son dentifrice Colgate Total, qui offrait une protection complète, Procter & Gamble (P&G) a réagi en mettant en marché le Crest Pro-Santé, qui promettait de protéger contre tous les éléments que les dentistes surveillent le plus[10].

veille concurrentielle
(*competitive intelligence [CI]*)
Collecte et traitement de renseignements portant sur le positionnement dans le marché relativement aux concurrents. Elle permet aux entreprises d'anticiper le développement des marchés au lieu de seulement y réagir.

Les entreprises ont recours à la **veille concurrentielle** dans le but de recueillir et de traiter des renseignements concernant leur positionnement sur le marché, en tenant compte des concurrents. Ainsi, la veille concurrentielle, également appelée « veille économique », permet aux entreprises de prévoir le développement des marchés au lieu de se contenter d'y réagir[11]. Une étude canadienne menée par la firme Ipsos Canada pour l'Association de la recherche et de l'intelligence marketing a révélé que même si le niveau de connaissance des diverses composantes de la veille concurrentielle parmi les décideurs et les dirigeants va de moyen à élevé, ces derniers n'y ont recours que de manière restreinte. Il se révèle nécessaire d'investir davantage de ressources et d'énergie dans la veille concurrentielle au cours des prochaines années. De plus, les résultats de l'étude indiquent que moins de la moitié des décideurs ont été en mesure d'affirmer que leur entreprise prend part à plusieurs activités de veille concurrentielle[12].

Les stratégies de collecte de renseignements sur la concurrence sont variées et peuvent être relativement simples – par exemple, envoyer un employé chez un concurrent pour qu'il examine la marchandise, les prix et l'achalandage – ou plus complexes, comme celles-ci :

● Étudier la documentation des concurrents à l'intention des consommateurs (sites Web, communiqués de presse, journaux de l'industrie, rapports annuels, réseaux télématiques, demandes de permis, demandes de brevets et salons commerciaux).

● Rencontrer leurs clients, leurs fournisseurs, leurs partenaires et leurs anciens employés en vue de leur poser des questions sur l'entreprise.

● Analyser leurs stratégies de marketing, leurs modes de distribution, leurs méthodes de fixation des prix de même que leurs besoins en personnel.

De nos jours, ces stratégies de veille plus complexes sont à la fois implicites et évidentes dans l'industrie du rasoir. Même si les hommes et les femmes se rasent depuis des milliers d'années, ce n'est qu'en 1901 qu'est apparue sur le marché une fine lame de métal jetable suffisamment mince pour tailler les poils. Au cours de sa première année d'activité, la Gillette Safety Razor Company, l'ancien nom de Gillette, est parvenue à vendre 50 rasoirs. L'année suivante, elle en vendait 12 millions. Il est clair que l'entreprise a réussi à prévoir un besoin grandissant pour un tel produit.

Aujourd'hui, les hommes américains dépensent près de deux milliards de dollars par an en rasoirs et en lames jetables. En 2003, Gillette a changé les règles du jeu une nouvelle fois et lancé le Mach3, un rasoir à trois lames incroyablement populaire[13]. Il faut dire que Gillette est le chef de file du marché canadien, dont elle possède 76 % des parts.

Pour ne pas être surpassée, la marque Schick a lancé la même année le rasoir Quattro, le tout premier rasoir à quatre lames. La lutte qui s'est ensuite déclarée pour le titre de « meilleur rasoir » et pour des parts de marché a entraîné une coûteuse bataille sur les plans de la promotion et des prix. Des rasoirs d'une valeur de 10 $ ont été distribués gratuitement et des coupons de réduction pour les lames correspondantes ont fait leur apparition un peu partout sur le marché[14]. Lorsqu'une marque comme Gillette ou Schick fait face à une telle situation, il devient crucial qu'elle tienne à l'œil la concurrence en ayant recours à la veille concurrentielle. Si Schick ne s'était pas préoccupée du lancement du Mach3, peut-être n'aurait-elle jamais créé le Quattro.

Même si tous s'entendent pour dire que la veille concurrentielle est essentielle de nos jours, certaines méthodes sont examinées à la loupe en raison de leurs implications éthiques ou légales. Revenons sur l'exemple de l'affrontement entre les marques Gillette et Schick.

Quelques heures seulement après le lancement du Quattro, Gillette intentait un procès à Schick pour contrefaçon de brevet en affirmant que le Quattro violait le brevet déposé sur la technologie du Mach3[15]. Pour présenter une requête aussi rapidement, Gillette devait être au courant du lancement du Quattro avant même qu'il ait lieu, mais la véritable question, qui porte sur l'éthique, est la suivante : comment Gillette a-t-elle appris le lancement du Quattro ? Dans le dossier remis à la Cour deux semaines après le dépôt de sa requête, Gillette a affirmé qu'un « ingénieur de l'entreprise partageait les résultats de ses analyses portant sur 10 cartouches du rasoir Quattro obtenues auprès de l'entreprise ». Shick a donc demandé à Gillette comment elle était parvenue à obtenir ses cartouches avant même que le rasoir soit lancé sur le marché, une question d'éthique

Qui a copié qui ? Gillette et Schick ont toutes deux lancé un rasoir semblable pratiquement au même moment.

justifiée. Il semble que cette question n'ait pas eu beaucoup d'influence sur l'issue de la requête, car la Cour d'appel des États-Unis a jugé que le brevet de Gillette pouvait s'appliquer aux rasoirs à quatre et même à cinq lames, qu'il ne se limitait pas au nombre de lames du Mach3[16]. Depuis cette décision de la Cour, Gillette et Shick continuent de se livrer à une concurrence féroce. En effet, Gillette a lancé le Fusion en deux versions, manuelle et à piles, en plus de surenchérir sur le Quattro en ajoutant une cinquième lame à ce modèle. Schick, en prévision du lancement du Fusion, a créé trois versions du Quattro de styles différents – le Chrome, le Midnight et le Power – afin d'attirer les hommes en misant sur l'esthétique du produit[17].

Voici un autre exemple d'abus de la veille concurrentielle: le dossier Air Canada contre WestJet. Dans ce cas, Air Canada a accusé les dirigeants de WestJet d'avoir utilisé le mot de passe d'un ancien employé d'Air Canada pour accéder à son site Web et télécharger des renseignements confidentiels de celui-ci. WestJet a alors poursuivi Air Canada à son tour, alléguant que celle-ci avait engagé un détective privé qui aurait fouillé le bac de recyclage d'un cadre de WestJet, à son domicile. Au cours du procès, WestJet a assumé la responsabilité des gestes inacceptables qu'elle avait posés, lesquels allaient à l'encontre de l'éthique. Mais le pire, c'est probablement que les hauts dirigeants de WestJet étaient au courant de tout et qu'ils n'ont rien fait pour que cela cesse, jusqu'à ce qu'Air Canada découvre le pot aux roses. WestJet s'est excusée auprès de son concurrent et de Robert Milton, un cadre supérieur d'Air Canada. Elle a été condamnée à verser 5 millions de dollars à Air Canada pour ses frais d'enquête et de justice ainsi que 10 millions de dollars à des œuvres de charité pour la cause des enfants au nom des deux compagnies aériennes[18].

Les partenaires d'affaires

Rares sont les entreprises qui agissent seules. Par exemple, les constructeurs automobiles font affaire avec divers syndicats, compagnies de transport, concessionnaires et avec différents fournisseurs à qui ils achètent de la tôle, des pneus et des pièces, en vue de commercialiser avec succès leurs voitures. Même les entreprises comme Dell, qui fabrique elle-même ses ordinateurs avant de les vendre aux consommateurs, doivent avoir recours à des fournisseurs, à des services de conseil en gestion, à des services publicitaires ainsi qu'à des compagnies de transport. Les parties qui travaillent de concert avec l'entreprise principale sont considérées comme ses partenaires.

Penchons-nous sur le rôle que jouent ces partenaires et sur la façon dont ils travaillent avec l'entreprise principale en vue de créer un système de production efficace.

Nau fabrique des vêtements de plein air et de ski à partir de sources renouvelables, comme le maïs, et de matériaux recyclés, comme les bouteilles de plastique.

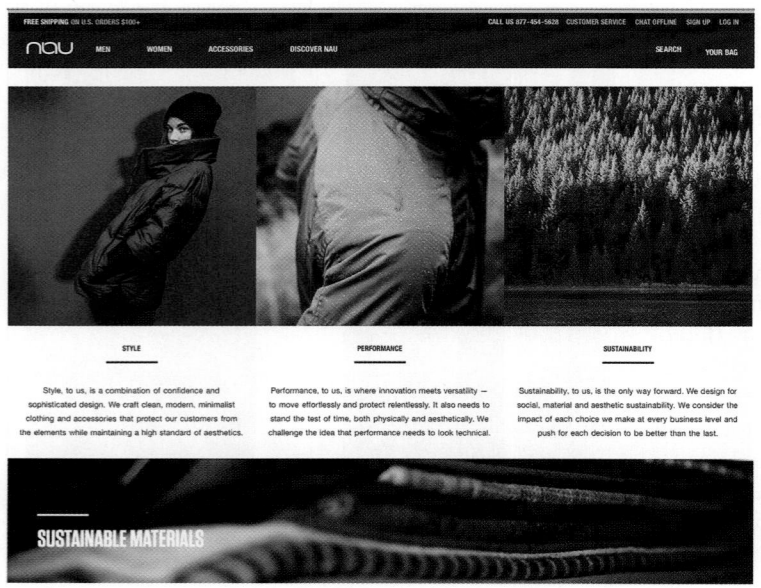

Au contraire de la plupart des fabricants de vêtements de plein air qui utilisent des tissus synthétiques provenant de sources non renouvelables, Nau fabrique des vêtements de plein air et de ski à partir de sources renouvelables, comme le maïs, et de matériaux recyclés, comme les bouteilles de plastique. L'entreprise a été fondée par une équipe d'entrepreneurs qui ont quitté des entreprises comme Nike et Patagonia. Pour créer des vêtements beaux et solides à partir de matériaux durables, ces créateurs ont fait appel à des partenaires du monde entier afin de développer de nouveaux tissus tels que le PLA ou acide polylactique, un polymère biodégradable et respirant dérivé du maïs. Pour compléter ces nouveaux tissus, l'entreprise utilise uniquement du coton biologique et de la laine biologique issue de «moutons heureux » élevés par des partenaires qui utilisent des pratiques respectueuses des animaux. Par conséquent, non seulement Nau se situe-t-elle à la fine pointe de la durabilité et de l'écologie, mais elle démontre aussi clairement que le « virage écologique » peut inciter les entreprises à travailler plus étroitement avec leurs partenaires pour innover[19].

Les facteurs relatifs au macroenvironnement

OA **3**

En plus de comprendre les besoins de ses clients, de l'entreprise et de ses partenaires d'affaires, le gestionnaire marketing doit comprendre le **macroenvironnement**, soit le milieu externe dans lequel l'entreprise évolue, qui est composé de la culture, de la démographie, des tendances sociales, des percées technologiques, de la conjoncture économique et des facteurs politiques et juridiques (ou CDSTEP), comme l'illustre la figure 4.3.

La culture

OA **4**

De façon générale, la **culture** est l'ensemble des valeurs, des croyances, des mœurs et des coutumes communes à un groupe d'individus et qui se transmettent de génération en génération[20]. Transmise par le langage, la littérature et les institutions, la culture passe de génération en génération et constitue un apprentissage qui s'acquiert avec le temps. Nous prenons tous part à plusieurs cultures. Ainsi, votre famille honore peut-être certaines traditions issues de son héritage culturel en mangeant entre autres des rugelachs, une pâtisserie juive traditionnelle, ou en partageant un plat de bœuf salé au chou à la Saint-Patrick pour célébrer son héritage irlandais. La culture valorisée à l'école ou au travail est propre à chaque institution. Dans un sens plus large, nous participons également à la culture de notre ville et de notre pays.

Le gestionnaire marketing doit savoir s'il est possible de miser sur la culture pour attirer l'attention d'un groupe que pourraient intéresser les produits et les services qu'il propose. Les cultures auxquelles nous appartenons exercent une influence sur les biens que nous achetons de même que sur les conditions (les motifs, la manière, le lieu et le moment) dans lesquelles nous les achetons. Le gestionnaire marketing doit garder en tête les deux dimensions de la culture lorsqu'il élabore ses stratégies de marketing, soit la culture nationale et celle propre à une région.

macroenvironnement (*macroenvironmental factors*) Aspects de l'environnement extérieur qui exercent une influence sur l'entreprise. Ils comprennent notamment la culture, la démographie, les tendances sociales, les percées technologiques, l'économie et les facteurs relatifs à la politique et aux juridictions.

culture (*culture*) Ensemble des valeurs, des croyances, des mœurs et des coutumes communes à un groupe d'individus et qui se transmettent de génération en génération ; il y a deux niveaux culturels : ce qui est perceptible (p. ex., le comportement, l'habillement, les symboles, les particularités physiques, les rites) et les valeurs sous-jacentes (p. ex., la façon de penser, les croyances et les impressions).

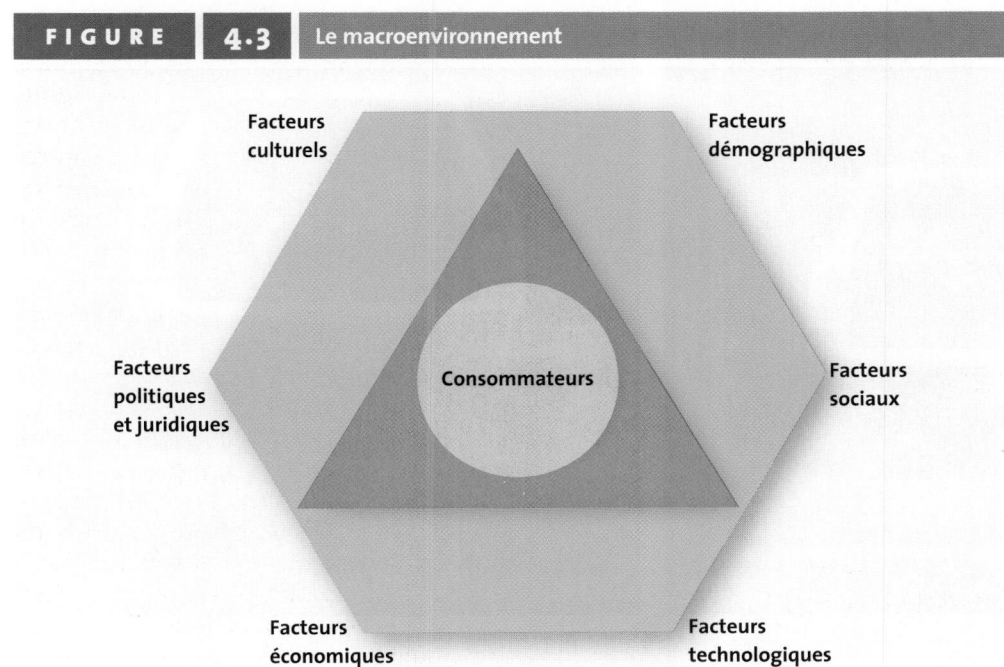

FIGURE **4.3** **Le macroenvironnement**

Facteurs culturels

Facteurs démographiques

Facteurs politiques et juridiques

Consommateurs

Facteurs sociaux

Facteurs économiques

Facteurs technologiques

*Certaines entreprises,
comme BMW pour sa
MINI Cooper, ont comblé
avec succès le fossé
culturel en lançant une
campagne publicitaire
faisant appel au même
marché cible dans
divers pays.*

La culture nationale

Les caractéristiques perceptibles d'une **culture nationale** – les objets, les comportements, l'habillement, les symboles, les traits, les rites, la langue, les particularités culinaires et celles relatives aux couleurs, etc. – sont faciles à reconnaître. Mais il y a certains aspects qui sont plus subtils. BMW et sa MINI Cooper de même que d'autres fabricants mondiaux d'automobiles ont comblé avec succès le fossé culturel en lançant une campagne publicitaire faisant appel au même marché cible dans divers pays. Les images et le texte sont les mêmes, seul le slogan change.

Les sous-cultures régionales

La région où vit une population influe sur la manière dont celle-ci répond à divers rituels culturels et même sur la façon dont elle se sent concernée par une certaine catégorie de produits. Ainsi, en tant que résident du Québec, vous avez 25 % moins de chances d'acheter un mets préparé ou un mets à réchauffer qu'un résident de l'Ontario. Cela s'explique par le désir des Québécois de cuisiner. De même, les Québécois sont moins sensibles au prix que les Ontariens. C'est probablement la raison pour laquelle au Québec les supermarchés les plus populaires sont IGA et Metro, alors qu'en Ontario il s'agit de No Frills et de Food Basics[21]. De telles différences sont autant d'indices qui permettent au gestionnaire marketing d'établir un lien étroit avec les consommateurs au lieu de s'adresser à tous les Canadiens de la même façon.

Voici un autre exemple de différence liée à une sous-culture : la manière dont on parle des boissons gazeuses. En effet, 37 % des Canadiens anglais parlent de « soda » lorsqu'il est question de boissons gazeuses, alors que 40 % d'entre eux utilisent le mot « pop » et 17 % disent « Coke », même s'il s'agit d'un cola de marque

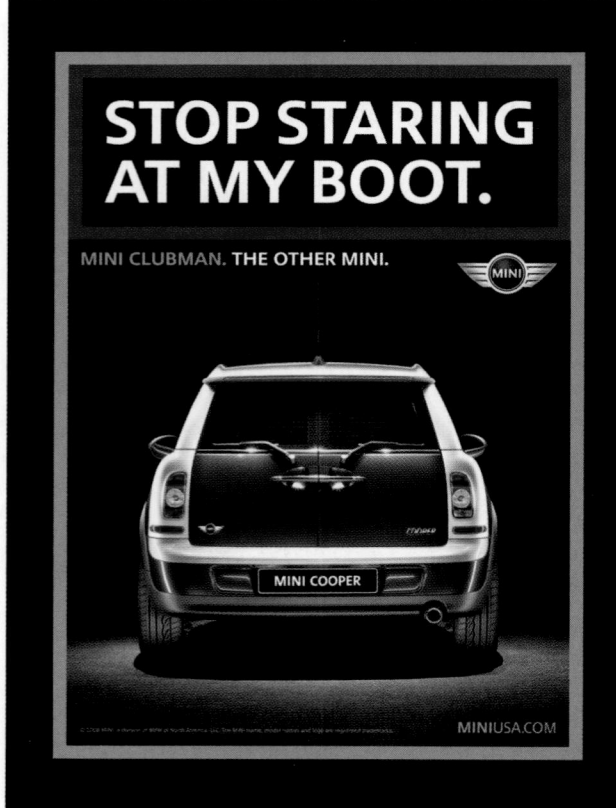

Pepsi. Si vous dînez en Colombie-Britannique, vous n'aurez aucun problème à être compris si vous demandez du «pop», mais au Québec, vous feriez mieux de commander une «liqueur». Imaginez un peu à quel point il est complexe pour les gestionnaires marketing de concevoir du matériel promotionnel qui transcende ces frontières régionales[22]!

Les données démographiques

Les **données démographiques** portent sur la population et sur les groupes sociaux, particulièrement celles qui caractérisent les divers marchés de consommation. Les éléments démographiques les plus courants sont l'âge – qui comprend les cohortes générationnelles –, le sexe, l'origine ethnique, le revenu et le niveau de scolarité. Ces données sont facilement accessibles par l'entremise d'agences spécialisées en études de marché, comme Nielsen, Ipsos Canada, Léger et Statistique Canada. Par exemple, Nielsen recueille des renseignements sur les téléspectateurs en vue de les revendre aux divers réseaux et annonceurs potentiels. Par la suite, les réseaux se servent des renseignements qu'ils se sont procurés pour fixer leurs frais publicitaires, et les annonceurs, pour choisir les émissions les plus intéressantes afin d'y placer leurs publicités. Ainsi, un réseau qui présente une émission populaire auprès du groupe fort convoité des 18 à 35 ans peut exiger des frais publicitaires très élevés. Toutefois, il se peut que les annonceurs veuillent savoir si l'émission en question est plus populaire auprès des femmes ou des hommes, des habitants de la ville ou de ceux de la campagne. Les données démographiques représentent donc un portrait «instantané» du consommateur type d'un marché cible en particulier.

Dans les paragraphes qui suivent, il sera question de la façon dont les entreprises se servent des données démographiques pour évaluer les besoins des consommateurs et ainsi se positionner en vue d'accroître la valeur des produits et des services les plus recherchés.

Les cohortes générationnelles

Une **cohorte générationnelle** est un groupe d'individus d'une même génération, qui ont généralement les mêmes habitudes de consommation, car ils ont vécu les mêmes expériences et sont rendus à la même étape de leur vie. Par exemple, les *baby-boomers* (les personnes nées après la Seconde Guerre mondiale, entre les années 1946 et 1964) et les individus de la génération X (ceux nés entre 1965 et 1976) sont deux groupes attirés par les produits et les services orientés vers un mode de vie plutôt confortable. Toutefois, ils le sont pour des raisons différentes[23]. En effet, les *baby-boomers* vieillissants ont toujours porté des jeans et des pantalons décontractés et sont à l'origine d'une plus grande liberté vestimentaire au travail. En quelque sorte, ils veulent paraître plus jeunes. Les membres de la génération X, quant à eux, portent ces vêtements parce qu'ils ne se sentent pas interpellés par les symboles de la consommation ostentatoire auxquels leurs parents se sont attachés. Finalement, la notion de «cohorte générationnelle» est complexe, en bonne partie parce qu'il existe de nombreuses manières de définir ces cohortes. On peut en effet les définir selon la date de naissance des individus qui la composent, soit selon l'âge qu'ils ont aujourd'hui. Par exemple, les aînés correspondent aux personnes âgées de 65 ans et plus, ce qui inclut désormais une partie des *baby-boomers*, qui, eux, sont nés entre 1946 et 1964. Bien qu'il existe de nombreuses cohortes possibles, nous nous intéresserons à cinq d'entre elles qui nous ont paru les plus intéressantes: les préadolescents, la génération Y, la génération X, les *baby-boomers* et les aînés.

données démographiques (*demographics*)
Données dénombrables portant sur la population et sur les groupes sociaux, particulièrement celles qui caractérisent les divers marchés de consommation (p. ex., âge, sexe, origine ethnique, revenu, niveau de scolarité).

Les gestionnaires marketing positionnent leurs produits et leurs services différemment selon la cohorte générationnelle ciblée.

cohorte générationnelle (*generational cohort*)
Groupe d'individus d'une même génération, qui ont ordinairement les mêmes habitudes de consommation, car ils ont vécu les mêmes expériences et sont rendus à la même étape de leur vie.

préadolescents (*tweens*)
Individus nés entre 2003 et 2006 ; ce ne sont ni des enfants ni des adolescents. L'appellation anglaise provient du fait qu'un *tween* n'est plus un enfant, mais il n'est pas encore *teen* (adolescent, à partir de 13 ans – *thirteen*). Il est *between* (entre les deux), qui devient *be tween* (être *tween*).

Les préadolescents (*tweens*)   Les préadolescents ne sont ni des enfants ni des adolescents, ils se trouvent entre les deux, d'où leur nom anglais de *tweens*, pour *in between*. L'importance particulière que revêt cette cohorte générationnelle aux yeux des gestionnaires marketing vient du fait que les préadolescents ont un pouvoir d'achat immense, lequel est estimé à 2,9 milliards de dollars par an au Canada et à 260 milliards aux États-Unis[24]. Les préadolescents influencent aussi les achats effectués par leurs parents à hauteur de 20 milliards de dollars annuellement. Les gestionnaires marketing ressentent leur influence dans de nombreux domaines, mais en particulier dans celui du téléphone cellulaire. Les préadolescents raffolent d'outils technologiques comme la navigation sur Internet, la gestion de photos et de vidéos de même que les textos. Bien que les fabricants de téléphones intelligents aient toujours ciblé les gens d'affaires, ils reconnaissent aujourd'hui l'énorme marché que représente le segment des préadolescents lorsqu'ils conçoivent les caractéristiques de ces produits.

Au Canada, les préadolescents dépensent leur argent principalement pour se procurer des aliments et des boissons, des appareils électroniques (consoles et jeux vidéo, baladeurs numériques, téléphones cellulaires et ordinateurs) ainsi que des vêtements. Ils sont au fait des nouveaux produits grâce à la télévision et à leurs amis. En outre, même si les préadolescents se réjouissent de l'attention que leur accordent les gestionnaires marketing, ils composent une cohorte générationnelle qu'il n'est pas facile d'intéresser. Trois préadolescents sur quatre prennent les décisions d'achat conjointement avec leurs parents[25]. Aussi, les préadolescents sont réputés prompts ; ils font tout à la vitesse de l'éclair[26]. Il s'agit de la première génération née après l'apparition d'Internet ; c'est d'ailleurs la raison pour laquelle la technologie n'a pas de secret pour elle. En effet, les préadolescents sont capables, simultanément, de communiquer avec leurs amis par messagerie instantanée, de parler au cellulaire et de regarder la télévision. Les gestionnaires marketing arrivent à atteindre cette cohorte surtout par l'entremise de la télévision et d'Internet, mais étant donné que les parents limitent le nombre d'heures que leurs enfants passent devant la télévision, Internet reste pour eux le choix le plus avantageux. Par contre, les gestionnaires marketing doivent se montrer prudents : si les préadolescents s'ennuient, c'est peine perdue, car ils changent d'activité immédiatement. Les entreprises doivent donc les rejoindre rapidement et faire preuve de sincérité. Bon nombre d'entre elles, notamment McCain, avec ses pizzas surgelées, et Sony, avec la console PlayStation, sont parvenues à concevoir des campagnes médiatiques novatrices qui leur ont permis d'attirer l'attention des préadolescents.

Les préadolescents sont rapides, font plusieurs tâches à la fois, savent tout de la technologie et s'ennuient facilement.

Peut-être vous demandez-vous quels sont les goûts de cette génération de préadolescents. En alimentation, ils sont attirés par des produits comme le ketchup Heinz et les Tubes de Yoplait. Pour ce qui est des jouets et des vêtements, les préadolescents sont responsables des succès phénoménaux de Build-A-Bear[MD] Workshop, des bijoux Claire's ainsi que des vêtements et des accessoires Justice de la compagnie Tween Brands. Toutefois, étant donné que les préadolescents ont peu d'argent qui leur appartienne en propre, ils connaissent sa valeur, ce qui en fait des cibles de choix pour les détaillants comme Gap, Hollister, American Eagle Outfitters et Old Navy.

génération Y
(*generation Y*)
Génération des individus nés entre 1977 et 1995 ; génération la plus imposante depuis l'explosion démographique de l'après-guerre.

La génération Y   La génération Y, également appelée « écho-boom », représente sept millions de Canadiens, soit environ 21 % de la population canadienne[27]. Il s'agit de la cohorte générationnelle dont l'âge des individus qui la composent varie le plus, allant des adolescents aux jeunes adultes qui ont fondé une famille[28]. Les membres de la génération Y ont grandi à une époque soumise davantage aux médias et plus axée sur les grandes marques que leurs parents. C'est pourquoi ils doutent des messages lancés dans les médias, ce qui en fait une génération encore plus difficile à atteindre. Si un « Y » trouve que la vente d'un produit est trop pressante, il ne se procurera pas le produit en question. Aussi, peu importe où ils vivent, les individus appartenant à cette génération regardent la télévision une heure de moins par jour que le foyer moyen, sont d'accord avec l'utilisation d'Internet à des fins personnelles au travail et veulent se voir offrir un choix santé dans un restaurant rapide[29]. Internet et la technologie n'ont plus de secrets pour la génération Y, friande d'électronique numérique comme les téléphones cellulaires, les baladeurs et appareils photo numériques ainsi que les jeux vidéo. Au cours des 10 prochaines années, nombre d'individus issus de la génération Y vont fonder une famille, ce qui en fait des cibles parfaites pour la vente de maisons et de biens ménagers durables comme les électroménagers, le mobilier de même que l'équipement et les outils de jardinage.

Pour la génération Y, l'exécution simultanée de plusieurs tâches n'a rien de bien impressionnant.

De plus, maintenant que la génération Y arrive sur le marché du travail, il devient clair que ses membres n'ont pas les mêmes attentes ni les mêmes exigences que ceux des cohortes précédentes. La génération Y attache une grande importance à la conciliation travail-famille ; ces jeunes adultes aspirent à trouver un emploi intéressant, mais ils veulent aussi vivre dans un lieu conforme à leur mode de vie.

Le tableau 4.1 présente une intéressante comparaison entre les *baby-boomers* et leurs enfants, issus des générations X et Y.

La génération X Vient ensuite la **génération X**, qui comprend les individus nés entre 1965 et 1976. Cette cohorte représente environ 14 % de la population, soit près de cinq millions de Canadiens[30]. Très différents de leurs parents *baby-boomers*, les « X » ont constitué la première génération d'enfants ayant la « clé au cou », c'est-à-dire des enfants dont les deux parents travaillaient. En grandissant pendant

génération X
(*generation X*)
Génération des individus nés entre 1965 et 1976.

TABLEAU	4.1	Une comparaison des diverses cohortes générationnelles	
Baby-boomers		Génération X	Génération Y
Font de la diversité leur principale cause		Accepte la diversité	Célèbre la diversité
Sont idéalistes		Est pragmatique et désabusée	Est optimiste et réaliste
Sont enclins aux mouvements de masse		Est autosuffisante et individualiste	Se réinvente et est individualiste
Se conforment aux règles		Refuse de suivre les règles	Réécrit les règles
Privilégient l'excellence au travail		Privilégie l'excellence dans la vie	Privilégie l'excellence liée au mode de vie
Sont devenus des institutions		Se méfie des institutions	Trouve inutiles les institutions
Ont grandi avec la télévision		A grandi avec l'ordinateur	A grandi avec Internet
Possèdent des éléments de technologie		Se sert de la technologie	Tient la technologie pour acquise
Exécutent une tâche à la fois		Exécute plusieurs tâches à la fois	Exécute avec aisance plusieurs tâches à la fois
Ont des liens étroits avec les autres *baby-boomers*		A des liens étroits avec les amis plutôt qu'avec la famille	A des liens étroits avec les amis et la famille

une récession, ils risquaient davantage que les générations précédentes de se retrouver sans emploi, d'atteindre un niveau d'endettement élevé et de vivre plus longtemps avec leurs parents que les *baby-boomers*, qui, lorsqu'ils étaient jeunes, étaient impatients de quitter le nid familial pour voyager et s'éloigner de leurs parents[31].

Les membres de la génération X détiennent un très gros pouvoir d'achat, car ils ont tendance à se marier et à s'acheter une maison à un âge plus avancé que les générations précédentes. Ces individus accordent une importance nettement moins grande au magasinage que leurs parents et sont bien plus désabusés, ce qui en fait des acheteurs avisés. La génération X recherche ce qui est pratique. Elle est sceptique face aux messages publicitaires et au discours des vendeurs. Il est difficile de vendre un produit ou un service aux membres de la génération X, mais si le bouche-à-oreille des proches en qui ils ont confiance est positif, cela peut donner suffisamment de crédibilité à une entreprise pour qu'elle cible cette cohorte générationnelle.

Issus de familles dont les deux parents étaient sur le marché du travail et qui avaient donc peu de temps à allouer aux achats, les « X » ont compris très jeunes de quoi il retourne et ont su prendre des décisions d'achat éclairées dès l'adolescence. Résultat : ils en savent davantage sur les produits et sont plus prudents que les autres cohortes générationnelles. Aussi, la génération X s'intéresse moins aux produits de prestige que les générations antérieures, non pas parce qu'elle n'a pas les moyens de se les procurer, mais parce qu'elle n'en voit pas l'intérêt. Finalement, de nombreuses entreprises, comme Harley-Davidson et la chaîne hôtelière Starwood, ont conçu des produits spécialement pour cette génération.

Les *baby-boomers*   Après la Seconde Guerre mondiale, le taux de natalité a grimpé en flèche, ce qui a donné lieu à un groupe d'individus connus sous le nom de ***baby-boomers***, nés entre 1946 et 1964. Ils forment la plus importante cohorte de Canadiens et représentent 30 % de la population.

baby-boomers
(*baby-boomers*)
Cohorte démographique née après la Seconde Guerre mondiale, soit entre 1946 et 1964.

Même si cette cohorte couvre une période de natalité de 18 ans, les spécialistes s'entendent sur le fait que les individus nés au cours de cette période ont plusieurs traits en commun, traits qui les distinguent de la cohorte générationnelle née avant la guerre. Premièrement, ils sont individualistes. Deuxièmement, ils accordent une grande importance aux loisirs. Troisièmement, ils considèrent qu'ils seront toujours en mesure de prendre soin d'eux-mêmes, ce qui se manifeste en partie par leur sentiment de sécurité économique, malgré le fait qu'ils soient quelque peu imprudents quant à la façon dont ils dépensent leur argent. Quatrièmement, ils veulent à tout prix rester jeunes. Et cinquièmement, les *baby-boomers* auront toujours un faible pour le rock.

Leur obsession de la jeunesse, en ce qui concerne aussi bien l'attitude que l'apparence, donne lieu à un marché florissant. En effet, les *baby-boomers* dépensent 30 milliards de dollars chaque année pour des produits antivieillissement. Ils ont ainsi stimulé l'activité de nombreuses entreprises, de l'alimentation aux cosmétiques en passant par le secteur pharmaceutique et les biotechnologies[32]. Les soins de beauté donnés dans les salons s'adressaient autrefois à une clientèle uniquement féminine. Cependant, sachant que, chaque minute, sept *baby-boomers* atteignent les 50 ans, bon nombre de fournisseurs se rendent compte des avantages qu'il y a à se repositionner et à se lancer dans le domaine du rajeunissement. De plus en plus d'hommes se font plaisir en s'offrant des soins de beauté, notamment la manucure, le traitement facial et la pédicure, ce qui était impensable pour les

Peu importe leur âge, les baby-boomers auront toujours un faible pour le rock.

générations précédentes. En outre, bien des *baby-boomers,* même les plus vieux, se promènent en voiture sport et font du tourisme d'aventure.

Les aînés   Les personnes âgées, soit les personnes ayant 65 ans et plus, représentent la cohorte générationnelle qui connaît la croissance la plus rapide au Canada[33]. De 1981 à 2006, le nombre d'**aînés** est passé de 2,4 millions à 4,3 millions (de 9,6 % à 13,7 % de la population)[34]. De plus, 56 % des aînés sont des femmes. Selon Statistique Canada, au cours des années 2006 à 2026, le nombre de personnes âgées devrait passer de 4,3 millions à 8 millions pour atteindre 21,2 % de la population canadienne. Si les personnes âgées constituent un grand marché, cela signifie-t-il nécessairement qu'elles représentent un marché cible important ? D'un côté, les aînés sont plus susceptibles de se plaindre, de nécessiter une attention particulière et de prendre davantage de temps avant de faire un achat, comparativement aux cohortes générationnelles plus jeunes. D'un autre côté, ces personnes ont le temps de magasiner et elles ont de l'argent à dépenser.

Autrefois, les aînés étaient des personnes très prudentes avec leurs économies, parce qu'elles souhaitaient léguer quelque chose à leurs enfants. Il semblerait toutefois que cette tendance soit à la baisse. Peut-être avez-vous déjà aperçu une voiture portant un autocollant « Je dépense l'héritage de mes enfants »[35] ? Ainsi, de nos jours, les aînés effectueraient autant d'achats que les générations plus jeunes. Mais quels types de dépenses font-ils ? Le plus souvent, les aînés se procurent des voyages, des résidences secondaires, des voitures de luxe, des appareils électroniques, des placements, du mobilier et des vêtements. Par exemple, en près de 10 ans, l'utilisation d'Internet par les aînés a plus que quadruplé, passant de 16 % en 2000 à 66 % en 2010[36]. Les aînés utilisent Internet pour envoyer des courriels (90 %), chercher des renseignements sur les voyages, réserver billets d'avion et hôtels (59 %), consulter la météo (56 %) et faire des transactions bancaires (40 %). Bien que 54 % des aînés utilisent Internet pour trouver des renseignements, seuls 26 % d'entre eux s'adonnent au commerce électronique, c'est-à-dire passent des commandes en ligne.

Par ailleurs, les aînés préfèrent les articles fabriqués au Canada et les marques connues (mais, en général, ils n'apprécient pas les objets griffés), les articles de valeur, la qualité et l'allure classique. D'habitude, ils sont loyaux et prêts à payer cher, mais ils sont très soucieux de la qualité du produit et n'aiment pas quand le magasinage est compliqué, se montrant à cet égard sensibles à l'emplacement des boutiques. Étant donné que la plupart des aînés n'ont pas besoin des produits de base, ils préfèrent acheter quelques articles de qualité supérieure plutôt que plusieurs articles d'une qualité inférieure[37].

aînés *(seniors)*
Individus âgés de 65 ans et plus. Au Canada, les aînés représentent la cohorte générationnelle qui connaît la croissance la plus rapide.

Le revenu

En 2012, le revenu familial médian, après impôts, au Canada s'élevait à environ 74 540 $[38]. Il est possible de diviser la population canadienne en plusieurs groupes selon leur revenu ou selon d'autres facteurs comme le milieu dans lequel un individu évolue, son niveau de scolarité ou sa profession (classe supérieure, classe moyenne, classe ouvrière ou à faible revenu, et classe inférieure au seuil de pauvreté ou sous celui-ci). Les consommateurs qui appartiennent à la classe supérieure sont nantis et leurs habitudes de dépenses sont peu influencées par la conjoncture économique. Leur revenu discrétionnaire est élevé et ils sont portés à se procurer des biens de luxe. Habituellement, le revenu familial de la classe supérieure dépasse les 80 400 $ par an. Ces individus ont plus de chances d'avoir fait des études supérieures et de se trouver un poste de cadre que ceux des autres classes. Quant aux familles de la classe moyenne, elles ont un revenu annuel qui se situe entre 30 000 $ et 70 000 $, la majorité étant plus près de la limite supérieure de cette tranche de revenus. Elles vivent à l'aise la plupart du temps, mais dépensent prudemment et sont souvent soucieuses du rapport qualité/prix. On considère que 38 % des ménages canadiens appartiennent à la classe moyenne.

Les clients de Hammacher Schlemmer font tout leur possible pour se procurer des jouets inusités comme la voiture à pile à combustible miniature.

Les familles de la classe ouvrière, qui comprennent les familles à faible revenu, gagnent entre 20 000 $ et 30 000 $ annuellement, ce qui est à peine suffisant pour répondre aux besoins fondamentaux des ménages. De leur côté, les ménages de la classe inférieure gagnent moins de 20 000 $ et ont souvent besoin d'une aide financière afin de répondre à leurs besoins essentiels. On estime que 15 % des ménages canadiens appartiennent aux classes ouvrières ou inférieures. Selon un rapport publié par le Centre canadien de politiques alternatives, les Canadiens les plus riches, qui représentent 20 % de la population, dépensent six ou sept fois plus dans chaque catégorie d'achat que les Canadiens les plus pauvres, soit 20 % de la population[39]. En outre, la répartition du revenu au Canada varie selon la province, le niveau de scolarité, le sexe et la profession de ses habitants. Ce grand éventail de revenus crée de nombreuses occasions sur le plan du marketing, tant pour les couches supérieures que pour les couches inférieures du marché.

Alors que certaines entreprises ne ciblent que les segments les plus riches de la population, d'autres ont remporté un franc succès en visant les classes dont le revenu est moyen ou faible. Comparons, par exemple, les jouets offerts par le détaillant spécialisé Hammacher Schlemmer avec la politique des bas prix de Walmart. Les acheteurs de jouets de Walmart cherchent des produits peu coûteux, tandis que ceux de Hammacher Schlemmer sont particulièrement attirés par des jouets inusités comme la voiture à pile à combustible miniature illustrée ci-dessus[40].

Il existe un autre élément relatif au revenu : le concept de rapport qualité/prix. Pourquoi les consommateurs d'aujourd'hui sont-ils plus soucieux du rapport qualité/prix que leurs prédécesseurs ? Au cours des 30 années qui ont suivi la Seconde Guerre mondiale, la plupart des familles ont connu une croissance marquée de leur revenu, mais entre 1980 et 2005, cette croissance a commencé à ralentir. Au cours de cette période, le revenu médian des ménages les plus riches, soit 20 % de la population, a connu une augmentation de 16,4 %. À l'inverse, le revenu médian des ménages les plus pauvres, soit 20 % de la population, a chuté de 20,6 %. Les familles se trouvant au centre, qui représentent également 20 % de la population, en sont restées au même point avec une augmentation de seulement 0,1 %[41]. En 2010, les familles les plus riches avaient, en moyenne, un revenu environ 10 fois plus élevé que les familles les plus pauvres.

Le niveau de scolarité

Des études ont démontré que plus le niveau de scolarité est élevé, meilleurs sont le poste obtenu et le revenu[42]. En outre, le revenu annuel moyen aussi est plus élevé chez les personnes qui possèdent un diplôme. Par exemple, 60 % des Canadiens qui n'ont qu'un diplôme d'études secondaires gagnent moins de 20 000 $ par an et 60 % de ceux qui ont un diplôme universitaire ont un salaire de plus de 80 000 $ par an. En 2007, le revenu annuel moyen des Canadiens titulaires d'un baccalauréat s'élevait à 45 000 $, d'une maîtrise, à 60 000 $, et d'un doctorat, à 65 000 $. Les Canadiens détenant un diplôme d'études collégiales gagnaient en moyenne 35 000 $ et ceux qui n'avaient pas commencé ou terminé des études secondaires gagnaient passablement moins[43]. Dans le cas de certains produits, les gestionnaires marketing peuvent combiner plusieurs facteurs, comme le niveau de scolarité avec la profession et le revenu, afin d'être en mesure de prédire de manière assez juste les comportements d'achat des consommateurs. Ainsi, une personne qui étudie au cégep ou à l'université et qui occupe un emploi à temps partiel n'aura pas un revenu personnel très élevé, mais elle ne dépensera pas son revenu disponible de la même façon, à revenu égal, qu'une personne possédant un diplôme d'études secondaires et ayant un emploi dans une usine. Les étudiants au cégep ou à l'université sortent dans les clubs et sont souvent sportifs, alors que les diplômés du secondaire ont tendance à regarder les sports à la télévision et à sortir dans les bars. Ainsi, les spécialistes du marketing connaissent assez bien le lien qui unit le niveau de scolarité, le revenu et la profession.

De nos jours, les femmes ne sont plus les seules à faire les courses.

Le sexe

Autrefois, les rôles sexuels étaient clairs, mais avec le temps ils sont devenus plus confus. Ce changement d'attitude agit sur la façon dont nombre d'entreprises conçoivent et présentent leurs produits et leurs services. Par exemple, un nombre grandissant d'entreprises font preuve de neutralité pour ce qui est du sexe des personnes au moment du positionnement de leurs produits et tentent le plus souvent possible de transcender les frontières entre les sexes.

Des voitures aux photocopieurs en passant par les chandails et les édulcorants, les femmes prennent la majorité des décisions d'achat et exercent une influence sur la plupart des décisions qu'elles ne prennent pas. Par exemple, malgré l'idée préconçue selon laquelle seuls les hommes aiment aller à la quincaillerie, les femmes ont tellement d'importance pour Rona que le géant de la rénovation a tenu compte d'elles lors de la conception de ses magasins[44]. En outre, les femmes sont à la tête de plus de 20 % des ménages au pays[45]. Il est clair que le segment de marché des travailleuses est vaste, complexe et lucratif. Cela ne signifie pas pour autant que les gestionnaires marketing ont oublié les hommes. L'époque où les annonces publicitaires montraient une mère et ses enfants seuls à la maison est révolue. Pour illustrer les changements qui se sont produits au sein de la famille, les publicités d'articles pour enfants présentent maintenant un père qui interagit avec ses enfants et qui prend des décisions d'achat. Même si l'écart entre le revenu des femmes et celui des hommes est de plus en plus mince, ces derniers continuent de toucher un salaire plus élevé. En effet, en 2008, le salaire moyen des femmes équivalait à 71,3 % de celui des hommes, soit 44 700 $ pour les femmes contre 62 600 $ pour les hommes. Cet écart était beaucoup moins grand pour les femmes âgées de 25 à 29 ans qui entraient sur le marché du travail ; elles gagnaient 15 % de moins que les hommes, soit 85 cents par dollar[46].

L'origine ethnique

Les données de Statistique Canada indiquent que la composition ethnique du pays change depuis 20 ans et continuera de changer au cours des 10 prochaines années. Les études récentes sur le sujet démontrent qu'un Canadien sur cinq n'est pas né au pays, ce qui correspond à près de 70 % de la croissance démographique. Si la tendance se maintient, d'ici 2030, 100 % de la croissance démographique du Canada sera attribuable à l'immigration[47]. Les groupes ethniques issus de l'immigration et dont la croissance est la plus forte sont les Chinois (venant de Hong Kong, de la Chine continentale et de Taiwan) et les Asiatiques du Sud (issus de l'Inde, du Pakistan, du Sri Lanka et du Bangladesh). On estime que le nombre de personnes faisant partie de ces groupes ethniques et minorités visibles s'élèvera à 8,5 millions d'ici 2017, soit 23 % de la population canadienne, en raison de l'immigration et d'un taux de natalité croissant au sein de plusieurs groupes ethniques[48]. Bien des immigrants qui viennent d'arriver au Canada choisissent de s'installer à Montréal, à Toronto ou à Vancouver, mais les villes de Calgary, d'Edmonton, de Winnipeg et de London sont aussi de plus en plus populaires. Généralement, les immigrants qui viennent de la Chine ou de l'Asie du Sud sont jeunes, instruits et nantis. Actuellement, plus

Étant donné que les femmes constituent une part importante de sa clientèle, le géant de la rénovation Rona a tenu compte d'elles lors de la conception de ses magasins.

du quart des Néo-Canadiens sont âgés de moins de 14 ans ; il y a donc beaucoup de chances qu'ils exercent une influence considérable sur l'économie du pays au cours des prochaines années. Finalement, les Asiatiques du Sud constituent le groupe ethnique le plus nombreux en Ontario[49]. Pour le gestionnaire marketing, le nombre croissant de personnes appartenant à des groupes ethniques venant de l'étranger représente à la fois un défi et une occasion d'affaires des plus intéressants.

Il s'agit d'un défi parce que le gestionnaire marketing se doit de comprendre la culture, les valeurs et les habitudes de consommation des divers groupes ethniques en vue de trouver le meilleur moyen d'entrer en communication avec eux et de leur proposer des produits. En effet, le directeur de la création chez Fat Free Communications, une agence de publicité torontoise, a déclaré que la plupart des banques « tiennent compte de la communauté de manière très superficielle, ce qui agace bon nombre de personnes qui appartiennent à cette communauté ». Chris Bhang, vice-président chez Allard Johnson Communications, conseille vivement aux gestionnaires marketing d'« utiliser un langage courant, d'être créatifs et d'être pertinents »[50].

Quant aux occasions d'affaires que présente le nombre croissant de personnes issues de différents groupes ethniques, les chiffres parlent d'eux-mêmes. Effectivement, ces groupes dépenseraient plus de 42 milliards de dollars en biens et en services. En outre, les ménages d'origine chinoise dépenseraient environ 63 500 $ par an, comparativement aux Canadiens dont la moyenne des dépenses se situe aux environs de 58 500 $. En général, les Canadiens d'origine étrangère feraient davantage d'achats coûteux (p. ex., une voiture, des vêtements, du mobilier) que les Canadiens nés au pays. De plus, bon nombre d'entre eux ont un penchant pour les produits de marque, car ils considèrent qu'il s'agit d'un gage de qualité[51].

Sobeys, le géant canadien des produits alimentaires, a reconnu l'énorme potentiel que représente le marché multiethnique et le fait qu'il assurera en grande partie sa croissance future. Dans cette optique, elle a élaboré un nouveau concept de magasins, FreshCo, spécialement adapté aux besoins uniques de sa clientèle ethnique. L'entreprise a d'abord converti en FreshCo certains magasins ontariens Price Chopper situés dans les villes particulièrement diversifiées de Brampton et de Mississauga. Depuis, elle a ouvert des FreshCo à Hamilton, à Oakville et à Brantford, et prévoit en ouvrir d'autres au cours des prochaines années. Mais qu'est-ce qui caractérise le concept FreshCo ? Les FreshCo sont des magasins orientés vers la valeur, qui pratiquent des bas prix comme les magasins No Frills et Food Basics, tout en mettant l'accent sur les produits frais, les viandes halales et les produits de boulangerie préparés quotidiennement par des boulangeries locales (contrairement à la plupart des magasins d'alimentation à rabais) afin de répondre aux demandes de la clientèle ethnique. De plus, l'agencement des magasins est différent. Accueillis par une véritable corne d'abondance de fruits et de légumes frais, les consommateurs passent ensuite aux rayons de la boulangerie et de la boucherie avant d'accéder naturellement à la vaste allée vedette des produits internationaux, qui propose des produits d'Asie, des

Le concept de magasins FreshCo de Sobeys répond particulièrement aux attentes d'une clientèle multiethnique.

Antilles, du Moyen-Orient et d'Europe de l'Est ; ils terminent leur visite par les allées centrales du rayon épicerie[52]. Sobeys s'est aussi engagée à offrir dans chaque magasin FreshCo un assortiment de produits adapté au lieu, ce qui l'amène, entre autres, à s'associer avec des fournisseurs locaux[53]. Le succès de FreshCo dépendra en partie de la mesure dans laquelle les gestionnaires marketing de Sobeys réussiront à amener les consommateurs à délaisser les petites épiceries et les autres magasins ethniques (comme le T&T Supermarket, une chaîne de détaillants de produits alimentaires asiatiques achetée par Loblaw en 2009) vers lesquels la clientèle ethnique se tourne naturellement.

Il ne fait aucun doute que d'autres détaillants de produits alimentaires réagiront afin de demeurer compétitifs. Les détaillants adoptent certaines tactiques afin de s'adapter à la clientèle ethnique telles que : traduire leurs panneaux et leurs dépliants en différentes langues, faire de la publicité dans les médias ciblant les communautés ethniques, célébrer les fêtes culturelles importantes comme le Nouvel An chinois, le ramadan, Aïd el-Fitr et Hanoukka en organisant des événements spéciaux, en offrant des promotions et des produits saisonniers, en vendant des produits ethniques et en s'assurant qu'ils sont correctement mis en marché[54].

Les tendances sociales

OA **5**

De nombreuses tendances sociales façonnent les valeurs des consommateurs du Canada, des États-Unis et de partout ailleurs (*voir la figure 4.4*). Les préoccupations sociales évoluent sans cesse. Les gestionnaires marketing travaillent avec ardeur pour déterminer les tendances émergentes et vérifier si elles présentent des opportunités ou des menaces pour leurs entreprises. Parmi les préoccupations sociales actuelles, nous étudierons celles qui ont pris de l'importance dernièrement et qui comprennent, entre autres, la consommation écologique, le marketing destiné aux enfants, la protection de la vie privée et le manque de temps.

La consommation écologique[55]

L'**écomarketing (ou marketing vert ou marketing durable)** est un effort stratégique d'une entreprise qui consiste à proposer aux consommateurs des produits qui respectent l'environnement. Même si cette tendance « écologique » ne date pas d'hier, elle est aujourd'hui en pleine croissance. Bon nombre de consommateurs soucieux de la qualité de l'air et de l'eau, mais aussi des risques associés à la consommation du bœuf et du saumon, croient fermement que chaque petit geste peut contribuer à changer les choses. Selon une étude, 90 % des Canadiens considèrent que nous

écomarketing (ou marketing vert ou marketing durable) (*green marketing*) Stratégie utilisée par une entreprise et qui consiste à présenter ses produits ou ses services comme avantageux pour l'environnement.

FIGURE 4.4　Les tendances sociales

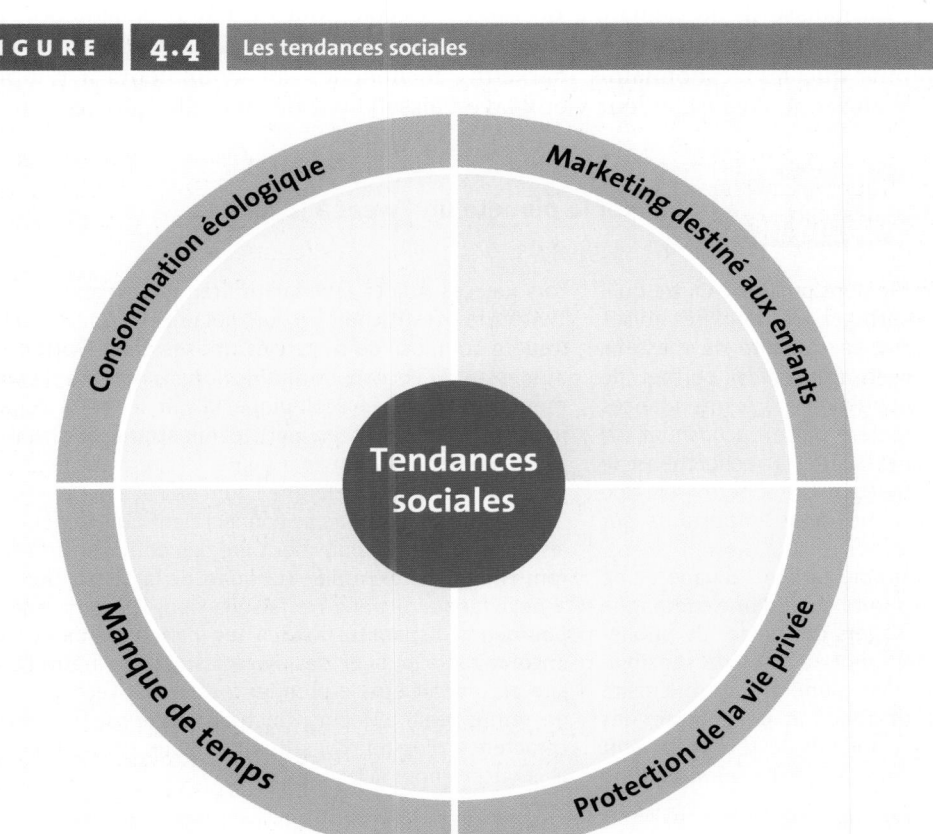

"I guess it is easy being green."

Presenting the 36 mpg Ford Escape Hybrid, the most fuel-efficient SUV on Earth.* How green is that? www.fordvehicles.com

ESCAPE HYBRID   Ford

*Based on Automobil Revue, Transport Canada and US EPA estimated 36 city/31 hwy mpg, FWD. Actual mileage will vary. ©The Muppets Holding Company, LLC. All Rights Reserved.

En raison de leurs préoccupations environnementales et de la hausse du prix de l'essence, les consommateurs demandent de plus en plus aux constructeurs de concevoir des voitures hybrides économiques en essence.

pouvons tous intervenir afin de réduire la pollution de l'air. Par exemple, plus de la moitié des ménages canadiens recyclent maintenant les bouteilles de boissons gazeuses, les boîtes en carton et les journaux. Dans bien des villes du pays, le traitement des pelouses aux pesticides est interdit et nombreux sont les individus qui utilisent des produits de remplacement respectant l'environnement. De plus, un nombre croissant de villes canadiennes ont mis en œuvre un programme de «bacs verts» qui encourage les consommateurs à recycler leurs restes de table et leurs déchets de jardin afin d'en faire du compost. Les premiers résultats indiquent que ce programme connaît un énorme succès partout où il est introduit.

Cette tendance annonce des affaires en or pour les fabricants de produits écologiques, mais elle peut représenter une menace pour ceux qui vendent des produits jugés néfastes pour l'environnement, qui doivent alors innover pour demeurer concurrentiels. Les rubriques Marketing durable présentes dans tout le manuel illustrent de nombreux exemples d'initiatives prises par des citoyens et des entreprises canadiennes pour réduire les effets délétères de leurs décisions en matière de consommation et de production. La rubrique Marketing et médias sociaux ci-dessous décrit comment le zoo de Toronto a utilisé Twitter pour diffuser une information importante sur la protection de l'environnement.

La hausse de la demande de produits écologiques est une bénédiction pour les entreprises spécialisées dans la vente de ces produits. C'est le cas notamment depuis que les gestionnaires marketing incitent les consommateurs à remplacer leur ancienne laveuse et leur vieux lave-vaisselle par des modèles qui économisent

Marketing et médias sociaux — Sauver la planète un *Tweet* à la fois

Twitter est un outil incroyablement puissant. Outre qu'il est un forum idéal pour partager les dernières mises à jour, nouvelles et opinions, sa capacité de mesurer, compter et classer les *Tweets* (gazouillis) permet de surveiller les reportages populaires et les tendances en hausse. L'ajout d'un caractère dièse ou *hashtag* (#) devant chaque commentaire facilite la recherche et le suivi. Cette caractéristique particulière a permis au zoo de Toronto de diffuser des messages importants sur l'environnement.

Reconnu comme un symbole de vie sauvage et de conservation, l'ours polaire a fait l'objet d'une campagne virtuelle demandant aux usagers de Twitter de publier des commentaires sur l'environnement et de sensibiliser le public au réchauffement planétaire. Le microsite PolarTweets.com avait pour fonction de compter les *Tweets* portant sur les ours polaires, le réchauffement planétaire et d'autres thèmes liés à l'environnement.

Lorsque ces sujets revenaient fréquemment sur le fil Twitter, le site affichait un ours polaire en sécurité sur un iceberg composé de mots clés utilisés dans Twitter, loin au-dessus de l'océan. La diminution du nombre de commentaires à portée écologique faisait fondre l'iceberg, mettant ainsi l'ours en péril et illustrant sa situation réelle. En deux semaines à peine, le site avait reçu plus de 2 000 visiteurs et éloigné l'ours de l'océan[56].

Lorsque les visiteurs se connectaient au site pour voir les mises à jour, ils pouvaient lire des données sur l'environnement. Par exemple : «Le quart de la calotte arctique a déjà fondu. Si nous ne faisons rien, les ours polaires pourraient disparaître aussi.» Les visiteurs étaient alors encouragés à publier des *Tweets* sur cette nouvelle. Le site prétendait être le premier à surveiller l'écoactivisme en temps réel[57]. L'iceberg fluctuant composé de mots à caractère écologique constituait aussi un encouragement à «twitter» pour la bonne cause.

l'eau et l'électricité. Et que dire du détersif sans phosphate et des piles rechargeables sans mercure ? L'engouement pour le recyclage a aussi favorisé la création de marchés pour les produits recyclés, notamment les matériaux de construction, les emballages, les articles en papier et même les chandails et les chaussures de sport. Grâce à cette nouvelle conscience écologique, l'utilisation d'électroménagers ainsi que de systèmes d'éclairage, de chauffage et de climatisation écoénergétiques s'est répandue dans les foyers et les bureaux du pays. Les consommateurs qui ont leur santé à cœur continuent de carburer aux aliments biologiques, aux produits nettoyants et d'hygiène corporelle naturels, aux dispositifs de filtration de l'air et de l'eau, à l'eau en bouteille de même qu'aux engrais biologiques. Comme l'explique la rubrique Marketing entrepreneurial ci-dessous, ces produits écologiques gagnent de la valeur par rapport aux autres produits parce qu'ils donnent aux consommateurs une certaine responsabilité à l'égard de l'environnement.

Le marketing destiné aux enfants[58]

Depuis 20 ans, l'obésité infantile a doublé au Canada, provoquant des taux alarmants d'hypertension artérielle, d'hypercholestérolémie, de maladie coronarienne à son premier stade et de diabète de type 2 chez les enfants. En réaction, le Centre pour la science dans l'intérêt public (CSPI) a élaboré un guide du marketing responsable des aliments destinés aux enfants, qui propose d'apporter divers changements à la publicité qui cible les jeunes consommateurs. Le CSPI souligne que les enfants sont très impressionnables et que la plupart des publicités alimentaires qui les concernent mettent en valeur des produits caloriques et peu nutritifs associés à des jouets, à

| Marketing entrepreneurial | **Bullfrog Power saute dans le train vert**[59] |

Les Canadiens sont de plus en plus conscients du fait que leurs décisions d'achat et de consommation ont un impact sur l'environnement. Soucieux de contrer les effets nocifs des produits qu'ils consomment, de nombreux Canadiens réduisent leur empreinte carbone en adhérant à un vaste éventail d'initiatives écologiques. Ils croient que chaque personne peut apporter sa pierre à l'édifice et font leur possible pour réduire la pression qu'ils exercent sur l'environnement.

Tom Heintzman, le président de Bullfrog Power, reconnaît cette tendance sociale croissante. Il tire profit de cette tendance « verte » en offrant aux consommateurs canadiens des solutions énergétiques propres et renouvelables afin de les aider à réduire leur empreinte carbone. Heintzman croit qu'il est important pour les Canadiens de se tourner vers les énergies propres, puisque le Protocole de Kyoto a expiré en 2012 sans que ses objectifs aient été atteints. Devant cette absence de progrès, Heintzman estime que les individus doivent prendre les devants. Il croit que s'il offre aux consommateurs des choix d'énergie verte, ces derniers pourront exercer leur pouvoir unique de changer le monde.

Bullfrog Power, l'entreprise torontoise fondée par Heintzman en 2005, fournit une électricité totalement verte. Née en Ontario, elle a étendu ses opérations et ses services avec succès à la Colombie-Britannique, à l'Alberta, à la Nouvelle-Écosse, au Nouveau-Brunswick et à l'Île-du-Prince-Édouard. Bullfrog Power s'attaque aux enjeux liés aux changements climatiques et aux questions environnementales dont notre société se préoccupe de plus en plus. Au lieu d'exploiter des sources polluantes comme le charbon, le pétrole, les centrales nucléaires et le gaz naturel, l'entreprise utilise l'électricité provenant de ses installations éoliennes et hydroélectriques. Bullfrog Power fait en sorte d'injecter dans le réseau local une quantité d'énergie renouvelable égale à la consommation de ses clients au moyen de ses éoliennes et de ses génératrices écologiques. Cette option signifie que les résidants n'ont pas besoin d'acheter un équipement ou du fil de câblage additionnels pour passer à une source d'énergie plus verte, ce qui est attrayant pour eux, car ils peuvent faire un geste simple pour créer un environnement plus propre.

Les consommateurs embrassent ce changement destiné à favoriser un environnement plus propre même si l'énergie verte est parfois plus onéreuse. En effet, Bullfrog Power est un produit relativement coûteux. L'entreprise cible une tranche de la population instruite et jouissant d'un niveau élevé de revenu qui est, par conséquent, plus consciente des enjeux environnementaux. Ces personnes sont prêtes à payer plus cher pour obtenir des produits conformes à leurs valeurs. Parce qu'elle a compris les tendances sociales actuelles et qu'elle cible des tranches de population précises, Bullfrog Power est en train de refaçonner le paysage énergétique et se pose comme une pionnière du changement en faveur d'une énergie plus verte.

des personnages de bandes dessinées et à des vedettes. Les nouvelles lignes de conduite exigent que les publicitaires annoncent les aliments en portions de taille raisonnable. Ces aliments doivent contenir les nutriments de base et ne renfermer aucun édulcorant, et moins de 30 % de leur apport calorique total doit provenir des graisses. De plus, les publicitaires ne doivent pas diffuser leurs annonces pendant les émissions pour enfants ni associer des aliments malsains à des personnages de bandes dessinées ou à des vedettes. Par exemple, Burger King ne peut plus utiliser la figurine SpongeBob SquarePants pour promouvoir ses hamburgers et ses frites. D'autres organisations comme l'Alliance pour la prévention des maladies chroniques au Canada, des groupes de défense et de promotion de la santé ainsi que des groupes de citoyens travaillent aussi à s'assurer que la publicité destinée aux enfants est appropriée.

La protection de la vie privée

Un nombre croissant de consommateurs venant de tous les coins du monde sentent que leur vie est de moins en moins privée. Si, grâce à Internet, il est maintenant plus facile d'avoir accès aux renseignements personnels des consommateurs, l'amélioration des supports informatiques et de la manipulation de l'information a grandement simplifié les enquêtes de solvabilité. En outre, on rappelle constamment aux consommateurs que leur identité ne leur appartient pas nécessairement, comme le montre avec humour la série d'annonces publicitaires de Citibank, dans laquelle des utilisateurs crédules se font usurper leur identité. Dans l'une de ces annonces, une vieille dame à l'air doux décrit sa nouvelle camionnette d'une voix hors champ grave et masculine. Même si ces publicités visent à promouvoir une nouvelle carte de crédit à l'épreuve du vol d'identité, très peu de consommateurs jouissent d'une telle protection. En avril 2011, Epsilon, une entreprise de marketing de Dallas, au Texas, qui gère les répertoires d'adresses courriels de plus de 2 500 clients et diffuse plus de 40 milliards de courriels par an au nom de ces clients, a rapporté que des pirates informatiques avaient fait intrusion dans son système. Epsilon compte parmi ses clients quelques-unes des plus grosses sociétés américaines implantées dans le monde : AIR MILES, Best Buy, Hilton Hotels, JPMorgan Chase, Citigroup, Capital One, Walgreens, Kroeger, U.S. Bancorp et bien d'autres. Selon les enquêteurs américains, cette atteinte à la protection des données serait l'une des plus importantes de l'histoire des États-Unis[60]. Il n'est donc pas étonnant que plus des trois quarts des Canadiens soient inquiets quant à la confidentialité des renseignements personnels qu'ils transmettent par Internet[61].

Le manque de temps

Les consommateurs qui manquent de temps libre exécutent de multiples tâches simultanément.

Conquérir un marché cible a toujours été un défi de taille, mais, de nos jours, certaines tendances compliquent encore davantage la tâche qui consiste à attirer l'attention du marché en question. D'abord, dans la majorité des familles, les deux parents travaillent et les enfants sont de plus en plus occupés. Par exemple, en 2005, les Canadiens travaillaient en moyenne 8,9 heures par jour, mais 25 % des répondants avouaient accorder plus de 10 heures par jour à leurs fonctions professionnelles. En conséquence, les Canadiens ont moins de temps à consacrer à leurs loisirs ou à leur famille. En 2011, ils ont passé 200 heures de moins avec les membres de leur famille que 20 ans auparavant[62].

Par ailleurs, les consommateurs d'aujourd'hui ont accès à des centaines de spectacles et d'émissions par l'entremise de la télévision, de la radio, des DVD, des téléphones intelligents, des ordinateurs personnels et d'Internet. Comme de nombreux spectacles et émissions sont offerts sur Internet, les consommateurs peuvent choisir le type d'émission qu'ils regarderont ou écoute-ront au moment et à l'endroit qui leur conviennent. En sautant les publicités, ils peuvent regarder une émission d'une heure en 47 minutes environ, ce qui signifie qu'ils manquent tous les mes-sages que les gestionnaires marketing tentent de leur envoyer. En outre, de nombreux consommateurs essaient de régler leur problème de manque de temps par l'exécution de multiples tâches simultanément (p. ex., regarder la télévision ou écouter de la musique en parlant au téléphone ou en faisant des devoirs). Ainsi, il est difficile pour eux de fixer leur attention sur les annonces publicitaires.

Les caisses libre-service accélèrent le magasinage, mais affectent-elles la qualité du service à la clientèle ?

Les gestionnaires marketing doivent donc relever le défi d'attirer l'attention des consommateurs et s'ajuster à eux en investissant autrement. Par exemple, ils peuvent délaisser la publicité dans la presse écrite pour prendre d'assaut les écrans de cinéma, les biscuits chinois, les tapis roulants de retrait des bagages, les panneaux d'affichage et les espaces publicitaires dans les aéroports, sur les taxis, les autobus et autres véhi-cules destinés au transport en commun[63]. Les détaillants font leur part en rendant leurs produits accessibles partout et en tout temps. Ainsi, Sears Canada et La Baie d'Hudson sont maintenant des détaillants multicanaux à part entière depuis qu'ils vendent leurs produits en magasin, par catalogue et sur Internet. D'autres détaillants, comme Metro, Pharmaprix et Walmart, ont choisi de prolonger leurs heures d'ouver-ture afin que leurs clients puissent faire leurs courses après leur journée de travail. De plus, l'automatisation de certains services, comme les caisses libre-service et les com-mandes électroniques, accélère le magasinage tout en offrant aux clients des produits et des renseignements sur les commandes.

Afin de trouver et d'élaborer des moyens de faciliter la vie à de nombreux consommateurs en manque de temps, les gestionnaires marketing se tournent souvent vers la technologie, un autre facteur relatif au macroenvironnement et sujet de la prochaine section.

Les avancées technologiques

Les **avancées technologiques** sont innombrables depuis les dernières décennies, ce qui a considérablement augmenté la valeur des produits et des services proposés aux consommateurs. Le monde a connu de grandes réussites technologiques, comme le téléphone cellulaire – que ce soient iPhone, BlackBerry ou Android –, le lecteur MP3, l'accès à Internet presque partout grâce au WiFi ou encore à la technologie 4G sur les tablettes tactiles, et l'appareil photo numérique. Récemment, les écrans plats, les télé-viseurs à haute définition (TVHD) ainsi que la vidéo sur demande ont révolutionné notre matière de regarder la télévision, et les répercussions de tels appareils devraient se faire sentir encore davantage au cours des prochaines années. Le tableau 4.2, à la page suivante, présente certaines avancées technologiques majeures. Quant à la vente au détail, les entreprises sont maintenant en mesure de suivre le chemin d'un article depuis le moment où il est fabriqué, et tout au long du canal de distribution, jusqu'à ce qu'il arrive en magasin, puis qu'il aboutisse chez son acheteur. Pour ce faire, les entreprises ont recours à l'identification par radiofréquence (RFID) à l'aide d'une puce placée dans l'article vendu. Étant donné qu'il est dorénavant possible de savoir le nombre exact de produits qui se trouvent à une étape précise de la chaîne d'appro-visionnement, les détaillants peuvent communiquer avec leurs fournisseurs – ce qu'ils feront probablement par Internet – afin qu'ensemble ils arrivent à atteindre leurs objectifs relativement à l'inventaire.

D'autres avancées technologiques ont été réalisées en ce qui a trait à la façon dont les médias entrent dans les foyers canadiens. Les films les plus populaires paraissent maintenant sur des disques Blu-ray ou sur des DVD, et les plus récents résultats sportifs sont diffusés en haute définition (TVHD). Les consoles de jeu aussi ont fait beaucoup de

avancées technologiques (*technological advances*) Nouveautés techno-logiques qui ont gran-dement contribué à la production de biens et à la prestation de services de qualité au cours des dernières décennies.

TABLEAU 4.2	Les avancées technologiques						
	Téléphone cellulaire	**Téléviseur avec écran à cristaux liquides**	**Lecteur MP3**	**Accès Internet**	**Appareil photo numérique**	**iPhone**	**iPad**
Année de lancement	1984	1988	1991	1993	1998	2007	2010
Ventes (en dollars)	115,5 millions	924 millions	719 millions	582 millions	828 millions	360 millions	9,8 milliards*

*Ventes pour l'exercice financier clos en septembre 2010 : 4,9 milliards de dollars. Ventes du premier trimestre de 2011, clos le 25 décembre 2010 : 7,33 millions d'unités, à un prix estimé de 664 $ l'unité comprenant les accessoires et autres services connexes.

Sources : www.apple.com/pr/library/2011/01/18results.html (page consultée le 18 novembre 2014) ; Rapport 10-K déposé à la Security and Exchange Commission (SEC).

chemin avant d'atteindre le haut niveau des PlayStation 3 de Sony et Xbox 360 de Microsoft, lesquelles sont munies d'une unité centrale plus rapide que jamais et ont une qualité visuelle jusqu'alors inégalée. Ces appareils permettent même le réseautage en ligne et la mise en mémoire de données et de photos. La console Wii, de Nintendo, a également révolutionné le monde des jeux vidéo, notamment grâce à sa télécommande qui détecte les mouvements effectués dans trois directions. Kinect pour Xbox 360 va encore plus loin en éliminant les manettes de jeu, puisque le système détecte les moindres mouvements du corps du joueur. Au lieu d'être assis, celui-ci peut véritablement prendre part à l'action qui se déroule à l'écran et s'élancer pour tenter de frapper un coup de circuit au baseball ou sauter pour faire un smash au volley-ball. Les trois consoles dont il a été question précédemment présentent des images en trois dimensions, ce qui augmente énormément le niveau de difficulté des jeux. Bref, ces avancées technologiques ont engendré non seulement des produits de grande qualité, mais aussi une forte réaction du public, un renouveau pour toute l'industrie de même que de nouvelles occasions pour elle de s'adresser aux consommateurs. La rubrique Forces d'Internet ci-contre décrit quelques-unes des plus récentes innovations dans ce domaine.

Lorsque les gestionnaires marketing lancent un nouveau produit ou ont recours à un nouveau média, ils se préoccupent beaucoup des différents niveaux d'adoption de la technologie. Comme nous l'avons expliqué jusqu'ici et décrit dans les rubriques Marketing et médias sociaux, les gestionnaires marketing s'efforcent d'intégrer les médias sociaux dans leur stratégie de marketing, car les consommateurs s'en servent pour échanger de l'information et communiquer leurs expériences et leurs déceptions relativement aux produits, aux services et aux gestionnaires marketing. La relative convivialité des médias sociaux a vraiment augmenté le pouvoir des consommateurs d'influencer la stratégie de marketing des entreprises. Certaines entreprises ont adhéré aux médias sociaux qu'elles voient comme un excellent moyen d'obtenir de la rétroaction de la part des consommateurs. Elles se basent ensuite sur cette rétroaction pour concevoir ou repenser des produits, des services ainsi que des campagnes et des stratégies de marketing existants. De plus, même les médias traditionnels comme les réseaux de télévision encouragent les consommateurs à relater leurs expériences, leurs griefs et leurs insatisfactions sur leur site Web pour ensuite les diffuser en ondes. Ainsi, le site Web de l'émission *The National*, de la chaîne CBC, contient un lien Go Public, qui encourage les consommateurs à faire connaître leurs histoires. L'équipe diffuse l'une d'elles chaque soir dans le cadre de l'émission[64]. L'une des anecdotes diffusées récemment concernait les cuisinières Kenmore de Sears qui, apparemment, avaient tendance à se mettre en marche d'elles-mêmes, ce qui représentait un grave danger. Mécontents de la réponse de Sears, les consommateurs ont décidé de raconter

Lors de vos prochaines vacances de ski, vous pourrez cesser d'avancer au jugé : il vous suffira de consulter votre téléphone cellulaire.

Vous voulez connaître les conditions climatiques à la montagne ? Qu'à cela ne tienne ! Consultez l'application iPhone North Face Snow Report, qui fournit des bulletins météo officiels et des renseignements sur les conditions de neige. Elle vous permet également de publier un gazouillis sur les conditions en temps réel de sorte que vos copains skieurs peuvent vous signaler toute détérioration de ces conditions.

Comme le trajet peut être long jusqu'à la station de ski où les conditions de neige sont les plus favorables, vous pourriez télécharger aussi l'application SitOrSquat de Charmin, qui fournit une liste des toilettes classées en fonction de leurs aménagements dans la région de votre choix. Par exemple, si vous cherchez des toilettes offrant un accès pour personnes handicapées, vous pouvez rétrécir votre champ de recherche en conséquence. Vous pouvez aussi consulter les évaluations faites par d'autres utilisateurs ou ajouter un nouvel endroit. Si vos compagnons de voyage n'appartiennent pas tous à la race humaine, téléchargez l'application Petcentric de Purina pour dénicher un restaurant où vous pourrez emmener Fido pour un repas, un parc qui accepte les visiteurs canins et un hôtel qui accueille les animaux pour la nuit. Si vous ne trouvez pas ce type d'hôtel, Petcentric vous fournira une liste des chenils à proximité.

Enfin, supposons que vous soyez arrivé tard à l'hôtel, que vous ayez installé le chien et vouliez prendre une bouchée avant de vous coucher tôt afin de pouvoir dévaler les pentes au petit matin. Si vous commandez une pizza chez Domino's Pizza, vous pourrez suivre le trajet de votre pizza sur le site Web de l'entreprise depuis le moment où vous passerez votre commande jusqu'au moment où votre pizza sortira du restaurant.

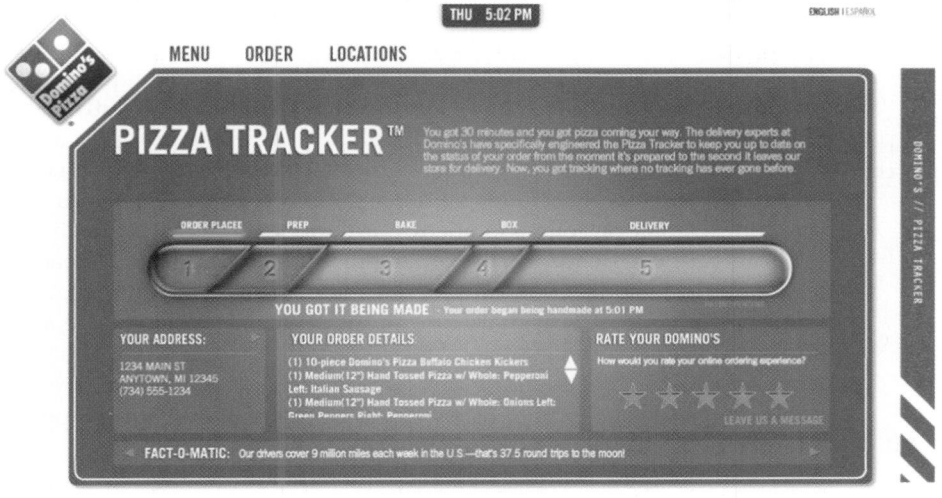

Cette application permet aux clients de faire le suivi de leur pizza, depuis le moment où ils passent leur commande jusqu'au moment où leur pizza sort du restaurant.

leur histoire en public. Inutile de dire que ceci a généré beaucoup de publicité négative pour Sears.

Bien qu'elle représente une menace considérable pour eux, la combinaison médias sociaux et médias traditionnels donne par ailleurs aux gestionnaires marketing l'occasion de démontrer les efforts qu'ils mobilisent pour satisfaire leur clientèle et d'obtenir une publicité gratuite. Le principal défi auquel ils doivent faire face consiste à repérer les nouvelles tendances technologiques très tôt et à évaluer leur incidence probable, positive ou négative, sur les affaires. Ils doivent ensuite concevoir des stratégies adéquates pour réagir à ces tendances. Bien que la plupart des exemples utilisés ici soient axés sur les technologies de l'information et de la communication (TIC), les gestionnaires marketing seront touchés par presque toutes les avancées technologiques importantes, peu importe leur domaine d'application : technologie propre, biotechnologie, nanotechnologie, technologie médicale, et ainsi de suite.

La conjoncture économique

Les spécialistes du marketing surveillent attentivement la **conjoncture**, tant sur le plan national que sur le plan international, car cette dernière exerce une influence sur la façon dont les consommateurs achètent des produits et dépensent leur argent. Parmi les principaux facteurs qui peuvent faire fluctuer l'économie, il y a le taux d'inflation, le taux de change, le taux d'intérêt et la récession.

L'**inflation** réside dans l'augmentation continue du prix des biens et des services[66]. Cette hausse des prix entraîne une chute du pouvoir d'achat. En clair, le dollar perd de la valeur et ne permet plus d'acheter autant.

Dans le même ordre d'idées, les **fluctuations des devises étrangères** peuvent avoir une incidence sur la façon dont dépensent les consommateurs. Par exemple, en date du 21 janvier 2007, le dollar canadien valait 0,6179 dollar américain, le taux de change le plus bas jamais observé entre ces deux devises. Au début du mois de mai 2007, la valeur du dollar canadien avait grimpé de nouveau pour atteindre 0,9071 dollar américain[67]. Par la suite, le huard a atteint la parité avec le dollar américain dès le début de septembre de la même année, avant de s'élever à 1,10 $ US, puis de redescendre près de la parité à la fin de l'automne. À mesure que le dollar canadien prend de la valeur par rapport au dollar américain, le prix des produits fabriqués au pays et exportés aux États-Unis augmente pour les Américains, alors que les produits que nous importons de ce pays sont meilleur marché. Une autre conséquence, peut-être étonnante, de l'appréciation du dollar canadien par rapport au dollar américain a trait au fait qu'elle pourrait favoriser les fabricants canadiens au détriment de leurs voisins du Sud, car le coût des matières premières que l'on importe des États-Unis est inférieur. Dans une telle conjoncture inflationniste, les Américains recherchent des produits fabriqués chez eux, ce qui signifie que les fabricants canadiens et les détaillants américains qui se spécialisent dans la vente de produits canadiens doivent faire un choix : maintenir leur marge de profit ou accepter de vendre à un prix plus bas afin de conserver leur clientèle. Il n'est pas toujours facile pour les gestionnaires marketing de réagir prestement à des hausses aussi rapides ; mais ceux qui surveillent l'environnement économique ont un avantage sur les autres, puisqu'ils pourront adapter leurs stratégies s'ils anticipent la hausse.

Enfin, le **taux d'intérêt** correspond au pourcentage appliqué à une somme empruntée. Par exemple, lorsqu'un individu emprunte de l'argent à la banque, il accepte de rembourser son prêt en plus des intérêts qui se sont accumulés. Quant aux intérêts, il s'agit des frais facturés au client de la banque à qui cette dernière a accepté de prêter de l'argent. De la même manière, si un client de la banque ouvre un compte d'épargne, il percevra des intérêts sur le montant qu'il y a dans son compte. Les intérêts qui lui sont versés sont en quelque sorte les frais qu'on lui paye pour avoir « prêté » de l'argent à la banque. Si le taux d'intérêt grimpe, alors les consommateurs seront incités à épargner, car ils recevront un plus gros montant pour avoir prêté leur argent à la banque. Toutefois, lorsque le taux d'intérêt chute, il n'est pas rare de voir les consommateurs emprunter davantage aux banques.

Ainsi, lorsque, en avril 2009, la Banque du Canada a baissé son taux de financement, soit le taux accordé

conjoncture
(*economic situation*)
Changements dans la situation économique qui influent sur la manière dont les consommateurs font leurs achats et dépensent leur argent, tant sur le plan national qu'à l'étranger.

inflation (*inflation*)
Augmentation continue du prix des biens et des services.

fluctuations des devises étrangères (*foreign currency fluctuations*)
Changements de la valeur d'une devise par rapport à une autre. Ces fluctuations peuvent avoir une incidence sur la manière dont les consommateurs du pays touché dépensent leur argent.

taux d'intérêt
(*interest rate*)
Pourcentage appliqué à une somme empruntée.

Les touristes de plusieurs pays affluent vers les États-Unis pour magasiner, car la valeur de la devise américaine est faible comparativement à la leur.

aux banques, de 4,25 % à 0,25 %, un nombre record de Canadiens a profité de ce bas taux historique pour souscrire une hypothèque. Le taux d'intérêt de 0,25 % a battu l'ancien record de 1,12 % établi en 1958, 50 ans plus tôt. On estimait que cette baisse était capitale pour faire face à la situation économique mondiale et à la crise financière qui s'aggravaient. Selon le gouverneur de la Banque du Canada et le ministre des Finances, la faiblesse des taux d'intérêt a engendré une situation où le ratio dette / revenu moyen, ou taux d'endettement, est désormais de 164 %, c'est-à-dire que, pour chaque dollar dépensé, les Canadiens doivent rembourser 1,64 $. Si cette situation persiste, elle pourrait entraîner des incidences négatives sur l'économie et, en fin de compte, sur les consommateurs et sur les gestionnaires marketing[68].

Enfin, la **récession** est un ralentissement qui provoque une croissance négative de l'activité économique durant au moins quelques trimestres consécutifs. C'est ce qui s'est passé en 2008-2009. Lors d'une récession, les indices boursiers chutent brutalement, le taux de chômage augmente, et, comme les entreprises et les consommateurs perdent confiance, ils réduisent leurs dépenses de façon draconienne. En fait, des milliers de personnes perdent leur emploi, ce qui diminue radicalement leur pouvoir d'achat. Même celles qui travaillent dépensent prudemment parce qu'elles ne sont pas certaines de pouvoir conserver leur poste. En période de récession, les consommateurs modifient leurs habitudes en remettant à plus tard l'achat de biens coûteux ou non essentiels et en recherchant les meilleures aubaines dans le cas des biens essentiels. Autrement dit, ils sont plus conscients de la valeur des choses et en veulent plus pour leur argent. C'est pourquoi les gestionnaires marketing doivent adapter leurs stratégies en conséquence. La plupart d'entre eux essaient de réduire leurs coûts et de baisser leurs prix afin de conserver leurs clients existants et d'en attirer de nouveaux. Ils peuvent même offrir des produits de qualité légèrement inférieure ou abaisser le niveau de services offert afin de diminuer leurs frais. En période de récession, certaines industries tirent leur épingle du jeu mieux que d'autres. Les gestionnaires marketing doivent surveiller l'environnement avec vigilance afin de comprendre les effets du ralentissement économique sur leur entreprise.

Comment ces quatre facteurs économiques importants – l'inflation, les fluctuations des devises étrangères, les taux d'intérêt et la récession – influent-ils sur la mise en marché d'un produit ou d'un service par une entreprise ? Tout changement relatif à l'un de ces quatre facteurs simplifie la mise en marché pour certains et la complique pour d'autres. Ainsi, lorsque le taux d'inflation augmente, les consommateurs achètent probablement autant de nourriture, mais il se pourrait fort bien qu'ils choisissent le bœuf haché au lieu du filet mignon. En conséquence, les supermarchés et les restaurants abordables profitent du taux d'inflation élevé, alors que les restaurants luxueux sont désavantagés. Les consommateurs achètent également moins de biens non essentiels. Par exemple, la vente de bijoux coûteux, de voitures luxueuses et de forfaits vacances extravagants diminuera, alors que, curieusement, les consommateurs s'offriront davantage de petits luxes, comme les produits de beauté et les divertissements à domicile. Il semblerait donc que, au lieu de se récompenser avec une nouvelle Lexus ou des vacances dans un spa, les consommateurs achètent des produits de beauté et louent des films.

Comme nous l'avons mentionné précédemment, une baisse des taux d'intérêt pousse les consommateurs à emprunter davantage aux banques, surtout pour s'offrir de petits luxes ou des biens non essentiels comme des voitures, des maisons, des meubles et des systèmes de divertissement à la maison. Il n'est pas étonnant de constater que l'industrie du bâtiment et le marché de l'habitation ont fait des affaires d'or pendant la période qui a précédé la dernière récession. Lorsque les consommateurs ont délaissé les biens et les services plus onéreux pour se tourner vers des biens et des services moins coûteux et exiger une meilleure valeur, les gestionnaires marketing qui ont su adapter leur offre s'en sont tirés beaucoup mieux que ceux qui n'ont pas modifié leur offre de valeur.

récession (*recession*)
Ralentissement qui provoque une croissance négative de l'activité économique durant au moins quelques trimestres consécutifs.

L'environnement politique et juridique

L'environnement politique et juridique comprend les partis politiques, les organisations gouvernementales et paragouvernementales ainsi que les mesures législatives et légales. Les organisations doivent comprendre parfaitement toute législation en ce qui a trait à la concurrence loyale, à la protection des consommateurs ou toute autre réglementation inhérente à l'industrie dans laquelle elles œuvrent. Depuis un demi-siècle, le gouvernement a édicté des lois qui encouragent tant la concurrence que le commerce équitable en interdisant la création de monopoles ou d'alliances qui mettraient en péril la saine concurrence relative des marchés, en encourageant une tarification équitable pour les fournisseurs et les consommateurs ainsi qu'en faisant la promotion des accords de libre-échange.

D'autres lois ont été adoptées en vue de protéger les consommateurs de multiples façons. Premièrement, les fabricants doivent éviter la publicité trompeuse ou mensongère, laquelle pourrait léser le consommateur. Par exemple, il est interdit d'affirmer qu'un médicament permet de guérir une maladie si, en fait, la substance en question présente d'autres risques pour la santé. Deuxièmement, les fabricants

---

Question d'éthique

L'annonce du versement de dividendes faite par BP : habileté ou infamie[69] ?

À une époque récente, British Petroleum (BP) était le chouchou de Wall Street. Le prix de ses actions avait grimpé jusqu'à 60,50 $ et la société, avec ses opérations implantées dans plus d'une centaine de pays, occupait la quatrième position au classement du magazine *Fortune 500*. Elle était l'une des trois entreprises figurant sur la liste des candidats au Safety Award for Excellence du gouvernement américain. Le 20 avril 2010, soit le jour de l'explosion de la plateforme Deepwater Horizon, BP devait recevoir un prix pour sa « performance exceptionnelle en matière de sécurité et de prévention de la pollution » lors des forages en mer. Or, loin de recevoir un prix « vert », BP pataugeait dans une substance noire visqueuse.

Le déversement de pétrole de la Deepwater Horizon est le plus destructeur de l'histoire à ce jour et il a dévasté l'économie et l'écologie de la côte du golfe du Mexique et de la région avoisinante. Les estimations quant à la quantité d'hydrocarbures réellement déversée quotidiennement varient, mais des millions de barils de pétrole se sont répandus aux abords de la côte du golfe du Mexique durant plus de 80 jours. Des nappes de pétrole de plusieurs kilomètres menaçaient la flore et la faune ainsi que le gagne-pain des habitants de la côte du golfe. Malgré ses effets catastrophiques sur l'environnement et sur le gagne-pain des habitants de la zone touchée, 58 jours après le déversement et alors qu'elle n'avait encore trouvé aucun moyen de stopper l'hémorragie, BP a annoncé qu'elle verserait les dividendes promis à ses actionnaires. Cette nouvelle – et cela n'a rien pour nous surprendre – s'est propagée comme une traînée de poudre dans le monde entier, provoquant une vive indignation dans divers segments de la société. Sous les fortes pressions exercées par le gouvernement américain, BP s'est ravisée et a accepté de suspendre le paiement des dividendes pour le reste de l'année.

Étant donné la situation et le fait que BP n'avait pas encore trouvé de solution efficace pour stopper le déversement au moment de son annonce, était-il pertinent pour elle d'envisager de verser des dividendes à ses actionnaires alors que les pêcheurs, les petites entreprises ainsi que les villes et les villages de la côte du golfe du Mexique et des autres régions touchées essuyaient de terribles revers financiers ?

Le déversement de pétrole de la Deepwater Horizon est, à ce jour, le plus destructeur de l'histoire pétrolière.

ont l'obligation de mentionner ou d'éliminer toute substance nocive ou dangereuse (p. ex., l'amiante) qui peut présenter un risque pour la santé du consommateur. Troisièmement, les organisations doivent adopter des pratiques commerciales justes et raisonnables lorsqu'elles communiquent avec les consommateurs. Par exemple, BP semble avoir ignoré ses propres procédures de sécurité et signaux d'alarme, provoquant ainsi le pire déversement pétrolier de l'histoire des États-Unis, lequel a eu des effets dévastateurs sur l'environnement et sur les habitants de la côte du golfe du Mexique, comme le décrit la rubrique Question d'éthique ci-contre.

Enfin, le gouvernement promulgue des lois relatives à certaines industries et aux consommateurs. Ces lois peuvent être axées sur l'augmentation de la concurrence, comme la déréglementation de l'industrie énergétique et de celle du téléphone. Elles peuvent aussi avoir été adoptées à la suite d'un événement marquant ou dans des buts précis, comme lorsque les gouvernements de l'Ontario et de la Colombie-Britannique ont adopté la taxe de vente harmonisée (TVH) afin d'améliorer la compétitivité des entreprises canadiennes, ou que le gouvernement fédéral a mis en place le crédit d'impôt pour la rénovation domiciliaire, d'une durée de un an, afin d'inciter les Canadiens à dépenser pendant la récession. De même, le gouvernement élabore des lois pour réguler les comportements des consommateurs : interdiction de fumer dans les lieux publics, sièges d'auto obligatoires pour les enfants et utilisation obligatoire de téléphones cellulaires mains libres au volant.

Les règlements gouvernementaux peuvent avoir un effet positif ou négatif sur les entreprises. En effet, certaines lois permettent aux gestionnaires marketing d'augmenter leurs ventes, comme ce fut le cas pour les appareils Bluetooth et les sièges d'auto. De plus, la réglementation contribue à créer un terrain de jeu où la concurrence est équitable, et elle fixe des normes que les gestionnaires marketing doivent respecter. Dans d'autres cas, la réglementation peut accroître les coûts : s'y conformer exige généralement plus de paperasserie, de temps, d'effort et d'argent, et cela peut entraîner des retards s'il faut attendre l'approbation du gouvernement. Le tableau 4.3, ci-dessous, et le tableau 4.4, à la page suivante, présentent des listes de lois parmi les plus importantes qui touchent au marketing.

TABLEAU 4.3	**Les principales législations fédérales édictées en vue de préserver la concurrence et de protéger les consommateurs**

Code criminel	Loi sur le ministère de la Consommation et des Affaires commerciales
Loi canadienne sur les droits de la personne	Loi sur l'emballage et l'étiquetage des produits de consommation
Loi de l'impôt sur le revenu	Loi sur l'enregistrement des lobbyistes
Loi sur Investissement Canada	Loi sur les aliments et drogues
Loi sur la concurrence	Loi sur les brevets
Loi sur la faillite et l'insolvabilité	Loi sur les corporations canadiennes
Loi sur la marque de commerce nationale et l'étiquetage exact	Loi sur les langues officielles
Loi sur la protection des renseignements personnels	Loi sur les lettres de change
Loi sur la protection des renseignements personnels et les documents électroniques (LPRPDE)	Loi sur les liquidations et les restructurations
	Loi sur les marques de commerce
Loi sur la radiodiffusion	Loi sur les petits prêts
Loi sur l'accès à l'information	Loi sur les poids et mesures
Loi sur le Conseil canadien des normes	Loi sur les produits agricoles au Canada
Loi sur le droit d'auteur	Loi sur l'étiquetage des textiles
Loi sur le financement des petites entreprises du Canada	Loi sur l'inspection de l'électricité et du gaz
	Loi sur l'intérêt
	Règlement sur les produits laitiers

TABLEAU 4.4	Les pratiques commerciales répréhensibles en vertu de la *Loi sur la concurrence*
Pratique répréhensible	**Description**
Relative au prix	
Fixation des prix	Manœuvre des vendeurs en vue de fixer le prix de vente d'un produit ou d'un service à une valeur inférieure, égale ou supérieure à celle de la concurrence
Discrimination par les prix	Fixation de prix différenciés pour un même produit destiné à des revendeurs (grossistes, distributeurs, détaillants) ou à des consommateurs finaux différents
Vente à prix prédatoire (ou d'éviction)	Vente d'un ou de plusieurs biens à un prix déraisonnablement bas pour détruire la concurrence
Maintien des prix de revente	Tentative des fabricants ou des maillons de la chaîne d'approvisionnement pour convaincre les sous-acquéreurs de vendre le produit qu'ils se sont procuré au prix qu'ils leur conseillent
Collusion des soumissionnaires	Connivence entre des vendeurs en vue de fixer le prix de vente d'un produit en fonction des offres d'achat ou des propositions de prix
Relative à la promotion	
Publicité mensongère	Toute représentation, omission, pratique ou tout acte compris dans une publicité qui est susceptible de tromper l'acheteur qui agit raisonnablement dans les circonstances
Publicité-leurre	Pratique commerciale trompeuse qui consiste à attirer le client en annonçant une offre spéciale portant sur un produit (le leurre), puis à faire pression sur lui pour qu'il achète un autre produit (produit de substitution) en dénigrant le produit bon marché, en le comparant défavorablement ou en ne disposant que d'un stock symbolique du produit annoncé
Vente à la boule de neige	Mesure incitative visant à demander aux consommateurs de donner le nom d'autres clients potentiels
Relative à la distribution	
Refus de vendre	Refus de vendre un produit ou un service à un acheteur légitime
Exclusivité	Refus de vendre un produit ou un service à un autre membre de la chaîne d'approvisionnement à moins qu'il ne consente à signer une entente d'exclusivité
Vente pyramidale	Manœuvre dans laquelle des représentants sont payés pour en recruter d'autres. Chaque nouveau représentant paye un certain montant pour avoir le droit de recruter d'autres personnes. Une partie de la somme recueillie est remise aux recruteurs précédents. Il n'est pas rare que les participants doivent acheter des produits en quantités précises, ou qu'on leur vende une certaine quantité de produits sans qu'ils puissent retourner la marchandise.

Faites le point

 **Nommez les facteurs relatifs au microenvironnement d'une entreprise**

Les trois facteurs relatifs au microenvironnement d'une entreprise sont l'entreprise elle-même, ses concurrents et ses partenaires d'affaires. La compréhension de ces facteurs est essentielle pour bien servir les consommateurs, qui devraient être au centre de toutes les décisions et activités de marketing. C'est en se basant sur ces facteurs que l'entreprise devrait choisir ses activités commerciales, ainsi que la façon de concevoir et de présenter ses offres commerciales.

 **Expliquez l'incidence des facteurs relatifs au microenvironnement d'une entreprise sur sa stratégie de marketing**

Les entreprises qui connaissent beaucoup de succès concentrent leurs efforts sur la satisfaction des besoins de leurs clients qui correspondent aux compétences fondamentales de l'entreprise. Toute action menée par l'entreprise doit donc miser sur ses forces et prendre le consommateur comme point central. Sans ce dernier, aucun produit ou service ne pourrait être vendu. Ainsi, l'entreprise doit découvrir les besoins et les désirs de ses clients pour être en mesure de leur proposer un produit ou un service qui répondra à leurs critères. S'il n'existait qu'une entreprise pour servir de nombreux clients, la tâche du gestionnaire marketing serait du gâteau ! Toutefois, comme c'est rarement le cas, les entreprises n'ont d'autre choix que de surveiller leurs concurrents afin de découvrir comment ils s'y prennent pour attirer et retenir les consommateurs. Sans ses partenaires d'affaires, l'entreprise trouverait très difficile d'œuvrer dans le domaine du marketing. C'est pourquoi une bonne entreprise travaille de concert avec des fournisseurs, des sociétés de recherche en marketing, des consultants et des sociétés de transport en vue de découvrir ce que les consommateurs désirent et de le leur offrir à l'endroit et au moment où ils le veulent. Chacune de ces activités – déterminer ses forces, analyser les besoins des consommateurs et collaborer avec d'autres sociétés partenaires – occupe une place cruciale dans la stratégie de marketing d'une entreprise et contribue à ajouter de la valeur à ses produits et à ses services.

 **Nommez les facteurs relatifs au macroenvironnement d'une entreprise**

Les facteurs qui composent l'environnement externe de l'entreprise sont la culture, la démographie, les tendances sociales, la technologie, l'économie et les facteurs politiques et juridiques (CDSTEP). Les gestionnaires marketing qui comprennent bien ces facteurs sont à même de discerner les menaces ou les occasions d'affaires qu'ils renferment.

 **Expliquez l'incidence des facteurs relatifs au macroenvironnement d'une entreprise sur sa stratégie de marketing**

Pour réussir, le gestionnaire marketing doit être au courant de tout ce qui se passe à l'extérieur de l'entreprise. Par exemple, quelles sont les chances qu'un restaurant spécialisé dans la vente de hamburgers soit populaire dans un quartier où les habitants sont pour la plupart d'origine indienne ? Très faibles, non ? Les gestionnaires marketing doivent donc être attentifs à ce type d'enjeux s'ils veulent connaître du succès. Par la suite, ils doivent tenir compte de la culture ainsi que des données démographiques (l'âge, le sexe, l'origine ethnique, le revenu, et le niveau de scolarité) en vue de reconnaître les divers types de clientèle. Dans toute société, les grandes tendances sociales influent sur le mode de vie des citoyens. Comprendre ces tendances (p. ex., l'écomarketing, le marketing destiné aux enfants, la protection de la vie privée et le manque de temps) permet aux gestionnaires marketing de mieux servir les consommateurs. En outre, la technologie évolue extrêmement vite et exerce une énorme influence sur la façon dont nous menons notre vie. Ainsi, les gestionnaires marketing contribuent à la mise au point d'outils technologiques utiles au quotidien. De plus, les innovations technologiques aident les gestionnaires en leur permettant d'offrir aux consommateurs un nombre grandissant de produits et de services de façon rapide et efficace. L'économie agit également sur la manière dont nous dépensons notre revenu disponible. Quand la conjoncture est favorable, le marketing croît relativement bien, mais quand les temps sont plus durs, seules des compétences éprouvées en marketing permettent de garantir un succès à long terme. Évidemment, les entreprises doivent respecter la loi, mais beaucoup de questions légales ont une influence directe sur le marketing. Les lois qui régissent l'industrie se divisent en deux catégories : les lois relatives à la concurrence (comme la loi antitrust) et celles qui visent à protéger les consommateurs contre les pratiques déloyales et dangereuses (comme le règlement obligeant les entreprises de tabac à afficher des mises en garde sur les paquets de cigarettes). Au fond, les gestionnaires qui comprennent bien les facteurs relatifs au macroenvironnement sont à même de concevoir des stratégies de marketing mieux adaptées aux besoins de leur clientèle cible.

OA 5 **Définissez les grandes tendances sociales modernes et décrivez pourquoi elles influencent les décisions de marketing**

Les tendances sociales ont un impact énorme sur ce que les consommateurs achètent et consomment. Les gestionnaires marketing qui comprennent ces tendances (sensibilité au prix, santé et mieux-être, écomarketing, marketing destiné aux enfants, protection de la vie privée et manque de temps) arrivent à mieux servir leurs clients en leur offrant des produits et des services qui correspondent étroitement à leurs besoins et à leurs désirs.

Mots clés

- aînés, p. 109
- avancées technologiques, p. 117
- *baby-boomers,* p. 108
- cohorte générationnelle, p. 105
- conjoncture, p. 120
- culture, p. 103
- culture nationale, p. 104
- données démographiques, p. 105

- écomarketing (ou marketing vert ou marketing durable), p. 113
- environnement politique et juridique, p. 122
- fluctuations des devises étrangères, p. 120
- génération X, p. 107

- génération Y, p. 106
- inflation, p. 120
- macroenvironnement, p. 103
- préadolescents, p. 106
- récession, p. 121
- taux d'intérêt, p. 120
- veille concurrentielle, p. 100

Révision des concepts

1. Nommez trois facteurs qu'une entreprise doit évaluer avant les éléments extérieurs (c'est-à-dire le microenvironnement).

2. Nommez et décrivez les éléments qui composent le macroenvironnement d'une entreprise. Choisissez une entreprise canadienne qui, selon vous, gère très bien les facteurs de son macroenvironnement et expliquez ce qu'elle fait.

3. Nommez cinq différences entre les *baby-boomers,* les individus de la génération X et ceux de la génération Y.

4. Si un magasin prolonge ses heures d'ouverture de façon permanente, à quels facteurs du macroenvironnement touche-t-il ?

5. Nommez quelques tendances sociales importantes qui exercent une influence sur le marché canadien.

6. Mis à part la question de la langue, pourquoi une publicité diffusée à la fois en Ontario et au Québec ne remporterait-elle pas le même succès dans les deux provinces ?

7. Pourquoi les gestionnaires marketing devraient-ils se soucier de capter l'intérêt des préadolescents rapidement et honnêtement ?

8. Quelle incidence les fluctuations de la valeur du dollar canadien par rapport au dollar américain ont-elles sur les entreprises canadiennes qui vendent leurs produits aux consommateurs américains ?

9. Pourquoi est-il si important que les gestionnaires marketing comprennent les cultures et les sous-cultures ?

10. La clientèle chinoise et sud-asiatique est un segment qui croît rapidement au Canada. Quelles occasions d'affaires et quels défis cette tendance représente-t-elle pour les détaillants alimentaires ? Quelles stratégies de marketing pourraient-ils mettre en œuvre pour attirer efficacement ce segment de consommateurs ?

Marketing appliqué

1. Vous décidez d'ouvrir une boutique. Décrivez-la. Qui sont vos concurrents ? Comment vous y prendrez-vous pour les tenir à l'œil ?

2. À quelle cohorte générationnelle appartenez-vous ? Qu'en est-il de vos parents ? Si vous décidiez d'acheter une nouvelle voiture, en quoi votre approche serait-elle différente de celle de vos parents ? Et si c'était une tenue que vous alliez porter à une fête ? Comment les entreprises peuvent-elles mettre à profit leur connaissance des cohortes générationnelles en vue de mieux vendre leurs produits et leurs services ?

3. Comment les entreprises peuvent-elles se servir des données démographiques comme le revenu, le niveau de scolarité ou l'origine ethnique pour atteindre davantage leurs clients cibles ?

4. Nommez certains changements qui se sont opérés relativement aux rôles sexuels. Expliquez ensuite de quelle façon ces changements peuvent influer sur les pratiques commerciales : a) des détaillants de vêtements pour hommes ; b) des centres de rénovation ; et c) des instituts de beauté haut de gamme.

5. Nommez quelques avancées technologiques et expliquez en quoi elles ont contribué à modifier les activités quotidiennes des consommateurs.

6. Estimez-vous que les entreprises envahissent votre vie privée ou craignez-vous qu'elles en soient capables ? Justifiez votre réponse.

7. Pourquoi les entreprises canadiennes qui vendent des produits aux États-Unis se soucient-elles de la valeur du dollar américain ?

8. Les consommateurs qui manquent de temps ont trouvé diverses façons d'en gagner, notamment celles-ci : a) simplifier volontairement leur mode de vie ; b) se servir des nouvelles technologies pour sentir qu'ils maîtrisent davantage leur vie ; c) utiliser leurs déplacements de façon productive ; d) avoir recours à l'exécution simultanée de multiples tâches. Nommez et décrivez des produits et des services qui permettent aux consommateurs de mettre en œuvre ces stratégies.

9. Nommez une entreprise qui, à votre avis, arrive à bien s'adresser à divers groupes culturels. Justifiez votre réponse.

10. Vous venez d'être engagé au sein du Service du marketing d'un grand magasin connu. Peu de temps après votre embauche, votre patron vous demande de superviser une étude menée sur le terrain. Une fois sur place, vous constatez que l'étude vise à observer des clients dans le cadre d'un événement réservé aux détenteurs de la carte de crédit du magasin. Tous ceux qui assistent à l'événement privé doivent glisser leur carte dans un appareil prévu à cet effet, en retour de quoi ils reçoivent un livret de bons de réduction. Les clients fantômes, qui ont été engagés par l'entreprise, reçoivent quant à eux un appareil portable qui contient les renseignements personnels et les habitudes d'achat d'un client en particulier. Ainsi, chaque client fantôme connaît le nom, l'adresse, le revenu, le nombre de membres du foyer et les habitudes de consommation du client qu'il doit suivre. Vous êtes réticent à prendre part à cette étude, d'autant plus que les clients présents ne savent pas qu'ils sont « espionnés » et que des étrangers ont accès à une telle quantité de renseignements confidentiels. Vous êtes aussi inquiet du fait que les clients fantômes ne sont pas des employés permanents ni même des employés d'une agence de recherche en commercialisation. Que devriez-vous faire ?

Internaute averti

1. Seventh Generation est la marque de produits ménagers non toxiques et écologiques la plus populaire du Canada (elle est entre autres vendue chez Home Depot). Rendez-vous sur son site Web (www.seventhgeneration.com) et découvrez la philosophie qui est à l'origine de l'entreprise. Ensuite, parcourez le site afin de connaître les produits qu'elle offre. Résumez certaines tendances relatives aux consommateurs et expliquez de quelle façon les produits de Seventh Generation répondent aux besoins et aux désirs de ses clients.

2. Internet est une arme à double tranchant pour les consommateurs. D'un côté, il leur offre un accès rapide à d'innombrables entreprises et sources d'information. De l'autre, les consommateurs doivent sacrifier une certaine partie de leur vie privée pour accéder à l'information qu'on leur propose. L'organisation Privacy Rights Clearinghouse informe les consommateurs sur leurs droits et sur les options d'exclusion. Rendez-vous sur son site Web (www.privacyrights.org) et consultez le guide de survie à l'intention des internautes qui veulent garder la maîtrise de leur vie privée. Dans ce document, choisissez trois stratégies que vous seriez prêt à adopter pour protéger votre vie privée, puis expliquez-les.

Étude de cas

LE LIVRE NUMÉRIQUE FINIRA-T-IL PAR SUPPLANTER LE LIVRE IMPRIMÉ ET PAR ANÉANTIR LES LIBRAIRIES[70] ?

Les livres numériques existent depuis plus d'une décennie, mais ils constituent encore largement un marché de niche[71]. En fait, les premiers lecteurs de livres numériques (comme le Rocket, sorti en 1998, et le LIBRIé de Sony, en 2004) n'ont pas suscité beaucoup d'enthousiasme chez les consommateurs. Toutefois, des données récentes indiquent que la demande de livres et de lecteurs de livres numériques est en hausse. De nombreux analystes de l'industrie voient cette tendance comme le seuil critique qui fera passer les livres numériques d'un marché de niche à un marché grand public. Malgré les multiples occasions qui s'offrent à l'industrie, celle-ci doit encore surmonter de nombreux obstacles avant d'exploiter pleinement le potentiel de ce marché, de plus en plus encombré à mesure que de nouveaux concurrents s'y implantent. Le dernier venu est Kobo, un petit fournisseur canadien de livres numériques. Kobo n'est pas juste un autre joueur : elle arrive sur le marché avec une approche très différente qui, elle l'espère, révolutionnera notre façon d'acheter et de lire des livres. Son objectif est de permettre aux acheteurs de livres numériques de lire n'importe quel livre, au moment, à l'endroit et sur l'appareil de leur choix. Le logiciel ouvert de Kobo permet aux consommateurs de lire des livres numériques sur n'importe quel lecteur, ce qui est tout à fait contraire à la norme de l'industrie, qui consiste à utiliser un système fermé. Par exemple, il faut un lecteur Kindle pour pouvoir se connecter à la librairie numérique d'Amazon et télécharger des livres. Kobo, la petite nouvelle canadienne, peut-elle vraiment transformer les pratiques de l'industrie et se positionner comme le leader mondial du marché des livres numériques ? Le livre numérique finira-t-il par supplanter le livre imprimé et par anéantir les librairies ? Comment cela se passera-t-il ?

Le livre numérique : concept et avantages

L'expression « livre numérique » désigne généralement un contenu numérique tel qu'un livre, un journal ou un magazine présenté dans un format pouvant être lu par divers dispositifs électroniques : ordinateur portatif, téléphone intelligent, tablette et lecteur de livres numériques, comme le Kindle d'Amazon, le Nook de Barnes & Noble et l'eReader de Kobo. Les livres numériques sont généralement proposés dans des formats courants comme PDF, ePub et PubIt, et la plupart sont des fichiers textes pratiquement dépourvus d'éléments interactifs ou multimédias. Comme les livres numériques peuvent être lus avec divers appareils, les consommateurs ne sont pas tenus d'acheter un lecteur spécial. Toutefois, les lecteurs de livres numériques permettraient une meilleure expérience de lecture et possèdent un plus grand nombre de caractéristiques que d'autres dispositifs. Exception faite de l'application multiplateforme ouverte de Kobo, la plupart des applications qui existent actuellement sur le marché sont des logiciels fermés ou privés. C'est là que le bât blesse. L'acheteur d'un Kindle ne peut acheter et télécharger des livres que sur la librairie d'Amazon. Les utilisateurs d'autres lecteurs comme le Nook de Barnes & Noble ou le lecteur Sony ne peuvent pas se connecter à Amazon et télécharger des livres, puisque ces derniers sont conçus uniquement pour le Kindle. Ces systèmes fermés limitent les choix des consommateurs, étouffent la compétition et l'innovation, et entravent le développement de l'industrie. ePub, l'application de Kobo, est un système ouvert destiné à rendre un contenu numérique accessible au moyen de n'importe quel lecteur de livres numériques.

Comment et pourquoi les consommateurs achètent-ils des livres numériques ? Ceux-ci peuvent être achetés et téléchargés sur le site Web des fournisseurs de livres numériques ou de leurs détaillants. Les consommateurs munis d'un lecteur spécifique peuvent acheter des livres directement de leur fournisseur grâce à une connexion WiFi ou 3G, ou au moyen d'un ordinateur ou d'un autre dispositif connecté à Internet, selon la capacité de leur lecteur. Si leur lecteur n'est pas doté de la technologie WiFi ou 3G, les consommateurs doivent d'abord télécharger le livre numérique sur un appareil connecté à Internet, puis le transférer sur leur lecteur au moyen d'une clé USB ou de Bluetooth.

Les livres numériques sont attrayants sous bien des angles, et chaque consommateur les achète pour ses propres raisons. Les lecteurs soucieux de l'environnement optent peut-être pour les livres numériques parce qu'ils n'utilisent pas de papier ni d'encre, et minimisent les effets délétères de l'industrie de l'impression sur l'environnement. Ceux qui préfèrent lire sur un écran apprécient les livres numériques parce qu'ils peuvent ajuster la police, la taille des caractères et l'écran rétroéclairé de leur appareil afin de faciliter la lecture. Les lecteurs voraces qui ne veulent pas transporter plusieurs livres avec eux apprécieront le fait que le lecteur électronique peut en contenir plusieurs malgré son petit format. Ceux qui aiment acheter des livres au moment et à l'endroit qui leur convient apprécieront énormément le lecteur de livres numériques, surtout si celui-ci dispose d'une connexion WiFi ou 3G. Le prix des livres numériques, moins élevé que celui des livres imprimés, est attrayant pour les consommateurs préoccupés par ce facteur ; toutefois, ceux-ci devront peut-être débourser un supplément pour s'acheter un lecteur. Pour les éditeurs, il est plus rapide et moins coûteux de produire et de distribuer des livres numériques que des livres imprimés. Comme les livres électroniques sont aussi beaucoup plus faciles à mettre à jour ou à corriger, les fournisseurs de livres numériques pourraient certainement les vendre moins cher tout en conservant une excellente marge de profit. Par ailleurs, les auteurs et les fournisseurs de contenu qui détiennent les droits d'auteur de leurs œuvres constateront qu'il est plus économique et plus rapide de publier celles-ci en format numérique.

Les occasions d'affaires et les défis

La hausse de la demande de livres numériques peut être attribuée à trois grandes tendances sociales. Premièrement, un nombre croissant d'éditeurs et de fournisseurs de contenu proposent de plus en plus de contenu en format numérique. Deuxièmement, de plus en plus de gens possèdent des assistants numériques personnels (ANP) et passent un temps considérable à lire sur un petit écran mobile. Les personnes nées à l'ère d'Internet et des téléphones cellulaires sont particulièrement susceptibles d'adopter cette technologie. Passer du livre imprimé au livre numérique devrait être un jeu d'enfant pour elles. Troisièmement, la tendance chez les personnes de tous âges à communiquer, interagir, collaborer et échanger au moyen d'appareils et de médias mobiles pourrait rendre l'acceptation des livres numériques et des lecteurs de livres numériques plus vraisemblable. En fait, en avril 2010, moins de quatre ans après qu'Amazon eut lancé le Kindle, les ventes de livres numériques ont dépassé celles des livres imprimés (105 livres numériques vendus pour chaque tranche de 100 livres imprimés)[72].

Malgré les avantages que présentent les livres numériques, l'industrie doit résoudre certains problèmes avant que leur usage devienne très répandu. Le coût et la qualité des lecteurs de livres électroniques constituent une pierre d'achoppement majeure. Les analystes de l'industrie soutiennent que le prix actuel des lecteurs, qui varie de 139 à 329 $ US, est beaucoup trop élevé pour que ce produit soit vu comme un choix économique pour le marché de masse. De plus, les lecteurs actuellement sur le marché sont dépourvus d'un grand nombre des caractéristiques de base nécessaires pour créer une expérience de lecture fonctionnelle et agréable. Par ailleurs, le fait que chaque fournisseur de livres numériques publie ses livres dans son propre format privé fragmente le marché et finira par saper sa vitalité à long terme. Enfin, les livres numériques actuels sont principalement des fichiers textes qui offrent très peu de caractéristiques multimédias, interactives ou « intelligentes » susceptibles d'enrichir l'expérience de lecture. Par exemple, un livre numérique interactif sur la perte de poids pourrait permettre au lecteur d'entrer son poids, son âge, son sexe et d'autres renseignements pertinents, et lui proposer sur-le-champ un régime et un programme d'exercice adaptés à son cas. En résumé, la technologie doit rester en phase avec les besoins des consommateurs et être pratique, abordable et fonctionnelle.

Les livres numériques sont attrayants sous bien des angles, et chaque consommateur les achète pour ses propres raisons.

Kobo, le joueur canadien

Comment Kobo peut-elle changer les règles du jeu ? L'entreprise a été fondée en décembre 2009 avec l'aval d'Indigo, de Borders, de REDgroup Retail et de Cheung Kong Holdings. Indigo contrôle environ 60 % de l'entreprise. En mars et en juin 2010, Kobo s'est implantée au Royaume-Uni et aux États-Unis respectivement. Elle a aussi établi des circuits de distribution en Union européenne, en Australie, en Nouvelle-Zélande, à Hong Kong et dans d'autres régions. Kobo a également instauré des partenariats avec des éditeurs, des fabricants et des détaillants du monde entier afin de s'approvisionner en contenu, de distribuer son lecteur et son application eReader, et de préinstaller celle-ci sur divers supports tels que les téléphones intelligents, les tablettes et les ordinateurs portatifs. Kobo propose plus de deux millions de livres numériques de tous genres ainsi que des succès de librairie internationaux. Ses lecteurs sont répartis dans plus de 200 pays et l'entreprise a accès à 100 millions de consommateurs par l'entremise de ses partenaires de distribution.

L'application Kobo peut être téléchargée gratuitement à partir de l'App Store d'Apple, l'App World de BlackBerry et l'App Catalog de Palm, d'Android Marketplace ou du site www.kobobooks.com. Kobo propose des milliers de livres numériques gratuits afin que les utilisateurs puissent les essayer sans débourser un sou. L'application eReader permet aux utilisateurs de lire des livres numériques aux formats standards ePub et PDF. Elle supporte divers types d'appareils et d'écrans, y compris les écrans E-Ink et ceux à cristaux liquides. L'eReader de Kobo n'est pas doté d'une connexion 3G ou WiFi, d'un écran couleur ou d'un système de lecture audio comme le Kindle ou le Nook, car ces caractéristiques feraient grimper son prix. Par conséquent, les utilisateurs doivent d'abord se connecter au site Web de Kobo au moyen d'un ordinateur ou d'un téléphone intelligent, télécharger les livres, puis les transférer sur l'eReader au moyen d'une clé USB ou d'un système Bluetooth.

Essentiellement, l'eReader et le logiciel de lecture sont conçus pour rendre la lecture plus agréable, abordable et accessible. Les experts affirment que la caractéristique la plus cruciale de l'eReader est le fait qu'il utilise une plateforme ouverte. Lorsque vous achetez un livre numérique Kobo, vous pouvez le télécharger sur votre lecteur Kobo ou, si vous préférez, sur votre ordinateur, votre portable, votre téléphone intelligent ou un lecteur Sony. Selon Kobo, le propriétaire d'un eReader peut à tout moment changer d'appareil et transférer les livres qu'il a déjà achetés sur ce nouvel appareil. La bibliothèque créée avec Kobo est facilement transférable.

À l'heure actuelle, l'eReader de Kobo, vendu 139 $ US, est le lecteur le plus compact et le moins cher sur le marché. Il peut contenir jusqu'à 1 000 livres numériques. Le Kindle 3 d'Amazon, le plus populaire, se détaille lui aussi à 139 $ US et peut emmagasiner jusqu'à 1 500 livres numériques. Tous deux peuvent stocker un nombre encore plus grand de livres grâce à une mémoire externe. Le tableau ci-dessous, adapté d'une étude de Forrester Research, compare l'eReader de Kobo à d'autres lecteurs populaires.

Marque	Kindle 3 et Kindle DX (Amazon)	Reader Digital Book (Sony)	Nook (Barnes & Noble)	Alex eReader	Pandigital Novel	eReader (Kobo)
Prix ($ US)	139-329 $	229-299 $	149-249 $	399 $	199 $	139 $
Taille de l'écran (en pouces)	Kindle 3 : 6 Kindle DX 9,7	6	6	6	7	6
Connexion sans fil	Oui	Non	Oui	Oui	Non	Non
Écran tactile	Non	Oui	Oui	Oui	Non	Non
Couleur	Non	Quelques modèles	Quelques modèles	Non	Non	Non

Source: Forrester Research.

En outre, les commentaires ci-dessous donnent un aperçu de la façon dont le lecteur de livres numériques de Kobo et son application sont perçus dans les médias :

> *À 149 $, c'est l'un des moins chers parmi les quelques lecteurs de livres numériques que j'ai essayés dernièrement. Je pense que l'eReader de Kobo est mieux conçu que la plupart de ces autres appareils.* **ZDNet**

> *En adoptant la multiplateforme standard ePub, Kobo s'allie à ceux qui essaient de prouver aux nouveaux consommateurs de livres numériques du monde entier qu'il existe quelque chose de mieux que le Kindle d'Amazon, doté d'un logiciel privé qui confine les livres de cette entreprise à son propre lecteur.* **BBC News**

> *Le service d'achat et de lecture de livres numériques de Kobo est de loin le meilleur et le plus complet, surtout pour les résidents étrangers... L'application Kobo fait pâlir de honte le Kindle pour iPhone, conçu précipitamment par Amazon.* **Wired**

L'avenir du livre numérique

Ce ne sont pas tous les éditeurs qui semblent prêts à laisser les entreprises de technologie décider du sort réservé à la lecture dans l'avenir. Penguin Books, par exemple, semble peu désireuse pour l'instant d'adhérer au format ePub adopté par Kobo et par d'autres entreprises. Penguin Books veut intégrer des systèmes audio, vidéo et de diffusion en continu dans son contenu numérique. ePub, le format de fichier standard pour les livres numériques à l'heure actuelle, est conçu pour supporter du texte narratif traditionnel, mais non ces trucs branchés. Par conséquent, l'établissement d'une norme pour le livre numérique semble prématuré jusqu'à ce que l'on comprenne mieux le plein potentiel des livres numériques et de la technologie des lecteurs de livres numériques.

Questions

1. Expliquez brièvement l'avantage concurrentiel du système de lecture numérique Kobo. Cet avantage est-il durable dans le temps ?

2. À quels facteurs du microenvironnement de Kobo le succès de l'entreprise est-il attribuable selon vous ?

3. Nommez et décrivez les éléments du macroenvironnement qui pourraient influer sur le succès commercial de Kobo.

CHAPITRE 5

La recherche en marketing et les systèmes d'information marketing

Jusqu'ici, nous avons vu que, pour que le marketing soit efficace, les gestionnaires marketing doivent acquérir une compréhension approfondie et juste des forces et des faiblesses de leur entreprise et de celles de leurs concurrents, des désirs, besoins et comportements d'achat de leurs clients, ainsi que de leur environnement externe en analysant les facteurs CDSTEP (culturels, démographiques, sociaux, technologiques, économiques et politiques). Or, comment les gestionnaires marketing acquièrent-ils cette compréhension ? Pour simplifier, disons qu'ils font de la recherche en marketing, qui leur permet de prendre de meilleures décisions afin d'assurer la survie, la croissance continue et l'expansion de leur entreprise. Examinons maintenant l'expérience d'E. D. Smith, une entreprise qui sert les Canadiens depuis plus d'un siècle dans un marché très compétitif. Rares sont les entreprises qui peuvent se targuer d'une telle longévité.

Depuis plus de 130 ans, E. D. Smith fabrique et vend de délicieuses confitures et tartinades de qualité supérieure. Pour rendre ses produits encore meilleurs et conserver ainsi son avance sur le marché compétitif de la confiture, l'entreprise a dû solliciter la rétroaction de ses clients. En général, pour ce faire, bon nombre d'entreprises font appel aux entrevues de groupe, puis analysent les commentaires des consommateurs. Mais E. D. Smith a fait encore mieux : elle est venue à la rencontre des consommateurs dans l'allée des confitures. En collaboration avec sa société de recherche, l'entreprise a sondé plus de 3 000 clients dans tout le pays afin de mieux comprendre comment améliorer ses produits et les commercialiser efficacement.

L'équipe de marketing d'E. D. Smith est convaincue du bienfait des échanges directs avec les consommateurs. En effet, les interactions directes sur le terrain génèrent des commentaires souvent plus sincères. De plus, en discutant avec les clients au moment où ils s'apprêtent à acheter de la confiture, les analystes peuvent découvrir leurs perceptions réelles et comprendre ce qui se passe dans leur tête au moment de l'achat. Les résultats obtenus sont plus authentiques et les réactions plus émotionnelles que dans un sondage ou un questionnaire. De plus, les clients peuvent goûter les produits! Lors des dégustations sur place, l'équipe de recherche d'E. D. Smith a appris que la plupart des consommateurs jugeaient les confitures beaucoup trop sucrées. L'entreprise a aussi exploré des outils promotionnels et appris que certains clients auraient aimé profiter d'un bon de réduction pour essayer un nouveau produit.

À partir des résultats de ses nouvelles recherches, et pour demeurer compétitive, E. D. Smith a opéré des changements importants. Elle a lancé trois nouvelles lignes de produits sur le marché: des confitures à teneur réduite en sucre, des tartinades triple fruits à teneur réduite en sucre et même une ligne de tartinades «fruits de spa» sans sucre ajouté[1]. De plus, elle a redessiné ses emballages afin de mettre clairement en évidence la mention «sans sucre». Des bons de réduction fixés aux rayons des allées encourageaient les clients à essayer ces nouveautés. En mettant à profit les renseignements générés par les études menées dans les épiceries, E. D. Smith a créé de nouveaux produits qui lui ont permis de conserver son leadership dans l'allée des confitures.

Comment décririez-vous la méthode employée par E. D. Smith pour recueillir les opinions des consommateurs? À quelles autres méthodes les analystes en marketing ont-ils eu recours pour obtenir la rétroaction nécessaire? Quelles sont les limitations de l'approche adoptée par E. D. Smith? De quel critère faut-il surtout tenir compte, à votre avis, pour choisir une méthode de recherche?

recherche en marketing
(*marketing research*)
Processus qui consiste à recueillir, à enregistrer, à analyser et à interpréter des données qui pourraient aider les décideurs stratégiques.

Comme le montre l'exemple d'E. D. Smith, la **recherche en marketing** est un préalable important à toute prise de décision éclairée. Elle consiste en un ensemble de techniques et de principes permettant de recueillir, d'enregistrer, d'analyser et d'interpréter systématiquement des données utiles aux décideurs engagés dans la commercialisation de produits, de services ou de concepts[2]. À l'étape de l'élaboration des stratégies, la recherche en marketing peut fournir aux directeurs du marketing des informations précieuses, qui clarifieront leurs décisions relatives à la segmentation, au positionnement, au produit, à la distribution, au prix et à la publicité. La recherche en marketing est aussi cruciale pour comprendre des concepts comme les comportements d'achat des consommateurs et interentreprises (chapitres 6 et 7), le marketing international et les différences culturelles (chapitre 17), le développement de nouveaux produits, la valorisation de la marque et le service à la clientèle (chapitres 9 à 11), et pour évaluer l'efficacité des stratégies de fixation des prix, de promotion et de distribution des produits et des services (chapitres 12 à 16).

Comme l'indique la feuille de route ci-contre, nous examinerons les cinq étapes du processus de recherche en marketing. Cela implique de définir précisément le problème de recherche et de construire un design de recherche qui permettra de clarifier la question initiale. Nous aborderons ensuite les différents types de données utilisées dans le cadre d'une recherche en marketing, ainsi que les multiples méthodes de collecte de ces données. Nous terminerons avec quelques commentaires d'ordre éthique en lien avec la recherche en marketing.

Les entreprises investissent des millions de dollars chaque année dans la recherche en marketing. Au Canada, cette industrie est évaluée à près de un demi-milliard de dollars. Angus Reid, COMPAS, EKOS Research Associates, Harris/Decima, Ipsos Canada, Léger et Pollara Strategic Insights comptent parmi les plus gros noms de l'industrie canadienne du sondage et de la recherche en marketing, évaluée à plusieurs millions de dollars. De plus, certaines sociétés étrangères exploitent des bureaux au Canada, comme Nielsen Canada et Forrester Research. Pourquoi les gestionnaires

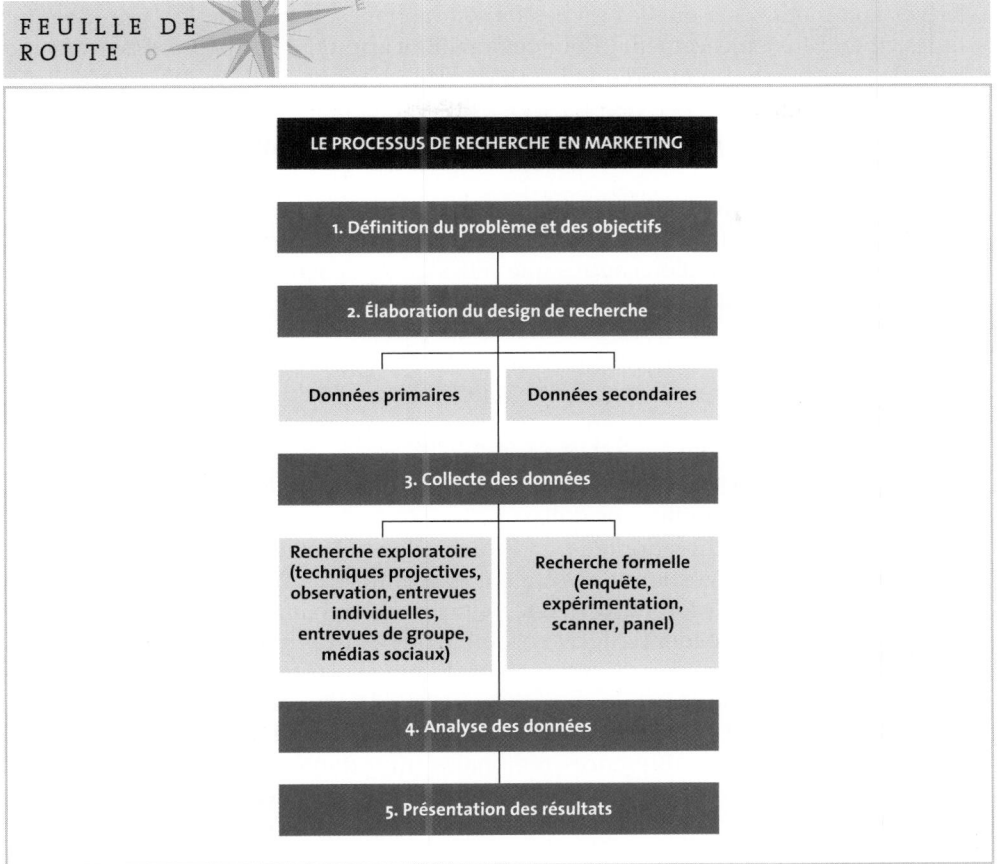

marketing accordent-ils autant de valeur à cette recherche ? Premièrement, celle-ci contribue à réduire une partie de l'incertitude dans laquelle ils travaillent constamment. Les gestionnaires de talent reconnaissent les cas où la recherche peut les aider à prendre des décisions, puis ils font le nécessaire pour obtenir les renseignements dont ils ont besoin. Deuxièmement, la recherche en marketing établit un lien crucial entre les entreprises et leur environnement, et ce lien leur permet d'adopter une approche axée sur la clientèle en élaborant des stratégies qui s'appuient sur les suggestions et la rétroaction continue de leurs clients. Troisièmement, la surveillance constante de leurs concurrents permet aux entreprises de réagir rapidement à leurs actions concurrentielles. Quatrièmement, la recherche en marketing permet de cerner des possibilités nouvelles ainsi que des façons inédites et plus adéquates de répondre aux besoins et aux désirs des consommateurs en évaluant les modifications de l'environnement d'affaires.

Les politiciens et les organismes sans but lucratif font des recherches pour mieux comprendre leurs électeurs et leurs clients.

Si vous croyez que la recherche en marketing s'applique uniquement aux entreprises privées, réfléchissez-y bien. Les organismes sans but lucratif et les gouvernements ont eux aussi recours à la recherche pour mieux servir leurs clients et leurs électeurs. Les partis politiques découpent et segmentent l'électorat depuis des décennies afin de concevoir des messages adaptés aux divers profils démographiques.

Les politiciens cherchent désespérément à comprendre les membres de l'électorat afin de trouver des moyens de les atteindre. Ils ne veulent pas seulement connaître leurs opinions politiques ; ils veulent aussi comprendre leurs habitudes

relatives aux médias – à quelles revues ils sont abonnés, par exemple – afin de pouvoir les cibler plus efficacement[3]. Pour ce faire, ils s'appuient sur le processus en cinq étapes de la recherche en marketing décrit dans ce chapitre.

OA ① Le processus de recherche en marketing

Avant de mener un projet de recherche en marketing, les gestionnaires prennent en compte plusieurs facteurs. Tout d'abord, ils se demandent si la recherche sera utile: leur fournira-t-elle des informations autres que celles qu'ils détiennent déjà et réduira-t-elle l'incertitude associée au projet? Ensuite, la haute direction adhère-t-elle pleinement au projet et est-elle prête à accepter les résultats de la recherche? Ces deux questions ont un lien avec la valeur de la recherche. Étant donné que la recherche en marketing peut être très onéreuse, si les résultats ne sont pas utiles ou que la direction ne les accepte pas, elle entraînera un gaspillage d'argent. Enfin, le projet de recherche en marketing devrait-il être restreint ou étendu? Il peut prendre la forme d'une simple analyse des données que l'entreprise possède déjà ou d'une évaluation en profondeur étalée sur plusieurs mois et coûtant des centaines de milliers de dollars.

Pensons à l'approche adoptée par Whirlpool pour vendre ses laveuses sur le marché européen[4]. Les gestionnaires étaient déterminés à lancer la *World Washer* sur tous les marchés de l'Union européenne. Whirlpool souhaitait modifier sa stratégie en proposant un modèle identique à l'ensemble des consommateurs européens, alors que ses concurrents européens continuaient d'innover en tenant compte des préférences régionales. Persuadée que sa stratégie *World Washer* serait un succès, l'entreprise a volontairement ignoré les résultats d'une vaste étude de marché qui mettait pourtant en lumière des différences régionales importantes quant aux préférences des consommateurs. Par exemple, les Britanniques font des lessives plus fréquentes et préfèrent des machines plus silencieuses que leurs voisins du reste de l'Europe. Il est en effet tentant d'ignorer les résultats d'une recherche marketing qui «ne font pas notre affaire». Malheureusement, cette approche est extrêmement dangereuse.

Alors que Whirlpool allait de l'avant avec sa stratégie World Washer, *ses concurrents européens continuaient d'innover en tenant compte des préférences régionales.*

Whirlpool Corporation
Building unmatched loyalty
one customer at a time

Une étude de marché, même si elle est utile, peut devenir très coûteuse. Bien conduite, elle permet de prendre des décisions éclairées qui aideront au développement de l'entreprise. Les gestionnaires de Whirlpool, en poussant coûte que coûte leur projet de *World Washer* sans prendre en considération les résultats de l'étude, auraient pu causer de très lourdes pertes à l'organisation, en termes financiers, mais aussi d'image auprès des consommateurs. Ils ont, dans tous les cas, gaspillé des ressources importantes en conduisant des recherches dont les résultats n'ont pas été exploités.

Mais, au juste, combien dépenser dans une étude de marché? La question n'a pas de réponse simple. Les responsables marketing doivent trouver le bon compromis entre leurs besoins d'information et les coûts des différentes méthodes de recherche en marketing. Revenons à l'étude de marché menée par Whirlpool en Europe. Supposons que l'entreprise ait eu le choix entre mener des entrevues individuelles avec plusieurs centaines de propriétaires de laveuses au coût de 200 $ par entrevue et effectuer un sondage en ligne auprès du même nombre de répondants, mais à un coût minime de 2 $ par entrevue réalisée. Quelle méthode de collecte des données Whirlpool aurait-elle dû utiliser? S'il est évident que l'approche Web est la moins coûteuse, elle n'est toutefois pas la plus appropriée pour déterminer les habitudes de lavage des consommateurs européens. Les entrevues individuelles fournissent, dans ce contexte d'étude précis, des informations bien plus complètes et utiles pour les gestionnaires que celles qui pourraient provenir de questionnaires Internet.

Comme le montre cet exemple simple, la recherche en marketing comporte forcément un certain compromis. Les analystes peuvent toujours concevoir une étude plus onéreuse et recueillir des renseignements meilleurs ou plus complets, mais en fin de compte ils devraient choisir la méthode qui leur fournira les informations requises au coût le plus bas. Le processus de recherche en marketing peut

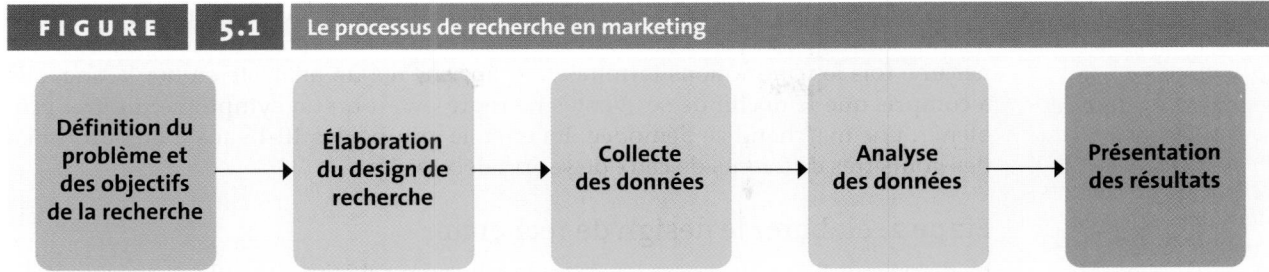

FIGURE 5.1 Le processus de recherche en marketing

| Définition du problème et des objectifs de la recherche | Élaboration du design de recherche | Collecte des données | Analyse des données | Présentation des résultats |

se diviser en cinq étapes (*voir la figure 5.1*). Bien que ces étapes soient présentées comme une progression, il est évident que le processus de recherche ne se déroule pas toujours ainsi. Parfois, les analystes sautent des étapes ou reviennent en arrière selon leurs besoins. Par exemple, les gestionnaires marketing peuvent se fixer un objectif précis, puis passer immédiatement à la collecte des données et à l'analyse préliminaire. S'ils découvrent de nouvelles informations à l'étape de la collecte des données ou si les résultats de l'analyse mettent en lumière de nouveaux besoins en matière de recherche, ils pourront redéfinir leurs objectifs et repartir à zéro.

Un jour, un important constructeur automobile a entrepris d'explorer la réaction des consommateurs à son nouveau logo. Cela lui a permis de découvrir, au cours d'entrevues de groupe préliminaires, que certains répondants le croyaient en faillite! Évidemment, les responsables de la recherche en marketing ont dû se réunir de nouveau et reprendre dans une direction différente en s'appuyant sur un tout autre objectif.

Au début du projet de recherche, une autre étape cruciale consiste à planifier l'ensemble du projet. Les gestionnaires marketing devraient réfléchir à la collecte des données et prévoir les types d'analyses susceptibles de produire des résultats significatifs pour les décideurs. Par exemple, les questions ouvertes peuvent ralentir le processus de codage et compliquer la réalisation de certaines analyses statistiques complexes. Si les décideurs veulent obtenir une analyse complexe rapidement, un questionnaire axé sur des questions ouvertes n'est peut-être pas le meilleur choix. En planifiant le processus de recherche en entier avant de démarrer le projet, les analystes en marketing s'éviteront d'avoir à modifier inutilement leur plan en cours de route. Examinons maintenant plus en détail chacune des étapes du processus de recherche en marketing.

Étape 1 : définir le problème et les objectifs de la recherche

Définir correctement le problème de marketing est l'un des éléments les plus importants du processus de recherche en marketing. Pourquoi? Si vous définissez le problème incorrectement, il est probable que vous aboutirez à une solution inadéquate même si le reste du processus se déroule à la perfection. De même, si vous cernez le problème correctement, mais bâclez les autres étapes du processus, vous pourriez vous retrouver avec des résultats inutilisables, voire trompeurs. Une fois le problème cerné, les gestionnaires marketing doivent définir les objectifs de la recherche ou les questions pour lesquelles ils veulent obtenir des réponses. Une définition imprécise des objectifs de la recherche peut entraîner un gaspillage des efforts et des ressources[5]. Trois principaux facteurs sont responsables d'une conception médiocre de la recherche : axer la recherche sur des questions non pertinentes, se concentrer sur des questions auxquelles la recherche en marketing ne peut répondre et choisir des questions auxquelles les réponses sont déjà connues. Une recherche en marketing opportune et focalisée peut aider les sociétés à raffiner leurs stratégies et leurs campagnes de marketing. C'est pourquoi les analystes en marketing font des efforts considérables pour cerner le problème, tout en prenant bien soin de distinguer les symptômes du problème réel.

Prenons le cas de Véronique, propriétaire d'une petite boutique de vêtements pour fillettes de 10 à 16 ans, située au centre-ville d'Ottawa. Véronique croyait que le déclin des ventes qu'elle observait dans son magasin était attribuable à une publicité inadéquate ou médiocre. Elle a donc multiplié les promotions afin de stimuler les ventes et de regagner les clientes qu'elle avait perdues. Malheureusement, ses efforts n'ont produit que des bienfaits temporaires, puisque les ventes ont continué de décliner une fois les promotions terminées. Ayant engagé un analyste en marketing, elle a compris que le déclin de ses ventes ne représentait qu'un symptôme du vrai problème : une marchandise démodée. En effet, le groupe des 10-16 ans d'aujourd'hui a des goûts très différents de ceux de ses prédécesseurs.

Étape 2 : élaborer le design de recherche

La deuxième étape du processus de recherche en marketing est celle de l'élaboration du design de recherche. À cette étape, les analystes déterminent le type de données dont ils ont besoin ainsi que le moyen de les obtenir. Rappelez-vous que les objectifs du design de recherche orientent vers un type précis de données à collecter, comme nous l'avons précédemment indiqué. Examinons comment se déroule cette deuxième étape à l'aide d'un exemple hypothétique sur la mise en marché d'une eau de Cologne.

Le fabricant d'une marque nationale d'eau de Cologne pour hommes entreprend d'évaluer sa position sur le marché par rapport à celle de ses concurrents. Le but précis de son projet de recherche est double : déterminer la part de marché que l'entreprise détient à l'heure actuelle et évaluer l'évolution de cette position au cours des prochaines années. La définition du type de données nécessaires pour atteindre le premier objectif, soit la part de marché de l'entreprise, est assez simple. Il suffit de relever les ventes de l'entreprise au cours d'une période donnée et de les comparer avec le total des ventes au sein de l'industrie.

Par contre, il s'avère plus compliqué de trouver le type de données nécessaires pour atteindre le second objectif, qui est d'évaluer dans quelle mesure la position de l'entreprise sur le marché s'améliorera, se stabilisera ou se dégradera. Les gestionnaires marketing de l'entreprise pourraient vouloir évaluer le degré de fidélité des clients à la marque en se disant que, si ce degré est élevé, l'entreprise peut être plus optimiste face à l'avenir que si ce degré est faible. La part de marché détenue par l'entreprise par rapport à celle de ses concurrents au fil du temps peut aussi l'éclairer sur sa position future sur le marché.

De plus, la société voudra savoir quelles entreprises sont en train d'accroître leur part de marché et lesquelles perdent du terrain.

C'est pourquoi, ayant énoncé avec précision ses objectifs et ses besoins, l'entreprise doit se demander si elle a besoin de données secondaires ou de données primaires pour prendre sa décision.

 OA **2**

Les données secondaires

Les **données secondaires** sont des renseignements recueillis avant le début du projet de recherche concerné. Elles peuvent provenir de sources externes et internes, ce qui implique notamment qu'elles peuvent avoir été collectées aussi bien par l'entreprise qui réalise la recherche que par une autre entreprise. Malgré leur accessibilité, ces sources peu coûteuses ne sont pas toujours assez précises ou à jour pour répondre aux besoins et aux objectifs de la recherche en marketing. Les données primaires, par contre, sont recueillies pour répondre à des objectifs de recherche précis. Les techniques employées comprennent notamment les entrevues individuelles, les entrevues de groupe et les enquêtes.

données secondaires (*secondary data*) Données qui existaient avant le début du projet de recherche concerné.

OA **3**

Un projet de recherche en marketing commence généralement par une consultation des sources de données secondaires pertinentes, comme les propres dossiers de l'entreprise, les études antérieures réalisées par celle-ci, les factures de ventes, les journaux, les magazines et d'autres sources comme celles qui sont énumérées dans les tableaux 5.1 (*voir page suivante*) et 5.2 (*voir p. 141*). En général, les données secondaires sont accessibles facilement et à un faible coût. Par exemple, Statistique Canada fournit gratuitement ou pour un coût minime les chiffres des ventes de divers types de commerces de détail. Ces données sont parfois les seules sources fiables et accessibles pour une petite entreprise qui cherche à évaluer la taille de son marché potentiel. Pour cette dernière, il serait assez ardu de réunir par elle-même des données complètes et précises. Les analystes en marketing doivent s'assurer que les données secondaires, surtout celles qui proviennent de sources externes, sont à jour, pertinentes et fiables, et qu'elles permettent véritablement de clarifier le problème ou les objectifs de la recherche.

Les données primaires peuvent être adaptées aux questions de recherche pertinentes. Cependant, leur collecte est généralement plus coûteuse et plus longue que la collecte des données secondaires.

À d'autres moments, il arrive que les données secondaires ne répondent pas aux besoins des analystes en marketing. Comme, à l'origine, les données ont été recueillies à d'autres fins que la recherche en cours, elles ne sont pas toujours tout à fait pertinentes. Par exemple, le recensement de Statistique Canada est une fabuleuse source de données démographiques sur une zone de marché particulière, accessible à faible coût. Cependant, comme le questionnaire détaillé du recensement est soumis à la population seulement une fois tous les 10 ans, les données peuvent être périmées[6]. Supposons qu'en 2016 une société veuille ouvrir un commerce de revêtement de sol ; elle devra se fier aux données du recensement recueillies en 2011, soit cinq ans plus tôt. Si elle veut s'établir dans une région où l'on prévoit une augmentation rapide des mises en chantier au cours des années suivantes, ces données seront trop anciennes pour lui être utiles. Bien que les données secondaires décrites ci-dessus soient gratuites ou peu coûteuses et facilement accessibles, elles ne permettent pas toujours de répondre à l'objectif de recherche. Dans ce cas, les gestionnaires peuvent acheter des données secondaires externes appelées **données souscrites**, des données accessibles moyennant des frais et vendues par des sociétés de recherche telles que SymphonyIRI Group, NPD Group, Nielsen et le CEFRIO.

données souscrites
(*syndicated data*)
Données accessibles moyennant des frais et vendues par des entreprises telles que SymphonyIRI Group, NPD Group, Nielsen et le CEFRIO.

Le tableau 5.2 présente des renseignements sur diverses sociétés qui fournissent ce type de données. Dans notre exemple sur l'eau de Cologne, ce type d'information pourrait englober les prix de diverses eaux de Cologne, les chiffres des ventes, la croissance ou le déclin des ventes dans chaque catégorie et les dépenses publicitaires. Comme les entreprises qui vendent des marchandises emballées à des grossistes n'ont pas toujours les moyens de réunir des données pertinentes en s'adressant directement aux détaillants, les données souscrites sont une ressource précieuse pour elles. Certains fournisseurs de données souscrites offrent aussi de l'information sur les variations de préférences à l'égard d'une marque et sur l'utilisation d'un produit dans les foyers, qu'ils obtiennent auprès de panels.

Par exemple, Léger, l'une des plus importantes sociétés canadiennes indépendantes de sondage et de recherche en marketing, dispose d'un des plus vastes panels d'internautes au Canada avec plus de 400 000 membres actifs, représentant divers segments de la population canadienne. Ce panel impressionnant permet à l'entreprise de réaliser des sondages en ligne auprès du grand public et de segments de consommateurs particuliers. On s'étonne à peine, dans ce cas, que Léger offre un service «48 heures» aux entreprises et aux décideurs qui ont besoin d'obtenir sans délai une information fiable sur leurs campagnes de marketing, leurs produits et leurs marques provenant d'un large échantillon représentatif. Léger offre à ses clients des conseils stratégiques dans des domaines très variés, incluant l'analyse des médias et l'analyse publicitaire, la planification marketing, la recherche en marketing, le lancement de produit, l'analyse par segmentation, le positionnement, la satisfaction de la clientèle et les stratégies de fidélisation, de fixation des prix et d'emballage, le client mystère et l'évaluation de l'image. Elle offre aussi l'audit de sites Web, que les gestionnaires marketing peuvent utiliser pour évaluer et améliorer la performance de leurs sites Web[7].

TABLEAU 5.1 — Des exemples de sources de données secondaires

GUIDES, INDEX ET ANNUAIRES
Business Periodicals Index
Canadian Almanac and Directory
Canadian Business Directory
Canadian News Index
Canadian Trade Index
Fraser's Canadian Trade Directory
Index des périodiques canadiens
Predicasts F&S Index
Répertoire des associations du Canada
Scott's Canadian Associations Directories
Standard Periodical Directory

PUBLICATIONS DE STATISTIQUE CANADA ET D'AUTRES ORGANISMES GOUVERNEMENTAUX
Annuaire du Canada
Catalogue de Statistique Canada
Commerce de détail annuel
Dépenses alimentaires des familles du Canada
L'observateur économique canadien
Ministère de la Diversification de l'économie de l'Ouest Canada
Ministère de l'Économie, de l'Innovation et des Exportations
Ministère des Affaires étrangères, Commerce et Développement Canada
Recueil statistique des études de marché
STAT-USA
US Census

PÉRIODIQUES ET JOURNAUX
Advertising Age
Adweek
American Demographics
Business Horizons
Canadian Business
Canadian Consumer Information Gateway
Financial Post
Financial Post Magazine
Forbes
Fortune
Harvard Business Review
Journal of Advertising
Journal of Marketing Management
Journal of Personal Selling and Sales Management
LexisNexis Canada
Marketing and Media Decisions
Marketing Magazine
Marketing News
Progressive Grocer
Sales and Marketing Management
The Globe and Mail
The Wall Street Journal

SOURCES COMMERCIALES
Aberdeen Group
Conference Board du Canada
D&B (Dun & Bradstreet) Canada
Financial Post Publishing
FindSVP
Forrester Research
Gale Research
IAB (Interactive Advertising Bureau)
Jupiter Research
MacLean-Hunter Research Bureau
MapInfo Canada
Nielsen
Predicasts International

BASES DE DONNÉES
CANSIM (Statistique Canada)
CompuServe
Dialog
Dow Jones
Dow Jones Factiva
Infoglobe
INFOMART
SymphonyIRI Group
System for Electronic Document Analysis and Retrieval (SEDAR)
The Source

SOURCES EN LIGNE
Livres blancs publiés par les associations d'industries
Moteurs de recherche
Outils de veille sur l'actualité et de recherche de nouvelles en ligne (p. ex., Google Alerts)
Publications électroniques de l'industrie
Rapports annuels des concurrents
Sites d'actualité financière des sociétés cotées en Bourse (p. ex., Yahoo! Finance)
Sites commerciaux et sites de conseils stratégiques (p. ex., www.canadianbusiness.com)
Sites Web des concurrents
The Free Library
Wikipédia (toujours vérifier les renseignements trouvés sur ce site!)

Source: adapté de Crane *et al.*, *Marketing*, 6ᵉ éd., Whitby, Ont., McGraw-Hill Ryerson, 2007.

Enfin, les analystes en marketing doivent aussi examiner attentivement la façon dont les données secondaires ont été recueillies. En effet, malgré la pléthore de données disponibles sur Internet et ailleurs, leur trop grande accessibilité ne garantit pas leur validité. S'ils ne connaissent pas le design de la recherche, par exemple, et ne

TABLEAU 5.2	Les fournisseurs de données souscrites au Canada et aux États-Unis et leurs services
Angus Reid, COMPAS, EKOS Research Associates, Harris/Decima, Ipsos Canada, Léger, Pollara Strategic Insights, SES Research, The Strategic Counsel	Ils offrent des services d'enquête par sondage et de recherche en marketing sur tous les aspects du marketing – fidélité, valorisation de la marque, analyse des médias, fixation des prix, positionnement, amélioration de l'image, satisfaction de la clientèle, groupes échantillons, conseils de clientèle en ligne, sondages, etc. – dans de nombreuses industries.
Experian Marketing Services (www.experian.com)	Cette firme rend compte des produits achetés par les consommateurs américains, de leurs marques préférées et de leurs habitudes de vie, attitudes et préférences en matière de médias.
GfK MRI (www.gfkmri.com)	Cette firme effectue des recherches sur l'audience de divers médias et sur la planification marketing relative à des marques annoncées.
J.D. Power (www.jdpower.com)	Célèbre pour ses évaluations des automobiles, la société effectue des recherches commerciales sur la qualité et la satisfaction de la clientèle pour diverses industries.
Nielsen (www.nielsen.com)	Par l'entremise de ses services d'étude quantitative des marchés (Market Measurement Services), l'entreprise suit les ventes de marchandises emballées offertes aux points de vente, dans des commerces de détail de types et de tailles variés.
NOP World (www.nopworld.com)	L'étude de recherche *mKidsUS* suit les propriétaires de téléphones cellulaires et l'utilisation qu'ils en font, scrute leur affinité avec les marques et les habitudes de loisirs des jeunes Américains de 12 à 19 ans.
NPD Group (www.npd.com)	Ce service de pistage offre à diverses industries des informations sur les mouvements des produits et sur les comportements des consommateurs.
Numeris (fr.numeris.ca)	Numeris fournit des données relatives à la mesure de l'audience et aux comportements des consommateurs ainsi que des renseignements aux diffuseurs, aux publicitaires et aux organismes sur les comportements de l'audience pendant et après les émissions.
PMB Print Measurement Bureau (www.pmb.ca)	Il offre des données provenant d'une seule source sur les lecteurs d'imprimés, l'exposition aux médias non imprimés, l'utilisation des produits et les habitudes de vie des Canadiens. Chaque année, le Bureau se sert d'un échantillon de 24 000 répondants pour évaluer le lectorat de plus de 115 publications et l'utilisation de plus de 2 500 produits et marques.
Research and Markets (www.researchandmarkets.com)	Cette société s'annonce comme un « guichet unique » pour la recherche en marketing et les données provenant de la plupart des plus gros éditeurs, consultants et analystes.
Roper Centre – Public Opinion Archives (www.ropercenter.uconn.edu)	L'Enquête sociale générale est l'une des plus longues enquêtes en cours sur les indicateurs sociaux, culturels et politiques.
The Futures Company (www.thefuturescompany.com)	Son *MONITOR* suit les attitudes, les valeurs et les habitudes de vie qui façonnent le marché américain.

disposent pas d'information sur l'objectif de la recherche, la taille de l'échantillon, les répondants, le taux de réponse, le questionnaire et ainsi de suite, les analystes pourraient faire des déductions ou tirer des conclusions erronées ou trompeuses. Comme l'explique la rubrique Forces d'Internet, à la page suivante, Internet constitue un énorme réservoir de renseignements variés sur les consommateurs, notamment sur leurs comportements d'achat, leurs attitudes, leurs perceptions et même leurs émotions. Les gestionnaires marketing comptent de plus en plus sur des technologies pour exploiter ces données et mieux connaître les consommateurs afin de mieux les servir.

Les données primaires

Dans bien des cas, l'information dont les analystes en marketing ont besoin n'est disponible que par la recherche de **données primaires**, soit des données recueillies spécifiquement pour répondre à des questions ou à des objectifs de recherche précis. Les gestionnaires marketing recueillent ces données à l'aide de diverses techniques, comme l'observation des comportements d'achat, les entrevues de groupe ou individuelles, et les enquêtes postales, téléphoniques ou en ligne. La collecte des données primaires contribue ainsi à éliminer certains problèmes inhérents aux données secondaires.

données primaires (*primary data*) Données recueillies spécifiquement dans le but de répondre à une question de recherche et de satisfaire les besoins en information soulevés par cette question.

De nos jours, Internet est le premier média vers lequel se tournent la plupart des consommateurs pour se renseigner sur un produit ou une entreprise. La popularité croissante des téléphones intelligents dotés d'un navigateur Web fait en sorte que les consommateurs peuvent accéder à Internet à n'importe quel moment. Grâce à cette accessibilité, les gestionnaires marketing peuvent atteindre les consommateurs en tout temps. Bien qu'ils utilisent leurs sites Web pour renseigner, faire du commerce et bâtir des relations avec les clients, les gestionnaires marketing s'en servent aussi à divers degrés pour effectuer des recherches. Ils ont recours à des outils électroniques pour connaître le degré de satisfaction des consommateurs à l'égard de leurs produits et services, analyser leurs habitudes de surf et évaluer leurs attitudes, perceptions, comportements et émotions à l'égard de leurs produits et de leurs campagnes de marketing. Les consommateurs sont invités à participer en ligne à de brefs sondages et enquêtes, ainsi qu'à des concours, en échange de la possibilité de gagner un prix ou d'obtenir une prime. Ce type de rétroaction est peu coûteux, facile à exécuter et rapide, et il permet aux gestionnaires marketing de recueillir des données et de les analyser très rapidement[9].

De plus, ces derniers utilisent une grande variété d'outils et d'applications électroniques, tels que les analyseurs Web, pour analyser les modèles de trafic sur leur site Web, ainsi que les sujets de l'heure (*Trending Topics*) et les sujets chauds (*Hot Trends*) sur Twitter et Google respectivement, dans le but de connaître le type de recherche que les consommateurs font à un moment précis. Ils font parfois des expériences en temps réel afin de vérifier une hypothèse sur la popularité d'un produit ou d'un site Web et d'obtenir des résultats instantanés. Les médias sociaux, les outils numériques et les échanges en ligne produisent également une foule de paramètres que les analystes en marketing peuvent examiner afin de mieux connaître les attitudes et opinions des consommateurs. Ils peuvent même lier les résultats d'une enquête en ligne à la transaction effectuée par le client, y compris ce qu'il a acheté et à quel prix, s'il a utilisé un bon de réduction, si l'objet était

en solde, l'heure de la transaction et le nom du vendeur qui l'a servi[10].

Manifestement, la rapidité et la facilité avec lesquelles on peut collecter et analyser des données Internet présentent un attrait inestimable pour les gestionnaires marketing. Mais que vaut cette information ? Le professeur et consultant en marketing Jim Barnes affirme que, même si Internet génère un volume faramineux de renseignements utiles, ceux-ci sont généralement trop superficiels. Ils contribuent en effet à mettre en lumière des comportements sans pour autant permettre de comprendre les raisons fondamentales derrière ces derniers. En effet, même si les gestionnaires marketing arrivent à connaître le degré de satisfaction des consommateurs, ils ne peuvent pas toujours discerner ce qui les motive, les déçoit, les satisfait, les frustre, les impressionne ou les ravit[11]. Qui plus est, l'information recueillie peut ne pas être représentative de tous les consommateurs et ne refléter que les opinions de la clientèle sondée. Tout comme les recherches «traditionnelles», la recherche marketing en ligne exige un travail rigoureux lors du design de la recherche, notamment au moment de la constitution de l'échantillon, afin de s'assurer de la fiabilité et de la validité des résultats obtenus. L'importance d'éliminer les partis pris et de faire en sorte que la recherche menée soit de bonne qualité est malheureusement souvent éclipsée par la constante disponibilité et l'accessibilité des données Internet[12]. De plus, arriver à comprendre la somme astronomique de données ainsi collectées constitue un défi réel pour les gestionnaires marketing.

Compte tenu de ces inconvénients, les gestionnaires marketing devraient-ils s'abstenir d'effectuer des recherches sur Internet ? Loin de là, car la recherche en ligne produit des données utiles. Toutefois, les gestionnaires doivent être conscients des limites de la recherche sur Internet et faire ce qu'il faut pour obtenir des données fiables et valables sur lesquelles baser leurs décisions stratégiques. À eux de trouver le juste milieu entre le prodigieux potentiel d'Internet et ses limitations afin de l'exploiter pleinement en tant qu'outil de recherche en marketing.

Un grand avantage de la collecte des données primaires tient au fait qu'elle est adaptée aux questions de recherche. Cependant, elle présente aussi des inconvénients. Tout d'abord, elle est généralement plus coûteuse et plus longue que la collecte des données secondaires. En outre, les gestionnaires marketing doivent souvent être très bien formés et qualifiés pour planifier la recherche et recueillir des données primaires non biaisées, valides et fiables (*pour un résumé des avantages et des inconvénients de chaque type de recherche, voir le tableau 5.3*). Par exemple, les données seront biaisées si l'échantillon ne représente pas la population entière, si les questions reflètent le biais de l'analyste en marketing, si ce dernier essaie d'influencer les répondants, si les répondants sont mal choisis ou répondent en fonction de ce qu'ils croient que le responsable veut entendre. Examinons maintenant ce qu'on entend par « fiabilité » et « validité » des données.

TABLEAU 5.3	Les avantages et les inconvénients de la collecte des données secondaires et primaires		
Type	**Exemples**	**Avantages**	**Inconvénients**
Collecte des données secondaires	• Données de recensement • Factures de ventes • Données Internet • Livres • Articles de revues • Données souscrites	• Elle permet de gagner du temps parce que les données secondaires sont d'ores et déjà disponibles. • Elle réduit le coût de la collecte des données.	• Elle ne répond pas toujours aux besoins des analystes en marketing. • L'information est parfois désuète. • Les sources ne sont pas toujours originales; les données recueillies ne sont pas toujours utiles. • Les méthodes de collecte de ces données sont parfois inadéquates; les questions peuvent être biaisées.
Collecte des données primaires	• Observation des comportements des consommateurs • Entrevues de groupe • Enquêtes • Entrevues individuelles • Expérimentation	• Elle répond aux besoins spécifiques des analystes en marketing; elle est propre au sujet de recherche. • Elle donne un aperçu des comportements des consommateurs.	• Elle est habituellement plus coûteuse. • Elle requiert souvent plus de temps. • L'élaboration d'un plan et la collecte de données objectives, valides et fiables exigent souvent des analystes hautement qualifiés et expérimentés.

La collecte des données primaires oblige l'analyste en marketing à prendre plusieurs décisions importantes concernant les méthodes qu'il emploiera (*voir la figure 5.2 qui présente une liste des diverses méthodes*), les meilleurs plans d'échantillonnage compte tenu de l'objectif de la recherche, les types d'outils de recherche (questionnaire, observation, etc.), la conception de l'outil de recherche (décrite ci-après) et la meilleure façon de communiquer avec les répondants potentiels (téléphone, courriel, entrevue ou courrier). Négliger l'un ou l'autre de ces aspects cruciaux de la collecte des données primaires pourrait diminuer grandement la fiabilité et la validité de la recherche.

En termes simples, la **fiabilité** désigne le fait d'obtenir les mêmes résultats lorsqu'une étude est répétée dans les mêmes conditions que l'étude initiale[13]. Supposons qu'un samedi du mois d'août vous arrêtiez des personnes au hasard dans un centre commercial et leur demandiez de remplir un court questionnaire sur les raisons pour lesquelles elles ont choisi de magasiner dans ce centre commercial en particulier. Votre analyse des données révèle que ce sont surtout les bonnes affaires potentielles qui attirent les clients dans ce centre commercial. Si vous refaites cette étude dans le même centre commercial avec le même questionnaire un autre samedi et que vous demandiez au hasard à des consommateurs de remplir le questionnaire, vous devriez obtenir le même résultat: la possibilité d'y faire de bonnes affaires. Si vous obtenez un résultat différent, vous devrez remettre en question la fiabilité de votre étude.

La **validité** est la capacité d'une étude à mesurer ce qu'elle est censée mesurer[14]. Par exemple, supposons que vous ayez recours à un questionnaire pour évaluer la

fiabilité (*reliability*)
Obtention des mêmes résultats lorsqu'une étude est répétée dans les mêmes conditions que l'étude initiale.

validité (*validity*)
Qualité d'une étude qui mesure ce qu'elle est censée mesurer.

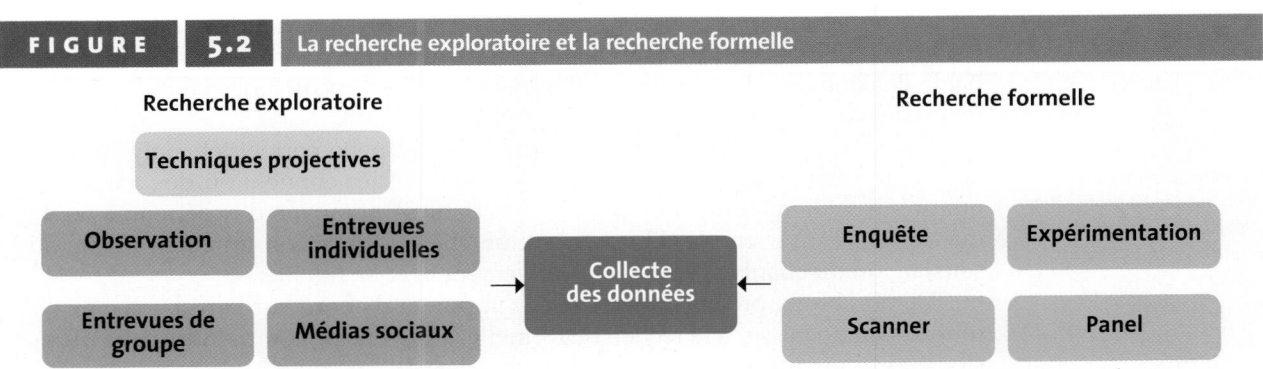

| FIGURE 5.2 | La recherche exploratoire et la recherche formelle |

Recherche exploratoire — **Recherche formelle**

confiance des consommateurs à l'égard du commerce électronique. Les données recueillies seront valides si votre questionnaire permet vraiment de mesurer la confiance des consommateurs à cet égard plutôt qu'un autre paramètre, comme la satisfaction, par exemple. Il est important de noter qu'une étude de marché doit être à la fois fiable et valide pour être utile.

Enfin, le plan d'**échantillonnage** est un aspect très important de la recherche en marketing, qui aura un effet sur la fiabilité et la validité d'une étude. Comme il est souvent trop difficile, peu pratique ou coûteux d'étudier un groupe entier de consommateurs, ce que l'on nomme la population, les gestionnaires marketing sélectionnent généralement un **échantillon**, soit un segment ou un sous-ensemble de la population qui représente adéquatement la population entière visée par l'étude. Supposons que vous vouliez étudier la fidélité des adolescents canadiens envers une marque de vêtement. Votre population serait composée de tous les adolescents canadiens, et le sous-ensemble de garçons sélectionnés pour votre étude composerait votre échantillon. La manière de sélectionner l'échantillon est aussi très importante. Le responsable de la recherche doit se poser trois questions cruciales. Qui est visé par le sondage ? Quelle taille doit avoir l'échantillon ? Quelle procédure d'échantillonnage faut-il utiliser : l'échantillonnage aléatoire simple, l'échantillonnage de commodité, l'échantillonnage stratifié, l'échantillonnage en grappes, etc. ? Chaque procédure comporte des avantages et des inconvénients, et la sélection de l'une ou l'autre dépendra des objectifs de la recherche. Bien qu'il existe une formule statistique pour calculer la taille de l'échantillon requis, en principe celui-ci doit être suffisamment grand pour garantir la fiabilité de l'étude. Jusqu'à un certain point, plus un échantillon est grand, plus les résultats sont fiables.

OA **4** ### Étape 3 : recueillir des données

La collecte des données commence seulement après l'élaboration du plan de recherche. Selon la nature du problème à résoudre, la collecte peut se faire au moyen de la recherche exploratoire ou de la recherche formelle.

Comme son nom l'indique, la **recherche exploratoire** vise à mieux comprendre un phénomène qui nous préoccupe ; elle fournit aussi des renseignements initiaux quand le problème n'est pas clairement défini. Elle peut englober des méthodes informelles, comme la révision des données secondaires disponibles, ou des méthodes plus formelles relevant de la recherche qualitative, comme les techniques projectives, l'observation, les entrevues individuelles, les entrevues de groupe et le suivi des médias sociaux. La rubrique Marketing durable ci-contre explique comment les chercheurs ont recours aux méthodes de recherche exploratoire pour mieux comprendre la façon dont les organisations peuvent intégrer la durabilité à leur culture d'entreprise.

Si l'entreprise est prête à aller au-delà de ses hypothèses préliminaires, elle amorcera sans doute une **recherche formelle**, qui lui fournira l'information nécessaire pour confirmer ces hypothèses et permettra aux gestionnaires de mener les plans d'action appropriés. Comme la recherche formelle est souvent de nature quantitative, elle offre aux analystes en marketing un moyen de confirmer leurs intuitions grâce à des études formelles s'appuyant sur des enquêtes ou sur l'expérimentation, la recherche à l'aide des données de scanner ou d'un panel, ou bien encore une combinaison de ces méthodes (*voir la figure 5.2 à la page précédente, côté droit*).

Dans un cadre plus structuré, la recherche formelle permet à l'analyste en marketing de vérifier ses prédictions ou **hypothèses** (des énoncés ou des propositions qui prédisent la relation entre plusieurs variables) au moyen d'expériences ou d'enquêtes. Voici un exemple d'hypothèse : un client satisfait est un client fidèle, où la satisfaction du client est corrélée positivement avec sa fidélité.

De nombreux projets de recherche s'appuient d'abord sur la recherche exploratoire, avant de passer à la recherche formelle. Essayons de comprendre cette progression en examinant ces deux types de recherches plus en détail.

échantillonnage (*sampling*)
Processus de sélection d'un échantillon de la population.

échantillon (*sample*)
Segment ou sous-ensemble de la population qui représente adéquatement la population à l'étude.

recherche exploratoire (*exploratory research*)
Recherche menée en vue de tenter de comprendre un phénomène. Ce type de recherche permet également d'amasser des renseignements lorsque le problème n'est pas bien défini.

recherche formelle (*conclusive research*)
Recherche permettant de valider l'idée de départ. On s'appuie sur ce type de recherche pour poursuivre le plan d'action.

hypothèse (*hypothesis*)
Affirmation ou proposition provisoire concernant la relation entre plusieurs variables. L'hypothèse fait l'objet de recherches.

| Marketing durable | Intégrer la durabilité dans la culture organisationnelle[15] |

Le passage au vert, la conscience écologique, la responsabilité sociale d'entreprise et le triple résultat (performance sociale, environnementale et financière), ces expressions font toutes partie du vocabulaire des organisations désireuses de redéfinir leurs stratégies organisationnelles. Bon nombre d'entreprises s'efforcent d'intégrer des pratiques de durabilité dans leur culture professionnelle. Elles se rendent compte que, pour rester compétitives, elles doivent adopter des stratégies de développement durable susceptibles de créer de la valeur à long terme pour les parties prenantes. Toutefois, comme l'information disponible sur l'instauration de pratiques durables est rare, les organisations se demandent avec appréhension comment intégrer la durabilité à leur culture d'entreprise.

Le Network for Business Sustainability de la Richard Ivey School of Business et la Canadian Business for Social Responsibility, un organisme sans but lucratif, mènent des recherches conjointement. Leur objectif est de fournir un cadre aux organisations pour les aider à intégrer la durabilité à leur culture d'entreprise. Le projet est conçu de telle sorte qu'il permet de recueillir de l'information et des données auprès de quelques organisations qui ont adopté avec succès des pratiques durables, notamment LoyaltyOne, qui utilise des voitures Smart écoénergétiques pour ses voyages d'affaires, et InterfaceFLOR, qui, en fabriquant des tapis modulaires à partir de vieilles moquettes, appuie l'effort pancanadien pour détourner les moquettes usagées des dépotoirs. Les données recueillies sont corrélées à des facteurs qui contribuent au succès d'une stratégie de développement durable, lequel reposerait largement sur l'engagement tant du personnel que de la direction. Les chercheurs ont recours à des entrevues et à des discussions de groupe pour évaluer le niveau d'engagement de l'organisation. Ils posent des questions précises telles que : quelles initiatives l'organisation a-t-elle prises ? Quelle portion de ses ressources est affectée à ces initiatives ?

Les données recueillies sont ensuite compilées, analysées et interprétées de manière à produire une information utile et significative. Cette information sera présentée dans un rapport sur les meilleures pratiques durables, qui servira de référence à de nombreuses organisations s'efforçant d'intégrer la durabilité à leur culture d'entreprise.

Comme un processus de recherche systématique a été utilisé pour définir les objectifs de l'étude, concevoir celle-ci, collecter des données pertinentes et interpréter les résultats, un grand nombre d'organisations bénéficient désormais d'une information fiable grâce à laquelle elles pourraient élaborer et mettre en œuvre avec succès leurs propres stratégies en matière de durabilité et intégrer ce principe à leur culture de travail.

Les méthodes de recherche exploratoire (qualitative)

En règle générale, les gestionnaires ont recours à plusieurs méthodes de recherche exploratoire : les techniques projectives, l'observation, les entrevues individuelles, les entrevues de groupe et le suivi des médias sociaux (*voir la figure 5.2, p. 143, côté gauche*).

Les techniques projectives   Une **technique projective** est un type de recherche qualitative qui consiste à soumettre un scénario à des personnes ou encore à leur demander de réaliser des collages d'images à partir d'un sujet, pour qu'elles puissent ensuite livrer leurs impressions sur celui-ci. Par exemple, l'analyste en marketing peut montrer à des personnes l'image d'un consommateur qui regarde un étalage dans un supermarché. Une zone de texte vide apparaît au-dessus de sa tête. La personne doit alors noter dans la zone de texte les réflexions que suscite en elle cette image. L'image permet à la personne concernée de se projeter dans la situation et de dévoiler ses pensées ou ses émotions en les décrivant dans la zone de texte.

L'observation   L'**observation** est une méthode de recherche exploratoire qui consiste à évaluer des comportements d'achat et de consommation en personne ou au moyen de technologies comme la surveillance par caméra ou d'autres dispositifs de repérage. Par exemple, les analystes en marketing peuvent observer les clients pendant qu'ils magasinent ou vaquent à leurs occupations quotidiennes, moments où ils utilisent une variété de produits. L'observation peut être très brève (p. ex., observer pendant deux heures des adolescents qui achètent des vêtements dans un centre commercial) ou durer des jours ou des semaines (p. ex., des analystes en marketing vivent avec des familles et observent les produits qu'elles emploient). L'observation est particulièrement utile lorsque les consommateurs sont incapables de décrire leurs expériences.

technique projective (*projective technique*) Type de recherche qualitative qui consiste à fournir un scénario ou à demander un collage d'images à des personnes afin qu'elles donnent leurs impressions sur un sujet.

observation (*observation*) Mode de recherche, souvent exploratoire, qui comprend une évaluation des comportements d'achat et de consommation. Historiquement employée directement par un observateur, cette méthode s'est appuyée sur l'utilisation de la caméra. Aujourd'hui, la principale source de données de ce type provient d'Internet.

Cette famille est observée par une équipe de recherche pendant qu'elle fait la cuisine.

étude ethnographique
(*ethnography*)
Observation et analyse de groupes humains dans leur vie quotidienne (à la maison, au travail, en communauté).

À quelle autre méthode les analystes pourraient-il recourir pour déterminer les jouets éducatifs avec lesquels des bébés jouent ou pour confirmer des détails relatifs à des achats que les consommateurs ont en grande partie oubliés?

Comme il est mentionné dans la rubrique Question d'éthique ci-contre, les analystes en marketing peuvent même recourir à des techniques d'observation pour comprendre ce qui distingue les clients qui fréquentent des commerces de détail.

L'**étude ethnographique** est une technique qui consiste à observer des personnes pendant qu'elles vaquent à leurs occupations quotidiennes à la maison, au travail et au sein de la collectivité. Elle se distingue de l'observation classique dans le sens où le chercheur suit le répondant dans son environnement de vie quotidien. Les analystes en marketing y ont souvent recours lorsqu'ils croient que les répondants potentiels seront incapables de décrire d'une manière utile leur usage d'un produit ou d'un service. De plus en plus employé par les entreprises (p. ex., Unilever, Procter & Gamble, MillerCoors), ce mode de recherche fournit des indices et des détails intimes que les répondants pourraient ne pas vouloir révéler. Les études ethnographiques doivent être réalisées par des analystes marketing hautement qualifiés et expérimentés, qui se servent de caméras vidéo, de dispositifs audio et de carnets pour enregistrer leurs observations en détail. Ceux-ci doivent par la suite dépouiller des heures de bandes vidéo et audio ainsi qu'une quantité colossale de notes prises.

Procter & Gamble envoie des équipes de prise de vues dans des foyers du monde entier pour mieux comprendre les habitudes de vie des consommateurs[16]. Cet exercice fournit à l'entreprise de précieux indices sur leurs comportements que des méthodes traditionnelles comme les entrevues individuelles ou de groupe ne pourraient pas capter. Par exemple, comme la mémoire est sélective, des sujets peuvent déclarer qu'ils se brossent les dents trois fois par jour durant deux minutes. Or, si les équipes de prise de vues filment une réalité différente, cela sera susceptible de déboucher sur le développement de nouveaux produits. En observant des gens qui triaient des vêtements afin de faire une lessive, les analystes en marketing ont noté que de nombreux vêtements n'étaient pas lavés à la machine. Ce constat a entraîné la création de Dryel, une trousse de nettoyage à sec pour la maison[17].

entrevue individuelle
(*in-depth interview*)
Technique de recherche exploratoire au cours de laquelle un professionnel pose des questions, écoute et note les réponses de son interlocuteur, puis pose d'autres questions afin de clarifier une réponse ou d'aborder un thème plus en profondeur.

Les entrevues individuelles   Une **entrevue individuelle** est une technique exploratoire au cours de laquelle un professionnel de la recherche en marketing pose des questions et note les réponses du sujet, puis lui pose d'autres questions afin de clarifier une réponse ou de développer un thème. Par exemple, au lieu de se contenter d'observer des adolescents qui font des achats de vêtements, l'intervieweur peut les arrêter un à la fois pour leur poser quelques questions: «Nous avons remarqué que vous êtes entrée dans cette boutique et en êtes ressortie très vite sans avoir rien acheté. Pourquoi?» Si l'adolescente répond que personne n'est venu la servir, l'intervieweur pourrait poursuivre en disant: «Ah bon? Cela vous est-il déjà arrivé?» ou «Vous attendiez-vous à ce qu'une vendeuse s'occupe de vous?». Les réponses fournissent souvent aux gestionnaires marketing des indices qui leur permettent de mieux saisir la nature de leur industrie ainsi que les tendances et les préférences des consommateurs. Ils se servent ensuite de ces précieux indices pour élaborer leurs stratégies de marketing.

L'entrevue individuelle comporte de nombreux avantages. Elle donne un contexte concret au phénomène analysé, en particulier lorsqu'elle met en cause des experts de

Question d'éthique

Des relations intimes avec les acheteurs[18]

Le succès du marketing commence par la connaissance des clients : plus une entreprise connaît intimement ses clients, plus elle aura de chances de bien les servir. La clé pour connaître ses clients consiste à se mettre à leur place. Il s'agit d'un exploit extrêmement difficile, voire impossible, mais c'est le défi auquel les gestionnaires marketing font face, surtout dans un monde où la concurrence est féroce et mondiale. Les professionnels de la recherche en marketing savent aussi qu'il y a souvent une énorme différence entre ce que les consommateurs répondent dans les sondages et les entrevues de groupe et leurs véritables comportements d'achat.

C'est pourquoi de nombreuses entreprises conduisent des recherches dans les magasins. Celles-ci s'appuient sur des entrevues impromptues avec des acheteurs dans les centres commerciaux, des essais en magasin, la distribution d'échantillons gratuits, les étalages sur le lieu de vente ou encore la simple observation des consommateurs afin de mieux comprendre leurs attitudes et leurs comportements. Récemment, Frito Lay Canada a installé des GPS sur des chariots d'épicerie afin d'étudier les habitudes d'achat des consommateurs pendant qu'ils se déplacent dans le magasin. En fait, ce dispositif lui indique les allées parcourues par l'acheteur, le temps passé devant certains étalages, etc. L'entreprise a ensuite converti cette information en stratégies décisionnelles. Elle s'est rendue chez ses détaillants pour mettre en œuvre des tactiques de marchandisage élaborées en fonction de ces résultats.

D'après vous, est-il acceptable sur le plan éthique de filmer les déplacements et les activités des clients pendant qu'ils font leurs courses ? Votre opinion changerait-elle si les clients étaient avisés qu'on les observe ?

Signalons par ailleurs que le recours à d'autres méthodes d'observation des consommateurs dans leurs lieux de vie et à leur insu est de plus en plus fréquent.

Dans certains cas, les analystes en marketing demandent le consentement des consommateurs qu'ils observent et filment, mais ce n'est pas toujours le cas. Le dilemme éthique auquel ces analystes font face touche la question de savoir si le recours à des techniques d'observation à l'insu des sujets (comme les clients dans un centre commercial ou dans un commerce de détail) viole la règle du traitement équitable. L'observation méthodique des consommateurs à leur insu peut fournir aux entreprises des informations importantes qu'elles ne découvriraient pas autrement. Mais les résultats justifient-ils le procédé ?

l'industrie ou des consommateurs expérimentés. Elle peut aussi mettre en lumière ce que les consommateurs pensent vraiment d'un produit ou d'un service au point de vue individuel, un aspect rarement abordé par d'autres méthodes axées sur les discussions de groupe. Enfin, les gestionnaires marketing peuvent utiliser les résultats des entrevues individuelles pour élaborer des sondages. En revanche, l'entrevue individuelle est relativement longue et coûteuse. Une seule entrevue peut coûter 200 $ ou plus, selon sa durée et les caractéristiques de l'échantillon. Par exemple, si l'échantillon comprend des médecins, les entrevues seront plus onéreuses que s'il s'agit simplement d'intercepter des adolescents dans un centre commercial.

Les entrevues de groupe   Au cours d'une **entrevue de groupe**, l'analyste en marketing réunit un petit groupe de personnes (généralement entre 8 et 12) pour une discussion intensive sur un sujet donné. En se basant sur une méthode d'enquête non

entrevue de groupe
(*focus group interview*)
Technique de recherche qui consiste à réunir un petit groupe d'individus (habituellement entre 8 et 12 personnes) afin de faire le point sur un sujet en particulier. La discussion est guidée par un animateur formé à cet effet, qui pose aux participants des questions informelles.

Une entrevue avec un consommateur.

Avec ses 3 100 pièces et son prix de 300 $, l'Imperial Destroyer de la série Star Wars de Lego a été conçu avec l'aide de groupes de discussion en ligne.

structurée, un animateur qualifié dirige la conversation en fonction d'un plan préétabli du sujet étudié.

La plupart du temps, les chercheurs enregistrent les interactions sur une bande vidéo ou audio, ce qui les amènera par la suite à dépouiller les entrevues afin de repérer des modèles de réponses verbales ou non verbales.

Les entrevues de groupe permettent surtout de réunir des données qualitatives sur les réactions initiales des consommateurs à un produit ou à un service nouveau ou existant, sur leurs opinions concernant les offres des concurrents ou sur leurs réactions à un stimulant commercial, comme une nouvelle campagne de publicité ou du matériel de promotion sur le lieu de vente.

Par exemple, The Jones Group a mené des entrevues de groupe pour élaborer de nouveaux produits et une campagne publicitaire pour sa marque L.e.i. The Jones Group est une entreprise *Fortune 500* qui fabrique des vêtements et des accessoires sous les bannières Nine West, Jones New York et Anne Klein New York[19]. Estimant que sa marque L.e.i. ne rejoignait pas son marché cible (les jeunes de 13 à 17 ans), l'entreprise a voulu la rajeunir. Soucieuse de comprendre pourquoi les consommateurs boudaient sa marque, elle a réalisé un grand nombre d'entrevues de groupe, qui ont révélé que les jeunes voulaient une marque plus inspirante et plus patriotique. Grâce à ces entrevues, The Jones Group a également découvert que les jeunes passaient beaucoup de temps sur Internet. Par conséquent, elle a augmenté sa présence sur Internet, notamment en lançant un concours sur myspace, qui invitait les consommateurs à téléverser des photos d'eux-mêmes agitant le drapeau américain. La refonte de la marque a provoqué une réaction «exceptionnelle»[20].

Les groupes de discussion en ligne se taillent peu à peu une place dans la boîte à outils des analystes en marketing. Lego, par exemple, a invité plus de 10 000 enfants à participer à un groupe de discussion virtuel afin de recueillir des idées de nouveaux produits[21]. Les participants regardaient de courtes listes de jouets et cliquaient sur ceux qui leur plaisaient. Ils classaient leurs choix par ordre de préférence et proposaient même des idées nouvelles. Ces idées étaient ensuite transmises à d'autres clients potentiels et comparées avec celles des créateurs de jouets de Lego.

En retour, ces suggestions ont stimulé la créativité d'autres clients potentiels. Résultat : l'Imperial Destroyer de la série Star Wars était, à sa sortie, complètement différent de tout ce que Lego avait créé en plus de 75 années d'existence. Avec ses 3 100 pièces et son prix de 300 $, ce jouet était l'ensemble le plus gros et le plus cher jamais vendu par l'entreprise. La première série, qui devait durer un an, s'est vendue en moins de cinq semaines.

Les médias sociaux   Les sites de médias sociaux sont une source extraordinaire de données pour les gestionnaires marketing, qui sont persuadés qu'ils peuvent leur apporter des renseignements valables et utiles aux fins de la recherche en marketing et de l'élaboration de stratégies. En effet, ces sites peuvent leur donner un aperçu de ce que les consommateurs pensent des produits de leur entreprise ou de ceux de leurs concurrents. Les entreprises apprennent beaucoup sur les goûts, les aversions et les préférences des consommateurs en surveillant non seulement leurs achats, mais également leurs interactions sur les plateformes de réseautage social comme Facebook. Les consommateurs semblent avoir à cœur de donner leur opinion sur leurs achats et sur leurs centres d'intérêt, ainsi que sur ceux de leurs amis, dans des sondages et des blogues. Les gestionnaires marketing s'intéressent de près aux commentaires des internautes sur tous les sujets, depuis les restaurants jusqu'aux jeans en passant par les chaussures de tennis[22].

Certaines entreprises manifestent une grande créativité dans leur utilisation des médias sociaux. Ainsi, la société de recherche en marketing Communispace constitue des communautés de marque en ligne pour des entreprises telles que Kraft. Alors qu'elle s'apprêtait à lancer sa ligne de produits South Beach, Kraft a engagé Communispace pour créer une communauté virtuelle de consommateurs cibles : 150 femmes désireuses de perdre du poids et 150 leaders d'opinion en matière de « santé et mieux-être ». Les participantes ont ouvertement exposé leurs frustrations et leur difficulté à gérer leur poids parce qu'elles avaient l'impression que tous les membres de la communauté se débattaient avec des problèmes et des préoccupations similaires. En surveillant la communauté, Kraft a constaté qu'il lui faudrait éduquer les consommateurs au sujet de son régime South Beach et offrir des produits capables de calmer les fringales tout au long de la journée et pas seulement à l'heure des repas. Six mois après le lancement de sa ligne, Kraft avait récolté des profits de 100 millions de dollars[23].

Un grand nombre de sociétés, y compris la Ford Motor Company, PepsiCo, Coca-Cola et Southwest Airlines, ont intégré des « directeurs des médias sociaux » à leurs équipes de gestion. Ces directeurs ont pour fonction d'analyser les blogues, les billets et les commentaires publiés sur Twitter ou Facebook, dans lesquels les consommateurs mentionnent leur expérience avec une marque. Grâce à ce flux constant d'information, une entreprise peut recueillir les nouvelles les plus récentes sur elle-même, ses produits et ses services, ainsi que sur ses concurrents. Cette analyse des médias sociaux permet aux entreprises de connaître les perceptions des consommateurs et de régler des plaintes dont elles n'auraient jamais eu vent par d'autres canaux[24].

À ce stade-ci, vous devez vous demander quelles méthodes qualitatives de collecte des données sont employées le plus souvent. En général, les entrevues de groupe et les entrevues individuelles sont plus fréquentes les techniques d'observation, en particulier les études ethnographiques.

Le choix d'une méthode dépend de plusieurs facteurs importants comme l'objectif de la recherche, le coût et la durée de celle-ci, de même que les délais impartis. La présence d'analystes internes qualifiés ou la nécessité de faire appel à une société de recherche en marketing, surtout dans le cas de méthodes comme l'étude ethnographique et les techniques projectives, entrent aussi en ligne de compte. En général, les gestionnaires marketing doivent faire un compromis de manière à obtenir les résultats souhaités en temps opportun et à un coût raisonnable. Les entreprises combinent souvent plusieurs méthodes afin d'obtenir des résultats qui leur permettront d'élaborer un plan d'action.

Les méthodes de recherche formelle (quantitative)

La recherche formelle vise à confirmer une hypothèse de départ et à permettre aux décideurs d'élaborer un plan d'action[25]. Ce type de recherche peut être descriptif : par exemple, mener une enquête pour établir le profil d'un utilisateur ou d'un non-utilisateur typique d'une marque donnée. Il peut aussi être expérimental : un fabricant de boissons gazeuses effectue un test de dégustation pour savoir quelle boisson verte et riche en caféine plaît le plus aux clients. La collecte des données de scanner provenant d'un magasin ou d'informations provenant d'un groupe de clients appelé « panel », qui notent tous leurs achats, s'inscrit aussi dans la recherche formelle. Dans les paragraphes qui suivent, nous étudierons chacune de ces techniques : l'enquête, la recherche expérimentale, la recherche par scanner et la recherche par panel.

L'enquête   L'enquête est largement utilisée dans le cadre de la recherche formelle pour analyser les attitudes, les préférences, les comportements et les connaissances des consommateurs à l'égard de divers produits et marques. Elle est généralement plus économique que d'autres méthodes pour atteindre un vaste échantillon de consommateurs. Les questionnaires d'enquête génèrent des données quantitatives faciles à analyser à l'aide de méthodes statistiques plus ou moins complexes qui servent à étudier les relations entre les variables. Toutefois, ce type de recherche présente des lacunes. Ainsi, il arrive que les consommateurs soient incapables de répondre à certaines questions, ne se rappellent pas une information ou même n'interprètent pas les questions de la même manière que l'analyste en marketing. Certains consommateurs essaient même de donner les réponses qu'ils pensent que

enquête (*survey*)
Façon méthodique de recueillir des renseignements, le plus souvent au moyen d'un questionnaire.

questionnaire
(*questionnaire*)
Série de questions visant à recueillir des renseignements auprès du participant en vue d'atteindre un objectif de recherche ; les questions peuvent être structurées ou non.

question non structurée
(*unstructured question*)
Question ouverte qui permet au participant de répondre dans ses propres mots.

question structurée
(*structured question*)
Question fermée pour laquelle une série de réponses précises sont proposées au participant.

ce dernier souhaite obtenir. Lorsque les répondants omettent de répondre à certaines questions, cela crée un autre problème, surtout au stade de l'analyse des données. Des données incomplètes rendent l'analyse et l'interprétation plus compliquées et plus délicates.

Une **enquête**, que l'on appelle également un sondage, est une collecte méthodique des données habituellement effectuée au moyen d'un questionnaire. Quant au **questionnaire**, il consiste en une série de questions visant à recueillir des renseignements auprès des répondants afin d'atteindre l'objectif de la recherche. Les questionnaires peuvent être soumis par téléphone, par courrier, par télécopieur ou encore en ligne ; on peut même les faire passer en personne, comme dans le cas des entrevues impromptues réalisées dans les centres commerciaux. Leurs questions peuvent être structurées ou non.

Une **question non structurée** est une question ouverte à laquelle le sujet répond dans ses propres mots. Une question non structurée telle que «Quelles caractéristiques vous poussent à choisir une marque de shampooing plutôt qu'une autre?» entraîne une réponse non structurée. Toutefois, l'analyste en marketing pourrait poser la même question dans un format structuré en fournissant un choix de catégories préétablies de réponses comme le prix, le parfum, le pouvoir nettoyant et le contrôle des pellicules, puis demander aux répondants d'évaluer l'importance de chaque caractéristique.

Une **question structurée** est une question fermée pour laquelle un choix de réponses précises est proposé au répondant (*voir la figure 5.3*).

L'élaboration d'un questionnaire est à la fois un art et une science. Les questions doivent être soigneusement formulées en fonction d'un ensemble de questions de recherche.

De plus, pour qu'un questionnaire donne des résultats significatifs, ses questions ne doivent en aucune façon être trompeuses (elles ne doivent pas donner lieu à de multiples interprétations) et elles doivent aborder un seul sujet à la fois. Elles doivent être formulées dans des termes familiers et faciles à comprendre pour les répondants. Plus précisément, elles doivent être ordonnées d'une manière adéquate : les questions générales d'abord, suivies des questions plus précises, puis des questions démographiques. Enfin, la disposition et l'apparence du questionnaire doivent être professionnelles et faciles à suivre, et celui-ci doit comporter des instructions adéquates aux endroits appropriés. Le tableau 5.4 présente quelques conseils sur les questions à éviter au moment de l'élaboration d'un questionnaire.

Les enquêtes commerciales peuvent être menées en ligne ou hors ligne, mais les enquêtes en ligne permettent aux analystes en marketing de construire rapidement une base de données à partir d'un grand nombre de réponses.

FIGURE 5.3 Des exemples de question structurée et de question non structurée

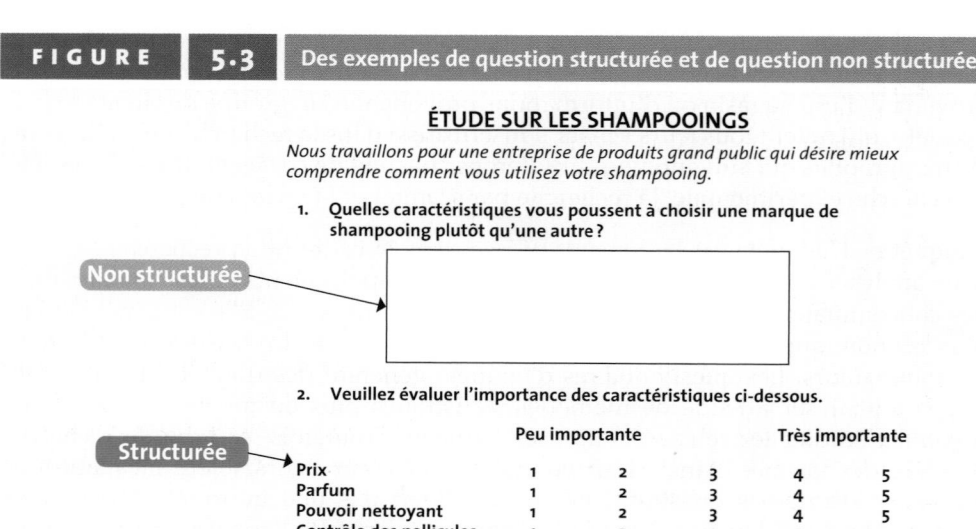

ÉTUDE SUR LES SHAMPOOINGS

Nous travaillons pour une entreprise de produits grand public qui désire mieux comprendre comment vous utilisez votre shampooing.

1. **Quelles caractéristiques vous poussent à choisir une marque de shampooing plutôt qu'une autre ?**

Non structurée

2. **Veuillez évaluer l'importance des caractéristiques ci-dessous.**

Structurée

	Peu importante			Très importante	
Prix	1	2	3	4	5
Parfum	1	2	3	4	5
Pouvoir nettoyant	1	2	3	4	5
Contrôle des pellicules	1	2	3	4	5

TABLEAU 5.4	Les questions à éviter au cours de l'élaboration d'un questionnaire	
Problème	**Bonne question**	**Mauvaise question**
Évitez les questions auxquelles le répondant ne peut pas répondre facilement ou avec précision.	Au cours d'une semaine typique, combien de yaourts consommez-vous?	Combien de yaourts avez-vous consommés au cours de la dernière année?
Évitez les questions indiscrètes, sauf en cas d'absolue nécessité.	Prenez-vous des vitamines?	Prenez-vous du Viagra?
Évitez les questions portant sur plusieurs sujets qui exigent une seule réponse.	1. Pensez-vous que Justin Trudeau ferait un bon premier ministre? 2. Pensez-vous que Thomas Mulcair ferait un bon premier ministre?	Pensez-vous que Justin Trudeau ou Thomas Mulcair ferait un bon premier ministre?
Évitez les questions suggestives qui orientent les répondants vers une réponse particulière ne tenant pas compte de leurs convictions réelles.	Évaluez le caractère sécuritaire d'une Volvo sur une échelle de 1 (non sécuritaire) à 10 (très sécuritaire).	Volvo est la voiture la plus sécuritaire sur la route, n'est-ce pas?
Évitez les questions unilatérales qui présentent seulement un aspect de la question.	Dans quelle mesure les aliments prêts à manger sont-ils responsables de l'obésité chez les adultes, selon vous? 1: Pas responsables / 5: Principale cause.	La majorité des gens sait que les aliments prêts à manger sont responsables de l'obésité chez les adultes. Quelle est votre opinion à ce sujet?
Évitez les questions comportant des suppositions laissant présumer que le point de référence est le même pour tous les répondants.	Faut-il permettre aux enfants de boire du Coca-Cola à l'école?	La caféine étant un stimulant, faut-il permettre aux enfants de boire du Coca-Cola à l'école?
Évitez les questions complexes et celles qui peuvent sembler peu familières aux répondants.	Quelle marque de montre portez-vous d'habitude?	À votre avis, les montres mécaniques sont-elles meilleures que les montres à quartz?

Source: adapté d'A. Parasuraman, Dhruv Grewal et R. Krishnan, *Marketing Research*, 2ᵉ éd., Boston, Houghton Mifflin Company, 2007, chap. 10.

Le pourcentage des enquêtes quantitatives en ligne s'accroît constamment. Bien qu'Internet n'ait pas démontré son efficacité pour ce qui est des groupes de discussion, les enquêtes en ligne ont beaucoup à offrir aux gestionnaires qui doivent composer avec des délais serrés[26], et notamment les avantages suivants:

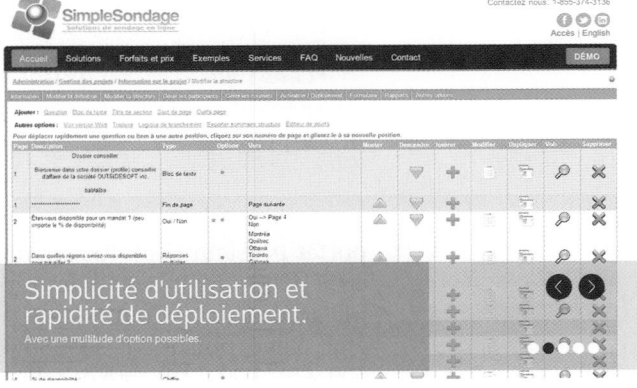

- **Le taux de réponse peut être relativement élevé.** Il se situe généralement entre 1% et 2% pour les enquêtes postales et entre 10% et 15% pour les enquêtes téléphoniques[27]. Par contre, pour ce qui est des enquêtes en ligne, le taux de réponse peut atteindre 30% à 35%, voire plus dans le cas des recherches liées au commerce interentreprises.
- **Les répondants sont moins portés à mentir.** Quel que soit le média utilisé, certains répondants mentent. Vous êtes-vous déjà demandé combien d'adjoints administratifs remplissaient les questionnaires d'enquête postale pour leurs supérieurs? Et quelles sortes de réponses ils fournissaient? Comme il est plus facile de garder l'anonymat en ligne que par téléphone ou par courrier, les répondants sont plus enclins à répondre avec franchise, notamment sur des sujets sensibles.
- **Elles sont peu coûteuses.** Une entrevue téléphonique d'une durée moyenne de 20 minutes peut coûter entre 30 $ et 40 $, tandis qu'une entrevue en ligne coûte de 7 $ à 10 $. Ces coûts continueront sans doute de baisser à mesure que les utilisateurs se familiariseront avec le processus d'enquête en ligne.

Les solutions d'enquêtes en ligne, comme SimpleSondage, permettent aux analystes en marketing de construire rapidement une base de données à partir d'un grand nombre de réponses à un coût relativement bas.

- **Les résultats sont traités et reçus rapidement.** Les rapports et les sommaires peuvent être élaborés en temps réel et livrés directement aux gestionnaires sous forme de comptes rendus simples, faciles à assimiler et complets avec couleurs, graphiques et tableaux. Les enquêtes téléphoniques ou postales traditionnelles nécessitent plusieurs opérations laborieuses – collecte des données, mise en tableaux, rédaction du sommaire et distribution – avant que quiconque ne puisse en comprendre les résultats.

- **Elles font un meilleur usage des éléments multimédias.** Les enquêtes en ligne permettent aux gestionnaires marketing de présenter leurs produits à l'aide de graphiques, de sons et de mouvements, puis de poser des questions basées sur leur présentation. Ils jouissent ainsi d'une plus grande latitude pour poser leurs questions, ce qui a tendance à améliorer le taux de réponse et à susciter des réponses plus franches.

Les analystes en marketing peuvent aussi utiliser Internet pour recueillir des données autres que celles qui proviennent des enquêtes quantitatives. Si des consommateurs acceptent qu'une entreprise fasse la promotion de ses produits auprès d'eux, celle-ci peut recueillir des données sur leur utilisation de son site Web et d'autres applications Internet. De plus, elle peut recourir à des questionnaires à réponses libres pour obtenir plus de données qualitatives en profondeur.

Les analystes en marketing utilisent généralement divers types d'échelles pour mesurer certains concepts comme les attitudes, la qualité perçue, la valeur perçue, la loyauté et la commodité. Supposons que vous fassiez partie d'une équipe de recherche chez McDonald's, dont la mission consiste à déterminer comment les consommateurs évaluent la nourriture et les restaurants de la chaîne. L'équipe a préparé un questionnaire comme celui présenté dans le tableau 5.5, qu'elle va distribuer aux clients. Examinons ce questionnaire. La section A vise à évaluer l'expérience du client chez McDonald's et la section B, son expérience chez Wendy's. La section C mesure les habitudes du client à l'égard de McDonald's et la section D permet d'obtenir des données démographiques.

De plus, supposons que l'équipe de recherche ait distribué son questionnaire à 1 000 clients. Pour le premier point (« La nourriture est bonne. »), elle a obtenu les résultats ci-dessous :

1	2	3	4	5
Pas du tout d'accord	Pas d'accord	Sans opinion	D'accord	Tout à fait d'accord
N = 50	N = 50	N = 100	N = 300	N = 500

Le nombre de réponses est indiqué par « N = ». Les analystes pourraient rapporter plusieurs paramètres ou retenir deux mesures courantes, en l'occurrence que 80 % [(300 + 500)/1 000] des répondants étaient très satisfaits, puisqu'ils ont répondu « D'accord » ou « Tout à fait d'accord », et que le taux de satisfaction des répondants était élevé, puisque le score moyen était de 4,15 [(50 x 1 + 50 x 2 + 100 x 3 + 300 x 4 + 500 x 5)/1 000] sur une échelle de 5 points.

recherche expérimentale
(*experimental research*)
Type de recherche quantitative au cours de laquelle on manipule au moins une variable en vue de savoir si elle produit un effet sur les autres variables.

La recherche expérimentale   La recherche expérimentale est un type de recherche quantitative qui consiste à manipuler systématiquement une ou plusieurs variables afin de détecter la ou les variables qui influent sur les autres variables. Dans l'exemple hypothétique de McDonald's, l'équipe de recherche a tenté de déterminer le prix le plus rentable pour un nouveau combo (hamburger, frites et boisson). Supposons que le coût fixe du développement de ce produit soit de 300 000 $ et que son coût variable (en gros, celui des aliments) soit de 2 $. McDonald's met le combo au menu dans quatre marchés distincts à des prix différents : 4 $, 5 $, 6 $ et 7 $ (*voir le tableau 5.6, p. 154*). En général, plus un plat est cher, moins il se vend. Mais, en faisant cette expérience, la chaîne constate que le combo le plus rentable est le deuxième moins cher (5 $). Ces résultats indiquent que certains clients ont refusé d'acheter le combo à 7 $

| TABLEAU | 5.5 | Un exemple hypothétique d'enquête en ligne sur les restaurants rapides |

Veuillez prendre quelques minutes pour nous décrire votre expérience chez McDonald's et Wendy's. Répondez à chaque question en cochant la case appropriée ou écrivez votre réponse dans l'espace réservé à cet effet.

A. McDonald's	Pas du tout d'accord 1	Pas d'accord 2	Sans opinion 3	D'accord 4	Tout à fait d'accord 5
La nourriture est bonne.	❑	❑	❑	❑	❑
Les lieux sont propres.	❑	❑	❑	❑	❑
Les prix sont bas.	❑	❑	❑	❑	❑
B. Wendy's	Pas du tout d'accord 1	Pas d'accord 2	Sans opinion 3	D'accord 4	Tout à fait d'accord 5
La nourriture est bonne.	❑	❑	❑	❑	❑
Les lieux sont propres.	❑	❑	❑	❑	❑
Les prix sont bas.	❑	❑	❑	❑	❑

C. McDonald's

	Jamais	1-2 fois	3-4 fois	Plus de 5 fois
Le mois dernier, combien de fois avez-vous mangé chez McDonald's ?	❑	❑	❑	❑

Combien dépensez-vous en moyenne à chaque visite ?   _____ $

Quel est votre mets préféré chez McDonald's ?   _____

D. Aidez-nous à mieux vous connaître

	– de 16 ans	entre 16 et 24 ans	entre 25 et 35 ans	36 ans et +
Quel âge avez-vous ?	❑	❑	❑	❑

	Homme	Femme
Quel est votre sexe ?	❑	❑

parce qu'ils le jugeaient trop cher. Le combo le moins cher (4 $) s'est vendu relativement bien, mais McDonald's n'a pas fait autant de profit sur chaque vente. Dans cette expérience, les différents niveaux de prix ont sans doute eu une incidence sur les ventes et, par conséquent, sur la rentabilité du restaurant.

La recherche par scanner   La **recherche par scanner** est un type de recherche quantitative qui s'appuie sur les données obtenues par le balayage des codes universels des produits (CUP) aux caisses des magasins. Chaque fois que vous allez à l'épicerie, vos achats sont enregistrés au moyen d'un lecteur optique, le scanner. Les données relatives à vos achats sont sans doute vendues à de grosses sociétés de recherche en marketing comme SymphonyIRI Group ou Nielsen. Ces sociétés utilisent cette information en vue d'aider les grandes entreprises de biens emballés pour la vente au détail (p. ex., Kellogg's, Pepsi, Croustilles Yum-Yum) à évaluer ce qui se passe sur le marché. Ainsi, une entreprise peut voir ce qui se produit si elle réduit ses prix de 10 % pendant un mois. Les ventes ont-elles augmenté, diminué ou sont-elles restées les mêmes ?

recherche par scanner (*scanner research*) Type de recherche quantitative au cours de laquelle les codes universels des produits (CUP) saisis aux caisses enregistreuses sont analysés.

TABLEAU	5.6	Un exemple hypothétique de fixation des prix chez McDonald's			
	1	**2**	**3**	**4**	**5**
Marché	**Prix unitaire en $**	**Demande du marché à ce prix (en unités)**	**Recettes totales en $ (col. 1 × col. 2)**	**Coût total des unités vendues en $ (coût fixe : 300 000 $; coût variable : 2 $/unité)**	**Profits totaux en $ (col. 3 – col. 4)**
1	4	200 000	800 000	700 000	100 000
2	5	150 000	750 000	600 000	150 000
3	6	100 000	600 000	500 000	100 000
4	7	50 000	350 000	400 000	(50 000)

recherche par panel
(*panel research*)
Type de recherche quantitative qui consiste à recueillir des renseignements auprès d'un groupe relativement stable de consommateurs (le panel). Certains panels sont utilisés ponctuellement, permettant ainsi de constituer rapidement un échantillon présumé représentatif d'une population d'intérêt. D'autres sont consultés par intervalles, parfois sur le même sujet (p. ex., dans le cas d'études de cohortes où l'on s'intéresse aux comportements relatifs à la santé), parfois sur des sujets divers.

La recherche par panel La **recherche par panel** est un type de recherche quantitative qui consiste à recueillir des renseignements auprès d'un groupe de consommateurs (le panel) pendant un certain temps. Les données recueillies peuvent provenir d'une enquête ou de documents afférents aux achats. La recherche par panel fournit aux entreprises de biens emballés pour la vente au détail un tableau complet des produits que les consommateurs individuels achètent ou n'achètent pas. Asda, une filiale de Walmart opérant au Royaume-Uni, utilise un panel de 18 000 clients, qu'elle appelle « le pouls de la nation », pour déterminer quels produits vendre dans ses magasins. Elle envoie des courriels à tous les participants avec des images des produits et des descriptions de nouveaux produits potentiels. Puis, elle se fie à leurs réponses pour déterminer si elle devrait vendre ou non un produit dans ses magasins. Pour remercier les répondants, elle inscrit automatiquement leur nom à un tirage permettant de gagner des prix[28].

Maintenant que nous avons vu les diverses méthodes de collecte de données secondaires et primaires, nous constatons que ces deux types de données présentent des avantages et des inconvénients intrinsèques. Le tableau 5.7 met en lumière certaines différences entre les méthodes de recherche exploratoire et les méthodes de recherche formelle.

Toutefois, peu importe la procédure, la collecte de données peut être onéreuse pour les entrepreneurs dont le budget est restreint. La rubrique Marketing entrepreneurial (*voir p. 156-157*) propose différentes méthodes de collecte adaptées à cette situation.

Étape 4 : analyser les données

donnée (*data*)
Chiffre brut ou toute autre information factuelle dont la portée est restreinte.

information (*information*)
Donnée organisée, analysée, interprétée, puis convertie de façon qu'elle soit utile aux décideurs.

L'étape suivante du processus de recherche en marketing, soit l'analyse et l'interprétation des **données**, doit être à la fois complète et méthodique. Pour en tirer des informations utiles, les analystes en marketing doivent analyser et traiter les données recueillies. Dans ce contexte, les données prennent la forme de chiffres bruts ou d'informations factuelles qui, en soi, n'ont qu'une valeur limitée pour ces gestionnaires. Cependant, une fois organisées, analysées, interprétées et mises en forme, elles se changent en **informations** qui deviennent utiles à la prise de décision. Par exemple, les lecteurs de caisses des épiceries recueillent des données sur les achats des consommateurs individuels. Mais c'est seulement lorsque ces données ont été classées en catégories et analysées qu'elles fournissent des renseignements sur la nature des produits et des services qui ont été achetés ensemble ou sur les ventes découlant d'une activité promotionnelle menée en magasin.

Ainsi, dans notre exemple sur l'eau de Cologne présentée au début du chapitre, l'entreprise apprend de sources de données secondaires qu'elle vend son produit moins cher que ses concurrents, dépense plus d'argent en publicité traditionnelle dans des revues de mode et est en train de perdre sa part du marché aux mains d'un

TABLEAU 5.7	Les différences entre la recherche exploratoire et la recherche formelle	
Composante du projet de recherche	**Recherche exploratoire**	**Recherche formelle**
Objectif de la recherche	Général : fournir des indices sur une situation	Spécifique : confirmer des hypothèses et faciliter le choix d'un plan d'action
Besoins en matière de données	Vagues	Précis
Sources des données	Peu définies	Bien définies
Forme de collecte des données	Libre, brute	Habituellement structurée
Échantillon	Relativement petit, souvent non aléatoire ; choisi de façon subjective afin de maximiser la généralisation des suppositions	Relativement étendu et aléatoire ; choisi de façon objective afin de permettre la généralisation des résultats
Collecte des données	Souvent flexible ; aucune procédure fixe	Habituellement rigide ; procédure bien définie
Analyse des données	Informelle ; généralement non quantitative	Formelle ; généralement quantitative
Inférences ou recommandations	Plus provisoires que définitives	Plus définitives que provisoires
Compétences des chercheurs	Compétences étendues en communication interpersonnelle, en observation, en interprétation de textes ou de données visuelles	Compétences éprouvées en analyse statistique et en interprétation des nombres

Source : A. Parasuraman, Dhruv Grewal et R. Krishnan, *Marketing Research*, 2ᵉ éd. Tous droits réservés © 2007 Hougton Mifflin Company. Adapté avec la permission des auteurs. J. Hair Jr., R. Bush et D. Ortinau, *Marketing Research in the Digital Information Environment*, 4ᵉ éd., McGraw-Hill Irwin, 2009. Adapté avec permission.

nouveau concurrent. En reliant ces points de données distincts, elle constate qu'elle doit trouver pourquoi la nouvelle eau de Cologne de son concurrent est aussi appréciée. L'entreprise mène alors une série d'entrevues de groupe, une technique qui lui permet ensuite de réaliser une enquête auprès des utilisateurs de son eau de Cologne et de celle de son concurrent. L'enquête génère des renseignements probants que l'entreprise utilise pour modifier sa stratégie.

L'entreprise découvre, entre autres, que le parfum de son produit est un peu trop prononcé et ne plaît pas à son marché cible plus jeune. Elle apprend aussi que les pairs ont une influence énorme sur les préférences des jeunes en matière de parfum. L'entreprise décide donc d'atténuer la fragrance de son eau de Cologne et de remanier son budget promotionnel afin de financer un plus grand nombre d'initiatives innovantes sur les sites de médias sociaux comme Twitter, Facebook et YouTube. La rubrique Marketing et médias sociaux *(voir p. 158)* explique comment les gestionnaires marketing exploitent les riches données qualitatives glanées sur les sites de médias sociaux pour en apprendre davantage sur les consommateurs et leurs comportements d'achat.

Poursuivons avec notre exemple concernant McDonald's : les résultats de l'enquête présentée dans le tableau 5.5 *(voir p. 153)* sont résumés dans la figure 5.4 *(voir p. 158)*. Ils indiquent que McDonald's et Wendy's ont obtenu la même note pour ce qui est de la propreté des lieux, mais que McDonald's affiche des prix plus bas tandis que la nourriture est meilleure chez Wendy's. McDonald's pourrait décider d'améliorer le goût de ses plats afin de mieux rivaliser avec Wendy's.

Les données doivent être converties en informations pour permettre de décrire, d'expliquer, de prédire ou d'évaluer une situation particulière. Voici un exemple. Un détaillant de vêtements pour hommes, situé au centre-ville d'Ottawa, a appris que le gros de sa clientèle vivait dans les quartiers situés à la périphérie du centre-ville.

Imaginez que votre entreprise doit réaliser une recherche en marketing avec un budget très restreint. Heureusement, il n'est pas nécessaire que la recherche en marketing soit coûteuse, même si elle exige toujours dynamisme et savoir-faire. Voici quelques façons de trouver l'information dont vous et votre entreprise pourriez avoir besoin sans faire sauter la banque.

Objectif : De quelle information avez-vous besoin ?

- ***Réseau.*** Utilisez le répertoire téléphonique de votre cellulaire et appelez vos amis et vos collègues de travail. Dans la plupart des cas, les analystes en marketing connaissent des gens de l'industrie qui pourront partager leurs connaissances avec eux. Ces gens peuvent aider ces gestionnaires à cerner les objectifs de leurs futurs projets de recherche.

Analyse de la clientèle : Qui sont vos clients et que veulent-ils ?

- ***Clientèle.*** Parlez avec des clients actuels et potentiels. Si vous leur posez les bonnes questions, ils vous donneront les réponses que vous cherchez. Cette approche, quoique coûteuse en temps, est remarquablement peu chère parce qu'elle requiert seulement le travail d'un analyste en marketing. Celui-ci doit toutefois formuler soigneusement ses questions. En effet, les répondants ont tendance à donner des réponses qui vont dans le sens de ce que l'analyste veut entendre ou qui leur paraissent socialement acceptables.

- ***Internet.*** Utilisez un moteur de recherche comme Google et tapez simplement quelques mots clés appropriés.

- ***Statistique Canada.*** Cet organisme gouvernemental est une importante source d'information. Sur le site www.statcan.gc.ca, tous les rapports sur l'industrie, sur la démographie et sur l'économie sont accessibles gratuitement. Bien qu'il ne soit pas réputé pour sa convivialité, ce site renferme un large éventail d'informations.

Analyse concurrentielle : Que font vos concurrents ?

Sources de données secondaires : La liste figurant dans le tableau 5.1 (*voir p. 140*) en présente un grand nombre.

- ***Sites Web.*** Visitez les sites Web de vos concurrents, s'il y a lieu. Explorez leurs produits et leurs services, leurs politiques de prix, leur équipe de gestion et leur philosophie. Lisez leurs communiqués de presse. Vous pourrez même deviner quels volets de l'entreprise sont florissants en parcourant leurs offres d'emplois.

- ***Fichiers de la Commission des valeurs mobilières des États-Unis (Securities and Exchange Commission – SEC).*** Si vos concurrents sont des sociétés publiques, ils doivent remplir le Formulaire 10K chaque année et le remettre à la SEC. Visitez les sites www.finance. yahoo.com et moneycentral.msn.com/home.asp. Vous y trouverez les chiffres des ventes et des dépenses de vos concurrents et d'autres renseignements importants dans les notes de bas de page.

- ***Bases de données électroniques des bibliothèques universitaires.*** La plupart des universités canadiennes souscrivent à plusieurs bases de données électroniques susceptibles de vous renseigner sur les sociétés canadiennes. Les étudiants, actuels ou anciens, et le personnel peuvent généralement y accéder à distance et sans frais. En voici quelques exemples : Canadian Business Resource, Canadian Business & Current Affairs, Factiva, Financial Post Datagroup, MarketResearch.com, Mergent Online, Mergent WebReports, ProQuest Asian Business et ProQuest European Business. Un grand nombre de ces sources affichent le profil de l'entreprise, des données financières, ses coordonnées ainsi que de brèves histoires ou études de cas qui rendent compte de ses succès, de ses échecs ou de ses innovations.

- ***Rendez-vous sur place.*** Si vos concurrents opèrent de petites entreprises familiales, allez les voir. Munissez-vous d'un crayon et d'un carnet, et flânez devant le magasin. Comptez les clients qui entrent et le pourcentage qui en ressort avec un achat. Utilisez votre jugement. Les clients ont-ils acheté des articles dont la marge bénéficiaire est plus élevée ? Découvrez à quels endroits vos concurrents font leur publicité et ce qu'ils annoncent.

- ***Codes SCIAN.*** Pour obtenir une vision plus complète de la concurrence, consultez les codes du Système de classification des industries de l'Amérique du Nord (SCIAN). Ce système répertorie les entreprises d'un secteur donné de l'industrie au moyen d'un code de six chiffres. Consultez les sites du gouvernement (www.strategis.ic.gc.ca) et de Statistique Canada (www.statcan.ca) pour trouver le code SCIAN dont vous avez besoin et obtenir un rapport sur l'industrie concernée. Par exemple, pour trouver les magasins de vêtements pour femmes, vous devez utiliser le code 44812. Les deux premiers chiffres, 44 ou 45, désignent le commerce de détail. Le troisième chiffre indique une subdivision de cette catégorie. Par exemple, les détaillants qui vendent des vêtements et des accessoires entrent dans la catégorie 448, tandis que les magasins généraux portent le code 452. Les magasins de vêtements et d'accessoires (448) se subdivisent en magasins de vêtements (4481), magasins de chaussures (4482), bijouteries et magasins de bagages et de maroquinerie (4483). Le cinquième chiffre permet de subdiviser ces commerces

Classification en fonction du type de marchandise

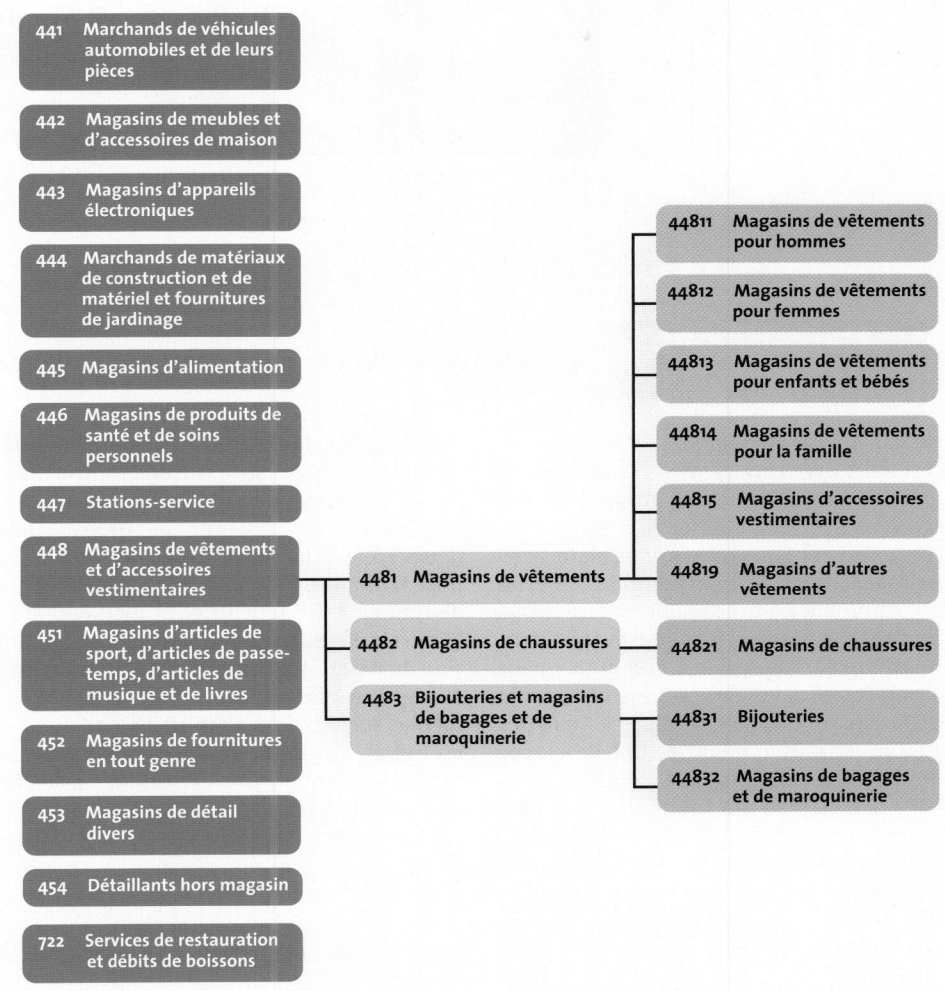

en magasins de vêtements pour hommes (44811) et magasins de vêtements pour femmes (44812). Le sixième chiffre (non montré ici) sert à préciser les différences entre les trois pays nord-américains qui utilisent ce système de classification, soit les États-Unis, le Mexique et le Canada.

Rapports d'entrevues de groupe, d'enquêtes et d'analyse : Quels renseignements détaillés pouvez-vous en extraire ?

- **Précision.** Déterminez avec précision l'information dont vous avez besoin. Il est très onéreux de lancer des recherches qui ne sont pas utiles aux décideurs ou qui ne donnent pas d'orientation stratégique.

- **Enquêtes.** Choisissez la méthode qui vous donnera la meilleure valeur. Les enquêtes téléphoniques coûtent environ 40 $ par entrevue réalisée, les enquêtes postales, entre 5 000 $ et 15 000 $ en moyenne pour 200 réponses. Les enquêtes par courrier électronique et en ligne coûtent habituellement beaucoup moins cher.

- **Entrevues de groupe.** Bien que les entrevues de groupe soient parfois plus coûteuses, il existe des façons de faire des économies. Élaborez vos propres questions et évitez d'embaucher un modérateur ou un facilitateur de l'extérieur. Vous devez toutefois trouver les bons participants.

- **Rapports d'analyse.** Des centaines d'entreprises spécialisées vendent des rapports déjà écrits couvrant une grande variété de sujets à toutes sortes de prix. Voici les adresses Internet de deux des plus connues : www.forrester.com et www.hoovers.com.

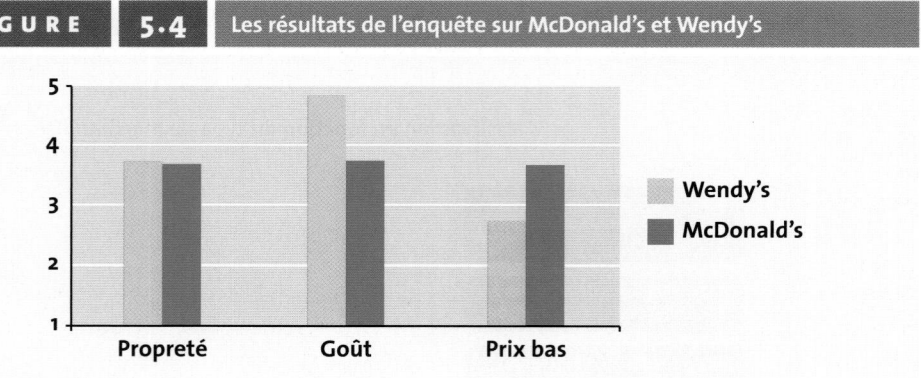

FIGURE 5.4 Les résultats de l'enquête sur McDonald's et Wendy's

Marketing et médias sociaux

L'exploitation des données dans les médias sociaux[29]

Dans le cadre de leur travail hors ligne, les gestionnaires marketing ont toujours eu recours à diverses techniques de marketing comme l'observation, les groupes de discussion, les entrevues, les enquêtes et les expériences pour évaluer leurs efforts et leurs campagnes de mise en marché. Or, avec l'avènement du marketing en ligne, les gestionnaires ont commencé à utiliser une variété d'analyseurs Web pour suivre et évaluer leurs sites Web et leurs campagnes publicitaires en ligne, ainsi que pour mieux comprendre les habitudes et les comportements d'achat des internautes. Des entreprises comme Google Analytics, Webtrends, Omniture et plusieurs autres ont développé une pléthore de mesures en temps réel servant à évaluer l'efficacité des activités de marketing déployées sur Internet. Ces mesures s'appliquent à toutes sortes d'éléments allant du comportement des visiteurs sur un site donné (p. ex., les pages visitées et le temps passé sur chaque page) aux transactions qu'ils concluent en passant par les mesures de l'efficacité publicitaire (p. ex., le taux de clics publicitaires).

Au contraire des sites d'entreprises sur lesquels les gestionnaires marketing ont le contrôle et où ils peuvent facilement surveiller les habitudes de surf et d'achat des visiteurs, les sites de médias sociaux échappent à leur contrôle, et leur surveillance peut s'avérer ardue. De plus, contrairement aux sites d'entreprises, qui font la promotion, la vente et l'achat de produits, les sites de médias sociaux sont des plateformes d'échange et de partage d'information : les visiteurs y discutent spontanément et de leur plein gré de produits, de services, de marques, d'entreprises et d'eux-mêmes avec d'autres internautes. Les opinions exprimées ne sont généralement pas influencées par la pression ou les partis pris contenus dans les questions d'un analyste en marketing. Les sites de médias sociaux sont donc attirants parce qu'ils permettent aux gestionnaires marketing d'observer discrètement les sentiments et les opinions réels des visiteurs. La possibilité de

suivre et d'exploiter ce type de données sur de multiples sites est considérée comme une mine d'or virtuelle.

Vu l'intérêt que suscite la surveillance des médias sociaux, il n'est pas étonnant que de nombreux vendeurs (p. ex., Infegy, JamiQ, Radian6 et Sysomos) proposent maintenant un large éventail d'outils capables de remplir cette fonction. Un sondage récent réalisé par Forrester Research auprès de 145 gestionnaires marketing du monde entier spécialisés dans le commerce inter-entreprises et de détail a démontré que l'utilisation des médias sociaux comme outil de marketing est en hausse. En outre, plus de la moitié des répondants ont affirmé qu'ils augmenteraient les sommes affectées au marketing des médias sociaux au cours des prochains mois.

Comme les sites de médias sociaux sont des plateformes dédiées au clavardage, aux échanges et aux communautés, ils sont vus comme une énorme base de riches données comportementales et un médium propice aux études de marché. Certains gestionnaires marketing les voient comme un endroit où ils peuvent facilement, rapidement et à un faible coût recruter des volontaires pour participer à des études de marché et obtenir des résultats plus rapidement qu'au moyen des techniques traditionnelles de recherche en marketing. Cette méthode peut être particulièrement attrayante pour les petites entreprises ou les services de marketing disposant de budgets de recherche limités.

Néanmoins, une diminution radicale de la recherche en marketing conventionnelle serait contre-productive. Les gestionnaires marketing sont donc confrontés à un défi majeur consistant à intégrer les méthodes conventionnelles de recherche en marketing avec la Web analytique et les médias sociaux afin de générer des données de marketing valides. Pour ce faire, ils devront définir les questions de recherche les plus appropriées aux différentes techniques et la mesure dans laquelle les méthodes combinées permettent de trianguler les résultats des approches individuelles.

Cette information a revêtu une nouvelle signification lorsque l'entreprise a constaté que sa coûteuse et ingénieuse campagne par publipostage n'avait attiré aucun de ces clients. En effet, lorsqu'elle a analysé les données recueillies au moyen d'un sondage, l'entreprise a découvert que ses principaux clients étaient des professionnels qui entraient dans son magasin en passant ou bien en se rendant à leur travail, et non les habitants des immeubles de luxe du centre-ville ciblés par sa campagne par publipostage.

L'analyse des données peut être aussi simple que de calculer la moyenne des achats de divers segments de consommateurs ou aussi complexe que de prévoir les ventes pour chaque segment de marché en recourant à des techniques statistiques élaborées. Coinstar, chef de file mondial des machines libre-service à compter la monnaie, analyse les données de recherche en marketing d'une manière de plus en plus sophistiquée. L'entreprise a installé des machines dans plus de 10 000 supermarchés au Canada, aux États-Unis et au Royaume-Uni. Les consommateurs se servent de ces machines, qui peuvent compter jusqu'à 600 pièces à la minute, pour traiter des volumes importants de petite monnaie qu'ils échangent contre un bon pouvant être converti en espèces ou en épicerie.

Depuis sa création en 1991, la société cherche constamment de nouveaux emplacements rentables, car ses services sont de plus en plus populaires. Au début, trouver des emplacements de choix en se fondant sur des intuitions fonctionnait bien, mais dernièrement, les analystes en marketing de Coinstar ont élaboré des modèles de régression permettant de repérer et d'évaluer les emplacements potentiels de ses «machines vertes». Cette approche a grandement amélioré la capacité de Coinstar à trouver des emplacements et à prédire ceux qui offriraient le meilleur potentiel de croissance et de rentabilité. La société peut désormais compter sur les quelque 7,7 milliards de dollars en petite monnaie qui dorment dans les foyers en attendant d'être convertis en espèces ou en épicerie[30].

Coinstar, chef de file mondial des machines libre-service à compter la monnaie, utilise des modèles de régression complexes pour déterminer et évaluer les futurs emplacements de ses machines.

L'analyste en marketing doit analyser et interpréter les données d'une manière objective, sans essayer de dissimuler ou de fausser les résultats qui ne répondent pas à ses attentes. Le fait de les interpréter de travers ou de trafiquer les statistiques pour les rendre conformes à ses intuitions ou à ses prédictions débouchera sur des décisions peu pertinentes susceptibles d'être préjudiciables aux gestionnaires marketing. La tentation de mentir en s'appuyant sur des statistiques est forte; l'analyste en marketing doit en être conscient et tout faire pour y résister.

Étape 5 : présenter les résultats

À l'étape finale du processus de recherche en marketing, l'analyste prépare les résultats et les présente aux décideurs concernés. Un rapport de recherche typique comprend un sommaire, le corps du rapport (qui décrit les objectifs de la recherche, la méthodologie et les résultats détaillés), les conclusions, les limites de l'étude ainsi que les tableaux, les figures et les annexes pertinents. Pour être efficace, un rapport écrit doit être bref, intéressant, méthodique, précis et honnête; de plus, il ne doit pas comporter d'erreurs[31]. Il doit être rédigé dans un style approprié à ses destinataires, style qui ne laisse aucune place au jargon. Il doit aussi comprendre des recommandations que les gestionnaires pourront réellement mettre en œuvre.

Revenons à notre scénario hypothétique concernant McDonald's. Les résultats de la recherche démontrent que l'entreprise se débrouille bien pour ce qui est de la propreté des lieux (tout comme ses concurrents), qu'elle est perçue comme pratiquant des prix bas et que le goût de ses plats pourrait être amélioré. En se basant sur cette analyse et ce qu'elle révèle, la chaîne pourrait engager des chefs cuisiniers pour améliorer son menu et son offre de nourriture. De plus, elle voudra mettre en valeur ces offres additionnelles dans sa publicité et ses promotions en soulignant que les nouveaux plats ont été élaborés par des chefs cuisiniers. McDonald's pourrait aussi envisager d'effectuer une recherche supplémentaire afin de déterminer si ses prix bas ont un effet positif sur ses ventes et ses profits ou si elle devrait afficher des prix plus compétitifs par rapport à ceux de Wendy's.

OA ⑤ L'utilisation éthique des données clients

Comme nous l'avons vu au chapitre 3, le maintien d'une véritable éthique commerciale exige plus qu'une allusion symbolique à l'éthique dans l'énoncé de mission. L'orientation éthique doit faire partie intégrante de la stratégie commerciale et des processus décisionnels d'une entreprise. En effet, les gestionnaires marketing ont le devoir de comprendre et d'aborder les préoccupations des parties prenantes de l'entreprise.

Comme la technologie évolue rapidement, surtout en ce qui a trait à la capacité d'une entreprise à relier des ensembles de données et à construire de gigantesques bases de données sur des millions de clients, les analystes en marketing doivent veiller à ne pas abuser de la grande accessibilité de ces données parfois très délicates. Le partage non autorisé de données clients avec des tiers ou à des fins autres que les affaires légitimes de l'entreprise constitue un grave abus de la confiance des consommateurs. De plus, les gestionnaires marketing doivent prendre toutes les mesures nécessaires pour protéger les données clients contre les bris de sécurité provenant de pirates informatiques et d'autres personnes non autorisées. En cas de bris de sécurité, l'entreprise doit aviser rapidement les clients concernés et énoncer clairement les mesures qu'elle a adoptées pour protéger leurs données personnelles et leur vie privée.

De plus en plus, les consommateurs veulent avoir la certitude de contrôler les renseignements qui sont recueillis sur eux par divers moyens: site Web, enregistrement d'un produit ou formulaire de remboursement. L'anxiété de ces derniers a atteint un tel sommet que le gouvernement canadien a promulgué la *Loi sur la protection des renseignements personnels,* qui régit la collecte, l'utilisation, la divulgation et la conservation des renseignements personnels par des institutions fédérales, et la *Loi sur la protection des renseignements personnels et les documents électroniques,* qui gouverne la collecte, l'utilisation, la divulgation et la conservation des renseignements personnels par certains éléments du secteur privé[32]. Lorsqu'ils effectuent une étude de marché, les analystes en marketing doivent garantir aux répondants que les renseignements recueillis seront considérés comme confidentiels et utilisés uniquement à des fins de recherche. Sans cette garantie, les consommateurs seraient réticents à répondre honnêtement aux questions ou même à participer à des sondages.

Ces exemples montrent qu'il est extrêmement important que les analystes en marketing souscrivent à des pratiques éthiques. L'Association canadienne du marketing a élaboré trois lignes de conduite en matière de recherche en marketing. Premièrement, elle interdit l'utilisation de la recherche comme prétexte pour vendre un produit ou collecter des fonds. Deuxièmement, elle préconise d'éviter les assertions inexactes ou l'omission de résultats pertinents afin de préserver l'intégrité de la recherche. Troisièmement, elle encourage le traitement équitable des clients et des fournisseurs. De nombreux codes de déontologie élaborés par diverses sociétés de recherche en marketing soulignent le devoir des analystes en marketing de respecter les droits des répondants. En somme, la recherche en marketing devrait servir uniquement à produire des informations impartiales et factuelles.

Faites le point

 **Décrivez les cinq étapes de la recherche en marketing**

Le processus de recherche en marketing comporte cinq étapes. La première étape consiste à définir le problème et les objectifs de la recherche ainsi que les besoins. Cette étape paraît si simple que les gestionnaires l'abordent souvent trop rapidement. Or, elle est cruciale pour le succès de tout projet de recherche parce que, fondamentalement, la recherche doit répondre aux questions qui importent pour la prise de décision. Au cours de l'élaboration du design de recherche, qui constitue la deuxième étape, les analystes en marketing circonscrivent le type de données, primaires ou secondaires, dont ils ont besoin en fonction des objectifs définis à l'étape 1. Ensuite, ils déterminent le type de recherche qui leur permettra de recueillir ces données. À la troisième étape, ils mettent en œuvre la collecte des données. Selon les objectifs de la recherche et les résultats de la collecte des données secondaires, ils opteront pour une recherche exploratoire ou pour une recherche formelle. Le premier type de recherche comprend généralement les techniques projectives, l'observation, les entrevues individuelles, les entrevues de groupes et les médias sociaux. Par contre, si le projet requiert une recherche formelle, les analystes en marketing pourront mener une enquête ou une expérimentation, ou effectuer une recherche par scanner ou par panel. La quatrième étape correspond à l'analyse et à l'interprétation des données, tandis que la dernière étape consiste en la présentation des résultats. Bien que ce processus semble se dérouler d'une manière linéaire, il n'est pas rare que les analystes en marketing reviennent à des étapes antérieures en fonction de ce qu'ils découvrent à chaque étape.

 **Expliquez ce qui distingue les données primaires et les données secondaires, et déterminez dans quel cas chaque type de données doit être utilisé**

Les données secondaires sont des renseignements préexistants provenant de sources comme le recensement, les dossiers internes des entreprises, Internet, des livres, des articles, des associations commerciales ou des services groupés de transmission de données. Quant aux données primaires, ce sont des données recueillies pour répondre à des objectifs de recherche précis, habituellement au moyen de techniques d'observation, d'entrevues individuelles ou de groupe, d'enquêtes ou d'expériences. Un projet de recherche commence presque toujours par la collecte des données secondaires, qui porte sur des informations déjà connues et sur des résultats de recherches antérieures. Comparativement à la collecte des données primaires, la collecte des données secondaires est plus rapide, plus facile et moins onéreuse, et elle requiert moins de compétences méthodologiques. Toutefois, comme ces données ont souvent été recueillies

pour résoudre d'autres problèmes que celui que l'on cherche à résoudre, il est possible que l'information soit dépassée, biaisée ou simplement qu'elle ne soit pas assez spécifique pour répondre aux questions de la recherche en cours. En revanche, la collecte des données primaires est conçue pour répondre à des questions spécifiques. Cependant, elle peut s'avérer coûteuse en argent et en temps.

 **Nommez diverses sources de données secondaires internes et externes**

Les données secondaires de sources externes sont des renseignements qui ont déjà été recueillis auprès d'autres sources comme Statistique Canada, Internet, des livres, des articles de revues ou de journaux, des associations commerciales, des données de scanner ou de panel, ou provenant de services groupés de transmission de données. Les données secondaires de sources internes proviennent des dossiers internes de l'entreprise comme les factures de ventes, les listes de clients et d'autres rapports.

OA 4 Décrivez diverses méthodes de collecte de données primaires

Les méthodes de recherche exploratoire englobent les techniques projectives, l'observation, les entrevues individuelles, les entrevues de groupe et les médias sociaux. La recherche formelle permet de confirmer les hypothèses formulées au cours de la recherche exploratoire et d'établir un plan d'action. L'enquête, l'expérimentation, la recherche par scanner et la recherche par panel sont des méthodes de recherche formelle. La méthode retenue par les gestionnaires dépend surtout des objectifs de la recherche, qui doivent être équilibrés avec d'autres facteurs comme le coût, les délais impartis et l'utilité des résultats. De nombreux gestionnaires ont recours à des méthodes de recherche exploratoire pendant la première étape du processus de recherche en marketing afin d'obtenir une vision claire de la situation.

OA 5 Décrivez les questions éthiques que soulève la recherche en marketing

Les analystes en marketing sont tenus envers les répondants et la société dans son ensemble d'adopter une conduite éthique. Cela implique qu'ils doivent prendre toutes les mesures nécessaires pour protéger la confidentialité des données recueillies auprès des consommateurs et la vie privée des participants aux études de marché. Ils ne doivent pas mentir sur les objectifs d'une étude, par exemple en faisant passer une présentation publicitaire pour une étude de marché. Enfin, ils doivent publier intégralement les résultats des études. S'ils laissent de côté des données ou des parties de l'étude, cela pourrait fausser l'interprétation des résultats.

Mots clés

- donnée, p. 154
- données primaires, p. 141
- données secondaires, p. 138
- données souscrites, p. 139
- échantillon, p. 144
- échantillonnage, p. 144
- enquête, p. 150
- entrevue de groupe, p. 147
- entrevue individuelle, p. 146

- étude ethnographique, p. 146
- fiabilité, p. 143
- hypothèse, p. 144
- information, p. 154
- observation, p. 145
- question non structurée, p. 150
- question structurée, p. 150
- questionnaire, p. 150
- recherche en marketing, p. 134

- recherche expérimentale, p. 152
- recherche exploratoire, p. 144
- recherche formelle, p. 144
- recherche par panel, p. 154
- recherche par scanner, p. 153
- technique projective, p. 145
- validité, p. 143

Révision des concepts

1. La recherche en marketing est-elle vraiment utile ? Expliquez votre réponse.

2. Décrivez brièvement les étapes du processus de recherche en marketing. Expliquez pourquoi il est important de cerner clairement le problème et les objectifs de la recherche au tout début du processus.

3. Qu'est-ce qui distingue les données secondaires des données primaires ? Quels sont les avantages de chaque type de données ? Dans quel cas devrait-on utiliser chaque type ?

4. Lors de l'élaboration du design de recherche, les analystes en marketing peuvent décider de mener soit une recherche exploratoire, soit une recherche formelle, ou les deux. Quelles considérations guident leur choix des méthodes de collecte des données ?

5. Les technologies de l'information et de la communication, y compris Internet, sont en train de révolutionner non seulement la pratique du marketing, mais aussi les méthodes de recherche en marketing. C'est ainsi que de nombreuses sociétés ont recours à diverses techniques d'observation (GPS, RFID, caméras vidéo, écoute, étude ethnographique, etc.) pour recueillir des données sur leurs clients. Expliquez les questions éthiques qui soustendent l'utilisation croissante de techniques d'observation axées sur la technologie.

6. La recherche en marketing a pour but d'aider les gestionnaires marketing à prendre de meilleures décisions sur divers aspects de leur travail. La qualité des résultats de la recherche est subordonnée à celle des données sur lesquelles ils sont basés. Que peuvent faire ces gestionnaires en vue d'obtenir des données d'une qualité supérieure ?

7. Expliquez les principaux avantages et désavantages de l'utilisation d'Internet pour la recherche en marketing par opposition aux méthodes traditionnelles hors ligne.

8. Expliquez en quoi la façon dont une étude de marché est conçue pourrait diminuer sa fiabilité et sa validité. Une étude de marché fiable peut-elle ne pas être tout à fait valide ? Une étude valide peut-elle ne pas être tout à fait fiable ? Justifiez vos réponses.

9. À votre avis, qu'est-ce qui distingue les méthodes de recherche exploratoire, plutôt qualitatives, des méthodes de recherche formelle, plutôt quantitatives ? Quelle méthode un analyste en marketing doit-il préférer et pourquoi ?

10. Expliquez certains problèmes et difficultés auxquels les analystes en marketing font face à l'étape de l'analyse et de l'interprétation des données du processus de recherche. Devraient-ils signaler ces problèmes lorsqu'ils présentent leur rapport de recherche ? Pourquoi ?

Marketing appliqué

1. Un grand magasin recueille des données sur les achats de sa clientèle et les consigne dans un entrepôt de données. Si vous étiez l'acheteur des vêtements pour enfants de ce magasin, quelles données extrairiez-vous de l'entrepôt afin de mieux faire votre travail ?

2. Nommez un organisme sans but lucratif qui pourrait bénéficier de la recherche en marketing et décrivez un projet de recherche qu'il pourrait mettre en œuvre. Expliquez en quoi ce projet serait utile à l'organisation.

3. Les analystes en marketing ne suivent pas toujours dans l'ordre les étapes du processus de recherche. Donnez un exemple de projet de recherche qui pourrait ne pas se dérouler dans l'ordre.

4. Un nouveau magasin de vêtements pour hommes veut savoir s'il existe un marché intéressant pour ce type de marchandise dans la ville où il envisage de s'établir. Les responsables de la recherche en marketing recueilleront-ils des données primaires ou des données secondaires, ou une combinaison des deux, pour répondre à cette question?

5. Une entreprise de haute technologie vient d'inventer une technologie qui permet de corriger la vision sans chirurgie ni lentilles cornéennes. L'entreprise doit estimer la demande relative à ce service. Utilisera-t-elle des données primaires ou des données secondaires, ou un mélange des deux?

6. La directrice d'une banque remarque que, au moment où les clients arrivent au comptoir, ils semblent irrités et impatients. Comme elle veut en savoir plus sur ce problème, elle vous engage pour concevoir un projet de recherche dont l'objectif est de déterminer ce qui agace la clientèle. Quel type de recherche lui recommanderiez-vous: une recherche exploratoire ou une recherche formelle?

7. Ayant développé une nouvelle boisson, Snapple s'apprête à la mettre en marché dans tout le Canada. L'entreprise a fondé sa campagne publicitaire de lancement sur deux études distinctes: des entrevues de groupe pour trouver le message publicitaire approprié à la nouvelle boisson ainsi qu'un sondage pour évaluer l'efficacité de sa campagne publicitaire axée sur la nouvelle boisson Snapple. Quelle étude était exploratoire et laquelle était formelle?

8. Au cours du lancement de cette nouvelle boisson, quelles autres études Snapple devrait-elle réaliser, selon vous?

9. Supposons que votre université veuille modifier sa procédure d'établissement des horaires des différents services administratifs afin de mieux servir les étudiants. Quelles sources de données secondaires pourrait-elle utiliser pour conduire une recherche sur ce sujet? Expliquez l'usage qu'elle pourrait faire de ces sources. Décrivez une méthode que vous pourriez employer pour recueillir des données primaires sur ce sujet. Lui recommanderiez-vous de suivre un ordre précis pour obtenir chaque type de données? Justifiez votre réponse.

10. Projetant de lancer un nouveau shampooing, Tony tente de déterminer les caractéristiques et le prix qui seraient attrayants pour les consommateurs. L'entreprise lance un appel d'offres à quatre sociétés de recherche en marketing. Trois d'entre elles lui soumettent les propositions décrites ci-dessous. Quelle société Tony devrait-elle engager? Expliquez pourquoi vous préférez cette société aux autres.

Société A	Société B	Société C
Tony a eu recours aux services de cette société dans le passé. Celle-ci estime qu'elle peut effectuer le travail en deux mois pour 200 000 $. Elle a l'intention de mener une enquête téléphonique et d'utiliser des données secondaires.	Le principal concurrent de Tony utilise les services de cette société, qui prétend pouvoir effectuer le travail en un mois pour 150 000 $. Elle compte réaliser une enquête téléphonique et utiliser des données secondaires. Au cours d'une discussion sur son tarif et sur le délai estimé, la société mentionne qu'elle s'appuiera sur les résultats d'un rapport récent publié par l'un des concurrents de Tony.	Cette société bien connue se concentre depuis peu sur les entreprises de biens emballés pour la vente au détail. Elle propose un prix de 180 000 $ et un délai de un mois. Elle compte mener une enquête sur le Web et utiliser des données secondaires.

Internaute averti

1. Visitez le site de Harris/Decima (www.decima.com) et celui d'Ipsos Canada (www.ipsos.ca/fr), deux sociétés de sondage. Explorez leurs sites pour trouver les résultats d'un sondage récent qui sont accessibles gratuitement et imprimez-les. Cernez le ou les objectifs du sondage. Expliquez l'un des principaux résultats et interprétez les données sur lesquelles il s'appuie.

2. Choisissez deux outils d'enquête en ligne (p. ex., SurveyMonkey, Interceptum, SimpleSondage, Qualtrics) et comparez leurs caractéristiques, leurs capacités, leur convivialité, le soutien technique offert, les gammes de prix, la clientèle et toute autre caractéristique que, selon vous, un gestionnaire marketing devrait connaître.

Étude de cas

LES SONDAGES SUR MOBILE : CONNAÎTRE LES OPINIONS DES CONSOMMATEURS EN TEMPS RÉEL[33]

Shoeless Joe's Sports Grill est un resto-bar lauréat, qui est surtout présent en Ontario, dans des villes comme Ajax, Whitby, Oshawa, Pickering, Peterborough et Cornwall, ainsi que dans la région du Grand Toronto. Ce resto-bar offre une atmosphère décontractée où les clients peuvent se détendre, manger et boire tout en suivant leurs matchs préférés sur des écrans géants, qu'il s'agisse de la finale de la Coupe Stanley, du Super Bowl, de la Coupe du monde de soccer ou d'un formidable face-à-face de l'UFC. Shoeless Joe's propose à ses clients une nourriture, un service et des divertissements exceptionnels dans une ambiance qui plaît aux hôtes avertis d'aujourd'hui[34]. L'entreprise vise à établir la norme de l'industrie parmi les restos-bars sportifs pour ce qui est du service, de l'environnement, de la qualité et des profits.

Ce restaurant prospère, fondé en 1985, a été nommé d'après le légendaire joueur étoile de baseball « Shoeless » Joe Jackson. À l'origine, l'entreprise Shoeless Joe's n'était pas aussi prospère que celui à qui elle doit son nom. Lorsque Fred Lopreiato et son neveu Nick l'ont achetée en 1987, c'était un restaurant torontois sans thème, inconnu du public et qui ne fonctionnait pas très bien. Toutefois, Fred et Nick avaient un plan de match : ils avaient toujours cru en l'énorme potentiel d'un restaurant sportif. Les deux hommes ont donc transformé le restaurant en un lieu plus informel, à l'ambiance attrayante et décontractée, visant une clientèle constituée par des mordus de sport, des familles et des individus entre 25 et 49 ans.

Le Shoeless Joe's réinventé a été une combinaison gagnante : ses profits ont augmenté de 50 % après un an d'activité et de 35 % de plus l'année suivante[35]. La popularité du restaurant était telle que Fred et Nick en ont ouvert un deuxième en 1991. Comme le veut le vieil adage, le succès engendre le succès, et c'est précisément ce qui est arrivé avec le Shoeless Joe's. Fred et Nick ont dû décider s'ils voulaient ouvrir d'autres restaurants de compagnie ou franchiser leur entreprise. Ils ont opté pour le franchisage, qui leur apparaissait comme la façon la plus efficace de faire grandir leur entreprise. La première franchise Shoeless Joe's a donc ouvert ses portes à Toronto en 1997. Depuis lors, l'entreprise a ouvert près de 40 franchises partout en Ontario : une stratégie d'expansion ambitieuse pour une aussi petite entreprise, surtout dans une conjoncture économique difficile.

Bien que Fred et Nick soient toujours aussi emballés par le potentiel de croissance de leur entreprise et aient l'intention de poursuivre leur stratégie d'expansion énergique, ils ne sont pas prêts à faire des compromis sur deux principes fondamentaux, même si cela freine leur expansion. Ces deux principes ont toujours guidé leur réussite jusqu'ici : trouver les bons franchisés et les emplacements les plus appropriés. La recherche du franchisé idéal est un processus personnel intense qui s'appuie sur des entrevues individuelles et une analyse des candidats potentiels. Dénicher un emplacement adéquat est une tâche plus complexe, qui exige la prise en compte de nombreuses variables importantes, dont la plupart sont généralement indépendantes de la volonté des entrepreneurs. Ces variables comprennent, entre autres, les facteurs démographiques, l'environnement physique, l'accessibilité, l'immobilier et les tendances du marché. Pour choisir les emplacements les plus judicieux, Shoeless Joe's a recours à une technologie permettant de rassembler et d'analyser des renseignements clés facilement et rapidement. Ainsi, l'entreprise a fait

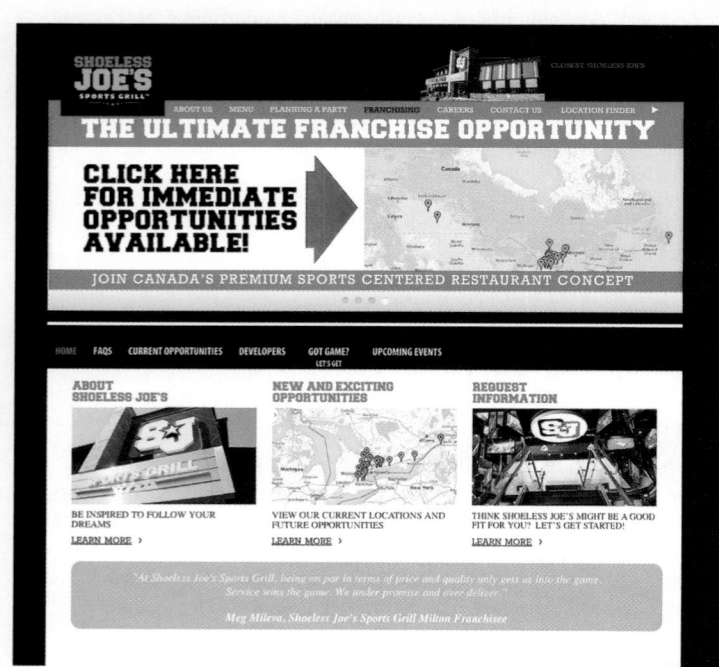

Shoeless Joe's a eu recours aux entrevues individuelles pour trouver des franchisés et au sondage sur mobile pour recueillir les perceptions et les opinions des consommateurs.

appel aux services-conseils et aux solutions géodécisionnelles de Pitney Bowes Business Insight (PBBI) pour orchestrer sa stratégie d'expansion dynamique.

PPBI est un fournisseur mondial de services et d'outils technologiques, qui aide les entreprises à trouver la meilleure solution commerciale et la plus rentable. Shoeless Joe's a été la première entreprise canadienne à utiliser l'outil FACES de PBBI pour accéder à des données clients en temps réel[36]. FACES est un nouveau système d'enquêtes sur mobile qui évalue les perceptions et les opinions des clients sur le service à la clientèle ou toute autre dimension de l'entreprise. C'est un système d'enquête unique et professionnel qui s'appuie sur la technologie actuelle pour recueillir des données clients à chaque point d'expérience. FACES classe les données dans une base de données sécurisée, effectue des analyses complexes et produit des renseignements concrets, tout cela en temps réel.

Grâce à ce système unique, rapide, facile, interactif et moins inopportun que la méthode traditionnelle de collecte de données sur papier, les consommateurs sont plus enclins à participer à des enquêtes. Le système FACES permet à Shoeless Joe's de concevoir des enquêtes personnalisées qui facilitent la collecte de données clients. Il est extrêmement utile et efficace parce que, contrairement aux outils d'enquête conventionnels, il permet d'adapter les questions afin de garder les profils des clients à jour et accessibles. Cela simplifie la procédure et permet à Shoeless Joe's de mieux comprendre sa clientèle cible en créant des profils de clients détaillés.

Dans son projet initial, Shoeless Joe's a élaboré un questionnaire en 10 points qu'elle a distribué dans 4 de ses 38 restaurants[37]. Ces questions portaient sur le lieu d'origine des clients, leur destination, leurs habitudes de dépenses, la fréquence de leurs visites au restaurant, leur niveau de satisfaction, les concurrents, et ainsi de suite.

Shoeless Joe's utilise encore ce système. Les soirs de grande affluence, deux membres du personnel sont chargés de réaliser l'enquête : ils vont de table en table et se servent d'un appareil électronique mobile, comme un assistant numérique personnel (ANP) ou un téléphone intelligent, pour recueillir les réponses des clients. Grâce au système FACES, Shoeless Joe's peut télécharger rapidement les données d'enquête et effectuer une analyse qui produit des résultats instantanés. Cette collecte de renseignements en temps réel auprès des clients est extrêmement utile au processus décisionnel de Shoeless Joe's, qui est ainsi davantage en mesure de comprendre la concurrence et d'évaluer les secteurs potentiels d'expansion. De plus, elle fournit à Shoeless Joe's les informations nécessaires pour prendre des décisions en matière d'immobilier, de marketing, de marchandisage et de valorisation de la marque.

Questions

1. À votre avis, quelles sont les forces et les faiblesses du système FACES que Shoeless Joe's utilise pour obtenir de sa clientèle des renseignements qui lui servent ensuite à choisir l'emplacement de ses futures franchises ?

2. Quels sont les désavantages méthodologiques du procédé employé par les employés de Shoeless Joe's pour recueillir les réponses des clients à des questions d'enquête ?

3. Quelle incidence les désavantages définis dans la question précédente ont-ils sur la validité et la fiabilité des données recueillies ? Expliquez.

4. Recommanderiez-vous à Shoeless Joe's d'utiliser d'autres méthodes pour collecter les données dont elle a besoin ? Quels sont les avantages des méthodes que vous recommanderiez de préférence à celle que l'entreprise emploie à l'heure actuelle ?

CHAPITRE 6

OBJECTIFS D'APPRENTISSAGE

Après avoir lu ce chapitre, vous devriez être en mesure :

OA **1** de décrire les étapes du processus décisionnel du consommateur ;

OA **2** d'estimer le temps que met le consommateur à se renseigner sur un produit ou un service avant de l'acheter ;

OA **3** d'indiquer dans quelle mesure le niveau d'implication du consommateur dans la décision d'achat varie en fonction du type de décision à prendre ;

OA **4** d'expliquer comment les facteurs psychologiques, sociaux et situationnels influent sur la décision d'achat d'un consommateur.

Le comportement du consommateur

Dans tous les chapitres que nous avons vus jusqu'ici, nous avons insisté sur le fait que le consommateur devrait être au cœur de toutes les décisions et les stratégies de marketing. Nous avons aussi souligné que les gestionnaires marketing doivent apprendre à très bien cerner les besoins et les désirs des consommateurs afin d'y répondre avec des offres axées sur la valeur. Les gestionnaires marketing qui peuvent reconnaître les besoins des clients avant même que ceux-ci les expriment pourraient acquérir un avantage concurrentiel stratégique. Ceux qui s'efforcent de satisfaire les besoins des consommateurs se heurtent à un problème particulièrement épineux : ils doivent chercher à comprendre pourquoi les clients préfèrent telle marque, tel magasin ou tel fournisseur de services et si les facteurs qui influent sur leur comportement d'achat changent au fil du temps ou en fonction du type d'achat. Regardons comment Toyota, l'un des leaders mondiaux de l'industrie automobile, a reconnu que les consommateurs avaient besoin d'un type différent d'automobile et a répondu à ce besoin en commercialisant la Prius hybride.

Toyota a possiblement été le premier constructeur d'automobiles à deviner que les préoccupations des consommateurs concernant les effets nocifs de leur empreinte carbone favoriseraient un jour le développement d'un marché de véhicules écoénergétiques. Ayant reconnu ce besoin naissant des consommateurs une décennie avant ses concurrents, Toyota s'est mise en quête d'une solution susceptible d'y répondre. Après plus d'une décennie de recherches, cette solution a pris forme sous l'aspect de la très populaire Toyota Prius, une voiture hybride fonctionnant à l'essence et à l'électricité. Avant le lancement de la voiture, les sceptiques et les critiques doutaient qu'elle plaise aux consommateurs et reçoive un accueil favorable. Toutefois, l'audace de Toyota a été rentable : entre 1997, année de son lancement, et mars 2011, le constructeur a vendu plus de deux millions de Prius dans le monde entier[1]. Environ la moitié des ventes mondiales ont été conclues aux États-Unis et au Canada. Pendant plusieurs années, la demande a été supérieure à l'offre et, dans certaines régions, les clients devaient attendre six mois en moyenne.

La Prius illustre parfaitement le cas d'une entreprise qui décèle un besoin des consommateurs avant même qu'il s'affirme et met un produit en marché pour le combler. Il est peu étonnant que Toyota récolte des profits supérieurs et se positionne comme le leader du marché depuis le lancement de la Prius, en dépit de la concurrence féroce que lui livrent depuis peu des constructeurs comme Honda, Nissan, General Motors et Ford. Or, malgré ce succès, les données relatives au marché automobile canadien révèlent que les véhicules utilitaires sport (VUS), gourmands en essence, les grosses voitures et les voitures intermédiaires s'affichent en tête des ventes. Il y a donc lieu de se demander quels consommateurs constituent le marché cible de la Prius, plus petite, plus silencieuse et plus écoénergétique, et ce qui les motive à acheter celle-ci.

Le marché des voitures hybrides demeure un marché de niche constitué de consommateurs qui se passionnent pour les nouvelles technologies (des technophiles), qui se préoccupent de l'environnement et qui sont conscients de la valeur (c'est-à-dire cherchent un véhicule à prix raisonnable, économe en essence et exigeant peu d'entretien). La Prius semble tout aussi populaire auprès des hommes que des femmes d'âge moyen de la classe supérieure, qui veulent mettre leur personnalité en valeur et donner le ton. Les stimulants gouvernementaux ainsi que les nouvelles caractéristiques et l'habitacle plus spacieux qui ajoutent de la valeur aux modèles plus récents sont deux facteurs clés qui expliquent l'immense popularité de la Prius.

Malheureusement, à ce jour, la Prius n'a pas réussi à pénétrer le marché de masse. Cela s'explique en grande partie par son prix, puisque les consommateurs de ce marché sont réticents à payer plus cher pour des produits écologiques et que l'attribut « vert » ne semble pas être assez déterminant pour influencer leurs décisions d'achat[2]. Le choix d'une voiture relève d'un processus décisionnel complexe qui met en jeu certaines variables comme la réaction émotionnelle et les préférences personnelles, et repose sur des critères précis comme l'apparence du véhicule, sa consommation en carburant, son prix, sa fiabilité et son caractère sécuritaire. Cette pléthore de considérations complique considérablement la décision d'acheter une voiture. Que doit faire Toyota pour que sa Prius pénètre le marché de masse ?

La Prius de Toyota illustre parfaitement le cas d'une entreprise qui décèle un besoin des consommateurs avant même qu'il s'affirme et met un produit en marché pour le combler.

Qui, parmi nous, a déjà acheté un produit pour quelqu'un d'autre ou en a déjà reçu un ? Nous tous, évidemment. Nous sommes tous des consommateurs à un moment ou à un autre de notre vie. Mais l'humain est aussi un être parfois irrationnel à qui il arrive de ne pouvoir justifier certaines actions. Cette caractéristique complique le travail des gestionnaires marketing, car s'ils ne parviennent pas à comprendre parfaitement le comportement du consommateur, ils ne seront pas en mesure de satisfaire les besoins et les désirs de ce dernier. À l'aide de la sociologie, de l'anthropologie et de la psychologie, les gestionnaires marketing ont réussi à déchiffrer de nombreuses actions exécutées par le consommateur en vue d'élaborer certaines stratégies de base qui visent à s'adapter au comportement de ce dernier.

Pour bien comprendre le comportement du consommateur, il faut d'abord comprendre pourquoi les individus se procurent des biens et des services. Généralement, les gens choisissent un produit ou un service plutôt qu'un autre parce qu'ils trouvent qu'il leur convient davantage, c'est-à-dire que le rapport entre les avantages et le coût de l'un est supérieur au rapport entre les avantages et le coût d'un autre[3]. Par exemple, des dizaines de milliers de Canadiens se sont procuré un iPhone 6 d'Apple le jour même de son lancement. Lorsqu'ils ont pris la décision de remplacer leur téléphone, ils se sont probablement posé les questions suivantes : «Quelle valeur est-ce que j'obtiens en échange du prix que je dois payer pour me procurer un iPhone?» et «Que vont penser mes amis, les membres de ma famille et mes collègues de mon nouvel achat?».

Dans le cadre du présent chapitre, nous étudierons les étapes par lesquelles passe le consommateur lorsqu'il se procure un produit ou un service. Nous traiterons également des différences dans le processus décisionnel du consommateur en fonction de la situation d'achat. Par la suite, il sera question des facteurs psychologiques, sociaux et situationnels qui ont une influence sur le processus décisionnel. Tout au long de ce chapitre, nous illustrerons les moyens que les entreprises peuvent employer pour inciter les consommateurs à acheter leurs produits ou leurs services. La feuille de route qui suit présente les principaux thèmes abordés dans ce chapitre.

Le processus décisionnel du consommateur

OA **1**

Le modèle du processus décisionnel du consommateur est composé d'une série d'étapes que franchit le consommateur avant de faire un achat, pendant l'achat et après celui-ci. Comme les gestionnaires marketing ont souvent de la difficulté à

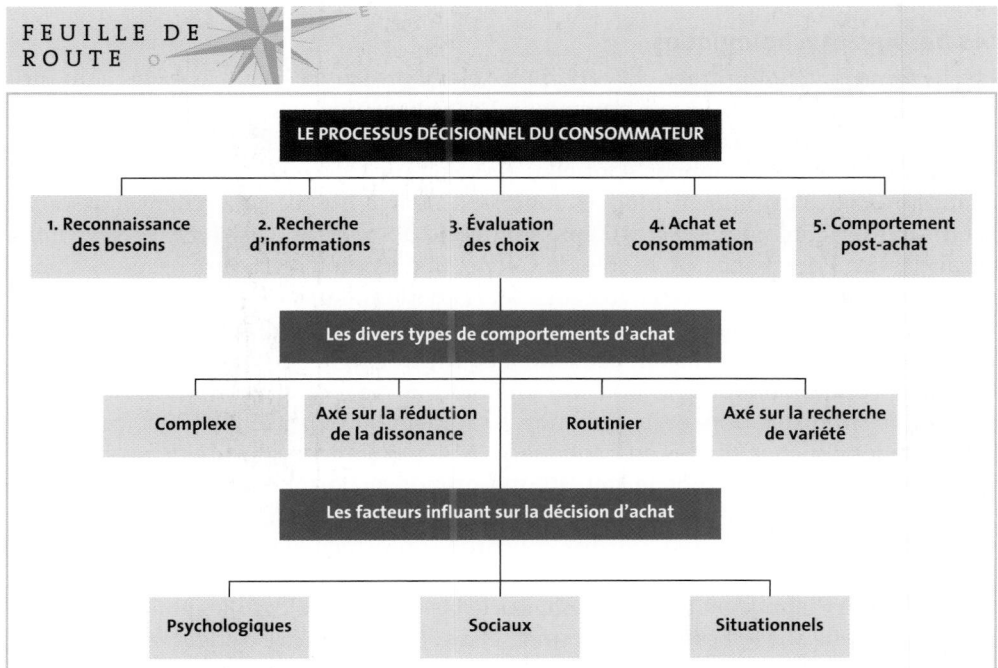

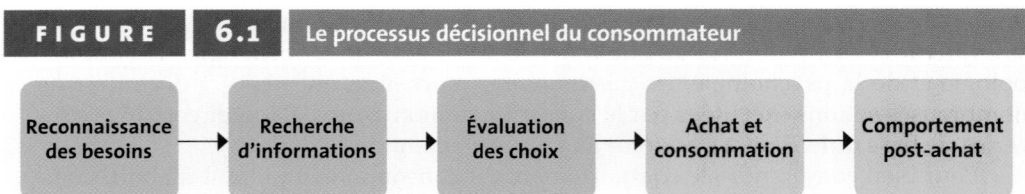

FIGURE **6.1** Le processus décisionnel du consommateur

Reconnaissance des besoins → Recherche d'informations → Évaluation des choix → Achat et consommation → Comportement post-achat

expliquer la décision d'achat d'un consommateur, il serait utile pour nous de décortiquer le processus décisionnel en plusieurs étapes, que nous analyserons avec soin[4], (*voir la figure 6.1*).

Étape 1 : la reconnaissance des besoins

reconnaissance des besoins (*needs recognition*) L'une des premières étapes du processus décisionnel, qui consiste, chez le consommateur, à reconnaître qu'il a un besoin inassouvi, puis à passer de l'état de nécessité actuel à l'état de satiété.

Le processus décisionnel du consommateur débute lorsque ce dernier reconnaît qu'il a un besoin inassouvi et désire passer d'un état de besoin à un état de satiété. Plus l'écart est grand entre les deux états, plus grande est la **reconnaissance des besoins**. Par exemple, vous ressentez la faim et vous aimeriez mieux vous sentir rassasié. Si vous n'avez qu'un peu faim, vous pouvez choisir d'ignorer cette sensation et de manger plus tard. Mais si vous avez faim au point que votre estomac gargouille, votre besoin – la différence entre votre état actuel, la faim, et l'état souhaité, la satiété – sera plus grand et vous allez probablement choisir de manger sur-le-champ afin d'atteindre cet état souhaité. Les besoins des consommateurs peuvent être fonctionnels, psychologiques ou encore être une combinaison des deux[5].

Les besoins fonctionnels

besoins fonctionnels (*functional needs*) Besoins relatifs à une fonction ou au rendement d'un produit ou d'un service.

Les **besoins fonctionnels** ont trait à une fonction ou au rendement d'un produit ou d'un service. Pendant plusieurs années, le Gore-Tex, le Polartec et le Thinsulate étaient considérés comme des fibres synthétiques de technologie supérieure pouvant servir à la confection de vêtements d'extérieur robustes et à performance élevée. Sachant que les consommateurs recherchent ces types d'étoffes, les fabricants de vêtements d'extérieur haut de gamme comme The North Face affichent bien en évidence la composition de chacun de leurs vêtements et de leurs équipements. Certains magasins à grande surface leur ont aussi emboîté le pas.

Les besoins psychologiques

besoins psychologiques (*psychological needs*) Besoins qui concernent le degré de satisfaction associé à un produit ou à un service par le consommateur.

Les **besoins psychologiques** concernent les éléments symboliques associés à un produit ou à un service par le consommateur. Les chaussures, par exemple, répondent à un besoin fonctionnel, celui de protéger les pieds de la saleté et des éléments. Alors, pourquoi certaines personnes sont-elles prêtes à payer de 500 $ à 2 000 $ pour des chaussures qui remplissent mal ces fonctions ? Parce qu'elles cherchent à assouvir un besoin psychologique. Dans l'émission culte *Sex and the City* (*Sexe à New York*), Sarah Jessica Parker incarne le rôle de Carrie, une jeune femme qui voue un amour inconditionnel aux exquises chaussures Manolo Blahnik. Épisode après épisode, les mordus de la série ont non seulement entendu les personnages parler des créations de Manolo Blahnik, mais ils ont également eu un aperçu de ses chefs-d'œuvre. Résultat : dans certains milieux, le nom de Manolo Blahnik est devenu symbole de bon goût et de sophistication, et la demande a rapidement dépassé les 15 000 paires par mois que les 4 usines situées en banlieue de Milan étaient en mesure de produire[6].

Ces exemples illustrent le fait qu'une grande majorité de produits et de services répondent tant à un besoin fonctionnel qu'à un besoin psychologique. Alors que l'aspect fonctionnel du Gore-Tex constitue son principal argument de vente, les apprentis randonneurs le choisissent aussi pour son esthétique. Le cas des chaussures Manolo Blahnik est très différent, car le besoin psychologique auquel il répond prend le dessus sur le besoin fonctionnel. Dans le même ordre d'idées, vous pouvez choisir de vous faire couper les cheveux pour une somme de 15 $ dans un salon de coiffure qui appartient à une chaîne connue ou alors payer 80 $ et plus pour obtenir pratiquement la même coupe, mais dans un salon de coiffure haut de gamme. Objectivement, les deux coupes seront-elles si différentes ? La réponse peut varier selon ce que vous considérez comme une coupe de cheveux réussie ou un bon rapport qualité/prix. Une personne peut s'intéresser aux bas prix, tandis qu'une autre peut aimer les petites attentions et les extras que lui procurent les salons de luxe. Chose certaine, pour un plan marketing réussi, il est nécessaire de bien comprendre l'importance accordée au besoin fonctionnel ou au besoin psychologique de manière à l'adapter au public cible de l'entreprise. Harley-Davidson, par exemple, construit des motocyclettes qui font bien plus que de mener leurs conducteurs du point A au point B. Ces motos représentent carrément un mode de vie pour les amateurs qui souhaitent se promener tout en ayant du plaisir.

Malgré tous leurs efforts pour offrir de belles motos, solides et performantes, des constructeurs comme Yamaha, Honda ou Suzuki ne parviennent pas à concurrencer l'aura mythique de Harley-Davidson.

Étape 2 : la recherche d'informations

OA **2**

La deuxième étape du processus décisionnel, après celle de la reconnaissance des besoins, consiste à rechercher des informations sur les choix qui s'offrent au consommateur. La durée de la recherche et les efforts investis dépendent du degré de risque associé au coût du produit ou du service que le consommateur veut se procurer.

Si vous trouvez que votre coupe de cheveux est un élément important de votre apparence et de votre estime personnelle, il se peut que vous preniez le temps de trouver un salon de coiffure et un styliste qui vous conviennent. Toutefois, un athlète qui souhaite se faire raser les cheveux choisira peut-être de se rendre au salon de coiffure le plus près, le plus pratique et le moins cher. Peu importe le temps qu'il accorde à sa recherche, le consommateur se fie à deux types d'informations : les informations internes et les informations externes.

Dans une **recherche d'informations internes**, l'acheteur potentiel fait appel à sa mémoire et à ses connaissances sur le produit ou le service. En conséquence, il tient compte de ses expériences passées. Par exemple, Simon aime bien faire des achats en ligne et adore les films d'action. Chaque fois qu'il a envie de regarder un film, il se dirige vers Netflix. Il recourt à sa mémoire et à ses expériences passées pour prendre sa décision. Par contre, dans une **recherche d'informations externes**, le consommateur va au-delà de ses connaissances personnelles en vue de prendre une décision d'achat. Ainsi, il peut choisir de demander l'avis de ses amis, d'un membre de sa famille ou d'un vendeur en vue de pallier son manque de connaissances sur le sujet. Il peut aussi consulter des médias commerciaux pour trouver des données de sources indépendantes et (idéalement) impartiales, comme *Consumer Reports* ou *Protégez-vous,* ou des médias non indépendants (autres publications, télévision et radio). Or, avec la croissance explosive des téléphones intelligents dotés d'un navigateur Web et des médias sociaux, les consommateurs se tournent de plus en plus vers Internet pour y chercher des renseignements en temps réel pour la bonne raison qu'ils ont toujours leur téléphone avec eux[7]. Parfois, ils se trouvent exposés à des publicités sur des produits ou des services sans le vouloir.

La rubrique Marketing et médias sociaux, à la page suivante, explique par ailleurs que les consommateurs d'aujourd'hui se fient de plus en plus à l'information publiée dans les médias sociaux pour prendre toutes sortes de décisions, y compris leurs décisions d'achat.

recherche d'informations internes (*internal search for information*) Recherche menée par l'acheteur pour trouver des renseignements parmi ses souvenirs ou ses connaissances personnelles en vue de prendre une décision d'achat.

recherche d'informations externes (*external search for information*) Recherche menée par l'acheteur pour trouver des renseignements ne faisant pas partie de ses connaissances personnelles en vue de prendre une décision d'achat.

| Marketing et médias sociaux | **L'effet Twitter** |

À l'étape de la recherche d'informations du processus décisionnel, il y a de bonnes chances pour qu'un acheteur potentiel se tourne vers les médias sociaux. L'information disponible – qu'elle soit offerte à titre gracieux ou non, sollicitée ou non – peut modifier le processus d'achat.

Un bon exemple de ce phénomène est apparent sur le forum du site Rabais extrême (http://rabais.smartcanucks.ca). Le caractère ouvert de ce babillard électronique permet aux consommateurs de se connecter, d'échanger des idées sur les produits qu'ils ont essayés, de donner leur point de vue et de prodiguer des conseils. Un coup d'œil rapide révèle clairement une grande diversité d'opinions, depuis le «Coûte les yeux de la tête, mais on en a pour notre argent» jusqu'au «Ras-le-bol de cette compagnie!»[8]. Semblable aux sites Web d'entreprises telles que Best Buy, qui encouragent les acheteurs à formuler leur avis et leurs commentaires sur chaque produit, le forum de Rabais extrême permet un échange rapide de renseignements qui facilite le processus décisionnel des consommateurs.

Toutefois, c'est sans doute par le truchement de l'«effet Twitter[9]» que les médias sociaux produisent l'impact le plus considérable, lorsque des célébrités et des vedettes de Twitter donnent leur opinion sur un produit. Un exemple formidable de ceci a eu lieu lorsque la populaire blogueuse Heather Armstrong a publié le billet suivant à l'intention de ses 1,4 million d'abonnés: «Encore brisée. N'achetez pas une Maytag!» pour expliquer ensuite que sa laveuse avait été réparée trois fois, mais qu'elle était toujours inutilisable. Dans un autre cas, Kelly Osbourne a publié des photos montrant les brûlures chimiques qu'elle avait subies après avoir utilisé le vaporisateur corporel Impulse en déconseillant à ses admiratrices d'acheter ce produit[10]. Ces messages atteignent un public tellement nombreux qu'ils peuvent déclencher une véritable crise de relations publiques pour une entreprise. Dans certains cas, les gazouillis négatifs se transforment en occasions en or pour la concurrence. Des représentants du vaporisateur corporel Axe ont exprimé leurs préoccupations à propos des blessures subies par Osbourne dans des communiqués de presse portant sur l'incident lié au produit Impulse. Il est difficile d'évaluer si Axe a subi des pertes ou des gains dans cette affaire, l'entreprise étant surveillée de près en tant que fabricante de vaporisateurs corporels; mais les clientes ont quand même préféré son produit au Impulse.

Les messages publiés dans les médias sociaux se propagent tellement vite que les choses peuvent dégénérer rapidement. Ainsi, Tim Hortons s'était engagée à fournir des rafraîchissements gratuits lors d'une rencontre de la National Organization for Marriage, un groupe qui s'oppose au mariage gai. Ayant eu vent de cette information, des groupes d'intérêt ont publié une série de gazouillis contenant des renseignements véridiques et d'autres, moins véridiques, qui sont vite devenus viraux sur le Web. Tim Hortons a dû se retirer de l'événement parce que des centaines de consommateurs avaient décidé de boycotter ses restaurants et ses produits en guise de protestation contre cette activité[11].

Les médias sociaux ont changé la donne parce que les internautes bloguent, gazouillent et publient des billets dans lesquels ils discutent de sujets qui les passionnent. Cette caractéristique suscite un fort engagement et un désir de partager son message avec le plus grand nombre, comme ce fut le cas dans l'affaire Tim Hortons. De plus, l'information est là, à un clic de souris: il suffit de se connecter aux divers sites de médias sociaux pour consulter les opinions qui y sont exprimées. Les médias sociaux sont devenus incontournables. Même les sociétés peu présentes sur les médias sociaux peuvent se retrouver sur la sellette, puisque ce sont les consommateurs et non les entreprises qui amorcent les échanges. À l'ère des médias sociaux, les entreprises doivent continuer de répondre aux questions et aux préoccupations des consommateurs rapidement et efficacement, et des outils comme Twitter ont modifié le traitement des plaintes des clients, qu'il faut désormais prendre en considération, non plus entre 9 h et 17 h, mais 24 heures par jour, 7 jours sur 7.

Les facteurs influant sur le processus de recherche du consommateur

Il est important pour les gestionnaires marketing de comprendre les nombreux facteurs qui ont une incidence sur le processus de recherche du consommateur, dont les suivants:

- **Le rapport entre les avantages et le coût perçus.** Vaut-il la peine de consacrer du temps et des efforts à la recherche d'informations sur le produit ou le service? Par exemple, la plupart des ménages accordent beaucoup de temps à leurs recherches lorsqu'ils prévoient acheter une voiture, car il s'agit d'un achat dont le prix et l'importance sont relativement élevés et dont les implications en ce qui touche à la sécurité sont cruciales. Par contre, il est fort probable que ces ménages passent beaucoup moins de temps à mener des recherches sur la voiture-jouet qu'ils veulent acheter à leur jeune enfant.

- **Le locus de contrôle.** Les gens dont le **locus de contrôle** est **interne** ont le sentiment d'avoir un certain pouvoir sur ce qui leur arrive. Les individus qui pensent de la sorte feront généralement plus de recherches que les autres. Quant à ceux dont le **locus de contrôle** est **externe**, ils considèrent que ce qui leur arrive est l'effet du destin ou d'autres facteurs qui échappent à leur contrôle. Dans cette perspective, la quantité d'informations recueillies a peu d'importance ; s'ils font un choix judicieux, ils n'ont aucun mérite, mais s'ils font un mauvais choix, ce n'est pas leur faute non plus. Par exemple, si Simon croit qu'il est possible d'obtenir un bon prix au moment de l'achat de sa première voiture, il effectuera des recherches approfondies et se servira des informations qu'il aura amassées en vue de négocier le prix du véhicule. Par contre, s'il considère qu'il n'a aucun pouvoir sur le prix, peu importent les informations qu'il détient, il n'entreprendra pas de longues recherches.

- **Le risque réel ou le risque perçu.** Trois risques inhérents à la décision d'achat peuvent retarder et même interrompre le processus d'achat : le risque fonctionnel, le risque économique et le risque psychologique. Plus le risque est élevé, plus le consommateur est enclin à mener une recherche approfondie d'informations.

  Le **risque fonctionnel** est un risque perçu lié à un produit ou à un service dont le fonctionnement pourrait être inadéquat. Par exemple, la possibilité que la voiture sport de Simon refuse de démarrer ou qu'une des pièces de celle-ci se brise le jour où il a l'intention de faire une balade avec sa copine pour lui montrer sa nouvelle voiture constitue un risque fonctionnel.

  Le **risque économique** est un risque associé à une dépense. Cela comprend le coût initial à l'achat ainsi que les coûts d'utilisation du produit ou du service. Les constructeurs automobiles, en l'occurrence, savent que les garanties prolongées réduisent le risque économique, car les consommateurs craignent les frais élevés de réparation postérieurs à l'achat. Par exemple, pour réduire le risque économique qu'il court, Simon a décidé de prolonger de 2 ans la garantie du fabricant de « 3 ans ou 60 000 kilomètres » qui couvre sa voiture sport.

  Finalement, le **risque psychologique** est le risque lié au sentiment qu'un consommateur éprouve lorsqu'un produit ou un service ne projette pas la bonne image. Par exemple, Simon a consulté les évaluations des diverses voitures sport sur le marché et demandé l'avis de ses amis pour s'assurer de faire un bon choix.

- **Le type de produit ou de service.** Un autre facteur qui exerce une influence sur la recherche de renseignements d'un consommateur est le type de produit ou de service, en particulier s'il s'agit d'un produit ou d'un service de spécialité, d'achat réfléchi ou encore de consommation courante.

  Les **produits et services de spécialité** sont des produits et des services pour lesquels les clients démontrent souvent une forte préférence et pour lesquels ils sont prêts à faire des efforts considérables en vue de trouver les détaillants qui les offrent. Puisque Simon recherche la meilleure voiture sport, il lit attentivement les évaluations qu'il trouve en utilisant Internet et consulte ses amis qui possèdent une voiture sport avant de commencer à magasiner.

  Les **produits et services d'achat réfléchi** sont des produits et des services auxquels les clients sont disposés à consacrer du temps afin de comparer les choix qui s'offrent à eux (p. ex., un vêtement, un parfum ou un appareil électroménager). Quand Simon décide de s'acheter une nouvelle paire de chaussures de sport, il entre dans de nombreux magasins, essaie les modèles qui l'intéressent, les compare et discute avec le vendeur ou la vendeuse.

locus de contrôle interne
(*internal locus of control*)
Sentiment éprouvé par le consommateur d'avoir un certain pouvoir sur ce qui lui arrive.

locus de contrôle externe
(*external locus of control*)
Sentiment éprouvé par le consommateur selon lequel ce qui lui arrive est l'effet du destin ou d'autres facteurs qui échappent à son contrôle.

risque fonctionnel
(*performance risk*)
Risque perçu lié à un produit ou à un service dont le fonctionnement pourrait être inadéquat.

risque économique
(*financial risk*)
Risque associé à une dépense.

risque psychologique
(*psychological risk*)
Risque lié au sentiment qu'un consommateur éprouve lorsqu'un produit ou un service ne projette pas la bonne image.

produits et services de spécialité
(*specialty goods/services*)
Produits et services pour lesquels les clients démontrent une forte préférence et sont prêts à faire des efforts considérables en vue de trouver les détaillants qui les offrent.

Si le grille-pain est considéré comme un bien d'achat réfléchi, le pain est, quant à lui, un produit de consommation courante.

produits et services d'achat réfléchi
(*shopping goods/services*)
Produits et services auxquels les clients accordent beaucoup de temps afin de comparer les choix qui s'offrent à eux.

produits et services de consommation courante
(*convenience goods/services*)
Produits et services pour lesquels les clients ne veulent pas avoir à se poser de questions avant de les acheter.

À votre avis, une coupe de cheveux est-elle un service de consommation courante, d'achat réfléchi ou de spécialité ?

critères d'évaluation
(*evaluative criteria*)
Série d'éléments signifiants concernant un produit donné.

attributs déterminants
(*determinant attributes*)
Éléments d'un produit ou d'un service qui sont importants aux yeux de l'acheteur et qui diffèrent d'une marque ou d'un magasin à l'autre.

règles de décision du consommateur
(*consumer decision rules*)
Série de critères dont le consommateur tient compte consciemment ou inconsciemment pour faire un choix rapide et éclairé parmi les produits ou les services qui s'offrent à lui.

Les **produits et services de consommation courante** sont des produits et des services pour lesquels les clients ne veulent pas avoir à se poser de questions avant de les acheter. Ce sont des articles que l'on achète fréquemment sans vraiment y réfléchir. Les œufs, le pain et le savon appartiennent en général à ce type de produits.

Le consommateur peut consacrer beaucoup de temps à la recherche d'un produit ou d'un service de spécialité ou d'achat réfléchi. La seule différence réside dans le type de recherche menée par le consommateur. Dans certains cas, les impressions et les besoins du client contribuent à préciser sa recherche ainsi que le type de produit qu'il souhaite acheter. Pour Simon, se faire couper les cheveux entre dans la catégorie des services de consommation courante ; c'est pourquoi il préfère les salons où le service est rapide et qui sont bien situés. Sa copine, toutefois, a essayé plus d'un salon de coiffure et comparé les résultats obtenus dans chacun d'eux. Pour elle, se faire couper les cheveux entre dans la catégorie des services d'achat réfléchi. Quant au père de Simon, il ne fréquente que le salon de coiffure pour hommes du quartier. À son avis, il s'agit du meilleur en ville. Il est prêt à attendre quelques jours avant de pouvoir obtenir un rendez-vous et ne voit pas d'inconvénient à payer un peu plus cher qu'ailleurs. Pour lui, se faire couper les cheveux entre dans la catégorie des services de spécialité.

Étape 3 : l'évaluation des choix

Une fois que le consommateur a cerné son besoin et qu'il connaît les diverses possibilités, il doit trier celles-ci afin d'évaluer les choix qui s'offrent à lui. L'évaluation des choix survient souvent au moment de la recherche d'informations. Par exemple, un végétarien pourrait se renseigner sur une nouvelle marque de yogourt et l'éliminer immédiatement de ses choix parce que ce yogourt contient des sous-produits d'origine animale. En outre, les consommateurs sautent l'étape de l'évaluation des choix lorsqu'ils font des achats habituels – avez-vous déjà aperçu un amateur de lait écrémé acheter un litre de lait à 3,25 % ?

Quand le consommateur commence à évaluer les choix possibles, leur évaluation repose souvent sur une série de facteurs importants appelés « critères d'évaluation ».

Les **critères d'évaluation** sont une série d'éléments signifiants concernant un produit donné. Par exemple, un consommateur qui cherche à se procurer un téléphone intelligent pourrait tenir compte des fonctions de l'appareil, de son prix de vente, de son apparence et de la popularité de la marque à laquelle il appartient. De nos jours, en raison de la popularité indéniable de l'iPhone, il serait assez simple de comparer les diverses marques de téléphones intelligents sur le marché. Cependant, le choix est parfois si varié qu'il devient difficile de comparer les marques et les magasins entre eux (p. ex., le marché des tablettes tactiles).

Afin de simplifier son processus décisionnel, le consommateur se sert parfois de raccourcis, notamment les attributs déterminants et les règles de décision. Les **attributs déterminants** sont des éléments d'un produit ou d'un service qui sont importants aux yeux de l'acheteur et qui diffèrent d'une marque ou d'un magasin à l'autre[12]. Étant donné que bien des choix arrivent nez à nez quant à certains critères d'évaluation, le consommateur recherche un élément distinctif, un attribut déterminant, dont il se sert pour différencier deux marques ou deux magasins. Les attributs déterminants semblent parfois tout à fait rationnels, comme la faible consommation d'essence pour une voiture sport, ou plus subtils et axés sur un aspect psychologique, comme la forme, la couleur et l'allure de la voiture.

Quant aux **règles de décision du consommateur**, il s'agit d'une série de critères dont le consommateur tient compte consciemment ou inconsciemment pour faire un choix rapide et éclairé parmi les produits ou les services qui s'offrent à lui. Il existe plusieurs types de règles de décision : le modèle compensatoire, le modèle non compensatoire et la décision heuristique.

Le modèle compensatoire

Le **modèle compensatoire** est une représentation du processus par lequel le consommateur évalue les choix qui s'offrent à lui et compare les caractéristiques d'un produit ou d'un service de manière à déterminer quels points forts permettent de compenser les points faibles[13]. Par exemple, lorsque Simon se cherchait une nouvelle voiture, il a tenu compte de plusieurs facteurs, dont le kilométrage, le style de la voiture, son prix et ses accessoires. L'automobile lui a coûté un peu plus cher que prévu, mais le fait que son kilométrage est très bas compense son prix élevé.

Même si Simon n'a probablement pas suivi le processus de la décision d'achat à la lettre, tel qu'expliqué dans le tableau 6.1, ce dernier illustre bien le fonctionnement du modèle compensatoire. Ainsi, Simon a implicitement attribué des points à chacun des facteurs qui comptent à ses yeux en fonction de leur importance, pour arriver à un total de 1,0. Le kilométrage est le facteur le plus important (0,4 point) et le style de la voiture est le facteur le moins important à ses yeux (0,1 point). Ensuite, Simon donne une note sur une échelle de 1 à 10, 1 étant la note la plus faible et 10 étant la note la plus élevée, à chaque facteur de chacun des modèles de voitures qu'il évalue. Par exemple, étant donné qu'il trouve le kilométrage de la Toyota excellent, il lui donne un 10. Simon multiplie ensuite chacune des notes par le coefficient d'importance établi au départ, ce qui lui donne une note finale pour chacun des modèles.

Dans cet exemple, Toyota obtient la meilleure note parmi les trois modèles de voitures évalués [(0,4 × 10) + (0,1 × 8) + (0,3 × 6) + (0,2 × 8) = 8,2].

Le modèle non compensatoire

Parfois, le consommateur a recours à un **modèle non compensatoire**, c'est-à-dire qu'il choisit un produit ou un service en fonction d'un sous-ensemble de caractéristiques, sans prêter attention à ses autres attributs[14]. Simon pourrait trouver une voiture dont le kilométrage est bas et qui comporte une foule d'accessoires, mais à un prix considérablement plus élevé que le montant qu'il est prêt à dépenser. Ainsi, il pourrait renoncer à cette voiture seulement en raison de son prix. Il a donné la note 6 sur 10 au prix de la Toyota, mais les points forts de cette voiture ne sont pas en mesure de compenser son principal point faible, soit son prix élevé.

Le style et la matière textile de ces pantalons de yoga lululemon constituent des attributs déterminants qui permettent de les distinguer des autres marques.

TABLEAU 6.1	Une comparaison entre le modèle compensatoire et le modèle non compensatoire dans l'achat d'une voiture				
	Kilométrage	**Style**	**Prix**	**Accessoires**	**Note finale**
Coefficient d'importance	0,4	0,1	0,3	0,2	
Toyota	10	8	6	8	8,2
Honda	8	9	8	3	7,1
Nissan	6	8	10	5	7,2

Selon le modèle compensatoire, Toyota obtient la meilleure note.

Selon le modèle non compensatoire, Nissan obtient la meilleure note en fonction de son prix.

modèle compensatoire
(*compensatory decision rule*)
Processus d'évaluation par lequel le consommateur compare l'ensemble des caractéristiques d'un produit ou d'un service considérées en vue d'un achat. Les points forts d'un produit compensent ses points faibles.

modèle non compensatoire
(*non-compensatory decision rule*)
Choix de la part du consommateur d'un produit ou d'un service en fonction d'un sous-ensemble de caractéristiques, sans prêter attention à l'ensemble de ses attributs.

La décision heuristique

décision heuristique
(*decision heuristics*)
Processus mental simple
par lequel l'acheteur
évalue les choix qui
s'offrent à lui à l'aide de
divers éléments, comme
le prix, la marque ou la
présentation du produit
(p. ex., acheter la marque
à plus bas prix, acheter
toujours la même marque,
acheter les produits
en promotion).

Finalement, certains consommateurs prennent une **décision heuristique**, laquelle consiste en un processus mental simple par lequel l'acheteur éventuel effectue un tri des choix qui s'offrent à lui à l'aide de divers éléments. Voici quelques exemples d'éléments heuristiques:

- **Le prix.** Le consommateur peut privilégier le choix le plus cher, croyant qu'un prix élevé est synonyme de qualité, d'où l'expression «en avoir pour son argent». D'un autre côté, il peut retenir le choix dont le prix est moyen – ni le plus cher, ni le moins cher –, croyant qu'il s'agit là d'un bon compromis entre les deux extrêmes[15].

- **La marque.** Le fait de toujours se procurer des produits de marque permet à certains consommateurs d'être rassurés quant au choix qu'ils ont fait. Acheter un produit de marque nationale, même s'il est plus cher, donne l'impression au consommateur qu'il vient d'acheter un produit de qualité supérieure à celle des autres produits[16]. Par exemple, bien des consommateurs choisissent les comprimés Tylenol ou Advil au lieu de ceux de Life, la marque maison de Pharmaprix, parce qu'ils croient qu'ils sont de meilleure qualité, même si les ingrédients sont les mêmes d'une marque à l'autre.

- **La présentation du produit.** Il n'est pas rare que l'apparence d'un produit ait une influence sur le processus décisionnel du consommateur. Par exemple, deux maisons semblables et de valeur égale peuvent être perçues bien différemment. Imaginons que l'une d'entre elles soit propre et épurée, qu'un bouquet de fleurs vienne d'être mis sur la table et qu'en entrant dans la maison on sente l'odeur réconfortante des biscuits qui sortent du four. Imaginons maintenant que, dans la seconde maison, il y ait trop de meubles et qu'il y règne une odeur désagréable. Les consommateurs aiment constater qu'un effort a été fourni; c'est pourquoi la présentation du produit peut faire en sorte qu'une vente soit conclue ou qu'elle tombe à l'eau[17].

Une fois que le consommateur a évalué les choix qui s'offrent à lui de même que les avantages et les inconvénients de chacun de ces choix, il peut avancer dans son processus décisionnel et passer à l'étape suivante. La rubrique Forces d'Internet ci-contre explique comment le site Expedia.ca a créé de la valeur aux yeux de sa clientèle canadienne en rendant divers forfaits facilement accessibles, et comment les consommateurs arrivent à comparer plusieurs forfaits.

Étape 4: l'achat et la consommation

La valeur d'un produit ou d'un service compte pour beaucoup dans le processus décisionnel des consommateurs. Ces derniers cherchent et se procurent des produits et des services qui présentent, à leur avis, le meilleur rapport qualité/prix. Dans les prochains paragraphes, il sera question de plusieurs facteurs situationnels (mode de paiement, livraison, atmosphère et apparence du magasin) qui peuvent faire que le client achète ou non un produit dans l'immédiat. Par la suite, une fois que le client a accès à un produit ou à un service, il le consomme.

consommation rituelle
(*ritual consumption*)
Modèle de comportement
associé à des événements
et qui influe sur ce qu'un
individu consomme et sur
la façon dont il consomme.

On compte parmi les types de consommations la **consommation rituelle**, qui fait référence à un modèle de comportement associé à des événements et qui influe sur ce qu'un individu consomme et sur la façon dont il consomme. Ces comportements, qui revêtent une dimension symbolique, varient considérablement selon la culture du consommateur. Par exemple, il peut s'agir d'un rituel quotidien, comme prendre son café matinal au Tim Hortons ou se brosser les dents. Il peut également s'agir d'un rituel réservé aux occasions spéciales, comme les rites de passage ou les traditions du temps des fêtes. Bien des entreprises tentent de s'assurer que leurs produits et leurs services sont associés à la consommation rituelle. Imaginons un instant ce que deviendrait la société Hallmark sans les diverses célébrations qui ponctuent l'année?

L'exemple du site Expedia.ca permettra d'illustrer comment se déroule l'évaluation des choix au cours d'une décision d'achat. Expedia.ca est l'agence de voyages en ligne la plus populaire au Canada. Il s'agit d'une filiale de la société américaine Expedia.com, l'agence de voyages en ligne la plus populaire dans le monde entier et la quatrième agence de voyages en importance aux États-Unis. L'entreprise est consciente que les voyageurs canadiens ont des attentes plutôt élevées. C'est pourquoi l'agence offre, sur son site Web www.expedia.ca, un système novateur qui permet à sa clientèle d'évaluer facilement les forfaits qui s'offrent à elle. D'abord, il est possible de faire une recherche parmi les offres à partir de la date de départ, du prix, des points d'intérêt ou des activités désirées. Le client peut ensuite réserver un vol, une chambre d'hôtel, une voiture de location, une croisière et même un forfait en quelques clics de souris. Le site propose également à sa clientèle plusieurs outils, tels que des alertes de voyage, des informations relatives aux vols, aux aéroports, aux passeports et à la météo, un système de sélection des places, un convertisseur de devises ainsi que des indications routières.

Les consommateurs peuvent se servir du système d'Expedia pour les recherches des plus générales – disons toutes les compagnies aériennes – aux plus spécifiques, par exemple, seules Air Canada, WestJet et American Airlines. Ils peuvent également faire une recherche à partir d'un attribut déterminant, comme le vol le moins cher ou le plus court. Certains voyageurs ont recours à un modèle non compensatoire ; ils choisissent systématiquement Air Canada pour leurs vols internationaux, peu importent les autres choix possibles, parce qu'ils sont membres du programme *Grands voyageurs* de cette compagnie aérienne ou qu'ils préfèrent encourager une entreprise nationale. D'autres voyageurs, par contre, auront recours à un modèle compensatoire. Ainsi, ils feront affaire avec WestJet pour aller à Calgary à partir d'Ottawa s'il s'agit de la compagnie aérienne qui offre le vol le plus avantageux quant au prix, à la durée du vol et au nombre d'escales. Finalement, certains voyageurs font leur choix en fonction de certains éléments clés comme l'espace pour les jambes, le choix des films ou la qualité de la nourriture qui est servie en vol.

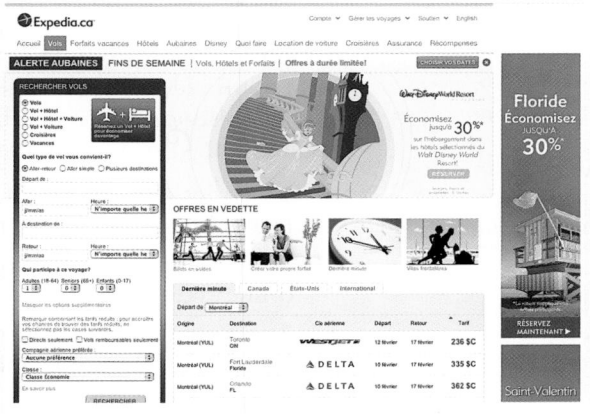

Expedia permet à chaque client d'être son propre agent de voyages.

Étape 5 : le comportement post-achat

La cinquième et dernière étape du processus décisionnel est le comportement post-achat. Les gestionnaires marketing s'intéressent particulièrement à ce type de comportement, car il ne vise plus les clients potentiels, mais bien les clients réels. Ces gestionnaires espèrent que les clients feront preuve de loyauté, qu'ils achèteront de nouveau des produits à leur entreprise et que le bouche-à-oreille sera positif. C'est pourquoi ces clients sont si importants. Par contre, les clients insatisfaits, eux, ne rachèteront sûrement pas ces produits ; ils risquent plutôt de faire du bouche-à-oreille négatif. En général, le comportement post-achat peut avoir trois effets positifs sur l'entreprise : l'augmentation de la satisfaction du client, la diminution de la dissonance cognitive et l'augmentation de la loyauté de la clientèle (*voir la figure 6.2*).

FIGURE 6.2   Les résultats de la décision d'achat

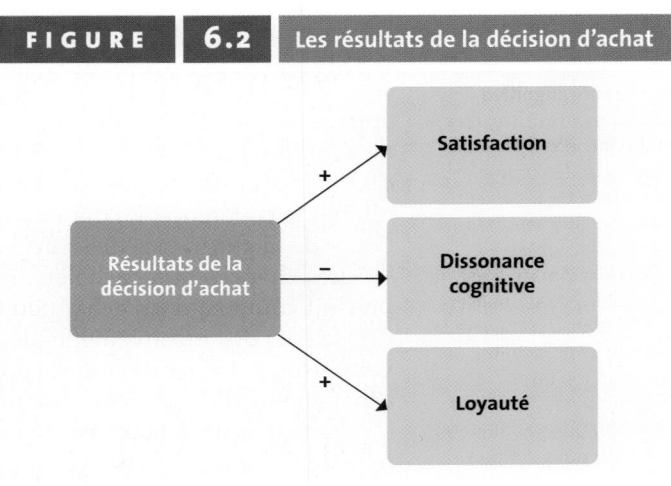

La satisfaction du client

Le fait de créer des attentes énormes chez les clients par la publicité, la vente personnelle ou tout autre moyen promotionnel peut gonfler les ventes d'un produit pendant une certaine période, mais au final, lorsque les clients constateront que le produit en question n'est pas en mesure de satisfaire leurs attentes, ils se souviendront de leur insatisfaction et risqueront de faire du bouche-à-oreille négatif. Par exemple, Starbucks avoue qu'elle s'inquiète du fait que ses études de marché révèlent une insatisfaction de la clientèle quant à la rapidité

Les consommateurs perçoivent souvent une dissonance lorsqu'ils se procurent des biens et des services. Ils ont une impression désagréable, leurs sentiments sont partagés, comme une personne qui regrette d'avoir payé trop cher pour sa voiture, mais adore la conduire.

du service qui lui est offert. Étant donné que les clients savent qu'ils paient leur café plus cher que la moyenne, ils s'attendent à ce que le service soit rapide et efficace[19].

Par contre, le fait de susciter peu d'attentes chez les clients comporte autant de risques. De nombreux détaillants, par exemple, ne paient pas de mine. Ils ont beau compter sur des produits de bonne qualité et sur un service courtois, si l'apparence de la boutique n'est pas soignée, qui voudra y entrer?

Les gestionnaires marketing peuvent s'assurer de la satisfaction de leur clientèle, notamment en suivant les étapes suivantes:

- Créer des attentes réalistes chez le client – à savoir des attentes ni trop élevées ni trop faibles –, et surtout répondre à ces attentes.
- Montrer au client comment se servir du produit, car une mauvaise utilisation d'un produit mène souvent à une insatisfaction chez la personne qui l'achète.
- Avoir confiance en son produit ou en son service et le prouver en offrant une garantie de remboursement ou toute autre forme de garantie.
- Inciter la clientèle à donner une rétroaction, ce qui contribue à réduire le bouche-à-oreille négatif.
- Communiquer régulièrement par téléphone avec le client pour lui démontrer que l'entreprise s'intéresse à lui et qu'elle a à cœur son entière satisfaction. Du coup, l'entreprise sera en mesure de régler les problèmes qui se présentent. Les clients aiment ce genre de contact, et cela en vaut la peine, même si cette stratégie est certainement plus coûteuse que de faire un suivi par courriel ou par la poste.

La dissonance cognitive

dissonance cognitive
(*postpurchase dissonance*)
État d'inconfort psychologique suscité par une incohérence entre les attentes d'un consommateur et les résultats observés. Si le consommateur est incapable de rationaliser la situation, il éprouvera le « remords de l'acheteur ». (La situation inverse est tout aussi possible, mais moins fréquente; ainsi, un acheteur qui a l'impression d'en avoir « trop » pour son argent commencera typiquement par imaginer des justifications, avant de se sentir enchanté.)

Si l'entreprise n'est pas en mesure de répondre aux attentes de la clientèle et que cette dernière est insatisfaite du produit ou du service qu'elle s'est procuré, il peut apparaître une **dissonance cognitive**. Cette incohérence, qui porte également le nom de « remords de l'acheteur », est un état d'inconfort psychologique suscité par une dissonance entre ses croyances et ce qu'il perçoit. Ce sentiment provoque un désir de rétablir la cohérence. La dissonance cognitive survient généralement quand un client doute de la pertinence de sa décision d'achat après l'avoir prise.

Les chances que l'acheteur regrette son achat sont plus grandes s'il s'agit d'un produit coûteux, d'un achat peu fréquent ou encore si le niveau de risque est élevé. Conscients des inconvénients de la dissonance cognitive, certains chefs de produits vont jusqu'à diriger des efforts promotionnels vers les clients qui viennent de faire un achat en vue d'éviter cette situation.

Par exemple, à la suite de sa recherche d'une voiture sport, Simon a opté pour le modèle Civic de Honda. Après son achat, Honda Canada lui envoie une lettre pour le remercier d'avoir fait un achat chez son entreprise et pour lui rappeler qu'il a fait le bon choix, notamment en raison de la qualité de la conception et de la fabrication des voitures Honda. À la lettre est jointe une carte de satisfaction dont les questions portent sur le concessionnaire, sur le vendeur qui a servi Simon et sur d'autres aspects de son expérience d'achat. L'envoi contient également des renseignements supplémentaires sur les services offerts par Honda Canada aux propriétaires d'une Civic. Simon peut agir de plusieurs façons en vue de réduire la dissonance cognitive. Il peut notamment:

- être attentif aux points positifs de la Honda Civic en lisant des évaluations de cette voiture ou des articles à l'intention des mordus de l'automobile sur Internet (p. ex., le site http://forums.beyond.ca, qui regroupe les amateurs d'automobiles);

- obtenir des rétroactions positives de ses amis à propos de sa nouvelle voiture sport;

- rechercher des points négatifs à propos des choix qu'il n'a pas retenus, de sorte qu'il sera encore plus certain d'avoir fait le bon choix.

La loyauté du client

Au cours de l'étape qui suit l'achat, dans le processus décisionnel, les gestionnaires marketing tentent d'établir un lien solide avec la clientèle. Ils souhaitent que les clients soient satisfaits de leur achat et retournent dans leur commerce. Les clients loyaux achètent toujours les mêmes marques et magasinent toujours dans les mêmes boutiques; ils ne tiennent donc pas compte des autres marques ou des autres entreprises. Comme nous l'avons vu dans le chapitre 2, ce type de clients étant précieux, l'équipe du marketing a mis en œuvre des outils de gestion de la relation client dans le but de conserver cette clientèle.

 **Question d'éthique** — **ihate[nom de l'entreprise].com au profit des consommateurs insatisfaits[20]**

Les consommateurs insatisfaits se servent d'Internet pour se faire entendre, et cette méthode se révèle efficace. Qu'il s'agisse de l'employé du Service à la clientèle impoli ou d'une mauvaise interprétation d'un contrat, les plaintes foisonnent sur Internet. Le magazine *Forbes* a même dressé un palmarès des meilleurs sites de traitement des plaintes, sur lequel figurent Allstate, PayPal et American Express. Selon certains spécialistes, les sites haineux anglophones comme ihate[nom de l'entreprise]. com auraient permis de traiter plus de plaintes que toute autre méthode.

Certaines entreprises ont essayé de s'en prendre à ces sites haineux, mais avec très peu de succès. Les recours juridiques ne sont admis que si le site haineux se sert de la marque déposée, du nom de la marque ou de tout autre élément relatif à la propriété intellectuelle de l'entreprise de manière à induire en erreur la population. La plupart du temps, par contre, les consommateurs qui créent ces sites sont protégés par la loi sur la liberté d'expression. En outre, ils soutiennent que personne ne pourrait confondre un site comme ihate[nom de l'entreprise].com avec le vrai site de l'entreprise.

En ce qui a trait aux consommateurs, on pourrait se demander pourquoi ils tiennent à formuler leurs plaintes sur Internet. La réponse est simple: parce que le service à la clientèle ou la communication entre l'entreprise et sa clientèle présente des lacunes. De leur côté, les entreprises souhaitent se prémunir contre les sites haineux. La solution aussi est simple: offrir un service à la clientèle et un service de traitement des plaintes plus adéquats et de meilleure qualité.

Dans cette situation, le gestionnaire marketing a tout intérêt à surveiller les sites haineux et à traiter rapidement les plaintes qui y sont associées. Si l'entreprise procède sans délai en ce sens, il se pourrait bien que le créateur du site haineux ferme celui-ci une fois son problème réglé. Et puis, la disparition d'un tel site décourage les autres consommateurs mécontents d'afficher leur texte. Par ailleurs, l'entreprise peut diffuser sur son site les suites qui ont été données à chacune des plaintes pour montrer à ses clients qu'elle se soucie d'eux et fait tout ce qu'elle peut pour régler les problèmes qu'ils éprouvent.

Même si nombre d'entreprises ont tenté d'empêcher la création de sites haineux, les consommateurs trouveront toujours un moyen de s'exprimer sur Internet. Par exemple, Canadian Tire s'est adressée à la cour, mais en vain, afin d'acheter le nom de domaine crappytire.com (*crappy* signifiant «nul», «minable») à son propriétaire, l'Ontarien Mick McFadden. En plus de toutes les communautés virtuelles et de tous les sites Web qui offrent ce type de service, certains agrégateurs comme www.thecomplaintstation.com proposent aux consommateurs un service de dépôt central qui reçoit leurs plaintes et dont certaines pages sont réservées à des entreprises en particulier. Dans le même ordre d'idées, www.vault.com est un forum créé pour permettre aux employés, anciens et actuels, de donner leur opinion sur l'entreprise pour laquelle ils ont travaillé ou travaillent actuellement. Les entreprises concernées devraient-elles encourager ce genre de sites en traitant les plaintes qui les touchent, ignorer ces sites tout simplement, ou les poursuivre en justice si elles s'aperçoivent que les plaintes ne proviennent pas de leurs clients?

Les comportements indésirables

Malgré leurs efforts pour rendre leurs clients satisfaits et loyaux, les entreprises ne parviennent pas toujours à atteindre ce but. Les clients passifs sont des clients qui ne répètent pas leur achat et qui ne conseillent pas à leurs proches le produit qu'ils ont acheté. Toutefois, le comportement négatif, dont font partie le bouche-à-oreille négatif et les rumeurs, est plus grave et peut s'avérer nuisible.

Le **bouche-à-oreille négatif** se produit lorsqu'un consommateur véhicule une opinion négative sur un produit, un service, un magasin ou une marque. Quand les attentes d'un consommateur sont atteintes, voire dépassées, il n'est pas rare que ce dernier n'en dise rien. Mais si ce consommateur considère qu'il a été traité injustement, il voudra probablement s'en plaindre… à tout le monde. En vue de réduire au minimum les conséquences du bouche-à-oreille négatif, les entreprises comptent sur les représentants au service à la clientèle pour gérer les plaintes des clients, que ce soit sur Internet, au téléphone ou en magasin.

Si les consommateurs croient qu'une plainte peut donner des résultats positifs, ils seront moins enclins à protester auprès de leurs amis, des membres de leur famille ou sur Internet, la source par excellence du bouche-à-oreille négatif (*voir la rubrique Question d'éthique à la page précédente*). Ainsi, les gestionnaires marketing devraient inciter les consommateurs à formuler leurs plaintes directement auprès d'eux en leur expliquant que cela leur permet d'améliorer les produits et les services offerts par l'entreprise, un élément essentiel de la phase d'évaluation du plan marketing.

OA 3 Les divers types de comportements d'achat

Habituellement, les décisions d'achat du consommateur se situent sur un continuum allant de la décision d'achat qui ne requiert pratiquement aucun effort (p. ex., acheter un café avant de se rendre à son cours) à celle qui nécessite des efforts considérables (p. ex., acheter une voiture ou une maison). Les gestionnaires marketing qui sont en mesure de comprendre la situation dans laquelle s'inscrit la décision d'achat ont plus de chances de pouvoir élaborer une stratégie de marketing qui facilitera l'expérience d'achat du consommateur. La figure 6.3 divise les comportements d'achat en quatre types, selon le niveau d'implication du client dans la décision d'achat et la différence entre les diverses marques d'un même produit[21]. L'implication du client renvoie au temps et aux efforts qu'il consacre à la recherche et à l'évaluation des renseignements en vue de se procurer un produit ou un service. Voyons plus en détail ces quatre types de comportements d'achat.

Le comportement d'achat complexe

Le **comportement d'achat complexe** apparaît chez le consommateur qui est fortement impliqué dans son achat et qui perçoit des différences importantes entre les produits des diverses marques qui lui sont offertes. Ce type de comportement est adopté surtout quand le produit ou le service est coûteux, risqué, qu'il représente un achat peu fréquent ou qu'il sert à exprimer l'identité du consommateur. Le cas échéant, ce dernier consacrera énormément de temps et d'efforts à ses recherches et à l'évaluation des renseignements qu'il obtiendra sur le produit et sur la catégorie à laquelle ce dernier appartient afin de réduire au minimum le risque perçu. Reprenons l'exemple de Simon, qui, après avoir obtenu une majeure en finance, décroche un poste bien rémunéré dans une institution financière reconnue. Il souhaite faire l'achat de sa première voiture.

Comme les marques de voitures sport sont nombreuses, Simon devra probablement consacrer beaucoup de temps et d'efforts à sa recherche, en commençant par se renseigner sur les voitures sport en général, puis sur les marques qui l'intéressent le plus. Les risques relatifs à sa décision d'achat sont les risques économique («Ai-je payé trop cher?»), psychologique («Qu'en penseront mes amis?») et fonctionnel

---

bouche-à-oreille négatif
(*negative word of mouth*)
Fait, pour un consommateur, de véhiculer une opinion négative à propos d'un produit, d'un service, d'un magasin ou d'une marque.

comportement d'achat complexe
(*complex buying behaviour*)
Comportement typique du consommateur qui est fortement impliqué dans son achat et qui perçoit des différences importantes entre les produits des diverses marques qui lui sont offertes.

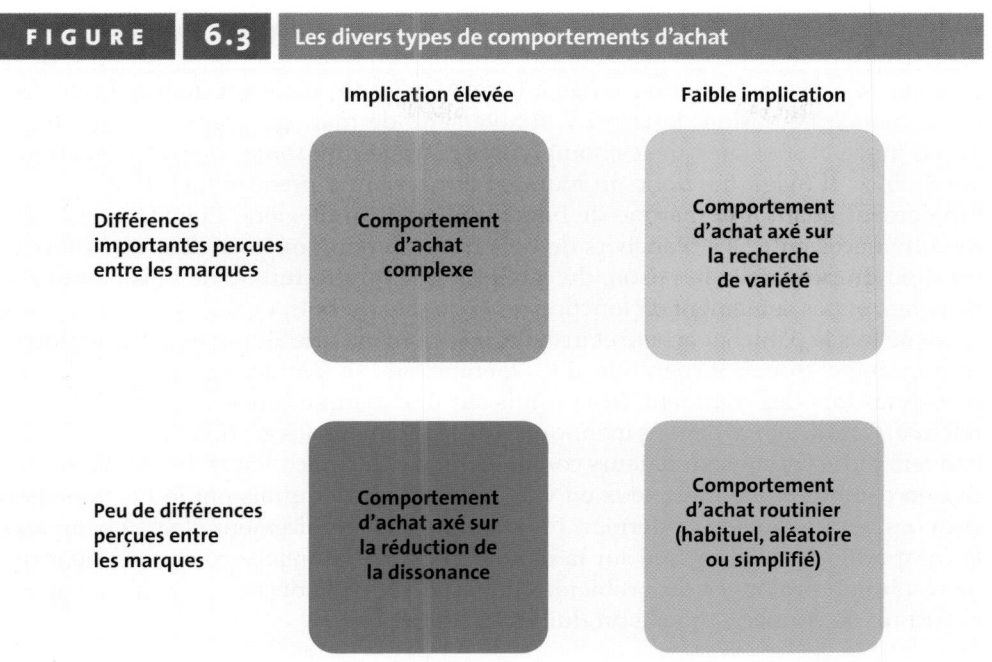

| FIGURE | 6.3 | Les divers types de comportements d'achat |

	Implication élevée	Faible implication
Différences importantes perçues entre les marques	**Comportement d'achat complexe**	**Comportement d'achat axé sur la recherche de variété**
Peu de différences perçues entre les marques	**Comportement d'achat axé sur la réduction de la dissonance**	**Comportement d'achat routinier (habituel, aléatoire ou simplifié)**

Source: Asseal Henry, «Types of Buying Behavior», *Consumer Behavior and Marketing Action*, Boston, Kent Publishing Company, 1987, p. 87.

(«Advenant un accident, est-ce une voiture suffisamment sécuritaire?»). Afin de réduire ces risques, Simon fera des recherches poussées sur les voitures sport et veillera à bien s'informer des garanties offertes avant d'arrêter son choix. Le comportement d'achat complexe constitue une forme de résolution prolongée du problème étant donné que la décision d'achat comporte de nombreux risques.

L'achat d'une voiture sport d'occasion constitue une décision d'achat complexe. De nombreux consommateurs consultent le site de l'Association canadienne des automobilistes (www.caa.ca), lequel leur fournit des renseignements détaillés sur les voitures, les camionnettes et les camions d'occasion.

Les gestionnaires marketing qui vendent des produits associés à une implication élevée du consommateur (p. ex., une voiture, une maison ou un ordinateur) doivent comprendre le processus de recherche et d'évaluation des renseignements par lequel passent les clients comme Simon s'ils veulent les aider à connaître les principales caractéristiques de la catégorie de produits (les voitures sport) et des marques sur le marché. Ainsi, le vendeur de voitures devrait renseigner Simon sur les voitures sport en général avant de différencier les marques offertes en fonction des caractéristiques qui sont importantes pour ce client.

Le comportement d'achat axé sur la réduction de la dissonance

Le **comportement d'achat axé sur la réduction de la dissonance** apparaît chez le consommateur qui souhaite se procurer un produit ou un service coûteux, risqué, qui représente un achat peu fréquent ou qui est utilisé pour exprimer sa personnalité, mais pour lequel il perçoit très peu de différences entre les marques sur le marché.

comportement d'achat axé sur la réduction de la dissonance (*dissonance-reducing buying behaviour*) Comportement par lequel un consommateur tente de se persuader d'avoir fait le bon choix, soit en réduisant l'importance attachée à une performance décevante, soit en cherchant des indications positives qui correspondent à ses attentes.

Cette faible différenciation crée chez le consommateur de la tension, de l'anxiété et le fait douter. En conséquence, il cherche un moyen d'atténuer ces sensations désagréables. Par exemple, Simon songe à faire installer un plancher de bois franc chez ses parents à l'occasion de leur 25ᵉ anniversaire de mariage. Dans une gamme de prix donnée, il constate que les nombreuses marques ont toutes des caractéristiques semblables. Il magasine donc un moment et parvient à prendre une décision assez rapidement quant à la marque de bois franc qu'il privilégiera. Étant donné le peu de différences entre les planchers de bois franc, Simon pourra arrêter son choix en fonction du prix, de la livraison, du côté pratique du produit ou de l'installation du plancher, et pas seulement en fonction de la qualité du bois.

Une fois le plancher acheté et installé, il se pourrait que Simon ressente un inconfort ou une dissonance cognitive si les membres de sa famille, ses amis ou d'autres personnes font des commentaires positifs sur une marque concurrente, qu'il n'a pas retenue. Comme nous l'avons mentionné précédemment, les gestionnaires marketing peuvent aider les consommateurs comme Simon à faire face à leur dissonance cognitive en communiquant avec eux en vue de leur rappeler qu'ils ont fait le bon choix et de les rendre fiers de ce dernier. Tout comme le comportement d'achat complexe, le comportement d'achat axé sur la réduction de la dissonance constitue une forme de résolution prolongée du problème étant donné que la décision d'achat comporte beaucoup de risques et que le produit est coûteux.

Le comportement d'achat routinier

comportement d'achat routinier
(*habitual buying behaviour*)
Décision d'achat prise par un client sans qu'il y réfléchisse vraiment.

Le **comportement d'achat routinier** se caractérise par une faible implication du consommateur et par une faible différenciation entre les marques d'un même produit. Le consommateur prend donc une décision sans effort, en y réfléchissant très peu. On distingue trois formes de comportement routinier. Premièrement, l'achat habituel où le consommateur achète la même marque sans trop se poser de questions. Deuxièmement, l'achat aléatoire où le consommateur prend la première marque offerte, quelle qu'elle soit. Enfin, l'achat simplifié où le consommateur achète sur la base d'un critère unique, comme le fait que la marque est en promotion, ou qu'elle est la moins chère, ou qu'elle est désignée comme «verte», etc. Par exemple, Simon s'arrête chez Tim Hortons tous les matins en allant travailler pour y prendre un café et un muffin. Il n'évalue pas les avantages d'aller plutôt au Second Cup ou au Starbucks, qui se trouvent aussi sur son chemin. Ainsi, Simon prend une décision d'achat habituelle. Le choix du type de muffin, quant à lui, se fait au hasard parce que Simon n'a pas de forte préférence pour un type particulier. Et s'il doit faire le plein d'essence, sa décision sera fondée sur une comparaison des prix affichés par les différentes stations-service qui se font concurrence au carrefour voisin. Encore une fois un achat routinier, mais cette fois soumis à une décision simplifiée. Les gestionnaires marketing s'efforcent d'attirer et de retenir des acheteurs ayant un comportement d'achat routinier en créant des marques fortes et en les incitant à être loyaux (chapitres 9 et 10), car ces derniers n'évaluent pas en profondeur les autres marques ou les autres commerces au cours de leur décision d'achat. Le prix, la promotion des ventes et la publicité qui vise à rendre la marque plus forte sont des stratégies efficaces pour favoriser la décision d'achat routinière.

Le comportement d'achat axé sur la recherche de variété

comportement d'achat axé sur la recherche de variété (*variety-seeking buying behaviour*)
Perception de différences importantes entre les marques, malgré une faible implication du client.

Le **comportement d'achat axé sur la recherche de variété** se caractérise par une faible implication du consommateur et par une grande différenciation entre les marques d'un même produit. Par exemple, Simon adore la crème glacée Häagen-Dazs, mais il lui arrive d'opter pour la crème glacée Ben & Jerry's, non par insatisfaction, mais simplement pour essayer une marque de crème glacée nouvelle ou différente. Avant d'arrêter son choix sur Häagen-Dazs, il se peut que Simon ait consacré peu de temps et d'efforts à la recherche et à l'évaluation des autres marques de crème glacée en vente à l'épicerie. Les consommateurs adoptent ce comportement d'achat lorsqu'ils se sont déjà procuré le produit ou le service et que le risque perçu est modéré. Le comportement d'achat axé sur la recherche de variété constitue une forme de résolution courte du problème étant donné que le consommateur se fie davantage à son expérience qu'aux informations externes qui lui parviennent. Toutefois, ce type de consommateur tient compte des nouvelles gammes de produits présentées dans les annonces publicitaires, les offres promotionnelles et les présentoirs aux points de vente.

La recherche de variété amène les gestionnaires marketing des marques les plus vendues à concentrer leurs efforts afin d'inciter les consommateurs à adopter un comportement d'achat routinier. Pour ce faire, ils doivent chercher à dominer l'espace d'étalage et concevoir des campagnes visant à rappeler aux consommateurs les avantages que présente leur marque. Quant à leurs concurrents, ils doivent inciter les consommateurs à changer de marque pour la leur en ayant recours à des stratégies comme les offres spéciales, les rabais, les coupons de réduction, les échantillons gratuits, les dégustations et les campagnes publicitaires qui poussent les clients à faire l'essai de leur marque.

Les facteurs influant sur la décision d'achat OA 4

La décision d'achat du consommateur peut être influencée par divers facteurs, comme l'indique la figure 6.4. Évidemment, les éléments du marketing mix exercent aussi une influence sur la décision d'achat. Il est d'ailleurs question de ces éléments tout au long du présent volume. Nous traiterons maintenant de trois autres types de facteurs. Premièrement, il y a les facteurs psychologiques, une influence interne qui comprend les motifs du consommateur, son attitude, sa perception, son apprentissage et son style de vie. Deuxièmement figurent les facteurs sociaux, comme l'influence exercée par la famille ou tout autre groupe de référence et par la culture. Enfin, il existe des facteurs situationnels, comme un achat en particulier, une expérience de magasinage précise ou un moment de la journée, qui ont un effet sur le processus décisionnel du consommateur.

FIGURE 6.4 Les facteurs influant sur le processus décisionnel du consommateur

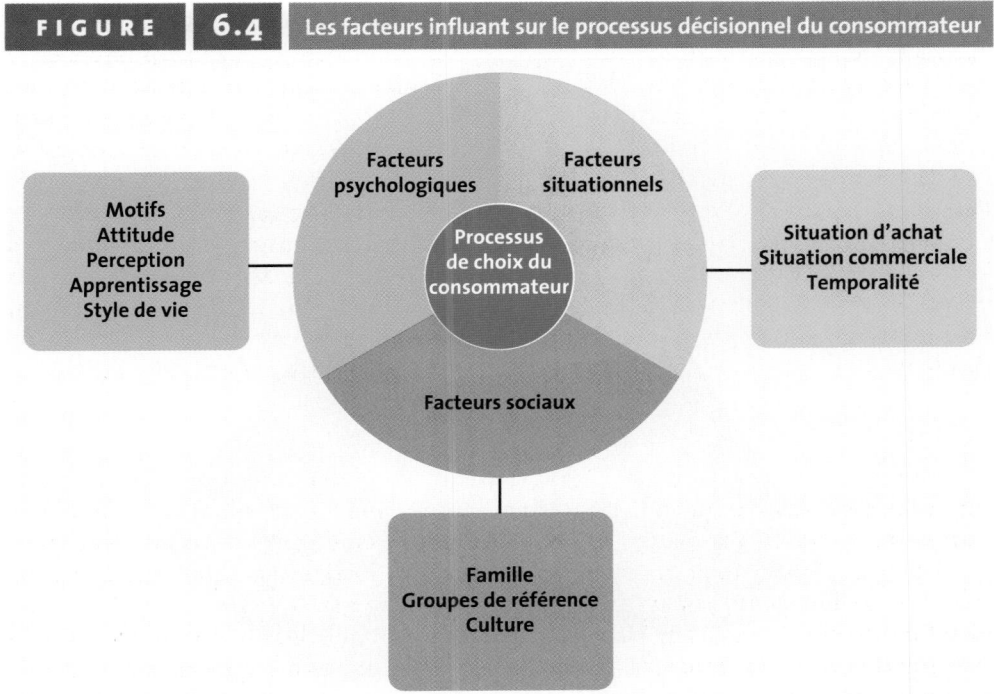

Toute décision enclenche un certain processus décisionnel chez le client. Mais, comme c'est le cas dans la vie, il est impossible d'expérimenter ce processus en vase clos.

Les facteurs psychologiques

Même si les gestionnaires marketing sont en mesure d'influer sur les décisions d'achat des consommateurs, toute une série de facteurs psychologiques agissent, quant à eux, sur la façon dont leur message est perçu. Parmi ces facteurs figurent les motifs du consommateur, son attitude, sa perception, son apprentissage et son style de vie. Nous verrons ici de quelle façon les facteurs psychologiques ont une influence sur le processus décisionnel du consommateur.

Les motifs

Dans le chapitre 1, vous avez appris que le marketing vise essentiellement à satisfaire les besoins et les désirs de la clientèle. Lorsque, chez une personne, un besoin comme la soif ou un désir comme celui de boire un Coke Diète n'est pas comblé, cela la motive, la pousse à obtenir satisfaction. Ainsi, un **motif** est un besoin ou un désir suffisamment fort pour pousser une personne à agir.

Un individu peut avoir toutes sortes de motifs. L'un des paradigmes les plus fréquents pour décrire ces motifs a été mis au point par Abraham Maslow, il y a plus de 40 ans[22]. L'idée centrale de Maslow est que les individus ne peuvent s'attaquer à certains besoins que s'ils ont réussi à en satisfaire d'autres, plus importants. Il faut d'abord se nourrir et se loger avant de pouvoir penser à explorer ses talents artistiques, par exemple. Ainsi, lorsque nous avons répondu à nos besoins de base, à savoir les besoins physiologiques et les besoins de sécurité, nous pouvons consacrer davantage d'efforts à satisfaire d'autres besoins, c'est-à-dire les besoins sociaux (affection, estime) et les besoins d'accomplissement personnel (*voir la figure 6.5*).

Les **besoins physiologiques** ont trait aux besoins de base, notamment se nourrir, boire, se reposer et avoir un toit. Même s'il peut sembler facile aux habitants des pays développés de répondre à ces besoins de base, certaines personnes ont moins de chance. Par contre, nous cherchons tous à satisfaire ces besoins. Les gestionnaires marketing saisissent toutes les occasions qui se présentent pour que ces besoins

motif (*motive*)
Besoin ou désir suffisamment fort pour pousser une personne à agir.

besoins physiologiques (*physiological needs*)
Besoins de base (se nourrir, boire, se reposer, avoir un toit).

FIGURE 6.5   La hiérarchie des besoins (Maslow)

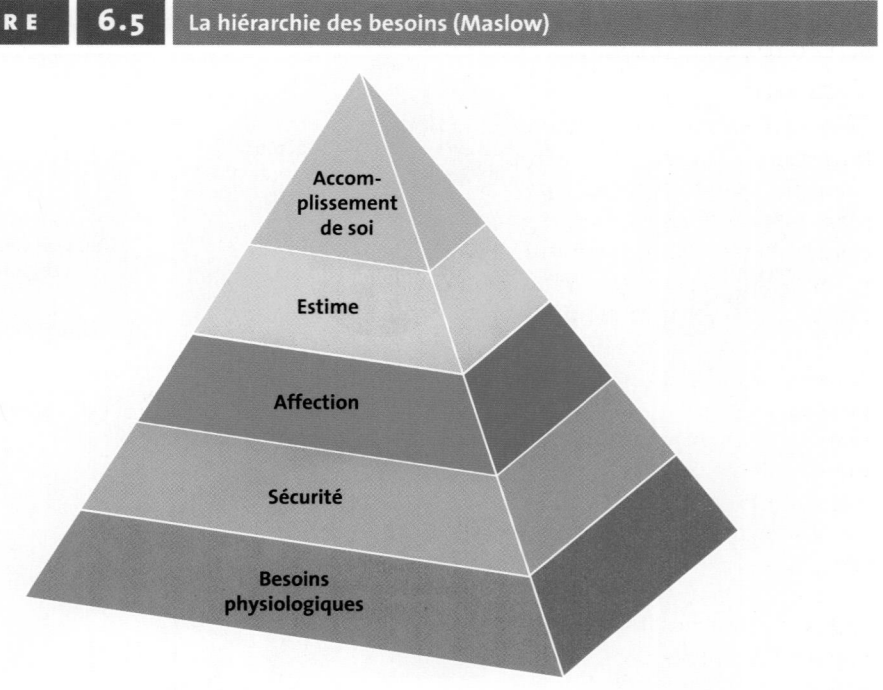

Accomplissement de soi

Estime

Affection

Sécurité

Besoins physiologiques

deviennent des désirs en nous incitant à manger chez Taco Bell, à boire du lait Natrel, à dormir sur un matelas Simmons et à loger à l'hôtel Marriott.

Les **besoins de sécurité** concernent le sentiment de protection et de bien-être physique. Le marché regorge de produits et de services conçus pour que l'on se sente plus en sécurité (coussins gonflables, alarme contre le vol, etc.) ou en meilleure santé (vitamines, aliments biologiques, etc.).

Les besoins sociaux (affection, estime) touchent à nos interactions avec les autres. En ce sens, une coupe de cheveux ou du maquillage peuvent rendre une personne plus attirante, un iPod nano permet à une personne d'être branchée et un déodorant élimine les odeurs désagréables. En outre, une carte de vœux vous permet d'exprimer vos sentiments à l'égard de gens qui vous entourent.

Les **besoins affectifs** sont satisfaits par la qualité des relations entretenues avec des gens proches de nous – notre famille immédiate et nos amis. L'affection suppose une relation personnelle.

Les **besoins d'estime** sont satisfaits par une fraction plus ou moins large de la société qui nous respecte personnellement ou qui respecte notre statut social (ex. les juges et les médecins sont des professions dont les membres sont généralement respectés, sans égard au fait qu'on les connaisse personnellement ou pas.)

Finalement, les **besoins d'accomplissement personnel** ont trait aux façons dont les individus se réalisent et s'épanouissent. Le yoga, la méditation, le sport, les livres et les voyages sont des réponses au désir des gens de poser sur leur vie un regard empreint de joie et de satisfaction.

À quel besoin correspond l'achat d'un magazine ? La revue *Weight Watchers*, par exemple, aide à satisfaire un besoin physiologique, notamment celui de manger sainement, mais aussi un besoin personnel, comme le besoin d'être satisfait de la vie que nous menons. D'un autre côté, *Décoration Chez-Soi* est un magazine qui donne des astuces pour faire de son foyer un endroit plus sécuritaire. Et puis, il y a les revues comme *Weddings*, qui répondent à un besoin social grâce à des articles pouvant aider les futurs mariés dans la préparation des faire-part de manière à n'offenser personne et à informer la famille et les amis de l'heureux événement.

Nombreux sont les magazines qui répondent à plusieurs besoins en même temps. De cette façon, les gestionnaires marketing astucieux sont en mesure d'ajouter de la valeur à leurs produits ou à leurs services et ainsi de permettre à leurs clients de satisfaire simultanément plusieurs niveaux de la hiérarchie des besoins.

L'attitude

Nous adoptons une attitude dans pratiquement toutes les situations. Par exemple, vous n'aimez pas tel cours, mais vous appréciez l'enseignante qui le donne. Vous aimez votre ville, mais vous n'aimez pas son climat. L'**attitude** est la disposition d'esprit d'une personne à l'égard d'un objet ou d'une idée. Elle est quelque chose d'acquis, qui dure longtemps. Elle peut être apprise sur une longue période, mais elle peut aussi changer soudainement. Ainsi, vous pourriez aimer votre enseignante pendant la plus grande partie du semestre, jusqu'à ce qu'elle vous remette votre premier examen corrigé.

Le seul point commun qu'ont les attitudes de chacun d'entre nous, c'est leur capacité à influer sur les décisions et les actions d'un individu.

besoins de sécurité
(*safety needs*)
Besoins liés à un sentiment de protection et de bien-être physique.

besoins affectifs
(*love needs*)
Besoins que ressent un individu d'interagir avec les autres.

besoins d'estime
(*esteem needs*)
Besoins d'être apprécié par les autres.

besoins d'accomplissement personnel (*personal needs*)
Besoins ayant trait aux façons dont les individus se réalisent et s'épanouissent.

À quels besoins ces magazines permettent-ils de répondre ?

attitude (*attitude*)
État d'esprit d'une personne à l'égard d'un objet ou d'une idée ; l'attitude comprend des composantes affectives, cognitives et conatives.

composante cognitive
(*cognitive component*)
Ensemble des facteurs rationnels de formation des attitudes.

composante affective
(*affective component*)
Ensemble des attitudes qui reflètent ce qu'une personne ressent à l'égard d'un sujet précis, c'est-à-dire ce qu'elle apprécie et ce qu'elle n'apprécie pas.

composante conative
(*behavioural component*)
Ensemble des actions prises par une personne à l'égard d'un sujet précis.

L'attitude est constituée de trois composantes. La **composante cognitive** reflète ce qu'une personne considère comme vrai. Quant à la **composante affective**, elle correspond à ce qu'une personne ressent à l'égard d'un sujet précis (son appréciation positive ou négative de ce sujet). Enfin, la **composante conative** représente l'ensemble des actions prises par une personne à l'égard d'un sujet précis. Par exemple, Édouard et Nathalie Lizotte regardent une annonce publicitaire de Volvo montrant une famille de cinq personnes dans une voiture. Les enfants sont bien installés à l'arrière alors que les parents discutent à l'avant. L'annonceur énumère les caractéristiques de chacun des modèles et révèle la cote de sécurité de Volvo, laquelle en fait la marque de voiture la plus sécuritaire de sa catégorie. Après avoir pris connaissance de cette annonce, Édouard et Nathalie concluent que la cote de sécurité doit être authentique, puisqu'elle est approuvée par le gouvernement, et donc que la voiture présentée doit être sécuritaire (composante cognitive). En voyant cette famille confortablement assise dans une voiture aussi sécuritaire, Édouard et Nathalie se rendent compte qu'ils voudraient eux aussi avoir un tel véhicule pour circuler en toute quiétude avec leurs enfants (composante affective). Ils décident donc d'aller chez le concessionnaire Volvo le plus près et d'acheter une nouvelle voiture (composante conative).

Les consommateurs qui achètent une voiture Volvo choisissent cette marque parce qu'ils considèrent que Volvo fabrique des voitures sécuritaires (composante cognitive), qu'ils aiment ses modèles (composante affective) et qu'il est facile de trouver un concessionnaire du modèle choisi près de chez eux (composante conative).

Idéalement, il doit y avoir une certaine cohérence entre les trois composantes, sinon il y aura une dissonance cognitive. Imaginons un instant qu'Édouard et Nathalie croient que Volvo fabrique des voitures sécuritaires, qu'ils aiment le modèle présenté, mais qu'ils achètent une voiture d'une autre marque parce que cette dernière est meilleur marché. Il ne serait pas étonnant qu'ils éprouvent ensuite le remords de l'acheteur.

Malgré le fait que l'attitude soit un élément qui teinte l'ensemble de la personnalité d'un individu et qu'elle prenne souvent beaucoup de temps à changer, le gestionnaire marketing doit se rappeler qu'elle sera influencée grâce à la communication persuasive et par la nature de l'expérience personnelle. Ainsi, les techniques de communication commerciale (par le vendeur, la publicité, les échantillons gratuits, etc.) peuvent avoir pour effet de changer ce qu'une personne considère comme vrai à propos d'un produit ou d'un service (composante cognitive) et même ce qu'elle ressent à l'égard de ce produit ou de ce service (composante affective). Lorsque les tentatives du gestionnaire marketing portent des fruits, les composantes cognitive et affective s'allient pour modifier le comportement du consommateur. Imaginons qu'Édouard et Nathalie, avant de voir l'annonce de Volvo, croyaient que la Toyota Camry était la voiture la plus sécuritaire sur le marché, mais qu'ils aimaient bien l'allure de la voiture suédoise. La publicité aurait pu influer sur la composante cognitive de leur attitude à l'égard de Volvo et la rendre cohérente avec la composante affective.

La perception

perception (*perception*)
Processus par lequel un individu choisit, organise et interprète les stimuli externes en vue de se faire une image du monde qui l'entoure et de lui donner un sens.

La **perception**, qui constitue un autre facteur psychologique, est un processus permettant à un individu de choisir, d'organiser et d'interpréter les informations mentales recueillies en vue de se faire une image du monde qui l'entoure et de lui donner un sens. Elle exerce une influence sur notre choix de produits et de services de même que sur la façon dont nous les consommons, car elle associe une signification à des éléments comme les couleurs, les symboles, le goût et l'emballage. En outre, la culture, la tradition et l'éducation reçue déterminent la manière de voir le monde. Par exemple, Nathalie a toujours souhaité acheter une Volvo, car à l'époque où elle allait à l'université, sa meilleure amie en possédait une et elles ont passé un été entier à sillonner le pays à bord de celle-ci. Par contre, Édouard a une perception différente des voitures Volvo en raison de ses expériences passées. Il estime que ces voitures sont sécuritaires, certes, mais aussi lentes, ennuyeuses, démodées et conçues pour les vieilles dames. Volvo trime dur depuis de nombreuses années pour dissiper ce préjugé défavorable qu'entretiennent Édouard et bien d'autres consommateurs et qui lui colle à la peau. Elle a donc conçu des véhicules plus rapides et plus attrayants en plus de repositionner la marque afin de créer une image plus dynamique de Volvo.

Lorsqu'ils tentent d'agir sur la perception des consommateurs, les gestionnaires marketing doivent comprendre les quatre composantes de la perception et se concentrer sur celles-ci, soit l'exposition sélective, l'attention sélective, la compréhension sélective et la mémoire sélective. Une personne qui ne regarde que les chaînes sportives ou les chaînes d'informations, et qui ne regarde jamais les chaînes humoristiques ni celles destinées aux femmes, pratique l'exposition sélective, car elle exclut des émissions et des chaînes de télévision.

Dans le même ordre d'idées, les consommateurs qui écoutent uniquement les messages qui correspondent à leurs valeurs et à leurs croyances pratiquent l'attention sélective. Par exemple, une personne qui aime les chaînes sportives pourrait regarder les parties de hockey, de soccer ou de baseball, mais éviter la boxe et la lutte parce qu'elle trouve ces sports trop violents. Quant à la compréhension sélective, elle se manifeste lorsqu'un consommateur interprète un message commercial autrement que de la façon prévue par le gestionnaire marketing. Ainsi, une annonce publicitaire de Dolce & Gabbana devait être audacieuse et érotique, mais les consommateurs l'ont perçue comme un renforcement des stéréotypes relatifs au viol et à l'avilissement de la femme. Sachant cela, les gestionnaires marketing peuvent choisir de diffuser leurs communications dans les médias qui s'adressent le plus à leur marché cible et créer des messages qui correspondent aux valeurs de ce dernier ainsi qu'à son attitude, de manière que le message soit capté et interprété de la bonne façon. Finalement, la mémoire sélective consiste à se souvenir d'une partie seulement des informations vues, lues ou entendues. Afin de rendre leur message plus percutant, les gestionnaires marketing peuvent lui faire prendre plusieurs formes (version imprimée, en ligne, etc.).

Dolce & Gabbana a été sévèrement critiquée à la suite d'une annonce publicitaire qui se voulait aguichante et audacieuse, mais que les consommateurs ont perçue comme un renforcement des stéréotypes relatifs au viol et à l'avilissement de la femme.

L'apprentissage

L'**apprentissage** est un changement du processus mental ou du comportement d'un individu issu d'une expérience. Il se produit tout au long du processus décisionnel du client. Par exemple, quand Simon a compris qu'il avait besoin d'une voiture sport, il a cherché des annonces, des évaluations et des articles à ce sujet sur Internet. Il a assimilé une foule de nouvelles notions, de sorte que son jugement sur les voitures sport en est venu à changer. De plus, Simon a aimé la façon dont le vendeur l'a servi. Il a donc appris de son expérience, laquelle est dorénavant gardée en mémoire en vue d'une utilisation ultérieure, s'il recommande le concessionnaire à un ami, par exemple.

L'apprentissage exerce une influence tant sur l'attitude d'un individu que sur sa perception. En effet, au cours du processus d'achat de Simon, son attitude a changé. La composante cognitive de son attitude s'est modifiée quand il a appris que le concessionnaire offrait aux propriétaires d'une Honda Civic une foule de services supplémentaires à peu de frais. Lorsque Simon a commencé à utiliser ces services, dont le lave-auto gratuit et des rabais sur le service d'esthétique automobile, il s'est rendu compte à quel point il les appréciait (composante affective), puis il a décidé de se les procurer (composante conative). Chaque fois que des renseignements lui

apprentissage (*learning*)
Changement du processus mental ou du comportement d'un individu issu d'une expérience. L'apprentissage se fait tout au long du processus décisionnel du client.

ont été transmis à propos du service, il a appris quelque chose de nouveau qui a modifié sa perception du concessionnaire. Avant de faire affaire avec lui, Simon ne savait pas que le personnel était si sympathique et si serviable. Sa perception du service offert chez le concessionnaire a donc changé, elle aussi, au fil de son apprentissage.

Le style de vie

style de vie (*lifestyle*)
Façon de vivre organisée autour d'une ou de plusieurs valeurs dominantes.

Le **style de vie** correspond à nos activités, ce à quoi nous employons notre temps et nos ressources. Beaucoup de consommateurs jugent important de déterminer si un produit ou un service est compatible avec leur style de vie réel ou perçu, que celui-ci soit sédentaire ou plutôt axé sur les activités de plein air, par exemple. Quelques-uns des nombreux consommateurs qui exhibent un anorak The North Face ont certainement besoin de ce vêtement technique conçu pour un climat rigoureux parce qu'ils prévoient escalader le mont Robson et veulent être certains d'être suffisamment protégés contre les éléments. D'autres, en revanche, apprécient simplement l'image associée au manteau – ils pourraient entreprendre leur propre expédition d'escalade d'un jour à l'autre, même si, jusque-là, ils se sont bornés à pelleter la neige de leur entrée. De même, certains consommateurs achètent un VUS de luxe à traction intégrale, afin de pouvoir surmonter presque n'importe quel obstacle hors route, mais aussi parce qu'ils aiment les sièges en cuir munis d'un soutien lombaire, le système audio avec ses neuf haut-parleurs et sa radio par satellite, le système sans clé et le fait qu'ils peuvent passer à toute allure sur les dos d'âne quand ils se rendent à leur supermarché local.

Dans les prochains paragraphes, nous verrons que la perception et la capacité d'apprentissage d'une personne sont influencées par ses expériences en société. De plus, la rubrique Marketing durable ci-après explique comment les attitudes et les habitudes de vie changeantes des consommateurs influent sur les types d'aliments qu'ils achètent.

Marketing durable

Les consommateurs de plus en plus attirés par les produits biologiques

Redécouverte il y a une quinzaine d'années, l'agriculture biologique était considérée autrefois comme un marché de niche ; or, elle enregistre aujourd'hui une croissance rapide et l'on estime qu'à l'échelle mondiale les ventes de produits biologiques augmentent de 20 % chaque année[23]. On recense 162 pays ayant officiellement des pratiques liées à l'agriculture biologique, mais la surface des terres consacrées à cette pratique représente à peine 0,9 % des terres cultivables. En 2011, la valeur de ce marché mondial en pleine expansion était estimée à environ 63 milliards de dollars US[24], et les analystes prévoient que la demande de produits biologiques continuera de croître. Au Canada comme au Québec, la demande en produits biologiques est telle que 80 % des produits vendus sont importés. Cette demande accrue est attribuée à diverses psychoses alimentaires, aux préoccupations concernant l'emploi de pesticides et d'additifs alimentaires, ainsi qu'à l'usage croissant d'organismes génétiquement modifiés (OGM) dans l'industrie alimentaire[25]. L'industrie des produits biologiques intègre tous les aspects d'un processus de production sans pesticides ni fertilisants en se conformant à des normes précises et elle est soumise à un système de certification rigoureux.

Qu'est-ce qu'un aliment biologique ?

La définition d'un aliment biologique est encore floue dans l'esprit des consommateurs. Lorsqu'ils comparent des aliments biologiques à des produits conventionnels, les adeptes du bio les décrivent généralement comme étant sans pesticides et sans hormones, sans additifs chimiques, sans polluants, sans antibiotiques et sans organismes génétiquement modifiés ; ces produits sont donc considérés comme « naturels ». De plus, les partisans du bio affirment que ces aliments sont plus nutritifs, plus savoureux, plus beaux et plus frais, et que leurs formes varient.

Le profil du consommateur de produits biologiques

Le montant du panier moyen mondial n'est que de 9 $ par année… avec des extremums dans certains pays européens de 187 $, 225 $ ou 250 $ pour le Luxembourg, le Danemark ou la Suisse respectivement[26].

Bien que les consommateurs de produits biologiques n'aient pas tous le même profil sociodémographique, nous savons qu'ils sont en majeure partie des femmes, qui les achètent en plus grandes quantités et plus souvent que les hommes. Même si l'âge ne constitue pas un facteur important, les consommateurs plus jeunes sont plus disposés à acheter des produits biologiques, plus respectueux de l'environnement, mais n'ont pas toujours les moyens de le faire. Les familles introduisent souvent des aliments bio dans leur régime alimentaire après la naissance d'un bébé, ce qui les amène à modifier considérablement leurs habitudes alimentaires. Une étude datant de 2011 menée au Québec révélait que 1 consommateur sur 5 déclarait consommer des produits biologiques tous les jours, et 4 consommateurs sur 10 disaient en consommer toutes les semaines. Soixante-dix pour cent des consommateurs ont un niveau universitaire et les deux tiers ont un revenu familial annuel d'au moins 90 000 $[27].

Pourquoi les consommateurs achètent-ils des produits biologiques?

Au Canada comme au Québec, les consommateurs reconnaissent que leur désir de préserver leur santé et l'environnement, de soutenir l'agriculture locale ou de pouvoir se procurer des produits ayant du goût sont les principales valeurs qui les motivent à manger bio[28]. Fait intéressant, ils se disent motivés par leur conscience sociale à soutenir les agriculteurs de leur région ou l'économie locale. Plus généralement, dans plusieurs pays européens, des études ont révélé que les adeptes du bio embrassaient des valeurs centrées sur l'être humain, l'environnement et le bien-être des animaux. Globalement, les produits biologiques sont perçus comme moins dangereux pour la santé que les produits conventionnels. Pour les Canadiens, ce désir de rester en santé repose davantage sur une motivation d'évitement (p. ex., éviter d'ingérer des produits chimiques) que sur une motivation d'approche (p. ex., rechercher des avantages nutritionnels). Le désir de maximiser leur santé et leur bien-être personnel constitue donc une autre motivation importante. Le prix élevé, la disponibilité réduite, la qualité médiocre, le choix limité et l'absence de valeur perçue sont les principales raisons qui incitent les consommateurs à bouder les produits biologiques. La moindre disponibilité dans les commerces constitue aussi un frein. De plus, le fait que les consommateurs soient satisfaits de leurs achats actuels, connaissent mal les produits bio et se méfient des labels biologiques entrent aussi en ligne de compte.

Faire confiance aux produits biologiques

Les consommateurs se fient à plusieurs indicateurs pour décider s'ils feront confiance ou non à un produit. C'est pourquoi les gestionnaires marketing peuvent utiliser diverses tactiques pour les encourager non seulement à faire confiance à la marque et au label, mais aussi à leurs partenaires, comme les producteurs. Pour l'instant, en matière de consommation bio, la marque ne semble pas constituer la principale source de confiance. Les incertitudes concernant l'étiquetage et la certification l'emportent, car les consommateurs soit connaissent mal les labels et les confondent, soit sont confus et ignorent dans quelle mesure ils peuvent se fier aux organismes de certification.

En général, les consommateurs veulent en savoir plus sur l'origine et sur les modes de production des aliments biologiques. Les adeptes du bio apprennent petit à petit à se fier à des organismes de certification particuliers, tandis que les nouveaux consommateurs de bio, qui en sont encore au début de leur apprentissage, recherchent uniquement le mot « biologique » sur les étiquettes.

Le degré de confiance que le consommateur porte au point de vente semble jouer un rôle déterminant dans le choix de l'endroit où il achètera des produits biologiques. Les ventes de ce type de produits sont en hausse dans les supermarchés, mais ces derniers doivent faire face à la méfiance des consommateurs, et surtout des consommateurs réguliers de bio, tandis que les magasins spécialisés sont associés à des valeurs comme le service personnalisé, la compétence et la confiance.

Le niveau de connaissance et de sensibilisation des consommateurs est crucial sur le marché des produits biologiques: un segment du marché potentiel ne connaît pas encore ces produits et les consommateurs qui les connaissent vaguement n'en savent pas suffisamment pour pouvoir en distinguer les attributs uniques. C'est pourquoi le niveau de connaissance et de sensibilisation des consommateurs en ce qui touche les produits biologiques peut influer sur leurs perceptions et leurs attitudes, et, en fin de compte, sur leurs décisions d'achat.

Au Canada, le désir de préserver leur santé et l'environnement et de soutenir l'agriculture locale sont les principales valeurs qui motivent les consommateurs à manger bio.

Les membres de la famille d'un consommateur exercent souvent une influence sur la décision d'achat.

Les facteurs sociaux

La figure 6.4 (*voir p. 183*) montre que le processus décisionnel du consommateur subit également l'influence du milieu externe et social, c'est-à-dire sa famille, ses groupes de référence et sa culture[29].

La famille

De nombreuses décisions d'achat portent sur des produits et des services dont se servent tous les membres de la famille. Ainsi, les entreprises doivent tenir compte de la façon dont les familles prennent ces décisions d'achat et comprendre le rôle qu'y tient chacun de leurs membres.

Lorsqu'une famille prend une décision d'achat, elle tient souvent compte des besoins de chacun de ses membres. Ainsi, tous les membres de la famille prendront part au choix d'un restaurant, par exemple, mais le rôle de chacun peut varier selon la situation. Simon se souvient que, lorsqu'il était enfant, ce sont son père et ses deux grands frères qui feuilletaient les magazines et dépouillaient les évaluations à la recherche d'une nouvelle voiture. Par contre, une fois que la famille arrivait chez le concessionnaire, son père choisissait le modèle et la couleur de sa voiture, et sa mère négociait le contrat de vente.

Cet exemple ne signifie pas que les enfants et les adolescents ne jouent pas un rôle important dans le processus décisionnel, au contraire. Par exemple, en 2005, les préadolescents canadiens ont dépensé à eux seuls près de trois milliards de dollars en collations, en boissons gazeuses, en appareils électroniques et en vêtements. Et ce n'est pas tout : les jeunes Canadiens ont une influence directe sur l'achat de milliards de dollars de nourriture, de collations, de boissons, de jouets, de produits de santé et de beauté, de vêtements, d'accessoires, de cadeaux et de fournitures scolaires. Leur influence, bien qu'indirecte, sur l'achat de produits coûteux, notamment la voiture familiale et les produits relatifs aux activités récréatives, aux vacances et à la technologie, est encore plus grande[30].

Il est primordial de trouver le moyen d'influencer un groupe qui possède un tel pouvoir d'achat. Les détaillants alimentaires traditionnels sont pris entre Walmart ou Costco, qui pratiquent des bas prix, et les épiceries fines et autres spécialistes comme les pâtisseries, les boucheries, les marchés de fruits et légumes bio qui suggèrent des produits de haute qualité à des prix plus élevés. Le fait de comprendre comment les enfants influent sur les décisions d'achat de produits alimentaires peut être une occasion pour les supermarchés traditionnels et leurs fournisseurs de défendre leur place sur le marché. En outre, lorsqu'on s'assure que ce groupe en particulier préfère un commerce, une chaîne ou un produit plutôt qu'un autre, cela peut avoir des conséquences déterminantes sur la survie d'une entreprise qui se situe sur un segment de marché compétitif[31].

Les groupes de référence

groupe de référence
(*reference group*)
Individu ou groupe auquel une personne s'identifie (croyances, sentiments et comportement) et qui sert de modèle à son propre comportement.

Un **groupe de référence** correspond à un individu ou à un groupe auquel une personne s'identifie et qui sert de modèle relativement à ses croyances, à ses sentiments et à son comportement. Un consommateur peut avoir plus d'un groupe de référence, dont la famille, les amis, les collègues de travail, voire une célébrité à qui il souhaite ressembler. Les groupes de référence exercent une influence sur la décision d'achat du consommateur en lui fournissant des renseignements, en récompensant un certain comportement d'achat et en améliorant l'image qu'il se fait de lui-même.

Un groupe de référence peut fournir des renseignements au consommateur de façon directe, comme au cours d'une conversation, ou de façon indirecte, comme en formulant une observation. Ainsi, quand Apple a lancé son premier iPod en 2001, l'annonce publicitaire contenait les plus grands succès de l'époque et des apparitions des vedettes du moment, notamment Eminem. Cela a été amplement suffisant pour attirer l'attention de millions d'enfants partout dans le monde et leur faire ajouter l'iPod à leur liste de cadeaux de Noël ou d'anniversaire. Il n'est donc pas surprenant que 14 millions d'iPod se soient vendus au cours du premier trimestre qui a suivi son lancement sur le marché et qu'Apple n'ait pas été en mesure de répondre à la demande.

Certains groupes de référence influencent également le consommateur en récompensant un comportement d'achat qu'ils approuvent ou en sanctionnant un comportement d'achat qui leur déplaît. Dans ce dernier cas, par exemple, les fumeurs sont souvent exclus de leur groupe d'amis ou forcés de fumer à l'extérieur ou dans un endroit réservé à cet effet.

En reconnaissant un groupe de référence et en s'y joignant, le consommateur peut se créer une image de soi positive, améliorer l'image qu'il a de lui-même ou encore préserver celle-ci. De cette façon, un consommateur qui veut paraître préoccupé par l'écologie décidera peut-être de s'acheter des sandales Birkenstock, alors qu'une consommatrice désirant avoir une image branchée pourra opter pour des chaussures Manolo Blahnik, dont il a été question précédemment. En outre, un sondage mené récemment auprès de jeunes Canadiens et Américains a révélé que les marques les plus populaires auprès d'eux étaient Hollister, American Eagle, WestCoast Brand, et Abercrombie & Fitch[32].

Certaines boutiques, dont Abercrombie & Fitch, profitent de ce type d'influence en engageant des vendeurs qu'elles souhaitent voir devenir un groupe de référence pour leurs clients. Ces employés à l'allure attirante et branchée sont ensuite invités à porter les plus récents modèles de la boutique et deviennent en quelque sorte des mannequins à qui le client voudra ressembler.

La culture

Dans le chapitre 4, nous avons défini la culture comme étant l'ensemble des valeurs, des croyances, des mœurs et des coutumes communes à un groupe d'individus et qui se transmettent de génération en génération. Le groupe culturel auquel vous appartenez peut donc être aussi restreint que votre groupe de référence à l'université ou aussi vaste que votre pays ou votre religion. Par exemple, la culture véhiculée à l'université que fréquente Simon évoque la performance. Jusqu'à un certain point, cette réputation agit sur la façon dont il occupe ses temps libres, sur le genre de personnes avec qui il est en contact et sur les produits qu'il achète. La culture est certainement le facteur dont l'influence est la plus présente dans le comportement du consommateur. C'est pourquoi les gestionnaires marketing doivent travailler sans relâche afin de saisir les différences entre les cultures, au Canada et dans tous les autres pays où ils souhaitent exporter leurs produits ou leurs services. En effet, une stratégie de marketing qui obtient du succès au Canada ou aux États-Unis ne donnera pas nécessairement les mêmes résultats au Japon ou en Inde, car ces pays ont des cultures très différentes. Ce thème sera abordé dans le chapitre 17 qui porte sur le marketing international. De plus, il existe d'importantes différences culturelles au sein même du Canada.

Une communauté culturelle est un groupe d'individus dont les croyances et les valeurs sont différentes de celles véhiculées par d'autres communautés. Par exemple, au Canada, il y a les cultures amérindiennes, deux cultures fondatrices (anglaise et française), mais aussi de nombreuses communautés culturelles dont la communauté chinoise et la communauté sud-asiatique. Des études sur le sujet ont révélé que les Canadiens d'origine chinoise ou sud-asiatique préfèrent traiter avec des gestionnaires marketing qui connaissent réellement leur culture et leurs besoins plutôt qu'avec ceux qui ne reconnaissent pas suffisamment la place qu'occupe leur communauté au pays, ce que bon nombre d'entre eux trouve agaçant[33].

Les facteurs situationnels

En général, les facteurs psychologiques et sociaux ont une influence stable sur le processus décisionnel du consommateur. Par exemple, votre désir d'étancher votre soif vous pousse le plus souvent à boire un Pepsi et votre groupe de référence au travail vous incite

facteur situationnel
(*situational factor*)
Facteur susceptible d'influer sur le processus décisionnel du consommateur ; facteur relatif à une situation donnée qui peut l'emporter sur les facteurs psychologiques et sociaux.

à vous vêtir d'une certaine manière. Mais parfois un **facteur situationnel**, c'est-à-dire un facteur propre à la situation dans laquelle vous vous trouvez, l'emporte sur les facteurs psychologiques et sociaux, ou du moins a un effet sur ces derniers. Les facteurs situationnels ont trait à une situation d'achat ou à une situation commerciale et ont une certaine temporalité, comme l'illustre la figure 6.4 (*voir p. 183*). À ce sujet, la rubrique Marketing entrepreneurial ci-contre décrit comment Bixi, la société de partage de vélo urbain, offre aux Montréalais un service de transport alternatif qui fait écho à des problématiques d'environnement, de santé et d'encombrement du trafic routier.

La situation d'achat

Les consommateurs sont susceptibles de se procurer certains produits ou services en raison d'un facteur psychologique ou social sous-jacent. Dans certaines situations d'achat, ces facteurs peuvent toutefois changer. Par exemple, une consommatrice de Vancouver considère qu'elle est économe et prudente, et qu'elle recherche les aubaines. Sa meilleure amie se marie et, pour l'occasion, elle souhaite acheter un plateau d'argent au couple de nouveaux mariés. Si ce plateau était pour elle-même, elle irait probablement chez Stokes, Bowring ou même Walmart, mais étant donné qu'il s'agit d'un cadeau pour sa meilleure amie, elle décide d'aller chez Birks. Pourquoi ? Pour lui acheter quelque chose qui soit à la hauteur de l'événement.

La situation commerciale

Un consommateur peut être prêt à se procurer un produit ou un service donné, mais changer complètement d'attitude une fois arrivé à la boutique. En effet, les gestionnaires marketing ont bien des astuces visant à influencer les consommateurs rendus à l'étape du choix dans leur processus décisionnel. Voici quelques-unes de ces astuces :

● **L'atmosphère.** Certains détaillants ou fournisseurs de services se bâtissent une image, du moins dans une certaine mesure, en fonction de leur environnement interne. C'est ce que l'on appelle l'atmosphère[34]. Des études ont démontré que l'atmosphère, lorsqu'elle se conjugue avec d'autres éléments de l'environnement, comme la musique, l'odeur, l'éclairage et la couleur, peut avoir un effet favorable sur le processus décisionnel du consommateur[35].

Par exemple, Abercrombie & Fitch se positionne énergiquement comme étant une marque de vêtements « décontractés de luxe ». Ses boutiques sont couvertes de photos de jeunes mannequins au physique avantageux, la musique y est forte et à la mode, et il se répand dans l'air des effluves de *Fierce*, le parfum de l'entreprise. Même les employés, de jeunes vendeurs attirants, correspondent aux qualités mises en avant par Abercrombie & Fitch : la beauté, la forme physique, l'enthousiasme et la sociabilité[36]. Dans le même ordre d'idées, certains restaurants, comme le Rainforest Cafe, sont parvenus à créer un milieu non seulement agréable, mais également cohérent par rapport à la nourriture et au service offerts.

Le Rainforest Cafe s'est créé un milieu non seulement agréable, mais également cohérent par rapport à la nourriture et au service offerts.

● **Les vendeurs.** La formation du personnel de vente peut aussi jouer un rôle dans le processus décisionnel du client. Par exemple, le vendeur peut présenter les avantages d'un produit par rapport à ceux d'un autre ou encore inciter le consommateur à faire plus d'un achat. Ainsi, le personnel de Birks a expliqué à la consommatrice vancouvéroise d'un exemple précédent pourquoi l'un des plateaux était meilleur que les autres et lui a suggéré l'achat d'accessoires de service assortis au plateau d'argent.

● **L'espace.** Les clients peuvent se sentir à l'étroit si l'achalandage est trop important, s'il y a trop de marchandises en magasin ou si les files d'attente sont trop longues. Lorsqu'il y a trop de clients, certains consommateurs peuvent perdre de vue ce qu'ils venaient acheter et aller jusqu'à quitter le magasin[37]. D'autres ont de la difficulté à trouver ce qu'ils cherchent s'il y a trop de produits sur les étalages. On observe ce problème encore plus souvent chez les personnes à mobilité réduite. Par contre, l'absence de clients peut dissuader les consommateurs d'entrer dans le commerce ou de magasiner, car s'il n'y a personne, c'est peut-être le signe qu'il y a quelque chose qui cloche. Par exemple, bon nombre d'étudiants veulent sortir dans des bars où il y a foule, plutôt que dans ceux qui sont déserts.

Marketing entrepreneurial

La consommation collaborative et le Bixi montréalais[38]

Bon nombre d'entre nous connaissent l'adage « Partager, c'est s'enrichir ». Les entrepreneurs d'aujourd'hui prennent cette idée à cœur et la portent même à un niveau entièrement nouveau et tout à fait inimaginable il y a seulement quelques années. En affaire, l'idée que partager, c'est s'enrichir est en train de devenir une nouvelle tendance, que les chercheurs ont baptisée « consommation collaborative ». La pratique de la consommation collaborative s'impose avec une telle force comme le nouveau mode de consommation qu'elle est le thème d'un nouveau livre intitulé *What's Mine Is Yours: The Rise of Collaborative Consumption* (Ce qui est à moi est à toi : la montée de la consommation collaborative), coécrit par Rachel Botsman et Roo Rogers. La consommation collaborative est une tendance socioéconomique fondée sur l'idée de maximiser l'usage d'un produit par le partage, l'échange, la négociation, le commerce ou la location afin de minimiser ses effets nocifs sur l'environnement. Elle s'appuie sur le désir de réduire notre empreinte carbone individuelle et désigne un modèle où l'usage l'emporte sur la propriété : les consommateurs paient pour pouvoir utiliser un produit plutôt que de l'acheter (en payant plus cher).

Ce virage spectaculaire vers la consommation collaborative est facilité par les avancées technologiques, les médias sociaux et les réseaux pair-à-pair, qui permettent aux internautes de transmettre et d'échanger des renseignements. Cette tendance modifie non seulement la nature des biens que nous consommons, mais aussi notre façon de les consommer. La consommation collaborative s'infiltre petit à petit dans plusieurs secteurs : le transport (p. ex., l'autopartage, le covoiturage, le conavettage, le vélopartage), les vêtements (p. ex., les échanges de vêtements et d'accessoires), l'alimentation, les espaces intérieurs, les

électroménagers, l'argent (p. ex., le prêt social, les devises virtuelles, les banques de temps), les lieux de travail, les voyages, le logement, les espaces (p. ex., d'entreposage, de stationnement, chambres libres) et l'échange de livres[39].

À cet égard, la Ville de Montréal a su voir grand en inaugurant son système de vélos en libre-service Bixi au coût de 15 millions de dollars en mai 2009. Le terme Bixi est un mot-valise, une contraction des mots « bicyclette » et « taxi ». Le système Bixi est inspiré des systèmes de vélopartage européens tels que le célèbre réseau Vélib à Paris. Les consommateurs s'intéressent de plus en plus au système de vélopartage breveté de Montréal. Ils peuvent souscrire un abonnement d'un an, d'un mois ou d'une journée.

Lors de la mise en service du Bixi, la Ville a déployé 3 000 vélos répartis dans 300 stations situées dans plusieurs arrondissements de la ville de Montréal. Une fois que le client a loué un vélo, il peut rouler gratuitement pendant la première demi-heure et retourner le vélo dans n'importe quelle station montréalaise. Faits d'aluminium, les vélos sont protégés contre le vol grâce à des puces GPS qui bloquent automatiquement les freins si le vélo n'est pas retourné à temps. Cyclistes, résidants et touristes ont tous adopté avec enthousiasme le système Bixi, qui a connu un succès extraordinaire en très peu de temps. À tel point que d'autres villes comme Londres, en Angleterre, et Boston, aux États-Unis, exploitent désormais le modèle sous licence. Le système a également été introduit à Ottawa et à Toronto en 2011[40].

Le succès du Bixi ne constitue pas son seul avantage, car le Bixi profite aussi aux Montréalais. En effet, les consommateurs qui s'intéressent au mouvement écologiste jouissent désormais d'un système de transport qui s'intègre bien à leur style de vie.

Le système Bixi de Montréal compte 3 000 vélos pouvant être loués dans 300 stations.

Les démonstrations en magasin peuvent inciter les gens à acheter le produit en vedette.

- **Les dégustations et les démonstrations.** Le goût ou l'odeur d'un nouvel aliment peut inciter les consommateurs à essayer un produit qu'ils n'ont pas l'habitude d'acheter. De la même façon, certains créateurs de mode ont recours à la présentation itinérante, un événement au cours duquel ils présentent leur collection complète. Au cours de ces événements très publicisés, les clients sont souvent portés à acheter sur-le-champ, car ils profitent d'un service personnalisé et ils peuvent commander des vêtements que le créateur n'a pas avec lui dans une situation commerciale « normale ».

- **La promotion.** Les détaillants emploient de nombreux supports publicitaires en vue d'agir sur le comportement d'achat du client qui vient d'entrer dans le commerce. Par exemple, un rabais qui n'a pas été annoncé peut perturber le plan d'achat d'un consommateur. En outre, le concept « Achetez-en un, obtenez-en un second gratuitement » est un moyen très prisé d'inciter les consommateurs à acheter davantage que d'habitude. Par ailleurs, étant donné que de nombreux clients trouvent compliqué de feuilleter les circulaires et de découper les coupons de réduction, de plus en plus de commerces mettent ces coupons à la disposition des clients.

- **L'emballage.** Il n'est pas évident de faire en sorte qu'un produit se démarque des autres étant donné la compétition féroce que se livrent les multiples marques pour obtenir de l'espace d'étalage. La tâche est particulièrement ardue pour ce qui est des biens de consommation courante comme les denrées alimentaires ainsi que les produits de santé et de beauté. C'est pourquoi les gestionnaires marketing dépensent des millions de dollars pour la conception et l'amélioration de leurs emballages, de manière que ceux-ci soient toujours plus attrayants et accrocheurs.

La temporalité

Notre état d'esprit peut en tout temps exercer une influence sur notre comportement et modifier notre plan d'achat. Par exemple, certaines personnes sont matinales, alors que d'autres sont plus efficaces le soir. Ainsi, une situation d'achat peut être plus ou moins intéressante selon le moment de la journée et le type de consommateur. Les changements d'humeur peuvent aussi influencer le comportement du consommateur. Si la consommatrice de Vancouver avait reçu une contravention tout juste avant d'entrer chez Birks, elle aurait probablement été moins réceptive au vendeur que si elle avait été de bonne humeur. En outre, sa mauvaise humeur aurait pu rendre son opinion de la boutique moins positive au sortir de celle-ci.

Comme nous avons pu le constater, les gens mènent leur vie dans des contextes différents. Les êtres humains ne sont pas des machines et les décisions du consommateur ne peuvent être prises en vase clos. Les gestionnaires marketing qui comprennent ce fait seront en mesure de mieux servir leur public cible, c'est-à-dire de concevoir un marketing mix qui arrive à satisfaire les attentes des consommateurs.

Faites le point

 **Décrivez les étapes du processus décisionnel du consommateur**

Le consommateur amorce généralement son processus décisionnel en reconnaissant qu'il doit se procurer un bien ou un service en vue de répondre à un besoin ou à un désir. Le besoin peut être simple, comme manger pour apaiser sa faim, mais il est souvent plus complexe, comme le fait d'acheter une bague de fiançailles pour l'être aimé.

Une fois le besoin cerné, le consommateur entreprend sa recherche d'informations. D'habitude, plus l'achat revêt de l'importance, plus le consommateur accorde du temps et des efforts à la recherche. Les entreprises tentent de simplifier sa recherche en lui offrant du matériel publicitaire et un service de vente personnelle. Une fois l'information recueillie en quantité suffisante, le consommateur est prêt à évaluer les possibilités qui s'offrent à lui avant de faire son choix.

Par la suite, le consommateur procède à l'achat, puis à l'utilisation du bien ou du service. Cependant, il serait faux de croire que son processus décisionnel s'arrête là. Après l'achat, le client sera satisfait de son choix, sinon il se produira chez lui une dissonance cognitive. Les gestionnaires marketing souhaitent voir leurs clients satisfaits, mais lorsqu'ils font face à des consommateurs qui doutent de leur achat, ils se doivent de renverser rapidement la situation avant de perdre cette clientèle.

 **Estimez le temps que met le consommateur à se renseigner sur un produit ou un service avant de l'acheter**

Une foule de facteurs influent sur la recherche d'informations relative à un achat éventuel. D'abord, le consommateur évalue le temps et les efforts qu'il devra allouer à sa recherche par rapport aux avantages qu'il en retirera. Ensuite, l'individu dont le locus de contrôle est interne, celui qui a le sentiment d'avoir un certain pouvoir sur ce qui lui arrive, procède à une recherche d'informations plus souvent que celui dont le locus de contrôle est externe. Puis, un consommateur qui perçoit un risque élevé, qu'il s'agisse d'un risque fonctionnel, économique ou psychologique, accordera plus de temps à sa recherche d'informations que celui qui perçoit un faible risque ou une absence de risque. Finalement, le consommateur accordera plus de temps à sa recherche d'informations si le produit ou le service dont il a besoin est un produit ou un service de spécialité que s'il s'agit d'un produit ou d'un service d'achat réfléchi ou encore de consommation courante.

OA 3 Indiquez dans quelle mesure le niveau d'implication du consommateur dans la décision d'achat varie en fonction du type de décision à prendre

Le temps qu'accorde un consommateur au processus décisionnel dépend du type de produit ou de service qu'il désire se procurer. Ainsi, certaines décisions d'achat ne nécessitent qu'une résolution courte du problème si les risques perçus sont faibles ou si le consommateur a déjà fait ce type d'achat et peut se fier à son expérience. Les achats impulsifs et routiniers font partie de ce type de décision. Par contre, il arrive que le consommateur adopte un comportement d'achat complexe, notamment lorsque le risque perçu est élevé.

OA 4 Expliquez comment les facteurs psychologiques, sociaux et situationnels influent sur la décision d'achat d'un consommateur

D'abord et avant tout, les entreprises doivent concevoir leurs produits et leurs services en fonction des besoins et des désirs de leurs clients, mais une bonne compréhension de certains aspects du comportement des consommateurs peut également leur être bénéfique. Par exemple, il est important de connaître les motifs de ces derniers (ce qui les pousse à acheter), leur attitude (ce qu'ils ressentent à l'égard d'un produit ou d'un service) et leur perception (la façon dont le produit ou le service s'intègre à leur vision du monde). La compréhension de ces facteurs psychologiques permet aux entreprises de concevoir des produits et des services que leurs clients veulent acheter et dont ils ont besoin.

En outre, la vie ne se déroule pas en vase clos. Les consommateurs sont donc influencés par leur famille, leurs groupes de référence et leur culture. Saisir la dynamique de ces groupes sociaux et le rôle des individus qui en font partie révèle beaucoup de choses sur le comportement d'achat du consommateur. Enfin, malgré les facteurs psychologiques et sociaux qui influencent les consommateurs dans leurs décisions d'achat, d'autres facteurs peuvent prendre le dessus et les influencer au dernier moment. Par exemple, un consommateur pourrait changer de comportement d'achat simplement parce que la situation est différente des situations auxquelles il est habitué. De plus, une situation positive ou négative peut survenir et avoir pour effet de modifier la suite des événements prévue par le client. Finalement, l'humeur du consommateur, qu'elle soit bonne ou mauvaise, peut aussi agir sur son comportement d'achat. En somme, plus l'entreprise comprend les facteurs psychologiques, sociaux et situationnels, plus elle sera en mesure d'influer sur la décision d'achat du consommateur.

Mots clés

- apprentissage, p. 187
- attitude, p. 185
- attributs déterminants, p. 174
- besoins affectifs, p. 185
- besoins d'accomplissement personnel, p. 185
- besoins de sécurité, p. 185
- besoins d'estime, p. 185
- besoins fonctionnels, p. 170
- besoins physiologiques, p. 184
- besoins psychologiques, p. 170
- bouche-à-oreille négatif, p. 180
- comportement d'achat axé sur la recherche de variété, p. 182
- comportement d'achat axé sur la réduction de la dissonance, p. 181
- comportement d'achat complexe, p. 180
- comportement d'achat routinier, p. 182

- composante affective, p. 186
- composante cognitive, p. 186
- composante conative, p. 186
- consommation rituelle, p. 176
- critères d'évaluation, p. 174
- décision heuristique, p. 176
- dissonance cognitive, p. 178
- facteur situationnel, p. 192
- groupe de référence, p. 190
- locus de contrôle externe, p. 173
- locus de contrôle interne, p. 173
- modèle compensatoire, p. 175
- modèle non compensatoire, p. 175
- motif, p. 184
- perception, p. 186
- produits et services d'achat réfléchi, p. 174

- produits et services de consommation courante, p. 174
- produits et services de spécialité, p. 173
- recherche d'informations externes, p. 171
- recherche d'informations internes, p. 171
- reconnaissance des besoins, p. 170
- règles de décision du consommateur, p. 174
- risque économique, p. 173
- risque fonctionnel, p. 173
- risque psychologique, p. 173
- style de vie, p. 188

Révision des concepts

1. Nommez trois raisons pour lesquelles il est important qu'un gestionnaire marketing comprenne les facteurs influant sur le processus décisionnel du consommateur.

2. Nommez les cinq étapes du processus décisionnel du consommateur. Sur quoi la stratégie de marketing doit-elle porter afin d'influencer le consommateur qui se trouve à l'étape de l'évaluation des choix? et à l'étape de l'achat?

3. Quels sont les principaux facteurs influant sur le processus décisionnel du consommateur? Quelles stratégies de marketing le gestionnaire peut-il employer pour s'assurer que le consommateur possède tous les renseignements dont il a besoin pour prendre une décision d'achat éclairée?

4. Décrivez brièvement les quatre types de comportements d'achat du consommateur ainsi que quatre stratégies pour chaque type de comportement qui faciliteraient l'achat du consommateur. Nommez des produits qui correspondent au comportement d'achat complexe et au comportement d'achat axé sur la réduction de la dissonance. En quoi ces produits diffèrent-ils? En quoi se ressemblent-ils?

5. Nommez et décrivez brièvement les cinq facteurs psychologiques qui ont une influence sur le processus décisionnel du consommateur.

6. Quelles astuces permettent d'éviter la perception sélective du consommateur et ses composantes, c'est-à-dire l'exposition sélective, l'attention sélective, la compréhension sélective et la mémoire sélective?

7. Comment les gestionnaires marketing devraient-ils se servir de la hiérarchie des besoins de Maslow en vue d'élaborer des programmes de marketing adaptés à leurs marchés cibles?

8. Expliquez brièvement en quoi les facteurs sociaux et les facteurs situationnels ont un impact sur le processus décisionnel du consommateur.

9. Les risques perçus ont une importance capitale dans la décision d'achat du consommateur. Expliquez ce que sont les risques perçus et trouvez des moyens que les gestionnaires marketing peuvent employer pour réduire ces risques.

10. La culture est l'un des types de facteurs exerçant la plus grande influence sur le processus décisionnel, mais c'est en même temps le type de facteur le moins bien compris. Expliquez comment les gestionnaires marketing peuvent s'assurer que leurs efforts de commercialisation sont adaptés au marché cible, aussi diversifié soit-il sur le plan de la culture. Quels défis de tels efforts comportent-ils?

Marketing appliqué

1. Décrivez deux produits, l'un que vous avez acheté sans trop y penser et l'autre qui vous a demandé une certaine réflexion. Pourquoi n'avez-vous pas consacré le même temps ni les mêmes efforts aux deux produits ?

2. Vous souhaitez vous acheter une nouvelle voiture. Quel type de voiture vous intéresse ? Si vous achetiez une telle voiture, quels besoins satisferiez-vous ?

3. Expliquez les facteurs qui pourraient agir sur la durée et les efforts que consacre un consommateur à la recherche de verres de contact. En quoi votre réponse serait-elle différente si, au lieu de verres de contact, le consommateur cherchait une solution nettoyante pour ses lentilles ?

4. Un consommateur évalue les choix qui s'offrent à lui en vue d'une sortie un samedi soir dans un restaurant chic. Expliquez comment la décision heuristique peut lui permettre d'éliminer quelques choix afin de parvenir à prendre une décision. Dans votre réponse, donnez des exemples d'éléments heuristiques (prix, marque, présentation du produit).

5. Quels moyens les détaillants peuvent-ils employer pour s'assurer de la satisfaction post-achat de leurs clients ?

6. La marque Tazo a créé Zen, une infusion à base de thés verts exotiques, de menthe poivrée et d'herbes rares. À l'aide de la hiérarchie des besoins de Maslow, expliquez à quels besoins répond cette boisson.

7. Nommez trois facteurs sociaux qui exercent une influence sur le processus décisionnel du consommateur, puis expliquez-les brièvement. Trouvez un exemple illustrant l'influence de chacun de ces facteurs sur l'achat des produits et des services qui sont nécessaires pendant les vacances en famille.

8. La marque Nike a créé des chaussures pour les coureurs de fond. Celles-ci sont conçues pour réduire l'usure des articulations et des tendons. Élaborez une stratégie publicitaire pour ce produit en vous assurant de tenir compte des trois composantes de l'attitude du consommateur.

9. Comment un gestionnaire marketing peut-il influer favorablement sur le comportement d'un client qui est prêt à faire un achat, mais qui ne l'a pas encore fait ?

10. Vous êtes engagé par une entreprise spécialisée dans la vente au détail et la vente par catalogue. Cette entreprise, qui est canadienne, se vante de n'offrir que des produits fabriqués au Canada. Les annonces publicitaires et le catalogue où figurent les produits expliquent d'où viennent ces derniers et décrivent les compagnies qui les fabriquent. La réponse du public et la croissance du marché sont impressionnantes. Un jour, en discutant avec un vendeur, vous apprenez qu'une cargaison de marchandises en provenance de l'étranger sera retardée. La même situation se répète quelques jours plus tard. Vous découvrez par la suite que l'entreprise dispose tout juste du droit d'affirmer que ses produits sont fabriqués au Canada. Même si, techniquement, tout est en règle, vous trouvez que l'entreprise manque de sincérité envers ses clients. Vous décidez donc d'écrire une lettre au vice-président à la commercialisation afin de lui faire part de vos doutes. Que lui dites-vous ?

Internaute averti

1. Rendez-vous sur le site Web de Harley-Davidson (www.harley-davidson.com) et consultez la section qui porte sur le Harley Owners Group (Groupe des propriétaires de Harley). Décrivez les efforts que déploie l'entreprise afin de préserver la loyauté de sa clientèle. Quels avantages y a-t-il à faire partie de ce groupe ? Expliquez en quoi ces mesures incitatives créent de la valeur aux yeux des membres du groupe.

2. Les consommateurs disposent de nombreux moyens de faire part de leur expérience d'achat à l'entreprise concernée. Le site www.planetfeedback.com a d'ailleurs été créé à cet effet. Rendez-vous sur ce site et trouvez les types de rétroactions que les consommateurs peuvent fournir. Cherchez la page qui porte sur Ford et résumez les plus récents commentaires qui ont été émis sur l'entreprise. En ce qui a trait à la dernière année, quelle proportion des commentaires est positive ? Quelle proportion est négative ? Expliquez les conséquences de tels commentaires sur la perception des consommateurs.

Étude de cas

WEIGHT WATCHERS CONTRE JENNY CRAIG[41]

Avez-vous déjà tenté de maigrir? Une enquête commanditée par la Fondation des maladies du cœur et de l'AVC (2010) estime que deux Canadiens sur trois ont fait des efforts en ce sens[42].

L'industrie nord-américaine de l'amaigrissement, qui valait plus de 50 milliards de dollars en 2004, affiche une progression constante parce que les habitudes de vie et les choix alimentaires de la population sabotent son désir de perdre du poids. En effet, la plupart des Canadiens passent leurs journées devant un ordinateur et leurs soirées devant le téléviseur; environ 68 % des Canadiens mènent une vie sédentaire. Pas étonnant, dans ce cas, que 56 %, soit plus de 1,2 million, des jeunes Canadiens âgés de 15 à 19 ans fassent de l'embonpoint ou soient obèses. Chez les adultes, ce pourcentage atteint 51 % et représente plus de 14,2 millions de Canadiens[43]. Les repas au restaurant, les aliments préparés et les collations riches en matières grasses et en sucre ont remplacé les repas cuisinés à la maison, les grains entiers et les produits frais. Ces habitudes gonflent les profits de l'industrie de l'amaigrissement tout en élargissant les tours de taille. Entre les pilules amaigrissantes, les repas et les collations diététiques préemballés, les régimes alimentaires et toute une gamme de produits et de services qui vous promettent une silhouette de rêve, le marché rapporterait plus de 586,3 milliards de dollars chaque année aux États-Unis et au Canada[44]. Deux géants bien connus de l'industrie de l'amaigrissement, Weight Watchers et Jenny Craig, se partagent une part substantielle du gâteau. Toutes deux insistent sur la flexibilité afin d'accommoder tous les styles de vie et mettent de l'avant leur réussite. Mais chacune aborde les régimes amaigrissants sous un angle différent dans ses efforts de recrutement.

Les deux poids lourds

Fondée en 1963, Weight Watchers International est présente dans plus de 30 pays à l'heure actuelle. Les adhérents au programme Weight Watchers doivent noter leurs rations alimentaires quotidiennes ainsi que leurs activités physiques, leurs niveaux de faim et les émotions qu'ils associent à la nourriture. Ils inscrivent repas et collations dans un journal de bord papier ou en ligne. Chaque aliment correspond à un nombre de points calculé en fonction de sa teneur en calories, en matières grasses et en fibres. Chaque nouveau participant se voit octroyer un nombre de points quotidiens fixé en fonction de son poids et de son style de vie. Bien que les membres puissent suivre le régime Weight Watchers sans soutien, l'entreprise souligne que les personnes qui réussissent le mieux sont celles qui assistent aux rencontres hebdomadaires et se font peser. Au cours de ces rencontres d'une demi-heure, une animatrice aborde un sujet précis, comme se nourrir pendant les Fêtes, mesurer et peser les portions, ou manger au restaurant. Les membres peuvent alors échanger des idées et des recettes qu'ils ont trouvées efficaces, reconnaître leurs erreurs, demander du soutien et être félicités pour leurs succès. Les adhérents au programme peuvent cuisiner leurs propres plats, manger au restaurant, acheter des repas, des collations et des desserts préparés ou approuvés par Weight Watchers dans presque toutes les épiceries. D'autres produits Weight Watchers propres à faciliter le calcul des portions et à soutenir des habitudes saines, comme des balances, des livres de recettes et des gourdes, sont vendus en ligne et lors des rencontres.

Jenny Craig, pour sa part, promet un programme unique et complet qui repose sur l'harmonie entre les aliments, le corps et l'esprit[45]. Les membres mangent des repas et des collations préparés et emballés par Jenny Craig, qu'ils complètent avec des fruits et des légumes frais. Ces repas dont les portions sont mesurées conviennent aux personnes pressées, car ils diminuent le temps de préparation des repas. Les membres assistent à des rencontres hebdomadaires individuelles avec une conseillère personnelle et sont encouragés à adhérer à un programme d'exercices. Comme sa principale concurrente, Jenny Craig offre des programmes personnalisés pour les hommes, les adolescents et les personnes qui préfèrent perdre du poids par elles-mêmes plutôt que de se rendre dans un centre.

Il existe une pléthore d'autres régimes amaigrissants mais s'ils sont efficaces pour beaucoup de gens, la perte de poids qu'ils provoquent est généralement temporaire parce que ces régimes sont basés sur des habitudes alimentaires impossibles à maintenir, comme la suppression de certains groupes d'aliments. En outre, les grandes entreprises de diététique misent sur le renforcement social et la flexibilité, deux éléments qui semblent aider les membres à persévérer dans leur régime amaigrissant.

Définir la différence

Dernièrement, Jenny Craig a lancé une campagne publicitaire dans laquelle sa porte-parole, vêtue d'une blouse de laboratoire, affirme : « Les clients de Jenny Craig ont perdu deux fois plus de poids en moyenne que ceux du programme d'amaigrissement le plus connu. » Jenny Craig fait clairement allusion à Weight Watchers, laquelle a réagi en lui intentant une poursuite[46]. Cette affirmation, dit Weight Watchers, est fausse et fondée sur deux études distinctes menées à 10 ans d'écart. Toutefois, cette poursuite reflète la chaude lutte que se livrent les entreprises pour attirer des membres. La concurrence est particulièrement vive au cours des premiers mois de l'année, lorsque les Canadiens ressortent leur balance après leurs excès alimentaires des Fêtes.

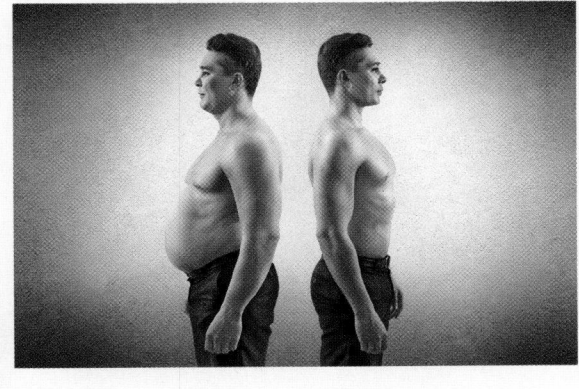

Année après année, l'industrie nord-américaine de l'amaigrissement affiche une progression constante.

Les deux poids lourds de l'amaigrissement sont engagés dans une seconde bataille, qui concerne les hommes cette fois[47]. Bien que les deux sexes n'aient pas besoin d'un programme tout à fait distinct – tous deux doivent consommer moins de calories et faire plus d'exercice –, le marketing qui cible particulièrement les hommes est efficace pour attirer de nouveaux membres. Le programme Weight Watchers (WW) est le même pour les hommes et les femmes, mais la page Web destinée aux hommes tient compte des centres d'intérêt et des préoccupations de ceux-ci, et est davantage axée sur l'exercice physique que sur le régime alimentaire. Elle aborde également le lien entre l'obésité et la dysfonction érectile, et laisse entendre que la vie sexuelle d'un homme peut s'améliorer s'il perd du poids.

Du côté de Jenny Craig, le programme conçu pour les hommes est aussi très comparable à celui des femmes, mais il a été modifié légèrement afin de prendre en compte les différences entre les deux sexes en ce qui touche les fringales et les questions liées au contrôle des portions. Jenny Craig assure aux hommes qui suivent son programme qu'ils peuvent boire une bière et manger des frites à l'occasion. Afin de séduire les hommes encore davantage, l'entreprise a choisi Jason Alexander, qui incarnait George Costanza dans la série télévisée *Seinfeld*, comme porte-parole.

La technologie au service des personnes au régime

Les personnes au régime peuvent utiliser divers dispositifs électroniques pour suivre leur consommation et leurs activités physiques. Grâce à un dispositif pouvant se connecter à Internet, les membres de Weight Watchers peuvent vérifier les points correspondant aux aliments, y compris ceux qui sont servis dans des restaurants populaires, et noter leur consommation quotidienne, collations et repas, dans leur journal de bord. Des applications mobiles proposent des services similaires et des programmes d'entraînement physique. Ainsi, une personne peut photographier son repas à l'aide de son cellulaire et transmettre l'image à un diététiste accrédité qui lui indiquera comment modifier les portions ou ses choix alimentaires. En théorie, cette approche est plus fiable que celle du journal de bord, puisque la personne au régime peut être tentée de fausser les quantités. À noter que ces services sont payants.

Questions

1. Indiquez les étapes du processus décisionnel que vous adopteriez si vous envisagiez d'adhérer à l'un ou l'autre programme d'amaigrissement.

2. Comment Weight Watchers et Jenny Craig créent-elles de la valeur pour les consommateurs ?

3. Nommez les attributs déterminants qui distinguent les programmes de Weight Watchers et de Jenny Craig. En vous basant sur ces attributs, élaborez un modèle compensatoire comme celui qui est présenté dans le tableau 6.1 (*voir p. 175*).

4. Comment Weight Watchers et Jenny Craig peuvent-elles augmenter la probabilité que leurs clients soient satisfaits ?

5. À votre avis, quels facteurs parmi ceux qui sont abordés dans ce chapitre auraient la plus grande influence sur la propension des consommateurs à suivre un régime amaigrissant et à choisir l'un ou l'autre programme ?

CHAPITRE 7

OBJECTIFS D'APPRENTISSAGE

Après avoir lu ce chapitre, vous devriez être en mesure :

OA **1** de décrire la nature et la composition des marchés interentreprises[1];

OA **2** d'énoncer les principales différences entre le processus d'achat des organisations et celui du consommateur ;

OA **3** d'expliquer comment les organisations interentreprises segmentent leurs marchés ;

OA **4** de décrire le processus d'achat interentreprises ;

OA **5** de décrire les facteurs qui influent sur le processus d'achat interentreprises ;

OA **6** d'expliquer comment Internet a amélioré le commerce interentreprises.

Le commerce interentreprises

Nous savons, pour la plupart, que la Banque Royale du Canada (RBC) est la plus grosse banque commerciale canadienne; toutefois, rares sont les gens qui savent que RBC achète pour plus de trois milliards de dollars de biens et de services chaque année à ses fournisseurs agréés, au cours de diverses transactions inter-entreprises[2]. Mais quels types de biens et de services RBC achète-t-elle et que doit faire une entreprise pour devenir un fournisseur agréé? Ces achats englobent un vaste éventail de produits, depuis le papier hygiénique jusqu'aux fournitures de bureau et à la publicité, sans oublier la panoplie de marchandises et de services requis pour la gestion de la banque. De plus, RBC achète des biens et des services pour soutenir ses activités de parrainage et des causes communautaires, ces achats ayant totalisé plus de 105 millions de dollars en 2009. En 2010, en tant que partenaire des Jeux olympiques et paralympiques d'hiver ainsi que des relais de la flamme olympique et paralympique, RBC a effectué des achats d'une valeur de plusieurs millions de dollars. En fait, juste avant les Jeux olympiques d'hiver de 2010, elle a mis à jour sa Formule de renseignements sur le fournisseur (décrite ci-dessous) pour y inclure une nouvelle catégorie en vue des Jeux de Vancouver. Ce formulaire a donné à des fournisseurs potentiels la possibilité d'expliquer pourquoi ils voulaient fournir un produit ou un service pendant les Jeux.

Pour être considérée comme un fournisseur potentiel, une entreprise doit d'abord s'inscrire à RBC en remplissant et en soumettant une Formule de renseignements sur le fournisseur, sur laquelle elle donne de l'information sur son statut ainsi que sur ses produits et ses services. Le profil de l'entreprise est ensuite conservé dans la base de données des fournisseurs éventuels de RBC durant deux ans. Le groupe Approvisionnement de RBC, chargé d'acheter les biens et les services pour toutes les unités commerciales de la banque, utilise cette base de données comme source principale de renseignements quand vient le temps d'évaluer le marché pour trouver de nouvelles possibilités d'approvisionnement. RBC communique avec les fournisseurs dont elle souhaite acheter les produits et les services.

Outre qu'ils doivent s'inscrire sur le site Web de RBC en remplissant le formulaire approprié, les fournisseurs potentiels doivent satisfaire d'autres exigences pour faire partie des nombreuses entreprises, petites, moyennes et grandes, qui approvisionnent RBC. En premier lieu, ils doivent offrir des produits et des services de qualité supérieure ainsi qu'un service à la clientèle hors pair et posséder une capacité d'approvisionnement électronique, car RBC veut effectuer ses achats de manière efficace et efficiente. En second lieu, les fournisseurs doivent respecter les normes de la Politique d'approvisionnement responsable de RBC, qui s'appuie sur une évaluation environnementale effectuée au moyen d'un questionnaire permettant de recenser et de sélectionner les fournisseurs les plus appropriés. Grâce à ce système, RBC évalue les politiques, les pratiques et les performances sociales et environnementales des fournisseurs potentiels et existants, et de leurs produits. Cette dernière condition vise à aider les fournisseurs de RBC à améliorer leur gérance de l'environnement, un aspect important de l'objectif de RBC ayant trait à la réduction de son empreinte carbone. Le processus d'approvisionnement centralisé, structuré et technologique de RBC est conçu pour améliorer l'efficacité du processus d'achat et faire en sorte que RBC obtienne une bonne valeur en échange des milliards de dollars qu'elle dépense chaque année. Pouvez-vous nommer quelques points forts et points faibles du processus d'achat centralisé de RBC ?

Le commerce interentreprises (ou B2B) désigne l'achat et la vente de produits ou de services qui entrent dans la production d'autres produits ou services, lesquels seront consommés par l'organisme acheteur ou revendus à des grossistes et à des détaillants. Il fait donc appel à des fabricants, à des grossistes, à des détaillants et à des entreprises de services qui vendent des produits et des services à d'autres entreprises, mais non aux consommateurs finaux. Ce n'est pas tant le produit ou le service en soi qui distingue une transaction interentreprises d'une transaction de détail que le type d'acheteur et d'utilisateur final de ce produit ou de ce service. Même si votre jean avait été vendu à une entreprise de fournitures industrielles, qui l'avait revendu à un établissement de soins en milieu surveillé, jean que les employés portent dans leur milieu de travail, la transaction resterait une transaction interentreprises, puisque les jeans sont achetés et utilisés par une entreprise et non par un consommateur final.

Dans ce chapitre, nous nous pencherons sur les divers types de commerces interentreprises en nous arrêtant à ce qui distingue le processus d'achat interentreprises du processus d'achat propre au commerce de détail, que nous avons vu au chapitre 6. Nous décrirons aussi les multiples facteurs qui influent sur le processus d'achat interentreprises. Enfin, nous terminerons ce chapitre par un exposé sur le rôle d'Internet et son influence sur le marketing interentreprises. Les principaux thèmes abordés dans ce chapitre sont présentés dans la feuille de route ci-contre.

OA ① Les marchés interentreprises

À l'instar des entreprises qui vendent leurs produits directement aux consommateurs (B2C), les organisations interentreprises concentrent leurs efforts sur

FEUILLE DE
ROUTE

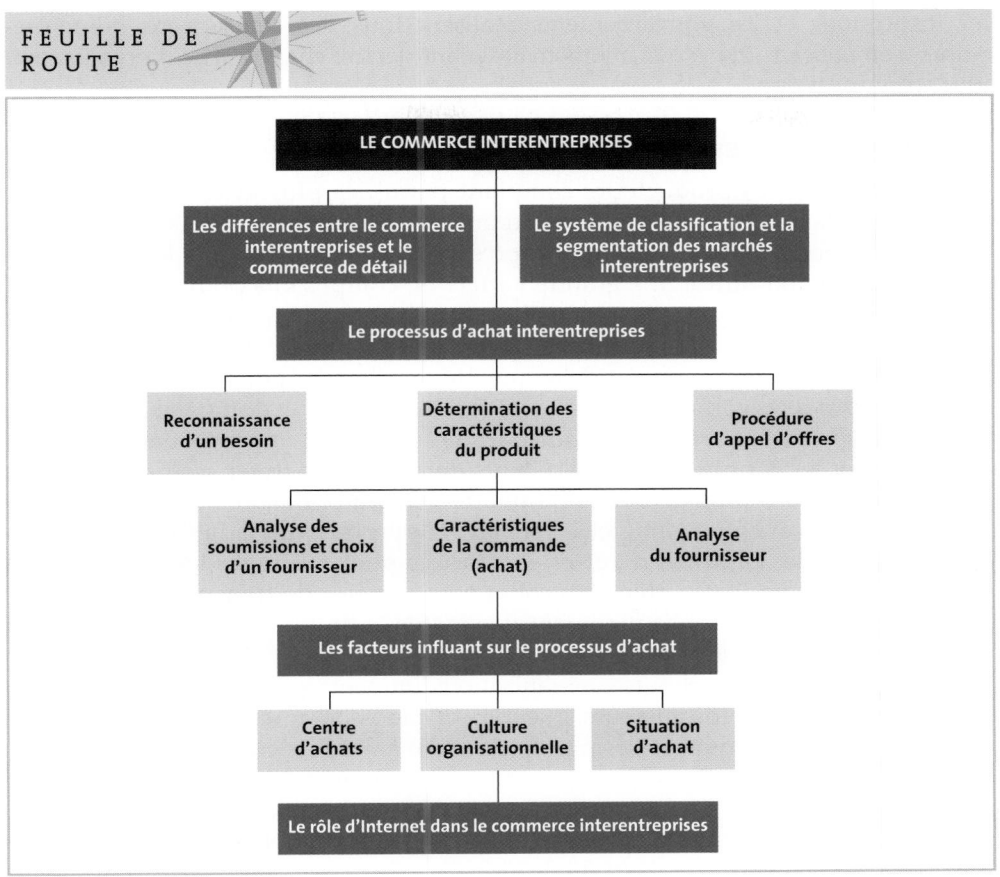

des types particuliers de marchés afin de créer de la valeur pour ces clients[3]. Par exemple, RBC conserve un groupe de chargés de comptes pour ses services à la petite entreprise et ses services financiers commerciaux. En tant que plus grosse banque commerciale canadienne, elle gère des actifs de plus de 620 milliards de dollars. Ses activités en ligne génèrent un trafic considérable et couvrent divers services, notamment la gestion de l'encaisse, les opérations de change, le commerce international, les emprunts et les prêts, les services bancaires en ligne et les conseils en matière de placements.

Comme RBC, de nombreuses entreprises jugent plus productif de concentrer leurs efforts sur des industries ou des segments de marché clés plutôt que sur des consommateurs. Groupe Cossette Communication et BBDO Canada, deux des plus importantes agences de publicité au Canada, fournissent des services de publicité, de relations publiques et d'autres services de communication marketing à de petites et grandes entreprises partout au Canada. De même, Magna International conçoit, développe et fabrique des trains de roulement, des assemblages, des modules et des composants qu'elle vend à des fabricants d'équipements d'origine (FEO) pour voitures et utilitaires légers en Amérique du Nord, en Europe, en Asie, en Amérique du Sud et en Afrique[4].

Dans l'introduction du chapitre, nous avons vu que les fabricants et les revendeurs vendent leurs produits à RBC en s'inscrivant comme fournisseurs dans le système d'approvisionnement en ligne de la banque. Essentiellement, les fabricants et les producteurs, les revendeurs,

Burt's Bees achète des matières premières en provenance de nombreux pays du monde entier dans le cadre de transactions interentreprises.

les institutions et les gouvernements réalisent tous des transactions interentreprises (*voir la figure 7.1*). Nous allons maintenant décrire chaque type d'organisation interentreprises.

Les fabricants et les producteurs

Les fabricants et les producteurs comptent parmi les plus gros acheteurs interentreprises. Ils achètent des matières premières, des composants et des pièces qui leur permettent de fabriquer leurs propres produits. Par exemple, la Compagnie Clorox du Canada utilise une grande variété de composants pour fabriquer plus de 150 produits d'hygiène personnelle naturels et écologiques sous la marque Burt's Bees, y compris des plastiques pour les contenants, des parfums et de la cire d'abeille[5]. Comme la demande augmente rapidement pour ses crèmes hydratantes, ses produits coiffants et ses baumes labiaux, Clorox doit gérer étroitement les fournisseurs et les sociétés de transport de sa chaîne d'approvisionnement afin de minimiser les ruptures ou les excédents de stock et de livrer ses produits dans les délais prévus à plus de 30 000 points de vente aux États-Unis, au Royaume-Uni, au Canada, à Hong Kong et à Taïwan[6]. C'est pourquoi le fabricant non seulement achète des produits d'autres entreprises pour fabriquer les siens, mais il collabore aussi avec ses partenaires comme les sociétés de transport et les détaillants, afin de faciliter l'acheminement des matières premières vers l'usine et des produits finis vers les magasins.

Aujourd'hui, de nombreuses organisations interentreprises exigent, pour faire des affaires avec leurs fournisseurs, que ceux-ci endossent une responsabilité sociale en adoptant des politiques et des pratiques visant à réduire leur empreinte carbone. La rubrique Marketing durable ci-contre décrit comment le voyagiste Air Transat a conforté son image de marque en tant qu'entreprise socialement responsable, notamment en adoptant une approche novatrice de démantèlement et de recyclage d'avions commerciaux arrivés en fin de vie utile.

Les revendeurs

revendeur (*reseller*)
Intermédiaire qui revend des produits manufacturés aux consommateurs et aux détaillants sans en avoir changé la forme.

Les **revendeurs** sont des intermédiaires qui revendent des produits manufacturés sans en modifier la forme de façon importante. Par exemple, les grossistes et les distributeurs achètent des jeans à 7 for All Mankind et les vendent à des détaillants (transaction interentreprises). Les détaillants revendent ces mêmes jeans au consommateur final (transaction de détail). Grossistes, distributeurs et détaillants sont tous des revendeurs. Le Conseil canadien du commerce de détail estime qu'il y a quelque 215 000 commerces de détail au Canada, qui emploient environ 2,2 millions de Canadiens et ont généré des revenus de plus de 515 milliards de dollars en 2009. En

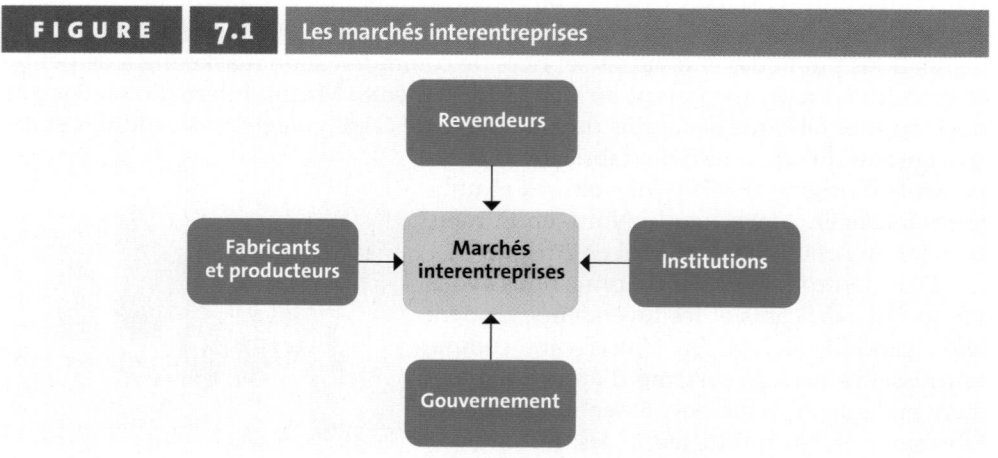

FIGURE 7.1 Les marchés interentreprises

fait, le commerce de détail fournit plus de 13 % de tous les emplois dans toutes les collectivités du pays et représente la deuxième population active en importance au Canada[7]. De même, le commerce de gros compte 96 734 entreprises, emploie environ 758 000 Canadiens et a généré des ventes de près de 830,4 milliards de dollars en 2011[8]. Le rôle des grossistes, des détaillants et des autres intermédiaires qui participent à la distribution des marchandises sera expliqué plus en détail dans les chapitres 13 et 14.

Les institutions

Les institutions comme les hôpitaux, les établissements d'enseignement, les prisons, les organisations religieuses et d'autres organismes sans but lucratif achètent aussi toutes sortes de biens et de services pour leurs clients. Par exemple, on dénombre 161 000 organismes sans but lucratif au Canada, qui emploient environ 2 millions de personnes et dégagent des profits annuels supérieurs à 110 milliards de dollars[9].

Le gouvernement

Dans la plupart des pays, le gouvernement central est l'un des plus gros acheteurs de produits et de services. Par exemple, le gouvernement canadien consacre environ 240 milliards de dollars à l'achat de biens et de services. Si l'on ajoute à cela les sommes dépensées par les gouvernements provinciaux et municipaux de même que par les secteurs universitaire, médical et social, on obtient une somme de près de 550 milliards de dollars. En 2010, le gouvernement fédéral a dépensé à lui seul

Marketing durable

L'écologie se donne des ailes[10]

Tous les Canadiens connaissent Air Transat, ce voyagiste dont le siège social se situe à Montréal, comptant plus de 5 000 employés et présent dans quelque 18 pays. Outre le transport aérien, cette entreprise intégrée propose aussi des voyages avec hébergements à des milliers des vacanciers chaque année. Trois valeurs fondamentales guident l'entreprise, à savoir le respect, la rigueur et la responsabilité. Sur ce dernier point, l'entreprise tient ses promesses depuis quelques années en axant son essor sur le développement durable. Air Transat est ainsi devenue la première compagnie aérienne à obtenir la certification Fly-360-Green[MC], une accréditation certifiée par le World Green Aviation Council et attestant que le récipiendaire a mis en place des solutions écologiques mesurables sur les plans du design, des innovations et des opérations.

Parmi les mesures instaurées par l'entreprise canadienne, on peut souligner la mise aux normes LEED (*Leadership in Energy and Environmental Design*) du siège social grâce au

Air Tansat est une des premières entreprises de transport aérien à avoir obtenu la certification Fly-360-Green[MC].

remplacement d'ampoules, du système électrique et du chauffage ou encore de la plomberie. Air Transat a aussi instauré l'impression recto verso des documents en interne. Au niveau des opérations, la meilleure gestion des plans de vol, tout comme un entretien régulier des appareils et des moteurs, permet d'économiser du carburant et de diminuer les rejets de gaz à effet de serre.

Pour couronner le tout, au printemps 2014, Air Transat a décroché les grands honneurs en remportant le Grand Prix Novae de l'Entreprise citoyenne, récompensant les efforts sociaux et environnementaux d'une entreprise québécoise. Le jury d'experts a ainsi reconnu l'approche novatrice de démantèlement et de recyclage d'avions Airbus A310 arrivés en fin de vie utile, permettant de récupérer 87 % des pièces et des composantes. Cette initiative est loin d'être vaine, puisque les estimations font état d'un potentiel de 12 000 avions partout dans le monde qui pourraient connaître le même sort d'ici les 20 prochaines années.

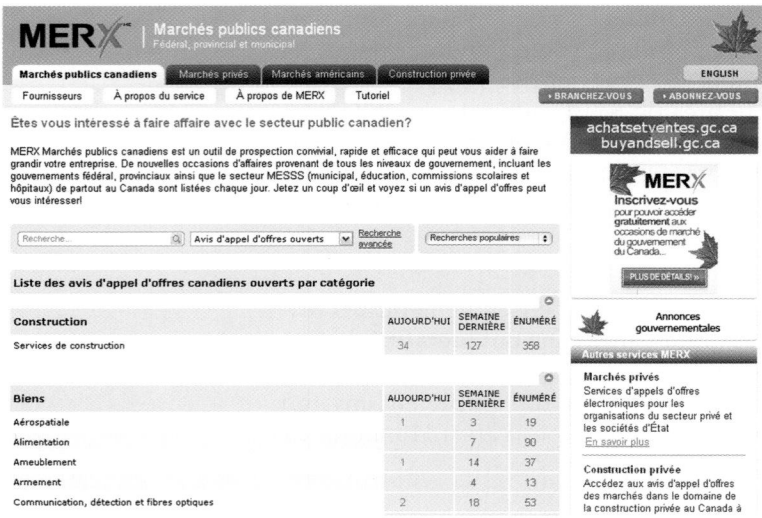

MERX est la source la plus complète d'information sur les avis d'appels d'offres des organisations du secteur privé, des sociétés d'État, du gouvernement américain et du secteur de la construction privée provenant de partout au Canada.

plus de 10 milliards de dollars dans les secteurs de la science et de la technologie et environ 3,75 milliards de dollars dans celui de la culture. Le gros de ses achats est effectué de façon centralisée par le ministère des Travaux publics et Services gouvernementaux pour le compte de plus de 85 ministères, agences, sociétés de la Couronne et organismes de service spécial[11]. Les données relatives aux achats gouvernementaux peuvent être obtenues auprès d'Achatsetventes.gc.ca ou de MERX[12]. MERX est la source la plus complète d'information sur les avis d'appels d'offres des organisations du secteur privé, des sociétés d'État, du gouvernement américain et du secteur de la construction privée provenant de partout au Canada. Ce service donne aux entreprises de toutes tailles un accès facile et abordable aux avis d'appels d'offres d'une valeur de plusieurs milliards de dollars lancés par le gouvernement du Canada, les gouvernements provinciaux et municipaux participants, le gouvernement américain, les administrations régionales et locales ainsi que le secteur privé[13].

Les principaux défis à surmonter pour atteindre les clients interentreprises

Pour optimiser leur marketing interentreprises, les gestionnaires marketing doivent surmonter trois grands défis pour chaque client commercial qu'ils souhaitent servir. Premièrement, ils doivent repérer, au sein de l'organisation, les personnes ou les décideurs qui peuvent autoriser ou influencer les achats. Deuxièmement, ils doivent comprendre le processus d'achat de chacun de ces clients potentiels. Enfin, ils doivent déterminer les facteurs qui influent sur ce processus d'achat. Les marchés interentreprises sont plus ou moins différents sous ces trois aspects : c'est pourquoi les gestionnaires marketing doivent prendre le temps de bien les comprendre et y investir les ressources nécessaires. Par exemple, les institutions comme les établissements de soins et les universités ont généralement des budgets relativement restreints et recherchent donc la meilleure valeur lorsqu'elles achètent des produits et des services. Ainsi, si deux fournisseurs offrent des produits à peu près similaires, elles opteront peut-être pour celui qui pratique les meilleurs prix. Les gouvernements, par contre, effectuent des achats beaucoup plus substantiels, et leurs processus d'achat doivent respecter non seulement les directives strictes établies par le gouvernement, mais aussi les règles du commerce international fixées par l'Organisation mondiale du commerce (OMC) ou les principes de l'Accord de libre-échange nord-américain (ALENA). De plus, les achats gouvernementaux sont soumis à l'examen du public et peuvent faire l'objet de contestations judiciaires, être annulés ou modifiés. Les gouvernements tiennent compte d'une grande diversité de facteurs dans leurs achats et n'achètent pas toujours au prix le plus bas. Les institutions ne sont pas soumises à l'examen du public et elles dévoilent rarement leurs décisions et leurs pratiques en matière d'achat, même si certaines s'efforcent de pratiquer la transparence à cet égard. Enfin, les entreprises privées, comme les fabricants, les producteurs et les revendeurs, révèlent rarement, sinon jamais, leurs critères ou leurs processus d'achat. Elles adoptent souvent des pratiques d'achats réciproques, c'est-à-dire que deux entreprises s'engagent à acheter des biens l'une de l'autre, au besoin.

Afin de faire face à la complexité des marchés interentreprises, bon nombre d'organisations assignent des représentants commerciaux ou une équipe des ventes à des clients particuliers. Par exemple, beaucoup d'entreprises désireuses de vendre leurs produits et services au gouvernement (comme IBM, Microsoft, etc.) engagent des experts ou créent des divisions spécialisées dans les relations avec le gouvernement.

Explorons maintenant plus à fond quelques caractéristiques uniques des marchés interentreprises qui les distinguent des marchés de détail. Le tableau 7.1, à la page suivante, présente les principales caractéristiques du comportement d'achat propre au commerce interentreprises.

Les différences entre les marchés interentreprises et les marchés de détail

 OA **2**

Les caractéristiques du marché

Dans le commerce de détail, les consommateurs achètent des produits pour répondre à leurs besoins individuels ou à ceux de leur famille. Ils sont fortement influencés par le prix, leurs goûts personnels, la réputation de la marque ou les recommandations de leurs amis et de leur famille. Dans le commerce interentreprises, la demande de biens et de services découle des ventes au détail dans la même chaîne d'approvisionnement. En clair, la **demande dérivée** constitue le lien entre la demande d'un produit par les consommateurs et l'achat des intrants nécessaires à la fabrication ou à l'assemblage de ce produit. Par exemple, la demande de denim brut, qui entre dans la fabrication des jeans 7 for All Mankind, découle de la vente de jeans à des consommateurs. C'est pourquoi la demande de matières premières et de produits semi-finis achetés par des entreprises tend à fluctuer davantage et plus souvent. En outre, sur de nombreux marchés commerciaux, la demande est inélastique, c'est-à-dire que les variations à court terme du prix d'un produit ont peu d'influence sur la demande totale de ce produit.

Par exemple, une légère augmentation du prix du denim ne provoquera pas, à court terme, une énorme baisse de la demande de denim dans l'industrie du vêtement. Une autre caractéristique des marchés interentreprises tient au fait que le nombre d'acheteurs commerciaux est considérablement plus petit que sur les marchés de détail et que ces acheteurs sont souvent concentrés dans les grandes villes et les zones industrielles. De plus, les commandes sont beaucoup plus substantielles que les achats effectués par des consommateurs. La preuve, Bombardier a annoncé que, lors du Salon de l'aéronautique de Paris tenu en 2011, elle avait reçu des commandes totalisant près de 4,7 milliards de dollars américains pour ses avions CSeries, Global 7000 et Global 8000[14].

demande dérivée
(*derived demand*)
Lien entre la demande d'un produit par les consommateurs et l'achat des intrants nécessaires à la fabrication ou à l'assemblage du produit demandé.

Les caractéristiques du produit

Sur les marchés interentreprises, les entreprises commandent surtout des matières premières et des produits semi-finis qu'elles transforment ou assemblent en produits finis pour les consommateurs finaux. Par exemple, Dell commande tous les composants de ses ordinateurs à divers fournisseurs, puis elle assemble les ordinateurs avant de les expédier aux consommateurs finaux. Sur certains marchés interentreprises (les marchés aérospatial, médical, pharmaceutique, de l'expédition, de la défense), les produits, très techniques et très sophistiqués, doivent répondre aux normes techniques établies par l'acheteur. C'est pourquoi les matières premières, les composants et les produits semi-finis font l'objet de tests rigoureux avant l'expédition. De plus, les commandes doivent être livrées à la date convenue entre l'acheteur et le vendeur. Les services techniques et l'assistance financière sont des aspects importants des achats interentreprises. Des entreprises comme Bombardier offrent souvent des plans de financement, une pratique qui consiste pour une entreprise à octroyer un prêt à son client, qui utilisera cet argent pour acheter ses produits[15]. Sur les marchés de détail, les consommateurs achètent des produits finis pour leur consommation personnelle.

Les caractéristiques du processus d'achat

En général, dans le cas des achats courants ou de peu de valeur, seuls un ou deux membres de la division ou de l'entreprise seront responsables de la décision d'achat.

TABLEAU	**7.1**	Les caractéristiques du commerce interentreprises

Les caractéristiques du marché
- La demande de produits commerciaux est dérivée.
- La clientèle est réduite, plus concentrée géographiquement et les commandes sont plus importantes.
- La demande est moins élastique et fluctue davantage et plus souvent.

Les caractéristiques du produit
- Les produits sont de nature technique et achetés en fonction de caractéristiques spécifiques.
- Les achats concernent principalement des matières premières et des produits semi-finis.
- L'accent est surtout mis sur les délais de livraison, le soutien technique, le service après-vente et l'assistance financière.

Les caractéristiques du processus d'achat
- Les décisions relatives aux achats sont plus complexes.
- Les achats peuvent s'appuyer sur des appels d'offres concurrentiels, sur la fixation du prix à partir d'un prix négocié et sur des arrangements financiers.
- Les acheteurs sont des professionnels qualifiés qui suivent un processus d'achat plus formel.
- Les critères et les objectifs des achats ainsi que les procédures d'évaluation et de sélection des fournisseurs et des produits sont préétablis.
- De nombreux intervenants ayant des intérêts variés participent aux décisions d'achat.
- Des accords réciproques sont conclus et les négociations entre acheteurs et vendeurs sont courantes.
- Acheteurs et vendeurs travaillent ensemble pour bâtir des relations étroites à long terme.
- Les achats en ligne sont courants.

Les caractéristiques du marketing mix
- La vente directe est la principale forme de vente et elle requiert souvent une distribution physique.
- La publicité est de nature technique et la vente personnelle est l'outil de communication le plus usité.
- Les prix sont souvent négociés, peu élastiques et sujets à des rabais de gros et à des remises sur quantité. Le prix englobe généralement une composante de service ou d'entretien.

Toutefois, dans le cas des achats de produits hautement techniques ou sophistiqués coûtant des milliers ou des millions de dollars, le processus d'achat est plus structuré, officiel et professionnel. Les décisions d'achat complexes engagent alors un plus grand nombre de personnes, habituellement des professionnels qualifiés ayant une formation technique, qui représentent divers intérêts (les gestionnaires, les services techniques, la division) au sein de l'organisation. Le groupe de personnes participant à la décision d'achat est souvent désigné comme étant le centre d'achats, que nous décrirons en détail plus loin. La plupart des sociétés établissent des politiques et des procédures officielles relatives aux décisions d'achat, qui doivent être suivies à la lettre par les personnes qui prennent part aux décisions. À titre d'exemples, mentionnons les règles qui régissent les appels d'offres concurrentiels, la fixation d'un prix à partir d'un prix négocié, les accords financiers complexes, les critères d'achat et les objectifs ainsi que les procédures d'évaluation des soumissions.

Une autre différence de taille entre les achats interentreprises et les achats au détail tient à la nature de la relation entre l'entreprise et ses fournisseurs. En règle générale, la décision d'achat est le fruit de négociations qui, dans le cas des achats complexes, sont parfois très longues. Le contrat négocié couvre ordinairement un éventail d'éléments comme le prix, la livraison, la garantie, les spécifications du produit et la politique relative aux réclamations. Sur les marchés interentreprises, comme les acheteurs et les vendeurs s'efforcent d'établir des relations étroites les uns avec les autres, ils échangeront volontiers du soutien ou des conseils de manière que la situation soit gagnante pour les deux parties. Par exemple, Shepherd Thermoforming and Packaging, une entreprise canadienne spécialisée dans la fabrication de produits plastiques par thermoformage, allant des baignoires à remous aux boîtes de chocolats en passant par les flacons de Tylenol, les boîtiers des détecteurs de fumée ou d'autres composants plastiques domestiques ou d'automobiles, a remarqué que ses clients viennent souvent travailler avec ses ingénieurs afin que leurs produits aient l'apparence et la fonctionnalité dont ils ont besoin[16].

Par ailleurs, certaines entreprises négocient des accords d'achat réciproque, une pratique qui consiste pour deux entreprises à s'engager à acheter mutuellement leurs produits et leurs services. Il est évident que l'achat réciproque a des conséquences à la fois positives et négatives tant pour l'acheteur que pour le vendeur ainsi que pour d'autres fournisseurs. Entre autres, il empêche d'autres fournisseurs de participer au processus d'achat et peut limiter les entreprises en les obligeant à acheter les produits l'une de l'autre, ce qui n'est pas toujours une bonne chose.

Enfin, le recours à Internet pour effectuer les transactions entre entreprises est une réalité. Outre le gain de temps, Internet permet aussi de minimiser les risques d'erreurs (transcription d'un bon de commande, facturation), tout en offrant une transparence en termes d'information. Les partenaires peuvent ainsi connaître en temps réel l'état de leur commande, les livraisons à venir ou la facturation.

Les caractéristiques du marketing mix

Une autre différence majeure entre les transactions du marché interentreprises et celles du marché de détail réside dans le rôle du représentant ou du vendeur. Bien que celui-ci constitue un important maillon de la chaîne de communication dans les transactions interentreprises relatives notamment à l'immobilier, aux assurances, aux bijoux, aux appareils électroniques grand public et aux vêtements haut de gamme, la plupart des biens de consommation courante vendus dans les épiceries et les magasins à bas prix ne requièrent pas l'assistance de vendeurs. Par contre, dans la plupart des ventes en contexte industriel, le vendeur fait partie intégrante de la transaction. Les sociétés pharmaceutiques se fient principalement à leurs représentants pour faire la promotion de leurs médicaments auprès des médecins. De plus, de nombreux fabricants offrent des rabais de gros et des remises sur quantité aux revendeurs qui distribuent leurs produits.

Le système de classification et la segmentation des marchés interentreprises

Statistique Canada recueille des données sur l'activité économique du Canada grâce à son **Système de classification des industries de l'Amérique du Nord (SCIAN)**, en vertu duquel toutes les entreprises sont classées selon une hiérarchie de codes à six chiffres[17]. Le SCIAN a été élaboré conjointement par le Canada, les États-Unis et le Mexique pour fournir des statistiques comparables sur l'activité commerciale de l'ensemble de l'Amérique du Nord. Il remplace la Classification type des industries (CTI) utilisée depuis les années 1930. Le SCIAN regroupe les activités économiques dans 20 secteurs et 922 industries canadiennes[18]. Le système de codage à six chiffres est illustré dans le tableau 7.2. Les deux premiers chiffres représentent le secteur de l'économie (p. ex., 51 représente l'industrie de l'information et l'industrie culturelle), le troisième chiffre désigne le sous-secteur (p. ex., 515 représente la radiotélévision [sauf par Internet]), le quatrième chiffre représente le type d'industrie, le cinquième, un sous-groupe au sein de cette industrie, et le code complet à six chiffres, le niveau national de la classe. Le SCIAN fait l'objet d'une révision périodique qui permet l'intégration de nouvelles industries et le regroupement ou la suppression d'autres industries.

Système de classification des industries de l'Amérique du Nord (SCIAN) (*North American Industry Classification System [NAICS]*) Système standard de classification des entreprises par secteur d'activité. Le niveau le plus détaillé compte six chiffres ; les grands groupes vont du secteur de l'agriculture (11) au secteur de l'administration publique (91).

TABLEAU	**7.2**	Le commerce de gros : les codes SCIAN

Codes SCIAN	Niveau
51	Industrie de l'information et industrie culturelle
515	Radiotélévision (sauf par Internet)
5151	Radiodiffusion et télédiffusion
51511	Radiodiffusion
515110	Radiodiffusion[MEX]

Source : www23.statcan.gc.ca/imdb/p3VD_f.pl?Function=getVD&TVD=118464&CVD=118471&CPV=515110&CST=01012012& CLV=5&MLV=5 (page consultée le 24 juin 2014).

La classification SCIAN pourrait aider un manufacturier de composants d'appareils de télécommunication à définir ses marchés cibles.

Le SCIAN peut être utile aux analystes du secteur des affaires pour évaluer les parts de marché, la demande de biens et de services, la concurrence des importations sur le marché canadien ainsi que pour segmenter et cibler les marchés. Supposons qu'un fabricant de composants d'appareils de télécommunication de haute technologie ait conçu un nouveau produit capable d'accélérer grandement la transmission des données. Quelles entreprises de la classe 51511 (Radiodiffusion) serait-il le plus rentable de cibler comme clientes ? Pour répondre à cette question, le fabricant mènerait d'abord une recherche en s'appuyant sans doute sur des entrevues réalisées par ses représentants commerciaux afin de déterminer quels types d'entreprises jugeaient le nouveau composant le plus utile à leurs produits. Ensuite, à l'aide des données SCIAN recueillies par Statistique Canada ou par le United States Census Bureau, le fabricant pourrait évaluer le nombre, la taille et la répartition géographique des entreprises de chaque type. Ces informations seraient à même de lui indiquer tant le potentiel du produit que les types d'entreprises qui constituent son marché cible.

Comme dans le cas du marché des consommateurs, les organisations faisant du commerce interentreprises concentrent leurs efforts de marketing sur des marchés cibles, segmentés en fonction de leur localisation géographique (pays, province, région, ville), du nombre d'employés ou du chiffre d'affaires, de leur taille (p. ex., petites, moyennes ou grandes entreprises) et du type de produit acheté.

OA ④ Le processus d'achat interentreprises

Le processus d'achat interentreprises (*voir la figure 7.2*) s'apparente au processus d'achat au détail, mais il s'en distingue de multiples façons. Les deux processus commencent par la reconnaissance d'un besoin, mais la recherche de renseignements et les méthodes d'évaluation sont plus rigoureuses et structurées dans le cas des achats interentreprises. En général, les acheteurs des organisations précisent leurs besoins par écrit et invitent les fournisseurs potentiels à leur soumettre des propositions officielles. Dans le commerce de détail, les décisions d'achat sont habituellement prises par des individus ou des familles d'une manière qui est parfois non planifiée ou impulsive. En revanche, sur les marchés interentreprises, les décisions d'achat sont souvent prises par des centres d'achats au terme de longues délibérations. Enfin, dans les situations d'achat au détail, les clients évaluent leur décision et éprouvent parfois une dissonance cognitive à la suite d'un achat. Il n'y a pas d'évaluation formelle de la performance du fournisseur et des produits vendus comme dans le contexte interentreprises. Ainsi que

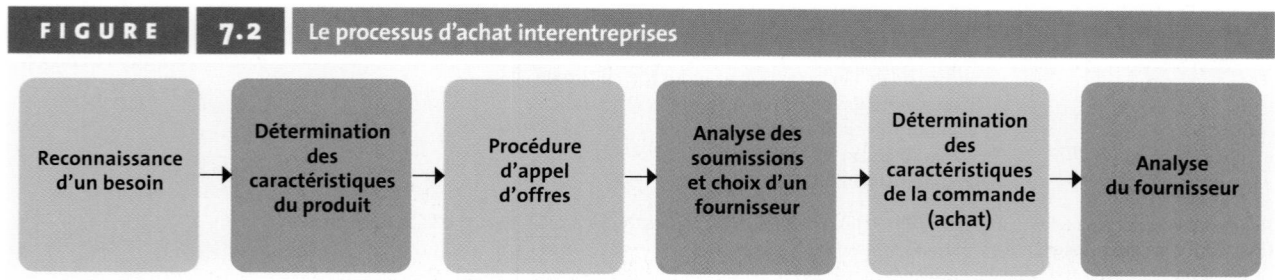

| **FIGURE** | **7.2** | **Le processus d'achat interentreprises** |

Reconnaissance d'un besoin → Détermination des caractéristiques du produit → Procédure d'appel d'offres → Analyse des soumissions et choix d'un fournisseur → Détermination des caractéristiques de la commande (achat) → Analyse du fournisseur

Toyota a reconnu son besoin de changer de fournisseur de pneus quand ses clients se sont plaints de la performance médiocre de leurs pneus sur les routes enneigées et hors route.

nous l'expliquerons un peu plus loin, les achats interentreprises ne suivent pas toujours l'ensemble des étapes ou ne traversent pas toutes celles-ci avec la même intensité.

Par exemple, un achat courant de fournitures de bureau ne passera sans doute pas par toutes les étapes du processus décisionnel d'achat. Cependant, l'achat d'un centre d'appels informatisé traversera toutes les étapes plus rigoureusement que l'achat de quelques ordinateurs de remplacement pour les bureaux.

Examinons maintenant les six étapes du processus d'achat dans le contexte suivant : Toyota veut acheter des pneus Goodyear, Dunlop et Firestone[19].

Étape 1 : la reconnaissance d'un besoin

À la première étape du processus d'achat interentreprises, l'organisme acheteur reconnaît, grâce à des informations de source interne ou externe, qu'il a un besoin non comblé. Par exemple, l'équipe de concepteurs de Toyota constate que ses fournisseurs ont augmenté les prix des types de pneus qu'elle utilise d'habitude. Simultanément, des clients se sont plaints de la mauvaise performance de ces pneus sur leurs véhicules à traction intégrale. Les tests de conduite menés par Toyota sur des routes enneigées et hors route indiquent aussi la nécessité d'un changement. Grâce aux représentants de ses fournisseurs, aux démonstrations effectuées dans des salons commerciaux, aux annonces parues dans des revues commerciales, à ses recherches sur Internet et aux livres blancs, Toyota a également pris connaissance des avantages de différentes marques de pneus.

Étape 2 : la détermination des caractéristiques du produit

Une fois qu'elle a reconnu son besoin, l'organisation réfléchit à des solutions et définit des spécifications potentielles sur lesquelles les fournisseurs pourraient baser leurs

Dans les transactions interentreprises, la recherche de renseignements est cruciale pour la reconnaissance d'un besoin.

soumissions. Comme une partie importante des véhicules Toyota est fabriquée et vendue en Amérique du Nord, la société s'est engagée à établir des relations mutuellement bénéfiques avec des fournisseurs nord-américains. Pour l'année financière 2012-2013, par exemple, elle a dépensé près de 32,2 milliards de dollars en pièces et en matériel provenant de centaines de fournisseurs et de partenaires commerciaux nord-américains[20]. Au lieu de travailler en vase clos pour déterminer les spécifications des nouveaux pneus, les équipes de concepteurs et les ingénieurs de Toyota se rendent dans les usines des fournisseurs pour élaborer les spécifications des prototypes avec leurs experts.

Toyota affiche ses appels d'offres sur le site ToyotaSupplier.com, qui renseigne ses fournisseurs actuels et potentiels sur ses politiques d'achat et leur communique les nouvelles pertinentes.

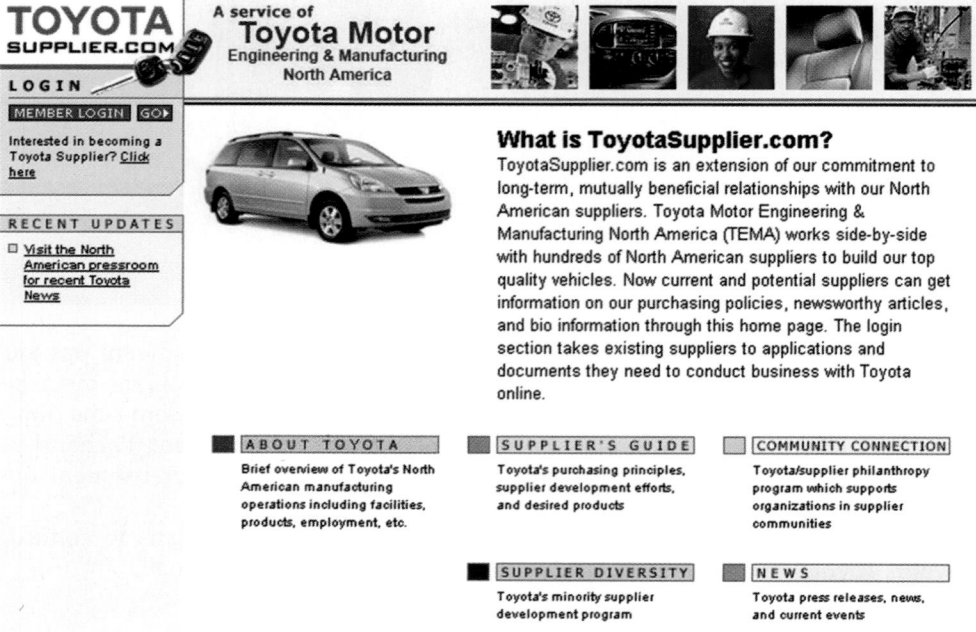

appel d'offres (AO)
(*request for proposals [RFP]*)
Procédure au cours de laquelle un organisme acheteur invite des fournisseurs à présenter une offre précise en vue de l'attribution d'un marché.

Étape 3 : la procédure d'appel d'offres

L'**appel d'offres (AO)** est une procédure courante au cours de laquelle un organisme acheteur invite des fournisseurs à soumissionner en vue de lui fournir les composants dont il a besoin. L'organisme acheteur peut afficher son appel d'offres sur son site Web, passer par divers réseaux interentreprises (dont nous parlerons plus loin dans ce chapitre) ou communiquer directement avec des fournisseurs potentiels. Ainsi, Toyota a créé le site ToyotaSupplier.com, qui renseigne ses fournisseurs actuels et potentiels sur ses politiques d'achat et leur communique les nouvelles pertinentes[21].

Étape 4 : l'analyse des soumissions et le choix d'un fournisseur

L'organisme acheteur, conjointement avec ses décideurs, évalue toutes les soumissions reçues en réponse à son appel d'offres. La plupart des entreprises restreignent la procédure à quelques fournisseurs, souvent ceux avec qui elles sont déjà en relation, et discutent avec eux des principales conditions de vente, comme le prix, la qualité, le délai de livraison et le financement. Certaines entreprises ont une politique qui les oblige à négocier avec plusieurs fournisseurs,

À l'étape 4 (analyse des soumissions et choix d'un fournisseur), Toyota opte pour les pneus Goodyear parce que cette entreprise lui offre la meilleure combinaison en ce qui touche à la notoriété de la marque, aux délais de livraison, à la qualité du produit et à la facilité de la passation de commande.

surtout si le produit ou le service représente un élément critique de l'entreprise. Cette politique force les fournisseurs à rester vigilants, car ils savent que l'organisme acheteur peut toujours leur retirer une grande partie de ses commandes pour les confier à un autre fournisseur qui lui offre de meilleures conditions. Par exemple, comme Toyota négocie aussi avec Dunlop et Firestone, Goodyear sait qu'elle ne peut pas négliger les avantages qu'elle offre à l'entreprise. En fin de compte, Toyota optera pour les pneus Goodyear parce que cette entreprise lui offre la meilleure combinaison en ce qui touche à la notoriété de la marque, aux délais de livraison, à la qualité du produit et à la facilité de la passation de commande. Comme l'explique la rubrique Marketing entrepreneurial suivante, le choix des fournisseurs est un processus déterminant pour la réussite d'une entreprise.

Marketing entrepreneurial

Le choix d'un fournisseur : ces critères traditionnels pour une PME audacieuse

CTC (www.ctc-creation.com) est une jeune entreprise québécoise, créée par deux passionnés de mode et de marketing, Sabie Coté et Philippe Hamel. La mission de l'entreprise est de proposer aux jeunes qui pratiquent la planche à neige, le ski ou la planche à roulettes, des vêtements accessibles et à la mode.

Pour pouvoir répondre à sa mission, l'entreprise – dont le siège social est situé à Trois-Rivières au Québec – a utilisé un modèle d'affaires reposant sur l'internationalisation. La création se fait au siège social et la production est délocalisée en Chine. Avec une telle distance culturelle et géographique, l'entreprise a opté pour six critères lui permettant de faire le choix de ses fournisseurs.

Le facteur prix – la recherche d'un bas prix – est le premier, mais d'autres critères constituent les enjeux de la relation, comme la qualité, le délai de livraison ou les relations avec les partenaires d'affaires. CTC se fie à son agent présent en Chine pour le contrôle de la qualité. Ce dernier s'occupe de vérifier la qualité des produits avant l'expédition vers le Canada. Si des modifications doivent être apportées aux produits, ces dernières doivent être faites avant l'envoi, et ce, dans le respect des délais fixés par le cahier des charges. Si cette étape était négligée, l'entreprise pourrait subir de sérieuses pertes financières.

Les délais de livraison constituent un autre critère. Les partenaires chinois envoient des échantillons des collections, puis se mettent à la production de masse

dès leur approbation par CTC. Outre le délai attribuable à la production, il faut ajouter le temps de transport depuis la Chine vers le Canada. Les fournisseurs sont informés des pénalités en cas de retard, qui se situent aux alentours de 10 %.

Par ailleurs, les relations avec les fournisseurs sont importantes, puisqu'elles permettent de tisser des relations humaines et harmonieuses. Avec un décalage de 12 heures, les gestionnaires de CTC doivent adapter leurs horaires de travail, qui s'effectuent principalement de soir et de nuit. Heureusement, les outils technologiques (courrier électronique et vidéoconférence) aident en ce sens. CTC exige aussi que son représentant soit disponible en tout temps, sept jours par semaine, pour pouvoir visiter les fournisseurs et vérifier la qualité des produits. Cette contrainte engendre une baisse de profit, mais garantit de meilleures relations – ce qui est favorable à l'entreprise au bout du compte – et une meilleure qualité. En plus, CTC exige que les sous-traitants de son partenaire soient situés à proximité les uns des autres pour travailler davantage en juste-à-temps (JAT) et réaliser des économies.

Même si elle ne se compose que de 2 employés, les fondateurs, CTC dispose de près de 40 points de vente et commercialise ses produits par Internet. L'entreprise est en croissance, grâce à la recherche constante de fournisseurs fiables pour proposer des produits adaptés aux besoins de la clientèle.

Philippe Hamel et Sabie Côté, les fondateurs de CTC, portant des pièces de leur collection.

Étape 5 : la détermination des caractéristiques de la commande (achat)

À la cinquième étape, l'entreprise passe une commande auprès de son fournisseur (ou de ses fournisseurs) préféré. Cette commande comprend une description détaillée des produits, les prix, la date de livraison et, dans certains cas, les pénalités de retard. Le fournisseur lui transmet en retour un accusé de réception lui signifiant qu'il a bien reçu la commande et l'exécutera dans les délais prescrits. Dans le cas de Toyota, cette description englobe les tailles précises des pneus et leur nombre, le prix qu'elle accepte de payer, la date à laquelle elle s'attend à recevoir les pneus et les pénalités auxquelles s'expose son fournisseur s'il lui livre les mauvais pneus ou dépasse la date d'échéance.

Étape 6 : l'analyse du fournisseur

Tout comme dans le processus d'achat au détail, les entreprises analysent la performance de leurs fournisseurs afin de pouvoir prendre des décisions éclairées à l'occasion de leurs futurs achats. La différence réside dans le fait que, dans un contexte interentreprises, cette analyse est généralement plus explicite et plus objective. Voyons comment Toyota pourrait évaluer la performance de Goodyear en suivant les étapes ci-dessous (*voir le tableau 7.3*).

1. L'équipe d'acheteurs dresse une liste de critères qu'elle juge important de considérer au cours de l'évaluation du fournisseur.

2. Pour déterminer l'importance de chaque critère (colonne 1), l'équipe d'acheteurs attribue un degré d'importance à chaque critère (colonne 2). Plus un point est jugé important, plus il reçoit une note élevée, mais le total des notes de la deuxième colonne doit égaler 1. Dans ce cas-ci, l'équipe d'acheteurs accorde une grande importance à la qualité du produit et à la notoriété de la marque, et une importance moindre au respect des délais de livraison et à la facilité de la passation de commande.

3. Les notes de la troisième colonne reflètent l'opinion de l'équipe d'acheteurs sur la performance du fournisseur. Sur une échelle de cinq points allant de 1 (mauvaise performance) à 5 (excellente performance), l'équipe estime que la performance de Goodyear est plutôt bonne à tous les égards sauf en ce qui a trait à la facilité de la passation de commande.

4. Pour obtenir la note globale du fournisseur (quatrième colonne), l'équipe multiplie chaque note de la colonne « Importance relative » par chaque note de la colonne « Performance du fournisseur », puis elle additionne les résultats. Remarquez que la performance de Goodyear est particulièrement bonne pour la plupart des points clés. En effet, l'addition des résultats de

TABLEAU 7.3	L'évaluation de la performance d'un fournisseur (Goodyear)		
(1) Critère	(2) Importance relative	(3) Performance du fournisseur	(4) Performance globale
Notoriété de la marque	0,30	5	1,5
Respect des délais de livraison	0,20	4	0,8
Qualité du produit	0,40	5	2,0
Facilité de la passation de commande	0,10	3	0,3
Total	1,0		4,6

| Question d'éthique | Village des Valeurs courtise les organismes de bienfaisance |

Il n'est pas rare de recevoir des appels d'organismes caritatifs comme l'Association de paralysie cérébrale du Québec ou l'Association canadienne du diabète réclamant des dons en espèces, ou encore des articles ménagers ou des vêtements. La plupart d'entre nous sont disposés à donner pour ces causes, car nous croyons que nos dons vont aux plus démunis. Mais vous êtes-vous déjà demandé où allaient vraiment vos vêtements et articles usagés?

Nous croyons, pour la plupart, que ces organismes les distribuent aux familles dans le besoin. Mais saviez-vous que des organismes à but non lucratif comme l'Association de paralysie cérébrale du Québec et l'Association canadienne du diabète vendent en réalité les articles dont vous leur faites don à Village des Valeurs, une société américaine de droit privé à but lucratif? Ces organismes assurent que l'argent ainsi obtenu sert à financer leurs programmes et les aident à remplir leur mission, puisqu'ils ne reçoivent qu'un appui financier minime de la part des gouvernements.

Contrairement à l'Armée du Salut ou à la Women In Need Society (WINS), Village des Valeurs n'est pas un magasin d'occasion sans but lucratif, mais bien une société valant plusieurs millions de dollars. L'entreprise a un modèle d'affaires particulier. Elle forme des alliances avec des organismes sans but lucratif locaux et achète au poids et à un tarif dégressif préétabli – qui n'est jamais rendu public – les articles qu'ils reçoivent sous forme de dons. Or, ses détracteurs laissent entendre que ces tarifs sont dérisoires et que le pouvoir de négociation des organismes caritatifs est très faible.

Il est peu étonnant, dans ce cas, que Village des Valeurs se taille peu à peu la réputation d'exploiter la bonne volonté des gens pour réaliser des profits. Ses détracteurs avancent que l'entreprise tire profit de la considération dont jouissent les organismes sans but lucratif parce que les gens croient soutenir une œuvre charitable et non une entité à but lucratif. De plus, d'autres magasins d'articles d'occasion comme l'Armée du Salut demandent aussi des dons afin de générer des fonds pour mettre en œuvre leurs programmes. Est-il juste que Village des Valeurs puisse tirer parti du fait qu'elle semble appartenir à la même catégorie que les autres magasins d'articles usagés?

L'entreprise soutient qu'elle n'a jamais tenté de se positionner comme autre chose qu'une organisation à but lucratif. Elle défend son modèle d'affaires unique, basé sur un partenariat avec des organismes de bienfaisance locaux dans une structure interentreprises. Elle est fière de sa contribution à la collectivité, qui consiste à appuyer les œuvres de charité locales en offrant des articles de qualité abordables à ses clients. Fière aussi des efforts écologistes qu'elle déploie en recyclant des articles usagés et en les détournant des dépotoirs.

Village des Valeurs est-elle une bonne entreprise citoyenne avec son modèle d'affaires unique? N'est-elle pas, au contraire, une société à but lucratif qui prive injustement les organismes sans but lucratif des dons dont ils dépendent fortement? Les organismes caritatifs qui vendent les articles qu'on leur donne à Village des Valeurs adoptent-ils des pratiques commerciales peu éthiques en omettant de renseigner publiquement les donneurs sur leur modèle opérationnel?

la quatrième colonne révèle que la performance globale de Goodyear est excellente, puisque l'entreprise obtient une note de 4,6 sur une échelle de 5 points!

Bien que la plupart des organisations interentreprises aient recours au processus d'achat tout juste décrit pour être certaines d'obtenir la meilleure valeur en échange de leur investissement, certaines font affaire avec un fournisseur unique ou établissent des relations d'affaires durables, comme c'est le cas de Village des Valeurs, dont il est fait mention dans la rubrique Question d'éthique ci-dessus.

Les facteurs influant sur le processus d'achat

 OA **5**

Le processus d'achat interentreprises en six étapes est soumis à trois éléments internes de l'organisme acheteur: le centre d'achats, la philosophie (ou culture organisationnelle) et la situation d'achat.

Le centre d'achats[22]

Dans la plupart des grandes organisations, plusieurs personnes sont responsables des décisions d'achat. Les effectifs du **centre d'achats** peuvent englober tant des employés qui jouent un rôle officiel dans les décisions d'achat (p. ex., le Service

centre d'achats
(*buying centre*)
Groupe d'individus responsables de la prise de décision d'achat d'un produit ou d'un service au sein d'une entreprise.

des achats ou de l'approvisionnement) que des membres de l'équipe de concepteurs chargés de spécifier l'équipement ou les matières premières dont les utilisateurs de la nouvelle machine commandée auront besoin. Tous ces employés jouent des rôles distincts dans le processus d'achat. Les fournisseurs doivent le comprendre et adapter leurs efforts de marketing et de vente en conséquence.

Les fonctions exercées par les membres d'un centre d'achats typique se divisent en six catégories. Chaque fonction est assumée par une ou plusieurs personnes, mais une personne peut occuper une ou plusieurs fonctions : « 1) l'**initiateur**, le membre qui, le premier, suggère d'acheter un produit ou un service particulier ; 2) l'**influenceur**, le membre dont l'opinion influence les autres membres et, par le fait même, la décision d'achat ; 3) le **décideur**, le membre qui, en fin de compte, prend une décision ou toutes les décisions relatives à un achat : décision d'acheter ou non, teneur de l'achat, modalités et endroit ; 4) l'**acheteur professionnel**, le membre chargé de remplir les formulaires relatifs à l'achat ; 5) l'**utilisateur**, la ou les personnes qui consommeront ou utiliseront le produit ou le service ; et 6) le **filtre (ou portier)**, le ou les membres qui gèrent l'information ou la communication avec les décideurs et les influenceurs, ou les deux[23] ».

Pour illustrer le fonctionnement d'un centre d'achats, prenons le cas des achats effectués par un hôpital. Où les hôpitaux achètent-ils leurs appareils de radiographie, leurs seringues et leurs bassins hygiéniques ? Pourquoi certaines procédures médicales sont-elles couvertes en tout ou en partie par l'assurance et d'autres non ? Pourquoi votre médecin vous prescrit-il un médicament contre les allergies plutôt qu'un autre ?

L'initiateur : votre médecin

Lorsque vous consultez votre médecin, il amorce le processus d'achat en déterminant les produits et les services qui pourront le mieux traiter votre maladie ou votre blessure. Supposons qu'en tombant de votre planche à neige vous vous soyez cassé le coude. Vous avez besoin d'une chirurgie au cours de laquelle on fixera sur l'os des plaques avec des vis pour immobiliser le coude en attendant que l'os se ressoude. Votre médecin avise aussitôt l'hôpital pour qu'on programme la chirurgie et pour spécifier le type de vis qu'il veut avoir sous la main au moment de l'opération.

L'influenceur : la pharmacie

Depuis des années, votre médecin utilise les vis ElbowMed, qui coûtent un peu plus cher que les autres vis. La pharmacie de l'hôpital a aussi une influence quant au choix des vis ElbowMed. Elle s'est vite rendu compte avec les années que le fournisseur de ces vis réagissait très rapidement suite à une commande et que, contrairement aux produits des concurrents, ces vis avaient une durée de vie plus longue.

Le décideur : l'hôpital

Même si votre médecin a demandé des vis ElbowMed, la décision d'acheter ce type de vis ou non appartient aux gestionnaires de l'hôpital. L'hôpital approvisionne la salle d'opération en instruments et en fournitures chirurgicales. Par conséquent, les gestionnaires doivent évaluer une variété de facteurs afin de déterminer non

initiateur (*initiator*)
Membre du centre d'achats qui, le premier, suggère d'acheter un nouveau produit ou service.

influenceur (*influencer*)
Membre du centre d'achats dont l'opinion influence les autres membres et, par le fait même, la décision d'achat.

décideur (*decider*)
Personne ou membre du centre d'achats qui prend, au bout du compte, une ou toutes les décisions d'achat, qu'il s'agisse de faire un achat ou de choisir quoi acheter, comment et où le faire.

acheteur professionnel (*buyer*)
Membre du Service des achats chargé des formulaires relatifs à l'achat d'un produit ou d'un service.

utilisateur (*user*)
Individu qui consomme ou utilise le produit ou le service acheté par le centre d'achats.

filtre (ou portier) (*gatekeeper*)
Membre du centre d'achats qui gère l'information ou qui communique avec les décideurs et les influenceurs.

Un grand nombre de personnes participent aux décisions d'achat interentreprises.

seulement si les vis ElbowMed sont les meilleures pour les patients, mais également si elles sont remboursables par les diverses compagnies d'assurances.

L'acheteur professionnel : le chef de l'approvisionnement

Le véritable acheteur des vis sera sans doute le chef de l'approvisionnement, dont la tâche consiste à acheter et à maintenir les stocks de l'hôpital de la manière la plus efficiente possible. Bien que les vis ElbowMed soient indiquées pour le type d'opération que vous devez subir, d'autres articles comme les compresses et le fil de suture peuvent être achetés par un regroupement d'achats, qui obtient de meilleurs prix grâce à l'achat de quantités importantes.

L'utilisateur : le médecin

Au bout du compte, cependant, le processus d'achat lié à l'opération chirurgicale sera grandement déterminé par l'utilisateur, en l'occurrence le médecin. Ce dernier a peut-être pu recourir à un autre procédé par le passé, mais, selon lui, les vis ElbowMed constituent le meilleur traitement pour ses patients.

Le filtre : le Service des finances

Le Service des finances de l'hôpital peut estimer que les vis ElbowMed sont trop chères et que d'autres vis sont tout aussi efficaces et, par conséquent, refuser de les acheter.

Ainsi, la décision finale doit tenir compte de l'avis de chaque membre du centre d'achats.

La culture organisationnelle

La **culture organisationnelle** reflète l'ensemble des valeurs, des traditions et des coutumes qui guident le comportement des cadres et des employés d'une entreprise. Elle englobe souvent un ensemble de règles tacites que les employés observent dans diverses situations professionnelles. Par exemple, un nouvel employé a été avisé que la journée de travail commence à 9 h. Or, en observant ses collègues, il constate que la plupart d'entre eux arrivent à 8 h 30. Il décide donc d'arriver plus tôt au bureau.

La culture organisationnelle exerce parfois un effet important sur les décisions d'achat. On peut diviser les centres d'achats en quatre grandes catégories en fonction de leur type de culture : autocratique, démocratique, consultatif et par consensus (*voir la figure 7.3*). Le fait pour un vendeur de connaître la culture qui imprègne le centre d'achats d'une organisation lui permet de décider de quelle manière aborder ce client, comment et à qui transmettre les informations pertinentes, et à qui présenter son argumentation.

culture organisationnelle
(*organizational culture*)
Ensemble de valeurs, de traditions et de coutumes qui influent sur le comportement des employés d'une entreprise.

FIGURE 7.3 La culture organisationnelle du centre d'achats

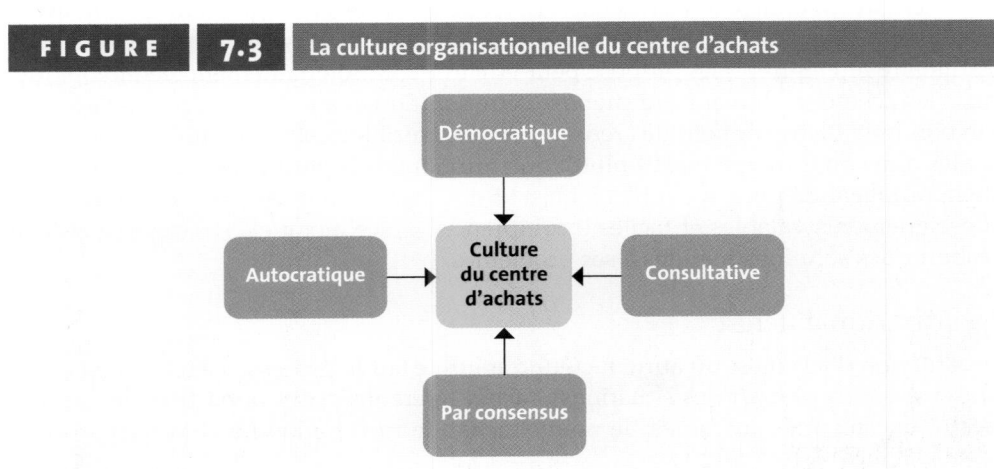

Même si un **centre d'achats autocratique** compte plusieurs membres, les décisions y relèvent d'une seule personne, tandis que, dans un **centre d'achats démocratique**, elles respectent l'avis de la majorité. Dans un **centre d'achats consultatif**, la décision revient à un seul membre, qui sollicite d'abord l'opinion des autres membres. Enfin, dans un **centre d'achats par consensus**, toute décision d'achat doit recueillir un large consensus[24].

La culture est comme une force vive qui se transforme et évolue tout comme les organisations. Même à l'intérieur de certaines entreprises, elle peut varier en fonction de la structure organisationnelle, qu'il s'agisse d'une structure géographique, divisionnelle ou fonctionnelle. Que vous soyez un membre du centre d'achats ou un fournisseur qui veut lui vendre un produit, vous devez à tout prix comprendre la culture de l'entreprise et les rôles des principaux intervenants dans le processus d'achat. La méconnaissance de ces rôles entraînerait une perte de temps, pour vous comme pour le centre d'achats, et pourrait même vous aliéner le véritable décideur.

Bâtir des relations interentreprises

Dans un contexte interentreprises, il existe de multiples façons de consolider ses relations, et ces façons semblent évoluer de jour en jour. Ainsi, les blogues et les médias sociaux peuvent faire connaître des marques, fournir des résultats de recherche, renseigner des clients potentiels et existants sur des produits et des services, et réchauffer une culture d'entreprise en apparence froide[25]. Un expert qui fournit des conseils et des renseignements sur un produit accroît la notoriété de la marque et un blogue est un excellent véhicule pour diffuser cette information. La Web analytique, qui mesure l'achalandage d'un site Web et le nombre de commentaires publiés, peut fournir des évaluations concrètes, mais il vaut encore mieux connaître le nombre de fois où le blogue est mentionné ailleurs, l'attention médiatique qu'il reçoit de même que le degré d'engagement, d'interaction, d'intimité et d'influence qu'il suscite.

Le réseau social LinkedIn est en grande partie utilisé pour le réseautage professionnel dans le marché interentreprises. Twitter, un site de microblogage, présente aussi un intérêt pour les organisations interentreprises, car il leur permet de communiquer à leur guise avec d'autres entreprises. Grâce à une application comme TweetDeck, les entreprises peuvent utiliser Twitter pour gérer leur flux de réseaux sociaux, mettre leurs billets à jour, suivre la Web analytique et même programmer des gazouillis, tout comme elles le feraient pour gérer une campagne de marketing traditionnelle[26]. Staples, connue au Québec sous le nom Bureau en Gros, a trouvé une autre façon d'exploiter la technologie en ligne pour améliorer ses relations interentreprises, comme le décrit la rubrique Forces d'Internet ci-contre.

La plupart des organisations interentreprises consultent des livres blancs avant de commercialiser un produit et 71 % des acheteurs interentreprises les lisent régulièrement avant d'effectuer un achat[27]. Lorsque les cadres font face à un besoin organisationnel non satisfait, ils se tournent généralement vers les livres blancs. Leur partenaire interentreprises propose peut-être une solution hautement technologique, mais les acheteurs doivent comprendre cette solution avant d'envisager de l'acheter. Un bon livre blanc contient des renseignements sur l'industrie et sur ses enjeux présentés dans un format éducatif plutôt que promotionnel pour éviter de ressembler à de la propagande pure et simple. L'objectif des livres blancs est donc de fournir des renseignements valables et faciles à comprendre grâce auxquels l'entreprise pourra élaborer des solutions inédites à ses problèmes.

La situation d'achat

La situation d'achat est un autre facteur qui influe sur le processus décisionnel interentreprises. La plupart des situations d'achat interentreprises appartiennent à l'une des trois catégories suivantes : le nouvel achat, le rachat modifié et le rachat direct (*voir la figure 7.4*).

Les résolutions du Nouvel An sont difficiles à tenir tant pour les individus que pour les entreprises. En 2010, pour aider les petites entreprises, Staples a lancé un nouveau site Web en partenariat avec stickK.com. Le « sticK to It! Business Challenge » encourage les utilisateurs à se fixer un objectif et à miser de l'argent pour mieux persévérer. S'ils atteignent leurs objectifs, ils gagnent des points qu'ils peuvent échanger contre des produits et des services.

À ce jour, environ 65 000 utilisateurs du site ont signé 42 000 contrats d'engagement et misé 4,5 millions de dollars[28]. Même si toutes les entreprises peuvent conclure un contrat, le programme vise surtout les petites entreprises qui, pour la plupart, ne mesurent jamais leur performance afin de déterminer si elles réussissent ou atteignent leurs objectifs. Le rude contexte économique moderne fait qu'il est encore plus difficile pour les petites entreprises de se concentrer sur des buts précis, surtout quand elles sont submergées par les appels téléphoniques à passer, les courriels à écrire et les clients à rassurer.

Cette initiative pourrait amener Staples à acquérir d'autres petites entreprises. Sa campagne de marketing innovatrice accroît la notoriété de sa marque, et les clients qui auront réalisé leurs objectifs commenceront à acheter les produits Staples. Si ces petites entreprises grandissent, il est probable qu'elles resteront fidèles à Staples à titre de comptes commerciaux plus importants.

Pour améliorer ses relations avec sa clientèle, Staples encourage ses clients à se fixer des objectifs et à miser de l'argent pour mieux persévérer.

Pour illustrer les nuances entre ces trois situations d'achat, nous décrirons comment Dell établit des relations avec certains de ses clients commerciaux préalablement ciblés.

Dell connaît un grand succès sur le marché interentreprises surtout parce qu'elle est flexible, se concentre sur sa clientèle et offre des solutions complètes à des prix abordables. La société s'appuie sur d'étroites relations de vente et sur le marketing par bases de données pour comprendre les désirs de ses clients et la manière de les satisfaire. Premièrement, Dell fait beaucoup de publicité dans les établissements d'enseignement et les institutions gouvernementales au cours des deuxième et troisième trimestres de l'année, qui coïncident avec le début de leur cycle d'achat. Deuxièmement, comme les représentants de Dell comprennent les

FIGURE   7.4   La situation d'achat

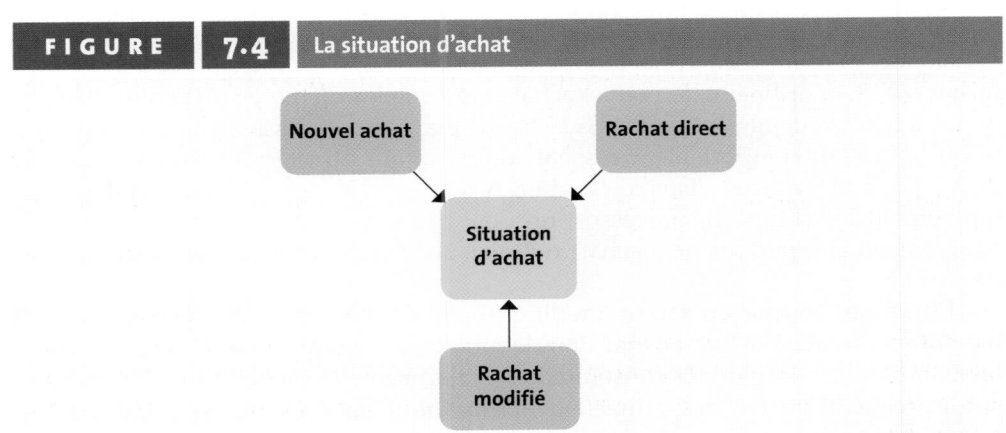

limites financières de ces institutions, ils leur offrent des ensembles complets comprenant des ordinateurs, des logiciels et des services de technologies de l'information, et envoient des équipes qui non seulement installent le nouvel équipement, mais aussi enlèvent l'ancien. Troisièmement, Dell travaille étroitement avec ses acheteurs pour obtenir de la rétroaction et consulte ses équipes de conception des produits afin d'axer sa production sur les besoins de sa clientèle. Quatrièmement, Dell divise ses clients en trois catégories: acquisition, développement et fidélisation. De concert avec ses principaux décideurs, la société garde constamment le contact avec chaque client et maximise chaque dollar que celui-ci consacre à l'achat de matériel technologique[29].

> **nouvel achat** (*new buy*)
> Achat d'un produit ou d'un service pour la première fois. Les responsables de la décision d'achat sont habituellement très sollicités étant donné que l'acheteur ou l'organisme acheteur ne connaît pas encore le produit ou le service qu'il s'apprête à acheter.

Dans le cas d'un **nouvel achat**, un client achète un bien ou un service pour la première fois[30]. La décision d'achat est généralement très exigeante, puisque l'acheteur ou l'organisme acheteur ne connaît pas encore le produit ou le service qu'il s'apprête à acheter. Dans le contexte interentreprises, le centre d'achats suivra probablement les six étapes du processus d'achat et un grand nombre de ses membres participeront au processus décisionnel. Les nouveaux achats vont de l'achat de biens d'équipement à l'achat de composants que l'entreprise fabriquait auparavant, mais qu'elle compte acheter à l'avenir. Par exemple, l'Université d'Ottawa a acheté ses premiers équipements et installations de vidéoconférence afin d'améliorer sa capacité d'enseignement à distance. Auparavant, elle comptait principalement sur son terminal audiographique, qui acheminait la voix des professeurs, des étudiants et des tuteurs par une ligne téléphonique et les éléments graphiques du cybercours par une seconde ligne.

> **rachat modifié**
> (*modified rebuy*)
> Fait, pour un acheteur industriel qui s'est déjà procuré un produit semblable, de changer certains éléments, comme le prix visé, la qualité du produit, le service à la clientèle ou les options offertes.

En ce qui concerne le **rachat modifié**, l'acheteur a déjà acquis un produit semblable dans le passé, mais il désire en modifier certains éléments, comme le prix visé, la qualité du produit, le service à la clientèle ou les options offertes. Les fournisseurs habituels de l'entreprise ont toutes les chances de réaliser cette vente, pour autant que les modifications souhaitées ne résultent pas de l'insatisfaction du client à l'égard de l'entreprise ou de ses produits. Il y a quelques années, de nombreuses universités canadiennes ont remplacé leurs énormes moniteurs à écran cathodique par des moniteurs ACL (affichage à cristaux liquides) à écran plat.

> **rachat direct (ou rachat simple)** (*straight rebuy*)
> Fait pour un acheteur ou un organisme acheteur de se procurer une quantité supplémentaire d'un produit qu'il a déjà acheté.

On parle de **rachat direct (ou rachat simple)** lorsque l'acheteur ou l'organisme acheteur achète une quantité supplémentaire d'un produit qu'il a déjà acquis auparavant. Un nombre impressionnant d'achats interentreprises entrent dans cette catégorie. Par exemple, l'Université d'Ottawa a acheté un premier système de vidéoconférence et renouvelé cet achat à quelques reprises par la suite. À l'heure actuelle, l'université compte 5 salles de vidéoconférence pouvant accueillir entre 18 et 88 étudiants.

Ces diverses situations d'achat requièrent des stratégies de marketing et de vente très différentes. La situation la plus complexe est le nouvel achat, qui oblige l'organisme acheteur à modifier ses pratiques habituelles et ses achats. En conséquence, il est probable que plusieurs membres du centre d'achats participeront au processus décisionnel et d'une façon plus intense que dans le cas d'un rachat modifié ou d'un rachat direct. D'ordinaire, le nouvel achat exige que les membres du centre d'achats passent généralement plus de temps à chaque étape du processus, un peu comme en ce qui a trait au comportement d'achat complexe qui caractérise certains achats au détail. Par comparaison, dans le cas d'un rachat modifié, les acheteurs franchissent rapidement les étapes du processus, un peu à la manière des consommateurs qui adoptent un comportement d'achat routinier pour certains achats au détail (*voir le chapitre 6*).

En ce qui touche au rachat modifié, toutefois, l'acheteur est souvent le seul membre du centre d'achats engagé dans le processus. Comme dans le cas du comportement d'achat routinier des consommateurs, l'acheteur reconnaît immédiatement le besoin de l'entreprise et passe directement à la cinquième étape du processus d'achat, soit la détermination des caractéristiques de la commande, en sautant les étapes de la détermination des caractéristiques du produit (étape 2), de la procédure d'appel d'offres (étape 3) et de l'analyse des soumissions et du choix d'un fournisseur (étape 4).

Peu importe la situation d'achat, de plus en plus d'entreprises ont désormais recours à Internet pour faciliter la procédure d'achat tant aux acheteurs qu'aux vendeurs. Examinons maintenant les diverses façons dont Internet a révolutionné le commerce interentreprises.

Le rôle d'Internet dans le commerce interentreprises

OA **6**

En tant que consommateurs, nous utilisons souvent Internet afin d'effectuer une recherche sur des produits ou de les acheter pour nous, notre famille ou nos amis. De la même façon, Internet a radicalement transformé le commerce interentreprises depuis quelques années. Ainsi, par choix ou par nécessité, Internet est devenu le mode de communication privilégié pour lier les divisions et les employés qui sont dispersés. Il suffit de songer au représentant qui visite un client vivant loin du siège social de l'entreprise.

En se connectant à la base de données de l'entreprise, le représentant peut rapidement trouver l'information désirée sur la disponibilité du produit et l'état d'une commande, et même consulter ses superviseurs au sujet de certains points importants de la négociation, comme le prix et les remises.

Si l'on se fie à la tendance actuelle, le commerce interentreprises reposera de plus en plus sur Internet. Certaines entreprises comme Intel se sont fixé des objectifs ambitieux. En effet, l'entreprise vise à transférer en ligne la moitié de ses activités publicitaires[31]. La rubrique Marketing et médias sociaux ci-dessous explique comment des entreprises conçoivent des outils électroniques afin de permettre à d'autres organisations d'améliorer leur stratégie à l'égard des médias sociaux.

Marketing et médias sociaux — Surveiller et défendre sa marque

De nos jours, devant l'explosion des médias sociaux, de nombreuses entreprises, grandes et petites, tâtent le terrain en lançant des campagnes ponctuelles. Or, la plupart d'entre elles se heurtent à un défi important : intégrer les médias sociaux dans leur stratégie de marketing. Pendant qu'elles tournent et retournent le problème dans leur tête, les consommateurs utilisent déjà les médias sociaux pour exprimer et propager des commentaires positifs et négatifs à propos de leurs expériences avec les marques et les services. À preuve, Domino's Pizza a enregistré une baisse substantielle de ses ventes en raison d'un mauvais bouche-à-oreille qui s'est répandu à la suite de la publication d'une vidéo peu flatteuse pour l'entreprise sur YouTube. Cet exemple montre que les entreprises doivent au plus vite intégrer les médias sociaux à leur marketing non seulement pour défendre leurs marques et leur réputation, mais aussi pour les exploiter à leur avantage.

Il suffit de penser au projet « Looking Glass » de Microsoft, reconnu comme l'un des outils de surveillance des médias sociaux les plus puissants et peut-être les plus controversés parce qu'il permet aux entreprises de recenser tout ce qui a été dit, par qui, quand et où. Grâce à cette interface, les entreprises peuvent rassembler et surveiller tous les commentaires sur leurs marques et sur leur organisation publiés dans les médias sociaux. Pour ce faire, elles combinent les flux de nouvelles des plateformes de réseautage social comme Facebook, YouTube, myspace, Twitter et des blogues qu'elles relient ensuite à des systèmes de gestion des relations clients, à des bases de données, à des centres de service, etc. Le logiciel détecte l'aspect émotionnel du contenu de chaque billet qu'il évalue automatiquement comme étant positif ou négatif. À partir de ce classement, les gestionnaires marketing peuvent voir comment les clients réagissent à leurs produits et à leurs campagnes de mise en marché. Microsoft prétend que son « Looking Glass » permettra aux gestionnaires marketing non seulement de voir si leurs messages sont bien ciblés, mais aussi de découvrir de nouveaux segments de marché. Grâce à « Looking Glass », les entreprises pourront être présentes sur les médias sociaux, surveiller et analyser leurs contenus afin de mener les actions nécessaires et utiliser l'information d'une manière rapide et efficiente tout en élaborant leurs campagnes de marketing[32].

De nos jours, les salons commerciaux ont la cote et suscitent un engouement croissant. Lors d'un salon traditionnel, les entreprises envoient des représentants sur place, installent des kiosques complexes et tentent d'attirer les acheteurs potentiels qui passent par là pour leur montrer leurs marchandises. Aujourd'hui, elles peuvent installer un kiosque virtuel, faire des démonstrations de produits et engager la conversation avec des clients éventuels. Cet espace virtuel peut aussi accueillir des ateliers de formation et des espaces de réseautage tout comme un salon réel. Ces salons virtuels permettent à l'entreprise de réaliser des économies substantielles, notamment sur les frais de déplacement d'un représentant ou l'achat d'un kiosque coûteux. De plus, ils sont extrêmement conviviaux tant pour le vendeur que pour le client. Les membres du centre d'achats peuvent se connecter au site au moment qui leur convient ; de plus, les vendeurs peuvent mettre à jour leurs marchandises, leurs stocks et leurs prix en quelques clics. En raison de leur popularité croissante, les salons virtuels sont désormais utilisés pour les biens de consommation, les salons de l'emploi et la formation du personnel, jusqu'ici du moins[33].

Internet permet aussi aux entreprises de communiquer entre elles par les échanges privés et les ventes aux enchères (*voir la figure 7.5*). Un **échange privé** a lieu lorsqu'une entreprise acheteuse ou vendeuse invite d'autres entreprises à participer à des échanges d'information et à des transactions en ligne. Ces échanges contribuent à simplifier l'approvisionnement et la distribution. À l'instar de Toyota et de son site ToyotaSupplier.com, dont il a été question précédemment, IBM, General Motors, Ford, General Electric, Walmart et d'autres grandes entreprises ont constitué une place de marché qui englobe leurs principaux fournisseurs. Certaines sociétés comme IBM et General Electric obligent même leurs fournisseurs à traiter avec elles principalement par l'entremise des échanges en ligne. Ces échanges privés permettent de réaliser des économies substantielles en éliminant les négociations périodiques et certaines tâches administratives courantes, et en donnant à l'entreprise la possibilité de constituer une chaîne d'approvisionnement capable de répondre rapidement aux besoins de l'acheteur.

Sur un autre plan, les fabricants et les fournisseurs peuvent travailler ensemble à concevoir de meilleurs produits[34]. Les fabricants et les détaillants recueillent des renseignements détaillés sur les préférences de leurs clients et sur d'autres tendances du marché, qu'ils transmettent ensuite aux principaux fournisseurs engagés dans la conception des produits. Grâce à cette collaboration, les entreprises fabriquent des produits mieux adaptés aux besoins de leur clientèle. Elles créent et offrent une meilleure valeur à leurs clients.

Des échanges privés ont aussi lieu entre les fabricants et les détaillants de la chaîne de valeur. Le site Web Guru.com, par exemple, a été créé pour mettre les pigistes professionnels en rapport avec des entreprises qui ont besoin de leurs services, qu'il s'agisse d'infographie et de bandes dessinées ou de conseils en matière de finance et de comptabilité. À l'heure actuelle, 724 000 professionnels annoncent leurs services sur ce site d'échange axé sur le service, et plus de 30 000 entreprises le visitent régulièrement pour y afficher des commandes de travail[35]. Guru.com fournit ainsi de la valeur tant aux entreprises qu'aux pigistes en offrant non seulement un site qui leur permet de se trouver mutuellement, mais aussi des services de règlement de différends, de dépôt fiduciaire et un outil pour évaluer la qualité du travail des candidats[36].

échange privé
(*private exchange*)
Marché créé par une entreprise, qu'elle soit l'acheteuse ou la vendeuse, qui invite d'autres entreprises à s'y joindre. Cette pratique peut simplifier l'approvisionnement et la distribution.

| **FIGURE** | **7.5** | **Internet et le commerce interentreprises** |

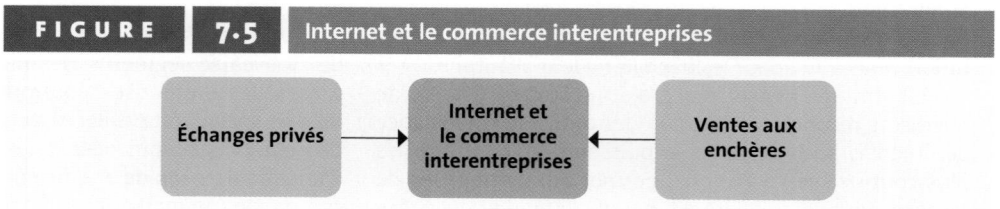

En outre, les transactions interentreprises prennent de plus en plus souvent la forme de ventes aux enchères en ligne, qu'elles soient à l'anglaise ou inversées. Au cours d'**enchères à l'anglaise**, les produits et les services sont simplement vendus au plus offrant. Par conséquent, si un fabricant d'ordinateurs a un certain nombre d'ordinateurs invendus, il peut les vendre aux enchères sur un site d'échange (peut-être même sur eBay) à l'acheteur qui lui offre le prix le plus élevé. Pendant des **enchères inversées**, l'acheteur fournit des détails sur ce qu'il recherche à un groupe de vendeurs, qui baissent les enchères jusqu'à ce que l'acheteur accepte une offre.

Des entreprises comme Dell, Hewlett-Packard (HP), Motorola, Palm et Sun[37] ont réduit leurs coûts relatifs à l'approvisionnement et à l'achat de composants grâce aux enchères inversées[38].

C'est ainsi que, de diverses façons, le commerce interentreprises à la fois ressemble et ne ressemble pas au processus décrit dans le chapitre 6, relatif au comportement des consommateurs. Dans le contexte de la vente interentreprises, le processus de segmentation du marché reflète la nature collective des consommateurs, qu'il s'agisse de fabricants, de revendeurs, d'institutions ou de gouvernements. De plus, même si le processus d'achat peut vous sembler familier et remarquablement analogue à celui qui est décrit dans le chapitre 6, ses six étapes comportent des aspects uniques. Cela est logique compte tenu des nombreux éléments qui entrent en jeu dans le processus d'achat interentreprises. La composition du centre d'achats (autocratique, démocratique, consultatif ou par consensus), la culture de l'organisme acheteur et la situation d'achat (nouvel achat, rachat modifié, rachat direct) sont tous des facteurs qui influent de diverses façons sur le processus d'achat interentreprises. Les vendeurs doivent donc être conscients à tout moment de ces facteurs s'ils veulent voir leurs efforts de vente couronnés de succès. Enfin, comme c'est le cas apparemment dans tous les domaines, Internet a radicalement transformé certains aspects du commerce interentreprises en accroissant la fréquence tant des échanges privés électroniques que des ventes aux enchères.

enchère à l'anglaise
(*English auction*)
Enchère telle que nous la connaissons généralement, où les prix augmentent progressivement et où l'adjudication va à l'acheteur le plus offrant.

enchère inversée
(*reverse auction*)
Vente au cours de laquelle l'acheteur fournit à un groupe de vendeurs des détails sur ce qu'il recherche. Les vendeurs proposent des prix de plus en plus bas. L'acheteur conclut la transaction avec le vendeur offrant le plus bas prix.

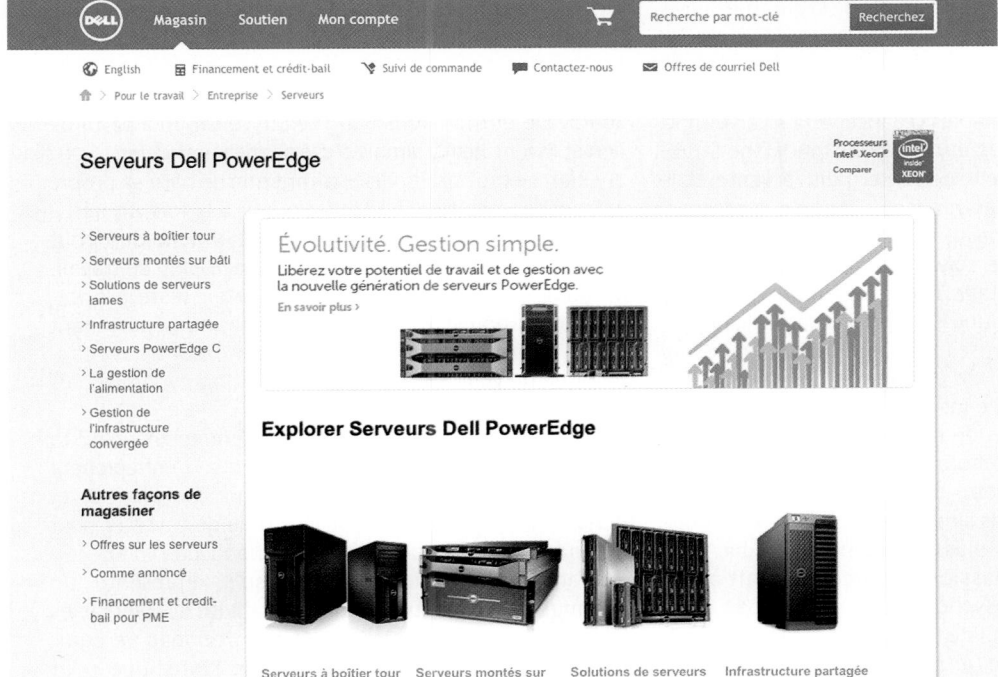

Dell fait partie des fabricants qui privilégient Internet dans leurs relations de commerce interentreprises.

Profil d'expert   Sourov De et Ryan Burgio

Sourov De: À la fin de mes études, j'ai trouvé un emploi chez Unilever Canada en tant que chef de marque adjoint. J'étais diplômé de l'Université Wilfrid-Laurier avec un baccalauréat spécialisé en administration des affaires et j'avais eu vent de ce poste grâce aux notifications par courriel envoyées par le Centre de développement de carrière de l'université sur les entreprises qui cherchaient des diplômés en marketing et en gestion des entreprises. Un avis d'emplois vacants a attiré mon attention et j'ai postulé en envoyant mon CV par courriel. Je savais que la lutte serait chaude pour

ce poste et je priais pour que la directrice des ressources humaines d'Unilever remarque ma demande. Or, l'adresse courriel de celle-ci ainsi que son nom figuraient sur l'avis d'emplois. Qu'à cela ne tienne, me suis-je dit, je vais appeler chez Unilever, demander la directrice par son nom et l'interroger poliment pour savoir si elle a reçu mon courriel et mon CV. Je n'avais rien à perdre et je me disais qu'une communication personnelle était une excellente façon d'attirer l'attention sur moi. Parler avec la directrice a été beaucoup plus facile que je le pensais: je l'ai eue tout de suite au bout de la ligne et nous avons fini par blaguer au sujet de mon nom de famille, étrangement bref. Je pense qu'elle a aimé ma personnalité et mon esprit d'initiative.

Chez Unilever, j'étais le chef de marque adjoint pour une campagne de marketing de neuf millions de dollars visant à relancer les produits coiffants de la gamme Suave. Par la suite, j'ai quitté l'univers du marketing d'entreprise pour me lancer dans l'entrepreneuriat. J'ai participé au lancement du livre de recettes *Eat, Shrink and Be Merry!* sur le marché américain. Après ce lancement, Ryan Burgio, mon partenaire d'affaires, et moi avons fondé The Stryve Group, un groupe-conseil spécialisé dans la vente et le marketing, qui aide les entreprises à faire de la prospection de clients. Je suis passé de la gestion des marques à l'entrepreneuriat et le travail que je fais maintenant m'interpelle bien davantage. J'aime le défi qui m'oblige à sortir du cadre et à bâtir une entreprise à partir de rien.

Fonder un groupe-conseil spécialisé dans le marketing et la vente à l'âge de 26 ans est la chose la plus passionnante que j'aie accomplie jusqu'ici. La création du Stryve Group a été un exercice de mise en marché incroyable. Chaque jour, nous nous efforçons de perfectionner la proposition de valeur de notre entreprise et de déterminer qui sont nos clients idéaux ainsi que la façon de leur transmettre notre message le plus efficacement possible.

Le marketing me passionne parce qu'il fait appel à un mélange de psychologie, de science, d'art, de stratégie commerciale et d'esprit de compétition. En fin de compte, je pense que nous essayons tous de vendre ou de commercialiser nos idées ou notre personne, que nous travaillions ou non dans le domaine du marketing. Le marketing me captive parce que j'observe ses applications dans le monde qui m'entoure et dans presque tout ce que les gens font quotidiennement.

Ryan Burgio: J'ai eu la chance incroyable de trouver un emploi grâce à ma participation au programme coopératif de l'Université Wilfrid-Laurier (baccalauréat spécialisé en économie et en administration des affaires). Dès mon second stage de travail, j'ai été engagé par Daggerwing Group, un cabinet-conseil spécialisé dans la gestion et le marketing, qui travaille avec des cadres supérieurs pour améliorer les résultats des activités de marketing, de vente et de gestion de la relation clients de l'entreprise. Le cabinet m'a offert un poste à temps plein à la fin de mon stage.

Daggerwing Group offrait un environnement de travail dynamique qui m'a permis de travailler sur une variété de projets clients intéressants et stimulants. À titre de directeur adjoint, je conseillais nos clients dans des domaines comme l'analyse du marché, l'organisation de campagnes, la structure organisationnelle, l'expansion des entreprises et la gestion de la relation clients.

J'aimais beaucoup mon travail chez Daggerwing Group, mais ma passion pour l'entrepreneuriat a vite pris le dessus. J'ai participé au lancement du succès de librairie *Eat, Shrink and Be Merry!*, un livre de recettes cosigné par Janet et Greta Podleski, sur le marché américain. Cette expérience et le temps passé chez Daggerwing Group m'ont donné une formidable compréhension du marketing. C'est pourquoi j'ai décidé de mettre à profit mon savoir-faire en participant à la création du Stryve Group, un groupe-conseil spécialisé dans la vente et le marketing. En 2008, mon partenaire, Sourov De, et moi avons bâti The Stryve Group à partir de rien et l'aventure n'a jamais cessé de me passionner.

Rien ne me paraît plus exaltant que de bâtir sa propre entreprise une étape à la fois, un jour à la fois, un défi à la fois. Cette expérience a été sensationnelle du début à la fin. The Stryve Group m'a donné l'occasion de travailler sur des projets variés, mais mon préféré reste le lancement d'un nouveau concept de magasins appartenant à une chaîne de détaillants américaine. J'ai trouvé fantastique de voir nos efforts de marketing dynamiser les résultats fonctionnels de la chaîne.

Pourquoi me suis-je engagé dans l'entrepreneuriat? La citation suivante décrit bien mes sentiments: «L'entrepreneur présente un mélange don-quichottesque d'intelligence et d'entêtement qui fait qu'il est incapable de travailler pour une autre personne que lui-même[39]» (traduction libre).

J'adore le marketing parce qu'il représente un mélange parfait de travail et de créativité et sollicite les hémisphères gauche et droit de mon cerveau. Je peux, à tel moment, effectuer une analyse statistique pour évaluer l'efficacité d'une campagne et, l'instant d'après, examiner des palettes de couleurs pour la conception d'un site Web. Aucune autre profession ne vous donne la possibilité de faire ces deux choses à la fois.

Faites le point

 **Décrivez la nature et la composition des marchés interentreprises**

Le commerce interentreprises englobe quatre grands groupes : les fabricants et les producteurs, les revendeurs, les institutions et les gouvernements. Les fabricants comme Hewlett-Packard et Dell dépensent de grosses sommes pour acquérir les matières premières et les pièces qui entrent dans la fabrication des ordinateurs, des imprimantes et d'autres produits. De même, les agriculteurs déboursent des sommes énormes pour acheter des fertilisants, des semences et d'autres produits agricoles. Les revendeurs sont principalement des grossistes, des distributeurs et des détaillants qui distribuent les produits des fabricants. Au Canada, les commerces de gros et de détail comptent parmi les plus importants secteurs de l'économie. Le secteur public (gouvernements fédéral, provinciaux et municipaux) du Canada et de la plupart des autres pays représente le plus important acheteur d'un pays. Les institutions comme les organismes sans but lucratif, les universités et les prisons consacrent aussi des millions de dollars à l'achat de produits finis destinés à leurs organisations et à leurs clients. Le commerce interentreprises est considérablement plus important que le commerce de détail en ce qui touche aussi bien au volume des achats qu'à la valeur de ceux-ci.

 **Énoncez les principales différences entre le processus d'achat des organisations et celui du consommateur**

Le commerce interentreprises diffère du commerce de détail sous plusieurs aspects : les caractéristiques de la demande ; le type d'achat, ainsi que la valeur et le volume des acquisitions ; la nature du processus d'achat, qui est plus rigoureux et professionnel et fait intervenir davantage de gens ; enfin, la nature du marketing mix : les ventes personnelles et en ligne sont prédominantes et les prix sont négociés et inélastiques à court terme. De prime abord, le processus d'achat interentreprises paraît analogue au processus d'achat au détail décrit dans le chapitre 6. Il commence par la reconnaissance d'un besoin et finit par une évaluation de la performance du produit ou du service. Mais, en réalité, il s'en distingue sous plusieurs aspects, et surtout en raison de son caractère officiel. Par exemple, au cours de la deuxième étape, l'organisme acheteur détaille les caractéristiques précises des produits ou des services qu'il souhaite acquérir. Puis, à la troisième étape, celle de la procédure d'appel d'offres, il annonce qu'il a besoin de tel produit ou service et sollicite des soumissions officielles. À la quatrième étape, l'organisme acheteur analyse les soumissions et choisit un fournisseur. Contrairement au processus d'achat au détail, la cinquième étape est très rigoureuse ; elle consiste à élaborer tous les détails du contrat de vente et à passer la commande.

OA 3 Expliquez comment les organisations interentreprises segmentent leurs marchés

Les principes de base de la segmentation du marché demeurent les mêmes pour le commerce interentreprises et le commerce de détail. Plus précisément, les organisations interentreprises divisent le marché en groupes de clients qui ont différents besoins, désirs ou caractéristiques et qui, par conséquent, peuvent apprécier les produits ou les services conçus pour eux. Globalement, les organisations interentreprises divisent le marché en quatre grands groupes : les fabricants et les producteurs, les revendeurs, les institutions et les gouvernements. En vue de faciliter la segmentation de leur marché, les organisations interentreprises peuvent utiliser le Système de classification des industries de l'Amérique du Nord (SCIAN), élaboré par le Canada, les États-Unis et le Mexique pour répertorier leurs clients potentiels par type d'entreprises, puis élaborer des stratégies de marketing afin de cibler ces derniers. Les entreprises peuvent aussi segmenter les marchés interentreprises en fonction de la taille du segment et de l'utilisation finale des produits.

OA 4 Décrivez le processus d'achat interentreprises

Le processus d'achat interentreprises se déroule en six étapes : la reconnaissance d'un besoin, la détermination des caractéristiques du produit, la procédure d'appel d'offres, l'analyse des soumissions et le choix d'un fournisseur, la détermination des caractéristiques de la commande (achat) et l'analyse du fournisseur. Ce processus est plus formel et structuré que celui utilisé par le consommateur final. Qui plus est, les fournisseurs et leurs clients sont plus proches les uns des autres et plus impliqués dans le processus d'achat, le choix final du produit dépendant en partie des relations entretenues par l'entreprise avec ses partenaires d'affaires.

OA 5 Décrivez les facteurs qui influent sur le processus d'achat interentreprises

Dans le commerce interentreprises, plusieurs personnes, qui composent le centre d'achats, participent à la décision d'achat. S'il veut être efficace, le fournisseur doit comprendre les relations entre les membres du centre d'achats. La culture organisationnelle peut aussi influer sur le processus décisionnel. Par exemple, si une entreprise veut vendre ses produits à un jeune fabricant de composants d'ordinateur à la fine pointe, elle a tout intérêt à lui envoyer un représentant qui connaît le langage de l'informatique et qui se liera facilement avec ce client. Enfin, le processus d'achat interentreprises dépend en grande partie de la situation d'achat. Lorsqu'une entreprise achète un produit ou un service pour la première fois, le processus est beaucoup plus complexe que lorsqu'elle effectue un rachat direct.

 **Expliquez comment Internet a amélioré le commerce interentreprises**

Internet a davantage transformé le commerce inter-entreprises que toute autre innovation antérieure. Ce réseau facilite non seulement les contacts entre les gens et les entreprises, mais aussi l'échange d'informations entre entreprises.

Les acheteurs peuvent acquérir des produits et des services en ligne par l'entremise des échanges privés – au cours desquels une entreprise invite d'autres entreprises à faire des affaires avec elle en ligne – et des enchères en ligne. Ces échanges et ces enchères simplifient l'approvisionnement, ouvrent des marchés à de nouveaux acheteurs et vendeurs, et assurent une meilleure tarification en fonction du marché.

Mots clés

- acheteur professionnel, p. 216
- appel d'offres (AO), p. 212
- centre d'achats, p. 215
- centre d'achats autocratique, p. 218
- centre d'achats consultatif, p. 218
- centre d'achats démocratique, p. 218
- centre d'achats par consensus, p. 218

- culture organisationnelle, p. 217
- décideur, p. 216
- demande dérivée, p. 207
- échange privé, p. 222
- enchère à l'anglaise, p. 223
- enchère inversée, p. 223
- filtre (ou portier), p. 216
- influenceur, p. 216
- initiateur, p. 216
- nouvel achat, p. 220

- rachat direct (ou rachat simple), p. 220
- rachat modifié, p. 220
- revendeur, p. 204
- Système de classification des industries de l'Amérique du Nord (SCIAN), p. 209
- utilisateur, p. 216

Révision des concepts

1. Expliquez comment les gestionnaires marketing peuvent utiliser le SCIAN pour segmenter les marchés interentreprises. Nommez deux autres manières dont ils peuvent utiliser le SCIAN pour segmenter ces marchés. Appuyez votre réponse sur des exemples pertinents.

2. Décrivez les caractéristiques qui distinguent le commerce interentreprises du commerce de détail.

3. Exposez les principales différences entre le processus d'achat au détail décrit dans le chapitre 6 et le processus d'achat interentreprises décrit dans ce chapitre.

4. Expliquez pourquoi la prise d'une décision d'achat ne suit pas toujours les six étapes du processus d'achat interentreprises et pourquoi certains achats requièrent un processus décisionnel plus rigoureux et systématique. Donnez des exemples de situations d'achat pour étayer votre réponse.

5. Quels aspects clés distinguent le nouvel achat, le rachat modifié et le rachat direct ? Appuyez votre réponse sur trois exemples clairs.

6. Nommez cinq façons dont Internet facilite le processus d'achat et le processus décisionnel interentreprises.

7. Expliquez le concept du centre d'achats. Quels facteurs peuvent influer sur le comportement de ses membres ? Quel est le rôle du filtre et en quoi ce dernier influe-t-il sur la décision d'achat ?

8. Expliquez en quoi la compréhension du rôle, de la structure et du comportement d'un centre d'achats peut faciliter la vente de produits et de services à des acheteurs interentreprises.

9. Dans le texte, on dit que le processus d'achat interentreprises en six étapes est analogue au processus d'achat au détail en cinq étapes. Comment pourrait-on réorganiser les étapes du processus d'achat interentreprises pour qu'il corresponde au processus d'achat au détail ?

10. En quoi la compréhension de la culture organisationnelle et du centre d'achats d'une entreprise cliente potentielle peut-elle être utile à un représentant commercial qui cible cette entreprise ?

Marketing appliqué

1. Donnez un exemple de chacun des quatre types d'organisations interentreprises.

2. Mazda veut évaluer la performance de deux fabricants susceptibles de lui fournir des systèmes audio pour ses véhicules. En vous basant sur les informations ci-dessous, indiquez quel fournisseur Mazda devrait choisir.

Critère	Importance relative	Performance du fabricant A	Performance du fabricant B
L'évaluation de la performance de deux fabricants			
Qualité du système audio	0,4	5	3
Coût	0,3	2	4
Délai de livraison	0,1	2	2
Notoriété de la marque	0,2	5	1
Total	1		

Note: La performance est évaluée sur une échelle de 1 à 5 (1 = médiocre, 5 = excellent).

3. Supposons que vous ayez écrit ce manuel scolaire et que vous vouliez le vendre à votre établissement d'enseignement. Nommez les six membres du centre d'achats. Quel rôle chacun des membres jouera-t-il dans le processus décisionnel? Classez-les en fonction de leur degré d'influence sur la décision (1 = le plus influent, 6 = le moins influent). Ce classement changerait-il dans des situations d'achat différentes?

4. Donnez un exemple des trois situations d'achat auxquelles la librairie de votre université pourrait faire face lorsqu'elle voudra acheter des manuels scolaires.

5. Décrivez la culture organisationnelle de votre établissement d'enseignement ou de l'organisation pour laquelle vous travaillez. En quoi diffère-t-elle de celle du dernier établissement d'enseignement que vous avez fréquenté ou de la dernière entreprise où vous avez travaillé?

6. Nike fabrique des chaussures et des vêtements de sport. En quoi Internet a-t-il modifié la façon dont cette entreprise communique avec ses fournisseurs et ses revendeurs?

7. Vous travaillez depuis peu au Service des achats d'une importante société pétrolière. Le directeur des achats vous demande de l'aider à rédiger un appel d'offres relatif à un achat important. Il vous donne une feuille contenant les détails de l'appel d'offres. En la lisant, vous constatez que l'appel d'offres est extrêmement biaisé en faveur d'un soumissionnaire. Que devriez-vous faire?

8. Vous venez d'accepter un poste chez Cognos, le plus gros fournisseur de systèmes d'information de gestion (SIG) du Canada, en tant que représentant commercial de sa suite logicielle. Choisissez une entreprise que vous ciblerez et expliquez comment vous pourriez identifier les membres de son centre d'achats. Comment procéderiez-vous pour cibler les besoins de chacun?

9. Cognos vient de créer un nouveau système d'information de gestion qu'elle aimerait vendre à certains de ses clients actuels. Vous faites partie de l'équipe de vente. Aborderiez-vous un client existant de la même façon qu'un nouveau client? En quoi votre attitude serait-elle différente?

10. Vous possédez une entreprise de taille moyenne (environ 450 employés) dotée d'un centre d'appels. Ce dernier offre un soutien technique accessible jour et nuit aux propriétaires d'un ordinateur personnel. Un jour, un représentant commercial de Dell, HP ou Lenovo vous fait la proposition suivante: «Si vous achetez tous vos produits informatiques chez nous, nous ferons de vous notre centre d'appels exclusif pour l'Ontario et le Québec.» En supposant que toutes les conditions de l'offre soient avantageuses pour vous, accepterez-vous celle-ci? Selon vous, serait-il correct sur le plan éthique de le faire?

Internaute averti

1. Naviguez sur le site du ministère des Travaux publics et Services gouvernementaux du Canada (www.tpsgc-pwgsc.gc.ca/comm/index-fra.html) pour en apprendre plus sur la façon de vendre des produits et des services au gouvernement fédéral. À partir de l'information affichée sur le site, décrivez le processus d'achat du gouvernement et expliquez comment le système de soumissions électronique facilite l'achat et la vente entre les entreprises canadiennes et le gouvernement canadien.

2. Mark's/L'Équipeur, une société canadienne surtout active sur le marché de détail, vous engage comme agent de relations avec l'État. Votre principale tâche consiste à aider la société à s'intégrer au marché interentreprises en vendant ses marchandises, surtout aux ministères du gouvernement. Expliquez ce que vous feriez pour préparer Mark's/L'Équipeur à faire des affaires avec le gouvernement canadien. Astuce : vous trouverez une pléthore de renseignements utiles sur les sites de Travaux publics et Services gouvernementaux Canada (www.tpsgc-pwgsc.gc.ca/comm/index-fra.html), d'Achatsetventes.gc.ca et de Strategis (http://strategis.ic.gc.ca/sc_coinf/frndoc/homepage.html).

Étude de cas

LE *GLOBE AND MAIL* COURTISE DE NOUVEAUX ANNONCEURS

Quand vous pensez au *Globe and Mail*, le premier quotidien national du Canada, c'est sans doute son excellente couverture des affaires commerciales et politiques, à l'échelle tant nationale qu'internationale, qui vous vient à l'esprit. Son lectorat est principalement constitué de professionnels, de politiciens, d'universitaires et d'autres membres de la classe dirigeante ou politique. Peu de gens associeraient le *Globe and Mail* avec des croisières de luxe, mais c'est précisément ce que le quotidien proposait récemment à ses lecteurs et à ses partenaires. Comme nous le verrons, bien que la clientèle de ces croisières soit formée surtout de consommateurs, et en particulier de lecteurs du quotidien, cette promotion a nécessité un énorme travail de marketing interentreprises.

L'idée de proposer des croisières est née au moment où le *Globe and Mail* s'apprêtait à modifier le concept de son journal et à y intégrer une nouvelle section intitulée « Globe Life ». Lancée en 2007, « Globe Life » se concentrait sur des sujets comme la nourriture, le vin, l'équilibre entre travail et vie personnelle, le rôle de parent, les relations et le mode de vie, sujets que le *Globe and Mail* n'avait pas l'habitude de traiter. Son défi immédiat consistait donc à attirer des annonceurs pour cette nouvelle section du journal et à y intéresser son lectorat habituel. Pour ce faire, les responsables du marketing du *Globe* ont voulu lancer une promotion innovante qui englobait tous les sujets couverts dans « Globe Life ». C'est alors que Sanjay Goel, président de Cruise Connections et l'un des annonceurs existants du *Globe and Mail*, a suggéré qu'une croisière de luxe serait un excellent moyen de recruter de nouveaux annonceurs et lecteurs et d'intéresser les annonceurs et lecteurs du moment à « Globe Life ».

Pour réaliser ses objectifs, le *Globe* devait proposer un service qui créerait une valeur élevée pour ses lecteurs, les annonceurs et le journal lui-même. Les croisières ont attiré des lecteurs en tant que passagers et des annonceurs en tant que commanditaires, offrant ainsi des avantages uniques aux deux parties. Le chef vedette du *Globe and Mail* Massimo Capara, la chroniqueuse culinaire Lucy Waverman, l'œnologue Beppi Crosariol et des journalistes ont été invités à bord pour discuter de nourriture et de vins avec les croisiéristes, deux sujets évoquant le contenu de la section « Globe Life » du journal. Les journalistes du *Globe* qui se trouvaient à bord ont animé des ateliers, des forums, des séances de questions et réponses ainsi que des démonstrations, et ils ont dirigé des excursions à terre. Un annonceur du *Globe*, la Lifford Wine Agency, a organisé des dégustations de vins et des ateliers. La croisière visait à rejoindre des annonceurs dont les offres uniques constituaient de nouveaux points de contact avec la clientèle, qui différaient de ceux que le *Globe* ou son site Web offraient déjà.

Afin de déterminer comment une croisière pouvait offrir une grande valeur à toutes les parties concernées, le *Globe* a élaboré un modèle d'affaires, recueilli des données et effectué une analyse complète des coûts et des recettes liés à une croisière de luxe. À partir des résultats de cette analyse, le *Globe* a décidé d'offrir une croisière baptisée Carribean Odyssey, dans les Caraïbes, en 2007, laquelle fut suivie de la Mediteranean Odyssey, en Méditerranée, en 2009. Contrairement à la croisière dans les Caraïbes, qui avait été suggérée par un annonceur du *Globe*, l'idée d'une croisière en Méditerranée est venue des passagers de la croisière dans les Caraïbes. Dans les deux cas, le *Globe* s'est associé à plusieurs autres organisations offrant une variété de marchandises et de services afin de concrétiser son projet de croisière. Ainsi, l'entreprise a dû recruter des commanditaires et des publicitaires dont les produits et services avaient un rapport avec les sujets couverts dans « Globe Life », comme la nourriture, les vins et le mode de vie. De même, elle a dû obtenir les approbations nécessaires des organisateurs de croisières ainsi que des fonctionnaires des pays et des villes où les croisières devaient faire escale. Selon Sean Humphrey, directeur du marketing du *Globe and Mail*, toutes ces transactions interentreprises ont nécessité des discussions et des négociations serrées et personnalisées qui se sont échelonnées dans le temps.

Comme l'a souligné Humphrey, vendre l'idée d'une croisière à des annonceurs et à des commanditaires est beaucoup plus complexe que vendre des espaces publicitaires. Les directeurs de la publicité du *Globe* ont donc recensé des annonceurs potentiels et élaboré des diaporamas adaptés à chacun en fonction de son degré d'ouverture probable au concept. Ensuite, l'entreprise a mis sur pied une équipe de marketing de haut niveau ayant pour mission de rencontrer ces clients éventuels et de leur faire une présentation officielle. L'équipe se composait du directeur et du vice-président du marketing et de Sanjay Goel. Ce dernier a pris part aux présentations parce qu'il possédait la compétence nécessaire pour expliquer aux annonceurs en quoi l'expérience à bord serait profitable pour eux. Selon Humphrey, la présentation et le processus de recrutement différaient d'un client à l'autre, mais ils étaient toujours axés sur la même question : quel type d'expérience et d'exposition le *Globe and Mail* peut-il offrir à leur marque ?

Pour attirer des croisiéristes, le *Globe* a surtout fait appel aux médias de masse : télévision, magazines de tourisme et de voyage ainsi que son propre journal et son site Web. Pour séduire ses lecteurs, l'entreprise a lancé un concours doté de prix sous forme de places en cabine gratuites. Toutes les places pour la croisière dans les Caraïbes se sont envolées et celle-ci a généré une abondante publicité auprès des consommateurs et des médias pour « Globe Life », comblant ainsi en tous points les attentes du *Globe and Mail*.

Comme nous l'avons mentionné précédemment, l'idée d'organiser une croisière en Méditerranée venait des lecteurs du *Globe and Mail* ayant pris part à la croisière dans les Caraïbes. La croisière en Méditerranée commençait en Turquie et passait par la Crète, Malte et la Corse avant de s'arrêter à Pompéi, à Florence et à Rome. Le périple, d'une durée de deux semaines, se terminait à Monte-Carlo, dans la principauté de Monaco. De nombreux extras avaient été prévus tant pour les passagers que pour les publicitaires. Ainsi, à Istanbul, les croisiéristes pouvaient participer à une excursion qui les emmenait à la célèbre Mosquée Bleue le premier jour du ramadan pour assister à la prière du matin. Pendant la visite des ruines d'Éphèse, ils ont pu assister à un concert privé donné par la chanteuse de jazz montréalaise Nikki Yanofsky dans un amphithéâtre à ciel ouvert. En Toscane, ils ont bénéficié d'un cours offert par une école culinaire de renom et visité des vignobles célèbres dans le monde entier. Bien que les musées soient habituellement fermés le lundi à Florence, le *Globe* avait négocié une visite exclusive des célèbres Galeries des Offices et de l'Académie. Enfin, à Rome, les croisiéristes ont eu droit à une visite privée des Musées du Vatican guidée par un cardinal et suivie d'un concert donné par le Chœur de la chapelle Sixtine dans la chapelle même.

Pour toutes ces activités, le *Globe and Mail* avait demandé la collaboration du gouvernement de chaque pays. Cruise Connections a joué un rôle clé en établissant des liens avec les gouvernements turc et italien de même qu'avec Turkish Airlines, lesquels souhaitaient être intégrés dans le circuit méditerranéen. En échange de leur autorisation et de leur collaboration, le *Globe and Mail* a offert aux gouvernements turc et italien des forfaits publicitaires spéciaux faisant la promotion des régions visitées pendant la croisière.

De plus, le *Globe* a donné à ces pays une grande visibilité et en a fait la promotion tant dans ses éditoriaux que dans sa publicité. En retour, les gouvernements ont accepté d'annoncer et de subventionner les événements uniques organisés dans leur pays. La Turquie désirait vivement cette publicité parce qu'elle voulait se positionner comme une destination touristique auprès des Canadiens et que Turkish Airlines s'apprêtait à reprendre ses vols vers Toronto. Avant la croisière, la compagnie aérienne avait interrompu ses vols vers Toronto en raison des différends politiques entre Harper et le gouvernement turc, qui avaient leur origine dans certains commentaires du gouvernement canadien sur le conflit entre Arméniens et Turcs survenu des années plus tôt.

Par l'entremise de Cruise Connections, son fournisseur de croisières, le *Globe* a requis les services de Vanguard Travel en Turquie pour organiser et promouvoir toutes les activités devant se dérouler dans ce pays. Ainsi, Vanguard Travel a travaillé étroitement avec des hauts fonctionnaires du gouvernement turc pour organiser la visite de la Mosquée Bleue et le concert d'Éphèse. En effet, ces deux lieux sont des propriétés du gouvernement et l'on ne peut les visiter sans l'autorisation et la collaboration de celui-ci.

Le *Globe* a demandé aux publicitaires participant à la croisière de concevoir des activités uniques susceptibles de capter l'attention des passagers et de promouvoir leurs marques auprès de ceux-ci. C'est ainsi qu'un annonceur a organisé un cours de conduite automobile commandité par BMW à Monte-Carlo afin de donner aux croisiéristes une expérience de sa marque. Essentiellement, les publicitaires à bord ont pris part à une sorte de groupe de discussion réunissant des lecteurs, des journalistes, des chefs, des œnologues et des gestionnaires marketing du *Globe and Mail*. Ils se sont familiarisés avec la marque *Globe and Mail* et ce qu'elle pouvait leur offrir. De plus, ils disposaient d'un marché captif composé de lecteurs riches et influents du journal, qu'ils ont appris à connaître, ce qui leur a permis de les rejoindre et de mieux les servir. Selon le directeur du marketing du *Globe*, la croisière a contribué à éliminer le préjugé répandu chez les publicitaires selon lequel le lectorat typique du journal se compose d'hommes de race blanche entre 60 et 70 ans travaillant sur Bay Street. Bon nombre d'annonceurs ont compris que le *Globe* était lu par des personnes riches et influentes de toutes origines ethniques, issues de secteurs comme le commerce de détail, la technologie, la banque et la finance. Soudain, ils bénéficiaient d'un marché captif de personnes riches et cette situation durerait 11 jours.

La croisière en Méditerranée a été lancée en 2009, au milieu de la pire récession économique que le pays ait connue depuis la crise de 1929. Toutes les entreprises révisaient fortement leurs dépenses de publicité à la baisse. Par conséquent, pour attirer des annonceurs, le *Globe and Mail* a offert une place en cabine gratuite à ceux dont les dépenses publicitaires auprès de l'entreprise dépassaient le montant prévu au contrat à hauteur d'une somme précise, laquelle était déterminée au cas par cas. Cette mesure a attiré plus de 30 nouveaux annonceurs au *Globe and Mail* et rapporté 1,5 million de dollars en recettes publicitaires.

Les croisières ont attiré des lecteurs du Globe and Mail *en tant que passagers et des annonceurs en tant que commanditaires, offrant ainsi des avantages uniques aux deux parties.*

Comme nous l'avons mentionné plus tôt, proposer une croisière déborde du cadre d'activité usuel du *Globe and Mail*, dont la fonction est d'informer les Canadiens. L'aventure n'était donc pas sans risque. De plus, le *Globe* risquait gros en choisissant l'année 2009, car le Canada traversait alors une crise économique majeure : le taux de chômage était en hausse, la confiance des consommateurs en baisse, et les entreprises sabraient dans leurs dépenses. C'est pourquoi la décision d'aller de l'avant et d'organiser cette croisière a été scrutée à la loupe. Cette décision engageait plusieurs cadres du *Globe and Mail* et de sa société mère de l'époque, CTVglobemedia. Cinq groupes de cadres représentant divers intérêts ont pris part au processus décisionnel. Ces cadres comprenaient le directeur et le vice-président du marketing et du développement des affaires, le vice-président de la publicité et des ventes, l'éditeur du *Globe and Mail* et le directeur financier de CTVglobemedia. Chacun a examiné la proposition sous un angle différent. Ainsi, le directeur du marketing a étudié l'argument commercial, soit l'intérêt suscité par l'offre, pour déterminer si l'entreprise pouvait vendre toutes les places en cabine. Le vice-président de la publicité et des ventes a évalué les recettes susceptibles de provenir des commandites et des incitations publicitaires. Le directeur financier a évalué la proposition à la lumière de l'ensemble des résultats prévisionnels, lesquels permettaient d'évaluer les facteurs de risque (le tableau d'ensemble). Après moult discussions, tous les cadres se sont mis d'accord et ont décidé d'aller de l'avant avec le projet de croisière.

Questions

1. En vous basant sur les renseignements contenus dans cette étude de cas, énoncez les principales différences entre le processus d'achat interentreprises et celui du consommateur.

2. Dans quelle mesure le processus d'achat suivi dans l'étude de cas reflète-t-il le processus d'achat décrit dans ce manuel ? Quels facteurs expliquent les différences observées, le cas échéant ?

3. Qui sont les membres du centre d'achats, et quel est le rôle de chacun dans la décision d'achat ?

4. Des quatre types de centre d'achats décrits dans ce chapitre (autocratique, démocratique, consultatif et par consensus), lequel s'applique au processus ayant conduit à la décision d'organiser une croisière en Méditerranée ? Expliquez votre réponse.

CHAPITRE 8

La segmentation, le ciblage et le positionnement

D ans les chapitres précédents, nous avons vu qu'un marketing efficace repose sur une compréhension profonde des besoins, des désirs et des comportements d'achat des consommateurs. Nous allons maintenant examiner comment les gestionnaires marketing identifient les groupes de consommateurs les plus pertinents en suivant un processus qui consiste à segmenter le marché, à déterminer les marchés cibles et à positionner leurs produits et leurs services sur ces marchés cibles.

Coca-Cola crée une foule de produits différents pour mieux répondre aux besoins de ses clients. Aujourd'hui, la Coca-Cola Company est l'une des plus importantes entreprises de biens de consommation au monde. Pourtant, lorsqu'elle a mis en marché son premier Coca-Cola en 1886, ses ventes, modestes, s'élevaient en moyenne à neuf boissons par jour[1]. Sa croissance, stimulée en grande partie par une approche du marketing remarquablement disciplinée, a été telle qu'aujourd'hui les produits Coca-Cola sont vendus dans plus de 200 pays à un taux ahurissant de un milliard de sodas par jour[2]. Néanmoins, Coca-Cola continue d'être confrontée aux enjeux uniques d'un secteur en pleine maturité : son taux de croissance global est faible et, pour augmenter ses ventes, elle doit soit attirer des adeptes d'autres marques de soda, soit encourager ses clients actuels à boire davantage de Coca-Cola. Or, dans un cas comme dans l'autre, le défi est de taille.

La solution réside en partie dans la façon dont l'entreprise aborde le développement de nouveaux produits[3]. Coca-Cola crée des produits uniques destinés à divers segments de marché précis. Comme ces produits uniques séduisent des groupes particuliers, Coca-Cola peut augmenter ses ventes sans cannibaliser ses autres produits. Vous est-il arrivé de bouder les sodas afin de limiter la quantité de caféine que vous ingérez ? Coca-Cola vous montre qu'elle est consciente de votre dilemme en vous proposant son Coca-Cola Zero et son Coke Diète. Vous aimez la caféine, mais voulez en consommer moins en soirée ? Pourquoi ne pas acheter une caisse de Coca-Cola classique que vous boirez en après-midi pour vous ragaillardir au besoin et une caisse de Coca-Cola Zero pour vous désaltérer en soirée? En introduisant des versions décaféinées de ses boissons traditionnelles, Coca-Cola pourrait augmenter ses ventes quotidiennes sans cannibaliser ses autres produits parce que les consommateurs ciblés par ces boissons avaient déjà délaissé le Coca-Cola afin de réduire leur consommation de caféine.

Grâce à ses efforts pour cerner et cibler ces segments de marché précis, Coca-Cola a étendu son portefeuille de marques à plus de 400 produits[4]. La situation du Coke Diète était particulière, car les «vrais» hommes ne voulaient pas d'une boisson diététique «à connotation féminine». Mais Coca-Cola avait un plan: le lancement très médiatisé du Coca-Cola Zero contournait l'horrible mot *diète*[5] et ciblait les hommes avec son emballage «viril», ses promotions et son image. En ciblant les hommes âgés de 18 à 34 ans qui voulaient un Coca-Cola faible en calories, mais boudaient le Coke Diète, l'entreprise a augmenté ses ventes de produits Coca-Cola de 33 %[6].

Réussir le lancement d'un nouveau produit requiert un produit innovant doublé d'une campagne marketing qui sache communiquer la valeur de ce produit auprès de la clientèle visée. Le lancement de Coca-Cola Zero s'est appuyé sur un effort de marketing intense englobant publicités télévisées, radiophoniques et imprimées, panneaux publicitaires, publicité en ligne et distribution d'échantillons à grande échelle. L'absence de calories ou l'aspect diététique du nouveau produit ont été passés sous silence; la publicité mettait plutôt en valeur la similarité de goût entre le Coca-Cola classique et le Coca-Cola Zero et affichait des couleurs sombres et hardies. Dans le cadre de cette campagne, l'entreprise avait même mis en ligne un jeu de football virtuel, le Fantasy Football Fever, sur le site Web du Coca-Cola Zero, jeu qui était régulièrement offert en baladodiffusion dans les sites du réseau ESPN.

Coca-Cola a conçu une nouvelle boisson diète pour répondre aux attentes de la clientèle masculine.

En segmentant le marché du cola diète en fonction des genres, Coca-Cola a pu adapter la publicité du Coca-Cola Zero de façon à capter l'intérêt des hommes, tandis que ses communications relatives au Coke Diète, au ton plus féminin, ciblaient nettement les femmes. La mise en marché du Coca-Cola Zero est l'une des plus réussies dans la longue histoire de la société[7].

Certaines personnes aiment les boissons fruitées, d'autres, les boissons énergétiques riches en caféine. Certaines veulent un produit faible en calories, tandis que d'autres recherchent surtout une boisson qui désaltère après un entraînement physique. D'autres encore veulent des boissons bon marché, tandis que certains privilégient les boissons biologiques. Mais, très probablement, un groupe de consommateurs désire une boisson caféinée de couleur foncée, au goût de cola, tandis qu'un autre groupe recherche une boisson de couleur pâle, au goût d'agrumes et faible en calories. Chacun de ces attributs est susceptible d'attirer un groupe de consommateurs, ou segment de marché, distinct.

Dans le chapitre 1, nous avons appris que l'objectif principal du marketing est de satisfaire les besoins et les désirs des consommateurs. Une entreprise pourrait fabriquer un type de boisson et espérer répondre ainsi aux désirs de tous les consommateurs; c'est exactement le type d'erreurs qui entraîne le déclin de certaines entreprises. Les fabricants de boissons pourraient plutôt analyser le marché en vue de savoir quels types de boissons les consommateurs recherchent, puis lancer des produits qui correspondent aux désirs de groupes particuliers. Mais, là encore, il ne suffit pas de fabriquer des produits diversifiés. Les entreprises du secteur des boissons comme Coca-Cola doivent, d'une part, déterminer les caractéristiques du marché et, d'autre part, développer une stratégie de réponse qui positionne judicieusement une gamme de produits en relation avec la demande et en tenant compte de la concurrence.

Dans le chapitre 2, nous avons décrit les étapes de la conception d'un plan marketing. À la première étape, le gestionnaire marketing définit la mission ou la vision de l'entreprise, de même que ses objectifs. À la deuxième étape, il effectue l'analyse de la situation. La troisième étape consiste à reconnaître et à évaluer les occasions d'affaires en procédant à la segmentation, au ciblage et au positionnement, ce qui constitue le sujet du présent chapitre. Les chapitres 4 et 17 abordent l'importance de comprendre l'environnement marketing et de mener des recherches systématiques et rigoureuses en vue de mieux connaître les consommateurs et, par la suite, d'élaborer des stratégies de segmentation, de ciblage et de positionnement efficaces afin de mieux répondre à la demande.

Comme nous l'avons mentionné dans l'introduction du chapitre, Coca-Cola a cerné un groupe de consommateurs qui devraient avoir une réponse semblable aux efforts de commercialisation de l'entreprise. Ce groupe porte le nom de segment de marché. Ainsi, le groupe de personnes qui préfèrent le Coke Diète représente un segment de marché distinct. Après avoir évalué le potentiel d'attraction de divers segments de marché, Coca-Cola a décidé de se concentrer sur un seul segment, son marché cible, car l'entreprise considère qu'elle arrivera mieux que la concurrence à répondre aux besoins de ce groupe. Comme nous l'avons vu dans le chapitre 2, la division du marché en groupes de consommateurs selon leurs besoins, leurs désirs ou certaines caractéristiques, et qui sont donc généralement intéressés à se procurer des produits et des services conçus à leur intention, porte le nom de segmentation du marché.

Une fois que Coca-Cola a défini le marché cible, elle doit convaincre les individus qui composent ce marché que leur choix en matière de soda devrait s'arrêter sur le Coca-Cola Zero. Pour ce faire, elle doit déterminer les variables du marketing mix afin que les consommateurs cibles comprennent parfaitement l'utilité du produit ou du service et ce qu'il représente comparativement aux produits concurrents. Ce processus, appelé «positionnement» a été expliqué dans le chapitre 2. Ainsi, pour se positionner sur le marché, Coca-Cola a conçu une campagne publicitaire axée sur le style de vie qui explique que le Coca-Cola Zero est la seule boisson diététique qui goûte comme le vrai Coca-Cola. L'idée est de faire en sorte que les consommateurs se souviennent de la marque Coca-Cola Zero lorsqu'ils seront à l'étape de reconnaissance des besoins de leur processus décisionnel (chapitre 6). Coca-Cola a également veillé à ce que son soda soit en vente là où les consommateurs voudraient l'acheter.

Le processus de segmentation, de ciblage et de positionnement (SCP)

OA **1**

Dans ce chapitre, il sera question de la segmentation du marché (processus de SCP). Comme l'indique la feuille de route apparaissant à la page suivante, nous traiterons d'abord de la segmentation du marché, ou de la façon dont la stratégie de segmentation s'inscrit dans les objectifs et la stratégie générale d'une entreprise, et des segments de marché qu'il est avantageux de cibler. Ensuite, nous verrons comment choisir un ou plusieurs marchés cibles à l'aide de l'évaluation du potentiel d'attraction et, à partir de cette évaluation, le ou les segments à tenter de pénétrer. Finalement, nous

FEUILLE DE ROUTE

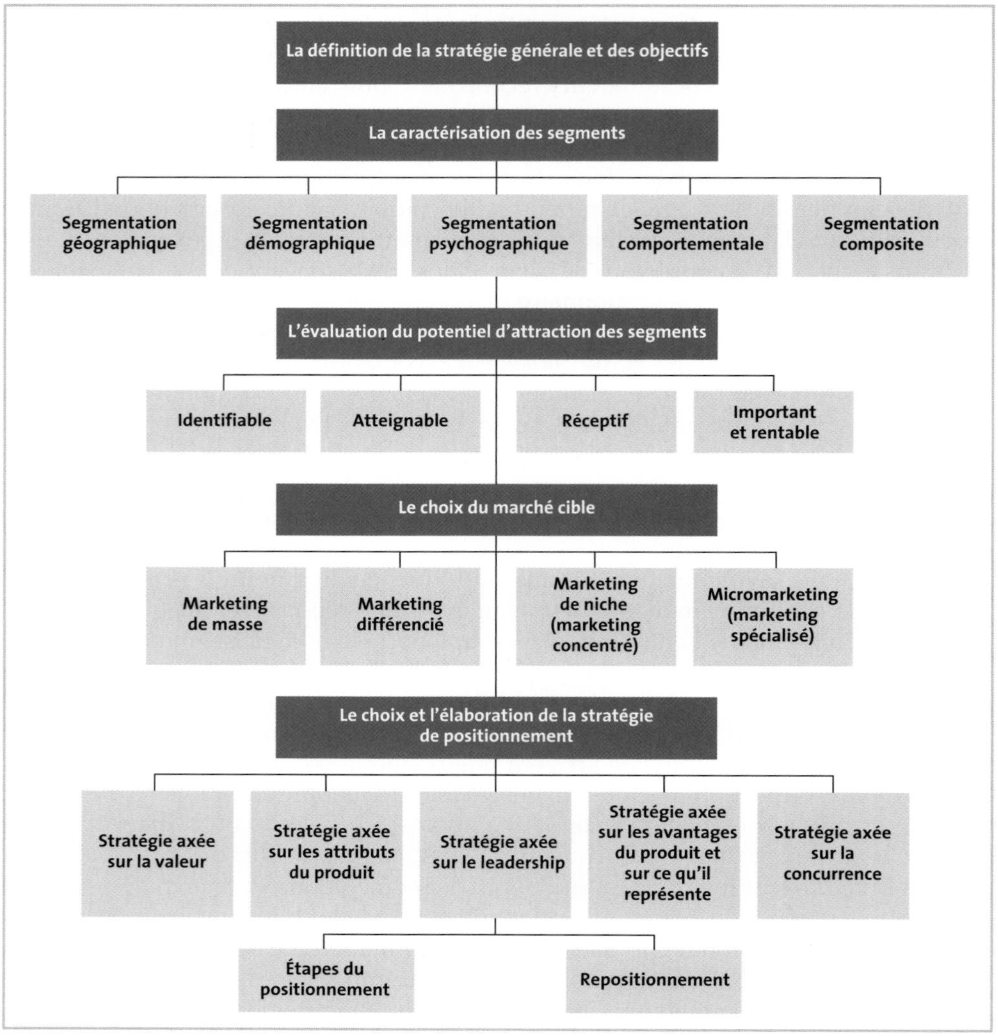

La définition de la stratégie générale et des objectifs

La caractérisation des segments

| Segmentation géographique | Segmentation démographique | Segmentation psychographique | Segmentation comportementale | Segmentation composite |

L'évaluation du potentiel d'attraction des segments

| Identifiable | Atteignable | Réceptif | Important et rentable |

Le choix du marché cible

| Marketing de masse | Marketing différencié | Marketing de niche (marketing concentré) | Micromarketing (marketing spécialisé) |

Le choix et l'élaboration de la stratégie de positionnement

| Stratégie axée sur la valeur | Stratégie axée sur les attributs du produit | Stratégie axée sur le leadership | Stratégie axée sur les avantages du produit et sur ce qu'il représente | Stratégie axée sur la concurrence |

| Étapes du positionnement | Repositionnement |

expliquerons comment une entreprise élabore sa stratégie de positionnement. Le processus de segmentation, de ciblage et de positionnement est illustré dans la figure 8.1.

Étape 1 : la définition de la stratégie générale et des objectifs

Dans le chapitre 2, vous avez appris que la première étape du processus de planification consiste à définir clairement la mission et les objectifs de la stratégie de marketing de l'entreprise. Par la suite, il faut s'assurer que la stratégie est cohérente par rapport

---

FIGURE 8.1   Le processus de segmentation, de ciblage et de positionnement

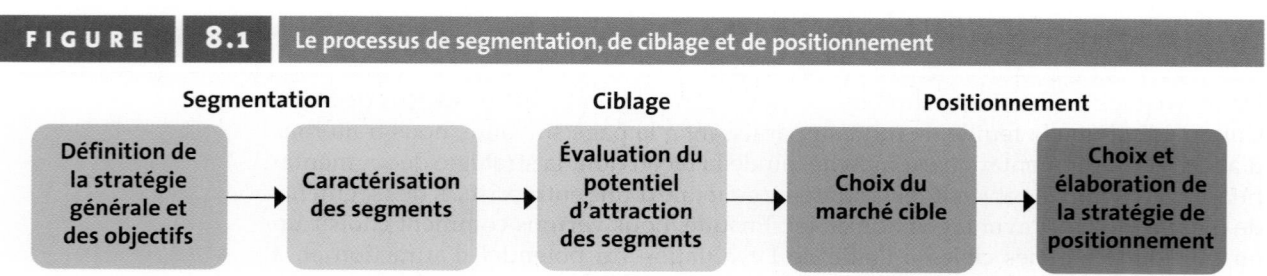

Segmentation — Ciblage — Positionnement

Définition de la stratégie générale et des objectifs → Caractérisation des segments → Évaluation du potentiel d'attraction des segments → Choix du marché cible → Choix et élaboration de la stratégie de positionnement

à la mission, aux objectifs et à la situation actuelle de l'entreprise (forces, faiblesses, opportunités et menaces – FFOM) et qu'elle en découle. Ainsi, l'objectif de Coca-Cola est d'augmenter ses ventes dans un secteur en pleine maturité. L'entreprise a reconnu que sa force résidait dans la notoriété mondiale de sa marque et dans sa capacité de placer de nouveaux produits sur les tablettes des détaillants. Sa principale faiblesse tenait au fait qu'elle ne proposait pas encore de gamme de produits pour les segments de marché émergents. En cernant un segment de marché potentiellement important et rentable avant bon nombre de ses principaux concurrents, Coca-Cola a saisi une formidable occasion d'affaires qui comportait pourtant une menace significative : celle de subir l'assaut de ses concurrents. La décision de Coca-Cola de cibler un marché composé d'hommes soucieux de leur santé est nettement cohérente avec sa stratégie générale et ses objectifs.

Étape 2 : la caractérisation des segments

OA **2**

La deuxième étape du processus de segmentation, de ciblage et de positionnement consiste à décrire les divers segments de marché, notamment leurs besoins, leurs désirs et leurs caractéristiques, ce qui permet à une entreprise d'établir un portrait de la clientèle qui constitue chacun de ces segments. Cela lui permet également de découvrir les ressemblances entre les individus d'un même segment et les différences entre ceux de segments différents. Par exemple, les gestionnaires marketing qui travaillent dans le domaine des boissons gazeuses ont divisé cette catégorie de produits selon que la boisson contient ou non de la caféine, qu'elle est ordinaire ou sans sucre, ou encore qu'elle est de type cola ou non. Ce type de segmentation est axé sur les avantages que le consommateur retire du produit.

Comme nous le verrons maintenant, les gestionnaires marketing peuvent avoir recours à divers modes de segmentation, notamment la segmentation géographique, démographique, psychographique, comportementale, ou encore composite, c'est-à-dire issue d'une combinaison de ces approches (*voir le tableau 8.1*).

La segmentation géographique

La **segmentation géographique** consiste à former des groupes de consommateurs en fonction de l'endroit où ils habitent. Ainsi, un marché peut être segmenté selon le pays (p. ex., le Canada, l'Allemagne, la Chine) des individus qui le composent, selon

segmentation géographique
(*geographic segmentation*)
Formation de groupes de consommateurs en fonction de l'endroit où ils habitent.

TABLEAU 8.1	Les principaux modes de segmentation des marchés
Mode de segmentation	**Exemples de segments**
Géographique	Pays, région, province, ville, climat, zone urbaine, zone rurale Continent : Amérique du Nord, Asie, Europe, Afrique États-Unis : région du Pacifique, région montagneuse, région centrale, États du Sud, région de l'Atlantique, nord-est
Démographique	Âge, sexe, revenu, niveau de scolarité, profession, état civil, situation familiale, cycle de vie d'une famille, religion, origine ethnique (p. ex., origine caucasienne, africaine, asiatique, indienne, allemande, irlandaise, arabe), cohorte générationnelle (p. ex., génération des *baby-boomers*, génération X, génération Y), accession à la propriété
Psychographique	Personnalité (innovateur, penseur, croyant, performant, battant, curieux, artisan et survivant), mode de vie (conservateur, libéral, aventureux, sociable, axé sur la santé et la forme physique) et classe sociale (supérieure, moyenne, ouvrière)
Comportementale	Avantages recherchés (utilité, économie, prestige, qualité, rapidité, service), utilisation (grand utilisateur, utilisateur modéré, petit utilisateur, non-utilisateur, ancien utilisateur, utilisateur potentiel, nouvel utilisateur) et fidélité (infidèle, relativement fidèle, fidèle)

la région (p. ex., les Maritimes, les provinces de l'Ouest), selon un endroit particulier au sein d'une région (p. ex., une province, une ville, un quartier, un indicatif régional) ou encore selon le climat ou la topographie (p. ex., chaud, froid et neigeux, montagneux).

Il n'est donc pas étonnant que la segmentation géographique soit un mode de segmentation fréquemment utilisé par les entreprises dont les produits visent à satisfaire des besoins qui varient en fonction de la région où habitent les consommateurs.

Une entreprise peut proposer les mêmes produits et services de base à tous les segments de marché visés, que ses activités soient régionales ou internationales. Cependant, les meilleurs gestionnaires marketing adaptent les produits et les services offerts afin qu'ils correspondent le mieux possible aux besoins de groupes géographiques particuliers. Par exemple, les chaînes de supermarchés comme Safeway ou Loblaw ont des commerces semblables et vendent des produits semblables aux quatre coins du Canada. Par contre, même si les supermarchés en soi sont semblables, un certain pourcentage des produits qu'ils proposent à leur clientèle variera selon les besoins des consommateurs de la région, de la ville et même du quartier où ils se trouvent.

Prenons l'exemple d'un nouvel hypermarché établi à Surrey, en Colombie-Britannique, dans un quartier où se trouve une forte concentration d'habitants originaires de l'État du Pendjab, en Inde. Dans le rayon des fruits et des légumes, on y trouve quantité de piments *pasilla*, de feuilles de cactus larges et plates, et de racines de yucca brunes et bosselées. Au comptoir des viandes, un client salue le boucher en punjabi, puis lui demande de lui faire mariner de la viande.

La segmentation démographique

La **segmentation démographique** consiste à former des groupes de consommateurs en fonction de critères objectifs et facilement mesurables, tels l'âge, le sexe, le revenu, le niveau de scolarité, la profession, la religion, l'origine ethnique, l'état civil, la situation familiale, le cycle de vie d'une famille, la cohorte générationnelle et l'accession à la propriété. Ces variables constituent les moyens les plus souvent utilisés pour segmenter un marché, parce qu'elles sont aisément reconnaissables et qu'il est plus facile d'intéresser les marchés segmentés de cette façon. Par exemple, si McCain ou Pizza Hut souhaitent annoncer aux enfants la sortie d'une nouvelle pizza, un des meilleurs moments pour diffuser leur annonce publicitaire est le samedi matin, pendant les dessins animés, et la semaine, à la sortie de l'école[8]. En tenant compte du profil des téléspectateurs de

segmentation démographique
(*demographic segmentation*)
Formation de segments de consommateurs en fonction de critères objectifs et facilement mesurables, tels l'âge, le sexe, le revenu, le niveau de scolarité, la profession et la résidence.

Certaines entreprises comme Gillette misent sur un facteur démographique important, le sexe, pour vendre leurs divers rasoirs aux hommes (publicité du Fusion, à gauche) et aux femmes (publicité du Venus, à droite).

plusieurs émissions de télévision, McCain et Pizza Hut peuvent ainsi trouver quelles pizzas correspondent aux facteurs démographiques de leur marché cible. Au Québec, comme il est interdit de cibler spécifiquement les enfants, le message devra être destiné aux parents plutôt qu'aux enfants.

Le sexe des personnes est une variable démographique qui joue un rôle important dans la manière dont les entreprises mettent leurs produits et leurs services en marché. Par exemple, les habitudes des hommes et des femmes à l'égard de la télévision diffèrent grandement. Les hommes ont tendance à zapper et à regarder les émissions programmées aux heures de grande écoute, surtout lorsqu'elles contiennent beaucoup d'action et qu'elles mettent en vedette des actrices au physique avantageux. Les femmes, quant à elles, regardent surtout les émissions dont l'histoire ou les personnages les touchent de même que celles recommandées par leurs amies[9]. Ainsi, des entreprises comme Gillette, qui vendent des rasoirs tant pour les hommes que pour les femmes, devront évaluer la popularité de diverses émissions lorsqu'elles seront à l'étape d'acheter du temps publicitaire. La rubrique Marketing et médias sociaux ci-dessous montre comment Internet peut être utilisé à des fins de ciblage des marchés.

De plus, comme nous l'avons vu dans le chapitre 4, la croissance du nombre de Canadiens d'origine étrangère, principalement de la Chine continentale, de Hong Kong, de Taiwan, des Philippines et de l'Asie du Sud-Est (Inde, Pakistan, Sri Lanka), a poussé les entreprises à élaborer un marketing et des stratégies de marketing en fonction de ces groupes ethniques.

Par contre, pour d'autres entreprises, les facteurs démographiques ne s'avèrent pas aussi utiles à la formation de segments cibles. C'est le cas dans le domaine des vêtements de sport, notamment les survêtements et les chaussures de sport. À une certaine époque, certaines entreprises, dont Nike, ont cru que ce type de produits

Marketing et médias sociaux

Les Canadiens, champions des réseaux sociaux[10]

Les Canadiens sont en tête du palmarès en ce qui concerne l'utilisation des médias sociaux. Selon comScore, une importante entreprise de mesure de l'activité Internet, 90 % des utilisateurs canadiens du Web (ce qui signifie plus de 23 millions de personnes) visitent quotidiennement un ou plusieurs réseaux sociaux et y passent plus de 41 heures par mois (tout juste un peu moins que les Américains, qui y passent 43 heures par mois), en visionnant 3 731 pages réparties sur 101 visites par mois, 2 métriques où les Canadiens sont les premiers au monde. Ces derniers sont aussi d'importants consommateurs de vidéos en ligne, avec 291 vidéos et 25 heures de visionnement par mois. Le réseau Netflix est devenu la première destination en termes de bande passante.

Les réseaux sociaux sont aussi populaires auprès des hommes que des femmes, quels que soient les groupes d'âge. Au moment où l'enquête a été publiée (2013), les destinations les plus populaires étaient Facebook, loin devant, suivi de Twitter, LinkedIn, Tumblr et Pinterest. Le rapport fait aussi état de la croissance rapide de l'accès mobile à Internet, où plus de 60 % des Canadiens possèdent un téléphone intelligent.

Il est également question de commerce électronique, dont la croissance est nettement plus rapide que celle des ventes au détail traditionnelles (19 % contre 3 % par an), mais dont le volume demeure relativement insignifiant à moins de 2 % des ventes traditionnelles, alors que la proportion est de plus de 5 % aux États-Unis.

Que doivent conclure les gestionnaires marketing ? Tout d'abord, il est clair qu'Internet est devenu un média incontournable, pratiquement sur un pied d'égalité avec la télévision, voire plus important chez les consommateurs les plus jeunes. Les médias sociaux sont donc particulièrement appréciés et les entreprises ont intérêt à cerner des moyens qui permettront de tirer profit de cette popularité, en fournissant, par exemple, du contenu facile à partager entre amis. Au même titre, il est évident que les appareils mobiles (téléphone intelligents et tablettes) sont en train de modifier considérablement les habitudes en magasin. On peut facilement comparer les prix, voire passer une commande en ligne chez un fournisseur pendant que l'on examine la marchandise physique chez un autre (furetage ou *showrooming*). Les consommateurs utilisent fréquemment leur téléphone intelligent pour obtenir des opinions ou des conseils sur différents produits, ou tout simplement pour demander s'il faut acheter du lait tant qu'à passer par l'épicerie...

n'intéressait que les jeunes personnes actives, mais comme la santé et la forme physique sont devenues une tendance populaire, des gens de tous âges se procurent ces produits. En outre, même les consommateurs relativement sédentaires, quels que soient leur âge, leur revenu ou leur niveau de scolarité, trouvent les vêtements de sport plus confortables que les vêtements de tous les jours. Étant donné qu'il est assez simple de recueillir des renseignements démographiques, cette variable est souvent employée dans le cadre de la segmentation du marché. Toutefois, selon la nature du produit et du marché, le gestionnaire marketing peut déduire qu'il est plus avantageux de jumeler la segmentation démographique avec un autre mode de segmentation (ces différents modes étant expliqués dans les sections qui suivent). La combinaison choisie leur permet ainsi de comprendre davantage leur clientèle potentielle. La conclusion à tirer de l'exemple de Nike est simple : le fait de se fier à des stéréotypes des segments de marché au lieu de tenter de comprendre ces derniers de façon approfondie peut entraîner de mauvais choix quant à la stratégie de segmentation, de ciblage et de positionnement.

La segmentation psychographique

Parmi tous les modes de segmentation, ou de division du marché, la **psychographie** consiste à découvrir comment les consommateurs se décrivent. Le plus souvent, les gestionnaires marketing se fondent sur les variables démographiques, les habitudes d'achat ou le niveau d'utilisation du produit en vue de déterminer à quel segment de marché appartient un individu. La psychographie, quant à elle, permet aux consommateurs de se décrire grâce aux caractéristiques qui les aident à faire des choix concernant leur emploi du temps (comportement), ce qui aide à dégager les causes sous-jacentes des choix qu'ils font[11]. Par exemple, une personne peut ressentir un grand besoin d'appartenir à un groupe, ce qui la poussera à choisir des activités ne pouvant se pratiquer en solo. Ce

choix influera à son tour sur le type de produits que cette personne achètera en vue d'être acceptée au sein du groupe. En outre, si la personne en question se joint à un club de lecture, elle cherchera à se procurer les plus récentes parutions et fréquentera des commerces comme les librairies Renaud-Bray ou Indigo. Cette auto-segmentation du consommateur peut représenter une information des plus utiles aux libraires qui tentent d'attirer de nouveaux clients.

En somme, la segmentation psychographique s'appuie sur la connaissance et la compréhension des trois facteurs suivants : les valeurs personnelles, l'image de soi et le mode de vie.

Les **valeurs personnelles** sont des balises que se crée chaque individu ; il ne s'agit pas simplement de buts à atteindre au quotidien. Elles ont trait à ses désirs profonds, qui déterminent la façon dont il choisit de vivre sa vie. Le respect de soi, l'accomplissement personnel et le sentiment d'appartenance sont autant d'exemples de valeurs personnelles. Ce facteur de motivation permet à la personne de se créer une image de ce qu'elle veut devenir et de trouver un mode de vie qui lui fera atteindre les buts qu'elle s'est fixés. Au point de vue du marketing, les valeurs personnelles offrent des indices quant aux avantages que peut rechercher le consommateur dans un produit ou un service. En ce sens, Lexus et BMW se sont servies de leurs slogans, « À la conquête de la perfection » et « Le plaisir de conduire » respectivement, pour cibler les valeurs personnelles des consommateurs. Ainsi, le besoin sous-jacent personnel et fondamental qui amène un individu à se procurer un produit d'une certaine marque naît de son désir d'atteindre l'un de ses buts.

Mais en quoi cet objectif personnel influet-il sur le comportement d'un individu? En jouant sur l'**image de soi**, donc sur l'idée que chacun se fait de son identité[12]. L'individu dont le but est d'appartenir à un groupe peut se percevoir comme étant quelqu'un de sociable qui aime s'amuser et que les autres veulent dans leur entourage. Les gestionnaires peuvent alors se servir de cette image dans leurs communications marketing et y présenter des produits qui sont utilisés par un groupe de gens qui s'amusent et qui veulent jouir de la vie. Le consommateur fait ensuite un lien entre le plaisir éprouvé par le groupe et le produit, ce qui évoque pour lui un certain mode de vie. Les agences de rencontre comme Lavalife recourent d'ailleurs à cette stratégie dans leurs messages publicitaires en vue de vendre leurs services, tout comme L'Oréal, dont le slogan de ses colorants capillaires est : « Parce que je le vaux bien. »

Le **mode de vie**, soit le troisième facteur psychographique, a trait à la façon dont un individu mène sa vie[13]. Si les valeurs personnelles offrent un but ultime à atteindre et que l'image de soi fait référence à l'idée que chacun se fait de son identité en fonction de ce but,

La marque Rollerblade propose aux consommateurs divers types de patins à roues alignées qui correspondent à leur mode de vie, de l'athlète du dimanche au patineur de compétition.

image de soi (*self-concept*) Idée que chacun se fait de son identité.

mode de vie (*lifestyle*) Composante de la segmentation psychographique qui fait référence à la façon dont un individu mène sa vie en fonction de ses objectifs.

le mode de vie, quant à lui, renvoie à la manière dont on mène sa vie afin d'atteindre les buts qu'on s'est fixés. Conséquemment, une personne qui a un fort sentiment d'appartenance et qui considère qu'elle s'intéresse aux autres choisira probablement de vivre dans une grande ville où les activités foisonnent. Il est fort probable qu'elle se joindra à des clubs et qu'elle prendra part à des activités dont les participants lui ressemblent. Les gestionnaires marketing y gagnent donc un groupe cible intégré où les centres d'intérêt et les désirs d'achat sont semblables. C'est ainsi que lululemon a pu bâtir son empire aussi rapidement, en misant non pas sur la segmentation démographique, mais sur une philosophie basée sur la santé, sur l'équilibre et sur le plaisir comme mode de vie. Dans le même ordre d'idées, l'entreprise Rollerblade fabrique divers types de patins à roues alignées adaptés aux modes de vie des consommateurs. Ainsi, le modèle Astro ABT est conçu pour les patineurs occasionnels qui recherchent le confort avant tout, le modèle Crossfire II 4D Air Carbon, pour ceux qui veulent des patins caractérisés par la rapidité, la polyvalence et le confort, et enfin le modèle Problade 07, pour les patineurs de compétition.

Selon l'approche VALS^MD, il est bien plus ardu de cerner les penseurs (en haut à gauche dans la figure 8.2, à la page suivante) que les artisans (en bas à droite), car les penseurs sont motivés par un idéal, alors que les artisans ont tendance à faire des achats en fonction de leur besoin de s'exprimer.

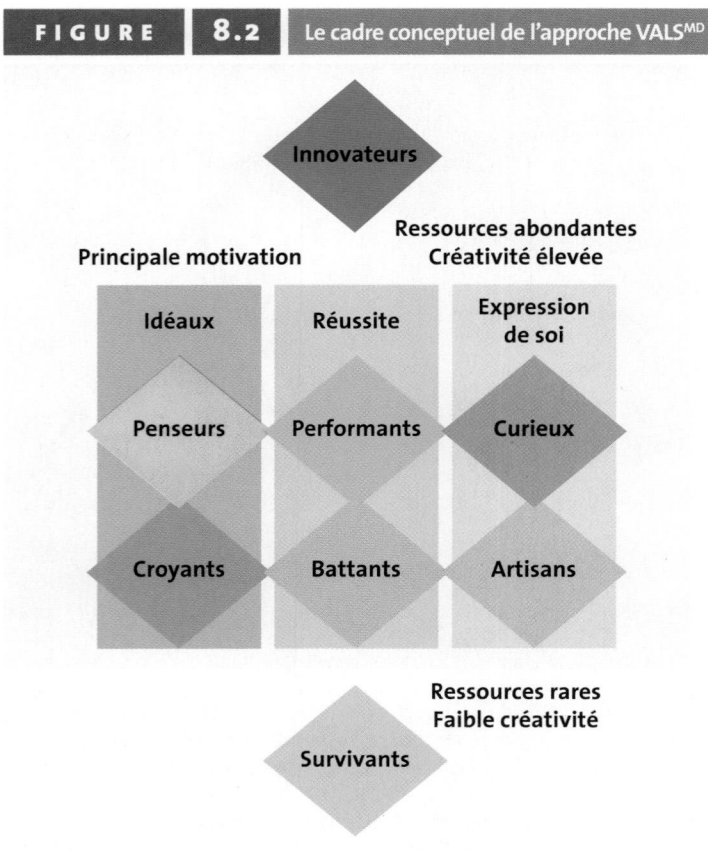

FIGURE 8.2 Le cadre conceptuel de l'approche VALS^MD

Source: traduit de www.strategicbusinessinsights.com (page consultée le 27 novembre 2014).

VALS^MD (*VALS*)
Instrument psychographique élaboré par la SRI Consulting Business Intelligence (désormais appelée Strategic Business Insight [SBI]) qui classe les consommateurs en huit groupes : les innovateurs, les penseurs, les croyants, les performants, les battants, les curieux, les artisans et les survivants.

segmentation comportementale
(*behavioural segmentation*)
Formation de groupes de consommateurs en fonction de leur utilisation d'un produit ou d'un service, notamment leur taux d'utilisation, leur statut d'utilisateur et leur fidélité à la marque.

L'instrument psychographique le plus répandu, l'approche VALS^MD, a été créé par SRI Consulting Business Intelligence, qui s'appelle désormais Strategic Business Insights (SBI)[14]. Ce système permet de classer les consommateurs, selon les réponses fournies aux questions qui leur sont posées, en deux catégories qui comptent au total huit groupes (*voir la figure 8.2*).

À la verticale, les segments sont définis en fonction des ressources (revenu, niveau de scolarité, état de santé, énergie et créativité). Les groupes du haut ont davantage de ressources et sont plus créatifs que ceux du bas.

À l'horizontale, les segments sont définis selon leur principale motivation. En effet, ces motivations, qui renvoient à la manière dont les consommateurs se perçoivent et dont l'image de soi influe sur leurs choix, expliquent l'achat de nombreux produits et services. Les trois motivations universelles sont les idéaux, la réussite et l'expression de soi. Les individus dont la principale motivation est les idéaux sont guidés par leurs connaissances et leurs principes, alors que ceux dont la principale motivation est la réussite recherchent des produits et des services qui démontrent aux autres combien ils ont du succès. Le tableau 8.2 explique chacun des types de l'approche VALS^MD.

La segmentation psychographique comporte tout de même certaines limites. En effet, la psychographie n'est pas aussi simple à mettre en œuvre que la démographie. En outre, il est plus difficile de reconnaître les clients potentiels à l'aide de cette approche. Grâce à la démographie, par exemple, une entreprise comme Nike pourrait facilement diviser sa clientèle selon son sexe, puis adapter ses stratégies de marketing à chacun des segments qui ont été formés. Il serait bien plus ardu pour Nike de diviser sa clientèle en « penseurs » et en « artisans ». C'est pourquoi la segmentation psychographique est souvent jumelée avec un autre mode de segmentation[15]. On se servira, par exemple, de l'analyse psychographique pour caractériser les segments démographiques qui auront été retenus lors d'une première itération.

La segmentation comportementale

La **segmentation comportementale** consiste à former des groupes de consommateurs en fonction de leur utilisation d'un produit ou d'un service, notamment leur fidélité à la marque, leur taux d'utilisation et leur statut d'utilisateur.

Puisque le but premier du marketing est de satisfaire les besoins et les désirs des consommateurs, la division du marché en segments de manière que les avantages du produit comblent ces besoins et ces désirs représente une stratégie des plus efficaces. En outre, il est relativement simple de présenter les avantages qu'apporte un produit ou un service dans le cadre des stratégies de communication d'une entreprise. La rubrique Marketing durable (*voir p. 244*) montre comment certaines universités considèrent leurs initiatives de développement durable comme un moyen de segmenter leur offre et de cibler à la fois parents et éudiants.

La **segmentation par bénéfices** consiste à regrouper les consommateurs en fonction des avantages qu'ils retirent du produit ou du service considéré. Pour illustrer la

T A B L E A U	**8.2**	**La description des types de l'approche VALS^MD**

Innovateurs	Penseurs	Croyants	Performants
• Ils sont prospères, sophistiqués, ont une bonne capacité à prendre un groupe en charge. • Ils ont une estime de soi élevée. • Ce sont des meneurs par qui passe le changement. • Ce sont des dirigeants d'entreprises connues ou émergentes. • Ce sont des consommateurs très actifs. • Leurs achats reflètent leur goût pour des biens et des services raffinés.	• Ils sont mûrs, satisfaits et vivent à l'aise. • Ils accordent une grande importance à la responsabilité. • Ils ont une bonne éducation, recherchent des connaissances. • Ils respectent l'autorité. • Ce sont des consommateurs conservateurs et pratiques. • Ils apprécient les produits durables dont la valeur est indéniable.	• Ils sont conservateurs et conventionnels. • Ils sont pragmatiques quant à la famille, à la religion et à la communauté. • Ils ont un code moral strict. • Ils aiment la routine. • Ce sont des consommateurs prévisibles et loyaux. • Ils préfèrent les produits familiers et les marques connues.	• Leur mode de vie est axé sur un but à atteindre. • Ils sont dévoués à leur carrière et à leur famille. • Ils respectent l'autorité. • Ils accordent une grande importance à la stabilité et à la découverte de soi. • Ce sont des consommateurs actifs. • Ils préfèrent les produits prestigieux qui démontrent leur succès et ceux qui leur permettent de gagner du temps.
Battants	**Curieux**	**Artisans**	**Survivants**
• Ce sont des individus à la mode qui aiment s'amuser. • Ils considèrent que la réussite passe par l'argent. • Ils préfèrent les produits qui ont du style. • Ce sont des consommateurs actifs et impulsifs. • Le magasinage représente pour eux une activité sociale et une façon de faire état de son statut social. • Ils dépensent autant qu'ils le peuvent.	• Ils recherchent la variété et l'excitation. • Ils pratiquent de nombreuses activités, tant sportives que sociales. • Ce sont des consommateurs enthousiastes et impulsifs. • Ils dépensent une bonne part de leurs revenus dans les vêtements et les divertissements. • Ils veulent avoir une allure branchée et posséder des biens à la mode.	• Ils ont un côté pratique et une habileté manuelle très développée. • Ils accordent une grande importance à l'autosuffisance. • Ils ont des valeurs traditionnelles relativement à la famille et au travail. • Ils se méfient des idées nouvelles. • Ils accordent très peu d'importance aux biens. • Ils favorisent la valeur plutôt que le luxe.	• Ils considèrent que le monde change trop rapidement. • Ils se sentent à l'aise avec ce qu'ils connaissent bien. • Ils recherchent la sécurité. • Ils se concentrent sur leurs besoins et non sur leurs désirs. • Ce sont des consommateurs prudents. • Ils sont fidèles à leurs marques préférées. • Ils aiment profiter des bonnes occasions.

Source: adapté de www.strategicbusinessinsights.com (page consultée le 27 novembre 2014).

segmentation par bénéfices, prenons l'exemple de Qoo, un personnage tout en rondeur qui danse sur pratiquement tous les écrans du Japon, de la Corée du Sud, de Taiwan et de Singapour. C'est aussi une boisson santé savoureuse mise en marché par Coca-Cola. Qoo est une véritable icône. Ce personnage attachant mais espiègle rappelle aux mères la personnalité des enfants et arrive à faire rire les petits. Dans le cadre de son approche de segmentation par bénéfices, Coca-Cola a conçu un produit que les parents veulent servir à leurs enfants, étant donné qu'il s'agit d'une boisson santé (l'avantage) que ces derniers veulent consommer parce qu'ils adorent le personnage qui passe à la télévision.

Les entreprises savent depuis fort longtemps qu'elles gagnent à fidéliser leur clientèle. Les clients loyaux sont ceux qui considèrent qu'une entreprise donnée peut répondre à leurs besoins, si bien qu'ils excluent carrément la concurrence de leur décision d'achat. Ainsi, ces clients n'achètent pratiquement jamais à une autre entreprise[16]. C'est à long terme que la clientèle fidèle est la plus rentable[17]. Compte tenu des coûts élevés associés à la recherche d'une nouvelle clientèle et des avantages de la fidélité, les entreprises modernes ont recours à la **segmentation en fonction de la fidélité** et investissent dans les mesures de fidélisation afin de garder leurs meilleurs clients. Les Canadiens sont fous des cartes de fidélité: 87 % des adultes participent activement à au moins un programme de fidélisation, qu'il soit question de vente au détail ou de voyages aériens. La popularité de ces cartes touche tous les

segmentation par bénéfices (*benefit segmentation*) Formation de groupes de consommateurs en fonction des avantages qu'ils retirent d'un produit ou d'un service.

segmentation en fonction de la fidélité (*loyalty segmentation*) Stratégie selon laquelle une entreprise investit dans les mesures de fidélisation afin de garder ses meilleurs clients.

| Marketing durable | **Corporate Knights : une éducation axée sur la durabilité** |

Lorsque vous avez entrepris d'évaluer les universités, vous avez probablement étudié leur situation géographique, le programme qui vous intéressait et même le classement des universités canadiennes du magazine *Maclean's*. Toutefois, vous êtes-vous aussi arrêté aux initiatives socialement responsables prises sur le campus ? Toby Heaps, rédacteur en chef à Corporate Knights, croit que ce facteur jouera un rôle important dans le futur. Fondée en 2002, cette entreprise médiatique publie le magazine consacré à la responsabilité sociale des entreprises le plus lu au monde[18]. Elle publie aussi une liste des 100 sociétés les plus responsables du monde et un guide des institutions canadiennes les plus socialement responsables, le *Knight Schools Survey*.

Heaps croit que l'adoption de pratiques plus durables peut aider les universités à cibler les étudiants qui aspirent à une éducation postsecondaire « plus verte ». Récemment, au cours d'un séminaire sur la durabilité qu'il donnait à des professeurs d'université, Heaps a évoqué la nécessité d'une plus grande interdisciplinarité au sein du système d'éducation. Par exemple, les universités pourraient délivrer des doubles diplômes pour intégrer la durabilité ou encourager les étudiants à choisir un programme lié au développement durable comme matière principale ou secondaire.

L'Université Dalhousie de Halifax s'était donné pour objectif de créer un programme ouvert aux étudiants de toutes les facultés et débouchant sur un double diplôme en développement durable, une première au Canada. Quelques années après avoir accueilli ses premiers étudiants, ce programme bénéficie déjà d'une reconnaissance internationale, ayant été sélectionné comme finaliste lors du Sommet mondial pour l'innovation en éducation WISE de 2009[19]. Deborah Buszard, une biologiste de Dalhousie qui étudie l'utilisation des végétaux dans les milieux bâtis, croit que la durabilité devrait faire partie de la liste des matières obligatoires à l'université.

Selon Heaps, la plupart des initiatives en matière de durabilité prises sur le campus sont amorcées par les étudiants. Il serait donc logique que les universités puissent segmenter les marchés en fonction des centres d'intérêt et des motivations des étudiants, puis utilisent cette information pour attirer ces marchés cibles ainsi que leurs parents.

Par exemple, à l'Université de la Colombie-Britannique (UBC), les étudiants ont lancé un mouvement communautaire qui vise à sensibiliser leurs pairs et à les inciter à mener des actions en faveur d'un mode de vie plus durable. Les étudiants peuvent prêter le « serment de durabilité » pour démontrer leur engagement et inciter d'autres étudiants à devenir des chefs de file de cette transition vers la durabilité à l'UBC et à l'extérieur[20]. En plus de prêter serment, les étudiants peuvent participer à des projets, des cours, des ateliers et des événements liés au développement durable. Sur le campus, l'UBC aborde la durabilité sous divers angles, comme l'énergie, les matériaux, l'eau et la communauté. Cependant, elle ne se contente pas de cibler les étudiants ; elle publie aussi des renseignements sur ses efforts en matière de durabilité dans des pages Web destinées aux parents des futurs étudiants.

À l'Université Wilfrid-Laurier de Waterloo, en Ontario, une initiative étudiante a mené à l'embauche d'une coordonnatrice de la durabilité. Sarah English explique que les étudiants ont levé des fonds pour lui verser un salaire parce que la durabilité est un enjeu qui les passionne. La professeure English cite de nombreux projets déjà réalisés, notamment un partenariat avec Sustainable Waterloo Region, un organisme sans but lucratif qui s'est donné pour mission d'aider les organisations à réduire leur empreinte carbone, à installer des composteurs dans les bâtiments, à adopter des produits nettoyants certifiés écologiques ainsi que des contenants réutilisables pour les mets à emporter et d'augmenter la disponibilité de ces contenants tout en réduisant l'utilisation de contenants jetables.

Des étudiants de l'Université Wilfrid-Laurier de Waterloo ont instauré un programme de valorisation des contenants réutilisables afin de diminuer le volume de déchets sur le campus.

aspects démographiques. Effectivement, 96 % des consommateurs aisés participent activement à un programme de fidélisation : 78 % des jeunes adultes (âgés de 18 à 25 ans), 90 % des personnes âgées de 60 ans et plus, et 95 % des femmes âgées de 25 à 49 ans. Aux États-Unis, seulement 39,5 % de la population en général participent à de tels programmes[21].

Les compagnies aériennes, par exemple, considèrent que les clients ne sont pas tous égaux. Chez Air Canada, ceux qui voyagent le plus souvent avec le transporteur, les membres «Super Élite», reçoivent, entre autres, une carte personnalisée, des étiquettes de bagages personnalisées et un accès prioritaire Air Canada Super Élite, ils ont accès à une inscription prioritaire sur la liste d'attente des réservations, à une sélection prioritaire de leurs places, au service Concierge Air Canada, à un enregistrement prioritaire à l'aéroport, à une franchise élargie de bagages enregistrés. Ils profitent également de l'embarquement prioritaire, des réservations garanties des billets plein tarif et d'un traitement prioritaire de leurs bagages[22]. Aucun de ces privilèges n'est à la disposition du voyageur occasionnel.

La fréquence d'utilisation (grand utilisateur, utilisateur modéré, petit utilisateur, utilisateur occasionnel) ainsi que le statut d'utilisateur du client (utilisateur actuel, ancien utilisateur, utilisateur potentiel) peuvent également servir de variables pour la segmentation d'un marché. Par exemple, les chaînes de restauration rapide ont souvent recours au coupon de promotion pour attirer les clients occasionnels ou ceux qui n'y sont jamais allés et leur faire essayer leurs produits et leurs services.

La segmentation composite

Bien que tous les modes de segmentation soient utiles, chacun comporte des avantages et des inconvénients qui lui sont propres. Ainsi, les segmentations démographique et géographique sont simples, car il est facile d'accéder à des renseignements portant sur l'identité des consommateurs et sur l'endroit où ils vivent. Cependant, ces caractéristiques ne donnent aucun indice aux gestionnaires marketing quant à leurs besoins.

Comme le veut l'adage, qui se ressemble s'assemble. C'est pourquoi certaines entreprises forment des groupes de consommateurs à l'aide d'une méthode de segmentation composite, laquelle allie la segmentation géographique, la segmentation démographique ainsi qu'une segmentation axée sur le mode de vie, à savoir la **segmentation sociodémographique**[23]. Les consommateurs d'un même quartier achètent le plus souvent des voitures, des appareils électroménagers et des vêtements semblables. Ils vont chez les mêmes détaillants et répondent de la même manière aux médias ainsi qu'aux offres promotionnelles. Les **groupes PSYTE** constituent l'outil de segmentation sociodémographique le plus utilisé au Canada. Conçu par Compusearch, ce système a permis de former 60 groupes d'activités, à partir de l'ensemble des quartiers du pays, selon le lieu de résidence des consommateurs. Le tableau 8.3, à la page suivante, décrit trois groupes PSYTE[24]. Le PRIZM CE, un outil conçu par Environics Analytics, est du même genre et son utilisation est également répandue au pays. Il divise la population canadienne en 66 groupes en fonction de leur mode de vie. Parmi ces groupes, on trouve notamment l'Élite cosmopolite, les Branchés, les Chics et les Adeptes du Tim Hortons. Ce système propose un mode de segmentation adapté à la population canadienne où s'allient la géodémographie et la psychographie. En fait, Environics Analytics a combiné des données démographiques, des données portant sur les valeurs sociales et d'autres sur les préférences des citoyens afin de parvenir à expliquer le comportement des consommateurs[25].

La segmentation sociodémographique peut être particulièrement utile aux détaillants, car les consommateurs favorisent d'habitude les commerces situés près de chez eux. Ainsi, les détaillants peuvent avoir recours à ce type de segmentation pour adapter la marchandise aux préférences de leur communauté. La segmentation sociodémographique est également utile aux détaillants qui veulent savoir à quel endroit ouvrir une nouvelle succursale. Le détaillant n'a qu'à prendre ses succursales les plus rentables, puis trouver quels types de consommateurs vivent dans leurs environs à partir des groupes sociodémographiques préexistants. Par la suite, il sera en mesure de savoir quels quartiers présentent des segments de marché semblables. En outre, les outils PSYTE et PRIZM CE peuvent aider les gestionnaires marketing à évaluer les ventes auprès de divers groupes de quartiers différents et les comparer entre elles.

segmentation sociodémographique (*geodemographic segmentation*) Formation de groupes de consommateurs en fonction des caractéristiques relatives au mode de vie ainsi que des caractéristiques géographiques et démographiques qui les unissent.

groupes PSYTE (*PSYTE cluster*) Regroupement de tous les quartiers canadiens en 60 groupes en fonction de leur mode de vie.

TABLEAU 8.3	Les groupes PSYTE		
Nom	**Classe moyenne inférieure urbaine (U4) : Bohème urbaine**	**Fortunés suburbains (S1) : Affluence suburbaine**	**Fortunés suburbains (S1) : Hauteurs asiatiques**
Description	Du perçage aux tatouages, le groupe Bohème urbaine comprend une population diverse par sa conception même. Ce groupe est constitué en majeure partie de jeunes occupant des emplois dans les domaines artistique, de la vente au détail et d'autres emplois généralement créatifs. Le revenu annuel moyen du ménage est de 46 000 $. De nombreux hommes et femmes de ce groupe détiennent des emplois dans les milieux culturels, artistiques et liés au monde du spectacle. Les soutiens de ménage ont moins de 25 ans et nombre d'entre eux sont diplômés.	Ayant un flair pour la belle vie, les membres du groupe Affluence suburbaine représentent la richesse, ancienne comme nouvelle. Étant donné que la richesse s'accumule au cours des stades de la vie, ce groupe exhibe une distribution asymétrique avec de nombreux nids vides. Le groupe Affluence suburbaine est caractérisé par des emplois dans les domaines de la gestion et de la technique et par des couples mariés avec enfants.	Les ascendances asiatiques combinées avec le dur labeur et la croissance de la richesse créent et façonnent ces quartiers de haut niveau. Les Hauteurs asiatiques confirment les rêves cultivés par des générations d'émigrants, souvent malgré de nombreuses difficultés. Ces familles renforcent les économies locales ainsi que les perspectives familiales. Le groupe Hauteurs asiatiques est constitué principalement d'immigrants chinois, sud-coréens et japonais et de ménages composés de six personnes ou plus.
Revenu moyen du ménage	46 000 $	166 000 $	96 000 $

Source : http://tetrad.com/pub/documents/psyteadv_clusters.pdf (page consultée le 17 novembre 2014).

Le fait de connaître les caractéristiques que les consommateurs recherchent dans un produit ou un service et de savoir en quoi un produit ou un service correspond à un certain mode de vie est un aspect important de l'élaboration d'une stratégie de marketing d'ensemble. Cependant, de tels modes de segmentation posent problème aux gestionnaires marketing qui tentent de savoir précisément quels consommateurs recherchent telle ou telle caractéristique dans un produit. C'est pourquoi les entreprises ont souvent recours à plus d'un type de segmentation qui allie la démographie et la géographie, comme nous l'avons expliqué précédemment. Elles peuvent alors déterminer et cibler les techniques de communication marketing à employer auprès de leur clientèle, puis se servir des avantages d'un produit ou du mode de vie du consommateur pour concevoir le produit ou le service et, finalement, choisir le message à transmettre. L'exemple ci-contre traite des nombreux types de segmentation et de la stratégie de segmentation plus adaptée que l'on peut obtenir, notamment dans le domaine des services financiers, en combinant quelques types.

LA SEGMENTATION DU MARCHÉ DES SERVICES FINANCIERS À PARTIR DES FACTEURS DÉMOGRAPHIQUES ET CEUX RELATIFS AU MODE DE VIE DES CONSOMMATEURS[26]

La Life Insurance Marketing and Research Association (LIMRA), un organisme de recherche en services financiers et d'expertise-conseil œuvrant tant aux États-Unis qu'au Canada, a mené une étude auprès des consommateurs en vue de connaître les buts qu'ils se sont fixés en matière de finances personnelles ainsi que le mode de vie qu'ils souhaitent avoir une fois à la retraite. L'étude a permis de cerner quatre segments de marché parmi les ménages à revenu moyen, lesquels sont décrits dans le tableau 8.4.

Steve Hall est un expert-conseil financier à la recherche de nouveaux clients. Comment peut-il se servir des données de la LIMRA sur la démographie et le mode de vie pour arriver à ses fins ? Les données démographiques permettent de reconnaître le type d'individus qui constituent un segment de marché, la façon dont les entreprises arrivent à intéresser ces individus (par les médias et autres techniques de vente) de même que le niveau de rentabilité de chacun des segments. Par exemple, Hall a découvert un groupe d'« Abeilles ouvrières » composé de travailleurs autonomes âgés de plus de 40 ans et dont les revenus sont relativement élevés. Les données portant sur leur mode de vie peuvent ensuite être utilisées dans la conception de produits et de matériel promotionnel qui correspondent à ce groupe d'individus. Ainsi, Hall procéderait à l'analyse du portefeuille du client et discuterait des risques financiers avant de lui proposer un régime de retraite. Toutefois, s'il connaissait déjà le mode de vie auquel aspirent, à leur retraite, les individus faisant partie du groupe Abeilles ouvrières, il serait en mesure de leur offrir un service ainsi qu'un processus de planification financière mieux adaptés à leurs besoins. Étant donné que ce groupe est constitué d'adultes à la fibre entrepreneuriale qui aiment travailler, Steve Hall a pris soin de concevoir à leur intention un argumentaire de vente qui met l'accent sur le montant à économiser au cours des années à venir s'ils veulent conserver un mode de vie modeste et continuer de travailler aussi longtemps qu'ils le désirent ou, du moins, qu'ils seront physiquement capables de le faire.

À l'aide de données démographiques et de données relatives au mode de vie des consommateurs, la LIMRA, une société de consultation en services financiers, a cerné quatre segments de marché en vue de répondre le mieux possible aux besoins des ménages à revenu moyen à l'aube de la retraite.

TABLEAU 8.4 La segmentation démographique en fonction du style de vie dans le domaine des services financiers			
Planificateurs pragmatiques	**Abeilles ouvrières**	**Grands penseurs**	**Immobiles**
Caractéristiques démographiques ✓ Célibataires ✓ Sans enfant à charge ✓ Instruits ✓ Revenu moyen ✓ Revenu disponible ✓ Âgés de moins de 45 ans	✓ En couple ✓ Niveau de scolarité inférieur à celui des autres groupes ✓ Revenu élevé ✓ Investissements élevés ✓ Âgés de plus de 40 ans ✓ Travailleurs autonomes	✓ En couple ✓ Niveau de scolarité varié ✓ Revenu moyen ✓ Âges variés	✓ En couple ✓ Avec enfant à charge ✓ Niveau de scolarité inférieur à celui des autres groupes ✓ Revenus variés ✓ Âgés de plus de 40 ans
Pourcentage de ménages à revenu moyen 30 %	15 %	34 %	21 %
Objectifs liés à la retraite ✓ Économiser pour acheter une maison ✓ Payer ses dettes ou les réduire ✓ Économiser en vue de la retraite ✓ Conserver un niveau de vie modeste mais confortable ✓ Passer du temps en famille ✓ Avoir des loisirs	✓ Démarrer une entreprise ou faire prendre de l'expansion à une entreprise déjà existante ✓ Économiser en vue de la retraite ✓ Conserver un niveau de vie modeste mais confortable ✓ Démarrer une entreprise ou en acheter une ✓ Continuer de travailler à un rythme semblable au rythme actuel	✓ Économiser pour acheter une maison ✓ Assurer un bon niveau de vie à sa famille en cas de décès ✓ Payer ses dettes ou les réduire ✓ Économiser en vue de la retraite ✓ Conserver un niveau de vie modeste mais confortable ✓ Passer du temps en famille ✓ Avoir des loisirs	✓ Assurer un bon niveau de vie à sa famille en cas de décès ✓ Assurer un bon niveau de vie à sa famille en cas d'invalidité ✓ Payer ses dettes ou les réduire ✓ Économiser en vue de la retraite ✓ Conserver un niveau de vie modeste mais confortable ✓ Passer du temps en famille

Source: traduit de Pete Jacques, « Aspirational Segmentation », *LIMRA's Market Facts Quarterly*, vol. 22, printemps 2003, p. 2.

Habituellement, l'élaboration d'une stratégie de segmentation du marché par Internet est relativement plus simple qu'une stratégie conçue pour le circuit traditionnel. La rubrique Forces d'Internet ci-contre explique pourquoi c'est le cas.

OA **3** Étape 3 : l'évaluation du potentiel d'attraction des segments

La troisième étape du processus de segmentation, de ciblage et de positionnement est l'évaluation du potentiel d'attraction des divers segments de marché. Pour mener à bien cette évaluation, les gestionnaires marketing doivent d'abord juger, à l'aide des critères suivants, s'il est avantageux de cibler un segment de marché en particulier : le segment est-il identifiable ? Est-il atteignable ? Est-il réceptif ? Est-il important et rentable (*voir la figure 8.3*) ?

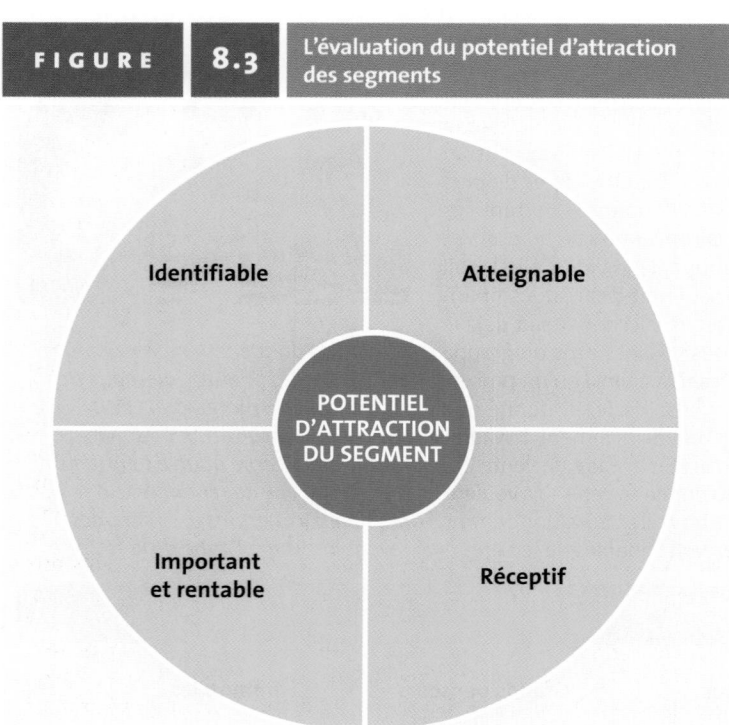

FIGURE 8.3 L'évaluation du potentiel d'attraction des segments

Identifiable — Atteignable — POTENTIEL D'ATTRACTION DU SEGMENT — Important et rentable — Réceptif

Un segment identifiable

L'entreprise a le devoir de s'informer des consommateurs qui forment le marché cible afin d'être en mesure de concevoir des produits et des services qui répondent à leurs besoins. Il est tout aussi important de s'assurer que les segments de marché sont distincts, car un trop grand chevauchement des segments pourrait faire en sorte que les stratégies de marketing satisfassent moins les besoins des individus de ces segments.

L'entreprise Gap a ciblé divers segments de marché. Quand elle a découvert qu'un pourcentage élevé de ses clients avaient des enfants, elle a décidé d'ajouter les rayons GapKids et babyGap. Les études menées ont aussi révélé que Gap pourrait faire concurrence à Victoria's Secret dans la vente de sous-vêtements féminins ; le rayon GapBody s'est donc ajouté. Finalement, même si Gap obtient un grand succès auprès des consommateurs de la classe moyenne, les vêtements qu'elle propose demeurent trop coûteux pour certains et pas suffisamment tendance pour d'autres. Pour ces consommateurs, Old Navy et Banana Republic sont des options plus intéressantes.

Un segment atteignable

Les meilleurs produits et services ne peuvent avoir d'impact s'il est impossible d'atteindre le marché cible à l'aide de moyens de communication convaincants et d'un réseau de distribution efficace. Le consommateur doit savoir que le produit ou le service existe, mais aussi comprendre ce qu'il peut lui apporter et savoir comment se le procurer.

La Senza est l'un des plus importants détaillants spécialisés dans la vente de sous-vêtements féminins au Canada. L'entreprise comprend La Senza Lingerie, La Senza Express, La Senza International, La Senza Spirit ainsi que www.lasenza.com et exerce ses activités en boutique et en ligne. En 2008, La Senza a lancé sa controversée collection La Senza Girl. Les produits n'étaient pas en vente sur Internet, mais l'entreprise avait conçu un site Web pour atteindre sa clientèle cible, soit les jeunes filles âgées de 7 à 14 ans.

L'entreprise se servait de son site Web pour rejoindre sa clientèle cible, qui pouvait prendre connaissance, en ligne, des produits proposés, avant de se rendre à la

Se simplifier la vie grâce à la segmentation par Internet[27]

La segmentation par Internet simplifie la mise en œuvre des stratégies de segmentation de multiples façons. Premièrement, elle permet de satisfaire les besoins des plus petits marchés, et même d'un consommateur à la fois, de façon efficace et peu coûteuse (p. ex., les sites des sociétés de prêt hypothécaire ou des compagnies d'assurances qui offrent des soumissions en ligne). En effet, Internet permet de servir les consommateurs à des coûts nettement moindres que ceux liés à un service chez un détaillant ou par téléphone. Par exemple, chez Air Canada, les grands voyageurs peuvent choisir et vérifier en ligne le prix des services particuliers qui leur sont offerts à un prix bien plus avantageux que s'ils faisaient affaire avec un agent par téléphone ou au comptoir[28].

Deuxièmement, la segmentation par Internet facilite l'identification de la clientèle et donne une foule de renseignements à son sujet. En effet, les témoins de connexion (*cookies*), ces petits fichiers qu'un serveur Web installe sur l'ordinateur d'un internaute[29], tracent un portrait unique de chaque consommateur qui consulte un site Web et détaille ses actions pour la durée de sa visite du site en question. Les visiteurs peuvent aussi recevoir une demande d'inscription au site.

Troisièmement, par Internet, une entreprise peut faire une foule de recommandations à ses clients en fonction de leurs habitudes de consultation du site ou de la façon dont ils font leurs recherches. C'est le cas d'Amazon.ca et d'autres détaillants en ligne, qui recommandent des produits connexes aux consommateurs qui consultent leur site ou qui y effectuent des recherches. Pour ce faire, des liens sont établis entre le profil des visiteurs et celui des clients du site. Ces sites peuvent ainsi faire mousser leurs ventes de produits semblables ou complémentaires.

Quatrièmement, la stratégie de marketing peut être adaptée en temps réel en fonction des données portant sur le client. Par exemple, Bureau en Gros propose des produits dont le prix varie selon la région en demandant simplement aux clients de taper leur code postal dans la case prévue à cet effet.

D'un autre côté, l'essor de la segmentation par Internet a entraîné une augmentation des préoccupations des consommateurs et soulevé des questions d'intérêt public. Effectivement, les consommateurs s'inquiètent souvent de la confidentialité, surtout lorsqu'un site leur demande de s'enregistrer ou d'accepter des témoins de connexion. En réponse à ces préoccupations de même qu'à celles liées à l'autoréglementation qui caractérise l'industrie, la plupart des sites Web ont maintenant une politique de confidentialité qui énonce clairement les renseignements qui sont recueillis et de quelle façon ils sont utilisés. Les consommateurs ont donc maintenant le choix de refuser que des renseignements à leur sujet soient divulgués à des tiers ou utilisés dans le cadre de futures campagnes de marketing.

Même si les témoins de connexion en soi ne contiennent aucun renseignement précis sur le consommateur, l'utilisation de renseignements relatifs aux sites consultés ainsi que les données recueillies par d'autres sources peuvent avoir des conséquences juridiques et miner la relation client. Quand Amazon a proposé certains DVD à des prix différents au cours d'une même journée, bien des consommateurs ont dénoncé cette pratique en alléguant qu'il s'agit d'une discrimination entre les segments de clientèle. Amazon s'est défendue en expliquant que la disparité était attribuable à des tests de prix, argument contesté par nombre de consommateurs et d'adeptes des forums de clavardage comme DVD Talk Forum. Beaucoup d'observateurs considèrent maintenant que la disparité des prix est acceptable, à condition qu'elle serve à offrir un rabais et non à faire payer un prix supérieur.

---

boutique pour se les procurer. Le problème est que La Senza avait mal jaugé la réaction du grand public. Bien que La Senza ait soi-disant cadré cette opération sous le signe de l'humour, l'image sulfureuse de l'entreprise n'était pas compatible avec ce positionnement de La Senza Girl, pas plus que ne l'aurait été une boutique sulfureuse pour les jeunes filles. Le projet a été mis au rancart quelques mois après son lancement.

Un segment réceptif

Pour qu'une stratégie de segmentation obtienne du succès, la clientèle qui constitue le segment doit répondre de façon positive et logique à ce que lui offre l'entreprise. Si, malgré ses compétences distinctives, l'entreprise n'est pas en mesure de proposer des produits et des services au segment de marché en question, elle ne devrait tout simplement pas cibler ce segment. Par exemple, imaginez un instant que La Senza songe à lancer une gamme de tenues de soirée pour sa clientèle nombreuse et rentable âgée de 18 à 35 ans. À l'heure actuelle, les consommatrices de ce marché se procurent ce type de vêtements dans des boutiques comme La Baie d'Hudson, Holt Renfrew et Les Ailes de la Mode. La Senza, quant à elle, s'est taillé la réputation de proposer à ses

La Senza doit s'assurer que tous les nouveaux segments de marché qu'elle convoite sont identifiables, atteignables, réceptifs, importants et rentables.

clientes un vaste assortiment de soutiens-gorge, de culottes, de camisoles, de pyjamas et de chemises de nuit séduisants et à la mode. C'est d'ailleurs dans ce domaine que l'entreprise réussit le mieux. Ainsi, même si les tenues de soirée répondent à tous les autres critères, La Senza ne devrait pas tenter de pénétrer ce segment de marché parce qu'il est fort probable que les consommatrices ne seront pas réceptives à l'entreprise.

Un segment important et rentable

Une fois que l'entreprise a cerné ses segments de marché potentiels, elle doit évaluer leur taille ainsi que leur taux de croissance possible. Si un marché est trop petit ou si son pouvoir d'achat n'est pas assez important, il ne sera pas en mesure de générer suffisamment de profits ou de soutenir les activités de marketing. Par conséquent, même si Gap avait cerné de nouveaux segments de marché potentiellement intéressants, elle a dû s'interroger sur la taille du marché. S'il s'était avéré relativement petit, Gap allait préconiser un rayon GapBody dans ses magasins déjà existants ; un marché

Gap a cerné plusieurs segments de marché qui semblaient intéressants. Deux de ses marques, Gap (à droite) et GapKids (à gauche), visent des marchés cibles différents.

Quel segment de marché serait le plus rentable pour une entreprise qui veut se lancer dans l'habillement ? Le segment des vêtements de sport (à droite) ou celui des vêtements tendance (à gauche) ?

plus grand aurait justifié une boutique distincte. Avec le temps, les gestionnaires de Gap ont confirmé l'importance de la demande de leurs produits et ils ont progressivement établi leurs boutiques GapBody.

Les gestionnaires marketing doivent également centrer leur évaluation sur la rentabilité actuelle et future de chacun des segments. Dans le cadre de cette analyse, certains facteurs importants doivent être pris en compte, notamment la croissance du marché (la taille actuelle du marché et le taux de croissance prévu), la concurrence au sein de celui-ci (le nombre de concurrents, les obstacles de départ, les produits de substitution) et son accessibilité (la facilité à créer un réseau de distribution ou à y accéder, la connaissance de la marque). Les calculs suivants, aussi simples soient-ils, montrent comment évaluer la rentabilité d'un segment de marché[30].

Rentabilité du segment = taille du segment

multipliée par le pourcentage d'adoption du segment

multiplié par les ventes par client

multipliées par la marge de profit (%)

moins les frais fixes

où

taille du segment	=	nombre d'individus qui constituent le segment
pourcentage d'adoption du segment	=	pourcentage de consommateurs dans le segment qui sont susceptibles d'adopter le produit
ventes par client	=	ventes par client × nombre de fois que le consommateur est susceptible d'acheter le produit au cours d'une certaine période
marge de profit (%)	=	(prix de vente – coûts variables) ÷ prix de vente
frais fixes	=	frais fixes (p. ex., investissement publicitaire)

Selon cette formule, plusieurs segments de marché peuvent sembler équivalents. Dans certains cas, il est cependant plus juste d'évaluer la rentabilité d'un segment d'après la durée de vie d'un client typique, c'est-à-dire la valeur économique du client (la valeur totale des achats effectués par un client au cours de sa vie). Par exemple, Ken Danns est un fidèle client de la chaîne Costco depuis cinq ans. Il y dépense environ 300 $ par semaine. Il a l'intention de continuer de faire ses achats chez Costco au cours des cinq prochaines années, au moins. Aux yeux de Costco, Ken Danns ne vaut pas 300 $, il vaut 156 000 $ s'il y fait ses achats pendant 10 ans (300 $ × 52 semaines × 10 ans). Pour calculer la valeur du client, les gestionnaires tiennent compte de plusieurs facteurs, notamment le nombre d'années où le client restera fidèle au commerce, le taux de désertion (le pourcentage de clients qui changent de commerce d'appartenance sur une base annuelle), les coûts du remplacement des déserteurs (les coûts de publicité, de promotion) et l'éventualité que le consommateur se procure davantage de biens ou des biens plus coûteux[31].

Maintenant que nous avons évalué le potentiel d'attraction de chacun des segments (étape 3), nous pouvons passer au choix des segments de marché à cibler (étape 4).

OA ④ Étape 4 : le choix du marché cible

La quatrième étape du processus de segmentation, de ciblage et de positionnement consiste à choisir un marché cible. Le principal facteur influant sur cette décision est la capacité du gestionnaire marketing à saisir une occasion d'affaires, donc à cibler un segment de marché. Ainsi, comme nous l'avons mentionné dans le chapitre 2, il est avantageux pour une entreprise d'évaluer attentivement les avantages que présente l'occasion d'affaires (les opportunités et les menaces grâce à l'analyse FFOM, la rentabilité du segment de marché), de même que les compétences au sein de l'entreprise (les forces et les faiblesses grâce à l'analyse FFOM).

Existe-t-il un domaine où la stratégie de marketing est moins différenciée que celui des cartes de vœux? Après tout, elles sont en vente dans les épiceries, les magasins à prix réduits, les pharmacies et les magasins spécialisés dans la vente de cartes de vœux. Ainsi, 90 % des ménages achètent au moins une carte de vœux par an. Il nous arrive tous de devoir acheter cet article, n'est-ce pas? Alors, comment Hallmark, une entreprise reconnue mondialement dans ce domaine et dont les ventes s'élèvent à plus de 4,4 milliards de dollars annuellement, s'y prend-elle pour segmenter le marché[32]?

D'abord, à l'aide d'une stratégie de segmentation géographique, Hallmark gère son expansion aux quatre coins du monde, mais surtout en Chine et en

Comment Hallmark détermine-t-elle ses marchés cibles ?

Inde. Ensuite, au moyen d'une stratégie de segmentation par bénéfices, l'entreprise cible les consommateurs qui préfèrent envoyer des cartes de vœux par Internet pour le côté pratique de la chose. Au départ, l'industrie craignait que les cartes électroniques, lesquelles sont habituellement gratuites, nuisent à la vente des cartes traditionnelles ; or, leur accès facile a plutôt contribué à une augmentation en flèche des ventes de cartes traditionnelles. Sur la page d'accueil du site Web de Hallmark, on trouve un lien qui permet d'avoir accès gratuitement à des cartes de vœux, ce qui a pour but de promouvoir le nom de la marque. En outre, les usagers d'Internet sont exposés à une publicité traditionnelle et Hallmark peut promouvoir et vendre ses films tournés pour le Hallmark Channel, en plus des cadeaux, des décorations et des articles d'expression personnelle populaires. La figure 8.4 illustre la façon dont des entreprises comme Hallmark peuvent faire correspondre leurs compétences au

| FIGURE | 8.4 | L'évaluation des marchés cibles potentiels de Hallmark |

POTENTIEL D'ATTRACTION DU SEGMENT

	Élevé	Moyen	Faible
Élevées			
Moyennes	Inde et Chine	Internet	
Faibles			

COMPÉTENCES DE L'ENTREPRISE

potentiel d'attraction de divers segments et font appel à ce processus pour choisir la combinaison la plus avantageuse.

Il n'est pas toujours évident de trouver une stratégie de segmentation de base, comme en témoigne l'exemple de La Senza. La figure 8.5, à la page suivante, illustre d'ailleurs diverses stratégies de segmentation. Dans certains cas, le choix le plus judicieux peut être de ne pas segmenter le marché. Dans d'autres cas, l'entreprise peut opter pour un seul segment ou encore en cibler plusieurs à la fois. En somme, certaines entreprises choisissent de se spécialiser en vue de répondre aux besoins d'un groupe très restreint de consommateurs, et même d'un consommateur à la fois. Dans les sections suivantes, il sera question de chacune de ces stratégies de base.

La stratégie de marketing de masse

Lorsque tous les consommateurs peuvent être des utilisateurs de son produit, l'entreprise qui lance celui-ci sur le marché a recours à une **stratégie de marketing de masse** (*voir la figure 8.5*). En effet, si le produit ou le service apporte les mêmes avantages à tout le monde, il n'y a aucune raison d'élaborer une stratégie de segmentation différente pour chaque groupe visé. Bien qu'il ne s'agisse pas d'une stratégie très répandue à notre époque, en raison de marchés plus complexes, la stratégie de marketing de masse peut s'avérer efficace dans le cas d'articles d'usage très courant, notamment le sel, le sucre ou encore les cartes des vœux. Toutefois, de nos jours, même les entreprises qui vendent ces produits cherchent maintenant à se démarquer de la concurrence. C'est exactement ce qu'a fait Hallmark.

L'utilisation d'une stratégie de masse est aussi courante auprès des petites entreprises dont les produits et les services sont perçus par les consommateurs comme étant impossibles à distinguer (p. ex., la boulangerie du quartier). Mais il faut dire qu'habituellement les entrepreneurs les plus futés tentent tout de même de se démarquer au sein du marché. C'est ainsi que la boulangerie du

stratégie de marketing de masse (*mass marketing*) Stratégie de marketing à laquelle une entreprise peut avoir recours si le produit ou le service qu'elle offre apporte les mêmes avantages à tous, donc lorsqu'il n'est pas nécessaire d'élaborer une stratégie pour chaque segment de marché.

Kettleman's Bagel Co. se démarque des autres boulangeries en raison de sa politique de transparence. Quand un client entre dans le commerce, la première chose qu'il voit, c'est le confectionneur de bagels en plein travail.

FIGURE 8.5   Les stratégies de segmentation marketing

Stratégie de marketing de masse

Stratégie de marketing différencié

Stratégie de marketing de niche (ou marketing concentré)

Micromarketing (ou marketing spécialisé)

Le Speedpass, ce petit transpondeur noir qui s'attache au porte-clés, permet de faire le plein et de payer rapidement, sans encombre.

coin devient Kettleman's Bagel Co. ou encore The Great Canadian Bagel. En faisant paraître leur produit unique, alors qu'il semblait autrefois commun, ces commerces tentent d'ajouter de la valeur aux yeux du client en se démarquant de leurs concurrents.

Qu'en est-il de l'essence? Toutes les personnes qui possèdent une voiture ont besoin d'essence. Pourtant, les compagnies pétrolières sont passées, avouons-le, de façon plutôt draconienne, d'une stratégie de masse à une stratégie différenciée lorsqu'elles ont segmenté le marché en trois catégories de consommateurs: ceux qui font le plein avec de l'essence à faible indice d'octane, ceux qui optent pour l'essence à indice d'octane moyen et ceux qui préfèrent l'essence à indice d'octane élevé. Esso a aussi lancé la Speedpass pour se distinguer des autres compagnies pétrolières et offrir un service des plus rapides à ses clients. En une seule étape simple, le client est prêt à faire le plein. Il n'a plus besoin de glisser une carte dans un terminal, d'entrer des renseignements personnels ou de signer un reçu. En outre, le client accumule des points privilèges ou des milles Aéroplan chaque fois qu'il effectue un achat chez Esso. Par la suite, il peut échanger ses points contre de l'essence, des bons valides pour le lave-auto, des collations ou des primes de voyage.

La stratégie de marketing différencié

Les entreprises qui ont recours à une **stratégie de marketing différencié** ciblent plusieurs segments de marché grâce à diverses offres qu'elles adaptent à chacun de ces derniers (*voir la figure 8.5*). La Senza, par exemple, offre deux formules aux consommateurs, soit La Senza et La Senza Express. Chacune de ces formules vise un segment différent. La Senza s'adresse aux femmes de 18 à 35 ans qui ont confiance en elles et sont à l'affût des tendances, et La Senza Express, aux femmes qui recherchent LA destination en ce qui a trait aux sous-vêtements de tous les jours aux allures à la mode[33]. Dans le même ordre d'idées, le groupe Adidas cible divers segments de marché grâce à ses nombreuses entreprises, dont les marques de vêtements et de chaussures Adidas Reebok, Rockport et TaylorMade Golf.

Les entreprises qui optent pour une stratégie de marketing différencié font ce choix, car il leur permet d'acquérir une plus grande part de marché et, de façon générale, d'accroître le marché sur lequel elles se trouvent. Ainsi, plus La Senza crée de formules pour cibler de nouveaux segments de marché, plus elle aura de produits à proposer aux consommatrices, et, par le fait même, plus ses ventes seront nombreuses. La vente de plusieurs collections de lingerie permet donc à La Senza d'intéresser davantage de consommatrices qui appartiennent à divers segments de marché que si l'entreprise ne possédait qu'une seule collection de dessous. Mais ce n'est pas tout: proposer des produits et des services qui intéressent plus d'un segment de marché permet à l'entreprise de diversifier ses activités, ce qui entraîne une réduction du risque global. Par exemple, si une gamme de produits qui vise un segment de marché en particulier connaît des difficultés, les répercussions sur la rentabilité de l'entreprise peuvent être compensées par les revenus d'une autre gamme de produits dont les ventes sont bonnes.

Cependant, l'investissement dans une stratégie de marketing différencié peut être coûteux. Dans le cas de La Senza, seulement pour la vente d'accessoires, l'entreprise doit élaborer les produits, les fabriquer, les distribuer, les entreposer et en faire la promotion, le tout autant de fois qu'il y a de formules différentes.

La stratégie de marketing de niche (ou marketing concentré)

Lorsqu'une organisation choisit un seul marché cible et y consacre toute son énergie en vue de proposer un produit qui répond aux besoins du marché, on dit qu'elle a recours à une **stratégie de marketing de niche (ou marketing concentré)** (*voir la figure 8.5*). Il est souvent avantageux pour les nouvelles entreprises d'opter pour une telle stratégie, car elle leur permet d'utiliser leurs ressources restreintes de façon plus efficace. L'histoire de Chez Cora (*voir la rubrique Marketing entrepreneurial à la page suivante*) en est un bon exemple étant donné que l'entreprise a ciblé le seul segment petit-déjeuner à l'intérieur du vaste marché de la restauration. La firme Semtech Gennum Products, de Burlington, en Ontario, est un autre exemple d'entreprise qui a privilégié une stratégie de niche. Il s'agit de l'innovateur le plus important en matière de microcircuiterie pour les prothèses auditives, un marché de niche.

Avez-vous déjà acheté des vêtements chez Christopher & Banks[34]? En fait, si vous n'avez pas 48 ans, n'êtes pas la mère de deux enfants, ne vivez pas en banlieue ou dans une petite ville, n'aimez pas les tuniques en polyester ni les cardigans fleuris ni les broderies d'animaux, alors vous n'appartenez pas au marché cible de ce commerce.

Christopher & Banks, une chaîne peu connue qui compte près de 500 magasins dont la stratégie de segmentation est très concentrée, comprend pourquoi ses clientes n'achètent pas chez Gap, Chico's ou Ann Taylor.

Pour mieux cerner ses clientes, l'entreprise leur a demandé, dans le cadre d'un groupe de discussion, ce qu'elles mangent, le genre de voiture qu'elles conduisent et de quelles activités se compose leur quotidien. Les réponses qu'elle a recueillies lui ont permis de faire d'importantes découvertes. Les clientes de Christopher & Banks recherchent des vêtements qu'elles peuvent porter tant au travail que dans les gradins du terrain de baseball, lorsqu'elles y encouragent leurs enfants après le

stratégie de marketing différencié (*differentiated segmentation strategy*) Stratégie selon laquelle une entreprise cible plusieurs segments de marché et présente une offre différente à chacun d'entre eux.

stratégie de marketing de niche (ou marketing concentré) (*concentrated segmentation strategy*) Marketing pratiqué en canalisant tous les efforts vers un seul segment de marché afin de proposer un produit qui répond le mieux possible aux besoins de ce segment de marché.

Marketing entrepreneurial	**Chez Cora : un plan d'affaires bien étudié**

Lorsque son mari la quitte et qu'elle doit s'occuper seule de trois jeunes adolescents, Cora Tsouflidou achète un petit restaurant, retrousse ses manches et triple la valeur de celui-ci. Puis, elle le revend et s'engage comme hôtesse dans un grand restaurant de Montréal où elle gravit les échelons jusqu'au rang d'associée minoritaire. Pendant tout ce temps, elle perfectionne ses connaissances en restauration[35].

Ce savoir-faire lui est très utile lorsqu'elle rachète un petit casse-croûte désaffecté de 29 places à Ville Saint-Laurent en 1987 et ouvre le premier restaurant Chez Cora. Ses plats décorés de fruits frais présentés de façon artistique la distinguent de ses concurrents et font sa popularité. Sa nourriture saine et familiale remporte un franc succès, à tel point qu'une première franchise Chez Cora s'ouvre au Québec, suivie de Cora's Breakfast and Lunch dans le reste du pays. Aujourd'hui, il existe plus de 125 restaurants Chez Cora, qui tous servent un déjeuner familial traditionnel et des menus midi mettant en vedette de nouveaux plats créés et testés par Cora elle-même.

Avant d'accorder une nouvelle franchise, l'entreprise effectue une analyse démographique afin de déterminer si la taille du marché est suffisante pour soutenir un restaurant Chez Cora[36]. Les segmentations de type psychographique et comportementale sont aussi importantes pour identifier et attirer les clients qui aspirent à un mode de vie sain et recherchent des repas nutritifs.

La stratégie unique de Cora attire les franchisés en raison de l'horaire particulier de ses restaurants. En effet, comme ceux-ci servent seulement des déjeuners et des dîners, ils sont ouverts de 6 heures à 15 heures, une approche dictée par la nécessité au temps où Cora s'occupait seule de ses enfants. Cet horaire est passablement plus court que celui de la plupart des restaurants, un aspect qui attire les franchisés, puisqu'il leur permet de passer plus de temps avec leur famille.

Il n'est pas étonnant que l'image de Cora soit utilisée dans les campagnes promotionnelles. Elle ressemble à une maman qui prend soin de sa famille, une caractéristique à laquelle les clients et les franchisés s'identifient. Derrière cette image colorée se cache une femme d'affaires lauréate du Prix du Gouverneur général et de l'Ernst & Young Entrepreneur of the Year Award, qui a réussi par ses propres moyens[37]. Grâce à son plan d'affaires unique, Chez Cora est aujourd'hui l'une des chaînes de restaurants qui connaît la plus forte croissance au Canada.

Cora sert une nourriture saine accompagnée d'une grande variété de fruits frais à chaque repas.

---

micromarketing (ou marketing spécialisé) (*micromarketing*) Formation de micro-marchés qui proposent à un client unique un produit ou un service personnalisé correspondant à ses besoins.

personnalisation de masse (*mass customization*) Interaction personnalisée avec un grand nombre d'individus en vue de concevoir des produits et des services adaptés à chacun d'eux ; marketing personnalisé offert à un grand nombre de personnes.

travail. Pour gagner du temps, elles veulent acheter des vêtements qui s'agencent entre eux. Les groupes de discussion ont même observé des portraits afin de déterminer quelle femme correspondait le mieux à la cliente cible de l'entreprise.

Le micromarketing (ou marketing spécialisé)[38]

Songez aux ceintures que vous avez à la maison. Vous en êtes-vous déjà fait fabriquer une sur mesure ? (Si cela vous intéresse, vous pouvez consulter le site www.leathergoodsconnection.com.) Lorsqu'un commerce propose à un client unique un produit ou un service personnalisé qui correspond à ses besoins, il procède à la formation de micromarchés ; cela constitue le **micromarketing (ou marketing spécialisé)** (*voir la figure 8.5, p. 254*). Les petits producteurs et fournisseurs de services peuvent généralement offrir un service personnalisé à leurs clients plus facilement que ceux de grande envergure. Néanmoins, certaines entreprises comme Dell et Nike ont profité des avantages que leur offrait la technologie d'Internet pour pouvoir vendre à leurs clients des produits sur mesure tels que des ordinateurs, des chemises de soirée, des chaussures de sport et des jeans. Celles qui ont une interaction personnalisée avec un grand nombre d'individus en vue de concevoir des produits et des services adaptés à chacun pratiquent la **personnalisation de masse**, une stratégie de marketing personnalisé offert à un grand nombre

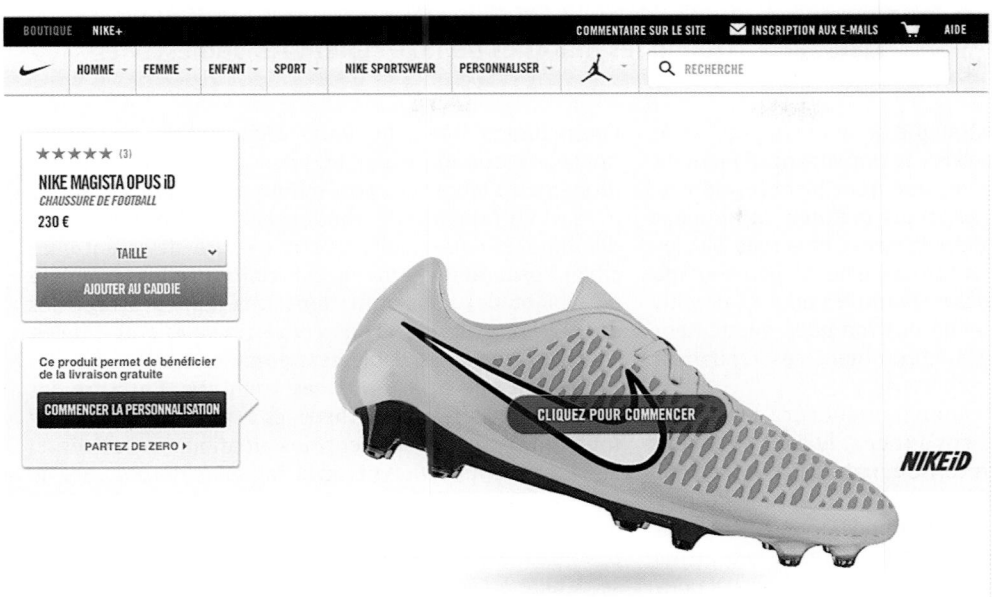

COMMENCEZ PAR UNE INSPIRATION...

Des entreprises comme Nike proposent la personnalisation de masse pour certains de leurs produits. Onze éléments de la chaussure (semelle, col, lacets, etc.) sont modifiables, et il est possible d'y faire imprimer un texte de huit lettres.

d'individus. Avant l'avènement d'Internet, le micromarketing était pratiquement impossible, sauf pour les petites entreprises, probablement. Mais de nos jours, Internet a permis aux entreprises de toutes les tailles qui évoluent sur tous les marchés de pratiquer le micromarketing.

Il semblerait que Nike et ses nombreux clients aient été séduits par ce concept nouveau. En effet, en constatant le succès remporté par son logiciel de personnalisation et par le minuscule studio dans le quartier SoHo, à Manhattan, lequel a vu passer bon nombre de vedettes qui venaient y concevoir des espadrilles à leur goût, Nike a décidé de lancer officiellement son programme NIKEiD. Un « labo » NIKEiD est donc maintenant ouvert dans la boutique Niketown de la 57e rue. Les consommateurs n'ont qu'à prendre rendez-vous et le tour est joué ; ils peuvent mettre leur touche sur une paire de chaussures Nike. On peut compter de trois à quatre semaines avant que le colis ne parvienne au client. La version en boutique comporte davantage de fonctions que celle en ligne. Pourtant, cette dernière attire quelque trois millions de consommateurs par mois. L'apprenti designer peut avoir recours aux services d'un expert-conseil pour l'aider à concevoir les chaussures de ses rêves. C'est le client qui décide de tout, de la couleur au matériau utilisé en passant par la coupe de la chaussure. Il lui est également possible d'apposer sa « signature » à l'arrière de celle-ci. Nike voit dans son programme NIKEiD une bonne façon d'établir un lien personnalisé avec les consommateurs tout en ayant l'occasion d'élargir ses gammes de produits, notamment les vêtements de sport.

Le degré de segmentation de chaque entreprise, qu'il n'y ait aucune segmentation, qu'il s'agisse d'un seul segment de marché, de plusieurs segments ou de segments personnalisés, dépend du rapport recherché entre la valeur ajoutée grâce à la segmentation, telle qu'elle est perçue par le consommateur, et les coûts associés à sa mise en œuvre.

Parfois, le choix du marché cible peut être à l'origine de graves enjeux d'éthique. La rubrique Question d'éthique, à la page suivante, traite d'ailleurs d'enjeux soulevés par le ciblage des adolescents dans la vente des produits de la mode.

Étape 5 : le choix et l'élaboration de la stratégie de positionnement   OA **5**

La cinquième et dernière étape de l'élaboration d'une stratégie de segmentation, de ciblage et de positionnement est le positionnement. Il s'agit de l'image mentale (pensées, sentiments et impressions) qu'un consommateur se fait d'une entreprise de

Question d'éthique

Quand les marques de luxe ciblent les adolescents

Qu'arrive-t-il quand une stratégie de marketing qui cible un segment de marché précis est trop efficace? Prenons, par exemple, les marques de luxe qui ciblent les adolescents de 13 à 17 ans. En 2007, ces marques comptaient pour 15,4 % des achats de vêtements effectués par les adolescents; trois ans plus tard à peine, ce pourcentage était tombé à 9,6 %. Pourtant, parmi les adultes de plus de 18 ans, la part du marché des marques de créateur est demeurée stable à 7 %[39]. Comment ces tendances s'expliquent-elles?

Les marques haut de gamme misent sur l'intérêt des adolescents pour la mode et s'arrogent le droit de vendre des vêtements aux jeunes consommateurs en les ciblant intensivement par la publicité et le placement de produits. Parmi ces marques, mentionnons Dolce & Gabbana et Armani, qui ont créé des lignes distinctes de vêtements pour adolescents, ainsi que Michael Kors, Coach, Dooney & Bourke et Dior, qui conçoivent des accessoires destinés aux jeunes consommateurs. Même les détaillants profitent de cette tendance: de grands magasins comme Nordstrom vendent désormais les produits Burberry et Prada au rayon pour enfants. Résultat: les préadolescents s'amènent à l'école avec leur sac de sport Dooney & Bourke à 225 $[40].

Les effets de cette publicité intensive destinée aux enfants se reflètent dans les opinions arrêtées des consommateurs de plus en plus jeunes sur les marques. Il y a quatre ans, 15 % des adolescents disaient aimer Armani; aujourd'hui, ce pourcentage s'élève à 27 %. Dans les écoles de tout le pays, cette intensification de la publicité à l'intention des enfants a également entraîné une hausse massive de l'«intimidation liée à la tenue vestimentaire», dont sont victimes les élèves qui ne portent pas de vêtements branchés ou griffés. Plus du tiers de tous les élèves de l'école intermédiaire affirment avoir subi cette forme d'intimidation. Bien qu'elle ne date pas d'hier, les conseillers d'orientation professionnelle estiment que l'intimidation liée à la tenue vestimentaire atteint de nouveaux sommets parce qu'un plus grand nombre de créateurs lancent des collections qui ciblent les jeunes.

Les entreprises de mode sont confrontées à un dilemme éthique: dans quelle mesure devraient-elles cibler les adolescents? Il est clair qu'elles espèrent, en ciblant des consommateurs très jeunes, attirer des adeptes pour la vie et les convertir en clients fidèles. Toutefois, certaines publicités semblent encourager l'intimidation liée à la tenue vestimentaire. En outre, les produits de luxe comme les sacs à main et les fourre-tout griffés sont justement des créations exclusives. Si les adolescents achètent deux fois plus de produits de luxe que la population en général, on pourrait penser que leurs parents financent une habitude qu'ils n'ont pas eux-mêmes et dont leurs enfants devront peut-être se défaire à l'âge adulte, alors qu'ils devront payer leurs propres achats. Les créateurs devraient-ils se préoccuper de cela? Qu'en pensez-vous?

Les entreprises de mode devraient-elles cibler les adolescents?

même que des produits et des services qu'elle propose par rapport aux concurrents. Cette image mentale est influencée par plusieurs facteurs, dont les amis, la famille, les proches, les groupes de référence, les articles de journaux et de magazines, les reportages à la radio, à la télévision et sur Internet ainsi que les expériences passées du consommateur. Bref, que l'entreprise le veuille ou non, ses clients se font leur propre image et leurs propres impressions de ses produits et de ses marques. C'est d'ailleurs cette image et ces impressions qui les poussent à acheter à une entreprise ou à éviter celle-ci. En somme, le positionnement est ce qui détermine les préférences des consommateurs quant aux produits ou aux marques. Avoir une préférence, c'est, par exemple, lorsqu'un consommateur a adopté une marque en particulier et qu'il refuse de se satisfaire de la marque concurrente. Ainsi, certains internautes préfèrent le moteur de recherche Google à celui de Yahoo!, comme certains consommateurs préfèrent l'iPod d'Apple au lecteur MP3 de Sony. Ce sont les préférences des consommateurs qui régissent les parts de marché et les revenus; par exemple, Apple et Google sont les chefs de file dans leur domaine respectif. Quand elles se sont rendu compte de l'importance stratégique du positionnement, bien des entreprises se sont mises à travailler dur pour influer sur la perception des consommateurs à l'égard de leurs marques.

Le positionnement est certainement l'un des aspects les plus importants dans l'élaboration d'une stratégie de marketing. Malheureusement, c'est aussi l'un des aspects les plus ardus et les moins bien compris de l'industrie. Pourquoi?

Le positionnement n'est pas une chose simple, car il est difficile de «façonner» la perception des consommateurs pour qu'elle corresponde à l'idéal souhaité par les gestionnaires marketing. Aussi, ces derniers doivent régulièrement mettre à jour leur stratégie de positionnement pour suivre un marché qui ne cesse d'évoluer, mais la perception des consommateurs, quant à elle, demeure constante et ne change pas facilement. Il est donc périlleux pour les gestionnaires marketing de positionner une marque, car s'ils ne procèdent pas de la bonne façon, elle risque de faire piètre figure sur le marché. En conséquence, pour que le positionnement soit efficace, le gestionnaire doit non seulement modeler la perception et les impressions de consommateurs, mais également faire en sorte que celles-ci évoluent à mesure qu'il repositionne le produit ou la marque afin de suivre le courant. Par exemple, Hewlett-Packard (HP) a réussi à se repositionner avec succès pour passer de la marque d'imprimantes ennuyeuse et désuète à une marque évoquant la puissance des appareils électroniques grand public. La preuve : HP est maintenant la marque d'ordinateurs la plus vendue.

Le positionnement sur le marché nécessite une définition des variables du marketing mix afin que les clients ciblés comprennent bien l'utilité du produit et ce qu'il représente comparativement aux produits concurrents. Pour que le positionnement soit efficace, il faut que les consommateurs comprennent la proposition de valeur qui distingue l'entreprise des autres entreprises et qu'ils sachent à qui elle s'adresse. La clarté du message est primordiale pour que le positionnement soit efficace. Prenons l'exemple d'Abercrombie & Fitch. Cette entreprise propose des vêtements décontractés de luxe aux jeunes étudiants au physique agréable et athlétique. Ses publicités, ses mannequins, l'apparence de ses boutiques et les produits qu'elle vend ont tous été conçus pour renforcer ce message. En effet, Abercrombie & Fitch ne fabrique pas de vêtements destinés aux gens obèses ou qui ont un surplus de poids, tout simplement parce qu'elle ne veut pas que sa marque soit perçue comme cherchant à plaire à tout le monde. Elle évalue plutôt les besoins et les désirs de son marché cible, puis elle fait de son mieux pour satisfaire sa clientèle.

Après avoir lu le passage précédent, il apparaît maintenant évident que la stratégie de positionnement d'une entreprise doit reposer sur la valeur du produit ou du service, ou alors sur le fait que ce dernier est supérieur à ses concurrents. Pour se positionner de manière avantageuse par rapport à ses concurrents, l'entreprise doit insister sur le fait que la marque propose aux consommateurs les avantages qu'ils recherchent, et ce, mieux que la concurrence. Les stratégies de positionnement sont mises en œuvre lorsque l'entreprise transmet un certain message (p. ex., le **positionnement recherché**) par la communication persuasive au moyen de divers médias. Habituellement, les entreprises positionnent leurs produits et leurs services en fonction de leur valeur, de leurs attributs, de leur leadership, de leurs avantages et de ce qu'ils représentent ou encore en fonction de la concurrence (*voir le tableau 8.5 à la page suivante*). Examinons ces stratégies de positionnement plus en détail.

positionnement recherché (*positioning statement*) Énoncé stratégique qui exprime de quelle manière l'entreprise voudrait être perçue par les consommateurs par rapport aux produits concurrents.

La valeur

Le positionnement axé sur la valeur est répandu, car le rapport qualité/prix est l'un des facteurs qui comptent le plus aux yeux des consommateurs dans une décision d'achat. Ce type de positionnement peut avoir pour effet d'attirer de nouveaux segments de marché autrefois négligés. Par exemple, alors que ses concurrents Unilever et Colgate connaissaient un franc succès avec des produits de qualité à moindre prix comme les shampooings Suave et Alberto VO5, le géant Procter & Gamble, lui, semblait ignorer que 80 % de la population mondiale n'était pas en mesure de se payer ses

TABLEAU 8.5	Les stratégies de positionnement	
Stratégie de positionnement	**Entreprise**	**Exemples de slogans**
Axée sur la valeur, sur le rapport qualité/prix	Gillette	« La perfection au masculin »
	Häagen-Dazs	« La meilleure au monde »
	Advanced Micro Devices	*« The future is fusion »*
	Dell	*« The power to do more »*
	Buy.com	*« Canada's low price Internet superstore »*
	Tiger Direct	*« The best computer and electronic deals anywhere »*
	Walmart	« Économisez plus. Vivez mieux »
	WestJet	« Bienvenue à bord ! »
Axée sur les attributs du produit	Energizer	« La pile qui fait du chemin »
	PFK	« Bon à s'en lécher les doigts »
	American Express	« Ne partez pas sans elle »
	Toyota Lexus RX330	« À la conquête de la perfection » ou « Votre partenaire du futur »
Axée sur le leadership	Intel	*« Leap ahead »*
Axée sur les avantages du produit et sur ce qu'il représente	Abercrombie & Fitch	*« Casual luxury »*
	3M	« Engagement envers l'innovation » ou « 3M innovation. Rendre la vie plus facile »
	HP	« HP à votre service, derrière vous à chaque pas »
	Toyota	« Faire toujours mieux »
	L'Oréal (image de soi)	« Parce que je le vaux bien »
	Canon (expression de soi)	« Exprimez-vous »
	Kodak (signification personnelle)	« Des photos réussies dans tous les cas »
Axée sur la concurrence directe ou différenciée	Avis	« On y met du cœur »
	ING Direct	« C'est votre intérêt qui compte »
	Capital One	*« Hands in your pocket »*

produits. Pour corriger la situation, les dirigeants de l'entreprise se sont efforcés de comprendre les consommateurs sensibles au prix dans plusieurs régions du globe et ils ont partagé entre eux leurs stratégies de manière à promouvoir les produits Procter & Gamble. Pour ce faire, ils ont pris notamment un de leurs produits-vedettes, le savon Ivory, et réduit son prix pour qu'il soit inférieur à celui de ses concurrents (p. ex., Dial) de 10 % à 15 %. Dans le domaine des jouets, Mega Bloks mise sur son bon rapport qualité/prix, alors que Lego, son principal concurrent, a choisi une stratégie de positionnement dans laquelle le consommateur paie un prix supérieur.

Ainsi, dans d'autres stratégies de positionnement axées sur la valeur, l'entreprise propose au consommateur un produit ou un service de qualité supérieure, mais ce dernier doit payer un peu plus cher en raison du coût supplémentaire associé à la qualité supérieure. C'est d'ailleurs le cas du programme Air Canada Super Élite dont il a été question précédemment. De même, les produits Balmshell ont été lancés dans les boutiques haut de gamme Holt Renfrew à un prix plus élevé que les brillants à lèvres des autres marques sur le marché. Une entreprise peut aussi affronter la concurrence en proposant aux consommateurs des produits et des services de qualité comparable à un prix inférieur. Cette stratégie est répandue dans la vente de produits de marques de luxe, comme les nuitées dans certains hôtels et les voitures sport. D'autres entreprises affirment qu'elles offrent un produit ou un service de valeur égale à un prix nettement inférieur. Cette stratégie n'est pas rare chez les fournisseurs de services sans-fil (p. ex., Rogers, Bell, Telus), les fournisseurs de câblodistribution, de télévision ou de radio satellite (p. ex., Sirius, Rogers), chez les détaillants d'appareils électroniques comme Future Shop ou les magasins à rayons comme Sears. En outre, des entreprises comme Internet Superstore, Buy.com et Tiger Direct insistent sur le fait qu'elles ont les meilleurs prix en matière d'ordinateurs. Finalement, certaines entreprises offrent des produits et des services de base à un prix inférieur. C'est le cas de WestJet, des magasins à un dollar (p. ex., Dollarama) et les nombreux détaillants qui ciblent les consommateurs soucieux du prix.

Les attributs du produit

La stratégie de positionnement axée sur les attributs a pour but de mettre en avant les attributs du produit les plus importants aux yeux des consommateurs. Par exemple, le constructeur automobile Volvo s'est d'abord positionné de façon à cibler les conducteurs qui se préoccupent de leur sécurité et de celle de leurs passagers.

Volvo veut maintenant diversifier son image et inspirer la performance et l'excitation. L'entreprise s'attend à trouver le repositionnement ardu mais possible, car bon nombre de ses voitures plus « carrées » sont encore présentes sur les routes, ce qui est de nature à rappeler ses valeurs conservatrices. En fait, le but de Volvo n'est pas que son image de voiture sécuritaire soit oubliée ; elle souhaite simplement élargir l'éventail des possibilités en vue de concurrencer les autres marques de voitures de luxe[41]. Les stratégies de positionnement axées sur les attributs du produit visent souvent la supériorité en matière d'innovation, de qualité, de performance, de conception ou de fiabilité. Les entreprises 3M et HP misent donc sur leur côté novateur, alors que Rockport mise sur le confort de ses chaussures de même que sur son vaste choix de modèles. Quant à l'entreprise Chez Cora, il ne fait aucun doute que le positionnement de qualité supérieure dans le secteur des petits-déjeuners a été couronné de succès. L'utilisation de fruits frais et une image saine et sympathique ont permis à l'entreprise de se tailler une part envieuse sur un marché très compétitif (*voir la rubrique Marketing entrepreneurial, p. 256*).

Le constructeur Volvo parviendra-t-il à se repositionner et à projeter une image qui inspire la performance sans perdre sa réputation d'origine qui attirait les conducteurs se préoccupant de la sécurité ?

Le leadership

Certaines entreprises, surtout les chefs de file du marché, peuvent choisir d'affermir leur position de supériorité au sein de leur industrie. Ainsi, des entreprises canadiennes, telles que la Banque Royale, Loblaw et Canadian Tire, et des entreprises internationales, comme Amazon, Intel, HP, Google et eBay, ont misé sur le fait qu'elles sont toutes les chefs de file de leur industrie respective. Il n'est donc pas rare que les consommateurs perçoivent ces entreprises comme étant celles qui imposent le modèle à suivre.

Les avantages du produit et ce qu'il représente

Cette stratégie de positionnement met l'accent sur les avantages de la marque et sur la perception de celle-ci par les consommateurs. Par exemple, Jacob Connexion représente le confort et le style moderne décontracté, alors que Jacob Lingerie projette une image de féminité, d'élégance à l'européenne et de confort inégalé. Senza Express, quant à elle, représente le paradis des dessous, tandis que la marque Abercrombie & Fitch est synonyme de vêtements décontractés de luxe[42]. Les symboles qui ont été créés pour ces marques sont souvent la raison pour laquelle les consommateurs les choisissent plutôt que d'autres un peu moins connues qui peuvent très bien proposer les mêmes avantages et la même qualité. Pour les entreprises qui ont fait leurs preuves, un symbole reconnu est susceptible de servir d'outil de positionnement et s'avérera particulièrement efficace auprès des clients loyaux. Que représentent pour vous les Colonel Sanders, Géant Vert, Gerber Baby et Tony le tigre ? Ou alors, songez à l'étoile de Texaco, au Swoosh de Nike ou au joueur de polo de Ralph Lauren. Ces symboles sont si évocateurs et si connus qu'ils offrent un statut privilégié aux marques qu'ils représentent et permettent à celles-ci de se distinguer de la concurrence.

La concurrence

Il est possible de positionner ses produits ou ses services de manière qu'ils livrent une concurrence directe à un concurrent en particulier ou à une gamme entière de produits ou de services dont les attributs sont semblables. C'est ce qu'a fait Avis, une compagnie de location d'autos, avec son slogan évocateur : « *Avis is only no. 2 in rent-a-cars. So why go with us? We try harder (When you're not the biggest, you have to.)*. » (« Avis est la deuxième compagnie de location de voitures la plus populaire. Pourquoi faire affaire avec nous ? Parce que nous y mettons tout notre cœur [évidemment, puisque nous savons que nous pouvons être les meilleurs][43]. ») Ce type de positionnement, en concurrence directe, entraîne souvent une guerre des prix comme celle entre les marques de cola ou celle entre les transporteurs aériens. Évidemment, de tels affrontements sont avantageux pour les consommateurs, mais pas pour l'industrie. Les gestionnaires marketing doivent donc s'assurer de ne pas positionner leurs produits trop près de ceux de la concurrence, car ils risquent d'être poursuivis en justice ou de semer la confusion chez les consommateurs. Si, par exemple, le logo d'une entreprise ressemble étrangement à celui d'une autre, l'imitateur s'expose à des poursuites pour contrefaçon de marque de commerce. De nombreuses marques de détaillants ont d'ailleurs été poursuivies parce que leurs emballages ressemblaient trop à ceux des marques de fabricants (marques nationales). À titre d'exemple, McDonald's intente une action à quiconque utilise le préfixe « Mc », comme cela a été le cas pour la chaîne hôtelière Quality Inns International, qui voulait utiliser le nom McSleep Inns à ses hôtels à service réduit[44]. Par ailleurs, les tribunaux ont accueilli favorablement les arguments de la marque Lardache, des jeans conçus pour les femmes rondes, malgré les objections de Jordache.

Il existe également une stratégie de différenciation, qui consiste à cibler un marché de niche où la concurrence est moins vive[45]. Par exemple, la boisson gazeuse 7-Up s'est positionnée sur le marché comme étant un « incola » pour se démarquer des boissons gazeuses foncées comme Pepsi et Coca-Cola. Dans le même ordre d'idées, dans leur matériel promotionnel, les pneus Goodrich étaient appelés « les autres », ou encore « la compagnie qui n'a pas de dirigeable », pour se distinguer des pneus Goodyear. De son côté, McDonald's, le géant de la restauration rapide, a voulu faire taire ses détracteurs et les consommateurs soucieux de leur santé en proposant un menu « plus sain » qui contient davantage de choix santé, notamment des salades et des sandwichs au poulet. Ce faisant, McDonald's a cherché à semer ses ennemis de toujours, Wendy's et Burger King, tout en réduisant les conséquences de l'autoconcurrence sur son menu d'origine. C'est pourquoi l'entreprise a choisi avec soin les noms de ses nouveaux produits. Cette démarche a porté des fruits, car, pour la première fois depuis son ouverture il y a de cela 54 ans, McDonald's a obtenu, en mars 2007, le titre de plus grand vendeur de sandwichs au poulet, titre qu'elle a d'ailleurs arraché à Poulet Frit Kentucky en vendant pour 5,2 milliards de dollars de poulet en 12 mois[46].

Maintenant que nous avons cerné les diverses stratégies de positionnement qu'une entreprise peut employer, nous allons traiter des étapes qu'elle doit suivre pour assurer sa position.

Les étapes du positionnement

L'élaboration d'une stratégie de positionnement comprend cinq étapes. Avant de découvrir ces étapes, observez attentivement la figure 8.6. Il s'agit d'une carte perceptuelle hypothétique portant sur l'industrie des boissons gazeuses. Une **carte perceptuelle** est une reproduction de l'espace perceptuel, en deux ou trois dimensions, des produits ou des marques faisant partie de l'ensemble des marques proposées au consommateur. Par souci de clarté, la figure 8.6 comporte deux dimensions : « Très sucrée » et « Peu sucrée » (axe vertical) ainsi que « Gourmande » et « Santé » (axe horizontal). En outre, même s'il s'agit d'une industrie des plus complexes, nous avons pris soin de simplifier le diagramme et de n'y illustrer que quelques acteurs présents sur le marché. La position de chacun d'eux est représentée par un cercle et les astérisques numérotés

carte perceptuelle
(*perceptual map*)
Reproduction de l'espace perceptuel, en deux ou trois dimensions, des produits ou des marques faisant partie de l'ensemble des marques proposées au consommateur.

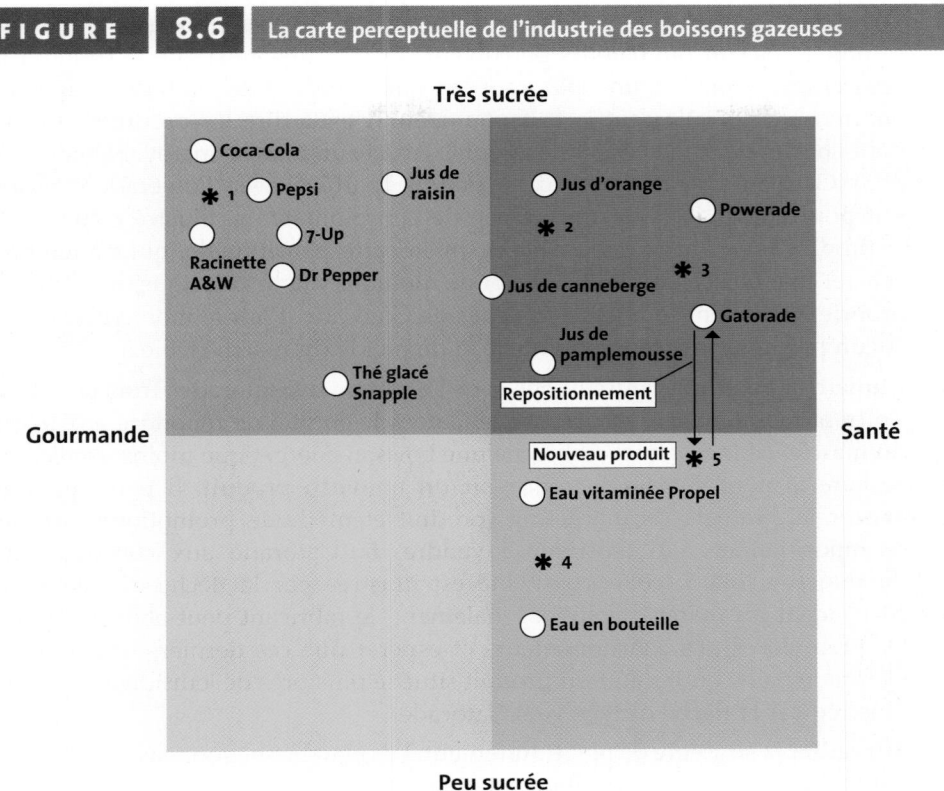

FIGURE 8.6 La carte perceptuelle de l'industrie des boissons gazeuses

illustrent les **points idéaux**, soit chacun des points où se situe le produit idéal d'un segment de marché donné, sur une carte perceptuelle.

Pour obtenir une telle carte perceptuelle, le gestionnaire marketing doit suivre les cinq étapes suivantes :

point idéal (*ideal point*)
Sur une carte perceptuelle, point où se situe le produit idéal d'un segment de marché donné.

1. **Évaluer la perception du consommateur à l'égard du produit ainsi que l'analyse qu'il a faite du produit par rapport à ceux des concurrents.** Le gestionnaire marketing évalue la position de sa marque en posant une série de questions aux consommateurs, lesquelles portent sur ses produits et sur ceux des concurrents. Par exemple, de quelle façon le consommateur utilise-t-il le produit ? Quels articles considère-t-il comme une solution de rechange pour combler ses besoins ? Quels sont les avantages et les inconvénients de la marque par rapport aux concurrents ? En raison de quels facteurs choisit-il une marque plutôt qu'une autre ?

2. **Connaître la position de ses concurrents.** Une fois que l'entreprise comprend comment les consommateurs perçoivent sa marque en fonction des marques concurrentes, elle doit savoir comment ces dernières se positionnent sur le marché. Par exemple, la marque Powerade (« Équipez votre corps ») se positionne tout près de Gatorade (« As-tu ça en toi ? »), de sorte que ces deux marques apparaissent proches l'une de l'autre sur la carte perceptuelle et qu'elles ciblent le marché 3. Également, elles sont souvent côte à côte sur les étalages des détaillants, elles coûtent pratiquement le même prix et sont perçues toutes deux par les consommateurs comme étant des boissons énergétiques. De plus, Gatorade sait pertinemment qu'elle est plus près du Powerade que de l'eau vitaminée Propel (près du marché cible 4), du Coca-Cola (marché cible 1) ou du jus d'orange Sunkist (marché cible 2).

3. **Connaître les préférences des consommateurs.** L'entreprise sait maintenant comment les consommateurs perçoivent ses produits ainsi que la position que ceux-ci prennent les uns par rapport aux autres. Elle doit donc savoir ce que recherche réellement le consommateur, c'est-à-dire les produits «idéaux» pour chacun des marchés. Par exemple, il existe un marché incroyablement vaste pour Gatorade, marché que cette marque partage avec Powerade. Gatorade sait pourtant qu'il existe un marché de consommateurs, illustré comme étant le produit idéal du marché cible 5 sur la carte perceptuelle, qui préféreraient acheter une boisson moins sucrée et de moindre valeur calorique, mais dont les propriétés seraient semblables à celles de Gatorade. Pour le moment, il n'existe aucun produit qui vise à répondre à la demande du marché cible 5.

4. **Choisir sa position.** Poursuivons avec l'exemple de Gatorade. Trois possibilités s'offrent maintenant au fabricant de Gatorade en vue de répondre aux besoins du marché cible 5, lequel recherche une boisson énergétique moins sucrée. Pour ce faire, il peut choisir de concevoir un nouveau produit. Il peut également ajuster la stratégie de marketing (produit et méthode promotionnelle), donc se repositionner afin d'arriver à vendre du Gatorade aux consommateurs du marché cible 5 (cette possibilité est illustrée par la flèche dirigée vers le point idéal du marché cible 5). Finalement, le fabricant peut choisir d'ignorer les préférences des consommateurs et espérer que ces derniers opteront pour Gatorade parce qu'il s'agit du produit situé le plus près de leur idéal (possibilité illustrée par la flèche dirigée vers Gatorade).

5. **Surveiller la stratégie de positionnement.** Les marchés ne sont pas stagnants. Les goûts des consommateurs changent et la concurrence réagit à ces changements. Tenter de conserver la même position année après année, c'est pratiquement courir à sa perte. Une entreprise doit donc comprendre que les trois premières étapes du positionnement constituent un processus continu et que les deux dernières servent à faire des ajustements, s'il y a lieu.

Le repositionnement

Il arrive qu'une entreprise souhaite modifier son positionnement sur le marché. Par exemple, bien des fabricants de malbouffe essaient maintenant de faire comprendre aux consommateurs qu'ils ont ajouté des choix santé à leur gamme de produits. Tout récemment, un groupe d'étudiants de l'université Wilfrid-Laurier, à Waterloo, en Ontario, a observé le comportement des consommateurs à l'égard du repositionnement de la malbouffe. Les étudiants ont remarqué que ces fabricants avaient tendance à utiliser des mots comme «multigrain» pour prouver que leurs aliments sont sains[47]. Par exemple, le restaurant Pizza Pizza propose une pizza dont la pâte multigrain contient des acides gras oméga-3, un ingrédient santé. Bien que la pâte multigrain soit plus saine que la pâte blanche traditionnelle, la pizza demeure un plat à teneur élevée en matières grasses et en sodium. De plus, des ingrédients comme le pepperoni, le fromage et la saucisse annulent les bienfaits de la pâte multigrain. À votre avis, le restaurant Pizza Pizza arrivera-t-il un jour à être perçu comme un restaurant santé ou restera-t-il dans la catégorie «malbouffe»?

Les gestionnaires marketing de talent savent qu'il est nécessaire de réévaluer constamment le positionnement de leur marque afin de savoir à quel moment un repositionnement s'impose. C'est le cas lorsque des changements sont survenus sur le marché et qu'il faut suivre le courant, ou lorsqu'il faut aborder sous un nouvel angle la situation d'une marque sans personnalité ou désuète. Nombre d'entreprises trouvent pertinent l'adage «Pourquoi réparer ce qui n'est pas cassé?», mais il n'est pas rare que ces entreprises se rendent compte un peu tard que leur marque aurait bien besoin d'une cure de rajeunissement. Résultat: leur positionnement est si dépassé que de nombreuses années et un budget faramineux s'avèrent nécessaires pour remettre la marque sur pied. Yahoo! illustre d'ailleurs parfaitement cette situation. En effet, dans les premières années suivant l'avènement d'Internet, Yahoo! est parvenu à se positionner avantageusement comme le plus important portail Web. Les consommateurs avaient élu Yahoo! comme leur portail préféré. Puis, Google est apparu et est devenu le meilleur moteur de recherche sur la Toile. Yahoo! a bien tenté d'entrer en concurrence directe avec Google, mais sans succès. Aujourd'hui, Yahoo! est toujours perçu comme un portail Web, qu'il le veuille ou non. Ainsi, les entreprises qui ont une attitude proactive à l'égard du positionnement de leur marque choisissent de le modifier ou d'y apporter des retouches afin qu'il suive le mouvement du marché. Par exemple, depuis sa création, ou presque, le positionnement de General Electric (GE) repose sur ses produits, d'où le slogan « *We bring good things to life* » (« Nous apportons de bonnes choses à la vie »), qui l'a bien servi, d'ailleurs. Récemment, GE a repositionné sa marque de manière à mettre l'accent sur son riche passé et ses innovations, comme en témoigne son nouveau slogan « C'est l'imagination en action ».

General Electric s'est repositionnée pour passer du titre de fabricant de produits de qualité à celui de fabricant novateur qui suit les tendances marketing où l'innovation est perçue comme étant la base de l'avantage concurrentiel.

Comme le montre l'exemple de Yahoo!, le repositionnement n'est pas chose facile étant donné que la perception des consommateurs ne change pas sur commande, même si le marché, lui, change rapidement. Lorsque le repositionnement n'est pas fait correctement, il présente l'inconvénient d'aller à l'encontre des préférences des consommateurs jusqu'alors fidèles sans parvenir à attirer de nouveaux clients. Par contre, s'il est effectué avec succès, ses avantages sont considérables. Il est possible de renforcer la position de la marque sur le marché, ce qui permet à l'entreprise de conserver sa clientèle fidèle tout en attirant une nouvelle clientèle. Par exemple, Cadbury a réussi à repositionner sa marque de manière à attirer une clientèle plus jeune (âgée de 25 à 35 ans). En effet, Cadbury était surtout populaire chez les consommateurs d'un certain âge, mais leur loyauté était en baisse. L'entreprise a choisi, en premier lieu, de rajeunir l'apparence de ses emballages, de sa présentation et de son matériel de communication marketing pour dégager une image plus enjouée et plus dynamique, et, en second lieu, de lancer une campagne publicitaire où l'on voit des individus qui prennent plaisir à consommer des produits Cadbury sur leur lieu de travail. C'est ainsi que Cadbury a été en mesure d'augmenter la fidélité de sa clientèle de 5 % en 2005, par rapport à 2004. Par contre, McDonald's a échoué en tentant de positionner son sandwich « Arch Deluxe » comme étant un « Joyeux festin » pour adulte. Ce faisant, l'entreprise a causé une désaffection à l'endroit des repas Joyeux festin visant les enfants, sans parvenir à attirer des adultes vers l'Arch Deluxe. La campagne d'un coût de 100 millions de dollars a donc été abandonnée après que les ventes dans certains restaurants McDonald's eurent chuté. Il n'est pas étonnant que l'on parle de cette période comme étant un McFiasco.

Le **repositionnement de la marque** est une stratégie visant à repenser la marque en fonction des nouveaux marchés ou à la moderniser en vue de suivre les tendances[48]. À une époque où les fabricants baissaient les prix des électroménagers et où le prix de l'acier faisait grimper les coûts des matériaux, Whirlpool s'est rendu compte que ses appareils étaient devenus des produits de base. L'entreprise devait avoir une idée novatrice qui lui permettrait de justifier un prix en hausse tout en gagnant des parts de marché. Le designer principal a mis de côté les principes traditionnels sur le sujet et fait appel à des chercheurs, à des graphistes et à des ingénieurs en vue de créer des appareils électroménagers révolutionnaires. C'est ainsi que l'ensemble Duet[MD] a vu le jour (*voir la photographie à la page suivante*). L'ensemble, qui comporte

repositionnement de la marque (*brand repositioning [rebranding]*) Stratégie visant à repenser la marque en fonction des nouveaux marchés ou à la moderniser en vue de suivre les tendances.

Whirlpool s'est repositionnée avec succès en lançant le Duet^MD, un ensemble laveuse-sécheuse. Son apparence à la mode est telle que l'ensemble a été exposé au musée du Louvre, à Paris, et qu'il a reçu le prix de design du Smithsonian.

une laveuse et une sécheuse tendance, se vend au prix le plus élevé sur le marché en matière d'ensemble laveuse-sécheuse à chargement frontal. Il détient toutefois 20 % des parts de marché. Ainsi, Whirlpool a propulsé les appareils électroménagers à un niveau qui n'avait pas encore été atteint. Maintenant, ce type d'appareil est à la mode ; d'ailleurs, le musée du Louvre, à Paris, expose la prochaine génération d'appareils électroménagers. En outre, le Smithsonian a remis à Whirlpool le National Design Award, dans la catégorie de la réalisation d'entreprise[49].

De nouvelles possibilités d'affaires peuvent également inciter une entreprise à repositionner ses marques. La croissance du segment des jeunes consommateurs, par exemple, avec son pouvoir d'achat et son influence grandissante sur les décisions d'achat, a fait réagir diverses industries. Depuis son rachat des produits Elizabeth Arden de l'entreprise Unilever en 2000, FFI Fragrances a repositionné bon nombre de ses marques de cosmétiques pour attirer une clientèle plus jeune. Pour ce faire, l'entreprise s'est servie de l'image de vedettes telles Kate Beckinsale, Kirsten Dunst, Sarah Jessica Parker et Catherine Zeta-Jones[50]. Certains magazines se sont aussi repositionnés de manière à délaisser les segments de marché composés de jeunes adolescents au profit des jeunes adultes. C'est notamment le cas de la revue *YM*, qui s'est repositionnée pour viser les jeunes d'environ 19 ans[51].

Le repositionnement peut également changer la perception de la qualité d'une marque. Ainsi, le parc d'attractions Canada's Wonderland a pu jouir d'une meilleure image quand des études ont révélé que les consommateurs étaient favorables à son rachat par Paramount Pictures. Le parc était désormais une marque hollywoodienne, ce qui lui a permis de construire de nouveaux manèges thématiques à partir des plus grands succès cinématographiques, dont les premières montagnes russes inversées du Canada basées sur le film *Top Gun* ainsi qu'un manège basé sur *Tomb Raider*[52]. De même, WestJet s'est repositionnée, de façon à passer d'une compagnie aérienne à service réduit à une compagnie aérienne d'une qualité nettement plus grande, en ajoutant quelques éléments de luxe, comme des sièges en cuir et des écrans ACL (affichage à cristaux liquides) encastrés dans le dossier de chaque siège.

Mais ce n'est pas tout, car le repositionnement peut aussi insuffler une nouvelle force à une marque désuète. Pour ce faire, il se peut qu'un simple rajeunissement de l'emballage soit suffisant, mais il est aussi possible que l'entreprise doive changer certains aspects de la marque[53]. La lotion après-rasage Aqua Velva a changé son emballage pour une bouteille de forme plus pratique, et Arm & Hammer s'est mise à promouvoir les multiples usages du bicarbonate de soude, dont le fait de désodoriser le réfrigérateur[54].

Si le repositionnement permet à une marque de s'adapter davantage à son segment de marché cible ou à donner un nouveau souffle à une marque désuète, les coûts et les risques d'une telle démarche sont néanmoins considérables. L'entreprise en phase de repositionnement doit souvent investir des sommes importantes en vue de changer concrètement le produit et son emballage tout en veillant à modifier l'image de la marque par une campagne publicitaire. En outre, il se peut que l'argent investi soit perdu si la marque et son message ne sont pas crédibles aux yeux des consommateurs ou si l'entreprise a confondu engouement passager et tendance à long terme.

Faites le point

 **Décrivez les étapes du processus de segmentation, de ciblage et de positionnement (SCP)**

Le processus de SCP est un processus systématique qui comprend cinq étapes. D'abord, le gestionnaire marketing détermine les objectifs généraux de la stratégie de marketing. Ensuite, il cerne les divers segments de marché et caractérise chacun d'entre eux. Puis, il évalue les segments suivant leur potentiel d'attraction et voit s'ils conviennent aux compétences de l'entreprise. Par la suite, il utilise ces renseignements pour choisir les segments qui seront visés, ce qui est l'étape du ciblage. Enfin, le gestionnaire marketing élabore une stratégie de positionnement cohérente par rapport au marché cible en vue de lui transmettre la proposition de valeur propre à l'entreprise.

 **Décrivez les éléments de base dont se servent les gestionnaires marketing en vue de segmenter un marché**

Il n'existe pas seulement une bonne façon de procéder à la segmentation d'un marché. L'entreprise choisit parmi de nombreuses méthodes en fonction du type de produits ou de services qu'elle propose aux consommateurs et de leurs objectifs en matière de stratégie de segmentation. Par exemple, si l'entreprise souhaite reconnaître facilement sa clientèle, il est fort probable que la segmentation démographique sera le meilleur moyen d'y parvenir. Par contre, si elle veut aller un peu plus loin et découvrir pourquoi les consommateurs achètent ses produits, une segmentation en fonction du mode de vie, des bénéfices ou de la fidélité s'avérera sûrement plus efficace. La segmentation sociodémographique, quant à elle, est un heureux mélange des approches géographique, démographique et psychographique. Dans la plupart des cas, une combinaison de plusieurs méthodes de segmentation représente la solution la plus appropriée.

 **Indiquez comment se calcule le potentiel d'attraction d'un segment de marché et précisez les critères qui permettent de déterminer si ce segment vaut la peine d'être ciblé**

Les gestionnaires marketing ont recours à plusieurs critères pour évaluer le potentiel d'attraction des segments de marché. Premièrement, le segment doit être identifiable, c'est-à-dire que l'entreprise doit pouvoir savoir quels individus constituent chaque segment afin de diriger ses efforts. Deuxièmement, le segment doit être atteignable, c'est-à-dire que l'entreprise doit pouvoir rejoindre le segment à l'aide de modes de communication et d'un réseau de distribution efficaces. Troisièmement, l'entreprise doit être réceptive aux besoins des consommateurs d'un segment. En conséquence, elle doit être en mesure de proposer au segment de marché un produit ou un service que ce dernier adoptera. Finalement, le segment doit être assez important pour qu'il soit intéressant de le cibler. Si un segment comprend peu de consommateurs, il ne vaut pas le coup d'investir pour ces derniers. En outre, le segment doit être rentable, tant à court terme que pendant toute la durée de vie d'un client typique.

 **Indiquez comment les entreprises choisissent la stratégie de segmentation à adopter (stratégie de marketing de masse, de marketing différencié, de marketing de niche ou de micromarketing)**

La plupart des entreprises ont recours à l'une ou l'autre des stratégies de segmentation. La stratégie de marketing de masse, qui consiste en fait à ne pas segmenter le marché, n'est utile que lorsque le produit ou le service est considéré comme de base. La différence entre la stratégie de marketing différencié et la stratégie de marketing de niche (ou marketing concentré) réside dans le nombre de segments ciblés. Dans l'approche différenciée, plusieurs segments sont ciblés, tandis que, dans l'approche de niche, un seul segment est ciblé. Les plus grandes entreprises, qui ont de multiples produits ou services, ont souvent recours à une stratégie de marketing différencié, alors que les plus petites, ou celles dont le nombre de produits ou de services est restreint, optent généralement pour une stratégie de marketing de niche. Quant aux entreprises qui font appel à une stratégie de micromarketing ou de marketing spécialisé, elles proposent aux consommateurs des produits et des services sur mesure. Autrefois, le micromarketing ne convenait qu'aux artisans ou aux tailleurs qui offraient à leurs clients des produits qui répondaient exactement à leurs besoins. De nos jours, par contre, de plus en plus de fabricants et les détaillants de grande envergure offrent des produits sur mesure. Les fournisseurs de services, pour leur part, adaptent depuis longtemps leurs produits aux besoins de leurs clients. Quant aux salons de coiffure, pourraient-ils vraiment avoir du succès si tout le monde voulait avoir la même coupe ?

 **Indiquez en quoi consiste le positionnement et décrivez comment les entreprises y ont recours**

Le positionnement est le « P » de SCP (segmentation, ciblage et positionnement). C'est l'image mentale qu'un consommateur se fait d'une entreprise ainsi que des produits et des services qu'elle propose par rapport aux concurrents. Les entreprises positionnent leurs produits et leurs services de manière à respecter divers critères. Certains optent pour une stratégie axée sur la valeur ; ainsi, le consommateur perçoit de nombreux avantages par rapport au prix. D'autres choisissent plutôt une stratégie axée sur les attributs du produit, c'est-à-dire que l'offre est faite en fonction de ces attributs. En outre, une entreprise peut miser sur sa position avantageuse sur le marché, soit son leadership, en vue de positionner ses produits et ses services. Le positionnement peut également être axé sur les avantages et sur ce que représente le produit, bien que peu de produits ou de services soient associés à un symbole suffisamment fort pour inciter les consommateurs à se les procurer. Enfin, le positionnement axé sur la concurrence est certainement l'une des stratégies les plus répandues. Il s'agit de se positionner de manière avantageuse par rapport aux concurrents (concurrence directe). Une entreprise peut aussi privilégier une stratégie de différenciation de sa proposition de valeur.

Mots clés

- carte perceptuelle, p. 262
- groupes PSYTE, p. 245
- image de soi, p. 241
- micromarketing (ou marketing spécialisé), p. 256
- mode de vie, p. 241
- personnalisation de masse, p. 256
- point idéal, p. 263
- positionnement recherché, p. 259
- psychographie, p. 240

- repositionnement de la marque, p. 265
- segmentation comportementale, p. 242
- segmentation démographique, p. 238
- segmentation en fonction de la fidélité, p. 243
- segmentation géographique, p. 237
- segmentation par bénéfices, p. 243

- segmentation sociodémographique, p. 245
- stratégie de marketing de masse, p. 253
- stratégie de marketing de niche (ou marketing concentré), p. 255
- stratégie de marketing différencié, p. 255
- valeurs personnelles, p. 240
- VALS^MD, p. 242

Révision des concepts

1. En quoi la segmentation, le ciblage et le positionnement contribuent-ils à la proposition de valeur d'une entreprise ?

2. Nommez les étapes du processus de SCP. Quelles décisions cruciales le gestionnaire marketing doit-il prendre à chacune des étapes ?

3. Énumérez les éléments de base qui sont utiles à la segmentation d'un marché pour un produit ou un service en particulier. Quel type de segmentation est considéré

comme le plus simple à utiliser et quel type est considéré comme le plus complexe à utiliser ? Pourquoi ?

4. Décrivez les éléments de base auxquels Coca-Cola a fait appel, à votre avis, pour trouver son segment de marché cible. Selon vous, quels types de produits ce segment de marché achetait-il avant que Coca-Cola ne lance Coca-Cola Zero ? En vous référant au processus décisionnel du consommateur, de quelles stratégies Coca-Cola s'est-elle servie pour faire en sorte que ce segment change ses habitudes et opte pour le Coca-Cola Zero ?

5. Nommez les quatre stratégies de ciblage qui permettent de faire un choix quant au segment de marché. À quoi faut-il réfléchir avant de choisir une stratégie ou une combinaison de plusieurs stratégies ? Nommez les avantages et les inconvénients de chacune des stratégies et expliquez en quoi la concurrence peut influer sur le choix de la stratégie à adopter.

6. Expliquez la différence entre le positionnement et le positionnement recherché. À votre avis, pourquoi les gestionnaires marketing considèrent-ils le positionnement comme l'étape la plus complexe du processus de SCP ? Comment peuvent-ils exercer une influence sur le positionnement de leurs produits ou de leurs services sur le marché ?

7. Nommez quatre stratégies qu'une entreprise peut employer pour positionner ses produits ou ses services sur le marché. Avec son précédent slogan « Votre volonté de faire, notre savoir-faire », quelle sorte de positionnement Home Depot visait-elle ?

8. Qu'est-ce qu'une carte perceptuelle ? En quoi peut-elle servir à élaborer des stratégies de positionnement ou à reconnaître des occasions d'affaires ?

9. Dans quels cas les gestionnaires marketing devraient-ils songer à repositionner leur marque ? Expliquez ce que signifie le concept de repositionnement. Quels défis et quels risques sont associés au repositionnement ?

10. Selon un article paru sur Internet, Sony songerait à repositionner la console PlayStation comme un ordinateur. À votre avis, Sony peut-elle y arriver avec succès ? Justifiez votre réponse. Les consommateurs pourraient-ils un jour percevoir PlayStation comme un ordinateur ? Pourquoi ?

Marketing appliqué

1. On vous demande de nommer les diverses stratégies de segmentation d'un marché, parmi lesquelles une stratégie sera choisie pour votre magasin d'équipement sportif. Expliquez chacune des stratégies qu'il est possible d'utiliser pour élaborer une méthode de segmentation adaptée à votre commerce. Donnez un exemple des quatre stratégies possibles.

2. Quelle stratégie générale de segmentation proposeriez-vous à un entrepreneur qui désire démarrer une petite entreprise ? Justifiez votre réponse.

3. À première vue, le concept de personnalisation de masse semble contradictoire. Pourquoi un détaillant aurait-il recours à la personnalisation de masse et comment s'y prendrait-il ?

4. Plusieurs méthodes permettent de segmenter un marché. Nommez le client typique de chacune de ces quatre méthodes.

5. On vous demande d'évaluer le potentiel d'attraction de plusieurs segments de marché. Quels critères vous serviront à évaluer chacun des segments ? Pourquoi ces critères sont-ils valables ?

6. Le propriétaire d'une petite entreprise tente d'évaluer la rentabilité de divers segments de marché. Quels sont les principaux facteurs dont il doit tenir compte ? Pendant combien de temps le propriétaire de cette entreprise devrait-il poursuivre son évaluation ?

7. Songez un instant aux nombreuses chaînes hôtelières (p. ex., Marriott, Holiday Inn, Super 8). Comment ces marques se positionnent-elles sur le marché ?

8. Mettez-vous dans la peau d'un entrepreneur qui élabore un nouveau produit dans le but de le lancer sur le marché. Décrivez brièvement ce produit. Ensuite, élaborez des stratégies de segmentation, de ciblage et de positionnement pour ce produit. Assurez-vous d'expliquer : a) la stratégie générale ; b) les caractéristiques du marché cible ; c) les raisons pour lesquelles le marché cible semble avantageux ; et d) la stratégie de positionnement du produit. Justifiez vos réponses.

9. Songez à une entreprise ou à une organisation en particulier qui se sert de plusieurs formes de matériel promotionnel pour vendre des produits et des services (Internet, des annonces publicitaires dans les revues, les journaux et les catalogues, un encart publicitaire dans les journaux, le publipostage, des brochures). Trouvez trois ou quatre annonces publicitaires de ce type pour l'entreprise que vous avez choisie, puis servez-vous-en comme base pour votre analyse des segments de marché qu'elle cible. Décrivez la stratégie de segmentation générale qui se dégage de ces publicités. Assurez-vous de joindre à votre réponse une copie du matériel promotionnel dont vous vous êtes servi dans le cadre de votre analyse.

10. Vous venez tout juste d'être engagé par une banque très connue, dans l'équipe de marketing du Service des cartes de crédit. La banque fait affaire avec un nombre impressionnant de cégeps et d'universités. Elle produit toute une gamme de cartes de crédit à l'effigie de ces établissements d'enseignement. On vous demande de revoir la mise en œuvre d'un nouveau programme qui vise les étudiants de première année des écoles affiliées avec la banque. La banque s'est déjà procuré le nom et l'adresse de ces étudiants. On vous assure qu'aucune vérification de la solvabilité n'est requise si la personne est âgée d'au moins 18 ans. Votre employeur prévoit organiser une campagne éclair le jour de la rentrée, campagne au cours de laquelle il distribuera des casquettes et des chandails gratuits, des rabais sur les manuels scolaires ainsi que de la pizza, à condition que l'étudiant remplisse le formulaire. À votre avis, est-ce une bonne idée de proposer un tel programme à des étudiants de première année ?

Internaute averti

1. Rendez-vous sur le site de L'Oréal Canada (www.lorealparis.ca) et décrivez la stratégie de segmentation dont l'entreprise se sert pour grouper les consommateurs à l'aide du vocabulaire que vous avez appris tout au long du présent chapitre. Ensuite, cliquez sur « Soin de la peau », puis sur « Revitalift ». À votre avis, quel est le marché cible du produit Revitalift Miracle Blur ? Comment décririez-vous la stratégie de positionnement de L'Oréal sur le marché canadien ?

2. Vous désirez ouvrir un café près du campus où vous étudiez. Comme point de départ, vous concluez qu'il serait utile de recueillir des données démographiques sur les consommateurs. D'instinct, vous pensez à Statistique Canada. Allez à l'adresse www.12.statcan.ca/census-recensement/index-fra.cfm. À l'aide de ce site, préparez un rapport sur la démographie des environs où vous voulez démarrer votre café. En quoi ce site vous a-t-il été utile ?

Étude de cas

LES ALIMENTS M&M : LES DÉCISIONS PLUS SIMPLES GRÂCE À LA DÉMOGRAPHIE[55]

Reconnue pour ses centaines d'idées de repas et son unique rayon, Les Aliments M&M constitue la chaîne de détaillants d'aliments congelés la plus importante du Canada. En tout, elle compte plus de 470 magasins d'un océan à l'autre. La demande d'aliments préparés est en forte croissance étant donné que dans la plupart des ménages, le temps manque pour cuisiner. Cette caractéristique démographique, Les Aliments M&M en profite.

Le tout premier magasin a ouvert ses portes au mois d'octobre 1980, après que ses fondateurs Mark Nowak et Mac Voisin eurent conclu qu'il était impossible de se procurer chez un détaillant un steak de qualité comparable à ce qu'on trouve au restaurant. Ni Nowak, avocat de profession, ni Voisin, un ingénieur, n'avait d'expérience en marketing, mais quand l'entreprise a commencé à se franchiser, ils se sont rendu compte qu'ils avaient besoin d'une méthode de segmentation qui leur permettrait d'évaluer les endroits possibles où ouvrir d'autres magasins.

Les Aliments M&M a recours à la démographie ainsi qu'à un programme de segmentation, le MOSAIC, pour arriver à mieux connaître ses secteurs d'activité et ses clients, et à savoir quels consommateurs ont le mode de vie qui correspond le mieux à ce genre d'entreprise.

Les données démographiques permettent de déterminer si un secteur a du potentiel ou non. Grâce à ces données, les dirigeants savent si la population de ce secteur s'accroît ou chute, s'il y a davantage de gens en appartement ou davantage de propriétaires d'une maison. C'est également grâce à elles qu'ils découvrent quelle est la langue dominante. Le système de segmentation, quant à lui, entre en scène quand la démographie unidimensionnelle n'est plus utile. Il sert à définir les quartiers plus en détail. Des voisins dont les revenus, la religion et la maison sont semblables peuvent tout de même avoir un mode de vie et des habitudes de consommation différents. Et il est impératif que le gestionnaire marketing soit en mesure de connaître ces différences.

Même si le personnel du siège social a déjà travaillé avec les groupes PSYTE (dont il a été question auparavant), l'entreprise utilise maintenant un système de segmentation sophistiqué, le MOSAIC, qui lui permet de classer ses données sur les clients en 150 groupes en fonction de leur mode de vie. Ce système comporte des milliers de variables portant sur tous les thèmes possibles, tels que le logement professionnel, l'origine ethnique, la mobilité, la valeur du logement, le revenu du ménage ou encore la langue. Les Aliments M&M est donc en mesure de dresser un portrait bien plus précis de ses secteurs d'activité et de sa clientèle.

En Ontario, le groupe le plus important pour Les Aliments M&M est appelé « *Wine with dinner* » (« Vin avec le souper »). Ce groupe est constitué d'universitaires en pleine forme qui vivent dans des maisons isolées et qui ont une famille plus nombreuse que la moyenne. Le revenu annuel moyen de leur ménage s'élève à 70 000 $. Ceux qui appartiennent à ce groupe investissent des sommes importantes en décoration et en aménagement paysager.

À l'aide des renseignements recueillis, Les Aliments M&M choisit les marchés qu'elle ciblera. En général, le consommateur cible est une femme d'au moins 35 ans dont la vie de famille est très chargée. Elle a normalement au moins deux enfants. Ce type de consommateurs manque de temps et recherche des repas pratiques. Après avoir cerné les marchés cibles les plus avantageux, l'entreprise peut désormais concentrer ses efforts sur sa recherche de clients qui correspondent au profil décrit précédemment afin de les atteindre à l'aide d'une campagne publicitaire pertinente.

À mesure que le multiculturalisme prend de l'ampleur, des études soutenues sont menées afin de comprendre les changements qui s'opèrent au Canada. Selon le recensement de 2006, le paysage canadien poursuit sa métamorphose à un rythme plutôt rapide. Entre les recensements de 2001 et de 2006, 1,6 million de personnes ont fait du Canada leur foyer. Parmi eux, 1,2 million, soit 75 %, étaient de nouveaux arrivants. Ces néo-Canadiens représentent un marché potentiel d'envergure pour les détaillants, d'autant plus qu'il continue de s'accroître. En effet, d'ici 2017, un Canadien sur cinq devrait faire partie d'une minorité visible. Sachant cela, Les Aliments M&M a commencé à s'informer sur le très complexe marketing ethnique.

La carte MAX permet à l'entreprise de suivre 94 % de ses transactions et ainsi de recueillir des renseignements précieux sur les habitudes de consommation de sa clientèle.

Même si la chaîne est présente surtout en banlieue, elle a lancé un tout nouveau concept appelé « Les Aliments M&M En Ville ». La première succursale, qui a ouvert ses portes au centre-ville de Toronto, présente un décor plus raffiné que dans les détaillants de la banlieue. Ce concept a été créé pour correspondre aux besoins du mode de vie urbain ; ainsi, les heures d'ouverture sont prolongées et certains produits de spécialité ont fait leur apparition, comme les grillades à l'intérieur et les kiosques informatiques. Ces derniers permettent aux clients de concevoir leur propre menu et de télécharger des recettes[56].

Les Aliments M&M prévoit continuer de prendre de l'expansion pour éventuellement percer le marché américain. Trouver l'endroit idéal où ouvrir la première succursale est en soi une tâche colossale. L'une des étapes consiste à comparer les principaux groupes MOSAIC canadiens avec les principaux groupes MOSAIC américains afin de voir s'il existe des similitudes entre les deux quant au mode de vie. (Les groupes canadiens et américains sont totalement différents.) Étant donné que ces systèmes de segmentation axés sur le mode de vie allient les données démographiques aux données psychographiques, il sera possible de cerner des quartiers des États-Unis où le mode de vie ressemble grandement aux marchés canadiens les plus performants de l'entreprise.

Les Aliments M&M sait qu'il est payant de garder la clientèle qui lui est fidèle ; c'est pourquoi elle a mis sur pied le programme MAX, qui récompense ses plus fidèles clients. Ce programme donne aussi à l'entreprise des renseignements précieux relatifs à sa clientèle. En effet, elle affirme que 94 % de ses transactions sont suivies au moyen d'un programme et que 93 % de ses clients, soit 5,7 millions de Canadiens, possèdent une carte MAX. Les données recueillies à l'aide de ces cartes, comme le code postal, permettent de savoir quelle distance les clients sont prêts à parcourir pour se rendre dans les succursales M&M. Cette information est très utile pour déterminer l'emplacement d'une nouvelle succursale. En outre, elle permet de concentrer les efforts de marketing pour atteindre les consommateurs qui correspondent le plus au profil défini par l'entreprise.

Les données relatives à la segmentation et celles obtenues grâce au programme de fidélisation sont offertes aux franchisés en vue de les aider à pénétrer le marché de façon plus efficace et même de déterminer les produits qu'ils devraient avoir en stock. Cette approche ajoute de la valeur aux franchisés en leur permettant d'attirer les meilleurs clients, puis de les garder.

Questions

1. Décrivez la stratégie de segmentation utilisée par Les Aliments M&M pour mieux servir ses marchés suburbains.

2. Pourquoi une stratégie différente sera-t-elle nécessaire pour ses succursales Les Aliments M&M En Ville ?

3. Pourquoi les entreprises comme Les Aliments M&M ont-elles besoin d'une stratégie de segmentation composite en vue de cerner leurs marchés cibles potentiels ?

4. Nommez des différences clés en matière de démographie dont Les Aliments M&M devrait tenir compte au moment de son ouverture aux États-Unis.

5. Mis à part l'adaptation de la publicité pour représenter les différentes fêtes culturelles, comment Les Aliments M&M pourrait-elle attirer l'attention de la population canadienne d'origine étrangère ?

OBJECTIFS D'APPRENTISSAGE

Après avoir lu ce chapitre, vous devriez être en mesure :

OA **1** d'expliquer ce qu'est un produit ;

OA **2** de décrire comment les entreprises adaptent leurs lignes de produits aux conditions changeantes du marché ;

OA **3** d'expliquer l'importance des marques pour les entreprises et leurs clients ;

OA **4** de décrire les diverses stratégies de marque utilisées par les entreprises ;

OA **5** d'expliquer comment l'emballage et l'étiquette d'un produit s'intègrent à la stratégie globale d'une entreprise.

Les décisions relatives au produit, à la stratégie de marque et à l'emballage

Créée en 1957, Dove est aujourd'hui une marque mondiale vendue dans plus de 80 pays. Lancée à l'origine grâce à un pain de beauté censé ne pas dessécher la peau comme le savon, Dove représente aujourd'hui la première marque mondiale de nettoyant pour la peau[1]. Au Canada, un foyer sur quatre utilise des produits Dove[2].

Le pilier de la marque est le pain de beauté Dove original. Composé pour un quart de crème hydratante, le pain Dove promet de nettoyer la peau en douceur tout en l'hydratant. C'est avec succès qu'Unilever a repris ce positionnement par bénéfices dans plusieurs catégories de produits de soins corporels. Après plus de quatre décennies passées à consolider la marque, la société l'a étendue à de nouvelles lignes de produits, notamment des gels douche hydratants, des antisudorifiques et des déodorants, des crèmes pour le visage, des shampooings et des revitalisants ainsi que des produits de coiffage.

Certaines extensions de marques échouent parce que les produits ne correspondent pas vraiment au produit de base original, comme l'aspirine BENGAY, la lotion après-rasage Vaseline ou le baume pour les lèvres 7-Up. Les nouveaux produits Dove sont bien assortis à la marque de base. De plus, Unilever possédait déjà une compétence organisationnelle dans les nouvelles catégories de produits, notamment les crèmes de beauté (Pond's), les produits coiffants (Thermasilk, Salon Selectives, Finesse) et les antisudorifiques (Degree).

L'entreprise s'est inspirée des suggestions des consommateurs pour mener à bien ses extensions de marques. L'extension des déodorants découlait d'une recherche qui a mis en lumière le besoin d'un produit hydratant doux qui n'irriterait pas les aisselles fraîchement rasées. Les nouveaux produits étaient cohérents par rapport à la marque de base, car toutes les extensions possédaient la même qualité fonctionnelle, soit le pouvoir d'hydratation.

Cette cohérence par rapport à la marque a permis à l'entreprise de créer de solides associations. Ainsi, l'image de marque de Dove a toujours été associée à l'hydratation et à la douceur. L'entreprise utilise souvent des images féminines pour suggérer les propriétés de ses produits. Son logo, une colombe stylisée, évoque des attributs féminins universels comme la paix, la douceur et la légèreté.

Cette image se trouve également sur les emballages, des flacons aux lignes courbes. Même le produit de base, le pain de beauté Dove, possède des lignes courbes qui évoquent la silhouette d'une femme.

La proposition de valeur simple de Dove n'a pas changé depuis plus de 50 ans : la promesse de la marque en ce qui concerne la douceur et le pouvoir hydratant des produits Dove demeure pertinente et attirante pour les consommateurs. Dove a construit une marque solide, qui tient ses promesses et a gagné la confiance des consommateurs comme des professionnels : en effet, Dove est le premier pain de toilette recommandé par les dermatologues.

En faisant en sorte que sa marque tienne ses promesses, Dove a non seulement créé un produit apprécié, mais elle a acquis un capital de marque solide, une excellente notoriété et une clientèle très loyale.

Unilever a profité du capital de marque créé par le pain de beauté Dove pour étendre la marque à de nouvelles catégories de produits comme ceux qui sont montrés ici.

produit (*product*)
Objet tangible qui a une valeur aux yeux d'un consommateur et qui peut lui être proposé dans le cadre d'un échange commercial volontaire.

En tant qu'élément clé du marketing mix d'une entreprise (les quatre «P»), les stratégies de produit sont essentielles à la création de valeur pour les consommateurs. Un **produit** est tout ce qui a de la valeur aux yeux d'un consommateur et qui peut lui être proposé dans le cadre d'un échange commercial volontaire. Outre des biens comme un dentifrice ou des services comme une coupe de cheveux, les produits peuvent être des lieux (p. ex., Whistler, en Colombie-Britannique), des idées (p. ex., cesser de fumer), des organisations (p. ex., la Société canadienne du sang), des personnes (p. ex., Avril Lavigne) ou des communautés (p. ex., Facebook) qui créent de la valeur pour les consommateurs dans leurs secteurs d'activité respectifs.

Comme le montre la feuille de route ci-contre, nous verrons d'abord comment les entreprises adaptent leurs lignes de produits aux conditions changeantes du marché. Ensuite, nous nous pencherons sur les stratégies de marque : pourquoi les marques sont-elles importantes pour l'entreprise et quelles stratégies de marque les entreprises utilisent-elles ? Il ne faut pas sous-estimer la valeur des emballages et des étiquettes au moment de l'élaboration des stratégies de produits et de la publicité. Ceux-ci doivent émettre un message puissant de la tablette : «Achetez-moi!» À la fin du chapitre, nous examinerons divers aspects de l'emballage et de l'étiquetage.

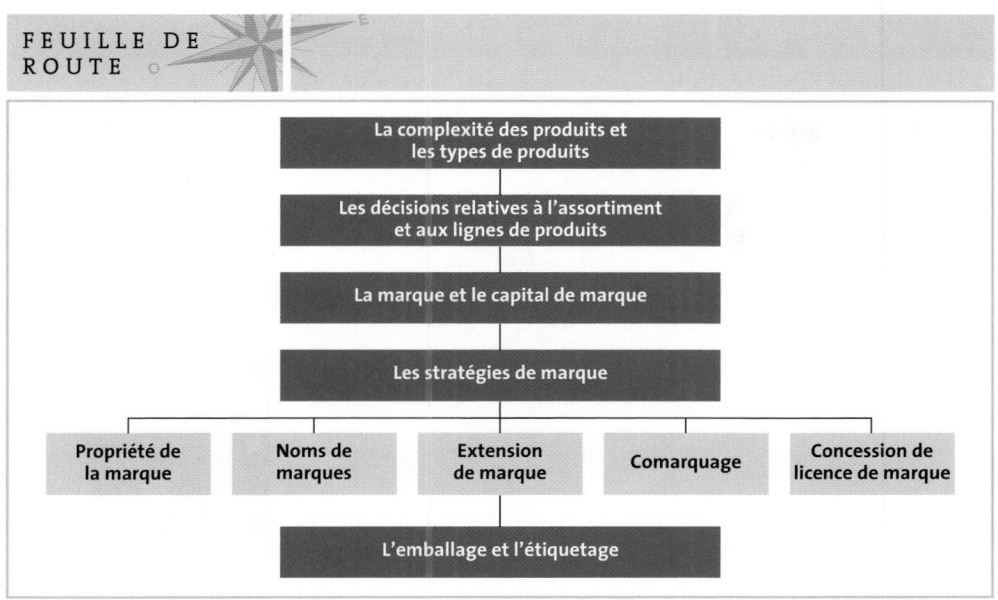

La complexité des produits et les types de produits

La complexité des produits

Un produit représente bien plus que ses attributs physiques ou sa fonction de base. Comme l'illustre la figure 9.1 à la page suivante, les gestionnaires marketing responsables du développement, de la conception et de la vente considèrent les différents aspects d'un produit comme étant interdépendants. Ils cherchent d'abord à déterminer l'**avantage principal recherché** par le consommateur, soit la caractéristique du produit propre à résoudre son problème. Ainsi, lorsque Mars fabrique ses M&M, ses Snickers et d'autres friandises et que Trek conçoit ses vélos, les deux fabricants se posent la question fondamentale suivante : que recherchent les consommateurs ? Mars se demande s'ils veulent une friandise sucrée et délicieuse ou un encas revivifiant. Trek veut savoir s'ils utiliseront leur vélo pour se déplacer de façon écologique (vélo de ville) ou recherchent plutôt la vitesse et l'excitation (vélo de route, hybride ou de montagne).

Les gestionnaires marketing convertissent l'avantage principal recherché en produit tangible. Ils étudient des attributs comme le nom de la marque, les caractéristiques et la conception, le niveau de qualité et l'emballage, bien que l'importance de ces attributs varie en fonction du produit. Le Madone 7 de Trek possède un cadre en carbone léger, robuste et confortable ; un système de changement de vitesse perfectionné ; et d'autres caractéristiques de haute technologie. Non seulement le vélo a belle apparence, mais les consommateurs ont aussi le choix entre trois catégories différentes : professionnel, de performance et de cyclotourisme.

Les **services connexes (ou produit augmenté)** (*voir la figure 9.1*) sont les avantages non tangibles qui accompagnent le produit, comme la garantie, le financement, le soutien technique et le service après-vente. Leur étendue varie en fonction du produit. Ainsi, dans le cas des M&M, ils peuvent se résumer à un service de traitement des réclamations et donc être relativement moins étendus que les services associés à un vélo Trek. Le cadre d'un vélo Madone 7 est garanti à vie pour le propriétaire original et Trek vend ses vélos uniquement à des boutiques qui ont l'expertise nécessaire pour les entretenir et les réparer. Le site Web très complet de l'entreprise répond à toutes les questions des consommateurs. Trek offre même un service de financement permettant aux clients d'acheter un vélo à crédit.

Lorsqu'ils élaborent ou modifient un produit, les gestionnaires marketing commencent par déterminer l'avantage principal recherché par leurs clients potentiels.

avantage principal recherché
(*core customer value*)
L'avantage de base recherché par le consommateur et propre à résoudre son problème.

services connexes (ou produit augmenté)
(*associated services [or augmented product]*)
Les avantages non tangibles d'un produit, qui englobent la garantie, le financement, le soutien technique et le service après-vente.

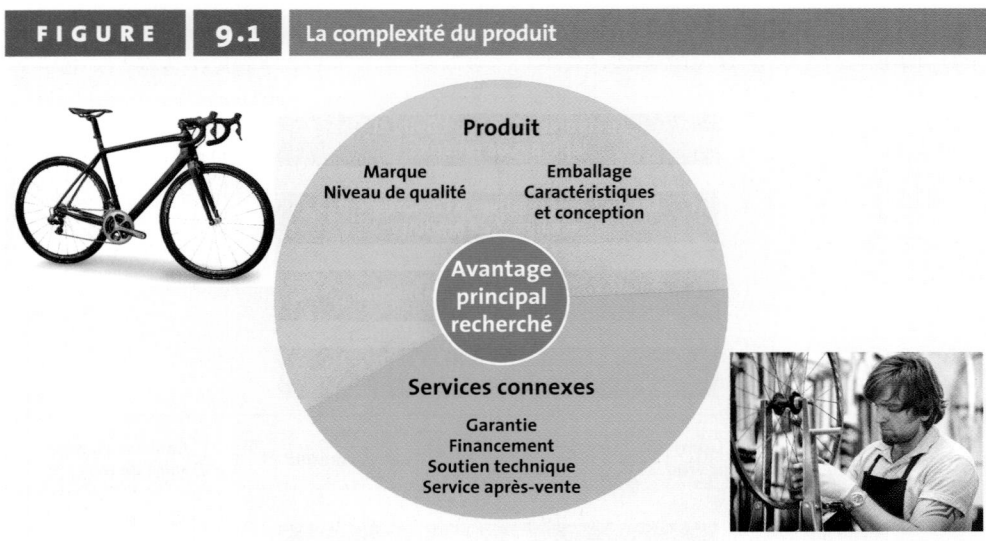

FIGURE	9.1	La complexité du produit

Produit

Marque
Niveau de qualité

Emballage
Caractéristiques
et conception

Avantage
principal
recherché

Services connexes

Garantie
Financement
Soutien technique
Service après-vente

Ensuite, ils créent un produit tangible et y ajoutent des services connexes pour compléter leur offre.

OA **1**   ## Les types de produits

Les gestionnaires marketing réfléchissent aux types de produits qu'ils conçoivent et vendent parce que cela influe sur leur façon d'en fixer le prix, de les promouvoir et de les distribuer. Les produits et les services appartiennent à deux grandes catégories selon les acheteurs à qui ils sont destinés : consommateurs ou entreprises (le chapitre 7 aborde les produits destinés aux entreprises). Les **produits de consommation** sont des produits et des services destinés à être utilisés à des fins personnelles. Les gestionnaires marketing divisent encore ces produits en fonction de la manière dont ils sont utilisés et achetés.

produit de consommation
(*consumer product*)
Produit ou service destiné à être utilisé à des fins personnelles.

Les produits et services de spécialité

Les produits et services de spécialité sont des produits et des services pour lesquels le client démontre une forte préférence et pour lesquels il est prêt à faire des efforts considérables en vue de trouver les détaillants qui les offrent. Les mordus de vélo de route, comme ceux qui s'intéressent au vélo Madone 7 de Trek, consacrent beaucoup de temps et d'énergie à choisir le vélo qui leur convient parfaitement. D'autres exemples pourraient englober les voitures de luxe, les experts juridiques ou médicaux, ou les vêtements de créateurs.

Les produits et services d'achat réfléchi

Les produits et services d'achat réfléchi sont des produits et des services, comme les meubles, les parfums, les électroménagers et les voyages, auxquels le client accorde beaucoup de temps afin de comparer les choix qui s'offrent à lui. Quand un client veut acheter des chaussures de course, par exemple, il entre dans de nombreux magasins, essaie différents modèles, les compare et discute avec le vendeur ou la vendeuse.

Les produits et services de consommation courante

Les produits et services de consommation courante sont des produits et des services pour lesquels le client ne veut pas avoir à se poser de questions avant de les acheter. Ce sont des articles que l'on achète fréquemment sans vraiment y réfléchir. Les boissons gazeuses, le pain et le savon entrent en général dans cette catégorie.

Les produits et services non recherchés

Les produits et services non recherchés sont des produits et des services que le consommateur ne connaît pas ou qu'il connaît, mais n'envisage pas d'acheter. De par leur nature, ces produits demandent un effort de marketing important et diverses formes de promotion. Lorsque des produits tout à fait inédits arrivent sur le marché, comme les systèmes GPS, ils représentent souvent des produits non recherchés. Vous avez les mains froides et ne savez pas comment remédier à ce problème ? C'est sans doute parce que vous ne connaissez pas les chauffe-mains HeatMax HotHands, des sachets activés à l'air qui émettent de la chaleur durant 10 heures au plus.

assortiment de produits (ou gamme de produits) (*product assortment*) Ensemble de tous les produits offerts par une entreprise.

Les décisions relatives à l'assortiment et aux lignes de produits

OA 2

L'ensemble de tous les produits offerts par une entreprise est appelé **assortiment de produits (ou gamme de produits)**. La figure 9.2 présente l'assortiment de produits de Colgate-Palmolive. L'assortiment de produits comprend en général diverses **lignes de produits**, soit des familles de produits similaires que les consommateurs utilisent conjointement. Les lignes de produits de Colgate-Palmolive comprennent des produits d'hygiène dentaire et personnelle, des nettoyants ménagers, des produits pour la lessive et des aliments pour animaux.

ligne de produits (*product line*) Constituante d'une gamme de produits. Chaque ligne correspond à un groupe de produits similaires.

Chaque ligne de produits englobe habituellement de multiples catégories de produits. Une **catégorie de produits** est un ensemble d'articles que le client voit comme étant des produits de substitution. Par exemple, la ligne de produits d'hygiène bucco-dentaire de Colgate-Palmolive comprend plusieurs catégories : dentifrices, produits blanchissants, brosses à dents, produits pour les enfants, fil dentaire et produits spécialisés. Chaque catégorie d'une ligne de produits peut porter la même

catégorie de produits (*product category*) Ensemble des articles que le client voit comme étant des produits de substitution.

FIGURE 9.2 L'assortiment de produits de Colgate-Palmolive

Lignes de produits
← **Étendue de la gamme de produits** →

Catégories de produits ↕ **Profondeur de la ligne de produits**

Hygiène bucco-dentaire	Soins corporels	Entretien de la maison	Entretien du linge	Aliments pour animaux
Dentifrices (Colgate Total)	*Déodorants* (Speed Stick)	*Détergents à vaisselle* (Palmolive)	*Détergents à lessive* (Fab)	Hill's Pet Nutrition (filiale)
Produits de blanchiment (Colgate Blanc éclatant)	*Pains de savon* (Irish Spring)	*Détergents liquide pour lave-vaisselle* (Palmolive)	*Assouplisseur* (Fleecy)	*Aliments pour chiens* (Science Diet)
Brosses à dents (Colgate Plus)	*Gels douche* (Soft Soap)	*Nettoyants ménagers* (Ajax)		*Aliments pour chats* (Science Diet)
Produits pour enfants (dentifrice Colgate Barbie)	*Savon pour les mains* (Soft Soap)	*Lingettes imprégnées* (Palmolive)		
Fil dentaire (fil dentaire Colgate Total)	*Soins pour hommes* (Skin Bracer après-rasage)			
Produits spécialisés (Colgate Oragard-B)				

Source : www.colgate.ca/app/Colgate/CA/FR/CompanyHomePage.cvsp (page consultée le 8 janvier 2015).

marque (*brand*)
Nom, terme, dessin, symbole ou tout autre élément permettant de distinguer le produit d'un fabricant de celui des autres fabricants.

étendue (ou largeur) de la gamme de produits (*product line breadth*)
Nombre de lignes de produits proposées par une entreprise.

référence (*stock keeping unit [SKU]*)
Chacun des articles compris dans une catégorie de produits ; la plus petite unité considérée au moment du contrôle des stocks.

profondeur de la ligne (*category depth*)
Nombre de références (produits distincts) au sein d'une ligne de produits.

marque ou des marques différentes[3]. La **marque** est un nom, un terme, un dessin, un symbole ou tout autre élément permettant de distinguer le produit d'un fabricant de celui des autres fabricants. Par exemple, Colgate-Palmolive propose plusieurs marques de brosses à dents (360°, Whitening, Massager, Navigator, etc.).

Un assortiment de produits peut aussi être décrit en fonction de son étendue et de sa profondeur. L'**étendue (ou largeur) de la gamme de produits** représente le nombre de lignes de produits proposées par une entreprise, soit cinq dans le cas de Colgate-Palmolive. La profondeur de la gamme de produits est le nombre moyen de catégories de produits au sein d'une même ligne. La ligne de produits d'hygiène dentaire de Colgate-Palmolive comprend plusieurs catégories : dentifrices, produits de blanchiment, brosses à dents et ainsi de suite. Toutefois, sa ligne d'aliments pour animaux compte un nombre plus restreint de catégories et est donc moins profonde.

Chaque catégorie de produits comprend un certain nombre de produits distincts appelés **références** (que l'on désigne souvent par l'acronyme anglais SKU pour *Stock Keeping Unit*) ; une référence est la plus petite unité prise en compte au moment du contrôle des stocks. Par exemple, dans la catégorie des dentifrices, Colgate-Palmolive compte 49 références correspondant aux dentifrices Colgate Herbal White, Colgate Total et Colgate Fresh Confidence de tailles, de saveurs et de configurations variées[4]. Chaque produit représente une référence individuelle. Ainsi, le tube de 100 millilitres de Colgate Total Clean Mint compte pour une référence, le tube de 100 millilitres de dentifrice Colgate Total Plus Whitening pour une référence, de même que le tube de même taille de Colgate Total Advanced Fresh Gel. La **profondeur de la ligne** correspond au nombre de références (produits distincts) au sein d'une même ligne de produits. Chaque référence possède son propre code universel du produit (CUP). Une ligne compte plus ou moins de références ; elle est plus ou moins profonde. Quant à la gamme, elle consiste en une collection de lignes. Une gamme qui contient une ligne profonde est dite profonde, mais « indirectement » – on utilise parfois des métriques de profondeur moyenne, qui s'appliquent à la gamme.

La décision d'élargir ou de rétrécir une gamme de produits dépend de plusieurs facteurs liés à l'industrie, aux consommateurs et à l'entreprise. Les entreprises élargissent leurs gammes de produits lorsqu'il est relativement facile de pénétrer un marché particulier (les barrières à l'entrée sont peu nombreuses) ou lorsqu'un débouché important se présente[5]. Quand une entreprise ajoute de nouvelles catégories et marques à son assortiment de produits, elle augmente souvent ses ventes et ses profits de façon appréciable, comme l'ont fait Doritos avec sa ligne de produits Cool Ranch, Ford avec ses véhicules Explorer et Chrysler avec ses fourgonnettes[6].

Toutefois, des extensions de gamme incontrôlées et illimitées peuvent entraîner des conséquences néfastes. Maintenir un assortiment de produits trop varié s'avère souvent trop onéreux et une prolifération des marques peut nuire à la réputation de la marque mère[7]. Au cours des dernières années, par exemple, Heinz a entrepris une restructuration majeure en regroupant ses opérations mondiales et en se concentrant davantage sur ses produits et marchés les plus florissants. En Europe, elle a réduit de 24 à 12 les types de ketchup Heinz (vendus dans différents flacons)[8].

Examinons maintenant les raisons qui peuvent pousser une entreprise à modifier l'étendue, la profondeur ou le nombre de références de son assortiment de produits ainsi que les décisions relatives aux services.

Starbucks a augmenté l'étendue de sa gamme de produits en y ajoutant les cafés aromatisés Natural Fusions. Cet ajout s'est fait naturellement lorsque l'entreprise a découvert que plus de 60 % de ses clients aimaient les cafés aromatisés.

Changer l'étendue de la gamme de produits

Une entreprise peut modifier l'étendue de sa gamme de produits en ajoutant ou en supprimant des lignes de produits. La figure 9.3 propose un exemple fictif d'une entreprise dont la gamme s'étendrait sur quatre lignes distinctes de produits et qu'elle modifierait selon les exigences de ses marchés.

Augmenter l'étendue

Les entreprises lancent souvent de nouvelles lignes de produits dans le but de s'emparer de marchés nouveaux ou changeants, d'accroître leurs ventes ou de pénétrer de nouveaux marchés (*p. ex., ajout de la ligne de produits D dans la figure 9.3*). Ayant observé passivement pendant des années l'accroissement des ventes de véhicules utilitaires sport (VUS), Porsche a décidé d'élargir sa gamme de produits et de se lancer sur le marché des VUS grâce à sa Porsche Cayenne. Ce véhicule se veut à la hauteur des normes de performance et de l'image sportive des voitures sport Porsche. La décision de Porsche d'étendre sa marque à une nouvelle ligne de produits n'avait rien d'étonnant, puisque environ 40 % des propriétaires de voitures Porsche achètent des VUS comme seconde voiture[9].

Réduire l'étendue

Parfois, une entreprise doit supprimer des lignes entières de produits en vue de faire face aux conditions changeantes du marché ou de respecter des priorités stratégiques internes (*p. ex., suppression de la ligne de produits C dans la figure 9.3*). Il y a quelques années, SC Johnson a vendu de nombreux produits de sa ligne de soins corporels, y compris la populaire marque Aveeno, à Johnson & Johnson[10]. L'entreprise n'était plus concurrentielle dans le secteur des soins corporels même si elle soutenait très bien la concurrence avec ses lignes de produits originaux comme les nettoyants ménagers (Pledge, Windex), les désodorisants pour la maison (Glade) et les produits d'emballage (Saran, Ziploc)[11].

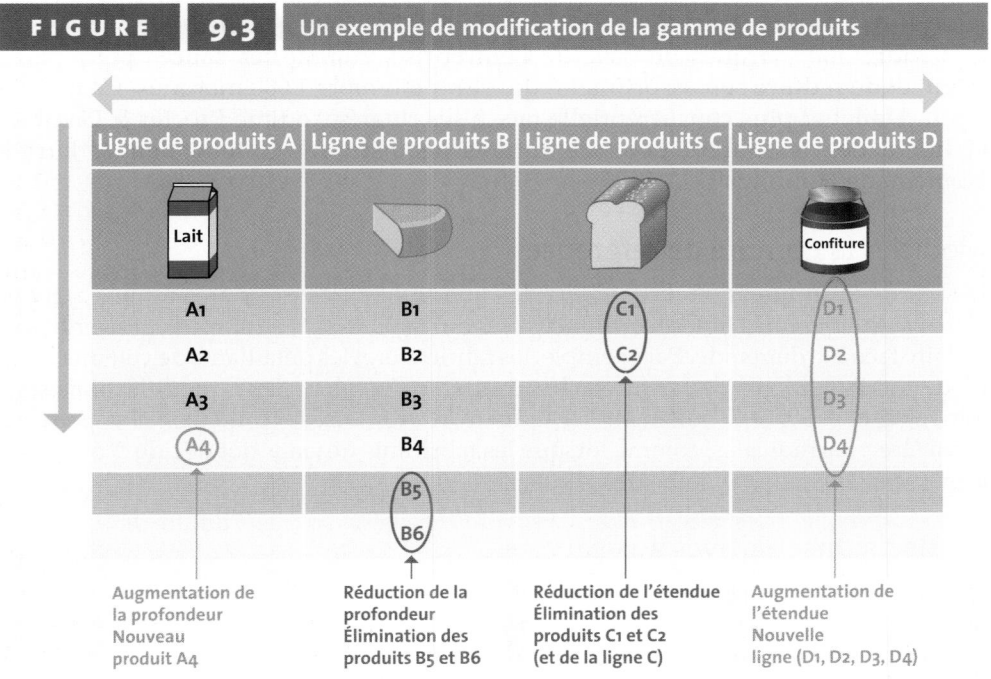

FIGURE 9.3 Un exemple de modification de la gamme de produits

Changer la profondeur de la gamme de produits

De même que les entreprises peuvent modifier l'étendue de leurs gammes de produits, elles peuvent aussi ajouter des produits à leurs lignes de produits ou supprimer des produits de celles-ci afin d'en modifier la profondeur.

Augmenter la profondeur

Les entreprises peuvent ajouter de nouveaux produits à une ligne afin de répondre aux préférences changeantes des consommateurs ou de couper l'herbe sous le pied à un concurrent tout en stimulant leurs ventes (*p. ex., ajout du produit A4 dans la figure 9.3 de la page précédente*). Il y a quelques années, Levi Strauss & Co. a lancé sa ligne de jeans à bas prix Signature vendus dans les magasins Walmart. Les jeans Signature coûtaient seulement entre 21 $ et 23 $ l'unité, soit près de la moitié du prix des populaires Levi's 505 et 501 (la gamme à l'«étiquette rouge») vendus dans les grands magasins[12]. L'entreprise a pris cette décision afin de stimuler les ventes devant la compétition féroce que lui livraient ses homologues Diesel et Parasuco et de cibler de nouveaux marchés en vendant ses produits par l'entremise d'autres détaillants. Une entreprise peut aussi ajouter de nouveaux produits à sa ligne de produits en vue de cibler de nouveaux segments de marché. Par exemple, Seiko a créé la montre Seiko LaSalle pour un segment de marché qui voulait porter une montre Seiko, mais qui n'avait pas les moyens d'acheter cette marque de luxe.

Réduire la profondeur

De temps en temps, une entreprise doit supprimer des catégories de produits afin de répartir différemment ses ressources (*p. ex., suppression des produits B5 et B6 dans la figure 9.3*). Cette décision n'est jamais prise à la légère. En général, l'entreprise a fait des investissements substantiels pour développer la marque et fabriquer les produits. Les fabricants de biens de grande consommation comme Procter & Gamble et Unilever élaguent régulièrement leur portefeuille afin d'éliminer les produits non rentables et de concentrer leurs efforts de marketing sur des produits plus rentables.

Par exemple, lorsque les cadres du géant des biens de grande consommation Unilever ont noté un déclin substantiel des ventes et des profits en 1999, ils ont admis que l'entreprise transportait un excédent de bagages. Ils ont donc décidé de vendre 400 marques de base de l'entreprise, comme les sauces pour pâtes Ragu, et de réduire son assortiment, qui comptait alors 1 600 marques. Ce geste a rendu Unilever plus concurrentielle face à ses rivales, comme Procter & Gamble, et libéré des ressources pour de futures acquisitions, comme Ben & Jerry's Homemade Holdings[13].

Modifier le nombre de références

L'ajout ou la suppression de produits dans des catégories existantes est une activité courante à laquelle se livrent de nombreuses entreprises afin de stimuler les ventes ou de faire face à la demande. Par exemple, les fabricants et les détaillants de vêtements de mode modifient leurs références à chaque saison. En général, ces modifications sont mineures et touchent seulement les couleurs ou les tissus. Toutefois, elles peuvent aussi être plus radicales, comme lorsque les fabricants de jeans ont décidé d'offrir des jeans à taille basse et à jambes évasées.

Les décisions relatives aux services

Un grand nombre des stratégies relatives aux lignes de produits tangibles peuvent aussi s'appliquer aux services. Par exemple, un fournisseur de services comme une banque offre ordinairement diverses lignes de produits à ses clients commerciaux et de détail (consommateurs); ces lignes de produits sont divisées en catégories adaptées aux besoins des différents marchés cibles.

Aux clients individuels, les banques proposent des comptes d'épargne et de chèques. Ces types de comptes équivalent aux références. Son actif fait de la Banque Royale du Canada (RBC) la plus grande banque canadienne ; elle sert plus de 14 millions de clients individuels, commerciaux, gouvernementaux et institutionnels en Amérique du Nord et dans 34 pays[14]. Elle offre une variété de comptes de chèques qui répondent aux besoins de ses différents marchés cibles. Par exemple, le Forfait bancaire VIP RBC, assorti de frais mensuels élevés, comprend plusieurs comptes bancaires et offre un nombre illimité d'opérations et une carte Visa de prestige sans frais. Les étudiants peuvent bénéficier du Forfait bancaire sans limite RBC, qui comprend un nombre illimité d'opérations, une carte de crédit sans fais et des frais mensuels modérés. Les clients qui font moins de 15 transactions par mois peuvent adhérer au Forfait bancaire courant RBC moyennant des frais mensuels peu élevés. Les personnes âgées profitent d'une remise de 25 % sur leurs frais bancaires mensuels pour tous les comptes[15].

La marque

La marque permet aux entreprises de différencier leurs produits de ceux de leurs concurrents. La marque peut représenter le nom d'une entreprise ou son assortiment de produits (General Motors), une ligne de produits (Chevrolet) ou un seul produit (Corvette). Les noms de marques, les logos, les symboles, les caractères, les slogans, les refrains publicitaires et même les emballages distinctifs représentent les divers éléments constitutifs d'une marque utilisés par les entreprises, qui les choisissent habituellement parce qu'ils sont faciles à reconnaître et à mémoriser[16]. Par exemple, la plupart des consommateurs connaissent le Swoosh, le logo de Nike, et le reconnaîtraient même si le mot « Nike » ne figurait pas sur le produit ou dans la publicité. Le tableau 9.1 résume les éléments d'une marque.

Faciles à reconnaître et à mémoriser, les symboles et les logos sont une composante majeure des marques.

TABLEAU 9.1	Les éléments constitutifs d'une marque
Composante de la marque	**Description**
Nom de la marque	Composante parlée et écrite de la marque, le nom peut soit décrire le produit ou le service ou les caractéristiques du produit, soit être constitué de mots inventés ou issus du langage familier ou contemporain. Exemples : Comfort Inn (évoque les caractéristiques du produit), Saturn (aucune association avec le produit) ou Accenture (terme inventé).
Adresse URL (localisateur uniforme de ressources) ou nom de domaine	L'adresse Internet reprend souvent le nom de l'entreprise, comme Yahoo! (https://qc.yahoo.com) et Amazon (www. amazon.ca/fr/).
Logo et symbole	Un logo est un élément visuel qui représente le nom de l'entreprise ou sa marque de commerce. Un symbole est un logo sans mots. Exemples : le Swoosh de Nike et l'étoile de Mercedes.
Personnage	Un personnage est le symbole d'une marque, qui peut être un humain, un animal ou un personnage animé. Exemples : la figurine en pâte Pillsbury et le Géant Vert.
Slogan	Un slogan consiste en une courte phrase qui décrit la marque ou met en valeur certaines de ses caractéristiques. Exemples : « Toujours frais » (Tim Hortons) et « Comme un bon voisin, State Farm est là ! » (State Farm).
Refrain publicitaire	Le refrain publicitaire est un message audio composé de mots ou d'une musique distinctive. Exemples : la signature sonore de quatre notes qui accompagne le slogan « *Intel inside* ».

Source : adapté de Kevin Lane Keller, *Strategic Brand Management: Building, Measuring, and Managing Brand Equity*, 2ᵉ éd., Upper Saddle River, N.J., Prentice Hall, 2003.

OA (3) L'avantage de la marque pour le consommateur et le gestionnaire marketing

Les marques ajoutent de la valeur aux produits et aux services au-delà de leurs caractéristiques physiques et fonctionnelles ou de la simple prestation du service[17].

Examinons quelques façons dont les marques créent de la valeur pour les consommateurs comme pour l'entreprise (*voir la figure 9.4*).

Les marques facilitent les achats.

Les marques influent sur la valeur de marché.

Les marques fidélisent les clients.

LA VALEUR DE LA MARQUE

Les marques protègent les entreprises contre la concurrence.

Les marques sont des actifs.

Les marques réduisent les coûts de marketing.

Les marques facilitent les achats

Les marques sont faciles à reconnaître pour les consommateurs et, parce qu'elles symbolisent un certain niveau de qualité et possèdent des attributs familiers, elles leur permettent de prendre rapidement des décisions[18]. Imaginez le temps qu'il vous faudrait pour faire l'épicerie si aucun produit n'arborait une marque reconnaissable! Il en irait de même pour vos autres achats, tels que l'achat d'une voiture. Lorsque les consommateurs voient une marque comme Honda, ils reconnaissent aussitôt ce qu'elle représente, son niveau de qualité et d'ingénierie, sa position relative, son prix approximatif et, le plus important, ils savent si elle leur plaît et s'ils veulent en acheter une. Les marques permettent aux clients de distinguer une entreprise d'une autre et un produit d'un autre. S'il n'y avait pas de marques, il serait difficile de faire la différence entre une Honda et une Toyota sans examiner ces voitures de très près.

Les marques fidélisent les clients

Au fil du temps et grâce à un usage continu, les consommateurs apprennent à faire confiance à certaines marques. Ils savent, par exemple, que les pansements Band-Aid® se comportent toujours de la même façon. De nombreux clients s'attachent à certaines marques, un peu comme vous ou vos amis êtes attachés à votre collège ou à votre université. Ils n'envisagent pas de changer de marque et, dans certains cas, ressentent une forte affinité avec certaines marques. Par exemple, les amateurs de Coca-Cola ne boivent pas de Pepsi et encore moins de Dr Pepper.

Les marques protègent les entreprises contre la concurrence et la guerre des prix

Les marques fortes sont en quelque sorte protégées de la concurrence et de la guerre des prix. Étant donné que ces marques sont bien établies sur le marché et ont une clientèle plus fidèle, les concurrents sont découragés de les attaquer en soldant leurs offres. Par exemple, Lacoste est célèbre pour ses polos. Un client qui souhaite acheter un polo Lacoste ne sera pas tenté par une autre marque pour épargner quelques dollars, parce que le crocodile est inimitable. Bien qu'il existe une foule de marques similaires et que certains détaillants aient leurs propres marques, les chemises Lacoste sont perçues comme étant de meilleure qualité, confèrent un certain prestige à leurs utilisateurs et peuvent donc se vendre à un prix élevé.

La notoriété de la marque lululemon permet à l'entreprise de réduire ses coûts de marketing.

Les marques réduisent les coûts de marketing

Les entreprises qui vendent des marques réputées peuvent dépenser relativement moins d'argent en marketing que les entreprises dont les marques sont peu connues parce que la marque suffit à faire vendre le produit. En vertu de la notoriété du « A » blanc stylisé qui constitue le logo de lululemon, l'entreprise n'a pas besoin d'expliquer dans sa publicité qui elle est ni ce qu'elle fait. Les consommateurs le savent, c'est tout.

Les marques sont des actifs

Les marques constituent aussi des actifs parce qu'elles peuvent être protégées légalement par des marques de commerce ou des droits d'auteur et sont donc la propriété unique de l'entreprise. Les entreprises doivent parfois se battre pour conserver la « pureté » de leurs marques. Rolex et d'autres fabricants de montres suisses sont constamment sur le qui-vive, veillant à ce que la valeur de leurs marques ne soit pas diluée par des marchandises contrefaites ou vendues par des distributeurs non autorisés.

Les marques influent sur la valeur de marché

Des marques réputées peuvent avoir un impact direct sur le bénéfice net d'une entreprise. On peut calculer la valeur d'une marque en évaluant son potentiel de gains pour les 12 prochains mois[19]; le tableau 9.2 présente les 10 marques canadiennes ayant la plus grande valeur.

Le capital de marque

Pour comprendre le concept de marque, il faut étudier trois aspects: le capital de marque, la propriété de la marque et le nom de la marque, comme le montre la figure 9.5 à la page suivante. Le **capital de marque** désigne les actifs et les passifs associés à la marque, lesquels ajoutent ou enlèvent de la valeur au produit ou au service offert[20]. Apple, dont la valeur s'élève à 118 milliards de dollars, figure en tête du classement des meilleures marques mondiales, tandis que McDonald's occupe la neuvième position avec une valeur légèrement supérieure à 42 milliards[21]. Comme les biens matériels qu'elle possède, les marques sont des actifs que l'entreprise peut construire, gérer et exploiter dans le temps pour accroître ses revenus, sa rentabilité et sa valeur globale.

capital de marque
(*brand equity*)
Actifs et passifs associés à la marque, lesquels ajoutent ou enlèvent de la valeur au produit ou au service offert.

TABLEAU	9.2	Les 10 marques canadiennes ayant la plus grande valeur	
Classement	**Marque**	**Secteur**	**Valeur de la marque en millions de dollars canadiens en 2014**
1	TD Canada Trust	Services bancaires et financiers	10 795
2	RBC Banque Royale	Services bancaires et financiers	10 531
3	Thomson Reuters	Services d'affaires	8 279
4	Scotiabank	Services bancaires et financiers	7 695
5	Tim Hortons	Restauration	3 899
6	Bell	Télécommunications	3 340
7	Shoppers Drug Mart	Commerce de détail	3 193
8	Rogers	Télécommunications	3 165
9	lululemon athletica	Commerce de détail	2 920
10	Telus	Télécommunications	2 888

Source: The Business Week/Interbrand, Classement annuel des meilleures marques mondiales 2014, http://interbrand.com/assets/uploads/Interbrand-Best-Canadian-Brands-2014.pdf (page consultée le 18 décembre 2014).

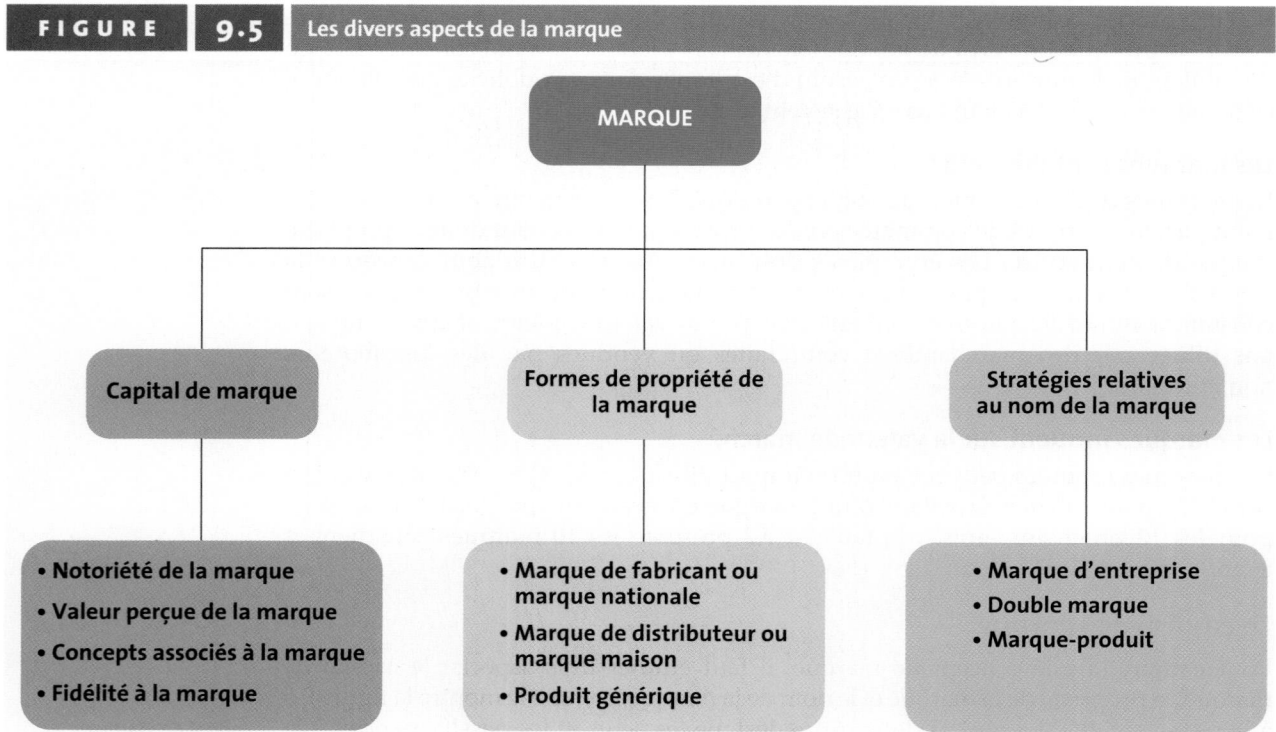

FIGURE 9.5   Les divers aspects de la marque

Les entreprises dépensent des millions de dollars en promotion, en publicité et en d'autres efforts de marketing tout au long du cycle de vie d'une marque. Ces dépenses de marketing, lorsqu'elles sont soigneusement planifiées, améliorent la reconnaissance et la notoriété de la marque ainsi que la fidélité des consommateurs à la marque.

Polo Ralph Lauren a maîtrisé l'art d'accroître la capital de sa marque en créant sa propre définition de la valeur. Le nom Polo Ralph Lauren, le joueur de polo omniprésent, et les marques associées, comme Polo Ralph Lauren Purple Label, RLX et Polo Jeans Co. Ralph Lauren, ont fidélisé les consommateurs de toute l'Amérique du Nord et du reste du monde. Les produits Ralph Lauren peuvent se vendre de 50 % à 100 % plus cher que des produits de qualité similaire provenant de concepteurs et de fabricants moins connus et appréciés. La société mère, qui gère étroitement la marque, a octroyé une licence de marque pour la fabrication de dessus de table, de parures de lit, d'accessoires de salle de bains, de meubles, de peintures, de moquettes et de cadeaux[22]. Ces produits autorisés sont fabriqués et distribués par des entreprises autres que Polo Ralph Lauren, mais leur association avec cette marque leur confère une valeur accrue.

Comment reconnaître une « bonne » marque ou la valeur d'une marque ? Pour déterminer le capital d'une marque, les experts en étudient quatre aspects : sa notoriété, sa valeur perçue, les concepts associés à la marque et la fidélité à la marque.

La notoriété de la marque

notoriété de la marque
(*brand awareness*)
Indicateur qui détermine le niveau de connaissance d'une marque (le nom de la marque et ce qu'elle représente) dans l'esprit du consommateur. La notoriété se crée à mesure que les consommateurs sont exposés aux divers éléments de la marque (nom de marque, logo, symbole, personnage, emballage ou slogan). On distingue la notoriété spontanée (les marques qu'un consommateur cite spontanément) et la notoriété assistée (les marques qu'un consommateur dit connaître parmi celles présentées sur une liste).

La **notoriété de la marque** est un indicateur qui détermine le niveau de connaissance d'une marque (le nom de la marque et ce qu'elle représente) dans l'esprit du consommateur. Plus une marque est familière au client, plus le processus décisionnel de ce dernier sera facile. Cette caractéristique importe davantage dans le cas des produits que l'on achète sans trop réfléchir, comme le savon ou la gomme à mâcher.

Toutefois, la notoriété de la marque compte également pour les produits achetés moins souvent ou qui n'ont jamais été achetés auparavant. Si le client reconnaît la marque, c'est qu'elle a sans doute des qualités qui lui donnent de la valeur[23]. Pour les clients qui n'ont jamais acheté de Toyota, la simple connaissance de la marque peut faciliter l'achat. Certaines marques deviennent tellement prédominantes au fil

Ingeniously designed to help protect the things that need protecting.

At Honda, we continue to show our commitment to "Safety for Everyone" by developing new technologies designed to help protect you and your family in the event of an accident. Regardless of the size or price of your Honda.' By studying the dynamics of collisions between vehicles, our engineers created the

ACE helps absorb frontal-collision energy.

Advanced Compatibility Engineering™ (ACE™) body structure. It's a unique design that helps spread the energy of a frontal collision throughout the body. ACE is only from Honda and comes standard on the all-new Civic. In the future, ACE will come standard on many of our models as they evolve. After all, we made a promise to help keep all of our drivers and passengers safe.

Safety for Everyone. **HONDA** The Power of Dreams

Lorsque les consommateurs voient une publicité portant sur une Honda, ils y associent aussitôt des attributs familiers, comme la sécurité, de manière à pouvoir prendre une décision rapide.

du temps sur un marché particulier qu'elles deviennent synonymes du produit lui-même; en d'autres termes, le nom de la marque désigne une catégorie de produits génériques, tels que les mouchoirs en papier Kleenex, les plats Tupperware, les fauteuils La-Z-Boy, les pansements adhésifs Band-Aid® et les patins Rollerblade. Les entreprises doivent veiller à protéger leurs noms de marques parce que si ces derniers sont employés comme génériques, la marque elle-même finira par perdre son statut de marque de commerce à la longue. Thermos, Trampoline, Linoleum et Yoyo sont autant d'exemples de marques qui ont perdu leur statut de marque de commerce. Le nom Aspirine est devenu une marque générique aux États-Unis, mais demeure une marque de commerce déposée au Canada[24].

Les gestionnaires marketing bâtissent la notoriété d'une marque en exposant de façon répétitive les consommateurs aux divers éléments de la marque (nom, logo, symbole, personnage, emballage ou slogan) dans les messages qui leur sont destinés. Ces messages sont véhiculés par la publicité et les promotions, la vente personnelle, le parrainage, le marketing événementiel, la publicité et les relations publiques[25] (*voir les chapitres 15 et 16*). Comme la notoriété de la marque est l'une des étapes les plus importantes de la création d'une marque forte, les entreprises sont prêtes à dépenser beaucoup d'argent pour faire connaître leurs marques. Certaines vont même jusqu'à payer plus de 2,5 millions de dollars pour un message publicitaire de 30 secondes télédiffusé pendant le Super Bowl.

La valeur perçue de la marque

La notoriété n'est pas suffisante en soi pour créer une marque forte. Les consommateurs peuvent connaître une marque, mais avoir une mauvaise opinion de sa valeur ou de la réputation de l'entreprise. La **valeur perçue** est en quelque sorte la somme des bénéfices qu'un consommateur estime être en mesure de réaliser en achetant un produit donné. Le **coût perçu**, quant à lui, correspond à la somme des coûts économiques et autres (p. ex., le temps passé à rechercher de l'information, à magasiner, à apprendre à faire fonctionner un bien) qu'un consommateur doit défrayer pour utiliser un bien. Le surplus du consommateur représente l'écart entre la valeur perçue et le coût perçu, en quelque sorte l'avantage qu'un consommateur pourrait retirer d'une transaction. Les acheteurs déterminent généralement l'attrait d'une marque en comparant celle-ci

valeur perçue (*perceived value*) Somme des bénéfices que le consommateur s'attend à recevoir en consommant un produit. Selon le contexte, on parle des bénéfices bruts ou des bénéfices nets, c'est-à-dire en tenant compte des coûts perçus.

coût perçu (*perceived cost*) Somme des coûts économiques et autres (p. ex., le temps passé à rechercher de l'information, à magasiner, à apprendre à faire fonctionner un bien) qu'un consommateur doit défrayer pour utiliser un bien.

avec les marques de ses proches concurrentes. S'ils estiment qu'une marque bon marché offre à peu près la même qualité qu'une marque chère, l'attrait de la marque bon marché est élevé. Toutefois, il faut surtout retenir que deux consommateurs peuvent percevoir des valeurs très différentes en considérant le même produit, ce qui reflète des différences de goût.

Une bonne stratégie de marketing vise à améliorer la perception que les consommateurs ont du rapport qualité/prix en augmentant la valeur perçue. Beaucoup de clients tendent à associer des prix plus élevés à une meilleure qualité, mais depuis quelques années, ils sont aussi mieux informés et plus vigilants. Des détaillants comme Zellers et Tigre Géant souhaitent avant tout offrir une excellente valeur. Certes, les marchandises vendues dans ces magasins ne sont pas toujours de la meilleure qualité ni les vêtements à la fine pointe de la mode. Mais les clients ne recherchent pas nécessairement une corbeille ou un éplucheur qui soit un chef-d'œuvre de design fait pour durer 50 ans. Pas plus qu'ils ne veulent se présenter à l'école vêtus comme des mannequins. Ils désirent plutôt des produits qui font ce qu'ils sont censés faire et dont le prix est acceptable. First Choice Haircutters, une chaîne nationale de salons de coiffure, offre des « soins capillaires abordables et professionnels » pour la moitié ou le tiers du prix demandé dans les salons ordinaires. Sa clientèle perçoit son offre comme étant intéressante parce que les coupes de cheveux y sont excellentes et les prix, très raisonnables.

Ces marques sont tellement prédominantes sur leur marché que le nom de la marque désigne une catégorie de produits génériques.

First Choice Haircutters, une chaîne nationale de salons de coiffure, offre une valeur exceptionnelle à sa clientèle parce que les coupes de cheveux y sont excellentes et les prix, très raisonnables.

Les concepts associés à la marque

concepts associés à la marque (*brand association*) Liens établis par un consommateur entre une marque et ses principaux éléments, dont le logo, le slogan ou une personnalité connue.

Les **concepts associés à la marque** reflètent les liens établis par un consommateur entre une marque et ses principaux éléments, dont le logo, le slogan ou une personnalité connue. Ces associations découlent souvent des efforts de publicité et de promotion de l'entreprise. Par exemple, Walmart annonce ses bas prix au moyen de publicités qui mettent en relief des baisses de prix accompagnées du slogan : « Économisez de l'argent. Vivez mieux. » Cette association avec des qualités précises contribue à différencier la marque Walmart des marques concurrentes, de la même façon que Volvo se distingue en annonçant qu'elle fait de la sécurité de ses clients sa priorité. Les entreprises s'efforcent également de créer des associations précises entre leurs marques et des émotions positives comme le plaisir, l'amitié, le bien-être, les réunions familiales et les fêtes. Comme nous le mentionnions dans l'introduction de ce chapitre, l'image de la marque Dove a toujours été associée à l'hydratation et à la douceur.

personnalité de la marque (*brand personality*) Ensemble de caractéristiques humaines attribuées à une marque, laquelle, selon les consommateurs, dégagerait une symbolique et une personnalité qui lui sont propres.

Certaines entreprises créent même une personnalité pour leurs marques, comme si ces dernières étaient humaines. La **personnalité de la marque** désigne l'ensemble de caractéristiques humaines attribuées à une marque[26], laquelle, selon les consommateurs, dégagerait une symbolique et une personnalité qui lui sont propres[27]. C'est ainsi que la marque peut posséder divers attributs (masculin, féminin, jeune, vieux, enjoué, conservateur, etc.) et qualités (fraîche, douce, ronde, propre ou florale)[28]. McDonald's, qui avait donné à sa marque une personnalité enjouée et axée sur les jeunes avec ses arches dorées, ses restaurants brillamment éclairés et colorés, ses publicités et ses emballages attrayants de même que son clown Ronald McDonald, porte-parole et mascotte de la société, est en train de la repenser de façon qu'elle corresponde mieux aux attentes de sa clientèle.

La fidélité à la marque

La **fidélité à la marque** désigne l'attachement de certains consommateurs à une marque ou à une entreprise, lequel les pousse à acheter de façon systématique les produits ou les services de cette marque ou de cette entreprise plutôt que ceux d'autres fournisseurs[29]. Le concept de fidélité s'intéresse aux facteurs de décision qui vont au-delà de l'analyse rationnelle des bénéfices offerts par une marque. On estime qu'un consommateur est loyal lorsqu'il favorise une marque en dépit du fait que le bénéfice offert par une autre marque apparaît *a priori* comme plus important. La fidélité à la marque peut s'expliquer par une grande aversion pour le risque (un consommateur préfère racheter une marque connue plutôt que de prendre un risque avec une nouvelle marque), par des raisons psychologiques (changer de marque équivaudrait à admettre une erreur de choix), par des raisons affectives (le consommateur développe un attachement «irrationnel»), par des motifs particuliers (un proche travaille pour la marque), et ainsi de suite. Les clients fidèles constituent donc une importante source de valeur pour les entreprises. Premièrement, ils sont souvent moins influencés par le prix. En retour, les entreprises récompensent parfois leurs clients loyaux en leur offrant des programmes de fidélisation ou de gestion de la relation client : la possibilité d'accumuler des points pour bénéficier de rabais additionnels ou de services gratuits, un préavis concernant des articles en solde, une invitation à des événements parrainés par la société, etc. Deuxièmement, les coûts du marketing axé sur des clients loyaux sont beaucoup moins élevés parce que l'entreprise n'a pas besoin de dépenser de l'argent en campagnes publicitaires et en promotions pour attirer cette clientèle. Il n'est pas nécessaire de la convaincre d'acheter les marques de l'entreprise ou de l'inciter à le faire. La rubrique Forces d'Internet, à la page suivante, illustre certaines façons dont des entreprises comme Ferrero Canada (Nutella) utilisent Internet pour bâtir des relations durables et rentables avec leurs clients au moyen de marques fortes. Troisièmement, un degré élevé de fidélité à la marque protège l'entreprise de la concurrence parce que, comme nous l'avons souligné dans le chapitre 2, les clients fidèles à une marque ne changeront pas de marque même si la concurrence tente de les allécher au moyen de primes variées.

Les entreprises peuvent gérer la fidélité à la marque grâce à une variété de programmes de gestion de la relation client. Elles créent des associations et des clubs afin de susciter un sentiment d'appartenance parmi leurs clients loyaux[30]. Le Groupe des propriétaires de Harley (Harley Owners Group ou HOG) fondé par Harley-Davidson en 1983 pour permettre aux propriétaires d'une Harley de rencontrer d'autres propriétaires dans leur collectivité, en est un exemple. Le Groupe des propriétaires de Harley compte 800 000 membres dans le monde entier. D'autres entreprises comme des compagnies aériennes, des hôtels, des fournisseurs de services interurbains, des sociétés émettrices de cartes de crédit et des détaillants ont mis sur pied des programmes pour les grands utilisateurs afin de récompenser leurs clients loyaux. Les meilleurs programmes de gestion de la relation client visent à garder le contact avec les clients fidèles en leur envoyant des cartes d'anniversaire ou en communiquant avec eux par l'entremise d'un associé aux ventes pour leur annoncer des événements spéciaux et des soldes.

fidélité à la marque
(*brand loyalty*)
Attachement de certains consommateurs à une marque ou à une entreprise, lequel les pousse à acheter de façon systématique les produits ou les services de cette marque ou de cette entreprise plutôt que ceux d'autres fournisseurs.

Dove récompense ses clients pour leur fidélité en doublant leurs points chez Pharmaprix.

| Forces d'Internet | **La stratégie de marque sur Internet** |

Pour les gestionnaires marketing, Internet représente bien plus qu'une simple autoroute de l'information ou un lieu où traiter avec des clients : il constitue l'ultime moyen de valoriser l'entreprise et ses produits. Les gestionnaires marketing utilisent Internet pour :

- faire connaître leurs nouvelles marques ou leurs campagnes de marketing ;
- renseigner les consommateurs sur l'entreprise et ses produits ;
- leur indiquer les produits qui répondent le mieux à leurs besoins ;
- les aider à faire des choix en leur donnant des outils pour leur permettre de comparer les prix, les caractéristiques et les qualités des produits ;
- les encourager à essayer les marques ;
- projeter une image positive de leurs marques à l'intention des consommateurs.

Bref, les gestionnaires marketing font appel à Internet pour établir des relations durables et rentables avec leurs clients en leur proposant des marques fortes. Ferrero Canada a élaboré une campagne nationale visant à repositionner la tartinade aux noisettes Nutella comme un choix santé pour le déjeuner ; elle a aussi créé un site Web (www.nutella.ca) et lancé le Défi du petit déjeuner amélioré. Pour chaque mère inscrite au concours, Nutella versait 1 $ au programme Déjeuner pour apprendre, de la Fondation Canadian Living, une organisation sans but lucratif qui appuie les programmes de nutrition destinés aux enfants canadiens[31].

Les gestionnaires marketing futés créent des sites Web interactifs qui permettent aux clients de participer à des jeux, à des concours ou à des jeux-questionnaires, de clavarder et de faire connaître leurs expériences. Le site de Nutella propose des renseignements sur l'alimentation, un tableau interactif « Composition du petit déjeuner », qui permet d'entrer l'âge et le sexe de l'enfant, des conseils relatifs à une saine hygiène de vie, un Défi activité, des recettes, une infolettre et des concours. La recherche en marketing a démontré que les clients qui ont une perception très positive d'un site associé à une marque sont plus portés à magasiner sur ce site ou à acheter cette marque.

Nutella a fait la promotion de son site à l'aide de bannières virtuelles offrant des échantillons gratuits aux visiteurs. L'entreprise a également distribué des échantillons par l'entremise des principaux quotidiens dans l'espoir que les lecteurs essaieraient la tartinade au déjeuner tout en lisant le journal[32].

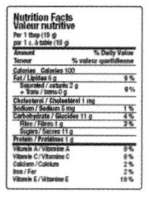

Le Défi du petit déjeuner amélioré ainsi que le site Web de Nutella ont contribué à repositionner la tartinade aux noisettes comme un choix santé pour le déjeuner.

OA ④ Les stratégies de marque

Les entreprises élaborent diverses stratégies afin de créer et de gérer leurs principaux actifs de marque : la décision de posséder la marque, l'élaboration d'une politique de stratégie de marque, l'extension de la marque à d'autres produits et marchés, l'association de la marque avec celle d'une autre entreprise (le comarquage) et la concession de licence de marque à d'autres sociétés.

La propriété de la marque

N'importe quel membre de la chaîne d'approvisionnement peut détenir la propriété de la marque, qu'il s'agisse d'un fabricant, d'un grossiste ou d'un détaillant. Il existe trois grandes formes de propriété de la marque : la marque de fabricant ou marque nationale, la marque de distributeur ou de détaillant et le produit générique (*voir la figure 9.6*). Les **marques de fabricants** appartiennent aux fabricants et sont gérées par ces derniers. Elles sont aussi appelées **marques nationales** ; Nike, Mountain Dew, KitchenAid et Marriott en sont des exemples. La majorité des marques canadiennes sont des marques de fabricants. Les fabricants dépensent des millions de dollars chaque année pour promouvoir leurs marques. Par exemple, Procter & Gamble consacre quelque 100 millions de dollars par an à la promotion de ses détergents liquides et en poudre Tide[33]. Les fabricants qui sont propriétaires d'une marque sont mieux en mesure de gérer leurs stratégies de marketing et de choisir des segments de marché et un positionnement appropriés à leur marque ; de plus, ils peuvent consolider la marque et construire ainsi leur capital de marque.

Les marques qui appartiennent à des détaillants et sont gérées par eux sont appelées **marques de distributeurs (ou marques maison)**. Certains fabricants préfèrent produire uniquement des marques de détaillants parce que les coûts liés au marquage et au marketing d'une marque nationale sont exorbitants. Par contre, certaines entreprises fabriquent à la fois leurs propres produits et des produits d'autres marques ou pour d'autres détaillants. Par exemple, Whirlpool vend des appareils sous son propre nom et en fabrique aussi pour Sears sous la marque Kenmore. Il arrive aussi que des grossistes créent des marques de distributeurs. Le Choix du Président, une marque de détaillant créée et commercialisée par Loblaw, le plus gros distributeur alimentaire du Canada, est très populaire au Canada et dans certaines parties des États-Unis[34]. La marque le Choix du Président se positionne comme une marque de qualité supérieure vendue à des prix modérés[35]. Les marques de distributeurs sont particulièrement courantes dans les épiceries, les magasins de rabais et les pharmacies.

Leur popularité auprès des consommateurs dépend de plusieurs facteurs, notamment la préférence de ces derniers pour une marque moins chère et la confiance qu'ils accordent au magasin et à sa marque. La popularité des marques de distributeurs, surtout celles qui sont commercialisées par les grosses chaînes comme Walmart et Costco, s'étend rapidement et les consommateurs sont de plus en plus fidèles à ces marques. Aujourd'hui, les biscuits Décadent aux brisures de chocolat le Choix du Président sont la marque de biscuits la plus vendue au Canada[36].

Les marques de distributeurs gagnent aussi en popularité dans le secteur du vêtement et dans d'autres catégories de produits vendus dans les grands magasins et les boutiques spécialisées. La Baie d'Hudson, par exemple, offre plusieurs marques de détaillant comme Beaumark, Mantles et Truly. Les magasins spécialisés, comme Gap et Victoria's Secret, vendent uniquement leurs propres marques et se classent parmi les 20 marques les plus populaires de vêtements et d'accessoires[37].

marque de fabricant (ou marque nationale) (*manufacturer brand [national brand]*) Marque appartenant à un fabricant de produit et gérée par lui. On oppose la marque de fabricant à la marque de distributeur.

marque de distributeur (ou marque maison) (*private-label brand [store brand]*) Marque élaborée et mise en marché par un détaillant et en vente uniquement dans son magasin. Le détaillant a souvent recours à un sous-traitant (généralement une PME) pour faire fabriquer ce produit. Le Choix du Président (Loblaw et Maxi), Compliments (Sobeys-IGA) ou Mérite (Metro) sont quelques exemples de marques de distributeurs, parfois abrégées « MDD ». Porte aussi le nom de « marque de détaillant ».

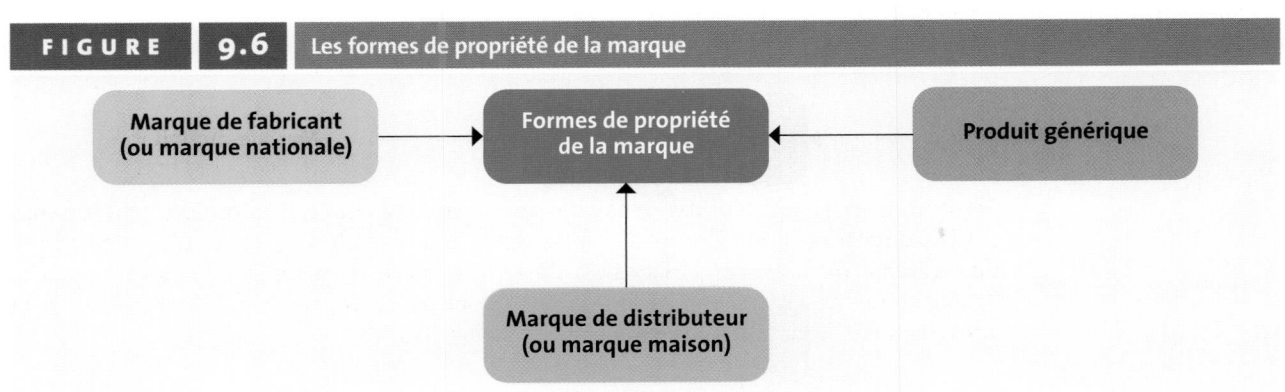

FIGURE | **9.6** | Les formes de propriété de la marque

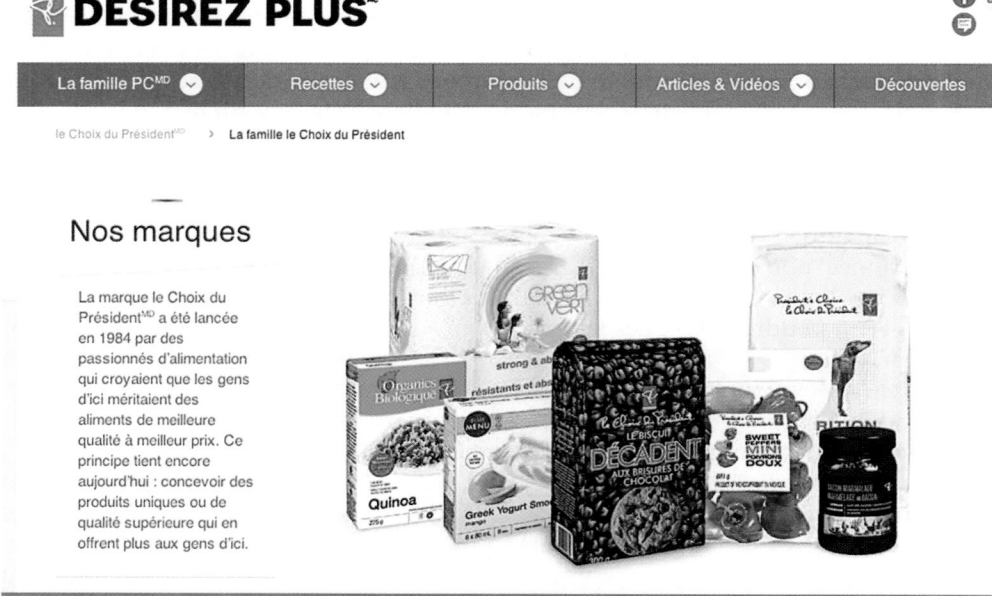

La famille le Choix du Président^{MD}

Le Choix du Président, une marque de détaillant créée et commercialisée par les Compagnies Loblaw Limitée, le plus important distributeur alimentaire du Canada, se positionne avec succès comme une marque de qualité supérieure vendue à des prix modérés.

produit générique
(generic)
Produit sans marque de commerce que l'on trouve surtout sur le marché des produits de base.

Les **produits génériques** sont des produits sans marque de commerce que l'on trouve surtout sur le marché des produits de base. Par exemple, les consommateurs peuvent acheter du sel, des céréales, des fruits et des légumes frais, des viandes et des noix sans marque dans les épiceries. De même, les quincailleries vendent souvent des vis, des écrous et du bois sans marque de commerce. Toutefois, même sur ces marchés, les produits génériques sont de moins en moins populaires et acceptés. Les consommateurs se questionnent sur leur qualité et leur origine, et les détaillants se rendent compte que les marques de fabricants et les marques de détaillants recèlent un meilleur potentiel de rentabilité et d'accroissement du capital de marque. Ainsi, un grand nombre de fruits et de légumes vendus dans les chaînes d'épicerie portent maintenant soit une marque de fabricant (p. ex., les bananes Dole), soit une marque de détaillant.

Les noms de marques et de lignes de produits

Les entreprises ont recours à plusieurs stratégies pour nommer leurs marques et leurs lignes de produits (*voir la figure 9.7*).

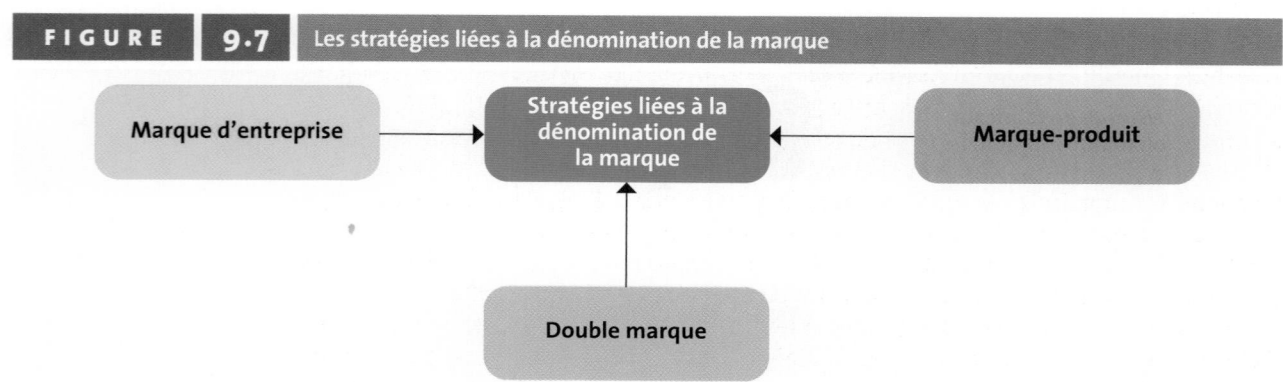

FIGURE 9.7 Les stratégies liées à la dénomination de la marque

La marque d'entreprise

Une entreprise peut utiliser sa propre dénomination sociale pour tous ses produits et lignes de produits, comme le fait General Electric (GE), dont le nom est bien en vue sur tous ses appareils. De même, tous les produits vendus dans les magasins Gap (Gap, GapKids, babyGap, GapMaternity, GapBody) arborent uniquement le nom de l'entreprise. Lorsque tous les produits d'une entreprise portent son nom, les marques-produits profitent de la notoriété globale de la **marque d'entreprise (ou marque-entreprise)**.

La double marque

Une entreprise peut aussi utiliser conjointement une marque d'entreprise et une marque-produit pour distinguer ses produits ; c'est ce qu'on appelle la **double marque**. Par exemple, Kellogg's utilise sa marque d'entreprise sur ses céréales (Corn Flakes, Froot Loops, Rice Krispies) pour préserver sa position dynamique sur les tablettes des épiceries. Sur d'autres produits comme Pop-Tarts, Eggo et NutriGrain, le nom de la marque-produit est plus apparent que la dénomination Kellogg's. De plus, Kellogg's possède des marques autres que des céréales et des produits pour le déjeuner comme Cheez-It et Famous Amos, qui ne sont pas ouvertement associées à la marque d'entreprise.

imagination at work

La marque-produit

Une entreprise peut attribuer un nom de marque à chacun de ses produits. Par exemple, dans sa ligne de produits pour la maison, Procter & Gamble offre divers détergents (Tide, Gain, Cheer, Downy, Febreze), des articles en papier (Bounty, Charmin), des nettoyants ménagers (M. Net, Swiffer) et des détergents à vaisselle (Cascade, Dawn, Joy). De plus, l'entreprise commercialise des marques dans des lignes de produits variées : des produits corporels et de beauté (Olay, Old Spice, Secret, Cover Girl), des produits pour la santé et le mieux-être (Pepto-Bismol, Oral B, Puffs), des produits pour bébé (Pampers, Luvs) ainsi que des aliments et des produits de soin pour animaux (Iams)[38]. De la même façon, Loblaw exploite les marques suivantes dans tout le Canada : Atlantic Superstore, Dominion, Extra Foods, Fortinos, Loblaws, Maxi, No Frills, Provigo, Your Independent Grocer et Zehrs Markets. Pour sa part, Sobeys est représentée par les bannières Sobeys, IGA Extra, IGA, Foodland et Price Chopper. Les **marques-produits** permettent à une entreprise de rivaliser dans une catégorie, comme les détergents à lessive, en offrant un éventail de produits à divers marchés cibles. Et si une marque périclite, d'autres produits de marque unique ne sont pas associés de façon négative à la marque qui a échoué.

Le choix d'un nom

Que représente un nom ? Quand vient le temps de nommer un nouveau produit, une entreprise devrait prendre en considération les caractéristiques suivantes. Tout d'abord, le nom de la marque doit être descriptif et suggérer les bienfaits et les qualités associés au produit. Par exemple, Sunkist évoque des images d'oranges mûrissant sur les arbres et caressées par le soleil. Ensuite, le nom de la marque doit être facile à prononcer, à reconnaître et à mémoriser, comme Tide, Crest ou Kodak. Puis, l'entreprise doit pouvoir enregistrer le nom de sa marque en tant que marque de commerce et le protéger légalement. Enfin, dans le cas des entreprises qui visent les marchés mondiaux, le nom de la marque doit être facile à comprendre ou être adapté à d'autres langues.

Saviez-vous que BlackBerry (précédemment Research in Motion Limited) a d'abord jonglé avec l'idée de baptiser son téléphone… PocketLink ? Bien que ce terme soit descriptif, BlackBerry voulait un nom plus accrocheur. L'entreprise a fait appel à

marque d'entreprise (ou marque-entreprise) (*corporate brand [family brand]*) Utilisation de la dénomination sociale d'une entreprise comme marque de toutes les gammes de produits et de tous les produits qu'elle met en marché.

double marque (*corporate and product line brand*) Stratégie de marque utilisant de manière conjointe une marque d'entreprise et une marque-produit afin de distinguer les produits d'une même entreprise.

Comme tous les produits de General Electric portent le nom de l'entreprise, ils bénéficient de la notoriété globale de la marque d'entreprise.

marque-produit (*individual brand*) Stratégie de marque qui consiste à attribuer un nom unique à chaque produit mis en marché.

*Kellogg's appose parfois la dénomination sociale de son entreprise bien en vue sur ses céréales,
tandis que sur l'emballage d'autres produits, le nom de la marque-produit est mis en évidence.*

Lexicon Branding, qui a pendant un moment envisagé le nom Strawberry (le clavier lui faisait penser aux akènes d'une fraise), mais l'a rejeté parce qu'il était trop long à prononcer. Le nom BlackBerry roulait sur la langue beaucoup plus rapidement, utilisait l'allitération, était formé de deux courts mots de cinq lettres et projetait une image ludique et conviviale[39].

Parfois, un changement de nom permet de se démarquer. La brasserie vancouvéroise Backwoods Brewery vendait ses bières aux restaurants et aux bars depuis près d'une décennie quand elle a décidé de changer son nom pour Dead Frog Brewery. Comparés aux noms de vin loufoques comme Fat Bastard et Cat's Pee on a Gooseberry Bush, les noms des marques de bière étaient plutôt conservateurs. Or, la brasserie cherchait un nom mémorable mais irrévérencieux qui plairait à une clientèle plus jeune[40].

L'extension de marque

extension de marque
(*brand extension*)
Utilisation d'un nom de marque connu pour désigner un nouveau produit.

L'**extension de marque** est l'utilisation d'un nom de marque connu pour désigner un nouveau produit[41]. Le marché de l'hygiène dentaire, par exemple, regorge d'extensions de marques ; en effet, Colgate, Crest et Butler vendent toutes des brosses à dents, des dentifrices et d'autres produits d'hygiène dentaire. Roots a étendu sa marque de vêtements de sport à des sacs en cuir, à des vêtements et à des accessoires de yoga, et même à une ligne de vêtements pour bébés. Les extensions de marques sont également courantes sur le marché mondial. Par exemple, Coca-Cola, Nike et Levi's vendent leurs produits dans le monde entier sous leur nom original. Certaines entreprises conservent les mêmes mots et lettres dans leur logo lorsqu'elles étendent leurs marques au marché mondial.

Utiliser la même dénomination pour de nouveaux produits comporte plusieurs avantages. Premièrement, étant donné que le nom de la marque est déjà bien établi, comme dans l'exemple de Dove présenté dans l'introduction du chapitre, il en coûte moins cher à l'entreprise pour développer la notoriété de la marque et les concepts associés au nouveau produit[42]. Gillette vendait des appareils culinaires sous la marque Braun (cafetières, grille-pain, robots culinaires, mélangeurs, presse-fruits), puis elle a étendu sa marque à d'autres catégories de produits, comme les produits de rasage (rasoirs électriques, crèmes à raser), les produits de coiffage (fers à friser sans fil), les produits d'hygiène dentaire (brosses à dents électriques) et les fers à vapeur[43].

Crest a recours à l'extension de marque, puisqu'elle utilise la même dénomination pour un grand nombre de produits connexes.

Deuxièmement, si la marque est reconnue pour être d'excellente qualité, cette perception rejaillira sur le nouveau produit. Forte de son succès sur le marché des ordinateurs personnels, Dell a étendu le nom de sa marque à des moniteurs, à des imprimantes, à des ordinateurs portables, à des baladeurs numériques, à des téléviseurs à écran plat, à des serveurs et à des bornes WiFi, entre autres[44].

Troisièmement, les coûts de marketing rattachés à un nouveau produit commercialisé sous une marque déjà établie sont inférieurs parce que les consommateurs connaissent déjà la marque et la comprennent. De plus, les consommateurs qui ont adopté la marque de base sont plus susceptibles d'essayer le nouveau produit.

Quatrièmement, lorsqu'une marque est étendue à des produits complémentaires, une synergie s'établit entre les deux types de produits, laquelle peut faire augmenter les ventes totales. Par exemple, Frito Lay commercialise des croustilles et des trempettes sous les marques Frito Lay et Doritos[45]. Or, les consommateurs qui achètent les croustilles ont tendance à acheter les trempettes aussi.

Cinquièmement, les extensions de marques réussies peuvent amener les consommateurs à essayer d'autres catégories de produits de la même marque et ainsi stimuler les ventes. Par exemple, les consommateurs qui n'ont jamais utilisé la marque Neutrogena et qui essaient la Lotion contrôle acné pour la nuit pourraient acheter la lotion hydratante de la même marque, surtout s'ils ont obtenu de bons résultats avec la lotion contre l'acné[46].

Toutefois, les extensions de marques ne sont pas toujours réussies. Certaines extensions peuvent diluer le capital de marque[47]. Une **dilution de marque** se produit lorsqu'une extension de marque a une influence défavorable sur la perception qu'a le consommateur des attributs de base de la marque[48]. Par exemple, l'association entre Cadbury et les tablettes de chocolat s'est trouvée affaiblie lorsque l'entreprise a étendu le nom de sa marque à des produits alimentaires ordinaires comme la purée de pommes de terre et les soupes[49]. Si l'extension de marque ressemble beaucoup à la marque de base, elle pourrait même cannibaliser les ventes de celle-ci. La rubrique *Marketing entrepreneurial* (*voir p. 295*) décrit l'essor et les extensions de la marque Virgin lancée par Sir Richard Branson.

Pour prévenir les conséquences potentiellement négatives d'une extension de marque, les entreprises doivent tenir compte des facteurs suivants :

- Les gestionnaires marketing doivent examiner attentivement la compatibilité de l'extension de marque avec la marque initiale[50]. Si les deux catégories de produits sont logiquement liées, les consommateurs jugeront l'extension crédible et l'associeront fortement à la marque de base.

- L'entreprise doit évaluer soigneusement la façon dont les consommateurs perçoivent les caractéristiques de la marque de base et s'assurer que le nouveau produit possède des attributs similaires parce que les concepts associés à la marque sont très importants dans le cas d'une extension[51]. Par exemple, si les imprimantes Hewlett-Packard (HP) sont réputées pour leur fiabilité, leur performance et leur bon rapport qualité/prix, les consommateurs s'attendront à retrouver les mêmes qualités dans les autres produits de marque HP.

- L'entreprise doit éviter d'étendre la nom de la marque à un trop grand nombre de produits et de catégories de produits afin de ne pas diluer la marque ni diminuer son capital.

- L'entreprise doit se demander s'il est nécessaire que l'extension de marque s'éloigne de la marque de base, surtout si elle veut tirer parti de seulement quelques-uns des concepts associés à la marque. Quand Marriott a lancé sa ligne d'hôtels à petits prix, elle a minimisé l'importance de sa dénomination sociale (Marriott) et baptisé sa nouvelle chaîne Fairfield Inn & Suites. Saviez-vous que Marriott International possède 99 % de la chaîne d'hôtels de luxe Ritz-Carlton ? Peu de gens connaissent cette information, qui n'est mentionnée que discrètement sur le site Web du Ritz-Carlton[52].

dilution de marque
(*brand dilution*)
Situation survenant lorsqu'une extension de marque a une influence défavorable sur la perception qu'a le consommateur des attributs de la marque de base.

Le comarquage

Le **comarquage** est une pratique commerciale en vertu de laquelle deux ou plusieurs entreprises s'allient pour promouvoir un produit ou un service. Lancée à l'origine par les sociétés émettrices de cartes de crédit, comme Visa et MasterCard, cette pratique s'est largement répandue au cours de la dernière décennie. Les compagnies aériennes ont été les premières à s'associer aux sociétés de crédit (comme la carte Aéro CIBC Visa), mais récemment d'autres industries, comme les banques, les commerces de détail et les restaurants ont noué des alliances similaires et lancé des cartes comme la carte MasterCard BMO Mosaik, la carte Visa TD Or et la carte MasterCard le Choix du Président, pour n'en nommer que quelques-unes. Starbucks a été le premier restaurant à service rapide à offrir sa propre carte de crédit en association avec Visa[53].

Le comarquage améliore la perception des consommateurs quant à la qualité d'un produit[54]. En effet, les liens entre la marque d'entreprise et une autre marque dont la qualité est reconnue attirent l'attention sur la qualité d'un produit qui passerait inaperçue autrement. Par exemple, NutraSweet, qui s'annonce comme un succédané de sucre sécuritaire et sans arrière-goût, a vu ses ventes grimper en flèche après que Cola-Cola et PepsiCo eurent lancé des produits qui en contenaient. Le comarquage d'Intel, avec son logo « *Intel inside* », a contribué à rehausser la réputation des fabricants d'ordinateurs personnels contenant des puces Intel.

Le comarquage constitue parfois le prélude à une stratégie d'acquisition. Ainsi, FedEx a conclu une entente de comarquage avec Kinko's, en vertu de laquelle celle-ci acceptait d'offrir les services de FedEx dans ses magasins de détail[55]. Puis, au début de 2004, FedEx a acquis Kinko's pour une somme estimée à 2,4 milliards de dollars et changé le nom de l'entreprise pour FedEx Kinko's[56], devenue par la suite FedEx Office.

Toutefois, le comarquage comporte certains risques, surtout lorsque les consommateurs de chaque catégorie de produits sont très différents. Par exemple, la stratégie de comarquage de Burger King et de Häagen-Dazs a échoué parce que les profils des clients de chaque marque étaient trop différents[57]. Le comarquage peut échouer également si les propriétaires des marques n'arrivent pas à résoudre leurs différends au sujet du partage des recettes ou des redevances[58]. Enfin, les entreprises propriétaires des marques peuvent modifier leurs priorités et cesser d'offrir le produit comarqué. Dans ce scénario, la relation avec le client et la fidélité de celui-ci envers le produit comarqué sont perdues pour l'entreprise[59].

La concession de licence de marque

La **concession de licence de marque** est une entente en vertu de laquelle une entreprise permet à une autre entreprise d'utiliser le nom de sa marque, son logo, ses symboles ou sa personnalité en échange de redevances[60]. Ce type d'entente est courant dans le cas des jouets, des vêtements, des accessoires et des produits de divertissement comme les jeux vidéo ; aux États-Unis, il génère annuellement des ventes au détail de plus de 100 milliards de dollars[61]. L'entreprise qui accorde à l'autre entreprise l'autorisation d'utiliser sa marque (le concédant) touche des revenus sous forme de redevances que lui verse l'entreprise qui a obtenu le droit d'utiliser sa marque (le concessionnaire). Ces redevances prennent parfois la forme d'un versement forfaitaire, unique ou périodique, payé d'avance ou elles peuvent être basées sur des résultats précis, comme le nombre d'unités vendues ou la valeur pécuniaire des ventes des produits autorisés.

Plusieurs aspects d'une marque peuvent faire l'objet d'une licence. Les créateurs de vêtements à succès, comme Ralph Lauren, Calvin Klein et Eddie Bauer, ainsi que les fabricants de produits de luxe accordent souvent l'autorisation d'apposer le nom de leur marque sur une variété de produits. Les radios Grundig affichent le nom Porsche, qui figure aussi sur des montres, des bagages et des raquettes de tennis. Même le secteur informatique tire profit du nom de la marque avec le jeu

| Marketing entrepreneurial | **Virgin explore des territoires vierges** |

En 1968, à l'âge de 17 ans, Sir Richard Branson lance sa première entreprise en fondant le magazine *Student*[62]. Deux ans plus tard, il se réoriente vers la vente de disques par correspondance, mais il subit un revers lorsqu'une grève des postes éclate l'année suivante. Il ouvre alors son premier magasin de disques, suivi par un studio d'enregistrement et lance le label Virgin Records. En 1984, l'entrepreneur met sur pied Virgin Atlantic Airways. La marque Virgin se retrouve aujourd'hui sur un vaste éventail de catégories de produits et de marchés : clubs d'entraînement physique (Virgin Active), maison d'édition (Virgin Books), transport et tourisme (Virgin Holidays, Virgin Express, Virgin Limobike, Virgin Trains), cellulaires (Virgin Mobile) et cosmétiques (Virgin Cosmetics), pour ne citer que celles-là. À l'heure actuelle, ces catégories de produits totalisent des ventes de plus de 8 milliards de dollars et font travailler quelque 35 000 personnes[63].

Le nom Virgin est accolé à des produits et à des catégories de produits très éloignés des entreprises originales : le transport en avion et les magasins de disques (Virgin a vendu son studio d'enregistrement à Thorn EMI en 1992). Ces développements

Sir Richard Branson a étendu la marque Virgin avec succès au-delà de ses entreprises initiales, soit le transport en avion et les magasins de disques. Virgin Holidays Cruises est l'une de ses plus récentes initiatives.

remettent en question les idées reçues selon lesquelles une extension de marque doit toucher des catégories de produits similaires pour être réussie. Toutefois, le fait que Virgin mette l'accent sur la qualité avant tout a contribué au succès de la plupart de ses extensions. Certains attribuent ce succès non pas à la qualité de tel ou tel produit Virgin, mais aux qualités associées à la marque : irrévérencieuse, amusante et non conventionnelle.

Même si la marque Virgin semble extensible à l'infini, l'entreprise a essuyé des échecs, surtout sur les marchés des boissons alcoolisées et des sodas. Sa marque de vodka n'a pas marché et Virgin Cola n'a jamais été introduit au Canada, a échoué aux États-Unis et a obtenu une part de marché de seulement 3 % au Royaume-Uni. En étendant sa marque à outrance, Virgin court surtout le risque de ne pas pouvoir satisfaire tous ses clients dans toutes les catégories. Le client qui apprécie son vol à bord d'un appareil de Virgin Atlantic s'achètera peut-être un cellulaire Virgin. Mais si son contrat de cellulaire ne répond pas à ses attentes, Virgin Atlantic et d'autres produits Virgin risquent de perdre un client pour toujours.

Need for Speed: Porsche Unleashed. Canadian Tire profite de la popularité croissante de la course NASCAR pour se positionner comme le détaillant de pièces d'automobiles officiel de cet événement au Canada[64]. Une forme très populaire de concession de licence est l'utilisation de personnages de livres et d'autres médias. Cette forme de licence de divertissement génère des recettes faramineuses pour les studios de cinéma comme Disney, Lucasfilm (pensons aux marchandises liées à *La guerre des étoiles*) et New Line Cinema (concédant de jouets et d'objets de collection relatifs au *Seigneur des anneaux*) et pour les éditeurs de bandes dessinées comme Marvel Entertainment (*Spiderman*). Les équipes sportives des ligues majeures de basket-ball (NBA), de football (NFL) ou de hockey (LNH) ainsi que de divers collèges et universités font depuis longtemps des concessions de licence de marque.

La concession de licence de marque constitue un moyen efficace de donner de la visibilité à une marque et, conséquemment, d'augmenter son capital tout en générant des revenus additionnels. Toutefois, cette pratique comporte certains risques. Pour le concédant, le principal risque concerne la dilution de marque causée par un usage excessif et surtout inadéquat du nom de la marque et de la personnalité qui y est associée[65].

Prenons l'exemple de la célèbre – ou tristement célèbre – chemise au crocodile. En 1933, l'entreprise fondée par le Français René Lacoste (le concédant), un joueur de tennis réputé surnommé « le Crocodile », a conclu une entente avec André Gillier (le premier concessionnaire) pour produire des chemises en jersey de coton blanc de qualité supérieure à col côtelé et à manches courtes, ornées d'un crocodile du côté gauche de la

Le célèbre joueur de tennis René « le Crocodile » Lacoste (photo de gauche, 1927) a cofondé une entreprise qui fabriquait des chemises en jersey blanc ornées d'un crocodile sur le côté gauche de la poitrine. La marque est encore vendue aujourd'hui (photo de droite) dans les boutiques Lacoste et des magasins comme Neiman Marcus.

poitrine. Gillier a élargi la ligne de produits pour y inclure d'autres vêtements de sport et, en 1966, le nom de la marque Lacoste a été concédé au fabricant américain IZOD (le second concessionnaire). Les vêtements à l'effigie du crocodile étaient vendus dans les meilleurs grands magasins, clubs de golf et boutiques de tennis jusque vers la fin des années 1980. Puis, IZOD a décidé de vendre les vêtements griffés dans les magasins de rabais, ce qui a entraîné une baisse de la qualité et des ventes. Néanmoins, l'alliance a persisté jusqu'en 1992, année où Lacoste a décidé de rompre ses liens avec IZOD. Depuis, la marque Lacoste a retrouvé son prestige et elle est vendue dans les boutiques et les magasins spécialisés du monde entier[66].

Les concédants courent aussi le risque de mal évaluer leur marque à des fins de concession ou de conclure le mauvais type d'accord d'octroi de licence. Par exemple, les premières ententes conclues par Marvel Entertainment avec des studios de cinéma pour l'utilisation des personnages de ses bandes dessinées étaient sous-évaluées parce que l'entreprise a accepté un montant forfaitaire plutôt que d'arrimer ses redevances aux ventes. En conséquence, elle a sans doute perdu de l'argent en passant les accords relatifs à ses premiers films *X-Men* et *Blade*[67]. En ce qui touche à l'octroi d'une licence de divertissement, les concédants comme les concessionnaires s'exposent à ce que les personnages inspirés de livres et de films passent de mode. De plus, le succès ou l'échec des produits inspirés de films dépend directement du succès ou de l'échec des films comme tels[68].

OA ⑤ ## L'emballage

L'emballage est un élément important de la marque qui possède plus d'avantages tangibles que d'autres éléments parce que les emballages existent sous différentes formes et présentent divers avantages pour les consommateurs, les fabricants et les détaillants. Les consommateurs recherchent en général un emballage pratique et facile à ranger, à utiliser et à consommer.

Or, l'emballage sert aussi à protéger les produits. Les enveloppes et les cartons protègent les œufs et les empêchent d'être écrasés. Dans le cas des dentifrices, l'emballage contribue directement et de manière importante à l'expérience du consommateur. Il joue un rôle crucial dans la logistique de la distribution. La forme et la résistance sont pensées de manière à réduire le coût total de manutention. Par exemple, l'emballage logistique porte le CUP enregistré aux caisses des détaillants ainsi que des informations notamment sur le contenu et le mode d'emploi. L'emballage peut aussi constituer un outil de marketing important pour le fabricant lorsqu'il sert à illustrer le positionnement de la marque. Le géant des cosmétiques Estée Lauder estime que l'emballage véhicule surtout l'image de la marque, et ses emballages ont une allure moderne et raffinée que l'on reconnaît aussitôt[69]. De nombreux gestionnaires marketing considèrent l'emballage comme l'outil publicitaire ultime, puisque son rôle est de promouvoir les produits auprès des consommateurs au point de vente. Comme présenté dans la rubrique Marketing et médias sociaux ci-dessous, des entreprises comme Polar Ice placent des messages sur des parties de leur emballage pour inviter l'acheteur à se rendre sur leur site Web. L'emballage peut aussi influer sur les émotions des consommateurs et pousser ces derniers à faire un achat impulsif. La forme des flacons et des contenants de lotions, de parfums et de déodorants illustre parfaitement le fait que les gestionnaires marketing utilisent les emballages non seulement à des fins de distribution, mais également pour favoriser l'achat et la différenciation. Les enfants font souvent pression sur leurs parents pour qu'ils achètent un produit (comme les céréales) parce qu'ils sont attirés par l'emballage bien plus que par le produit en tant que tel. Dans ce cas, l'emballage permet de différencier le produit et rend les consommateurs fiers de s'identifier à la marque.

Tous les détaillants n'ont pas les mêmes priorités en matière d'emballage, mais tous recherchent des emballages pratiques pour la présentation et la vente. Pour les clients, le paquet de 12 canettes de Coca-Cola a une forme compacte et est facile à

Marketing et médias sociaux

Vodka Polar Ice : un succès de Mia via Twitter

L'histoire de la vodka Polar Ice de Corby, une entreprise canadienne, est celle d'une prodigieuse réussite. Au cours des 10 dernières années, les ventes ont augmenté de 377 %, passant de 85 000 caisses à 320 000 caisses et faisant de la Polar Ice la troisième marque de vodka la plus vendue au Canada[70].

Les médias sociaux ont joué un rôle de premier plan dans l'effort de marketing récent déployé par Corby pour lancer son nouveau site Web (polarice.ca).

L'entreprise y a intégré Twitter et Facebook, offrant ainsi une expérience de la marque unique à son marché cible, composé d'hédonistes de 19 à 25 ans adeptes des dernières technologies et très présents dans les médias sociaux.

La page d'accueil du site présente une scène typique de la province d'origine des utilisateurs. Par exemple, les Britanno-Colombiens y aperçoivent la silhouette de la ville de Vancouver et ses montagnes tandis que les Ontariens contemplent le profil de la ville de Toronto duquel se détache la tour du CN. Le phare est mis en évidence sur la page d'accueil des utilisateurs des provinces maritimes tandis qu'un inukshuk salue les visiteurs du Nunavut. Ces fonds personnalisés contribuent à créer un lien plus solide entre la marque et les consommateurs grâce à des images qui leur sont familières.

Le site de l'entreprise présente des commentaires composites des utilisateurs recueillis sur @mia_at_polarice, le compte Twitter de la Polar Ice. Mia est une personne créée pour refléter le marché cible. La personnalité de la marque est jeune, moderne et pleine d'assurance. Mia est une hédoniste très sociable qui a du style et qui n'a rien à cacher. Corby puise dans les gazouillis des utilisateurs pour intégrer du contenu généré par les utilisateurs à son site tout en conservant le contrôle de la marque.

Kelly Kretz, chef de produit principal chez Corby, affirme qu'elle a été surprise de constater à quel point la communication est naturelle entre le marché cible et Mia. Selon elle, cela s'explique par le fait que Mia représente une personne plutôt qu'une entreprise. La page Facebook de Polar Ice a généré plus de 26 millions d'impressions et compte plus de 3 600 adeptes[71]. Des annonces publiées sur la page Facebook dirigent les adeptes vers le site Web de l'entreprise. Le profil Twitter de celle-ci compte plus de 1 700 abonnés et arrive au septième rang lorsque les internautes tapent « vodka ».

Les initiatives de la marque sur les médias sociaux s'étendent également à l'emballage. Par exemple, une étiquette fixée au col des flacons de Polar Ice invite l'acheteur à visiter le site Web de l'entreprise. En 2009, Corby y lançait un concours invitant tous les artistes séropositifs à proposer des illustrations pour l'étiquette de la Polar Ice 2010. L'entreprise visait ainsi à recueillir des fonds pour la Société canadienne du sida et à sensibiliser le public à cette cause[72].

transporter à la maison et à ranger dans le réfrigérateur ; pour les détaillants, cet emballage s'empile facilement sur les tablettes.

De plus, un grand nombre de marchandises sont emballées dans des caisses, des palettes ou des conteneurs afin de faciliter le transport et l'entreposage depuis le fabricant jusqu'au détaillant. Ces emballages profitent aux fabricants et aux détaillants, puisqu'ils protègent la cargaison durant le transport ; ils facilitent le chargement, le déchargement et l'entreposage ; enfin, ils sont rentables étant donné que les commandes et les cargaisons plus volumineuses permettent de réduire les coûts.

Le paquet de 12 canettes de Coca-Cola a fait grimper les ventes. Les consommateurs peuvent ranger le paquet entier dans leur réfrigérateur et, ainsi, avoir toujours une boisson fraîche à leur portée.

Étant donné que l'emballage joue un rôle aussi crucial dans le positionnement de la marque et dans l'impact visuel sur les rayons, de nombreuses innovations en matière de conception et de matériaux ont eu lieu au cours des dernières décennies. En voici des exemples[73] :

- **Les sachets refermables à maintien vertical.** Les jus Capri Sun ont été les pionniers de ces sachets. Aujourd'hui, il existe divers produits et types de sachets, y compris des sachets refermables. On peut même acheter du thon dans un sachet à maintien vertical.
- **Les canettes en aluminium.** Lancées en 1965, les canettes ont dominé le marché des boissons dès 1985. Aujourd'hui, on vend même certaines marques d'eau et de boissons énergisantes dans des canettes en aluminium.
- **Les bouteilles aseptiques.** Tetra Pak et IP ont conçu des modèles et des machines qui ont augmenté la durée de conservation des boissons sans réfrigération. Ces bouteilles sont surtout utilisées par les fabricants de jus, mais aussi par certains fabricants de soupes.
- **Les emballages de protection et les emballages adaptés aux aînés.** Les produits dangereux pour les enfants de moins de cinq ans, comme les médicaments, les solvants, les produits chimiques et les pesticides, sont désormais vendus avec des couvercles que les enfants ne peuvent ouvrir. Quant aux aînés, ils apprécient les emballages légers, faciles à manipuler et à ouvrir, dont les étiquettes sont lisibles. En réaction aux commentaires des consommateurs, l'entreprise canadienne Soins-santé grand public McNeil a conçu le bouchon EZ- Open, qui ne vise pas à empêcher les enfants de les ouvrir, mais qui est destiné spécialement aux personnes souffrant d'arthrite[74].
- **Les emballages « verts » et biodégradables.** Les consommateurs sensibilisés à l'environnement réclament des emballages moins volumineux et faciles à recycler. L'entreprise vancouvéroise Earthcycle a lancé des emballages en fibre de palmier compostable pour les produits comme les mets à emporter et les fruits et légumes frais. La fibre de palmier, qui prend environ 90 jours à se dégrader, est utilisée par Loblaw et Walmart[75]. Coca-Cola a innové en introduisant une bouteille végétale entièrement recyclable (*voir la rubrique Marketing durable ci-contre*). Procter & Gamble a réduit de moitié le volume des contenants de toutes ses marques de détergents à lessive liquides (comme Tide, Gain et Cheer) en concentrant leur formule. Les détaillants apprécient le fait que les emballages plus petits sont faciles à entreposer et prennent moins de place sur les tablettes[76].

L'étiquetage

Les étiquettes des produits et des emballages donnent aux consommateurs les informations dont ils ont besoin pour prendre une décision d'achat et consommer le produit. Parce qu'elle présente le produit et la marque, l'étiquette est aussi un élément crucial du marquage et peut servir à promouvoir le produit. L'information qu'elle contient doit être conforme à des lois et règlements généraux et propres à l'industrie, notamment en ce qui concerne les ingrédients, le lieu de fabrication, le mode d'emploi ou les mises en garde.

La plupart des exigences en matière d'étiquette découlent de lois comme la *Loi sur la concurrence,* la *Loi et le Règlement sur l'emballage et l'étiquetage des produits de consommation,* la *Loi sur les aliments et drogues* et le *Règlement sur les matières dangereuses.* Plusieurs organismes fédéraux, groupes industriels et groupes de protection des consommateurs surveillent de près les étiquettes. La *Loi sur les aliments et drogues* régit l'information contenue sur les étiquettes des aliments, des médicaments et des cosmétiques. La *Loi sur l'emballage et l'étiquetage des produits de consommation* concerne les produits alimentaires et veille à ce que les allégations des fabricants soient véridiques et que les étiquettes reflètent avec précision les ingrédients et leurs quantités. Toutes les étiquettes doivent être écrites dans les deux langues officielles du Canada, le français et l'anglais.

Les allégations des fabricants sont parfois critiquées par divers groupes de protection des consommateurs. Au Royaume-Uni, l'Independent Television Commission (ITC) a soutenu que le yogourt Shape de Danone n'était pas « presque sans matières grasses » comme le mentionnait son étiquette. En effet, la Dairy Industry Federation stipule que seuls les produits contenant moins de 0,3 gramme de matières grasses

Les emballages innovants peuvent améliorer le positionnement d'un produit et son impact visuel sur les rayons.

Marketing durable — Une bouteille durable

La plupart des consommateurs ont l'habitude de voir des publicités de Coca-Cola vantant les qualités du produit que contient la bouteille. Or, dernièrement, l'entreprise a émis un message au sujet de la bouteille elle-même. En effet, soucieuse de réduire son empreinte écologique en créant un emballage durable, Coca-Cola a lancé la « bouteille végétale » PlantBottle. L'engagement de l'entreprise en matière de développement durable touche la préservation des ressources naturelles et la protection des sols, de l'eau et du climat nécessaire pour soutenir la vie sur la Terre[77]. Comme les bouteilles utilisées dans le passé, la PlantBottle est entièrement recyclable. Mais, contrairement aux bouteilles en PET (polyéthylène téréphtalate) à base de pétrole, elle utilise moins de ressources non renouvelables et son empreinte carbone est réduite, car elle se compose à 30 % de dérivés de la canne à sucre et de la mélasse.

Introduite au Canada lors des Jeux olympiques de Vancouver, la bouteille végétale porte un petit symbole vert qui vise à sensibiliser le public à son caractère plus écologique. Coca-Cola a d'abord lancé sa bouteille végétale dans des villes « vertes » triées sur le volet, comme à Copenhague, au Danemark,

La PlantBottle de Coca-Cola, entièrement recyclable, a été primée pour son innovation en matière d'emballage.

où ce lancement a coïncidé avec la Conférence sur les changements climatiques[78].

Les efforts de Coca-Cola en matière de durabilité ne s'arrêtent pas à la PlantBottle. L'entreprise collabore avec un certain nombre d'organismes, notamment la Fondation Bill et Melinda Gates, pour favoriser l'adoption de pratiques agricoles durables dans diverses régions du monde. Elle travaille aussi avec le Fonds mondial pour la nature (WWF) sur l'Initiative pour une meilleure canne à sucre afin d'améliorer les principaux impacts environnementaux et sociaux de la production de sucre de canne et de sa transformation première[79].

PlantBottle est déjà reconnue comme une technologie unique. Le produit a remporté la palme d'or dans le cadre des DuPont Awards for Packaging Innovation parce qu'il représente une innovation sans précédent en matière d'emballage[80]. Coca-Cola prévoit que toutes ses bouteilles en plastique seront des PlantBottles d'ici 2020. On estime en avoir produit 25 milliards jusqu'à présent, ce qui représente une économie de 556 000 barils de pétrole[81].

par 100 grammes peuvent prétendre être «presque sans matières grasses». Or, le yogourt Shape de Danone en contenait trois fois plus[82].

La rubrique Question d'éthique ci-dessous expose certains problèmes auxquels se heurtent les entreprises en ce qui a trait à la promotion des ingrédients contenus dans leurs produits ainsi que les préoccupations relatives à l'étiquetage de ces produits. Ces préoccupations deviennent encore plus complexes lorsque les produits traversent des frontières.

L'étiquette d'un produit est bien plus qu'un simple bout de papier collé sur l'emballage: c'est un outil de communication – qui est trop souvent négligé – et un contrat. La loi oblige le fabricant à y indiquer un grand nombre d'éléments (ingrédients, teneur en matières grasses et en sodium, taille d'une portion, nombre de calories par portion), mais d'autres détails de l'étiquette sont laissés à la discrétion du fabricant. La façon dont les fabricants utilisent les étiquettes pour annoncer les bienfaits de leurs produits varie en fonction du produit. Par exemple, l'étiquette du yogourt Danone indique que ce produit est riche en calcium. D'autres produits mettent en valeur d'autres ingrédients, la teneur en vitamines ou en nutriments, comme le fer.

Les ingrédients comme les bienfaits des yogourts peuvent être mis en valeur à la fois par l'emballage et par l'étiquetage.

Question d'éthique

Que cachent les logos santé?

Aujourd'hui, les consommateurs veulent acheter des produits plus nutritifs et éviter les produits douteux. Comme l'alimentation saine est de plus en plus en vogue, de nombreuses entreprises ont pris le train en marche et apposé des «sceaux d'approbation» sur leurs produits. Par exemple, Kraft a lancé le programme *Solution sensée*, identifié par un fanion vert qui figure actuellement sur plus de 500 produits, afin d'aider les consommateurs à choisir plus facilement des aliments savoureux et sains. Le logo «Bien choisir» est le signal que PepsiCo envoie aux consommateurs pour indiquer que certains aliments sont des choix santé. Même les restaurants se sont laissé prendre au jeu et profitent de l'occasion pour proposer certains mets de leurs menus comme étant des choix sains. Swiss Chalet, une chaîne de rôtisseries présente dans sept provinces canadiennes[83], a apposé le logo «Visez santé» sur ses mets et ses plats d'accompagnement qui répondent aux critères nutritionnels de la Fondation des maladies du cœur et de l'AVC.

Mais que signifie réellement ce sceau? Les produits qui portent le logo «Bien choisir» de PepsiCo doivent répondre aux critères suivants:

- contenir au moins 10% de la valeur quotidienne d'un nutriment ciblé (protéines, fibres, calcium, fer, vitamine A, vitamine C) et respecter les limites en ce qui a trait à la teneur en matières grasses, en gras saturés, en gras trans, en cholestérol, en sodium et en sucre ajouté; ou

Avez-vous déjà vu des produits dont l'étiquette annonce un «Choix santé» dans les épiceries? Achèteriez-vous de la barbe à papa biologique?

- procurer des bienfaits spécifiques pour la santé ou le bien-être; ou

- avoir une teneur réduite en calories ou en nutriments comme les matières grasses, le sodium ou le sucre[84].

Intéressant? Peut-être, mais examinons les choses d'un peu plus près. Le Pepsi diète affiche le logo «Bien choisir» parce qu'il ne contient ni sucre, ni calories, ni glucides. Or, les nutritionnistes soutiennent que les consommateurs devraient boire du jus, de l'eau ou du lait s'ils veulent vraiment faire un choix sain; de plus, il faut prendre en compte la question de l'aspartame. Les grignotines Cheetos cuites au four sont approuvées parce qu'elles ne contiennent pas de cholestérol ni de gras trans et ne sont pas frites. Mais elles demeurent riches en calories (130 calories pour 34 Cheetos, dont 45 proviennent des matières grasses) et ne contiennent ni fibres, ni vitamines, ni minéraux.

Quant à ce qui mijote dans les cuisines de Kraft, ses Oreo Thinsations sont vendus en paquets pratiques renfermant seulement 100 calories. Même s'ils contiennent moins de matières grasses que les biscuits Oreo traditionnels, ces calories restent des calories vides qui proviennent du sucre.

Swiss Chalet fait-elle mieux ? Les mets de son menu qui affichent le logo « Visez santé » semblent être très nutritifs et représenter un choix sain pour les consommateurs soucieux de leur santé. Toutefois, les plats qui méritent ce logo sont très peu nombreux et certains, comme les salades, doivent être mangés sans vinaigrette pour remplir les conditions requises.

Dernièrement, la tendance à mettre en valeur les qualités saines des aliments a pris une tournure inattendue lorsque des entreprises ont commencé à promouvoir des aliments vides (*junk food*) biologiques. Aux yeux de certains consommateurs, la certification biologique représente un sceau d'approbation. Pourtant, les Pop-Tarts biologiques sont-ils vraiment plus sains que leurs équivalents qui ne sont pas bio ? Et que dire de la barbe à papa biologique Pure Fun ? Les critiques prétendent que cette mode donne simplement aux consommateurs préoccupés par leur santé un prétexte pour manger des aliments vides[85].

Même si la plupart de ces entreprises s'efforcent d'offrir des produits plus sains aux consommateurs, il faut se demander si ces étiquettes « Choix santé » ne sont pas juste un stratagème pour vendre. Qu'en pensez-vous ? Les entreprises qui utilisent un logo santé sont-elles de bonne foi ou recherchent-elles uniquement le profit ?

Faites le point

 **Expliquez ce qu'est un produit**

Un produit est un ensemble de bénéfices qu'une entreprise a assemblés à l'intention d'un consommateur. Un produit peut être composé d'éléments tangibles, que sont les composantes physiques de ce qui se retrouve sur les tablettes des magasins et l'emballage, de même que de nombreux éléments intangibles comme la marque, la garantie, le service après-vente.

On distingue plusieurs types de produits et de services : les produits/services de spécialité (vélos, services médicaux), les produits/services d'achat réfléchi (meubles, voyages), les produits/services de consommation courante (pain, nettoyeur), les produits/services non recherchés (chauffe-mains, protection d'identité).

 **Décrivez comment les entreprises adaptent leurs lignes de produits aux conditions changeantes du marché**

Les conditions du marché sont variables. De nouvelles possibilités surgissent, d'autres mûrissent, puis disparaissent. Parfois, la concurrence devient plus féroce ou les concurrents décident de relever de nouveaux défis. Les entreprises élargissent leurs lignes de produits en y ajoutant de nouvelles catégories de produits ou de nouvelles références au sein d'une catégorie. La décision d'ajouter des produits doit être soigneusement réfléchie. L'expansion excessive d'une ligne

de produits peut embrouiller les consommateurs et diluer l'attrait des produits de base de la marque. Parfois, un produit ou une ligne de produits cesse d'être rentable, ou encore les priorités de l'entreprise ou les préférences des consommateurs changent. Le cas échéant, l'entreprise doit élaguer ses lignes de produits en supprimant des articles et même des catégories entières de produits.

 **Expliquez l'importance des marques pour les entreprises et leurs clients**

Les marques facilitent le processus de recherche des consommateurs. Certains clients demeurent fidèles à certaines marques, un facteur qui protège ces marques de la concurrence. De plus, les marques ont une valeur légale, puisque les marques de commerce et les droits de propriété protègent les entreprises de la contrefaçon et des imitations de pacotille. Les entreprises dont les marques sont réputées peuvent dépenser relativement moins en vente et en distribution parce que la marque et les concepts qui lui sont associés contribuent à faire vendre le produit. Enfin, les marques possèdent une réelle valeur marchande en tant qu'actifs d'une entreprise.

 **Décrivez les diverses stratégies de marque utilisées par les entreprises**

Les entreprises ont recours à diverses stratégies pour gérer leurs marques. Premièrement, elles doivent décider si elles veulent offrir des marques nationales, de détaillants ou génériques. Deuxièmement, elles ont le choix d'utiliser une marque d'entreprise globale, un ensemble de marques-produits ou des doubles marques. Troisièmement, pour cibler de nouveaux marchés ou élargir leur marché, elles peuvent étendre leurs marques à de nouveaux produits. Quatrièmement, une entreprise peut conclure une entente de comarquage avec une autre entreprise pour créer une synergie des ventes et des profits pour elles deux. Cinquièmement, les entreprises qui possèdent des marques fortes ont la possibilité d'octroyer une licence de marque à d'autres entreprises. Sixièmement, le repositionnement d'une marque est souvent nécessaire sur un marché en constante évolution.

 **OA 5** **Expliquez comment l'emballage et l'étiquette d'un produit s'intègrent à la stratégie globale d'une entreprise**

Comme les marques, les emballages et les étiquettes contribuent à faire vendre le produit et facilitent son emploi. L'emballage contient le produit et son étiquette renseigne l'acheteur sur celui-ci. Outre le fait que son étiquette contient des renseignements utiles, l'emballage facilite le transport et l'entreposage tant aux détaillants qu'aux consommateurs. Les étiquettes sont devenues de plus en plus importantes pour les consommateurs, car elles fournissent des renseignements précieux concernant la sécurité, la valeur nutritionnelle et le mode d'emploi du produit.

Mots clés

- assortiment de produits (ou gamme de produits), p. 277
- avantage principal recherché, p. 275
- capital de marque, p. 283
- catégorie de produits, p. 277
- comarquage, p. 294
- concepts associés à la marque, p. 286
- concession de licence de marque, p. 294
- coût perçu, p. 285
- dilution de marque, p. 293
- double marque, p. 291

- étendue (ou largeur) de la gamme de produits, p. 278
- extension de marque, p. 292
- fidélité à la marque, p. 287
- ligne de produits, p. 277
- marque, p. 278
- marque de distributeur (ou marque maison), p. 289
- marque de fabricant (ou marque nationale), p. 289
- marque d'entreprise (ou marque-entreprise), p. 291

- marque-produit, p. 291
- notoriété de la marque, p. 284
- personnalité de la marque, p. 286
- produit, p. 274
- produit de consommation, p. 276
- produit générique, p. 290
- profondeur de la ligne, p. 278
- référence, p. 278
- services connexes (ou produit augmenté), p. 275
- valeur perçue, p. 285

Révision des concepts

1. Expliquez la différence entre l'étendue d'une gamme de produits et sa profondeur. Pourquoi est-il important de comprendre cette différence ?

2. Expliquez pourquoi la stratégie de marque est importante pour les gestionnaires marketing. Quelle valeur l'achat et l'utilisation de produits ayant une marque de commerce apportent-ils aux clients ?

3. Qu'est-ce que le capital de marque ? Décrivez les stratégies que les gestionnaires marketing peuvent mettre en œuvre pour augmenter le capital de leur marque.

4. Expliquez la différence entre une marque nationale, un produit générique et une marque de distributeur. Les détaillants devraient-ils vendre les trois types de marques ? Pourquoi ?

5. Décrivez les éléments que les entreprises devraient prendre en considération au moment de choisir le nom d'un produit.

6. Quels sont les avantages d'étendre le nom d'une marque à de nouveaux produits ?

7. Qu'est-ce que le comarquage ? Quand est-il logique pour une entreprise de recourir à celui-ci ?

8. Expliquez ce qui différencie la concession de licence de marque du comarquage.

9. Indiquez comment les gestionnaires marketing augmentent la valeur de leurs produits grâce à l'emballage. Expliquez les problèmes d'éthique liés à l'emballage et à l'étiquetage des produits. Proposez une solution à certains de ces problèmes.

10. Expliquez comment l'étiquetage peut être utilisé comme un outil de marketing au lieu de fournir simplement les informations obligatoires en vertu de la loi.

Marketing appliqué

1. Les aliments prêts à servir que vend Whole Foods Market, le plus gros détaillant mondial d'aliments biologiques, sont très rentables. Pour qu'ils le soient encore plus, proposez deux stratégies visant à modifier l'étendue et la largeur de la gamme de produits du détaillant.

2. Rendez-vous dans une épicerie et cherchez le dentifrice Colgate Total sur les tablettes. Combien de références différentes (y compris les variations de taille et de saveur) cette épicerie vend-elle? Quels sont les avantages et les désavantages de vendre une aussi grande variété de produits?

3. Supposons que vous veniez de décrocher un emploi à titre de consultant en marketing pour un bijoutier. Ce dernier produit une marque de distributeur depuis 75 ans, mais il songe à créer sa propre marque de bijoux. Exposez les avantages et les inconvénients de cette stratégie.

4. Nommez une marque qui possède un grand capital. Quels aspects précis de cette marque son capital lui donne-t-il?

5. Êtes-vous fidèle à une ou plusieurs marques? Le cas échéant, choisissez-en une et expliquez pourquoi vous lui êtes fidèle, mis à part le fait qu'elle vous plaît. Si vous n'êtes fidèle à aucune marque, choisissez une marque que vous aimez bien et expliquez en quoi votre perception et votre comportement envers elle changeraient si vous lui étiez fidèle.

6. La compagnie automobile General Motors (GM) possède plusieurs marques: Buick, Cadillac, Chevrolet, GMC, Opel et Holden. Chaque marque comprend de nombreux modèles, dont chacun porte un nom unique. Ne serait-il pas plus facile de donner à tous les modèles le nom GM? Justifiez votre réponse.

7. BMW, quant à elle, assigne à chaque voiture un numéro plutôt qu'un nom: BMW Série 3, Série 5 ou Série 7. Quels avantages BMW retire-t-elle de ce procédé?

8. Trouvez une entreprise qui vient de réaliser une extension de marque. Indiquez si vous croyez que cette extension particulière sera favorable ou défavorable à l'entreprise.

9. Pensez-vous que tous les aliments vendus dans une épicerie devraient porter une étiquette décrivant leurs ingrédients et leurs qualités nutritionnelles? Placez-vous successivement du point de vue du consommateur, du fabricant et du magasin.

10. Vous travaillez depuis peu dans une petite boulangerie qui aspire à distribuer ses produits dans les épiceries. La popularité des produits de la boulangerie augmente constamment et l'entreprise souhaite élargir sa distribution maintenant qu'elle a augmenté sa capacité de production. Vous avez rendez-vous avec le directeur d'une chaîne d'épiceries locale. Ce dernier connaît bien les produits de la boulangerie et il est enthousiasmé à l'idée de les vendre dans son magasin. Il vous demande de concevoir un emballage attrayant, qui conserve la fraîcheur des produits et qui soit le moins volumineux possible afin de contenter même les environnementalistes les plus rigoureux. Ce défi est nouveau pour vous. À la boulangerie, les clients choisissent les produits dans le comptoir vitré et ceux-ci sont ensuite emballés dans des sacs en papier. Créez un emballage qui satisfera le détaillant et qui sera abordable pour la boulangerie.

Internaute averti

1. Visitez le site Web de Procter & Gamble (www.pg.com/fr_CA/index.shtml). Relevez ses lignes de produits et décrivez-les brièvement. Ensuite, choisissez une catégorie de produits et décrivez son étendue. Expliquez vos réponses.

2. Interbrand, une société new-yorkaise chef de file de la consultation en matière de marque, effectue des recherches sur la valeur pécuniaire de différentes marques. Visitez son site Web (www.interbrand.com) et consultez son plus récent sondage *Best Global Brands* (meilleures marques mondiales). Nommez les cinq meilleures marques, leur valeur et leur pays d'origine. Décrivez les variations de positions dans le classement que ces entreprises ont connues par rapport à l'année précédente. Pourquoi leur classement a-t-il changé? Indiquez quelles marques ont connu la plus importante variation en pourcentage (hausse ou baisse) par rapport à l'année précédente.

Étude de cas

LES PRODUITS BAND-AID®[86] : TIRER PARTI DE LA VALEUR DE LA MARQUE[87]

Filiale du géant mondial Johnson & Johnson, Band-Aid® est le chef de file du marché des pansements. Occupant une part dominante du marché, la marque est reconnue mondialement et respectée tant par les consommateurs que par les professionnels de la santé. Reconnue pour ses produits de soins innovants, la société continue de lancer de nouveaux produits qui s'appuient sur des technologies créatives. Le magazine *Good Housekeeping* a même attribué son prix Good Buy (Bon achat) à l'un de ces produits, en l'occurrence le pansement liquide Band-Aid®. Depuis sa fondation jusqu'à aujourd'hui, Band-Aid® ne cesse d'offrir une grande valeur à ses clients et a prouvé que les consommateurs du monde entier pouvaient faire confiance à la marque.

La naissance de la marque

La nécessité est la mère de l'invention et, dans le cas de Band-Aid®, ce dicton est on ne peut plus vrai. En 1920, lorsque Earle Dickson, alors acheteur de coton pour Johnson & Johnson, rentrait à la maison, il trouvait toujours un repas chaud préparé par sa femme Josephine. Or, il trouvait aussi les mains de sa femme couvertes de brûlures et d'écorchures résultant de ses travaux culinaires. Il devait alors couper des morceaux de gaze et de ruban adhésif pour couvrir ses plaies. Bientôt, Dickson a eu l'idée de préparer des pansements prêts à utiliser en plaçant de petits carrés de gaze en coton à intervalles réguliers le long d'une bande adhésive. Quand le produit a été lancé sur le marché, les pansements étaient faits à la main, n'étaient pas stériles et rapportaient à peine 3 000 $ par an.

La société aujourd'hui

Les pansements Band-Aid® sont vendus dans une variété de grandeurs et de styles. Ces emballages sont destinés aux enfants.

Aujourd'hui, les produits Band-Aid® sont fabriqués à la machine et entièrement stériles. Une visite sur le site Web de l'entreprise (www.bandaid.ca/fr) révèle le chemin parcouru par la société depuis les premiers pansements de ruban adhésif et de gaze, ainsi que la demande contemporaine concernant les diverses catégories de produits de premiers soins vendus sans ordonnance.

Fidèle à sa longue tradition en matière d'innovation, la société continue d'investir dans le développement et la commercialisation de nouveaux produits (*voir le tableau 9.3*). Il existe une grande variété de produits Band-Aid®: des emballages ornés de personnages populaires pour les enfants ; des pansements de formes uniques adaptés à diverses parties du corps ; des pansements antibiotiques ; des pansements imperméables imprégnés d'aloès pour traiter les brûlures ; des pansements cicatrisants ; des pansements en plastique transparent, en tissu extensible et de formes ronde et carrée ; ainsi que des compresses traitées et non traitées. De plus, la marque Band-Aid® s'étend désormais à divers onguents, compresses, rubans adhésifs et trousses destinés à traiter une foule de plaies. Par exemple, la mousse antiseptique One-Step Cleansing and Infection Protection nettoie et guérit les plaies sans nécessiter le recours à un onguent antibiotique. La lotion Calamine assèche et calme les démangeaisons causées par l'herbe à puce ; les tampons Bug Bite Relief soulagent les démangeaisons résultant des piqûres d'insectes. Et les minitrousses de premiers soins First Aid To Go!® comprennent des produits essentiels en format de voyage.

TABLEAU	9.3	Des exemples de nouveaux produits Band-Aid®

Année	Nouveau produit
1920	Mise en marché des pansements adhésifs Band-Aid® (7,5 cm sur 45 cm)
1924	Premiers pansements stériles faits à la machine
1940	Ajout de fil rouge pour faciliter l'ouverture des emballages de pansement
1951	Pansements en plastique
1956	Pansements de fantaisie
1958	Pansements en vinyle
1994	Pansements de sport
1997	Pansements avec onguent antibiotique sur le coussinet
2000	Pansements Guérison avancée
2001	Pansement liquide favorisant une guérison rapide
2003	Technologie de guérison des cicatrices (atténue les cicatrices rouges et boursouflées)

Source: www.bandaid.com (page consultée le 18 décembre 2014).

Cependant, les nouveaux produits Band-Aid® ne sont pas donnés. Sur son budget de marketing de 28 millions de dollars en 2003, la société a affecté 17 millions à trois nouvelles extensions de produits. Les pansements Guérison avancée Coussinets pour les ampoules, un pansement rond, coussiné et imperméable destiné à guérir et à prévenir les ampoules aux pieds, a reçu un soutien de sept millions de dollars visant à promouvoir sa capacité à produire une guérison rapide et naturelle. Les pansements Tough-Strips Finger Care ont bénéficié, pour leur part, d'un budget de cinq millions et ont été introduits comme une extension des produits ordinaires de soins pour les doigts. Enfin, les pansements Tough-Strips de format extra large ont aussi bénéficié d'un soutien de marketing de cinq millions[88]. La société a affecté des sommes semblables aux nouveaux produits lancés l'année précédente, notamment les pansements liquides (sept millions de dollars), les pansements imperméables Water Block Plus (huit millions) et le nettoyant antiseptique Hurt-Free (cinq millions).

La société occupe une position enviable. Les consommateurs du monde entier reconnaissent la valeur des produits Band-Aid® pour guérir, prévenir et cicatriser les écorchures, les coupures, les blessures et les bleus mineurs. La création continue de nouveaux produits et l'élargissement des lignes de produits permettront sans doute à la société de demeurer LA référence en matière de pansements, de bandages et de compresses.

Questions

1. Visitez le site de la société (www.bandaid.ca/fr). Relevez et décrivez ses différentes lignes de produits. Comment décririez-vous l'étendue de sa gamme de produits?

2. Examinez les différentes catégories de produits de chacune des lignes de produits de la société. Laquelle est la plus étendue? la moins étendue?

3. Regardez les nouveaux produits offerts par la société. Lesquels sont des extensions de la marque Band-Aid®? Lesquels ne sont pas des extensions? Expliquez dans quelle mesure les extensions de marques peuvent diluer le capital de marque.

4. Examinez les produits destinés aux enfants. Dans quelle mesure s'appuient-ils sur une marque de fabricant (ou marque nationale)? sur une marque de distributeur? sur une concession de licence de marque? Expliquez vos réponses. Quelle valeur ajoutée ces produits offrent-ils aux clients comparativement aux produits de protection ordinaires Band-Aid®?

OBJECTIFS D'APPRENTISSAGE

Après avoir lu ce chapitre, vous devriez être en mesure :

OA **1** d'expliquer comment les entreprises ajoutent de la valeur grâce à l'innovation ;

OA **2** d'expliquer la théorie de la diffusion des innovations et son rôle dans le processus décisionnel relatif aux gammes de produits ;

OA **3** de décrire le processus de développement de nouveaux produits et services ;

OA **4** de définir le cycle de vie d'un produit et d'expliquer son rôle dans le processus décisionnel relatif aux gammes de produits.

Le développement de nouveaux produits

Jusqu'ici, nous avons étudié les processus que suivent les gestionnaires marketing pour segmenter les marchés et définir leur clientèle cible. Maintenant, nous allons examiner comment les entreprises développent de nouveaux produits afin de répondre aux besoins et aux désirs des consommateurs. Ce qui est nouveau est souvent excitant. Le mot « nouveau » évoque la fraîcheur, l'aventure et l'enthousiasme. Pourtant, ce mot renferme aussi une réalité complexe qui se traduit parfois par l'ajout d'un élément nouveau à un produit existant, l'introduction d'une nouvelle saveur ou la création d'un nouvel emballage qui ajoute de la valeur au produit.

Lorsqu'un produit sensationnel arrive sur le marché, notre première réaction est souvent de dire : « Quelle idée géniale ! Pourquoi n'y a-t-on pas pensé avant ? » À cette question, l'équipe d'Inventables répondrait : « Parce que personne n'a utilisé notre programme pour stimuler sa créativité. » Le slogan de l'entreprise, « Explorez le possible », illustre son engagement à construire un modèle de possibilités actuelles afin d'inspirer les rêveurs de ce monde et de les inciter à innover[1].

Inventables engage des « chasseurs de technologies » ayant une certaine expérience dans la science des matériaux pour parcourir le monde à la recherche de tout ce qui est inédit et passionnant. En interviewant des designers, en visitant des salons professionnels, en feuilletant des revues et des journaux spécialisés, en menant des recherches sur les marchés étrangers et en s'entretenant avec le réseau d'informateurs qu'elle a bâti, l'entreprise s'assure d'avoir accès aux plus récentes innovations dans les domaines de la science, de la technologie et des matériaux. C'est ainsi qu'ayant été mis au fait des derniers développements en nanoscience, Inventables a ajouté les nanocristaux luminescents à son portefeuille de recherche.

Vous ignorez à quoi servent les nanocristaux luminescents ? Peu importe, puisque vous ne comptez pas parmi les principaux clients d'Inventables. En réalité, l'entreprise offre ses compétences en recherche et en innovation aux fabricants qui cherchent de nouvelles applications. Ce sont ces applications que vous aurez un jour entre les mains. Par exemple, imaginez une peinture contenant des nanocristaux luminescents : les murs de votre chambre pourraient scintiller comme les bâtonnets lumineux que les enfants portent à l'Halloween et que les spectateurs agitent en concert pour réclamer un rappel à leur groupe préféré.

Créer du nouveau demande du travail et Inventables tente de débroussailler le terrain pour les fabricants de biens de consommation (p. ex., Avon, Kraft, Tupperware), de produits électroniques (p. ex., Bissell, Samsung, Whirlpool), de jouets (p. ex., Disney, Fisher-Price, Mattel) et d'autres entreprises qui font partie de sa clientèle (comme BMW, Hallmark, U.S. Army). Après ce travail de recherche et d'exploration, Inventables présente ses nouvelles découvertes (concepts, idées et matériaux) virtuellement dans une base de données en ligne et physiquement dans son Centre d'innovation, un kiosque contenant des échantillons réels que les concepteurs de produits peuvent explorer. Chaque échantillon est accompagné d'une étiquette comportant une brève description ainsi que des suggestions sur la façon d'appliquer la technologie à laquelle il est lié. L'entreprise installe son Centre d'innovation dans les bureaux de chacun de ses clients et y intègre régulièrement ses nouvelles trouvailles. Chaque fabricant l'utilise à sa façon, soit en encourageant ses concepteurs de produits à interagir avec celui-ci quotidiennement, soit en organisant des séances de créativité au cours desquelles les concepteurs se réunissent pour jouer avec les échantillons et expérimenter.

Ceux qu'Inventables fournit à ses clients appartiennent à cinq catégories : matériaux, mécanismes, électronique, processus et produits exceptionnels. Chaque échantillon doit représenter quelque chose d'inédit, résoudre un problème d'une façon originale ou appartenir exclusivement à un marché de niche et être à peu près inconnu ailleurs.

Quand l'horloger Fossil a fait appel aux services d'Inventables, il a eu accès à un interrupteur composé d'un bouton-poussoir et d'un affichage à cristaux liquides. Auparavant, cet interrupteur était surtout utilisé comme une solution de rechange bon marché à l'écran tactile ou comme un élément d'interface dans un équipement d'automatisation. Ces applications n'étaient certainement pas utiles en horlogerie, mais en manipulant l'objet, les concepteurs de Fossil ont compris que cette technologie pouvait transformer notre façon d'utiliser un chronomètre. Au lieu de tâtonner pour trouver et enfoncer un minuscule bouton situé sur le côté de la montre – ce qui, tous les coureurs vous le diront, est particulièrement ardu après une course éreintante –, il suffirait de donner une tape sur la montre pour arrêter le chronomètre.

Outre ses suggestions relatives à chaque échantillon, Inventables conserve un portefeuille d'idées qui ne sont pas encore tout à fait prêtes à être matérialisées en espérant qu'un jour quelqu'un arrivera à les mettre en œuvre. Imaginez un instant un grille-pain transparent qui vous permet de regarder griller votre pain. Finies les tartines brûlées ! Pourquoi n'y a-t-on pas pensé avant ?

Il n'y a pas si longtemps, ni l'un ni l'autre de ces produits n'était sur le marché.

Remontez 200 ans en arrière. Imaginez-vous en train de cuisiner vos repas sur un poêle à charbon ou sur un poêle à bois. Vous faites vos travaux à la main, éclairé par une chandelle. Vous vous rendez à l'école à pied ou à cheval, ou encore dans une voiture tirée par des chevaux, si vos parents en ont les moyens. À l'école, la classe, petite et rustique, comprend peu d'étudiants. L'enseignant donne des cours magistraux pendant lesquels il se sert du tableau.

Revenez maintenant à l'époque actuelle. Vous faites vos travaux sur votre portable à l'aide d'un logiciel de traitement de texte qui vous semble intelligent, car il corrige automatiquement vos fautes d'orthographe. L'ambiance de votre chambre est contrôlée et l'éclairage électrique est présent à volonté. Vous êtes à l'ordinateur tout en parlant au téléphone sans fil, lequel est muni d'un casque d'écoute mains libres. Vous vous rendez à l'école en voiture. En chemin, vous vous arrêtez au service à l'auto pour y prendre quelque chose à manger tout en écoutant de la musique. Vous écoutez des chansons qui ont été enregistrées récemment ou bien il y a 40 ans de cela. La musique vous parvient par Internet. Une fois à l'université, vous vous assoyez dans un amphithéâtre comptant près de 200 places où vous pouvez brancher votre portable pendant que l'enseignant donne un cours magistral qui s'appuie sur une présentation PowerPoint.

Notre vie se définit par les nouveaux produits et services issus des avancées technologiques et scientifiques et peaufinés par des entreprises externes spécialisées dans la recherche d'idées ou encore par des équipes internes de développement de nouveaux produits. Alors que la recherche scientifique apporte de nouvelles idées, la recherche technologique, quant à elle, permet de transformer ces idées en services pertinents et utiles, en produits ainsi qu'en processus tangibles.

Le présent chapitre est le deuxième chapitre qui traite du premier « P » du marketing mix, soit le produit (*voir la feuille de route à la page suivante*). Nous poursuivrons donc notre étude du thème du chapitre précédent et traiterons de l'ajout de valeur aux produits et aux services par l'innovation. Nous examinerons également les étapes du processus de développement de nouveaux produits et services. Pour conclure, nous verrons comment les nouveaux produits et services sont adoptés par les consommateurs et comment une entreprise peut modifier son marketing mix à mesure que le produit ou le service avance dans son cycle de vie.

Pourquoi les entreprises innovent-elles ?

OA

Les nouveaux produits ou services créent de la valeur tant pour les entreprises que pour les consommateurs. Toutefois, la valeur ajoutée dépend également de la nouveauté. En effet, un « nouveau produit » n'est pas nécessairement un produit

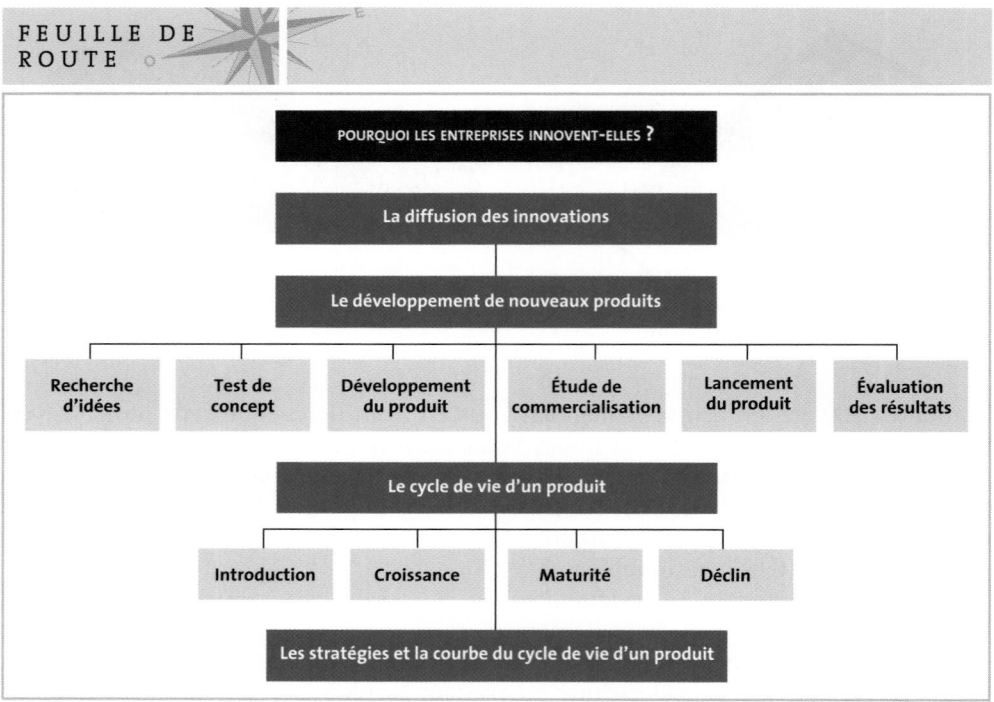

qui n'existait pas auparavant sur le marché ; chaque année, les produits tout à fait nouveaux, jamais vus, comptent pour moins de 10 % des nouveaux produits lancés (*consultez la rubrique Marketing durable ci-contre, qui présente un exemple de « nouveau produit » élaboré à partir d'un concept existant*). Ainsi, il est plus juste de parler de la nouveauté sur un continuum, depuis les produits radicalement nouveaux, comme la télévision haute définition (HD) il y a quelques années, jusqu'aux produits dont le repositionnement est subtil, comme Capri Sun, une marque de jus en enveloppe prêt-à-boire de Kraft, qui a modifié son emballage et choisi des enveloppes de plus grande taille afin de plaire davantage aux adolescents.

L'**innovation** est un processus au cours duquel les idées deviennent de nouveaux produits et services, lesquels permettent à une entreprise de prendre de l'expansion. Sans innovation et sans les produits et les services qu'elle permet de développer, les entreprises n'auraient que deux options : poursuivre la mise en marché des produits actuels auprès des clients actuels ou prendre leurs produits et les lancer sur un marché différent dont la clientèle est semblable.

Même s'il est possible que la stratégie d'innovation ne soit pas efficace à court terme, le fait qu'elle le soit à long terme peut suffire à convaincre une entreprise de lancer un nouveau produit ou un nouveau service.

innovation (*innovation*) Processus au cours duquel les idées deviennent de nouveaux produits et services, permettant à une entreprise de prendre de l'expansion.

Des besoins changeants

En ajoutant le nouveau produit à la gamme qu'elle propose déjà aux consommateurs, l'entreprise crée et offre de la valeur de façon efficace en satisfaisant les besoins changeants de sa clientèle actuelle et de ses nouveaux clients ou tout simplement en évitant que ces derniers trouvent les produits ennuyeux. Par exemple, Unilever est arrivée à élargir la gamme de pains de savon Dove en offrant des produits capillaires, des produits pour le visage et d'autres pour les soins de la peau, le tout sous un seul nom de marque : Dove. Aujourd'hui, les fidèles amateurs de Dove peuvent non seulement se laver avec le savon Dove, mais aussi utiliser l'antisudorifique, le déodorant,

| Marketing durable | Déménager écologique |

Déménager, quelle source de stress! Avant même de commencer à emballer vos affaires, vous devez parcourir les magasins du quartier pour trouver des boîtes. S'ils n'en ont pas assez, vous devez en acheter des neuves. Acheter, assembler, puis recycler toutes ces boîtes est un souci et une dépense inutile, de surcroît. Pour comble, les boîtes de carton usagées peuvent contenir des saletés, des bactéries et d'autres choses que vous ne voulez certainement pas retrouver partout sur vos affaires.

Pourtant, il existe une solution meilleure et plus durable. Fondée en 2008 à Vancouver par Doug Burgoyne, Frogbox peut vous louer des caisses en plastique réutilisables, une solution de rechange écologique aux boîtes de carton traditionnelles. Burgoyne estime à environ 450 000 et à 1 million le nombre de cartons de déménagement utilisés dans le Grand Vancouver et à Seattle respectivement[2].

Contrairement aux boîtes de carton, la solution de Frogbox a un faible impact sur l'environnement, puisque ses caisses peuvent être réutilisées des centaines de fois. Chacune mesure 71 centimètres cubes (70 litres). Pour mieux comprendre, disons qu'il faut approximativement 25 caisses pour déménager le contenu d'un logement de trois pièces.

Frogbox peut vous louer autant de caisses que vous voulez pour une semaine ou plus, et elle peut les livrer chez vous, puis revenir les chercher une fois le déménagement terminé. Les caisses s'empilent parfaitement et n'ont pas besoin d'être assemblées, ce qui élimine d'emblée la nécessité de passer des heures à construire et à coller des boîtes de carton.

Le nom Frogbox est très bien choisi, puisque l'entreprise et les grenouilles ont toutes deux un lien avec l'environnement. En effet, Frogbox remet 1% de ses revenus bruts à la restauration des habitats des grenouilles[3], et ses efforts en matière de durabilité se propagent à d'autres secteurs aussi. Ainsi, l'entreprise alimente son site Web à l'énergie solaire et utilise un biodiésel provenant des huiles recyclées du secteur de la restauration pour propulser son parc de véhicules.

L'entreprise voit grand. Actuellement, elle a des bureaux d'un océan à l'autre, dans 19 villes de 7 provinces canadiennes et dans 3 états américains. Elle compte étendre ses activités aux 30 plus grandes villes d'Amérique du Nord au cours des cinq prochaines années. L'expansion de l'entreprise reposant sur le recrutement de franchisés, ce concept pourrait être une initiative intéressante pour un gestionnaire, d'autant que la province de Québec ne comptait aucun point de service début 2015.

Frogbox vise à redéfinir notre façon de déménager en rendant ce processus plus facile, moins coûteux et, surtout, moins dommageable pour la planète.

Frogbox propose une solution de rechange écologique aux boîtes de carton traditionnelles servant aux déménagements.

la lotion hydratante, le produit nettoyant pour le visage, le tonique, le shampooing, le revitalisant et une foule d'autres produits[4].

La saturation du marché

Plus un produit demeure longtemps sur le marché, plus ce dernier risque d'être saturé. Sans l'apparition de nouveaux produits et services, la valeur de l'entreprise ne peut que diminuer[5]. Supposons que Reebok adopte une stratégie selon laquelle l'entreprise produirait année après année les mêmes chaussures. Puisque de nombreuses personnes prennent plus d'un an à user leurs espadrilles, en l'absence de nouveaux designs ou d'innovations fonctionnelles, elles n'auront aucun motif de changer leurs espadrilles. En outre, les gens ont tendance à se lasser de voir toujours les mêmes modèles de chaussures; ils

En lançant de nouveaux produits, la marque Dove, d'Unilever, crée et offre de la valeur de façon efficace en satisfaisant les besoins changeants de sa clientèle actuelle et de ses nouveaux clients ou tout simplement en évitant que ces derniers trouvent les produits Dove ennuyeux.

recherchent la variété[6]. En lançant de nouvelles lignes de produits plusieurs fois par an, Reebok arrive à cultiver l'intérêt du marché et parvient ainsi à soutenir sa croissance.

La diversification pour réduire les risques

L'éventail de produits issus de l'innovation permet à l'entreprise de diversifier son risque commercial, ce qui augmente sa valeur comparativement à une entreprise qui n'offrirait qu'un seul produit[7]. Si l'un des produits ne connaît pas une grande popularité auprès des consommateurs, il se peut que les autres produits se vendent sans problème. Comme nous l'avons appris dans l'introduction du chapitre 5 au sujet de la marque E. D. Smith, cette entreprise propose un éventail de produits qui comprend des confitures et des tartinades, mais également des garnitures de tarte, des sirops, du ketchup et de la salsa. Les entreprises qui proposent divers produits aux consommateurs sont mieux préparées aux imprévus, dont les changements de préférences des consommateurs ou la concurrence accrue. C'est pourquoi certaines entreprises, comme 3M, établissent des cibles de revenus provenant de produits nouveaux.

La gestion des cycles de tendances

Dans certaines industries liées aux tendances et à des produits au cycle de vie court, comme celles des arts et des logiciels, l'essentiel des ventes provient des nouveaux produits. Par exemple, une production cinématographique génère typiquement ses revenus au cours de l'année suivant sa sortie (recettes au cinéma, diffusion en avion, câblodiffusion). En outre, les consommateurs de logiciels et de jeux vidéo exigent de nouveaux produits, de la même manière que les mordus de la mode réclament de nouveaux styles vestimentaires.

L'innovation et la valeur

L'introduction de nouveaux produits sur le marché, particulièrement les innovations radicales qui entraînent la formation de nouveaux marchés, peut ajouter une valeur considérable à l'entreprise. Ces nouveaux produits, services et processus sont désignés par les noms de **pionniers**, de percées commerciales ou d'innovations radicales, car ce sont les premiers à percer un tout nouveau marché ou à changer les règles du jeu au sein d'un marché quant à la concurrence et aux préférences des consommateurs[8]. Généralement, les innovations radicales nécessitent une recherche d'information plus poussée de la part du consommateur, mais elles ont le potentiel pour offrir bien plus d'avantages que les produits déjà existants (*voir la figure 10.1*). Par exemple, pour utiliser Internet, les consommateurs doivent passer un bon moment à apprendre comment cette technologie fonctionne. Toutefois, lorsqu'ils y parviennent, Internet, avec les avantages qu'il leur offre, change leur façon de travailler, de s'amuser et d'interagir. D'un autre côté, la technologie WiFi nécessite peu de temps d'apprentissage (la principale différence est qu'il n'est plus nécessaire de connecter physiquement un appareil à l'aide d'un câble), mais elle procure au consommateur une flexibilité et une liberté incroyables dans sa façon d'utiliser Internet. Effectivement, il est possible de jouir des avantages de la technologie WiFi en tout temps et partout où il y a un point d'accès sans fil. Parmi les pionniers, on compte notamment les ordinateurs personnels, le microprocesseur Intel, le microphotocopieur de Canon, le système d'exploitation Windows de Microsoft, les enchères en ligne d'eBay ainsi que le Palm Pilot[9]. Certaines entreprises ont un carnet de réalisations particulièrement impressionnant. Pensons à Apple, qui a largement contribué au développement de la catégorie des ordinateurs personnels (Mac), à celles des baladeurs MP3 (iPod), des téléphones intelligents (iPhone) et des tablettes numériques (iPad).

pionnier (ou percée commerciale ou innovation radicale) (*pioneer*)
Nouveau produit, le premier à percer un tout nouveau marché ou à changer les règles du jeu au sein d'un marché quant à la concurrence et aux préférences des consommateurs.

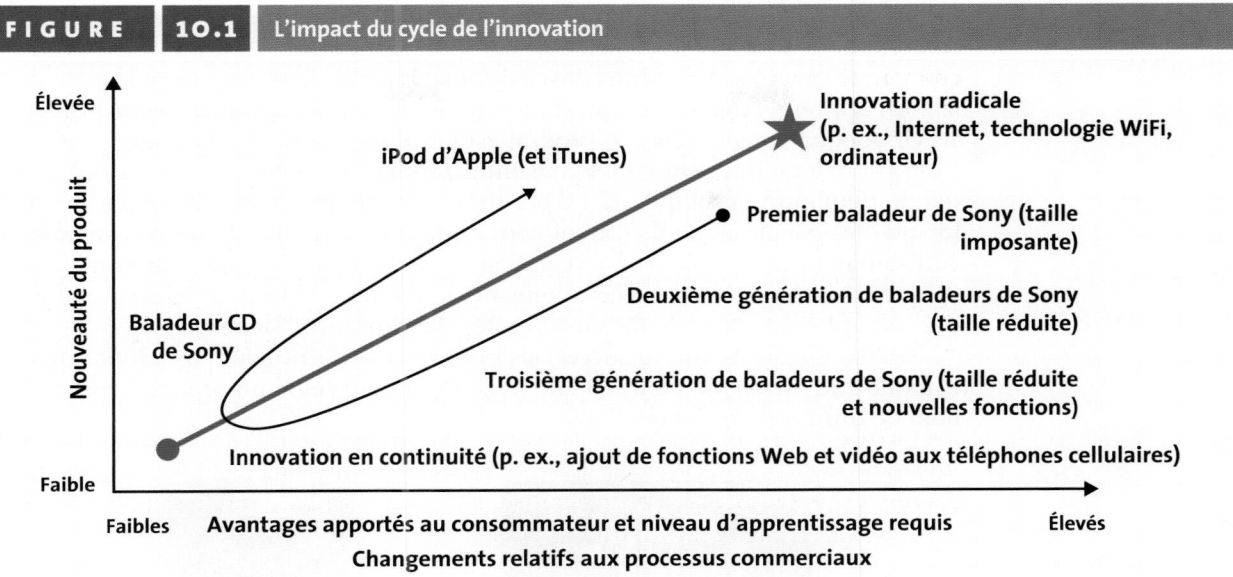

FIGURE | **10.1** | L'impact du cycle de l'innovation

Les créateurs de pionniers ont l'avantage d'être les **premiers entrants**, à lancer avant les autres un produit innovateur dont l'apparition crée un marché ou une catégorie de produits. Ce produit est facilement reconnaissable et a une avance durable quant aux parts de marché.

Par exemple, pendant des décennies, les consommateurs ont acheté et utilisé le baladeur de Sony. Il leur fallait ensuite se procurer des cassettes ou des CD qu'ils devaient traîner avec eux. Grâce à l'iPod, d'Apple, et au logiciel iTunes, une innovation radicale associée à l'appareil numérique portable, on n'a plus besoin de CD. En raison de la liberté qu'il apporte à son propriétaire et de son côté pratique (il peut contenir jusqu'à 10 000 chansons, des photos et des vidéos qu'il est possible de partager d'un appareil à l'autre), l'iPod a changé du tout au tout le concept de « baladeur » tel que l'a créé Sony. Des études sur le sujet ont également révélé que les créateurs de pionniers gagneraient davantage de parts de marché pendant une plus longue période que les entrants subséquents[10].

Cependant, cela ne signifie pas que tous les pionniers obtiennent du succès[11]. Dans bien des cas, ceux qui les imitent profitent de leurs faiblesses pour retirer un avantage de la situation sur le marché. Étant donné que les pionniers ont la lourde tâche de percer seuls un nouveau marché, ils préparent ainsi la voie aux entreprises qui les suivent, lesquelles n'ont pas besoin d'investir autant afin de créer une demande pour la catégorie de produits et peuvent donc se concentrer sur la création de la demande de leur propre marque. En outre, puisque le pionnier est le premier produit sur le marché auquel il appartient, il n'est pas rare que son apparence soit moins sophistiquée et que son prix soit relativement élevé, laissant ainsi le champ libre aux concurrents qui veulent lancer un produit semblable de plus grande qualité et à meilleur prix. Comme le montre l'exemple de Sony dans la figure 10.1, chacune des générations de baladeurs subséquentes présentait davantage de fonctions que la précédente, mais avec l'iPod, Apple ne s'est pas contentée d'imiter le principe de l'appareil portable, elle a changé radicalement la façon d'acheter de la musique, d'en vendre et d'en consommer. Même l'appareil en soi est révolutionnaire, à cause notamment de son apparence et de la façon dont on l'utilise.

Toutefois, un nouveau produit n'est pas un gage de réussite. En fait, la majorité des nouveaux produits sont des échecs, et dans une proportion de 95 % dans la catégorie des biens de consommation. Quant à l'ensemble des marchés et des

premier entrant
(*first mover*)
Entreprise qui lance un produit innovateur dont l'apparition crée un marché ou une catégorie de produits. Ce produit est facilement reconnaissable et a une avance durable quant aux parts de marché.

industries, le taux d'échec se situe entre 50 % et 80 %[12]. Pourquoi ? De nombreuses raisons expliquent ce phénomène. Tout d'abord, le produit offre trop peu d'avantages comparativement aux produits déjà existants. Ensuite, il est trop complexe ou nécessite un apprentissage et des efforts accrus avant que le consommateur puisse s'en servir adéquatement. Enfin, le produit est lancé sur le marché au mauvais moment, c'est-à-dire à un moment où les consommateurs ne sont pas prêts à l'adopter. Ainsi que le démontre l'exemple de l'iPod, les nouveaux produits obtiennent du succès lorsque les bénéfices qu'ils offrent sont nombreux et plaisent aux consommateurs, suffisamment pour que ceux-ci veuillent se les procurer même s'ils sont coûteux. C'est également le cas pour les vêtements lululemon, le brillant à lèvres Balmshell, des exemples que nous avons vus dans les chapitres précédents.

Même lorsqu'ils ont du succès, les produits inédits ne sont pas adoptés par tout le monde au même moment. En fait, ils se répandent selon un processus qui porte le nom de diffusion des innovations.

Vous reconnaissez ces produits ? Non ? Ce n'est pas étonnant, car aucun d'entre eux n'est parvenu à intéresser les consommateurs. Les céréales Dunk-A-Balls, (à gauche) qui avaient la forme d'un ballon de basket-ball, étaient conçues pour que les enfants puissent jouer avec elles avant de les manger. De son côté, le Garlic Cake (à droite) devait être servi en hors-d'œuvre, mais l'entreprise a oublié de donner aux consommateurs des suggestions d'occasions où ils auraient pu le servir, de sorte que ces derniers se sont demandé pourquoi ils voudraient goûter à un gâteau à l'ail.

OA ② La diffusion des innovations

diffusion des innovations
(*diffusion of innovation*)
Processus par lequel l'utilisation d'un produit ou d'un service innovateur se répand au sein d'un marché, sur une certaine période et parmi diverses catégories d'utilisateurs.

Le processus par lequel l'utilisation d'un produit ou d'un service innovateur se répand au sein d'un marché, sur une certaine période et parmi diverses catégories d'utilisateurs est appelé **diffusion des innovations**[13]. Le processus de diffusion décrit, au niveau d'un marché, la somme des décisions individuelles d'adoption des innovations. Le principe derrière ce processus permet aux gestionnaires marketing de comprendre à quelle vitesse les consommateurs adoptent un nouveau produit ou service. Il leur permet également de reconnaître les marchés intéressants pour leurs nouveaux produits ou services et de prévoir leurs ventes possibles avant même de lancer les innovations en question.

Comme l'illustre le cycle de diffusion présenté dans la figure 10.2, le nombre d'utilisateurs d'un produit ou d'un service novateur augmente sur une certaine période et décrit une courbe qui prend souvent la forme d'une cloche. Au départ, quelques personnes seulement se procurent le nouveau produit, puis, souvent à cause du bouche-à-oreille favorable de la part des premiers utilisateurs, de plus en

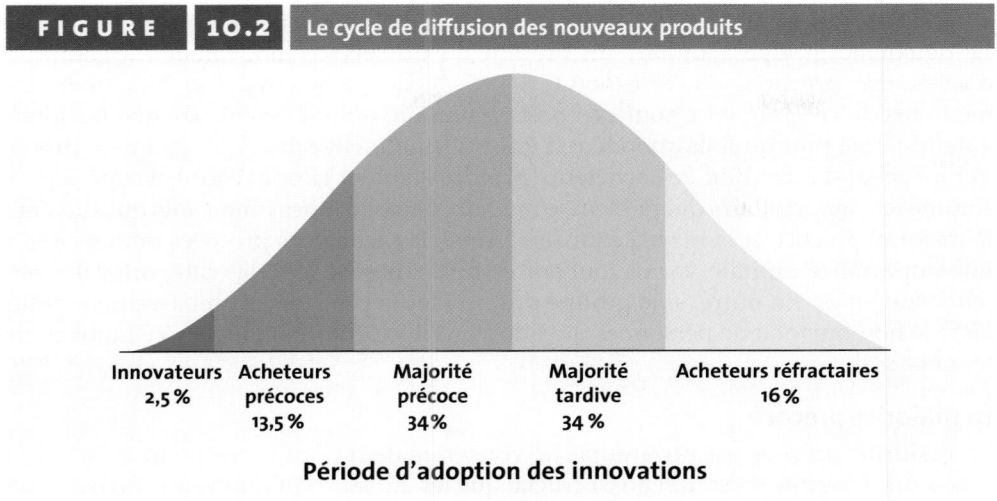

FIGURE 10.2 Le cycle de diffusion des nouveaux produits

| Innovateurs 2,5 % | Acheteurs précoces 13,5 % | Majorité précoce 34 % | Majorité tardive 34 % | Acheteurs réfractaires 16 % |

Période d'adoption des innovations

Source : adaptée d'Everett M. Rodgers, *Diffusion of Innovations*, New York, The Free Press, 1983.

plus de consommateurs les imitent. Finalement, les ventes ralentissent à mesure que le potentiel de marché se réalise. Dans la plupart des marchés, on observe que cette dynamique s'accélère. Par exemple, il a fallu près de 20 ans pour qu'environ 90 % des Canadiens se servent des guichets automatiques, mais seulement 5 ans pour que plus de 60 % de la population se serve d'Internet. Steven Milunovich, un analyste de Merrill Lynch, a comparé l'iPod avec le baladeur de Sony. Il a remarqué que, environ 2,5 ans après le lancement de l'iPod sur le marché, le nombre d'appareils expédiés dépassait de près de un million d'unités le nombre d'unités du baladeur de Sony, après la même période suivant son lancement dans les années 1980[14].

Depuis les travaux d'Everett Rogers[15], il est usuel de diviser les acheteurs potentiels en cinq groupes, selon le moment où ils se procurent un produit qui vient de faire son apparition sur le marché.

Les acheteurs potentiels

Les innovateurs

Les **innovateurs** sont les acheteurs qui désirent être les premiers à se procurer un nouveau produit ou service. Ils acceptent de prendre de tels risques, sont perçus par les autres comme étant des connaisseurs et accordent moins d'importance au prix que la plupart des acheteurs. Vous connaissez probablement un innovateur ou peut-être en êtes-vous un pour une catégorie de produits ou de services en particulier.

Par exemple, la personne qui a fait la file pendant de nombreuses heures pour s'assurer de pouvoir acheter un billet de cinéma pour le plus récent film de la série *Hunger Games*, ou celle qui fait la queue pour être parmi les premières à posséder le dernier modèle d'iPhone fait partie des innovateurs. Les entreprises qui investissent dans les toutes dernières technologies en vue de s'en servir dans leurs produits ou pour être plus efficaces sont aussi des innovatrices. En général, les innovateurs se tiennent constamment au courant en s'abonnant à des revues spécialisées, en discutant avec des « experts », en consultant des sites Web ou en assistant à des forums de discussion, à des séminaires ou à des événements spéciaux. Par définition, ce groupe représente 2,5 % de la population.

Toutefois, les innovateurs ont une importance capitale dans la réussite du produit, car c'est grâce à eux que ce dernier est accepté par le marché. En discutant du produit et en faisant du bouche-à-oreille positif, ils jouent un rôle essentiel, celui d'inciter le groupe suivant, les acheteurs précoces, à se procurer le nouveau produit.

innovateur (*innovator*)
Acheteur qui désire être le premier à se procurer un nouveau produit ou service.

Les acheteurs précoces

Le deuxième groupe à utiliser un produit ou un service innovateur est composé d'**acheteurs précoces** et correspond à 13,5 % des acheteurs. Généralement, les membres de ce groupe ne sont pas prêts à prendre autant de risques que les innovateurs ; c'est pourquoi ils attendent d'être suffisamment renseignés avant de procéder à l'achat du produit. Les acheteurs précoces aiment la nouveauté et sont perçus comme les prescripteurs qui passent le mot aux deux groupes imposants qui suivent : la majorité précoce et la majorité tardive. Ainsi, les acheteurs précoces ont eux aussi une importance capitale, car ils font entrer sur le marché les trois catégories d'acheteurs suivantes. En outre, si le groupe des acheteurs précoces est relativement petit, alors le nombre total de personnes qui adopteront le produit ou le service innovateur le sera aussi.

La majorité précoce

La **majorité précoce** est un groupe de consommateurs qui correspond à 34 % des acheteurs. Ce groupe est tout aussi crucial que les autres étant donné que bien peu de nouveaux produits ou services peuvent être rentables sans d'abord avoir été adoptés par ce groupe important. Habituellement, si ce groupe demeure restreint, le produit ou le service est voué à l'échec.

La majorité précoce est bien différente des deux groupes précédents. Ses membres ne sont pas prêts à prendre des risques trop grands ; c'est pourquoi ils attendent ordinairement que les problèmes soient réglés. Quand les consommateurs de la majorité précoce adoptent un nouveau produit sur un marché donné, le nombre de concurrents est normalement à son plus haut. Bien des choix s'offrent alors aux consommateurs en ce qui a trait au prix et à la qualité.

La majorité tardive

La **majorité tardive** compte 34 % des acheteurs et représente le dernier groupe d'acheteurs à adopter un produit sur un marché donné. Lorsqu'ils adoptent ce produit, c'est qu'il a déjà atteint son plein potentiel de marché. En fait, il n'est pas rare que les ventes de ce produit se stabilisent ou se mettent à diminuer.

Les acheteurs réfractaires

Les **acheteurs réfractaires** représentent 16 % des acheteurs. Ce type de consommateur évite le changement, préférant se fier aux produits conventionnels jusqu'à ce qu'ils ne soient plus sur le marché[16]. Très peu d'entreprises ciblent ces consommateurs.

Le rôle du cycle de diffusion

En s'appuyant sur le concept de la diffusion des innovations ou cycle de diffusion, les entreprises arrivent à prévoir quels consommateurs vont chercher à se procurer leur nouveau produit ou service dès son introduction sur le marché et lesquels vont l'adopter plus tard, quand le marché l'aura accepté.

Fortes de ces renseignements, les entreprises peuvent élaborer des stratégies de marketing plus efficaces, relatives notamment à la communication et à la fixation des prix, en vue d'inciter chacun des groupes de consommateurs à adopter le nouveau produit ou service. Toutefois, chaque produit est accepté par le marché à un rythme différent ; pour cette raison, les gestionnaires marketing doivent savoir à quoi ressemble la courbe du cycle de diffusion du nouveau produit ainsi que les caractéristiques du public cible à chacune des étapes de la diffusion des innovations. Finalement, la vitesse à laquelle les produits sont adoptés par les consommateurs dépend de nombreux facteurs, lesquels sont présentés dans la figure 10.3.

L'avantage relatif

Si un nouveau produit est perçu par les consommateurs comme étant de meilleure qualité que les produits de substitution, alors sa diffusion sera relativement rapide. Par exemple, nombreux sont ceux qui attribuent la réussite fulgurante de Starbucks au fait que le café de l'entreprise est d'une qualité supérieure à celle des cafés traditionnels. Dans le même ordre d'idées, les gens d'affaires ont adopté le BlackBerry Passport parce qu'il est le seul à offrir un clavier physique.

La compatibilité

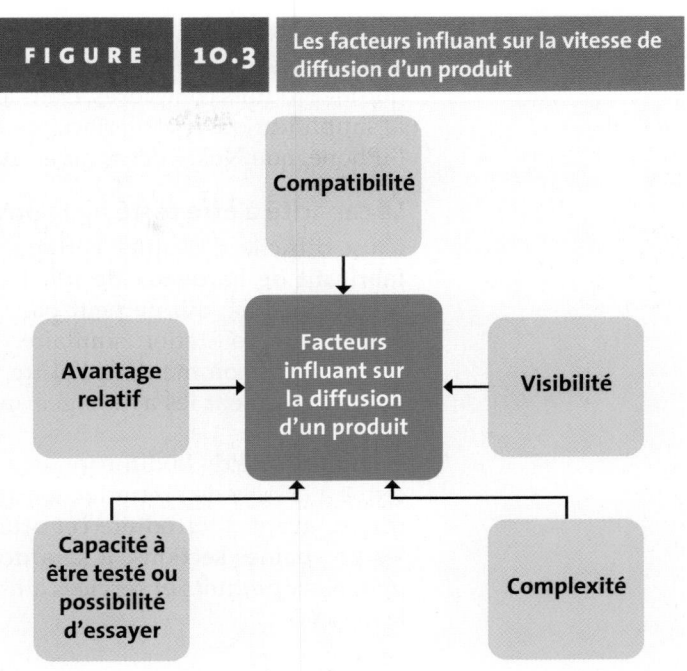

FIGURE 10.3 Les facteurs influant sur la vitesse de diffusion d'un produit

La plupart des professionnels et des cadres doivent prendre des décisions au moment opportun et informer les principaux intéressés de ces décisions également en temps et lieu. Par conséquent, ils ont besoin d'une technologie en temps réel. Le BlackBerry Passport doit s'imposer devant les écosystèmes Apple (iOS/iPhone) et Google (Android/plusieurs modèles dont Samsung, HTC, LG et Motorola), un défi de taille pour une entreprise qui ne détient plus qu'une part de marché de moins de 1 % des appareils vendus. De la même manière, le rituel du café est bien ancré dans de nombreuses cultures, dont la culture canadienne. Le fait d'aller prendre un café constitue un comportement adopté depuis longtemps par les consommateurs et reflète leurs besoins et leurs valeurs. Étant donné que les Canadiens ont l'habitude de boire du café, il n'a pas été très difficile pour Starbucks de se trouver des clients. Toutefois, la diffusion a été nettement plus lente dans des pays comme la Chine et le Japon, où le thé est la boisson traditionnelle.

La visibilité

Le logo omniprésent de Starbucks se remarque facilement sur les tasses, tant à l'intérieur des cafés que dans les environs de ces derniers. Lorsqu'un produit jouit d'une telle visibilité, ses avantages et son utilisation se répandent rapidement d'une personne à l'autre, ce qui accélère le processus de diffusion. À l'opposé, un nouveau médicament qui traite l'arthrite n'est pas visible, de sorte que sa diffusion est plus lente. De son côté, BlackBerry a misé sur une forme unique dans l'industrie du téléphone intelligent, de sorte qu'il est impossible de ne pas remarquer son téléphone quand un utilisateur le sort de sa poche. Effectivement, on voit ces téléphones intelligents partout, au travail, sur la route, dans les événements sportifs et dans les bars. Les consommateurs sont donc à même de constater les avantages de cette technologie lorsqu'ils voient une personne utiliser celle-ci dans un taxi ou en jouant au golf. Par contre, ils ne seront pas conscients de l'effet d'un médicament sur la qualité de vie d'un patient.

Pourquoi Starbucks a-t-elle connu une telle réussite ? Parce que l'entreprise possède un avantage différentiel sur les autres cafés. Elle correspond bien au comportement actuel des consommateurs, ses produits et ses franchises jouissent d'une bonne visibilité. En outre, les produits qu'elle propose ne sont pas complexes et peuvent facilement être testés.

La complexité

Toutes choses égales d'ailleurs, les produits les plus simples se diffuseront plus vite que les produits complexes. Dans le cas de produits comme les téléphones intelligents, la simplification de l'interface par Apple explique en partie le succès phénoménal de l'iPhone, que Nokia décrivait en 2007 comme étant « simpliste ».

La capacité à être testé ou la possibilité d'essayer

Il est difficile d'évaluer certains produits, même des produits très simples. Un fabricant de bardeaux de toit longue durée fait face au problème de l'incrédulité du marché, qui ne peut pas vérifier facilement la prétention du vendeur. On observe une situation similaire en ce qui concerne les produits de géothermie. Dans un cas comme dans l'autre, le consommateur n'est pas en mesure de percevoir directement les avantages annoncés et devra s'en remettre à des experts ou à des garanties.

La théorie de la diffusion des innovations est utile tant à court terme qu'à long terme à la suite de l'introduction sur le marché d'un nouveau produit ou service. Par contre, avant d'introduire cet article sur le marché, l'entreprise doit le créer. Dans les prochaines sections, il sera donc question du processus de développement de nouveaux produits et services ainsi que de l'introduction initiale de ces derniers sur le marché.

OA ③ Le développement de nouveaux produits

Le processus de développement d'un nouveau produit débute par la recherche d'idées et se termine par le lancement du produit et l'évaluation des résultats obtenus. Les étapes de ce processus de même que les principaux objectifs de chacune d'elles sont résumés dans la figure 10.4. Bien que cette figure illustre le processus de manière linéaire et séquentielle, ce dernier est en fait itératif, c'est-à-dire que chacune des étapes du processus consiste en une série de boucles. En général, le processus nécessite un travail d'équipe de la part de tous les participants, qu'ils s'occupent du marketing, de la conception, de l'ingénierie, de la fabrication, de l'approvisionnement ou des finances. Tous jouent un rôle différent à une étape différente du processus de développement. Le marketing joue un rôle prépondérant dans le développement de nouveaux produits, car il permet d'informer les équipes de recherche et développement et d'ingénierie des besoins et des désirs des consommateurs ainsi que des préférences et des attitudes du marché.

Rappelez-vous qu'il n'est pas toujours nécessaire de passer par chacune des étapes du processus de développement. En effet, dans le cas des produits inédits, il est fort probable que chaque étape sera suivie à la lettre, mais dans le cas des innovations en continuité (des ajouts à la gamme de produits, l'imitation du produit d'un concurrent pour lequel il a obtenu du succès, ou d'un processus qui permet de réduire les frais de développement), il est possible d'en sauter quelques-unes. Par exemple, l'entreprise Procter & Gamble a lancé Folgers, une marque de café soluble décaféiné,

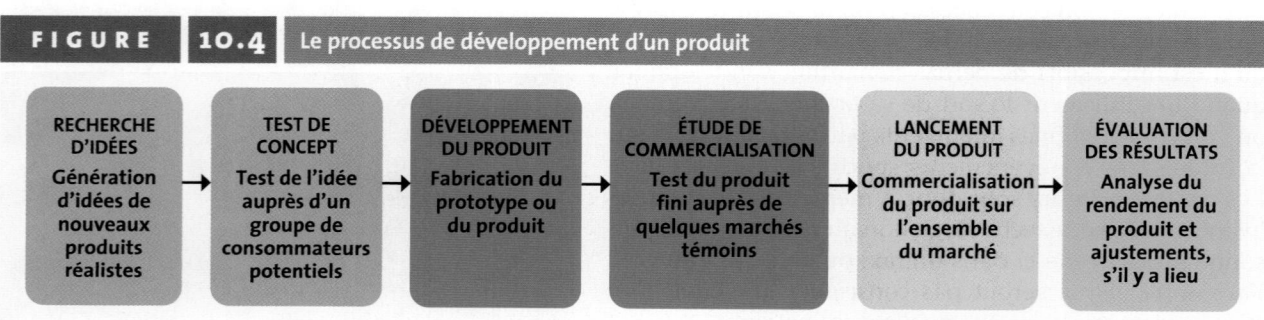

FIGURE 10.4 Le processus de développement d'un produit

RECHERCHE D'IDÉES	TEST DE CONCEPT	DÉVELOPPEMENT DU PRODUIT	ÉTUDE DE COMMERCIALISATION	LANCEMENT DU PRODUIT	ÉVALUATION DES RÉSULTATS
Génération d'idées de nouveaux produits réalistes	Test de l'idée auprès d'un groupe de consommateurs potentiels	Fabrication du prototype ou du produit	Test du produit fini auprès de quelques marchés témoins	Commercialisation du produit sur l'ensemble du marché	Analyse du rendement du produit et ajustements, s'il y a lieu

sans faire d'étude de commercialisation. Malgré qu'il puisse être très risqué de sauter des étapes du processus de développement, les entreprises optent le plus souvent pour cette pratique en vue de réduire leurs dépenses ou de lancer le nouveau produit le plus vite possible.

La recherche d'idées

Afin de générer des idées de nouveaux produits ou services, l'entreprise peut avoir recours à son service interne de recherche et développement, collaborer avec d'autres entreprises ou d'autres établissements, obtenir une licence pour une technologie donnée auprès d'une société de recherche, opter pour une séance de remue-méninges, faire des recherches sur les produits et les services des concurrents ou procéder à une étude des besoins des consommateurs. Parfois, les idées de nouveaux produits et services proviennent d'un employé, d'un client, d'un fournisseur ou d'un partenaire de l'entreprise. Elles peuvent également prendre naissance à la suite d'un salon commercial ou d'une conférence. Il arrive même que des idées de nouveaux produits et services soient générées grâce à l'ingénierie inverse ou encore, dit-on, en fouillant dans les poubelles des concurrents. L'encadré 10.1 raconte comment l'erreur d'un employé est devenue un produit novateur.

Les entreprises qui cherchent à être des pionnières misent davantage sur la recherche et le développement, alors que celles qui optent pour une stratégie de « suiveuses » tendent à chercher des idées en évaluant le marché. Examinons plus en détail chacune de ces sources d'inspiration.

La recherche et le développement à l'interne

De nombreuses entreprises ont leur propre Service de recherche et développement (R et D) au sein duquel des scientifiques travaillent à la résolution de problèmes complexes ainsi qu'à l'exploration de nouvelles idées[17]. Historiquement, des entreprises telles IBM en informatique, Rubbermaid dans le domaine des biens de consommation, 3M dans le domaine des biens industriels ou Merck et Pfizer dans l'industrie des produits pharmaceutiques ont misé sur la recherche et le développement pour concevoir leurs nouveaux produits. Dans d'autres industries, comme

---

ENCADRÉ | **10.1** | Les sources d'inspiration

Les papillons adhésifs Post-it[MD] ont une origine accidentelle. En 1970, Spencer Silver, un employé des laboratoires de recherche de l'entreprise 3M, cherchait à concevoir un adhésif puissant, au lieu de quoi il a inventé un adhésif qui collait encore moins que les autres adhésifs de 3M. Cette colle adhérait aux objets, mais il était très facile de retirer cet adhésif.

Personne ne savait que faire de ce produit. Silver a toutefois décidé de ne pas le jeter immédiatement. Quatre ans plus tard, par un beau dimanche, le scientifique Arthur Fry s'est rendu à l'église, où il chantait dans la chorale. Il se servait de signets pour marquer les pages pertinentes de son livre de cantiques, mais ils ne cessaient de tomber. C'est alors qu'il s'est

Le Post-it[MD], ou comment l'erreur d'un employé peut générer une innovation.

souvenu de l'adhésif conçu par Silver. Il a donc enduit un côté de ses signets de cette colle. C'était parfait ! La colle était assez forte pour que les signets tiennent en place, mais pas trop ; Fry pouvait donc décoller ses signets sans abîmer les pages de son livre. 3M s'est donc mise à produire les papillons adhésifs Post-it[MD] et à les distribuer à la grandeur du pays en 1980, 10 ans après la conception de l'adhésif « raté » de Spencer Silver. De nos jours, ces papillons adhésifs sont parmi les articles de bureau les plus vendus.

Source : adapté de *Post-It Note History*, www.ideafinder.com/history/inventions/postit.htm (page consultée le 15 janvier 2015).

celles des logiciels, de la musique et des productions cinématographiques, le développement de nouveaux produits a également lieu à l'interne, quant aux idées et aux investissements.

Pour ces entreprises, les coûts associés au développement de nouveaux produits sont plutôt élevés, mais le produit créé a de fortes chances de constituer une percée technologique ou commerciale. Les entreprises s'attendent à ce que ces produits génèrent des revenus et des profits suffisamment importants pour qu'il ait valu la peine d'investir autant en R et D. Pourtant, les sommes qui ont été investies sont habituellement considérées comme des investissements permanents; il est donc possible que l'entreprise perde de l'argent au cours du développement de nouveaux produits. À long terme, toutefois, ces entreprises font le pari que quelques nouveaux produits qui connaissent une réussite retentissante, soit les succès commerciaux, engrangeront des profits tels qu'ils compenseront les pertes attribuables à des produits dont l'introduction sur le marché ne s'est pas aussi bien passée.

La concession de licence

Il arrive qu'une entreprise acquière d'une société de recherche les droits d'utilisation d'une technologie ou d'une idée; il s'agit d'une concession de licence. En fait, nombre de nouveaux produits scientifiques ou technologiques sont développés de cette façon. Cette approche permet de réduire les frais internes de recherche et développement et donc d'économiser des sommes considérables. Par contre, cela signifie que l'entreprise compte sur un produit ou un service qui existe déjà, mais qui n'a jamais été mis en marché. Par exemple, plusieurs entreprises pharmaceutiques achètent la licence de produits conçus par des sociétés biotechnologiques comme Amgen, Biogen Idec ou Genentech. Ces dernières, qui se concentrent sur la recherche, préfèrent laisser aux entreprises pharmaceutiques le soin de mettre leurs innovations en marché[18].

Le remue-méninges

Les entreprises procèdent souvent à une séance de remue-méninges (*brainstorming*) au cours de laquelle un groupe travaille en vue de générer de nouvelles idées. L'une des principales caractéristiques de cette pratique, c'est qu'aucune idée ne peut être acceptée ou rejetée sur-le-champ. Le modérateur présent invite les participants à prêter attention à une fonction ou à un attribut particulier d'un produit donné, au rendement prévu du produit ou à son emballage, mais ce n'est qu'à la fin de la séance que les membres du groupe votent pour les meilleures idées ou les meilleures combinaisons d'idées. Finalement, entre quatre et huit idées parmi les plus populaires passent à l'étape suivante du processus de développement de nouveaux produits.

Les produits de la concurrence

Le lancement d'un nouveau produit par un concurrent est susceptible de créer une occasion d'affaires pour une entreprise. Cette dernière peut ainsi avoir recours à l'ingénierie inverse en vue de comprendre le produit du concurrent, puis d'en lancer une version améliorée sur le marché. L'**ingénierie inverse** consiste en l'analyse d'un produit fini élaboré par la concurrence en vue de créer un produit semblable en y apportant des améliorations, sans contrefaire le brevet du concurrent, s'il y a lieu. Cette stratégie de « copie » est répandue et utilisée même par les sociétés les plus axées sur la recherche. Sont copiés aussi bien les produits de consommation, en vente au supermarché ou à la pharmacie, que les biens issus d'une technologie plus complexe, comme les voitures et les ordinateurs. Par exemple, le géant des télécommunications d'État China Unicom, au deuxième rang des entreprises de télécommunications mobiles en Chine, a lancé le RedBerry, un nouveau produit visant évidemment à faire concurrence au BlackBerry[19].

ingénierie inverse
(*reverse engineering*)
Analyse d'un produit fini élaboré par la concurrence en vue de créer un produit semblable en y apportant des améliorations, sans contrefaire le brevet du concurrent, s'il y a lieu.

Les suggestions de la clientèle

Il est essentiel de tenir compte de la clientèle pour une recherche d'idées réussie[20]. Des études ont révélé que 85 % des nouveaux produits dans le commerce interentreprises provenaient d'idées de la clientèle[21]. Étant donné que les clients dans ce genre de commerce sont relativement peu nombreux, les entreprises peuvent sans difficulté surveiller l'utilisation qu'ils font d'un produit et leur demander de façon régulière de leur soumettre des suggestions ou des idées qui leur permettraient d'améliorer les produits en question. L'équipe de conception et de développement travaille par la suite à partir de ces suggestions. Il arrive même que cette dernière consulte les clients à cette étape. Ce travail d'équipe entre l'entreprise et son client permet d'augmenter nettement les chances que le client se procure le nouveau produit fabriqué avec son aide. La rubrique Forces d'Internet, à la page suivante, explique comment les entreprises se servent d'Internet pour solliciter les rétroactions de leur clientèle, puis les utiliser au cours du processus de développement de nouveaux produits.

Ces consommateurs innovateurs sont appelés «utilisateurs de pointe» parce qu'ils modifient les produits existants de manière qu'ils répondent à leurs besoins.

Dans l'industrie des aliments et des boissons, où le taux d'échec des nouveaux produits atteint les 78 %, Kraft réduit les risques qu'elle court en suivant un processus rigoureux de développement de nouveaux produits, dont une étape est réservée à l'étude des besoins des consommateurs. Frito Lay, quant à elle, occupe le troisième rang des entreprises alimentaires canadiennes en ce qui a trait à la croissance. L'entreprise a décidé de lancer sur le marché des croustilles à teneur réduite en sodium après que des études sur le sujet eurent révélé que les gras trans et saturés constituaient l'enjeu qui inquiétait le plus les consommateurs, suivis de près par le sodium. Les ventes de ces croustilles ont dépassé toutes les attentes[22]. L'innovation est au cœur des préoccupations de Frito Lay. En effet, certaines années, plus de 100 % de la croissance de l'entreprise au Canada est attribuable à l'innovation. Si ce n'était d'elle, les ventes seraient stables, sans plus[23].

Une façon efficace de se servir des suggestions de la clientèle consiste à observer les **utilisateurs de pointe**, soit les acheteurs d'un produit innovateur qui ont décidé de le modifier selon leurs goûts afin qu'il réponde à leurs besoins[24]. Si ces utilisateurs de pointe changent un produit pour qu'il soit conforme à leurs préférences, alors d'autres consommateurs peuvent souhaiter faire de même. Ainsi, l'analyse du comportement des utilisateurs de pointe aide l'entreprise à comprendre davantage les tendances qui se profilent sur un marché. À cet effet, les fabricants et les détaillants de vêtements et d'accessoires de mode voient souvent venir les nouvelles tendances en observant comment les faiseurs de tendances modifient leurs vêtements et leurs chaussures. Par exemple, les designers de jeans de haute couture usent leurs produits de diverses façons, selon ce qu'ils remarquent dans la rue. Ainsi, une saison, la mode est aux trous et la suivante, aux taches de peinture. Parmi les produits développés à partir des tendances observées chez les utilisateurs de pointe, on compte le Gatorade, le shampooing protéiné, le liquide correcteur Liquid Paper, les vélos de montagne, le chocolat au lait, l'éditique et le Web.

Au terme de l'étape de la recherche d'idées, l'entreprise devrait avoir plusieurs idées pouvant passer à l'étape suivante, soit le test de concept.

Le test de concept

À cette étape, l'entreprise élabore davantage les idées qui ont du potentiel de manière à en faire des **concepts**, soit une brève description écrite d'un produit ou d'un service,

utilisateur de pointe
(*lead user*)
Acheteur d'un produit innovateur qui a décidé de modifier ce produit selon ses goûts afin qu'il réponde à ses besoins.

concept (*concept*)
Brève description écrite d'un produit ou d'un service ; présentation de la technologie à laquelle il fera appel, de la forme qu'il prendra et des besoins qu'il satisfera.

| Forces d'Internet | **Vos idées en action chez Starbucks** |

Les consommateurs utilisent Internet au quotidien pour échanger des renseignements, discuter de leurs centres d'intérêt et exprimer leurs doléances. Ayant compris que ses clients loyaux voulaient échanger des idées sur ses nouveaux produits, Starbucks a créé un site Web (www.mystarbucksidea.com) afin de leur faciliter la tâche. Comme ses clients savent mieux que quiconque ce qu'ils désirent et comment ils veulent être servis, Starbucks les encourage à exposer leurs idées, même les plus audacieuses.

Ce modèle de démocratie en action permet à tout internaute qui s'inscrit sur le site de formuler des suggestions. D'autres internautes peuvent en discuter et voter pour ou contre elles sur un forum en ligne pendant que Starbucks observe afin de repérer les idées les plus populaires. Des icônes placées à côté de chacune des «idées en action» indiquent si l'idée est à l'étude, déjà étudiée, en progression ou réalisée.

Cette participation des clients représente une mine d'or pour Starbucks qui les invite ainsi dans son laboratoire de recherche, pour ainsi dire. En intégrant les opinions de sa clientèle dans le processus de développement de produits, l'entreprise a accès à une source inépuisable d'idées nouvelles et de perfectionnements possibles, ainsi qu'à un marché test bien informé, et ce, à peu de frais.

Ce type de rétroaction a amené Starbucks à ajouter des boissons de soya à son menu afin de répondre aux besoins de ses clients intolérants au lactose. Bien que son site Web constitue l'endroit idéal pour recueillir les suggestions de ses clients sur de nouveaux produits, l'entreprise encourage également les visiteurs à exprimer leurs idées sur d'autres aspects, notamment dans les catégories «expérience» (commande, paiement, ramassage, ambiance, lieux) et «engagement» (bâtir des communautés, responsabilité sociale).

Voici quelques-unes des suggestions formulées par les clients[25]:

● Créer un bâtonnet antidébordement pour empêcher le liquide de déborder par le couvercle des gobelets.

● Ne pas jeter les cartes Starbucks. Accorder plutôt un crédit de 25 cents aux clients qui acceptent de les recharger.

● Ajouter des glaçons faits de café aux cafés frappés pour éviter de les diluer.

● Offrir des plats sans gluten.

Pour éviter que les cartes Starbucks soient jetées, les clients ont suggéré d'accorder un crédit de 25 cents afin d'inciter à les recharger.

---

une présentation de la technologie à laquelle il fera appel, de la forme qu'il prendra et des besoins qu'il satisfera[26]. Le concept peut également comprendre des images de l'allure que le produit pourrait avoir.

Le **test de concept publicitaire**, quant à lui, est la présentation d'un concept de publicité destinée à présenter un produit ou un service aux clients éventuels en vue de recueillir leurs impressions. Ces impressions permettent aux développeurs d'estimer la valeur économique du concept du produit ou du service, d'apporter éventuellement des changements en vue d'augmenter cette valeur et de décider si l'idée vaut la peine d'être poussée plus loin[27]. Lorsque le concept ne répond pas aux attentes de la clientèle, il serait étonnant que le produit remporte un franc succès s'il était fabriqué, puis lancé sur le marché. Étant donné que le test de concept publicitaire a lieu au tout début du processus de développement de nouveaux produits, avant même que le produit ne soit fabriqué, cela permet à l'entreprise d'économiser les frais de production inutiles.

test de concept publicitaire
(concept testing)
Présentation d'un concept de publicité destinée à présenter un produit ou un service aux clients éventuels en vue de recueillir leurs impressions.

Le concept d'un scooter électrique pourrait donc se lire ainsi :

Il s'agit d'un scooter électrique léger aisément démontable de sorte qu'on peut l'apporter avec soi, que ce soit dans un immeuble ou dans un transport en commun. Il pèse 11 kilos (25 livres) et peut atteindre une vitesse de 24 km/h. L'autonomie de sa pile permet de parcourir environ 19 kilomètres et celle-ci se recharge en deux heures environ, à partir d'une simple prise électrique. Ce scooter est facile à conduire et son fonctionnement s'avère très simple : il n'est muni que d'un accélérateur et d'un frein. Son prix de vente est fixé à 299 $[28].

Le test de concept s'inscrit dans le cadre des méthodes de recherche décrites dans le chapitre 5. L'entreprise commence habituellement par faire une recherche exploratoire, comme l'entrevue individuelle ou le groupe de discussion, après quoi elle peut procéder à la recherche formelle à l'aide d'Internet ou à une enquête dans un centre commercial. Il suffit alors de diffuser une capsule vidéo sur Internet, laquelle présenterait un prototype virtuel du produit ainsi que son fonctionnement de manière que les consommateurs potentiels puissent évaluer le produit ou le service[29]. Pour ce qui est de l'enquête dans un centre commercial, un intervieweur pourrait décrire le concept aux participants, puis leur poser une série de questions en vue de recueillir leurs impressions.

La question la plus importante porte sur les intentions d'achat des participants si le produit ou le service était lancé sur le marché. Les gestionnaires marketing doivent également leur demander si le produit arriverait à satisfaire un besoin que les autres produits sur le marché ne peuvent combler pour l'instant. Selon le type de produit ou de service, il pourrait également être intéressant de chercher à obtenir les renseignements suivants : la fréquence d'achat du consommateur ; le prix auquel il serait prêt à acheter le produit ; la destination du produit, à savoir si ce serait pour son usage personnel ou s'il s'agirait d'un cadeau ; le moment où il se procurerait ce produit ; enfin, la correspondance entre le prix et une valeur élevée. En outre, les gestionnaires marketing recueillent ordinairement des données démographiques en vue de connaître les segments de marché les plus susceptibles de s'intéresser au produit.

Certains projets ne vont pas plus loin que l'étape du test de concept parce que les participants ne semblent pas apprécier le prototype. Ces concepts peuvent alors être renvoyés à la planche à dessin. Ceux qui reçoivent une évaluation positive passent à l'étape suivante : le développement du produit.

Le développement du produit

Le **développement du produit (ou conception du produit)** correspond au processus d'élaboration d'un produit (ou d'un service) au cours duquel sont pris en compte les aspects technique, commercial, économique et ceux relatifs à la fabrication. Au cours de cette étape, une équipe d'ingénieurs conçoit un prototype à partir des conclusions de la recherche menée à l'étape du test de concept ainsi que de leurs propres connaissances sur les divers matériaux et la technologie. Le **prototype** est le premier exemplaire d'un produit ou la première description d'un service. Ce n'est pas le produit ou le service final, mais toutes les propriétés d'un nouveau produit ou service sont présentes. Le prototype est souvent fabriqué différemment, parfois même à la main[30].

Les prototypes sont généralement évalués grâce aux tests alpha et bêta. Au cours du **test alpha**, l'entreprise tente de déterminer la pertinence de la conception du produit et d'évaluer s'il répond au besoin pour lequel il a été créé[31]. Ce test est effectué par le Service de recherche et développement du fabricant au lieu de faire appel à des clients potentiels. Par exemple, le fabricant de crème glacée Ben & Jerry's procède au test alpha de toutes ses nouvelles saveurs à son siège social de l'État du Vermont, auprès de ses employés. Certes, cela semble l'emploi rêvé, mais gare aux kilos en trop !

développement du produit (ou conception du produit) (*product development*) Processus d'élaboration d'un produit au cours duquel sont pris en compte les aspects technique, commercial, économique et ceux relatifs à la fabrication.

prototype (*prototype*) Premier exemplaire d'un produit ou première description d'un service. Ce n'est pas le produit ou le service final, mais toutes les propriétés d'un nouveau produit ou service sont présentes. Le prototype est souvent fabriqué différemment, parfois même à la main.

test alpha (*alpha testing*) Premier essai d'un produit en vue de déterminer la pertinence de sa conception et d'évaluer s'il répond au besoin pour lequel il a été créé ; ce test est effectué par le Service de recherche et développement (R et D) du fabricant.

Les fabricants de cosmétiques devraient-ils avoir le droit de tester leurs produits sur les animaux?

Les tests de cosmétiques effectués sur les animaux constituent un enjeu majeur qui préoccupe les défenseurs des droits des animaux depuis de nombreuses années[32]. À mesure que s'accroît le nombre de citoyens qui expriment leur désaccord quant à ces pratiques, de plus en plus d'entreprises déclarent qu'elles ne testent aucun de leurs produits sur les animaux. Toutefois, de telles affirmations peuvent être trompeuses, car si le produit fini n'a pas été testé sur des animaux, cela ne veut pas dire qu'il en va de même pour chacun des ingrédients qu'il contient.

L'un des principes fondateurs de l'entreprise The Body Shop, principe qui correspond particulièrement bien aux valeurs des clients de l'entreprise, est qu'aucun de ses produits n'a été testé sur les animaux. Alors que The Body Shop affirme sur son site Web qu'elle n'a jamais fait ni commandé de tests de ses produits et de leurs ingrédients sur les animaux, il semblerait que bon nombre des ingrédients que l'entreprise utilise aient été testés sur des animaux par d'autres entreprises. Après cette découverte, The Body Shop a changé ses étiquettes «Non testé sur les animaux» pour de nouvelles sur lesquelles on peut lire que l'entreprise s'oppose à ce genre de tests, mais qu'il est possible que l'un ou l'autre des ingrédients qu'elle emploie ait été testé sur des animaux[33]. Procter & Gamble, un autre géant des cosmétiques, a également changé sa façon de faire; elle est désormais en mesure d'éviter les tests sur les animaux pour plus de 80% de ses produits. Elle évalue donc l'innocuité de ses nouveaux produits et de leurs ingrédients en alliant les tests *in vitro*, la modélisation et les données historiques. Ces méthodes sont plus coûteuses que les méthodes traditionnelles, mais l'entreprise

soutient que les résultats sont plus concluants. Si les tests sont effectués correctement, les nouvelles substances chimiques sont soit rejetées soit approuvées en trois jours à peine, ce qui est bien plus rapide que les six mois que requièrent les tests sur les animaux.

Les groupes de défense des droits des animaux continuent d'avoir une influence sur l'utilisation de tels tests au moyen du militantisme et des pressions qu'ils exercent sur les entreprises qui y ont recours par le truchement des consommateurs et par du lobbyisme auprès des autorités gouvernementales. L'industrie est contre l'interdiction des tests sur les animaux, invoquant le libre choix du consommateur, les frais engagés et le libre-échange.

L'Union européenne interdit depuis 2009 le recours aux tests sur les animaux pour les produits cosmétiques. La vente de produits qui ont fait l'objet de tels tests a pris fin en 2013.

Les enjeux relatifs aux tests effectués sur les animaux sont complexes. Sur un plan général, les entreprises devraient-elles avoir le droit de fabriquer des produits que les consommateurs veulent se procurer si cela pose un risque pour l'environnement ou pour les animaux? De façon plus spécifique, les entreprises devraient-elles avoir le droit de tester leurs produits sur les animaux si ces produits ne sont pas conçus pour améliorer la santé et le bien-être de leurs utilisateurs? Après tout, peut-être ces produits permettent-ils d'être plus séduisants, mais ils ne sauvent la vie de personne. Enfin, les tests effectués sur les animaux mettent-ils la vie ou la santé de ces derniers en péril?

Au cours du test bêta, des consommateurs potentiels font l'essai d'un prototype dans un cadre réel.

test bêta (*beta testing*) Essai d'un prototype effectué auprès de consommateurs potentiels dans un cadre réel afin d'en analyser le fonctionnement, le niveau de performance, les problèmes possibles ou tout autre point précis relativement à son utilisation. Ce test est consécutif au test alpha.

Nombre d'individus, de groupes de consommateurs et d'agences gouvernementales s'inquiètent du fait que des tests alpha sont effectués sur des animaux, particulièrement quand il s'agit de tester des produits pharmaceutiques et des cosmétiques. La rubrique Question d'éthique ci-dessus traite d'ailleurs de cette question.

Contrairement au test alpha, le **test bêta** recourt aux consommateurs potentiels, qui évaluent le produit dans un cadre réel afin d'en analyser le fonctionnement, le niveau de performance, les problèmes possibles ou tout autre point précis relativement à son utilisation.

En outre, l'entreprise peut choisir de fabriquer plusieurs prototypes qu'elle distribuera à des consommateurs en vue de leur poser des questions sur leur bon fonctionnement et sur les problèmes qu'il est nécessaire de résoudre.

L'étude de commercialisation

L'entreprise a développé un nouveau produit ou service, puis fabriqué un prototype qu'elle a testé. Elle doit donc évaluer le marché avec un lot d'essai. Comme nous l'avons mentionné précédemment, il arrive que certaines entreprises décident de sauter cette étape en raison de la concurrence, des délais serrés ou des coûts que cette étape entraîne. L'étude de commercialisation peut se faire de deux façons, par le test de précommercialisation ou par le marché test.

Le test de précommercialisation

Certaines entreprises décident de procéder à un **test de précommercialisation** avant la mise en marché d'un produit ou d'un service afin d'évaluer le nombre de clients qui vont l'essayer, puis l'adopter. Ce test est effectué auprès d'un petit groupe de consommateurs potentiels. Un des tests les plus populaires est le test BASES II, proposé par la société de recherche Nielsen. Au cours de ce test, les consommateurs potentiels sont exposés aux variables du marketing mix, notamment la publicité, puis ils répondent à des questions et reçoivent un échantillon du produit afin qu'ils l'essaient[34]. Après une certaine période, au cours de laquelle le consommateur évalue le produit, ce dernier doit dire s'il achèterait le produit ou l'utiliserait de nouveau.

Ce deuxième questionnaire permet d'estimer les chances que le consommateur rachète le produit. À partir des données obtenues, l'entreprise produit une estimation des ventes du nouveau produit, laquelle permet de décider s'il vaut mieux introduire le produit sur le marché, abandonner le projet, modifier le produit avant son lancement ou revoir le plan marketing. Une évaluation précoce de ce genre, c'est-à-dire avant que le produit ne soit lancé sur le marché, permet aux gestionnaires marketing d'économiser les frais attribuables à un lancement national si jamais le produit est un échec.

Il arrive qu'une entreprise simule l'introduction d'un nouveau produit ou service sur le marché[35]; dans un tel cas, les consommateurs potentiels sont exposés à la publicité des produits et des services existants de même qu'à celle du nouveau produit ou service. Ces consommateurs reçoivent ensuite une certaine somme d'argent destinée à l'achat du produit ou du service dans un environnement simulé, soit un faux site Web ou un faux commerce. Après leur achat, ils doivent répondre à une série de questions. Ce test permet d'évaluer l'efficacité d'une campagne publicitaire ainsi que le taux d'essai prévu pour le nouveau produit ou service.

Le marché test

La seconde méthode qui vise à évaluer la réussite possible d'un nouveau produit ou service est le **marché test**, soit l'introduction d'un nouveau produit ou service dans un territoire restreint (habituellement quelques villes) avant un lancement à l'échelle nationale. Cette méthode requiert tous les éléments du marketing mix, dont la communication par la publicité et les coupons de réduction, comme si le produit était lancé à l'échelle nationale. En outre, le produit est vendu dans certains points de vente précis à un prix choisi. À partir des résultats qu'elle obtient au cours de la simulation de marché, l'entreprise est en mesure d'estimer la demande du produit lorsque celui-ci sera lancé à l'échelle nationale.

Le marché test nécessite plus de temps et d'argent que le test de précommercialisation, ce qui s'avère un avantage pour les concurrents, qui arriveront à lancer plus rapidement un produit semblable ou de meilleure qualité. C'est pourquoi certaines entreprises, comme Newman's Own Organic, décident de lancer leurs nouveaux produits (p. ex., les figues Newman's[MD]) sans faire de tests poussés auprès des consommateurs. Ces entreprises préfèrent souvent se fier à leur intuition[36].

Par contre, le test de précommercialisation présente un avantage non négligeable, celui de pouvoir étudier le comportement réel des consommateurs, ce qui est bien plus fiable qu'une simulation. Postes Canada a mené, à Calgary, un projet pilote nommé Fetch afin de permettre aux consommateurs d'accéder à des renseignements

test de précommercialisation (*premarket test*) Mené avant la mise en marché d'un produit ou d'un service, test servant à évaluer le nombre de clients qui vont essayer ce produit ou ce service, puis l'adopter.

marché test (*test marketing*) Introduction d'un nouveau produit ou service dans un territoire restreint (habituellement quelques villes) avant de le lancer à l'échelle nationale.

Petro-Canada a procédé à un marché test pour un nouveau concept de restaurant-boutique de station-service haut de gamme dans le sud-ouest de l'Ontario en vue d'évaluer la réponse des consommateurs.

sur les annonceurs par courriel ou par téléphone cellulaire sans compromettre leur vie privée. Cette ville présente un profil démographique relativement jeune, ce qui correspond exactement au groupe ciblé par Postes Canada. En outre, les résidants de Calgary semblent plus attirés par la technologie que ceux de bien d'autres villes canadiennes. Calgary s'est avéré un bon choix et le projet pilote a été bien plus populaire que prévu[37]. Par ailleurs, Labatt a choisi les villes de Calgary et d'Edmonton pour procéder à la commercialisation à titre expérimental de la bière brésilienne Brahma. La ville de Calgary est, sur le plan démographique, tout à fait appropriée pour ce type de test en ce qui concerne les revenus, le mode de vie et l'âge.

D'autres villes canadiennes font l'objet de tels tests pour diverses raisons. London, en Ontario, est souvent choisie pour les marchés tests, car elle représente une ville canadienne jugée typique. Aussi, Winnipeg est un bon choix quand il s'agit de tester les shampooings et les lotions pour la peau sèche en raison de ses hivers rigoureux. Petro-Canada a validé, dans les villes ontariennes d'Oakville, de Brampton et de Vaughan, un nouveau concept de restaurant-boutique de station-service haut de gamme appelé Neighbours. Ces villes ont été choisies en raison des revenus de leurs habitants, revenus qui sont légèrement supérieurs à la moyenne canadienne.

De nombreuses entreprises ont recours au système BehaviorScan pour augmenter les chances de réussite à l'étape du marché test d'un nouveau produit. BehaviorScan recueille des données sur les consommateurs de façon passive aux points de vente et grâce au scannage à domicile pour évaluer le premier essai et le rachat d'un nouveau produit ou service chez les ménages. Les nouveaux produits sont en vente au cours de la première semaine d'introduction sur le marché, au lieu des 8 à 12 semaines habituelles. Puisque davantage de données sont recueillies sur une plus petite période qu'au moment du marché test traditionnel, les ventes effectuées pendant la première année peuvent déjà être estimées entre la 16e et la 24e semaine[38]. Une fois la demande estimée, il est plus facile de prendre la décision de lancer le produit à l'échelle nationale.

Par contre, les entreprises qui optent pour le marché test doivent dévoiler leur jeu à la concurrence, au moins en partie. En effet, le plus souvent, les concurrents se surveillent de près. Si une entreprise décèle un marché test, elle peut tenter de compromettre les résultats en lançant des promotions massives pour ses propres produits, ce qui aura pour effet de compliquer singulièrement l'analyse des résultats et la prévision des ventes du produit testé. Il est aussi possible qu'un concurrent devance la date prévue du lancement d'un nouveau produit. Par exemple, Kellogg's a surveillé les ventes des Toast'Em lors du marché test effectué par General Foods. Quand Kellogg's a remarqué que ce produit devenait populaire, elle a lancé ses Pop-Tarts sur le marché national avant même que le test de General Foods ne soit terminé. En outre, General Foods a inventé le café soluble lyophilisé et était au beau milieu du marché test de la marque Maxim quand Nestlé a lancé la marque Taster's Choice, laquelle est devenue la marque la plus populaire de ce type de café[39].

Le lancement du produit

Si l'étude de commercialisation s'avère positive, l'entreprise est alors fin prête à lancer le produit à l'échelle nationale. Ainsi, Frito Lay a d'abord lancé ses croustilles au wasabi et celles au cari épicé à Toronto et à Vancouver, là où il y a le plus de Canadiens d'origine asiatique. Les ventes de croustilles au cari ont été trois ou quatre fois meilleures que prévu[40], ce qui a entraîné le lancement du produit à l'échelle nationale. Par contre, les croustilles au wasabi n'ont pas connu le même succès.

Le lancement est l'étape la plus importante du processus d'introduction du nouveau produit ou service. Elle requiert des ressources financières imposantes ainsi qu'une coordination parfaite de tous les facteurs du marketing mix. Si le lancement s'avère un échec, il peut être difficile pour le produit, voire pour l'entreprise, de remonter la pente. Par contre, certains produits sont plus que prometteurs tout au long de leur lancement.

Qu'implique le lancement d'un produit ? Tout d'abord, à partir des recherches menées sur la perception des consommateurs, des tests effectués et des données en ce qui a trait à la concurrence, l'entreprise confirme son choix de marché cible et décide du positionnement du produit. Ensuite, elle met au point les derniers aspects du marketing mix, notamment le budget alloué au marketing pour la première année[41].

La communication

Les résultats obtenus aux tests de commercialisation permettent à l'entreprise de planifier sa stratégie de communication intégrée[42]. Si le produit est relativement complexe ou que son concept est nouveau, le gestionnaire marketing devra probablement fournir davantage d'efforts pour informer les consommateurs des avantages du produit que si le produit est simple ou de consommation courante. Quant aux produits techniques, les employés du Service de soutien technique doivent pouvoir répondre aux questions que les consommateurs sont susceptibles de leur poser immédiatement après le lancement du produit sur le marché. Ils doivent donc être formés en conséquence. L'entreprise BlackBerry fait la promotion de son nouveau Passport en misant sur la forme de son écran, son clavier physique et l'interopérabilité ordinateur/téléphone en vue d'attirer les gens d'affaires. En outre, par l'entremise de son Service de soutien technique, elle offre des conseils de dépannage sur les problèmes qui se présentent le plus fréquemment.

La distribution

L'entreprise doit avoir une quantité suffisante de produits prêts à être expédiés ou à être placés sur les étalages des points de vente. La liste de produits doit également être la plus complète possible. Par exemple, si l'entreprise lance une nouvelle imprimante, elle doit s'assurer qu'elle a assez de cartouches d'encre ou de toners. Les consommateurs qui veulent se procurer le BlackBerry Passport peuvent le faire dans les boutiques Bell, Rogers et Telus, chez certains détaillants spécialisés (Best Buy et Future Shop), ou sur le site Web de BlackBerry. Ces endroits, qui ne sont pas seulement pratiques pour les consommateurs, permettent également d'obtenir un service adapté à leurs besoins ainsi qu'un abonnement pour les services qui leur conviennent.

Le prix

L'entreprise doit aussi s'assurer de fixer un prix adéquat. Il est parfois plus simple de fixer un prix élevé au départ, d'offrir des coupons de réduction et des rabais aux consommateurs, puis de baisser le prix que de fixer un prix très bas au départ, puis de l'augmenter par la suite. Le BlackBerry Passport est un produit de qualité supérieure qui se vend à un prix conséquent, soit 574 $ pour un appareil déverrouillé. Toutefois, les opérateurs mobiles appâtent les consommateurs en réduisant le prix de l'appareil à la signature d'un contrat de service. Ainsi, le prix du Passport peut être réduit de plusieurs centaines de dollars, l'appareil pouvant même être gratuit à la signature d'un contrat à long terme[43].

Le moment

Le moment du lancement, qui est très important, doit être pensé en fonction du produit[44]. Les studios cinématographiques de Hollywood lancent d'habitude les films à l'intention d'un auditoire général pendant l'été, au cours des vacances scolaires des jeunes. Dans le même ordre d'idées, les nouveaux modèles de voitures sont ordinairement lancés au mois de septembre et les vêtements et accessoires de mode, avant la saison pour laquelle ils ont été conçus.

L'évaluation des résultats

Une fois que le produit est lancé sur le marché, les gestionnaires marketing doivent faire un examen critique du lancement, dont l'importance est capitale. Cette évaluation a pour but de déterminer si le produit et son lancement sont une réussite ou un échec. Elle vise aussi à savoir quelles ressources supplémentaires doivent être ajoutées au marketing mix ou quels changements doivent y être apportés, s'il y a lieu. L'entreprise mesure la réussite d'un nouveau produit à l'aide de trois facteurs liés entre eux : le respect des exigences techniques, dont la performance ; l'adoption du produit par les consommateurs ; et le respect des exigences financières de l'entreprise, dont les ventes et les profits[45]. Si la performance du produit n'est pas suffisante, les consommateurs ne l'accepteront pas en grand nombre ; par conséquent, les ventes et les profits seront médiocres. Le processus de développement d'un nouveau produit, lorsqu'il est suivi étape par étape et de façon rationnelle, permet d'éviter une telle réaction en chaîne qui mène à l'échec. Finalement, le cycle de vie du produit, dont il sera maintenant question, permet aux gestionnaires marketing de gérer le marketing mix pendant l'introduction du produit sur le marché et après celle-ci.

OA **4**   # Le cycle de vie d'un produit

cycle de vie d'un produit
(*product life cycle*)
Étapes que suit un nouveau produit : introduction sur le marché, établissement, retrait du marché. Le cycle de vie d'un produit exerce une influence considérable sur les stratégies des spécialistes du marketing.

phase d'introduction
(*introduction stage*)
Étape du cycle de vie d'un produit pendant laquelle ce dernier est mis en marché. Les premiers acheteurs du produit sont les consommateurs dits « innovateurs ».

phase de croissance
(*growth stage*)
Étape du cycle de vie d'un produit pendant laquelle le produit en question est accepté par les consommateurs, ce qui entraîne une augmentation de sa demande et de ses ventes. Cette étape voit également l'apparition de nombreux concurrents, dans la même catégorie, attirés par le taux de croissance de la catégorie.

Le **cycle de vie d'un produit** correspond à une série de phases que franchit un produit et qui influent considérablement sur les stratégies des spécialistes du marketing. La figure 10.5 illustre le cycle de vie habituel d'un produit, dont les ventes et les profits sont réalisés avec le temps. Au cours de leur vie, les produits passent par quatre phases : l'introduction, la croissance, la maturité et le déclin.

Lorsque les innovateurs achètent l'innovation radicale qui crée le nouveau produit, ce dernier est en **phase d'introduction**. Ensuite, au cours de la **phase de croissance**, le produit est adopté par le marché ; la demande et les ventes du

FIGURE 10.5 Le cycle de vie d'un produit

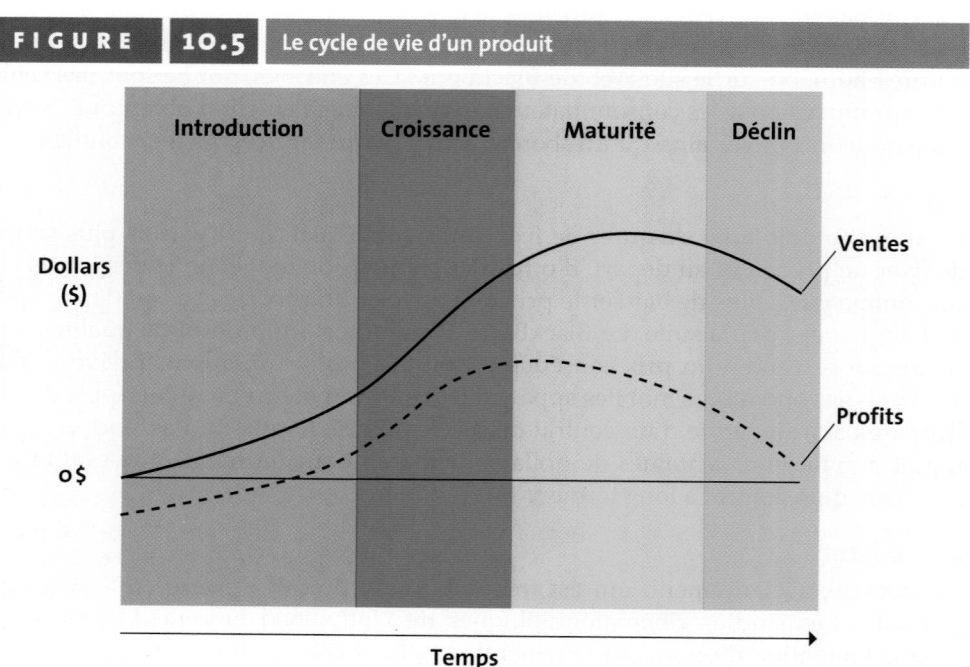

TABLEAU **10.1**	Les caractéristiques des différentes phases du cycle de vie d'un produit			
	Introduction	**Croissance**	**Maturité**	**Déclin**
Ventes	Faibles	À la hausse	À leur sommet	À la baisse
Profits	Négatifs ou faibles	Forte augmentation	Sommet atteint, tendance à la baisse	À la baisse
Consommateurs habituels	Innovateurs	Acheteurs précoces et majorité précoce	Majorité tardive	Acheteurs réfractaires
Concurrents (nombre d'entreprises et de produits)	Un seul concurrent ou quelques-uns	Peu de concurrents, mais en augmentation	Un grand nombre de concurrents et de produits concurrentiels	Un faible nombre de concurrents et de produits concurrentiels

pionnier augmentent et des concurrents apparaissent. Puis, au cours de la **phase de maturité**, les ventes du produit sont à leur point le plus élevé. Pour soutenir les ventes, l'entreprise tente de rajeunir son produit en y ajoutant de nouvelles fonctions ou en le repositionnant. Quand ces efforts portent leurs fruits, le produit renaît[46]. Sinon, celui-ci entre dans la **phase de déclin** avant de quitter le marché, éventuellement.

Les produits n'ont pas tous la même courbe du cycle de vie. En effet, bon nombre d'entre eux demeurent longtemps à la phase de maturité. Par exemple, les « produits blancs », comme les machines à laver, les sécheuses et les réfrigérateurs, sont toujours à la phase de maturité et devraient y rester jusqu'à ce qu'un produit révolutionnaire vienne les remplacer.

Le cycle de vie d'un produit s'avère également un outil des plus utiles aux gestionnaires. Ils peuvent s'en servir pour déterminer les stratégies à employer tout au long de la vie du produit. Même les priorités stratégiques de l'entreprise et celles relatives au marketing mix peuvent s'inspirer de l'aperçu que fournissent les caractéristiques de chacune des phases du cycle de vie du produit. Le tableau 10.1 résume ces caractéristiques.

Voyons maintenant chaque phase en détail.

La phase d'introduction

La phase d'introduction d'un nouveau produit ou service inédit débute habituellement avec une seule entreprise et les innovateurs qui essaient le produit ou le service en premier. Parmi les produits et les services inédits qui ont fait naître une nouvelle catégorie de produits ou une nouvelle industrie, on compte le téléphone (inventé par Alexander Graham Bell en 1876), le transistor semi-conducteur (les Laboratoires Bell, 1947), le baladeur Walkman (Sony, 1979), le navigateur Web (Netscape, 1994) et l'iPad (Apple, 2010).

Le tableau 10.2, à la page suivante, démontre comment l'iPad est passé de la phase d'introduction aux phases subséquentes de son cycle de vie. En constatant la rentabilité et les occasions d'affaires d'un produit qui est à l'origine d'un marché en soi, les autres entreprises ne perdent pas de temps avant de pénétrer le marché à leur tour avec un produit semblable ou amélioré dont le prix est inférieur. Il en va de même pour les produits moins novateurs tels les vêtements, les CD et même les nouvelles saveurs de boissons gazeuses. La phase d'introduction se caractérise par une perte initiale en raison du coût de départ élevé ainsi que par de faibles revenus lorsque les ventes commencent à progresser. Si le produit obtient du succès, l'entreprise peut commencer à générer des profits vers la fin de cette phase.

phase de maturité
(*maturity stage*)
Étape du cycle de vie d'un produit pendant laquelle les ventes atteignent leur sommet. L'entreprise tente alors de rajeunir son produit en y ajoutant de nouvelles fonctions ou en le repositionnant.

phase de déclin
(*decline stage*)
Étape du cycle de vie d'un produit pendant laquelle le volume des ventes diminue jusqu'à ce que le produit ne soit plus sur le marché.

TABLEAU 10.2	Les stratégies relatives au cycle de vie d'un produit, illustrées par l'iPad		
	Introduction	**Croissance**	**Maturité**
Produit	Produit de base	Lancement de nouveaux modèles	Diversification des modèles pour former une gamme de produits complète
Prix	Prix élevé	Prix légèrement plus bas	Complément du niveau de prix au sein de la gamme de produits
Distribution	Distribution sélective	Ajout de points de vente et augmentation du nombre de détaillants en vue d'atteindre de nouveaux marchés	Distribution plus intensive en vue d'atteindre de nouveaux marchés
Communication	Augmentation du bouche-à-oreille et de la notoriété du produit parmi les acheteurs précoces	Augmentation de la notoriété au sein des marchés plus vastes et des médias	Accent mis sur les différences entre les modèles et les avantages de chacun

La phase de croissance

Ces produits inédits ont défini leurs propres catégorie et industrie. Le téléphone (en haut) a été inventé en 1876 et le baladeur de Sony (en bas), en 1979.

La phase de croissance est marquée par un nombre d'acheteurs de plus en plus élevé, par une croissance rapide des ventes ainsi que par une augmentation du nombre de concurrents et du nombre de versions du même produit que l'on trouve sur le marché[47]. C'est pendant cette phase que le marché commence à se segmenter et que les préférences des consommateurs se diversifient. Conséquemment, le nombre de nouveaux marchés possibles et de nouvelles utilisations du produit ou du service augmente[48]. Selon le type de marché considéré, les ventes de remplacement peuvent dominer l'ensemble des ventes.

C'est au cours de la phase de croissance que l'entreprise tente d'attirer de nouveaux consommateurs en étudiant leurs préférences et en variant son produit (p. ex., de nouvelles couleurs, un style différent, de nouvelles fonctions), ce qui lui permet de segmenter le marché de manière encore plus précise. Le but d'une telle segmentation est de suivre l'évolution des ventes, lesquelles sont à la hausse, et d'affirmer la position de la marque sur le marché afin qu'elle ne soit pas dépassée par la concurrence. Par exemple, il existe maintenant de nombreuses entreprises qui fabriquent des lecteurs DVD, et ce, tant pour l'utilisation de masse que pour l'utilisation spécialisée (p. ex., le lecteur branché sur un ordinateur, le lecteur DVD portable, l'enregistreur DVD). En raison de cette grande variété, les ventes dans le domaine ont grimpé rapidement. De nos jours, plus de 50 % des ménages en Amérique du Nord et en Europe ont adopté la technologie du DVD[49]. En parallèle, le prix moyen des lecteurs DVD a fortement chuté, ce qui rend le produit plus attrayant auprès de groupes de consommateurs potentiels qui ne reconnaissaient pas une très grande valeur à cette catégorie de produits. Lors des soldes de l'Action de grâces, par exemple, Walmart a vendu certains lecteurs DVD pour la modique somme de 29 $, ce qui a causé un raz-de-marée de clients dans certains magasins[50].

Si les entreprises profitent d'une augmentation des ventes, elles peuvent également se réjouir de l'augmentation de leurs profits. Cette augmentation, qui est caractéristique de la phase de croissance, survient en raison des économies d'échelle réalisées sur le prix de la fabrication et des efforts de marketing, particulièrement en ce qui a trait à la communication et à la publicité. C'est également à ce moment que les entreprises qui n'ont pas réussi à se tailler une place sur le marché, même dans les plus petits segments, décident si elles se retirent du marché, ce que l'on appelle l'« assainissement des marchés ».

La phase de maturité

La phase de maturité du cycle de vie d'un produit est caractérisée par l'achat du produit par la majorité tardive et par une concurrence féroce pour l'obtention des parts de marché. Les coûts associés aux efforts de marketing (p. ex., la communication et la distribution) grimpent étant donné que les entreprises veulent protéger leur part de marché de leurs rivaux. La concurrence fait aussi rage quant au prix de vente du produit; ce dernier chute considérablement en comparaison des deux phases précédentes du cycle de vie du produit. Les bas prix et le coût élevé des efforts de marketing rongent la marge de profit de bien des entreprises. Au cours des dernières étapes de la phase de maturité, le marché s'est saturé et pratiquement tous les consommateurs potentiels se sont déjà procuré le produit. Ces marchés saturés sont répandus dans les pays développés. Au Canada, par exemple, la plupart des produits de consommation courante que l'on trouve dans les supermarchés et les magasins d'escomptes ont déjà atteint la phase de maturité de leur cycle de vie.

Au cours de cette phase, plusieurs stratégies s'offrent à l'entreprise qui souhaite accroître sa clientèle ou défendre sa part de marché. Elle peut notamment pénétrer de nouveaux marchés ou segments de marché ou encore développer de nouveaux produits. La rubrique Marketing et médias sociaux (*voir p. 333*) montre comment PepsiCo s'y prend pour tenter de retarder le déclin de sa boisson AMP Energy. Le tableau 10.3 indique d'autres stratégies qui permettent de prolonger la phase de maturité d'un produit.

La pénétration de nouveaux marchés ou segments de marché

Étant donné qu'à cette phase du cycle de vie du produit le marché est déjà saturé, l'entreprise peut tenter de pénétrer de nouveaux marchés géographiques, dont les marchés internationaux (*voir le chapitre 17*), lesquels sont probablement moins

TABLEAU 10.3 — Les stratégies visant à prolonger le cycle de vie d'un produit

Stratégie	Exemples
Trouver de nouvelles utilités au produit	Le bicarbonate de soude est maintenant vendu comme un produit polyvalent qui ne sert pas seulement en cuisine.
Modifier le produit • changer la qualité • augmenter le rendement • changer l'apparence	• Les raquettes de tennis et les bâtons de golf contiennent maintenant du graphite. • Les puces d'ordinateurs sont plus rapides que jamais. • Il est possible de lancer de nouveaux parfums, de modifier l'emballage, de proposer de nouvelles couleurs.
Augmenter la fréquence d'utilisation	La gomme Dentyne est vendue comme un bon moyen de garder ses dents propres entre les repas.
Augmenter le nombre d'utilisateurs	Les Tums ont toujours contenu du calcium, mais quand cette caractéristique a été mise en valeur dans la société, les consommateurs soucieux de leur densité osseuse se sont mis à acheter le produit.
Trouver de nouveaux utilisateurs	Le Club Med a lancé des forfaits spécialement conçus pour les *baby-boomers*, les personnes âgées, les golfeurs et les amateurs de croisière quand une partie de sa clientèle composée de jeunes adultes branchés s'est mariée et a fondé une famille.
Repositionner le produit	Les lotions de bronzage sont devenues des écrans solaires. La vitamine D est vendue comme une bonne façon de se prémunir contre le cancer.
Peaufiner la stratégie de marketing	Les cartes de vœux sont vendues en supermarché. Les cosmétiques haut de gamme sont également vendus en pharmacie.

saturés. Par exemple, Whirlpool a commencé à fabriquer des machines à laver pour le Brésil, la Chine et l'Inde. Le prix de vente de ces appareils est inférieur à celui des appareils vendus aux Nord-Américains, cette décision visant à attirer la vaste clientèle à faible revenu de ces pays[51]. Dans de nombreuses économies en voie de développement, un nombre croissant de ménages de la classe moyenne commence tout juste à s'acheter une maison, des électroménagers et des appareils de divertissement que les ménages canadiens se procurent déjà depuis plusieurs dizaines d'années. Seulement en Inde, les consommateurs de la classe moyenne, qui représentent environ 487 millions de personnes, dépenseront près de 420 milliards de dollars en produits de grande consommation au cours des prochaines années[52].

Toutefois, même sur les marchés arrivés à maturité, il est possible qu'une entreprise trouve un nouveau segment de marché. En effet, les nouvelles tendances et les changements de goûts des consommateurs peuvent entraîner une fragmentation de ces marchés, ce qui présente de nouvelles occasions d'affaires. Par exemple, avec la popularité grandissante d'Internet, des entreprises comme Expedia, Orbitz, Priceline.com et Travelocity ont commencé à offrir de nouveaux services de réservation de vols, de séjours à l'hôtel et de voitures de location simples et pratiques. Les consommateurs qui préfèrent cette méthode pour son côté pratique ou pour la possibilité de comparer en ligne les forfaits de divers fournisseurs de services sont de plus en plus nombreux à recourir à Internet pour planifier leurs voyages.

De nouvelles occasions d'affaires peuvent également être issues de modifications toutes simples apportées à un produit, comme c'est le cas pour les lingettes. Il y a à peine quelques années, les ventes de lingettes pour bébé représentaient la majeure partie des ventes de lingettes à usage personnel. Plus récemment, les lingettes nettoyantes pour le visage Olay, de Procter & Gamble, ainsi que les lingettes anti-âge Pond's, d'Unilever, ont gagné une importante part du marché[53]. Dans le domaine des produits ménagers, les articles comme la lingette électrostatique Swiffer, de Procter & Gamble, conçue pour nettoyer les planchers, a permis d'élargir considérablement le marché. De son côté, Clorox a ajouté les lingettes préhumectées Armor All à sa gamme de produits nettoyants pour la voiture[54] et lancé la ToiletWand[MD] à l'intention des consommateurs qui n'aiment pas voir traîner dans leur salle de bains la balayette

Il y a à peine quelques années, les ventes de lingettes pour bébé représentaient la majeure partie des ventes de lingettes à usage personnel. Depuis, plusieurs entreprises ont vu là une occasion de pénétrer de nouveaux marchés ; c'est pourquoi les produits de cette catégorie ont proliféré.

dont l'apparence et l'aspect hygiénique sont douteux[55]. Même si ces marchés sont bien établis et arrivés depuis longtemps à maturité, les gestionnaires marketing qui opèrent dans le domaine des produits nettoyants et des cosmétiques ont vite remarqué les tendances qui se profilaient à l'horizon et ont été en mesure de créer de nouveaux produits de qualité aux yeux des consommateurs.

Le développement de nouveaux produits

Malgré la saturation du marché, les entreprises continuent d'y introduire de nouveaux produits dont les fonctions sont améliorées ou de trouver de nouvelles utilités aux produits existants, car ils ont besoin d'une innovation constante et de la multiplication des produits pour protéger leur part de marché de la concurrence féroce. Des entreprises comme 3M, Procter & Gamble et Hewlett-Packard lancent continuellement de nouveaux produits. Ces innovations leur permettent de s'assurer de conserver ou d'élargir leur part de marché.

Il arrive aussi que des entreprises très peu connues lancent de nouveaux produits sur le marché. Même dans une catégorie comme les produits alimentaires, qui existe depuis toujours, des entrepreneurs tels que Rachna et Mona Prasad continuent de créer des produits novateurs, ce dont il est d'ailleurs question dans la rubrique Marketing entrepreneurial (*voir p. 334*).

| Marketing et médias sociaux | **PepsiCo amplifie son jeu pour retarder le déclin de l'AMP Energy** |

Lancée en 2001 pour rivaliser avec Red Bull et Monster Energy, AMP Energy est devenue une marque phare de PepsiCo. La boisson énergisante a connu une croissance explosive alors que des douzaines de nouveaux produits tels que Rockstar, Full Throttle et NRG inondaient le marché. Dans un marché où la concurrence est aussi féroce, la lutte pour accaparer la plus grosse part du marché et capter l'attention des consommateurs est chaude.

Dans la phase de maturité d'un produit, les gestionnaires marketing doivent concevoir des stratégies nouvelles et créatives afin de prolonger le cycle de vie de ce produit. PepsiCo y est parvenu en rajeunissant sa ligne grâce au développement de nouvelles boissons comme Energy Shot et à l'ajout de nouvelles saveurs à la mode comme celles du thé vert et de la limonade. Des efforts promotionnels visant à rappeler constamment le produit aux consommateurs peuvent aussi contribuer à retarder le déclin du produit.

En associant des jeux vidéo à la tournée AMP YOUR GAME (connu sous le nom d'AMP TON JEU au Québec), les gestionnaires marketing ont conçu leur campagne de communication de manière à rejoindre l'important marché cible des consommateurs de boissons énergisantes de 18 à 24 ans inscrits dans les collèges et universités canadiens. La tournée AMP YOUR GAME s'est rendue sur 40 campus pour y distribuer 100 000 échantillons d'AMP Energy. Dans chaque campus, une compétition de Rock Band 2 d'une durée de deux heures était présentée en direct sur une console PlayStation[56]. Le meilleur groupe virtuel de musique rock courait la chance de remporter le grand prix Rock Off! d'une valeur de 100 000 $. Un accès gratuit aux derniers jeux vidéo était offert sur toutes les plateformes de jeu dans le cadre de la tournée.

Comme ce marché cible comprend de gros consommateurs de médias sociaux, PepsiCo a créé une page d'adeptes de l'AMP Energy sur Facebook afin de donner aux participants un moyen de rallier leurs amis et de solliciter leurs votes. Les Canadiens comptent parmi les plus gros utilisateurs de Facebook au monde. Dans ce cas-ci, la page Facebook AMP YOUR GAME est devenue un point d'ancrage où les étudiants pouvaient se renseigner sur les événements qui se déroulaient sur le campus et voter pour le meilleur groupe. La finale, qui a eu lieu au Yonge-Dundas Square, à Toronto, a été vue par des milliers de fans par l'entremise d'une vidéo en continu transmise en direct sur Facebook – une première au monde –, ce qui a contribué à créer un lien émotionnel avec la marque.

La tournée a connu un réel succès. AMP YOUR GAME a attiré 15 200 nouveaux adeptes de Facebook et recueilli un total de 61 000 votes. L'objectif de la distribution d'échantillons a été dépassé, 151 398 boissons[57] ayant été distribuées gratuitement, développant ainsi la préférence pour la marque, encourageant les achats futurs et allongeant le cycle de vie de la boisson AMP Energy.

Les gestionnaires marketing de PepsiCo doivent concevoir des stratégies nouvelles et créatives pour prolonger le cycle de vie de l'AMP Energy sur un marché très concurrentiel.

La phase de déclin

Les entreprises dont les produits se trouvent à la phase de déclin du cycle de vie ont deux choix : soit elles se repositionnent et visent un segment de niche composé de consommateurs irréductibles ou dont les besoins sont spécialisés, soit elles se retirent du marché. Les quelques acheteurs réfractaires qui n'ont pas encore acheté le produit ou le service le font à cette phase du cycle de vie du produit. Prenons les disques de vinyle (les 33 tours). À l'ère des CD et de la musique téléchargée à partir d'Internet dans divers formats, dont le MP3, il semble surprenant que des disques de vinyle soient toujours fabriqués et vendus. Bien que les ventes de ces disques diminuent depuis les 15 dernières années, près de deux millions de disques de vinyle sont vendus chaque année aux États-Unis. Au Canada, les ventes sont passées de 913 000 $, en 2000, à 608 000 $ trois ans plus tard, tandis que les ventes de CD la même année ont atteint 686 976 000 $[58]. Pourtant, les amateurs inconditionnels continuent de préférer le son typique des vinyles au son plus froid des CD et des fichiers musicaux numériques.

| Marketing entrepreneurial | **Gourmantra met du piment dans le commerce des épices** |

Rachna Prasad a décidé un jour d'inviter ses amis à un festin de cuisine indienne pour pendre la crémaillère. Craignant cependant de ne pas avoir le temps de tout préparer, elle a demandé de l'aide à sa mère. Cette dernière, qui ne pouvait l'aider à cuisiner, a cependant trouvé une solution des plus originales. Elle a en effet décidé de préparer un mélange d'épices dans une proportion parfaite qu'elle a donné à sa fille avec des instructions détaillées. Les amis de Rachna n'ont cessé de faire l'éloge de son repas. Lorsqu'ils lui ont demandé son secret, pour toute réponse, elle leur a offert ce qui lui restait d'épices ainsi que les instructions de sa mère.

Par la suite, certains amis de Rachna lui réclamaient régulièrement ce mélange d'épices, assez pour qu'elle se demande s'il y aurait un marché pour une cuisine indienne simplifiée. Pour le savoir, Rachna, sa mère Rekha et sa sœur Mona, une étudiante à la maîtrise en administration des affaires à l'Université Wilfrid-Laurier, ont eu l'idée de louer un kiosque au salon agricole de Markham, en Ontario. Lorsqu'elles ont constaté que leur produit s'était vendu en quelques heures seulement, elles ont décidé de se lancer en affaires et fondé l'entreprise Rasika.

Mona étudie toujours à l'université, où elle a décidé de participer au concours entrepreneurial *LaunchPad 50K New Venture* dans le but de gagner une somme suffisante pour acheter un moulin à épices commercial et ainsi faire grandir l'entreprise familiale. Plus de 400 personnes se sont inscrites au concours, et Mona a réussi à se hisser au troisième rang. Encouragées par cette victoire, les femmes de la famille Prasad ont repositionné la marque en changeant le nom Rasika pour Gourmantra et en engageant un graphiste pour concevoir l'emballage de leur produit. Les mélanges d'épices qu'elles proposent visent à simplifier la préparation du repas et sont faits à partir des meilleures épices sur le marché. Ils ne contiennent ni huile, ni agent de conservation, ni colorant artificiel, ni glutamate monosodique. Le principe est tout simple : le consommateur n'a plus qu'à ajouter du poulet, de l'agneau, du bœuf, des crevettes, des pois chiches ou des légumes, et le tour est joué. Quatre mélanges sont en vente : le Poulet au beurre, le Tandoori, le Channa Masala et le Korma.

Rachna et Mona ont pénétré le marché grâce à la distribution d'échantillons et à leur participation à des salons agricoles dans le sud de l'Ontario. Elles sont ainsi parvenues à positionner leur entreprise de manière à pénétrer le marché nord-américain. Leurs produits sont maintenant vendus chez divers détaillants tels que Metro, Sobeys, Food Basics, Walmart et d'autres chaînes de supermarchés. Cette nouvelle gamme de produits vient mettre un peu de piment dans la catégorie des aliments indiens sans que l'on doive pour autant faire face au casse-tête de la cuisine authentique.

Les mélanges d'épices préemballés Gourmantra simplifient la vie des consommateurs en leur permettant d'éviter de faire face au casse-tête de la cuisine authentique.

Les sillons de ces disques créent des ondes sonores chaleureuses, rendant le son plus authentique, comme si l'on assistait à une interprétation en direct. C'est d'ailleurs pourquoi certains DJ, mélomanes et collectionneurs préfèrent les disques de vinyle. Même les jeunes, probablement influencés par la collection de leurs parents ou attirés par le son ou le caractère unique du 33 tours, se procurent des disques de vinyle. À Edmonton, tant les groupes de musique indépendants que les groupes les plus connus se battent pour obtenir les ressources limitées dans le domaine du pressage de disques. C'est un signe fort que les disques de vinyle ont encore leur place sur le marché[59]. En outre, la nostalgie associée à ces vieux disques a contribué à donner une nouvelle vie à ce format audio que l'on croyait désuet.

La demande toujours présente de disques de vinyle est également attribuable au fait que de nombreux albums datant de l'ère prénumérique ne se trouvent qu'en disques de vinyle. De nombreuses années ou décennies s'écouleront avant que toute la musique des générations précédentes ne soit numérisée.

En somme, bien des collectionneurs s'intéressent aux disques de vinyle pour leur histoire, comme en témoigne la vente récente d'un enregistrement unique du groupe The Velvet Underground pour la somme de 25 200 $ US[60].

La courbe du cycle de vie d'un produit

En théorie, la courbe du cycle de vie d'un produit est généralement en forme de cloche en ce qui concerne les ventes et les profits générés, alors qu'en réalité chaque produit a une courbe dont la forme est unique. Certains produits passent d'une phase à l'autre plus rapidement selon leur degré d'unicité par rapport aux produits déjà sur le marché ou selon la valeur qu'ils ont aux yeux des consommateurs. Ainsi, les nouveaux produits et services que les consommateurs achètent rapidement après leur introduction sur le marché présentent un taux d'adoption plus élevé au début du cycle et passent donc d'une phase à l'autre en moins de temps.

Par exemple, les lecteurs DVD et les DVD ont traversé les phases de leur cycle de vie nettement plus vite que les magnétoscopes et sont maintenant rendus à la phase de maturité. Cela s'explique probablement par le fait que les consommateurs qui possédaient un magnétoscope se sont habitués à enregistrer leurs émissions préférées ainsi qu'à visionner des films. En outre, la transition du magnétoscope au lecteur DVD s'est faite promptement parce que les DVD sont plus durables et que leur image est de plus grande qualité que les bandes vidéo. Finalement, les prix des lecteurs DVD et des DVD ont chuté plus rapidement et plus fortement que les prix des magnétoscopes ; en conséquence, la nouvelle technologie avait une plus grande valeur aux yeux des consommateurs.

En somme, comme l'illustre la figure 10.6, le type de produit introduit sur le marché influe sur la forme de la courbe de son cycle de vie. Lorsqu'ils ont été lancés, les fours à micro-ondes étaient considérés comme un produit nécessitant un long apprentissage. Leur phase d'introduction a donc été beaucoup plus longue que celle des produits plus simples, comme le maïs soufflé au micro-ondes.

Les modes passagères traversent les phases rapidement, alors que les tendances présentent une courbe cyclique. Par exemple, les cravates larges et les revers larges ne sont plus en vogue, mais il est fort possible qu'ils reviennent à la mode un jour.

FIGURE 10.6 Les variations de la courbe du cycle de vie d'un produit

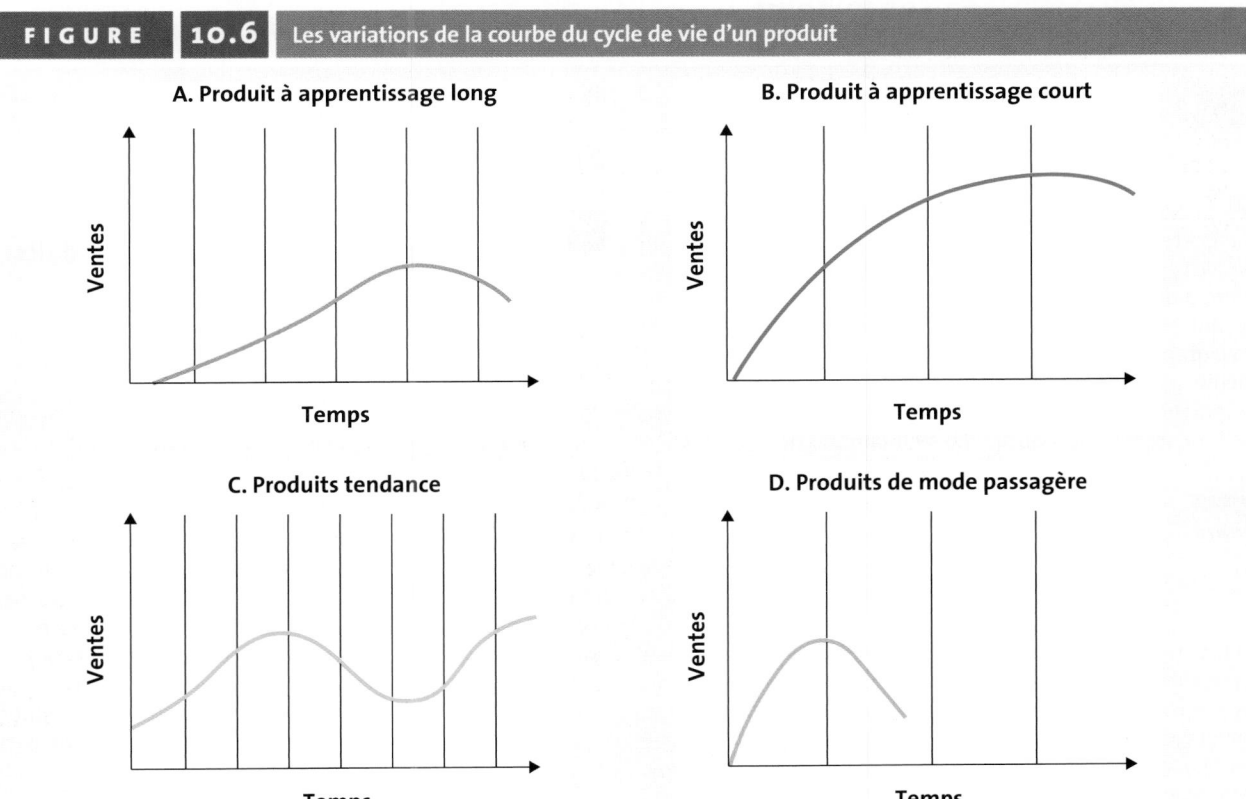

A. Produit à apprentissage long

B. Produit à apprentissage court

C. Produits tendance

D. Produits de mode passagère

Les stratégies relatives au cycle de vie d'un produit : quelques mises en garde

Si ce concept s'avère un excellent point de départ pour les gestionnaires marketing qui veulent mettre en œuvre une stratégie de marketing à chacune des phases du cycle de vie d'un produit, il est toutefois primordial d'utiliser cet outil avec précaution. Le plus grand défi que présente le concept de cycle de vie est que les gestionnaires marketing ne peuvent deviner quelle forme prendra sa courbe. Il est donc impossible de savoir avec précision où se situe le produit. Par exemple, si les ventes d'un produit baissent pendant plusieurs trimestres consécutifs, le gestionnaire pourrait conclure que le produit est passé de la phase de croissance à la phase de déclin et décider de cesser de le promouvoir. Le cas échéant, il est évident que les ventes continueront de chuter. Ce gestionnaire pourrait alors se féliciter d'avoir pris une telle décision étant donné que le produit continue d'évoluer dans un cycle de vie donné. Et si la diminution des ventes était attribuable à une mauvaise stratégie de marketing ou à une augmentation de la concurrence, autant de problèmes qu'il est possible de régler ? Dans ce cas, la décision prise relativement au cycle de vie du produit est devenue une prédiction autoréalisatrice et un produit en pleine croissance a été condamné à un déclin inutile[61].

Heureusement, de nouvelles études fondées sur le portrait d'une douzaine de biens de consommation ont révélé que le cycle de vie est un concept valide. En outre, des outils d'analyse novateurs offrent maintenant des lignes directrices pour arriver à cerner les moments décisifs dans le cycle de vie d'un produit[62]. Dans l'industrie pharmaceutique, par exemple, où les percées sont rares, les entreprises ont recours à l'analyse du cycle de vie d'un produit afin de déterminer le type de communication nécessaire à chacune des phases et de tirer le maximum de leurs marques déjà existantes[63].

Faites le point

 **Expliquez comment les entreprises ajoutent de la valeur grâce à l'innovation**

Les nouveaux produits et services incitent les consommateurs à racheter des produits d'une marque donnée et attirent de nouveaux consommateurs. Cette multiplicité permet également à une entreprise de diversifier son éventail de produits, ce qui réduit le risque global de l'entreprise et lui donne davantage de valeur. Bien qu'ils soient risqués, les produits inédits ont un potentiel énorme, car ils sont les premiers sur le marché et proposent aux consommateurs quelque chose de totalement nouveau, qui ne s'est jamais fait.

 **Expliquez la théorie de la diffusion des innovations et son rôle dans le processus décisionnel relatif aux gammes de produits**

La théorie de la diffusion des innovations aide les entreprises à prévoir quels groupes de consommateurs vont se procurer leur nouveau produit ou service dès son introduction sur le marché et lesquels vont l'adopter plus tard, quand le marché l'aura accepté. Les entreprises peuvent ensuite élaborer des stratégies de marketing en vue d'inciter chacun des groupes

de consommateurs à adopter le nouveau produit ou service. Finalement, cette théorie permet de prévoir les ventes générées.

 **Décrivez le processus de développement de nouveaux produits et services**

Le développement de nouveaux produits et services comporte plusieurs étapes. D'abord, l'entreprise recherche des idées en choisissant parmi les nombreuses méthodes à sa disposition. Elle peut, notamment, avoir recours à son service interne de recherche et développement (R et D), collaborer avec d'autres entreprises ou d'autres établissements, obtenir une licence pour une technologie donnée auprès d'une société de recherche, opter pour une séance de remue-méninges, faire des recherches sur les produits et les services des concurrents ou travailler de concert avec les consommateurs. Ensuite, l'entreprise teste son concept en décrivant le nouveau produit aux consommateurs potentiels ou en leur montrant une image qui représente l'allure que ce dernier pourrait avoir. Puis, le produit est développé, c'est-à-dire que l'entreprise décide des fonctions et de l'utilisation de celui-ci. Par la suite, l'entreprise procède à l'étude de commercialisation. Si tout se déroule bien, le produit est lancé sur le marché et, finalement, l'entreprise évalue les résultats afin de déterminer si le lancement du produit est une réussite ou un échec.

 **Définissez le cycle de vie d'un produit et expliquez son rôle dans le processus décisionnel relatif aux gammes de produits**

La théorie du cycle de vie d'un produit permet aux entreprises de prendre les décisions relatives au marketing mix à partir de la phase du cycle de vie dans laquelle se trouve le produit. Au cours de la phase d'introduction, l'entreprise tente de prendre rapidement sa place sur le marché en attirant les innovateurs. Pendant la phase de croissance, l'objectif est de consolider cette place sur le marché. Une fois que le produit entre dans la phase de maturité, l'entreprise se bat pour maintenir sa part de marché. À cette étape, bon nombre de consommateurs potentiels possèdent déjà le produit. Plus tard vient la phase de déclin, au cours de laquelle l'entreprise cesse ses efforts de marketing et retire éventuellement le produit du marché. Le fait pour le gestionnaire marketing de savoir où un produit se situe dans son cycle de vie lui permet de choisir une stratégie de marketing en conséquence.

Mots clés

- acheteur réfractaire, p. 316
- acheteurs précoces, p. 316
- concept, p. 321
- cycle de vie d'un produit, p. 328
- développement du produit (ou conception du produit), p. 323
- diffusion des innovations, p. 314
- ingénierie inverse, p. 320
- innovateur, p. 315

- innovation, p. 310
- majorité précoce, p. 316
- majorité tardive, p. 316
- marché test, p. 325
- phase de croissance, p. 328
- phase de déclin, p. 329
- phase de maturité, p. 329
- phase d'introduction, p. 328
- pionnier (ou percée commerciale ou innovation radicale), p. 312

- premier entrant, p. 313
- prototype, p. 323
- test alpha, p. 323
- test bêta, p. 324
- test de concept publicitaire, p. 322
- test de précommercialisation, p. 325
- utilisateur de pointe, p. 321

Révision des concepts

1. Expliquez en quoi les nouveaux produits ou services ajoutent de la valeur à une entreprise.

2. Tracez la courbe de la diffusion des innovations, puis décrivez-la. Comment les gestionnaires marketing peuvent-ils se servir des renseignements que contient cette courbe pour prendre des décisions et élaborer des stratégies de marketing?

3. Nommez et expliquez les facteurs influant sur l'adoption de nouveaux produits.

4. Nommez les étapes du processus de développement de nouveaux produits. Décrivez quelques-unes des sources d'inspiration dont les entreprises peuvent se servir dans leur recherche d'idées au début de ce processus.

5. Pourquoi l'entreprise devrait-elle faire preuve de prudence au cours d'un marché test?

6. De quoi une entreprise a-t-elle besoin, en plus du produit lui-même, pour franchir l'étape du lancement du produit?

7. Les produits passent-ils tous par chacune des étapes du processus de développement d'un produit? Justifiez votre réponse.

8. En quoi consiste le cycle de vie d'un produit? Décrivez chacune de ses phases relativement aux ventes, aux profits, aux consommateurs typiques, à la concurrence ainsi qu'en fonction de la stratégie relative au marketing mix.

9. Décrivez quelques-unes des stratégies auxquelles une entreprise peut avoir recours en vue de prolonger la durée de vie d'un produit à la phase de maturité.

10. Pourquoi le cycle de vie d'un produit n'est-il pas un outil de gestion des produits infaillible?

Marketing appliqué

1. Certains croient qu'un produit peut être considéré comme nouveau seulement s'il est le premier sur le marché et que rien de semblable n'a existé avant lui. Nommez ou décrivez d'autres types de nouveaux produits.

2. Apple a lancé l'iPhone 6, sixième génération de cette technologie innovante. À votre avis, à quelle vitesse ce produit sera-t-il adopté par la population canadienne ? Décrivez le genre de consommateurs qui représente chacune des catégories de la diffusion des innovations.

3. Y a-t-il des avantages à être la première entreprise à lancer un nouveau produit qui fait naître un nouveau marché ? Justifiez votre réponse. S'il existe de tels avantages, expliquez pourquoi certains produits s'avèrent des échecs.

4. Indiquez comment les entreprises procèdent à la recherche d'idées pour trouver de nouveaux produits. Quelles méthodes employées font appel à la participation du consommateur ?

5. Donnez un exemple de nouveau produit ou service conçu à l'intention des étudiants. Reportez-vous au passage sur le test de concept publicitaire apparaissant dans le présent chapitre pour décrire comment vous procéderiez au test du concept de ce produit ou service.

6. Un certain nombre de lecteurs MP3 sont actuellement sur le marché. En quoi la conception et la valeur de ce produit le rendent-elles plus attrayant que le baladeur CD, par exemple ?

7. Mazda s'apprête à lancer un nouveau modèle de voiture. L'entreprise est rendue à l'étape de l'étude de commercialisation du processus de développement d'un nouveau produit. Nommez deux moyens de procéder à l'étude de commercialisation qui précède le lancement du nouveau modèle.

8. Quel shampooing utilisez-vous ? À quelle phase du cycle de vie ce produit se trouve-t-il ? La stratégie de marketing (les quatre « P ») de l'entreprise est-elle cohérente par rapport à la phase à laquelle se trouve le produit ? Expliquez votre réponse.

9. Un nouveau modèle d'assistant numérique personnel est lancé sur le marché. À quelle phase du cycle de vie du produit se trouve-t-il ? La stratégie de marketing (les quatre « P ») de l'entreprise est-elle cohérente par rapport à la phase à laquelle se trouve le produit ? Quelles différences y a-t-il avec le shampooing de la question précédente ? Expliquez votre réponse.

10. Vous venez d'être engagé chez un fabricant de cosmétiques au sein de l'équipe de développement des produits. La marque de l'entreprise est une marque très populaire de cosmétiques haut de gamme. Le chef de service vous présente une étude qui révèle que les préadolescentes âgées de 11 à 15 ans s'intéressent particulièrement aux cosmétiques et qu'elles ont les moyens de s'en procurer. L'entreprise prend donc la décision de lancer une gamme de cosmétiques conçue spécialement pour elles à partir de la gamme pour adultes existante. À mesure que le développement du produit avance, vous remarquez que l'équipe s'oriente vers une thématique très osée à caractère sexuel en nommant les collections « Envie », « Désir », « Prouesse » et « Attirance fatale ». Vous vous posez la question suivante : ce concept est-il approprié à ce groupe d'âge ?

Internaute averti

1. Rendez-vous sur le site www.canadianliving.com/life/best_new_product_awards/ et cherchez un nouveau produit qui vous semble intéressant. Ce produit est-il novateur et inédit ? En vous référant aux facteurs influant sur la diffusion d'un nouveau produit (*voir la figure 10.3, p. 317*), essayez de déterminer la vitesse relative de diffusion de cette innovation.

2. L'industrie de l'automobile ne cesse d'ajouter de nouvelles fonctions aux voitures et aux camionnettes. Menez une recherche sur Internet ou dans la base de données de votre bibliothèque sur les nouvelles technologies automobiles. Choisissez des produits qui correspondent à chacune des phases du cycle de vie d'un produit. Justifiez vos choix.

LA COMMERCIALISATION DE L'IPOD D'APPLE[64] : DE LA MUSIQUE À VOS OREILLES[65]

Qu'il commence par un rêve, une idée ou une vague pensée, le chemin qui mène à la réussite est bien souvent long et nécessite de la recherche, de la planification, des modifications ainsi qu'une bonne dose de créativité. C'est pourquoi il est rare d'être témoin d'une réussite de l'envergure de celle de l'iPod, la grande idée de Steve Jobs, le fondateur d'Apple, grâce à qui l'appareil a été conçu, fabriqué et placé sur les étalages en moins d'un an. L'iPod est l'appareil de choix le plus branché pour écouter et échanger les plus récentes chansons. La gamme contient de nombreux modèles que les amateurs de musique n'ont pas hésité à se procurer au cours de leur brève existence. En outre, son introduction puis son adoption ont donné naissance à toute une industrie d'entreprises qui vendent des accessoires compatibles avec l'iPod. En dépit des problèmes initiaux éprouvés avec la durée de la pile de l'appareil, le produit est très populaire et représente la majeure partie de la hausse des recettes d'Apple. L'iPod est donc l'exemple parfait d'une commercialisation réussie.

Le concept

Lancé en octobre 2001, l'iPod est devenu le leader de l'industrie du baladeur numérique, capable de stocker des milliers de chansons. Ses ventes ont connu une croissance exponentielle pour atteindre 275 millions d'exemplaires vendus entre 2001 et 2010, tous types confondus. Le concept était issu du désir à la fois des consommateurs d'avoir un appareil pratique et de l'industrie de la musique qui cherchait une solution permettant de combattre le piratage de la musique numérique. Steve Jobs a constaté qu'il était temps de lancer un lecteur de bonne qualité qui permettrait aux consommateurs de télécharger, d'adapter et d'échanger légalement de la musique. En moins de trois ans, son invention a été qualifiée de « véritable phénomène culturel » par le magazine *Brandweek*.

Cela ne signifie pas pour autant que la route vers la gloire a été facile. Steve Jobs a dû persuader les grandes maisons de disques de lui permettre de vendre les chansons de leurs artistes à des fins de téléchargement pour la somme de 0,99 $ l'unité ou encore de 9,99 $ par album. Après avoir été flouée par des sites comme Napster, qui permettaient le téléchargement poste à poste gratuit, l'industrie était pour le moins réticente à accepter une telle proposition. Jobs l'a convaincue en l'assurant qu'elle aurait sa part des recettes et en misant sur sa crédibilité dans le domaine de l'informatique et en tant que directeur des studios d'animation Pixar. Les personnes qui possédaient un iPod pouvaient désormais acheter des œuvres musicales et des vidéos à partir du logiciel iTunes. Ce concept représentait une véritable révolution culturelle quant à la manière d'accéder à de la musique, d'en acheter et d'en écouter. Par la suite, l'aval de l'industrie n'a fait qu'augmenter ; iTunes offre maintenant plus de 40 millions de pistes de 5 grandes maisons de disques et de plus de 600 compagnies indépendantes.

La concrétisation

Être le premier sur un marché qui ne compte qu'un produit que tout le monde s'arrache a permis à Steve Jobs de demander plus de 400 $ pour l'iPod de 40 Go (capacité d'environ 10 000 chansons). Par la suite, plus de 1 000 accessoires ont été lancés, dont des adaptateurs pour la voiture, des étuis sur mesure et des haut-parleurs.

Quand d'autres entreprises se sont rendu compte du pouvoir détenu par l'iPod, elles se sont associées à Apple afin de ne pas être en reste. Hewlett-Packard, Bose, Volkswagen of America et BMW (qui a conçu un adaptateur à même la chaîne stéréo de ses voitures) n'en sont que quelques exemples. D'autres entreprises de plus petite envergure ont commercialisé des accessoires pour l'iPod, ce qui a permis à Apple d'élargir encore davantage la portée de l'appareil dans le commerce du détail. Même U2 s'est mis de la partie et a travaillé en collaboration avec Apple afin de concevoir un iPod thématique aux couleurs du groupe. Et le dernier album du groupe, sorti en 2014, s'est même retrouvé en accès gratuit sur le site d'iTunes.

Selon l'agence de publicité d'Apple, le trait le plus distinctif de l'iPod est sans contredit le fil blanc qui relie les écouteurs au lecteur et qui permet à tout le monde de savoir qui sont les utilisateurs de l'iPod, qui fait partie du clan iPod, quelle que soit la situation. Qu'ils vaquent à leurs activités quotidiennes, qu'ils marchent sur le campus, qu'ils dansent sur le trottoir ou qu'ils conduisent leur BMW, on les reconnaîtra. C'est d'ailleurs pourquoi la première campagne publicitaire multimédia montraient des images de silhouettes de gens qui dansaient, et où ressortaient très bien l'iPod et les écouteurs blancs.

La première génération de l'iPod vidéo, quant à elle, avait une capacité de 15 000 chansons, de 25 000 photos et était munie d'un écran couleur de 6 centimètres. Évidemment, l'appareil pouvait lire les clips vidéos et permettre d'y stocker des photos. Puis, un tout autre modèle, de 80 Go celui-là, permettait aux consommateurs de visionner des films et des émissions de télévision, de jouer aux nouveaux jeux créés pour l'iPod, d'écouter des baladoémissions ou des livres audio ou encore de regarder des photos, en plus de pouvoir contenir plus jusqu'à 20 000 chansons. Aujourd'hui, la sixième génération de cet appareil offre 160 Go et des fonctionnalités impressionnantes telles que le logiciel FaceTime, qui permet des conversations vidéo, un écran haute résolution Retina, une caméra HD intégrée et un centre de divertissement, le tout supporté par le puissant processeur A4. Bien entendu, les clients peuvent toujours acheter en ligne des vidéoclips, des films tels que *Hunger Games : La révolte* ou des séries de télévision comme *Homeland*. Dans le domaine, certains craignent que ce visionnement « sans télévision » nuise aux cotes d'écoute et, au final, ce pourrait être le cas, mais l'iPod vidéo est un bel exemple du changement de paradigme qui s'est amorcé depuis quelques années déjà.

L'avenir

La réussite de l'iPod est telle que certains analystes affirment qu'il serait plus avantageux pour Apple de commercialiser des produits électroniques de divertissement et de consommation que des ordinateurs. À titre de directeur général de l'entreprise, Steve Jobs jouissait d'une excellente réputation. Il était encensé pour son génie créatif, pour sa capacité à mener à bien le développement de nouveaux produits, de l'idée de départ jusqu'à leur lancement, et pour sa capacité à reconnaître les innovations révolutionnaires qui transforment le marché.

iPod shuffle, iPod touch ou iPod nano, comme ici en photo... Dans le domaine des lecteurs MP3, Apple résistera-t-elle à la guerre des prix et des capacités de stockage lancée par ses multiples concurrents ?

Une telle réputation est difficile à maintenir. Après ses innovations récentes comme l'iPad, Apple réussira-t-elle à garder le cap et à continuer d'inventer de nouveaux produits avec un tel succès ? Les réponses à ces questions dépendent de tant de facteurs qu'il est impossible de les connaître. Pour l'instant, Apple profite de sa réussite et se prépare pour l'avenir.

L'iPod d'Apple possède une part imposante du marché des lecteurs de musique à disque dur, laquelle se situe autour de 90 %. Toutefois, il commence à avoir des concurrents féroces, lesquels ont obtenu une certaine reconnaissance des consommateurs et sont parvenus à enregistrer de bonnes ventes. Cependant, ces derniers font face aux mêmes problèmes que tous les lecteurs : il n'y a pas autant d'accessoires compatibles avec eux qu'avec l'iPod, la synchronisation de l'appareil avec l'ordinateur est loin d'être aussi facile et leur simplicité d'utilisation n'est pas de taille face au langage développé par Apple. Certains analystes croient que ce secteur d'activité connaîtra une concurrence de plus en plus féroce au cours des prochaines années quand le marché deviendra plus courant et que la guerre des prix s'amorcera. Par contre, ils s'attendent tout de même à ce que l'iPod domine le marché des lecteurs portatifs de grande capacité. La notoriété de la marque ne cesse d'augmenter d'année en année à mesure que des entreprises se joignent à Apple pour rendre l'iPod plus simple, plus branché et plus visible que jamais.

Questions

1. L'un des plus importants facteurs qui influent sur le potentiel de marché d'une innovation est la capacité à offrir un produit qui se distingue, dont le caractère est unique et dont la valeur est supérieure aux yeux des consommateurs. Expliquez dans quelle mesure Apple y est parvenue avec l'iPod et ses modèles subséquents, dont l'iPod shuffle, l'iPod nano, l'iPod touch, et enfin l'iPad, qui lui aussi offre des fonctionnalités multimédias hors pair.

2. À votre avis, à quelle phase de son cycle de vie se trouve l'iPod aujourd'hui ? Pourquoi ?

3. Décrivez les différents types d'acheteurs de l'iPod qui ont intégré le marché jusqu'à présent. Pensez-vous que la majorité tardive et les acheteurs réfractaires commencent à joindre les rangs des acheteurs ?

CHAPITRE 11

OBJECTIFS D'APPRENTISSAGE

Après avoir lu ce chapitre, vous devriez être en mesure :

OA **1** de définir ce qui distingue la mise en marché d'un service de celle d'un produit et d'appliquer le modèle IHIP : Intangible, Hétérogène (variable), Indissociable de la production et de la consommation (simultané), Périssable ;

OA **2** d'expliquer la nécessité pour le gestionnaire marketing de maîtriser le développement et la gestion d'un service ;

OA **3** d'expliquer l'importance pour le gestionnaire marketing de comprendre et de gérer les attentes des clients ;

OA **4** de décrire les stratégies qu'une entreprise peut mettre en œuvre pour amener ses employés à offrir un meilleur service ;

OA **5** de présenter trois stratégies de reconquête de la clientèle.

Le service :
un produit intangible

Si vous voulez vous débarrasser de vos meubles d'étudiant, de vieux électroménagers ou de divers rebuts, qui appellerez-vous ? Selon un sondage mené par Ipsos Canada, l'entreprise 1-800-GOT-JUNK? est la plus importante entreprise de collecte de rebuts. Brian Scudamore a fondé celle-ci à Vancouver en 1989 pour payer ses frais d'université. Aujourd'hui, l'entreprise, dont la valeur s'élève à 158 millions de dollars, exerce ses activités dans plus de 300 villes au Canada, aux États-Unis et en Australie, et elle vise à devenir le leader de la collecte d'objets divers, le Starbucks de la collecte de rebuts[1].

La société a créé sa marque avec soin en planifiant jusqu'aux couleurs bleue et verte qui ornent ses camions. Ces couleurs contribuent à rendre le service plus tangible, un aspect crucial pour les entreprises de services qui vendent de l'invisible. En effet, les clients de 1-800-Got-Junk n'ont aucun rappel tangible du service qui leur a été fourni, à l'exception peut-être de l'espace supplémentaire dont ils disposent désormais dans leur garage ou leur sous-sol. Les camions rutilants annoncent la qualité et le professionnalisme de l'entreprise. Au lieu d'acheter sa notoriété grâce à la publicité traditionnelle, 1-800-Got-Junk fait sensation localement avec ses camions aux couleurs brillantes, ses pancartes de pelouse et ses employés enthousiastes. Auteurs de plus d'un millier d'articles, les responsables des relations publiques de 1-800-Got-Junk ont accru la notoriété de l'entreprise et communiqué leur message à des millions de consommateurs en participant aux émissions *Dr. Phil* et *The Oprah Winfrey Show*. Entre 2009 et 2013, l'entreprise a participé à l'émission documentaire américaine *Hoarders*, dédiée aux personnes souffrant de syllogomanie (trouble poussant à accumuler de nombreux objets souvent inutiles, sans égard à leur valeur ou à leur dangerosité), ce qui a eu pour effet d'augmenter la notoriété de la marque. En Ontario, 1-800-Got-Junk a lancé une campagne rentable destinée à attirer de nouveaux clients en remettant aux utilisateurs de ses services un chèque-cadeau de 20 $ échangeable au Beer Store. Cette alliance avec le Beer Store allait de soi, puisque l'importante clientèle masculine de celui-ci est la principale cible des services offerts par 1-800-Got-Junk[2].

Trouver et garder des employés capables d'assurer un service à la clientèle impeccable est une autre clé de la réussite des entreprises de services. Embaucher des gens formidables et les traiter avec respect, voilà un principe auquel 1-800-Got-Junk adhère et qui lui permet d'offrir à ses clients un service exceptionnel.

Le recrutement s'est trouvé grandement facilité après que l'entreprise eut été classée comme le meilleur employeur de la Colombie-Britannique deux années de suite. Cette reconnaissance publique a non seulement retenu l'attention des médias, mais a aussi contribué à attirer de nouveaux employés sur un marché de l'emploi difficile. Comme les employés des entreprises de services sont les ambassadeurs de celles-ci, le personnel de 1-800-Got-Junk porte une chemise bleu vif ornée du logo de la compagnie, qui contribue à présenter une image uniforme – sans jeu de mots – aux clients. Vu l'importance des stratégies visant à préserver l'enthousiasme et la motivation des employés, l'entreprise encourage ces derniers à afficher leurs suggestions sur un mur baptisé « *Can you imagine?* » (« Imaginez que... ») au siège social. Parmi les idées proposées jusqu'ici, mentionnons celles d'insérer un camion miniature au logo de l'entreprise dans les repas Joyeux festin de McDonald's et d'apposer ce logo sur un Boeing 737[3]. La société s'est engagée à collecter les rebuts de façon responsable et surveille en permanence sa performance environnementale en mesurant la quantité de rebuts ramassés et leur destination. Elle recycle autant de rebuts que possible et donne les articles ménagers ou commerciaux réutilisables à des organismes de bienfaisance locaux. Un rapport d'audit montre que 40,6 % des rebuts sont recyclés, 16,2 % sont convertis en énergie et 4,5 % sont réutilisés[4].

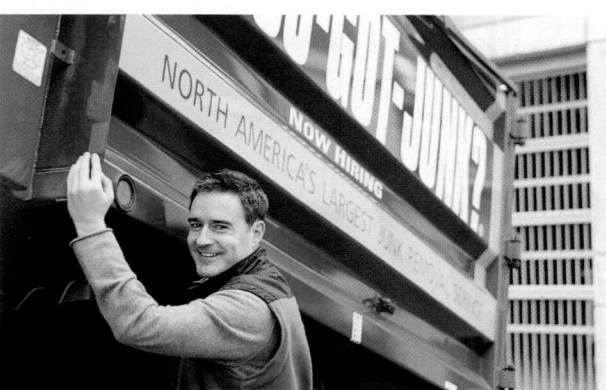

Pour Brian Scudamore, les camions et les uniformes de couleurs vives émettent des signaux tangibles qui indiquent aux clients de 1-800-GOT-JUNK? que cette entreprise n'est pas n'importe quelle entreprise de collecte de rebuts.

1-800-Got-Junk vise un succès aussi phénoménal que celui de Starbucks, de FedEx ou de Southwest Airlines. Son slogan, « *Just get it done* », prouve qu'elle a aussi appris de Nike (dont le slogan est « *Just do it* »).

service à la clientèle
(*customer service*)
Actions tant humaines que mécaniques menées par l'entreprise en vue de satisfaire les besoins et les désirs de ses clients.

L'entreprise 1-800-GOT-JUNK?, qui transforme des rebuts en espèces sonnantes, illustre bien la nature d'une entreprise qui offre des services par opposition à des produits. Alors qu'un service est une offre intangible qui requiert une action, une performance ou un effort qui n'est pas matériel[5], le **service à la clientèle** désigne les actions tant humaines que mécaniques menées par l'entreprise en vue de satisfaire les besoins et les désirs de ses clients. Les entreprises qui offrent un bon service à la clientèle ajoutent de la valeur à leurs produits ou à leurs services.

FEUILLE DE
ROUTE

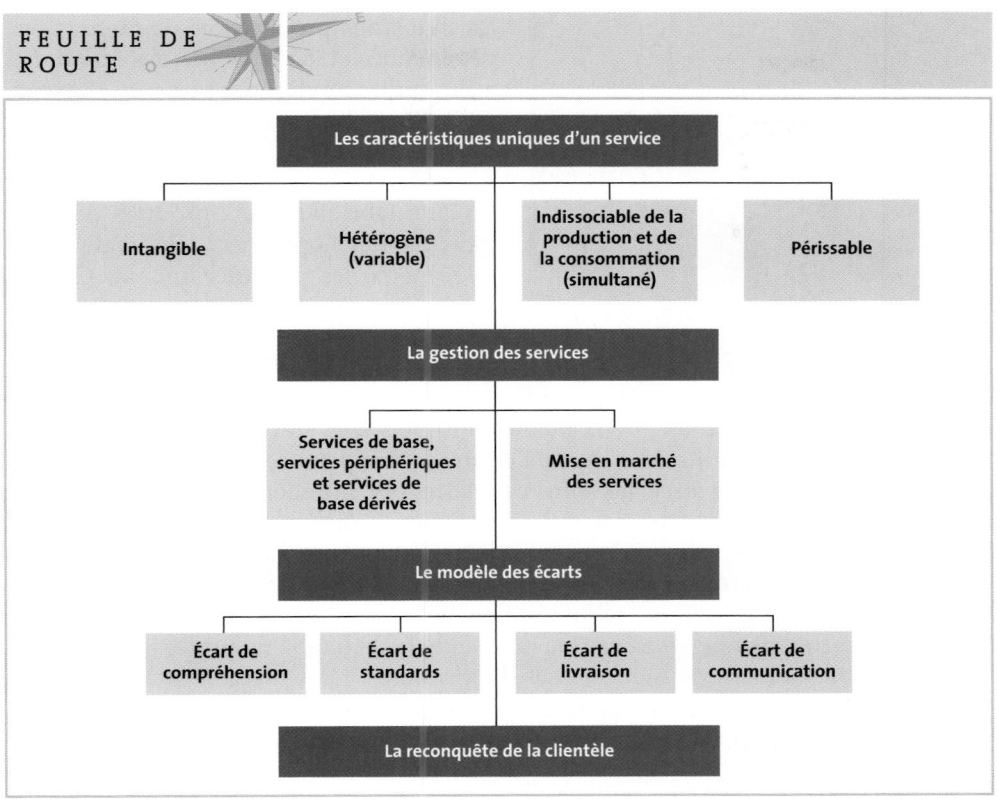

Dans ce chapitre, nous examinerons les caractéristiques uniques qui différencient un service d'un produit. Puis, comme l'indique la feuille de route ci-dessus, nous expliquerons comment les entreprises peuvent offrir un excellent service et utiliser les éléments du modèle des écarts pour mieux répondre aux attentes de leurs clients. Enfin, nous étudierons les moyens que peuvent prendre les entreprises pour se remettre de leurs inévitables échecs relatifs au service.

La figure 11.1 présente un continuum allant d'un service pur à un produit pur. Certaines entreprises se situent quelque part entre les deux et offrent des services et des produits ou vendent des produits comportant un service « intégré », les restaurants, par exemple. Comme nous l'avons vu dans le chapitre 2, même les entreprises axées principalement sur la vente d'un produit, telles qu'un magasin de vêtements, voient généralement le service comme un moyen de préserver un avantage concurrentiel durable. Dans ce chapitre, nous examinerons tous les types de services, depuis les sociétés qui offrent uniquement des services jusqu'à celles qui utilisent le service comme un outil de différenciation pour vendre des produits tangibles.

Les économies de pays développés comme le Canada sont de plus en plus dépendantes des services. Par exemple, le secteur des services compte pour plus de 70 % de l'économie canadienne, se taille la part du lion en matière d'emplois et croît plus vite que

FIGURE **11.1** Un continuum service-produit

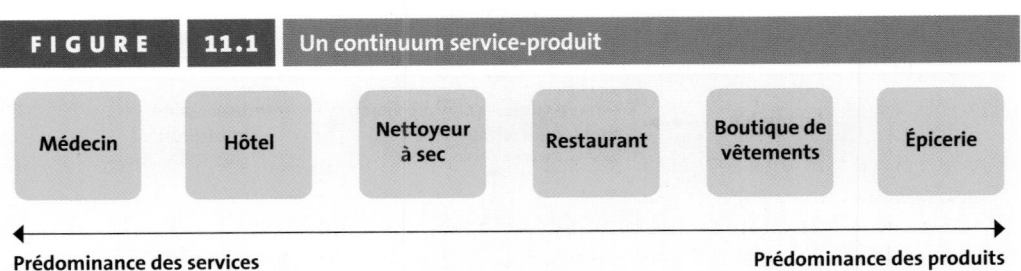

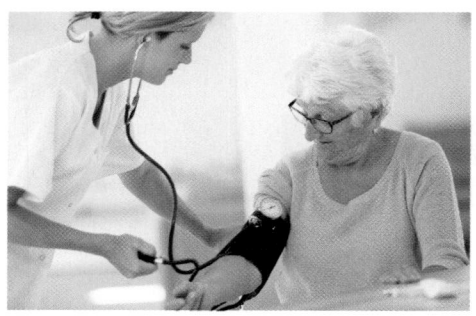

À mesure que la population vieillit, la demande de professionnels de la santé augmente.

les industries productrices de biens. Cette dépendance et la croissance des économies axées sur les services dans les pays développés sont attribuables à plusieurs facteurs.

Premièrement, il est la plupart du temps moins onéreux pour les entreprises de faire fabriquer leurs produits dans les pays en développement. En règle générale, même les produits finis au Canada comportent des composants de fabrication étrangère. Par ailleurs, au Canada et dans d'autres économies semblables, la proportion des services ne cesse d'augmenter par rapport à celle des produits. Deuxièmement, les travaux d'entretien ménager que beaucoup de gens effectuaient eux-mêmes autrefois sont devenus assez spécialisés. Aujourd'hui, la préparation des repas, l'entretien des pelouses, l'entretien ménager, la lessive et le nettoyage à sec, les soins capillaires et l'entretien des automobiles sont souvent des tâches exécutées par des spécialistes. Troisièmement, nous accordons désormais une grande valeur à la commodité et aux loisirs. La plupart des ménages ont peu de temps à consacrer aux tâches ménagères et beaucoup sont prêts à les confier à d'autres en échange d'une rémunération. Quatrièmement, le vieillissement de la population canadienne entraîne une hausse de la demande de professionnels de la santé, et pas seulement de médecins et d'infirmières, mais aussi d'aidants naturels et de soins à domicile. Dans le même ordre d'idées, un nombre croissant de retraités voyagent davantage et utilisent divers types de services axés sur les loisirs.

OA ① Le marketing d'un service diffère du marketing d'un produit

Le marketing d'un service diffère du marketing d'un produit en raison des quatre caractéristiques uniques d'un service : il est intangible, hétérogène, indissociable de la production et de la consommation et périssable[6] (*voir la figure 11.2*). Pour mieux mémoriser ces différences, il peut être utile de les voir comme le modèle IHIP du service[7] : Intangible, Hétérogène (variable), Indissociable de la production et de la consommation (simultané) et Périssable. Ces différences rendent la commercialisation d'un service beaucoup plus complexe que celle d'un produit. Dans les paragraphes suivants, nous examinerons ces quatre différences et expliquerons leur incidence sur les stratégies de marketing.

L'intangibilité

Comme le sous-entend le titre de ce chapitre, la principale différence entre un produit et un service tient au fait que le second est intangible : contrairement à un produit, qui

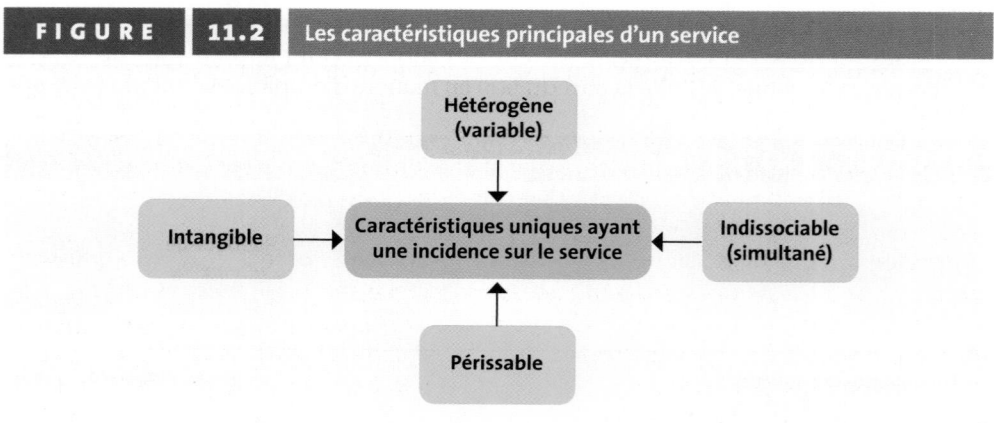

FIGURE **11.2** Les caractéristiques principales d'un service

est tangible, on ne peut toucher le service, le goûter ou le voir. Lorsque vous consultez un médecin, vous voyez et entendez le médecin, mais le service qu'il vous fournit est intangible. Cette **intangibilité** constitue parfois un défi de taille pour les gestionnaires marketing. En effet, elle complique la description des avantages ou des bienfaits liés à un service : ainsi, essayez de dire si votre expérience chez le dentiste était bonne ou mauvaise et pour quelles raisons.

Les fournisseurs de soins de santé (p. ex., les médecins et les dentistes) donnent des signes tangibles à leurs clients pour leur permettre d'expérimenter et de percevoir leur service sous un angle plus positif : une salle d'attente dotée d'un téléviseur, de jeux informatiques et de jouets pour enfants, des boissons de qualité et des chaises confortables, le tout destiné à créer une atmosphère attrayante aux yeux de leur marché cible.

De même, Starbucks continue d'améliorer son service en offrant à sa clientèle une atmosphère agréable et détendue pour boire un café, travailler, lire ou bavarder avec des amis. L'entreprise ajoute ainsi des aspects tangibles à son service en offrant une atmosphère calme et envoûtante à ses clients et en proposant une connexion WiFi gratuite.

La Banque Royale du Canada (RBC) a créé *ma*GestionFinancière, un outil de gestion financière en ligne qui permet de suivre ses dépenses, de classer ses transactions et d'établir des budgets pour ses comptes bancaires et ses cartes de crédit[8]. Cet outil améliore l'offre de service de RBC et rend l'expérience bancaire plus tangible en aidant les clients à gagner du temps et à économiser de l'argent. Consultez la rubrique Marketing et médias sociaux, à la page suivante, pour voir comment Cineplex Divertissement rend ses services plus tangibles pour sa clientèle.

De plus, comme un service ne peut pas être montré directement aux clients potentiels, il est difficile à promouvoir et à vendre. Pour ce faire, les gestionnaires marketing doivent employer des symboles et des images de façon créative. Par exemple, Walt Disney World se sert de sa publicité pour évoquer des images de familles heureuses ainsi que des souvenirs nostalgiques de la souris Mickey et de visites antérieures au parc thématique. De même, le Cirque du Soleil, considéré comme le meilleur produit culturel exporté du Canada, ajoute de la tangibilité à ses spectacles en mettant en scène des numéros d'acrobatie fascinants sur une musique originale interprétée devant public. L'expérience tout entière des spectateurs est soigneusement orchestrée de façon à créer des impressions mémorables – les toilettes présentes sur les emplacements ont même l'eau courante[9]. Les services médicaux présentent des images convenables de professionnels s'acquittant de leurs tâches en blouse blanche et entourés d'un équipement de pointe. Les dentistes offrent à leurs clients une preuve tangible de leur visite sous la forme d'une brosse à dents gratuite. Les établissements d'enseignement annoncent la qualité de leurs services en vantant leurs facultés et leurs étudiants célèbres de même que les agréments qu'ils ont reçus. Ils ont souvent recours aussi à des images d'étudiants heureux en train d'écouter attentivement un enseignant ou d'exercer un métier lucratif.

Comme un service est intangible, les gestionnaires marketing ont recours à des images qui mettent en évidence ses bienfaits ou sa valeur. Les prestataires de services professionnels, comme les médecins, les avocats, les comptables et les consultants, dépendent fortement de l'image d'intégrité et de crédibilité qu'ils présentent aux consommateurs. Pourtant, les campagnes publicitaires de certains de ces professionnels ont été critiquées par leurs pairs et par des groupes de protection des consommateurs. Le comportement d'un avocat spécialisé dans l'indemnisation du préjudice corporel qui a eu recours à des tactiques de marketing trop énergiques pour attirer des clients tout en cherchant à préserver une image intègre et crédible ou encore l'invention d'une technologie qui porte atteinte à la vie privée (*voir la rubrique Question d'éthique, p. 349*) représentent des situations qui provoquent des tensions.

intangibilité (*intangible*)
Fait, pour un service, de ne pouvoir être touché, goûté ou vu, contrairement à un produit tangible.

Dans les cafés Starbucks « Hear Music », les clients peuvent acheter des CD, siroter une boisson, écouter de la musique et se créer des CD personnalisés.

Marketing et médias sociaux

Cineplex crée une communauté autour du divertissement

Le lancement d'une communauté de réseautage social virtuelle (mycineplex.com) a donné à Cineplex Divertissement l'occasion d'expérimenter les médias sociaux. Devant le succès initial de son site Web, l'entreprise s'est empressée d'y ajouter une page Facebook, des concours, des sondages et des séances de questions et réponses afin d'encourager les interactions entre ses adeptes. Elle a publié des vidéos sur YouTube et créé une plateforme de partage de signets afin d'accroître la notoriété de sa marque et de communiquer le message que mycineplex était plus qu'un endroit où simplement vérifier les horaires des films.

L'adhésion à mycineplex est gratuite et rend plus concret un service par ailleurs intangible. La communauté virtuelle améliore l'expérience de divertissement pour les amateurs de cinéma, qui peuvent critiquer les films et en discuter avec d'autres adeptes. Les membres ont accès à des services uniques, comme des concours exclusifs, des projections de films en avant-première, des infolettres personnalisées et l'achat de billets en ligne et sur mobile[10]. Ainsi, Cineplex

a lancé, en exclusivité pour ses membres, un concours visant à promouvoir la sortie de la superproduction *Anges et démons*, inspirée du roman de Dan Brown. Ce concours donnait aux membres la chance de gagner des prix et illustrait ainsi certains avantages plus tangibles de l'adhésion au site.

En outre, son site permet à Cineplex de résoudre en partie le problème de la périssabilité de ses services. Les sièges vides des salles de cinéma ne peuvent être stockés pour un usage futur. En exploitant des outils de médias sociaux comme Facebook et Twitter, Cineplex incite ses membres à s'impliquer davantage afin de leur fournir des mises à jour au moment opportun. L'interactivité du site Web donne aux membres une foule de raisons d'aller plus souvent au cinéma de sorte qu'ils dépendent moins des médias grand public et passent plus de temps à bâtir une relation avec Cineplex. Il semble que les efforts de l'entreprise portent des fruits; en effet, malgré l'effondrement des marchés boursiers en 2008, l'affluence dans les salles de cinéma a augmenté, tout comme les revenus de l'entreprise.

L'interactivité du site Web de Cineplex donne aux membres une foule de raisons d'aller plus souvent au cinéma.

L'hétérogénéité

Plus le nombre d'êtres humains qui offrent un service est grand, plus la qualité de ce service a des chances d'être variable (hétérogène) ou inconstante. Une coiffeuse peut réaliser des coupes médiocres le matin parce qu'elle s'est couchée tard la veille; pourtant, elle peut offrir un meilleur service que la coiffeuse insuffisamment formée qui travaille dans le salon de coiffure de la rue voisine. Les restaurants, qui fournissent un mélange de services et de produits, peuvent habituellement gérer la qualité de la nourriture, mais non **l'hétérogénéité (ou variabilité)** de la préparation ou de la livraison des mets. Si un produit fonctionne mal, il peut être remplacé, refait, détruit ou, s'il se trouve déjà dans la chaîne d'approvisionnement, rappelé. Dans bien des cas, le problème peut être corrigé avant même que le produit n'arrive aux consommateurs. Cependant, un service médiocre ne peut pas être rappelé; au moment où l'entreprise reconnaît le problème, le préjudice est déjà causé.

Les gestionnaires marketing comme ceux de Starbucks s'efforcent de réduire la variabilité de leur service grâce à la formation et à la standardisation. Enterprise Rent-A-Car, par exemple, entend normaliser ses services dans toute l'Amérique du Nord et, dans ce but, elle offre une formation poussée à ses associés. Si vous allez au comptoir d'Enterprise Rent-A-Car de n'importe quel aéroport, il y a de bonnes chances que vous y trouviez le même accueil personnalisé. Les chauffeurs des navettes aéroportuaires vont charger et décharger vos bagages. À votre descente de la navette, on vous appellera par votre nom et votre voiture sera prête en quelques

hétérogénéité (ou variabilité) (*heterogeneity [variability]*) Caractéristique d'un service. Étant donné que le service est offert par un humain, sa qualité peut varier d'une fois à l'autre.

Question d'éthique

Protéger ses renseignements personnels sur Facebook

Il est presque impossible de parler de médias sociaux sans aborder la question de la confidentialité. Les gestionnaires marketing doivent réfléchir à cet enjeu, car il influe sur l'utilisation et le choix des sites de médias sociaux. À l'heure actuelle, 75 % des utilisateurs de médias sociaux affirment que la sécurité des informations est importante ou très importante pour eux et le quart environ appréhende un vol d'identité en ligne[11]. Des sites comme ESET Social Media Scanner vous permettent même de vérifier votre profil pour déterminer la quantité de renseignements personnels que vous partagez publiquement.

La confidentialité sur Facebook est un sujet particulièrement chaud. En 2010, réagissant à l'inquiétude des utilisateurs à cet égard, les Torontois Joseph Dee et Matthew Milan ont mis en ligne le site Quit Facebook Day[12]. Loin de réclamer la désinscription définitive de 400 millions d'utilisateurs, cette initiative visait à mettre la question de la confidentialité et du respect de la vie privée à l'avant-plan. Les jeunes sont au courant de cet enjeu et comprennent l'importance de vérifier l'exactitude de leurs profils virtuels afin de gérer leur réputation en ligne. Environ la moitié des internautes de 18 à 29 ans ont déjà supprimé des commentaires publiés par des tiers sur leur profil ou éliminé des mots clés comprenant leur nom attachés à des photos[13]. Cette attention est critique lorsque les aspirations professionnelles et les vies personnelles peuvent s'entrecroiser. C'est le cas lorsque des employeurs potentiels parcourent les profils des médias sociaux avant d'embaucher des candidats.

Les internautes ont exprimé leurs préoccupations au sujet de la collecte et de

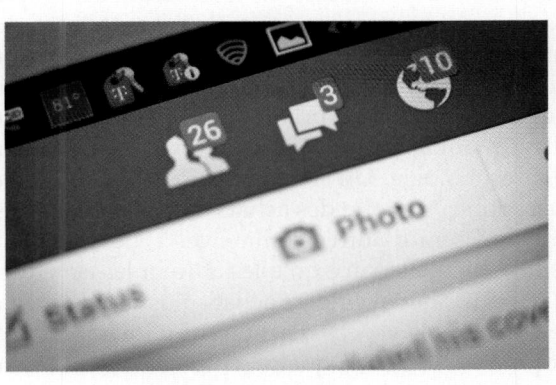

La confidentialité, sur Facebook comme sur la plupart des médias sociaux, est une question majeure tant pour les utilisateurs que pour les fournisseurs.

l'utilisation de renseignements personnels par Facebook et de la façon dont ceux-ci sont partagés. Les utilisateurs de Facebook sont forcés de se colleter avec plus de 100 paramètres différents pour protéger leurs renseignements personnels, une tâche ardue pour ceux qui s'inquiètent de l'usage qui est fait de ces données et souhaitent limiter celui-ci[14]. En réaction au tollé déclenché par les défenseurs de la confidentialité, Facebook a simplifié son système et l'a réduit à 15 paramètres. Mark Zuckerberg, le cofondateur de Facebook, a été tenu sur la sellette à ce sujet. Il a reconnu l'importance de diminuer le nombre de réglages de confidentialité et affirmé que les utilisateurs doivent pouvoir contrôler leurs renseignements personnels. « Les gens veulent partager des choses [...] ; si nous leur donnons la possibilité de contrôler ce qu'ils partagent, ils voudront partager davantage[15]. »

Le tollé général à propos du manque de confidentialité ne semble pas avoir freiné l'utilisation des sites de médias sociaux. Même si les utilisateurs se disent préoccupés par la protection de leur vie privée, seulement 35 % d'entre eux choisissent les réglages haute sécurité pour protéger leurs informations personnelles et plus de 80 % ne craignent aucunement de divulguer leur nom, leur sexe et leur adresse électronique. La plainte la plus courante a trait au fait que les sites de médias sociaux qui ne garantissent pas la sécurité des informations provoquent une augmentation des publicités non désirées[16]. Les gestionnaires marketing doivent comprendre ce type de préoccupations et y répondre s'ils ne veulent pas s'exposer à une réaction brutale de la part des consommateurs.

---

minutes. Ce service courtois et soigné est attribuable aux standards précis du service établis par l'entreprise et à son excellent programme de formation.

Les gestionnaires marketing peuvent aussi tirer parti de la nature variable des services. Ainsi, le micromarketing permet de personnaliser un service pour qu'il réponde parfaitement aux besoins des clients (*voir le chapitre 8*). Les préposés de l'entreprise de services technologiques Nerds On Site se rendront chez vous ou à votre bureau pour effectuer n'importe quelle réparation ou maintenance dont votre ordinateur a besoin : la configuration d'un réseau, le nettoyage de votre disque dur ou encore la conception ou l'hébergement de votre site Web. Comme chaque client a des besoins différents,

Chez Nerds On Site, chaque client est associé à un crack de l'informatique en fonction de ses besoins.

Nerds On Site emploie divers consultants dotés de compétences très variées. Chaque client est associé à un *nerd* («crack de l'informatique») en fonction de ses besoins, ce qui permet à l'entreprise de lui offrir un service entièrement personnalisé.

Toutefois, ce type de micromarketing peut être onéreux, surtout pour les entreprises multiservices. De plus, les consommateurs risquent de devenir confus et même irrités s'ils doivent payer chaque service à l'unité. Imaginez un hôtel qui déclinerait ses services à la carte: lit, serviette, pain de savon, utilisation de la télé et plongeon dans la piscine. Normalement, les prestataires de services offrent des forfaits qui englobent tous leurs services dans un seul prix. Ainsi, le Club Med offre des forfaits vacances pour un prix unique, qui peut comprendre, par exemple, le trajet en avion de Montréal jusqu'à Punta Cana, en République dominicaine, le logement, les repas, les goûters, les boissons ainsi que les activités sportives et de loisir pour environ 1 800 $ – et vous pouvez amener un ami pour 1 000 $ de plus[17]!

Certains prestataires de services ont recours à une approche différente pour réduire la variabilité de leurs services: ils remplacent des employés par des machines. Pour de simples transactions comme retirer de l'argent, il est plus rapide et plus pratique d'utiliser un guichet automatique que de faire la queue pour voir un caissier – et le service est moins variable. Les caisses libre-service se multiplient à la vitesse de l'éclair dans les épiceries et les magasins à prix réduits. Même les librairies se sont mises à la page avec une telle technologie. Habitués à se servir, les Canadiens ont rapidement adopté cette nouvelle technologie. Un sondage Ipsos/NCR a révélé que 56 % des Canadiens sont plus susceptibles de faire des achats dans des magasins qui disposent de caisses libre-service qu'au sein d'autres commerces[18]. Ces caisses connaissent un franc succès et fidélisent la clientèle parce qu'elles attirent les acheteurs pressés. Ceux-ci sont persuadés qu'ils pourront payer leurs achats plus rapidement en faisant appel à ces machines. Malgré leur prix élevé, ces machines diminuent les coûts de la main-d'œuvre, car un caissier peut surveiller de quatre à huit caisses en même temps. De plus, les machines n'ont pas besoin de formation, ne sont jamais en retard ni de mauvaise humeur.

Le recours à la technologie pour la prestation d'un service engendre d'autres problèmes. Certains clients soit n'aiment pas l'idée de remplacer des êtres humains par des machines pour les transactions commerciales, soit ont de la difficulté à utiliser la technologie. Dans d'autres cas, la technologie fonctionne mal, comme lorsque le lecteur optique d'une caisse libre-service n'arrive pas à lire le code d'un produit ou qu'un guichet automatique est à court de billets ou hors d'usage.

Internet a réduit la variabilité des services dans plusieurs domaines. Les clients qui achètent des services pour un voyage (billet d'avion, chambre d'hôtel, voiture de location), des billets pour un concert ou pour une séance de cinéma, qui souscrivent une assurance ou un prêt hypothécaire peuvent le faire en utilisant Internet sur un ordinateur, une tablette ou un téléphone cellulaire. Cineplex a par ailleurs créé une application pour les téléphones intelligents permettant aux utilisateurs d'acheter leurs billets en ligne et d'obtenir de l'information sur les films (salles, horaires). Cette application technologique réduit du même coup la variabilité du service pour le consommateur et les coûts pour l'exploitant du cinéma. Elle offre aussi au client une plus-value en lui permettant de consulter des bandes-annonces ou de vérifier le solde de sa carte de fidélité, par exemple, et de contacter le Service à la clientèle par courriel ou par téléphone en cas de nécessité.

Internet ne fait pas que faciliter les achats. Au YMCA William Lutsky d'Edmonton, les membres peuvent utiliser le système informatique FitLinxx pour suivre leur performance en culture physique. Les nouveaux utilisateurs se fixent des objectifs, choisissent leur type d'entraînement ainsi que leur horaire et reçoivent des programmes d'exercice détaillés. Par exemple, l'utilisateur qui clique sur «Abdominaux» a le choix entre au moins 14 programmes d'exercices axés sur les muscles abdominaux. FitLinxx mémorise les programmes des utilisateurs, les conseille individuellement d'une séance d'exercice à l'autre et enregistre leurs progrès au fil du temps. Le logiciel non seulement est bénéfique pour la santé des utilisateurs, qui profitent d'un entraînement constant, mais il fidélise les clients. De plus, la plupart des utilisateurs s'entraînent plus souvent que la moyenne des gens[19].

Les caisses libre-service améliorent-elles ou gâtent-elles la perception que les consommateurs ont du service ?

L'indissociabilité de la production et de la consommation

Une autre différence entre un service et un produit est l'**indissociabilité (ou simultanéité)**, c'est-à-dire le fait que le service est produit et consommé au même moment ; en effet, le service et sa consommation sont indissociables. C'est pourquoi certains gestionnaires marketing astucieux offrent à leurs clients la possibilité de participer directement à la production du service. Les fournisseurs de soins de santé, par exemple, ont découvert que plus ils permettent à leurs clients de participer à l'élaboration de leur traitement, plus ces derniers sont satisfaits[20].

Comme le service est indissociable de sa consommation, les clients ont rarement la possibilité de l'essayer avant de l'acheter. Et une fois le service fourni, il ne peut pas être retourné au magasin. Imaginez que vous exprimiez le souhait de subir un «plombage d'essai» avant que le dentiste ne commence à fraiser votre dent ou d'essayer une nouvelle coiffure avant que votre coiffeur ne coupe plusieurs centimètres de votre chevelure. Comme, dans ces situations, le risque associé à l'achat peut être relativement élevé, les entreprises de services offrent parfois des garanties prolongées ou des garanties de satisfaction. C'est le cas de First Choice Haircutters, qui annonce des soins «abordables, professionnels, et garantis». Dans de nombreux hôtels (p. ex., Comfort Inn, Comfort Suites, Quality Inn, Sleep Inn, Clarion), des affiches indiquent aux clients : «Si vous n'êtes pas satisfait de votre chambre ou du service, veuillez en aviser la réception le plus rapidement possible afin de donner à notre personnel la possibilité de remédier au problème. S'il est incapable de vous satisfaire, vous aurez droit jusqu'à une nuitée gratuite[21].»

Indissociabilité (ou simultanéité) *(inseparable)* Fait, pour un service, d'être produit et consommé au même moment, ce qui signifie que le service et sa consommation sont indissociables.

La périssabilité

Un service est périssable du fait qu'il ne peut être entreposé en vue d'une utilisation future. On ne peut pas empiler des cours de yoga comme un carton de six canettes de bière. La **périssabilité** des services comporte à la fois des défis et des possibilités pour les gestionnaires marketing, qui doivent se livrer à la difficile tâche d'harmoniser l'offre et la demande. Tant que l'offre et la demande sont étroitement assorties, il n'y a aucun problème, mais, malheureusement, cette parfaite harmonie est rare.

Prenons l'exemple d'une station de ski. Elle est en activité tant qu'il y a de la neige et même en soirée, mais la demande culmine pendant les week-ends et les congés. C'est pourquoi les stations de ski offrent souvent des billets moins chers en dehors de ces périodes pour stimuler la demande. Les compagnies aériennes, les croisiéristes, les cinémas et les restaurants font face à des difficultés similaires

périssabilité *(perishability)* État d'un service qui ne peut être entreposé en vue d'une utilisation future.

et les surmontent à peu près de la même manière. Les compagnies aériennes offrent des rabais pour encourager leurs clients à voyager pendant la basse saison et les billets de cinéma coûtent habituellement moins cher pour les représentations en après-midi, moment où la demande est en général moins élevée. Dans le but d'optimiser l'utilisation de ses installations et d'attirer un nouveau public, Cineplex Galaxy diffuse les matchs de la Ligne nationale de hockey dans cinq villes canadiennes depuis 2006. Pour certains amateurs de hockey, cette solution est la meilleure, puisqu'ils peuvent voir une équipe comme les Maple Leafs de Toronto jouer pour une fraction du coût, soit 10,95 $, plutôt que de débourser entre 23 $ et 381 $ au Air Canada Centre[22].

Équilibrer les hauts et les bas de l'offre et de la demande représente un défi de taille. Comme nous l'avons mentionné précédemment, contrairement aux produits, on ne peut constituer des stocks de services. Une demande trop forte oblige les entreprises de services à refuser des clients aux périodes de pointe, tandis qu'une capacité excédentaire peut entraîner des ratios recettes/dépenses décevants. Par exemple, un dentiste doit payer ses hygiénistes dentaires, le loyer et d'autres dépenses même si des patients oublient leurs rendez-vous. C'est pourquoi les cabinets dentaires maximisent leurs installations en appelant les patients pour leur rappeler leur rendez-vous et imposent parfois des frais lorsqu'un patient ne se présente pas à son rendez-vous ou n'annule pas celui-ci avec un préavis suffisant. Les hôtels ont un système qui oblige les retardataires à confirmer l'heure de leur arrivée afin d'éviter de perdre des revenus en retenant les chambres jusqu'à une heure tardive de la journée. Équilibrer les hauts et les bas n'est donc pas chose aisée. Cela l'est encore moins lorsqu'une entreprise doit en même temps faire face à des défis climatiques, ainsi que le relate la rubrique Marketing entrepreneurial ci-contre.

Comme nous venons de le voir, un service présente des défis et des caractéristiques spécifiques. Pour se différencier des concurrents et répondre à la demande des clients, il est possible pour une entreprise de bonifier son offre de service. Dans les pages suivantes, nous présenterons justement comment une organisation peut développer son service et le gérer au moyen des quatre « P » du marketing mix, mais aussi à l'aide de trois autres variables spécifiques aux services.

Étant donné que les services sont périssables, les prestataires de services comme les stations de ski offrent des billets moins chers pour le ski en soirée afin de stimuler la demande.

| Marketing entrepreneurial | L'aventure du parc Calypso |

Guy Drouin mise sur le fait que, peu importe la conjoncture économique, les gens sont toujours en quête de divertissements. Il espère bien qu'ils les trouveront au parc Calypso, l'un des plus gros parcs aquatiques thématiques du Canada. Drouin s'intéresse aux parcs thématiques depuis 1963, année où son père a commencé à faire payer les lugeurs qui voulaient dévaler sa colline à Québec. Lorsque Drouin a repris l'entreprise en 1971, il a modernisé les installations, construit des pistes de ski de fond et de patinage et organisé le premier événement hors-saison, une compétition de motos[23]. Au cours des 10 années suivantes, il a continué à étendre les activités hivernales offertes au Village Vacances Valcartier et, en 1980, il y a construit des glissades d'eau.

À l'époque, les parcs aquatiques étaient rares. Depuis, ils se sont multipliés et, aujourd'hui, il en existe plus de 1000 en Amérique du Nord selon la World Waterpark Association. Au cours de l'été 2008, environ 80 millions de personnes se sont rendues dans un parc aquatique au Canada, aux États-Unis et au Mexique, et la fréquentation de ces parcs a augmenté de 3 à 5 % chaque année depuis 5 ans[24].

C'est donc en toute logique que Drouin a agrandi son entreprise en construisant le parc Calypso, qui a ouvert ses portes en 2010. Situé à Limoges, en Ontario, ce parc comporte 35 glissades d'eau et offre une grande variété d'activités, y compris 2 terrains de volley-ball de plage de calibre international. Bien que Limoges soit une petite ville, ce parc aquatique de 40 hectares est situé à quelque 20 minutes d'Ottawa et à 75 minutes de Montréal. Son emplacement dans la région d'Ottawa-Gatineau a été soigneusement choisi en

Une visite au parc Calypso est une aventure grisante grâce à des jeux d'eau comme Pirate's Aquaplay.

fonction des données démographiques. En effet, selon Statistique Canada, le revenu familial moyen y était alors de 75 200 $ comparativement au revenu national moyen, qui s'élevait à 68 800 $[25]. Mieux encore, le parc n'avait aucun concurrent dans un rayon de 100 kilomètres.

Dans un parc comme le Calypso, les aléas du temps compliquent énormément la gestion des variations de la capacité et de la demande. Les visiteurs fréquentent les parcs d'amusement même quand le temps est maussade, mais ils vont au parc aquatique uniquement quand il fait beau. Or, comme le parc Calypso ouvre seulement l'été, le mauvais temps peut être catastrophique dans son cas, une difficulté qui est épargnée à son cousin québécois, le Village Vacances Valcartier, ouvert tout au long de l'année. Parc aquatique l'été, ce dernier se transforme en terrain de jeux pour les mordus de plein air en hiver.

Afin de défier les aléas météorologiques, Drouin maintient la température de l'eau de ses glissades d'eau à 27 °C, ce qui est assez chaud pour que les visiteurs viennent en grand nombre même par temps frais[26]. Ceux-ci bénéficient d'un autre avantage sous la forme de « Mon argent au bout du doigt », un système de paiement basé sur la technologie biométrique, qui leur permet de télécharger de l'argent afin de pouvoir acheter de la nourriture, des boissons ou d'autres marchandises[27]. La possibilité d'effectuer des achats sans mouiller son portefeuille compense pour l'inconstance du service et ajoute à l'expérience globale des visiteurs. Le souci du détail qu'illustre cette mesure, allié à l'atmosphère antillaise chaleureuse du parc Calypso, devrait plonger les clients dans un tourbillon de plaisirs.

La gestion des services

OA 2

Nous venons de voir les principales spécificités du marketing d'un service au travers de quatre caractéristiques que de nombreux experts de la discipline nomment IHIP. Il est aussi primordial de comprendre comment une entreprise peut développer des services et comment elle les gère. Ainsi, nous aborderons les notions de services de base, de services périphériques et de services de base dérivés dans un premier temps, avant de nous intéresser au marketing mix spécifique des services.

Les services de base, les services périphériques et les services de base dérivés

La plupart d'entre vous sont étudiants dans une université canadienne. Les universités, tout comme les écoles, les collèges ou les centres de formation donnent un enseignement et une formation dans une grande variété de disciplines et se catégorisent dans le secteur des services comme l'indique le classement du Système de classification des industries de l'Amérique du Nord (SCIAN)[28]. La mission principale de ces maisons d'enseignement est d'offrir une formation à une clientèle spécifique (qui varie selon les intérêts et l'âge des élèves) ; il s'agit ici du service de base.

Ainsi donc, pour une entreprise, le service de base est la raison d'être de l'organisation, celle qui attire des clients ayant un besoin inassouvi. Outre l'exemple de l'enseignement, nous pouvons illustrer d'autres cas d'entreprises œuvrant dans le secteur des services. Ainsi, pour un hôtel, le service de base est l'hébergement pour une nuit ; pour un restaurant, il s'agit du repas ; pour une entreprise de transport, il s'agit du transport. Mais selon les besoins du client, ce service de base peut être différent. Ainsi, un cadre peut aller dans un hôtel pour assister à une conférence ou pour y suivre un séminaire.

Certaines actions sont souvent posées pour soutenir directement le service de base. Pour le service de transport, il s'agit de la vente du billet (train, avion ou autobus), du service de bagages, de la réservation de la place (train et avion notamment), de l'accueil au départ et à l'arrivée (le personnel de bord ou le chauffeur pour un transport en autobus). Ces actions sont des services périphériques. L'objectif principal du service périphérique est d'améliorer le service de base, de lui donner plus de valeur et d'attirer plus de consommateurs. Comme il est difficile, pour ne pas dire impossible de breveter un service (en raison de son caractère intangible notamment), c'est donc vers l'ajout de services périphériques distinctifs que les prestataires de services se tournent.

Par exemple, certaines institutions financières offrent des services novateurs comme le dépôt des chèques par le truchement d'une photo prise avec un téléphone intelligent. Pour un hôtel, et dépendamment de son niveau de prestation, plusieurs services périphériques, plus ou moins importants pour le consommateur, peuvent voir le jour, que ce soit une salle de musculation, une piscine, un accès à Internet, une zone de restauration ou encore un stationnement. Il faut toutefois préciser que ces services ne sont pas tous forcément offerts gratuitement. Certains hôtels facturent la connexion Internet, le stationnement (dont la valeur ajoutée peut s'expliquer : surveillance par caméra, stationnement couvert et chauffé, service de valet). Certains hôtels offrent un petit-déjeuner de base gratuit en libre-service, alors que d'autres facturent un généreux buffet.

Les services périphériques sont donc désormais indispensables à la survie des entreprises, mais aident aussi à prendre le pas sur la concurrence.

Comme de nombreux restaurants, Starbucks offre du café à ses clients. Or, de nombreux concurrents en font autant. Pour se démarquer de ces derniers et se débarrasser de cette image commune du café, l'entreprise a opté pour un positionnement plus haut de gamme, misant sur les aspects tangibles : cafés rares, pâtisseries raffinées. Aux Pays-Bas, Starbucks a aussi ouvert sa plus importante succursale dans une ancienne banque et confié la décoration à des designers : les meubles, l'ambiance, le service à la clientèle, le choix des produits et la décoration confèrent à cet endroit une atmosphère particulière, qui permet à l'entreprise de se démarquer des autres cafetiers[29].

Starbucks cherche aussi à mettre de l'avant son engouement pour les technologies. Aux États-Unis, l'entreprise s'est associée avec Apple pour offrir aux clients des conditions de paiement plus faciles, modernes et sécuritaires[30]. Bien sûr, parmi les autres services périphériques, des cafés comme Starbucks proposent aux clients de consulter gratuitement des revues et d'avoir un accès WiFi gratuit. Voici donc l'offre de services périphériques que l'entreprise met de l'avant pour se distinguer.

Le WiFi gratuit fait partie des nombreux services périphériques offerts par Starbucks.

Admettons maintenant, toujours dans le cas de Starbucks, que certains clients y viennent pour profiter du WiFi gratuit. Pour ces clients, la raison de venir dans le café n'est donc pas pour profiter de l'ambiance, ni consommer une boisson chaude, mais plus pour « abuser » de ce service Internet gratuit. Pour ces clients, le WiFi est un service de base, alors que pour les clients qui consomment du café, il s'agit d'un service de base dérivé. Autrement dit, la raison principale de la consommation de café est celle qui attire les clients ; le WiFi leur permettra de lire leur courriel, de suivre l'actualité,… c'est un plus.

Nous pouvons faire le même raisonnement dans le cadre d'un hôtel. La nuitée constitue le service de base, tandis que l'accueil, le stationnement, le service de valet sont des services périphériques. Quant au restaurant qui serait ajouté pour apporter encore plus de valeur et attirerait à la fois la clientèle de l'hôtel et une clientèle distincte n'ayant pas de réservation de chambre, il s'agirait d'un service de base dérivé. L'hôtel pourrait continuer sa mission d'offrir des chambres pour la nuit, sans ce service.

La figure 11.3 représente un service fonctionnant avec deux services de base. L'enseignement en est un ; la cafétéria en est un autre. Ces deux services s'adressent à des clientèles qui peuvent être différentes ou, au contraire, les mêmes. Enfin, la bibliothèque, le Service aux étudiants, le Service des finances, le stationnement et l'imprimerie constituent des services périphériques (de P1 à P5).

La mise en marché des services : des quatre « P » aux sept « P »

Dans le premier chapitre, nous avons évoqué les quatre composantes (quatre « P ») du marketing mix, soit le produit, le prix, la distribution et la communication. Les spécificités des services (IHIP) nous poussent à étudier trois autres dimensions propres aux services : le personnel, les aspects physiques et le processus. Regardons donc comment se définissent ces sept « P » propres aux services[31].

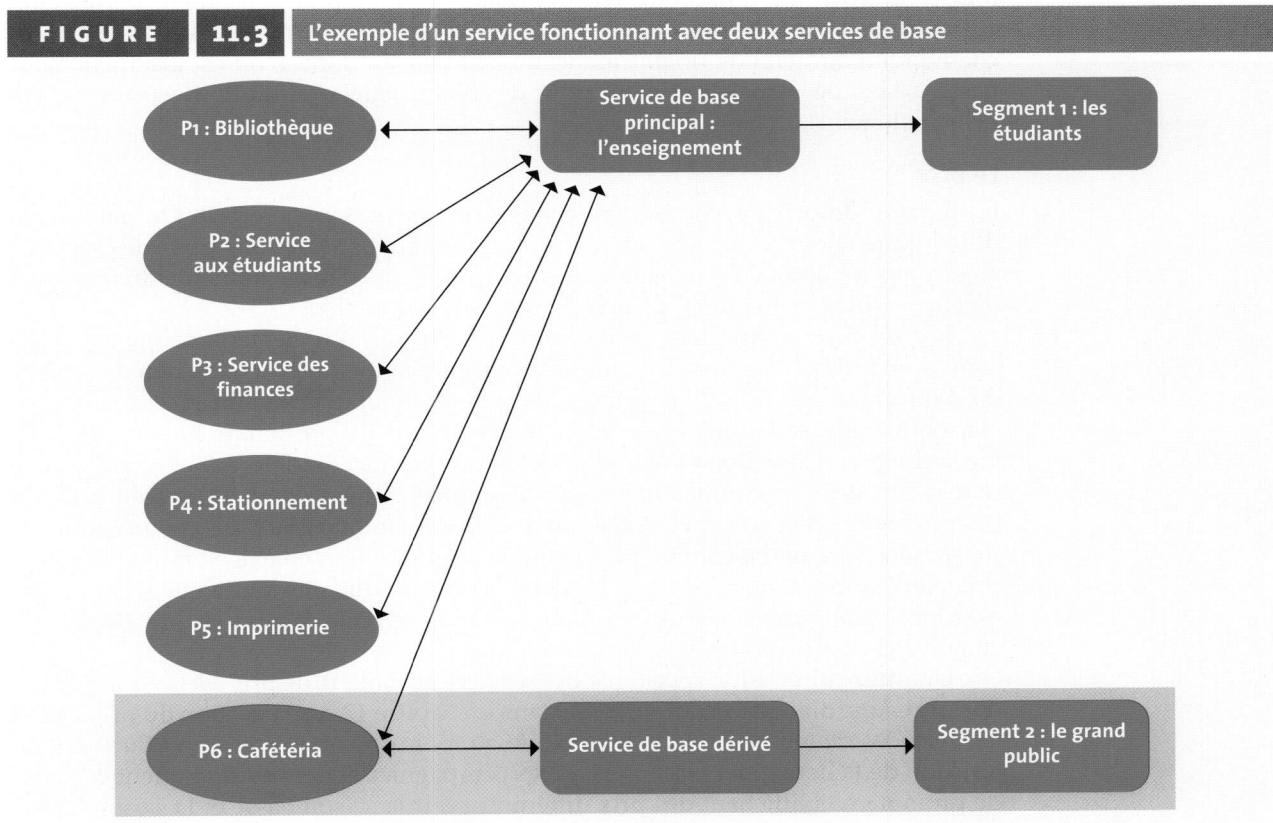

FIGURE 11.3 L'exemple d'un service fonctionnant avec deux services de base

Le produit

À l'instar des entreprises de produits, les entreprises de services proposent généralement une « gamme de services » plutôt qu'un seul. Ainsi, une grande chaîne hôtelière
segmentera son offre selon plusieurs clientèles et proposera plusieurs « services »
selon le niveau de prestation désiré par les clients. Les clients les moins aisés auront
accès à un hôtel offrant des prestations économiques mais décentes ; les plus fortunés,
un service haut de gamme avec de nombreux services périphériques.

Les entreprises de services doivent d'autant plus mettre en valeur leurs marques
et leurs logos que les dimensions tangibles sont peu importantes. La marque est un
repère pour le consommateur, repère qui permet d'instaurer la confiance du client.
Comme nous le présenterons plus loin dans le texte, ces entreprises ont mis en place
une standardisation de leur offre au sein d'un processus dûment balisé. Elles mettent
ainsi en valeur dans leur logo ou leur nom les caractéristiques du service proposé et
les clients reconnaissent ces caractéristiques. Planète Poutine est une chaîne de restaurants désireuse de réinventer la poutine en la proposant sous diverses formes plus
originales (on y trouve une poutine au fromage bleu ou encore au magret de canard).
Le logo est une planète orange avec un anneau saturnien blanc et un P majuscule
écrit en blanc[32]. De nombreuses compagnies aériennes arborent un logo en forme
d'oiseau ou d'aile stylisée d'avion (parfois un triangle représentant l'empennage),
qui évoque la fonction de l'entreprise. Outre cette reconnaissance et cette confiance,
le logo et la marque ont pour objectif de développer une relation qui se traduit au
final par la fidélité de la clientèle.

Par ailleurs, les innovations existent dans les services, mais elles sont difficilement brevetables en raison de leur caractère intangible. Certaines entreprises
mettent de l'avant le caractère novateur de leur concept – parfois dans le cadre
d'une campagne de communication – pour attirer des clients et, ce faisant, se font
aussi remarquer par leurs concurrents. Ainsi, une entreprise qui propose un service
de financement sur 60 mois pour ses clients pourra être « copiée » par un concurrent sans avoir de nombreux recours contre « l'imitateur ». D'ailleurs, plusieurs
entreprises tentent de faire mieux que les concurrents en proposant une suren-
chère quant au délai de financement : de 24 mois, au départ, on est graduellement
passé à 48 et désormais à 60 mois pour des biens usuels (produits électroménagers
principalement).

Le prix

En matière de prix, le vocabulaire change suivant le service offert. On parle ainsi
d'honoraires pour un avocat, un médecin ou un dentiste, de frais pour des services
reçus dans un hôpital ou dans une université, de tarifs dans le domaine du transport
ou encore, plus vaguement, de prix dans d'autres domaines.

Les services comportent peu – voire pas du tout – d'éléments tangibles, et ils
sont aussi fort hétérogènes. De plus, les consommateurs disposent de peu de repères
ou d'informations utilisables pour pouvoir déterminer le prix d'un service. Certains
consommateurs se basent sur les résultats antérieurs du prestataire de services pour
juger du prix. C'est donc l'image projetée qui permet de déterminer le prix, et la
perception des consommateurs classe le service comme étant de qualité plus ou
moins élevée selon son prix. Ainsi, un avocat demandant 150 $ de l'heure pour ses
prestations sera perçu comme plus compétent que celui n'en exigeant que 50 $. Son
prix élevé sera considéré comme légitime et accepté du consommateur si cet avocat
est réputé pour gagner ses causes. Dans ce cas, et selon le nombre de procès gagnés,
son niveau de prix pourrait même augmenter.

Une autre dimension spécifique des services en matière de prix est liée à la gestion
de l'offre, une dimension qui sera vue dans le chapitre 12 sur la gestion du prix. Selon
les périodes de temps (jour de la semaine ou mois de l'année), les prix fluctuent en
fonction de la demande. Les hôtels ou les compagnies aériennes pratiquent ce genre
de promotion et affichent des prix différents pour la saison basse et la saison haute.

Plus la demande est forte, plus les prix sont élevés et inversement. Si la demande est supérieure à l'offre, l'entreprise ne peut répondre à la demande. Dans le cas contraire, même si les prix sont bas, le prestataire de services a une capacité de production non utilisée et ne peut stocker ces services pour une période ultérieure où la demande sera plus forte. Ainsi, une compagnie de location automobile qui désire rentabiliser ses investissements (véhicules) aura intérêt à proposer des rabais les jours de semaine pour lesquels la demande est moindre afin de garantir des revenus ; il n'y a rien de pire pour une telle entreprise que de se retrouver avec des véhicules inutilisés dans sa cour. Vous avez sans doute déjà pu bénéficier de telles offres au restaurant (table d'hôte du midi), au cinéma (prix réduit le mardi après-midi) ou auprès de votre compagnie de téléphonie cellulaire (appels de soir et de fin de semaine illimités).

La distribution

En raison de l'indissociabilité de la production et de la consommation, la distribution d'un service n'a pas – ou très peu – recours à des intermédiaires. Ainsi, en tant que consommateur, les choix qui s'offrent à vous consistent à vous déplacer auprès du prestataire de services (pour aller chez votre coiffeur, votre dentiste, votre garagiste ou pour vous rendre à votre université) ou à faire venir chez vous ce spécialiste (lorsque le plombier vient réparer une fuite ou que le service d'entretien des pelouses vient faire son traitement printanier, estival ou automnal).

Dans un cas comme dans l'autre, cette dynamique de la distribution limite géographiquement le service. Cependant, grâce à des chaînes spécialisées ou franchisées, une même offre de service peut être présentée à un vaste ensemble de consommateurs sur tout un territoire. Les câblodistributeurs Cogeco, Bell et Vidéotron se répartissent l'ensemble de la province de Québec, et H&R Block offre des services fiscaux aux Canadiens sur tout le territoire national, mais également aux États-Unis et dans une dizaine d'autres pays.

Une autre possibilité pour rejoindre la clientèle est d'opter pour une forme de distribution automatisée ou virtuelle comme le commerce électronique. Un consommateur peut donc faire ses transactions en ligne plutôt que de se déplacer auprès de son institution financière ; un étudiant suivra ses cours en ligne, en ayant peu ou pas de contacts physiques avec l'enseignant qui supervise le cours. Récemment, certaines institutions financières, comme Tangerine avec son concept de « PhotochèqueMC », ont proposé un service permettant au client de déposer un chèque sur son compte en le photographiant grâce à son téléphone cellulaire pour en faire le dépôt. Ces formes de distributions ont l'avantage d'être disponibles pour les clients en tout temps et en tout lieu.

La communication

Il semble difficile de communiquer la prestation de services par l'intermédiaire d'une campagne de communication ; la notion d'intangibilité fait en sorte qu'il est difficile de mettre en évidence le service. Le gestionnaire marketing utilise donc certaines spécificités du service ou les avantages concurrentiels que le prestataire de services possède pour mettre en évidence certains aspects. Le gestionnaire pourra évoquer la disponibilité, l'emplacement, la qualité des services, la satisfaction des consommateurs, voire d'autres dimensions avantageuses pour l'entreprise de services permettant ici aussi aux consommateurs de repérer la meilleure offre. Épargne Placements Québec fait ainsi valoir la tranquillité d'esprit des investisseurs ayant placé de l'argent au sein de cette organisation. Certains fournisseurs de téléphonie cellulaire misent sur la rapidité des communications grâce aux nouvelles évolutions technologiques.

D'autres prestataires de services utilisent des porte-parole comme des acteurs, des comédiens ou des sportifs conférant une valeur ajoutée supplémentaire au service et augmentant la confiance du consommateur. Les personnalités pousseront les consommateurs qui les aiment à adopter le service qu'elles endossent.

Le personnel[33]

Lors de la prestation de services, le consommateur échange avec un membre du personnel qui représente l'entreprise, souvent un vendeur ou un commis, parfois le propriétaire lui-même. Bien qu'ayant un rôle opérationnel, il n'en demeure pas moins que ce dernier, par son attitude et son comportement, incarne l'organisation elle-même. Peut-être vous est-il arrivé de changer de dentiste ou de garagiste, car le style de ces derniers ou leurs comportements ne correspondaient pas à vos valeurs. Certaines organisations inculquent une culture organisationnelle à leurs employés dans la façon de servir le client ou dans la tenue vestimentaire à adopter. Pour opérer une distinction entre le personnel et les clients, certaines entreprises imposent un uniforme. L'habit ne fait pas le moine, toutefois! Afin d'optimiser la qualité du service, l'organisation doit occasionnellement former le personnel pour qu'il offre un service de qualité optimale.

Le personnel, par son attitude et son comportement, incarne l'organisation elle-même.

Le rôle principal du personnel en relation avec la clientèle est d'attirer les clients, de les renseigner et de les fidéliser, en appliquant les consignes et en opérationnalisant la mission de l'organisation. Ainsi, en arrivant à la caisse, le client se fait souvent demander s'il a trouvé tout ce qu'il cherchait, une façon de pousser ce dernier à acheter plus, même si le discours est de l'aider à répondre à tous ses besoins.

Les aspects physiques

Comme leur nom l'indique, les aspects physiques comprennent tous les éléments tangibles pouvant influencer positivement ou non la perception d'un consommateur quant au service fourni : il s'agit tout aussi bien de l'enseigne extérieure, du local, du mobilier que des éléments de décoration ou encore de la flotte de véhicules identifiés aux couleurs de l'entreprise. Comme il s'agit d'éléments tangibles, le consommateur s'en sert comme point de repère pour qualifier la qualité du service et le prix demandé. Un restaurant aux vitres sales, aux rideaux défraîchis et aux enseignes lumineuses non fonctionnelles ne fera pas bonne figure et projettera une image d'entreprise aux produits ou aux services dont la qualité n'est pas au rendez-vous. Même chose pour un employé dont la tenue vestimentaire laisse à désirer, et qui pourra paraître moins compétent qu'un autre dont les vêtements sont propres.

Les éléments tangibles servent aussi à la prestation de certains services. Si pour un médecin ou un avocat le client se base davantage sur son expertise, un chauffeur d'autobus a besoin d'un véhicule en état de marche, tout comme un mécanicien a besoin d'outils pour effectuer les réparations que son expertise permet de diagnostiquer.

Le processus

Les interactions entre les différentes parties prenantes au service (les clients, le personnel de contact et les gestionnaires) constituent le processus. Selon le type de services auquel un client a recours (un service à la personne, comme un traitement médical, ou un traitement des biens, comme l'entretien d'une automobile ou le transport de colis), la participation du client varie. Dans certains cas, d'ailleurs, si le gestionnaire de services gère mal la prestation de services (p. ex., délai d'attente important), des échanges conflictuels peuvent naître entre les clients (frustration), qui peuvent avoir un impact négatif sur le service (insatisfaction, mauvaise réputation). Le gestionnaire de services doit donc tout mettre en œuvre pour que la servuction – l'activité de prestation de services – soit la plus adéquate possible, selon le nombre de clients, leurs besoins et désirs (hétérogénéité) et la durée du service (périssabilité).

Comme nous l'avons vu, offrir un excellent service n'est pas facile et cela exige une analyse détaillée et diligente du processus de service. Dans les prochaines pages, nous nous pencherons sur ce qu'on appelle le modèle des écarts. Ce modèle vise à mettre en évidence les secteurs dans lesquels les clients croient qu'ils obtiennent un service inférieur à celui auquel ils ont droit (les écarts) ainsi que les façons de combler ces écarts.

Offrir un excellent service : le modèle des écarts   OA ③

Les clients ont des attentes concernant la façon dont un service devrait être exécuté. Lorsque le service ne répond pas à ces attentes, cela crée un **écart relatif au service**. Le modèle des écarts (*voir la figure 11.4*) facilite l'analyse de tous les aspects du processus de service et décrit les étapes à suivre pour formuler une stratégie optimale en matière de service[34].

Comme le montre la figure 11.4, il existe quatre écarts relatifs au service :

1. L'**écart de compréhension** reflète la différence entre les attentes du client et la manière dont ces attentes sont perçues par l'entreprise. Les entreprises peuvent corriger cet écart en effectuant des recherches afin d'offrir un service conforme aux désirs de leur clientèle.

2. L'**écart de standards** représente la différence entre les attentes du client telles qu'elles sont perçues par l'entreprise et les normes de service établies par celle-ci. Les entreprises peuvent resserrer cet écart en établissant des normes de service appropriées et en évaluant leur performance en matière de service.

3. L'**écart de livraison** illustre la différence entre les normes de service d'une entreprise et le service réellement exécuté. Les entreprises peuvent combler cet écart en amenant leurs employés à respecter ou à dépasser les normes de service.

4. L'**écart de communication** reflète la différence entre le service réellement exécuté et le service annoncé par l'entreprise. En général, les entreprises peuvent réduire cet écart en étant plus réalistes à propos des services qu'elles sont en mesure d'offrir et en gérant efficacement les attentes de leurs clients.

écart relatif au service
(*service gap*)
Écart qui survient quand le service offert ne répond pas aux attentes du client.

écart de compréhension
(*knowledge gap*)
Mesure de la différence entre les attentes du client et la perception de ces attentes par l'entreprise. De même nature que l'écart relatif au service.

écart de standards
(*standards gap*)
Différence entre les attentes du client telles que perçues par l'entreprise et les standards liés au service qui ont été établis.

écart de livraison
(*delivery gap*)
Différence entre les normes de service d'une entreprise et le service réel qu'elle offre au client.

écart de communication
(*communication gap*)
Différence entre le service réel offert au client et le service dont l'entreprise fait la promotion.

FIGURE 11.4 L'amélioration du service grâce au modèle des écarts[35]

Attentes du client en ce qui concerne la qualité du service	Manière dont l'entreprise perçoit les attentes du client	Normes de service précisant le type de service à donner	Service réellement exécuté	Qualité du service annoncée par le détaillant

Écart de compréhension	Écart de standards	Écart de livraison	Écart de communication

---

Tout en expliquant chacun des écarts, nous les appliquerons à l'expérience vécue par Marcia Kessler dans un motel de Muskoka, en Ontario.

Marcia Kessler voit une publicité relative à un forfait de week-end à un prix très raisonnable au Motel. Le forfait englobe les services suivants : garderie, soirées piano-bar avec chanteur, petit-déjeuner continental, piscine chauffée et chambres nouvellement aménagées. Au moment de réserver une chambre, Marcia découvre que le prix annoncé n'est pas valable pour le week-end et qu'elle doit réserver un minimum de trois nuitées. Après s'être inscrits à la réception auprès d'un employé très désagréable, Marcia et son mari découvrent que leur chambre, dont la décoration semble dater des années

Quels écarts de service Marcia Kessler a-t-elle expérimentés lors de son séjour au Motel de Muskoka ?

1950, n'a pas été nettoyée. Lorsqu'elle s'en plaint au chef de réception, elle récolte seulement une moue arrogante. Résignée à l'idée de passer tout le week-end dans ce motel, Marcia décide d'aller nager. Malheureusement, l'eau, « chauffée » par la baie Géorgienne, est à environ 10 degrés. Personne n'utilise le service de garderie, puisqu'il y a très peu d'enfants au motel. Il s'avère que le chanteur du piano-bar est un cousin du propriétaire, incapable de tenir une mélodie, sans parler de son inaptitude à jouer du piano. Le petit-déjeuner continental doit venir tout droit d'un continent inconnu : tous les mets sont rassis et fades. Marcia a très hâte de rentrer chez elle.

OA **4** ## L'écart de compréhension : savoir ce que les clients veulent

Connaître les désirs des clients est une première étape importante de la prestation d'un bon service. Le Motel offrait un service de garderie, mais la plupart de ses clients n'avaient pas d'enfants, ne les avaient pas emmenés avec eux ou ne voulaient tout simplement pas utiliser ce service. En revanche, tous les clients aiment que leur chambre soit nettoyée avant leur arrivée.

Pour réduire l'écart de compréhension, une entreprise doit comprendre les attentes de ses clients. Elle peut le faire en effectuant une recherche et en augmentant les interactions et les communications entre gestionnaires et employés.

Comprendre les attentes des clients

Les attentes des clients sont basées sur leurs connaissances et sur leurs expériences[36]. Marcia s'attendait à ce que sa chambre soit prête à son arrivée au motel, à ce que l'eau de la piscine soit chauffée, à ce que le chanteur soit capable de chanter et à ce que les mets servis au petit-déjeuner soient frais.

Les attentes des clients varient en fonction du type de service. Celles de Marcia auraient peut-être été plus élevées si elle avait logé à l'hôtel Fairmont plutôt qu'au Motel. Dans le premier, elle aurait pu espérer que le personnel connaîtrait son nom et ses préférences alimentaires, et qu'il placerait des fruits frais et des fleurs fraîches dans sa chambre avant son arrivée.

Les attentes des clients varient aussi en fonction de la situation. Selon les circonstances, Marcia pourrait être satisfaite des services offerts dans les deux établissements. Si elle est en voyage d'affaires, le Motel pourra lui convenir, mais si elle célèbre son 10e anniversaire de mariage, elle préférera sans doute le Fairmont. Indépendamment de ces choix, toutefois, le prestataire de services doit connaître et comprendre les attentes des clients de son marché cible.

Évaluer la qualité du service

Pour répondre aux attentes de leurs clients ou dépasser celles-ci, les gestionnaires marketing doivent cerner ces attentes. Or, en raison de l'intangibilité du service, il n'est pas toujours facile pour les clients d'évaluer la qualité de celui-ci, ou sa capacité à satisfaire ou à dépasser leurs désirs[37]. Les clients ont habituellement recours à cinq dimensions pour évaluer la **qualité du service** : la fiabilité, l'empressement, l'assurance, l'empathie et les éléments tangibles (*voir la figure 11.5*).

qualité du service
(*service quality*)
Aptitude d'un service à répondre aux attentes d'un client ou à dépasser celles-ci.

Si vous deviez appliquer les cinq dimensions du service au processus décisionnel conduisant au choix d'une université (qui assure un service, celui de l'éducation), vous pourriez obtenir des résultats comme ceux qui sont illustrés dans le tableau 11.1. Si vous recherchez une expérience individualisée au sein d'une institution ultramoderne, peut-être que l'université B vous conviendrait mieux. Mais si vous privilégiez fortement la performance scolaire et un excellent service de placement étudiant, l'université A pourrait s'avérer un meilleur choix. Si la culture et la tradition sont des aspects qui comptent pour vous, l'université A offre ce type d'environnement. Quelles étaient vos attentes et en quoi l'université que vous avez choisie respectait-elle ces dimensions du service ?

| FIGURE | 11.5 | Les cinq dimensions de la qualité du service |

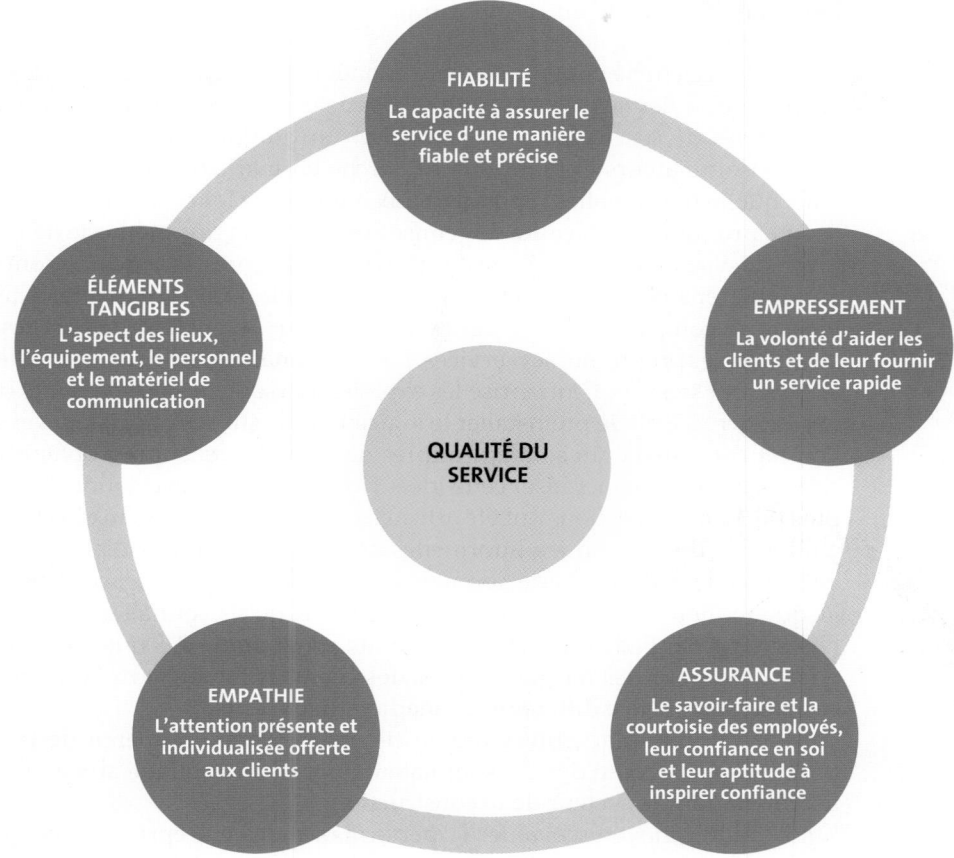

FIABILITÉ
La capacité à assurer le service d'une manière fiable et précise

ÉLÉMENTS TANGIBLES
L'aspect des lieux, l'équipement, le personnel et le matériel de communication

EMPRESSEMENT
La volonté d'aider les clients et de leur fournir un service rapide

QUALITÉ DU SERVICE

EMPATHIE
L'attention présente et individualisée offerte aux clients

ASSURANCE
Le savoir-faire et la courtoisie des employés, leur confiance en soi et leur aptitude à inspirer confiance

| TABLEAU | 11.1 | Les dimensions de la qualité du service à l'université |

	Université A	Université B
Fiabilité	Elle offre un programme sérieux ainsi qu'un excellent service de placement étudiant et des stages.	Le programme couvre toutes les matières de base, mais certains cours importants ne sont pas toujours offerts. Le service de placement étudiant est au mieux aléatoire.
Empressement	Elle est lente à répondre aux demandes d'admission. Elle a une politique très structurée relativement aux visites. Elle est plutôt inflexible en ce qui touche aux demandes d'informations personnelles ou aux rencontres supplémentaires.	Elle répond rapidement aux demandes d'admission. Elle a une politique ouverte concernant les visites. Elle offre une variété de ressources sur le campus pour faciliter la prise de décision.
Assurance	Le personnel semble très confiant dans sa réputation et ses services.	Le personnel décontracté communique son enthousiasme à l'égard de l'établissement.
Empathie	Le personnel semble traiter le corps étudiant comme un ensemble plutôt que de s'arrêter aux besoins ou aux préoccupations de chacun.	Elle cherche avant tout à offrir une expérience unique à chaque étudiant.
Éléments tangibles	Le campus est très traditionnel et il a une allure et une atmosphère d'autrefois. Les lieux sont impeccables. Les dortoirs sont spacieux, mais les salles de bains sont un peu défraîchies.	Ce nouveau campus a une architecture moderne. Les lieux ne sont pas toujours impeccables. Les dortoirs sont spacieux et les salles de bains sont neuves.

La recherche en marketing : comprendre les clients

La recherche en marketing (*voir le chapitre 5*) offre un moyen de mieux comprendre les désirs des clients en ce qui a trait au service et à leur perception de la qualité d'un service.

Cette recherche peut être longue et onéreuse, ou elle peut être intégrée aux interactions quotidiennes de l'entreprise avec ses clients. Aujourd'hui, la plupart des entreprises de services ont mis sur pied un programme d'expression des besoins des consommateurs et font de la recherche en marketing en continu afin d'évaluer dans quelle mesure elles répondent aux attentes de leurs clients.

Le **programme d'écoute des consommateurs** est une méthode de recherche commerciale systématique qui consiste à recueillir les impressions des consommateurs, puis à les intégrer aux décisions de gestion. Par exemple, Dell a créé le site IdeaStorm (www.ideastorm.com), un forum en ligne où les clients peuvent faire des suggestions visant à améliorer ses produits et ses services. La communauté vote pour les meilleures idées et, si elles sont sensées, l'entreprise les exploite. Lorsque des intervenants sur IdeaStorm ont suggéré à Dell de préinstaller le logiciel Linux sur ses ordinateurs et ses portables, l'entreprise a mené un sondage auprès de 100 000 clients pour obtenir leurs impressions et a fini par concrétiser cette idée. Trois mois après la création du site IdeaStorm, plus de 3 500 suggestions ont été affichées sur le site[38]. Aéroplan effectue des enquêtes en ligne et des rencontres informelles avec des membres choisis pour les questionner sur tous les aspects de son service, depuis leur expérience de remboursement jusqu'aux nouveaux services et améliorations qu'ils souhaiteraient[39]. Les commentaires reçus par FedEx dans le cadre de son programme d'écoute des consommateurs, qui s'appuie sur des rencontres avec des clients commerciaux, l'ont amenée à mettre sur pied son service différé intracanadien (deux jours)[40].

La rubrique Marketing durable ci-contre donne un aperçu de la façon dont le programme d'écoute des consommateurs peut être appliqué aux employés, particulièrement dans le secteur de la construction.

Un autre moyen d'évaluer la performance des entreprises en ce qui touche aux cinq dimensions de la qualité du service (*voir la figure 11.5 à la page précédente*) consiste à analyser la **zone de tolérance**, soit l'écart entre la qualité du service souhaitée par le client et la qualité minimale qu'il juge acceptable. Autrement dit, cela représente la différence entre ce que le client veut vraiment et ce qu'il est prêt à accepter avant de changer de prestataire de services[41]. Pour définir cette zone de tolérance, l'entreprise doit poser une série de questions sur chaque dimension de la qualité du service afin de déterminer :

- le niveau de service désiré et attendu pour chaque dimension, de faible à élevé ;
- l'opinion des clients à l'égard de la qualité d'un service donné par rapport à celle du même service exécuté par une autre entreprise, de médiocre à excellente ;
- l'importance de chaque dimension de la qualité du service.

La figure 11.6 (*voir p. 364*) présente les résultats de ce type d'analyse dans le cas de Chez Marie Déli, un restaurant familial. Les chiffres de l'axe vertical s'inscrivent dans une échelle de 9 points, sur laquelle 1 représente une qualité de service très médiocre et 9, une qualité exceptionnelle. Chaque colonne illustre la zone de tolérance des clients pour chaque dimension de la qualité du service. Ainsi, la longueur de la colonne de la fiabilité indique que les clients s'attendent à un service très fiable (haut de la colonne) et ne sont pas prêts à tolérer beaucoup moins que ce niveau de service (bas de la colonne). À droite de la figure, les clients s'attendent à un niveau élevé d'assurance (haut de la colonne), mais sont aussi prêts à tolérer un niveau assez faible (bas de la colonne). Cet écart s'explique par le fait que le total des points que les clients devaient attribuer aux cinq dimensions de la qualité du service devait égaler 100 % (*voir les cases bleues au bas de la figure*). Si l'on regarde l'échelle des indices, on

programme d'écoute des consommateurs (*voice-of-customer [VOC] program*) Méthode de recherche commerciale systématique fondée sur la collecte des impressions des consommateurs, lesquelles jouent ensuite un rôle dans la prise de décision de la direction.

zone de tolérance (*zone of tolerance*) Écart entre les attentes du client quant au service désiré et ce qu'il considère comme tout juste acceptable, ou différence entre ce que le client recherche vraiment et ce qu'il est prêt à accepter avant de changer de prestataire de services.

La conscience écologique : joindre le geste à la parole...

Quand on est le plus important cabinet-conseil canadien voué exclusivement à la construction de bâtiments et de quartiers « verts », on doit faire plus que simplement offrir un bon service. Il faut aussi joindre le geste à la parole. Enermodal Engineering (maintenant MMM Group Limited), premier cabinet d'experts-conseils en système d'évaluation LEED (*Leadership in Energy and Environmental Design*), a construit son nouveau siège social, « A Grander View », au bord de la rivière Grand, à Kitchener, en Ontario, selon les plus hautes normes de la certification platine LEED. Au contraire d'autres entreprises qui ne sont pas en mesure de montrer leurs services directement aux clients potentiels, Enermodal Engineering peut présenter son propre édifice, le plus écoénergétique du Canada, qui consomme 82 % moins d'énergie qu'un édifice à bureaux conventionnel.

Fondée en 1980 par Stephen Carpenter, diplômé en ingénierie de l'Université de Waterloo, Enermodal Engineering a des bureaux à Kitchener, Toronto, Edmonton, Calgary, Winnipeg, Halifax et Vancouver. L'entreprise a certifié plus de 45 % de tous les édifices LEED au Canada et a planché sur des projets de développement durable valant plus de cinq milliards de dollars[42]. Ces projets sont très diversifiés : des écoles publiques, des hôpitaux, un complexe sportif, un Musée des droits de la personne et 23 nouveaux édifices qui se dresseront sur les rives pittoresques du lac Ontario à Toronto. Enermodal Engineering a également travaillé avec Fifth Town Artisan Cheese, un artisan fromager de Picton, Ontario, adepte de la responsabilité sociale et écologique. Ensemble, ils ont construit une usine et un magasin de détail à la fine pointe de la technologie verte, qui ont d'ailleurs remporté un prix. L'un des éléments remarquables de cet ensemble est une grotte souterraine dans laquelle les fromages sont entreposés pendant leur maturation et qui requiert moins d'énergie pour maintenir une température fraîche et stable toute l'année[43].

En 2009, Enermodal Engineering a été l'une des premières entreprises de la région de Waterloo à devenir un partenaire d'or de la Regional Carbon Initiative de Sustainable Waterloo Region. Sustainable Waterloo Region est un organisme sans but lucratif qui aide les entreprises à réduire leur empreinte environnementale. Carpenter s'est engagé à ce qu'Enermodal Engineering réduise son empreinte de 100 % en 10 ans[44]. La neutralité carbone comprend tout, depuis la consommation énergétique des bâtiments jusqu'aux voyages d'affaires en passant par le transport des employés entre le bureau et la maison. Enermodal Engineering a adopté des politiques précises pour diminuer la consommation énergétique de ses ordinateurs. En effet, ceux-ci sont programmés pour se mettre en mode repos après 5 minutes d'inutilisation et en mode veille après 30 minutes, ce qui économise de 7 à 15 % de l'énergie consommée par l'appareil sans restreindre sa performance. Des détecteurs de présence éteignent les lumières quand les pièces sont vides et l'utilisation d'appareils sanitaires à ultrabas volume et d'une citerne pluviale réduit de 80 % la consommation interne d'eau[45]. Les voyages d'affaires sont minimisés grâce à l'emploi d'un système de vidéoconférence. Et s'ils doivent quand même se déplacer pour affaires, les employés d'Enermodal Engineering peuvent utiliser un véhicule écoénergétique du service d'autopartage de l'entreprise plutôt que leur propre voiture potentiellement plus gourmande en essence.

Les entreprises de services ont tout intérêt à recueillir et à comprendre les opinions des clients. Enermodal Engineering applique ce principe à ses employés dans leur rôle de clients internes tout en les aidant à adopter un mode de vie plus durable. Par exemple, pour tous les événements de l'entreprise, les repas préparés par un traiteur s'appuient sur une politique d'achat local ou de produits biologiques ; Enermodal Engineering met des vélos à la disposition de son personnel ainsi que des trousses de réparation ; elle verse des primes allant jusqu'à 3 000 $ pour l'achat d'un véhicule écoénergétique ; elle rembourse 60 % des frais de transport en commun de ses employés ; elle leur distribue des pommes de douche à débit réduit, des bacs de compostage et des citernes pluviales ; de plus, elle met à leur disposition des parcelles de jardin sur la propriété de « A Grander View »[46]. Les employés sont si passionnés par l'environnement que certains se sont déplacés en canot lors du Défi Transport, le programme canadien de transport durable pour se rendre au travail.

La haute direction reconnaît que le développement durable est la clé pour attirer et garder les talents les plus prometteurs[47]. Enermodal Engineering est reconnue comme l'une des entreprises qui grandissent le plus vite en Amérique du Nord, avec une croissance annuelle de 35 % au cours des trois dernières années. Elle compte également parmi les 50 employeurs les plus écologiques du Canada[48] et montre à ses clients comme à ses employés qu'elle ne fait pas que parler d'écologie, mais qu'elle applique ce principe dans ses bâtiments « verts ».

Des employés d'Enermodal Engineering se sont rendus au travail en canot lors du dernier Défi Transport.

Sur chaque dimension de qualité de service, Chez Marie Déli affiche toujours des indices plus élevés que son principal concurrent, Monsieur Burger.

conclut que la fiabilité est relativement importante pour ces clients, mais non l'assurance. Leur zone de tolérance est donc plutôt réduite face aux dimensions du service qui sont importantes pour eux et plus étendue face aux dimensions qui le sont moins. Notez aussi que Chez Marie Déli l'emporte systématiquement sur son principal concurrent, Monsieur Burger, pour chaque dimension.

Soulignons également que la note assignée à Monsieur Burger pour ce qui est des éléments tangibles est située sous la zone de tolérance, un indice que les clients tolèrent mal l'aspect et les odeurs du restaurant. En revanche, la note attribuée à Chez Marie Déli pour l'empressement se trouve au-dessus de la zone de tolérance, ce qui indique que sa performance à cet égard est peut-être exagérée. Chez Marie Déli pourrait effectuer d'autres recherches pour déterminer quels aspects de son service lui valent un pointage aussi élevé pour la dimension de l'empressement, puis envisager de les modérer. Par exemple, si elle sert le petit-déjeuner 24 heures sur 24 pour satisfaire sa clientèle, cela peut lui coûter cher sans ajouter de la valeur à l'entreprise parce que ses clients accepteraient des heures moins étendues.

Une façon directe et peu coûteuse de recueillir les opinions des clients sur la qualité du service consiste à le faire au moment de la vente. Les employés peuvent distribuer un simple questionnaire ou demander aux clients dans quelle mesure ils ont apprécié le service – tout en sachant que les clients hésitent souvent à critiquer ouvertement la personne qui a exécuté le service. Les clients de Starbucks peuvent évaluer leur expérience en participant à un sondage en ligne à l'adresse indiquée au bas de leur reçu. Grâce à cet outil, ils ne sont pas obligés de se plaindre directement au serveur qui a commis une bévue et Starbucks obtient quand même une rétroaction quasi instantanée. L'entreprise doit veiller à ne pas perdre une grande part de cette information, ce qui peut arriver en l'absence d'un mécanisme efficace pour la transmettre aux décideurs clés. De plus, dans certains cas, les clients ne sont pas en mesure d'évaluer efficacement le service avant quelques jours ou semaines.

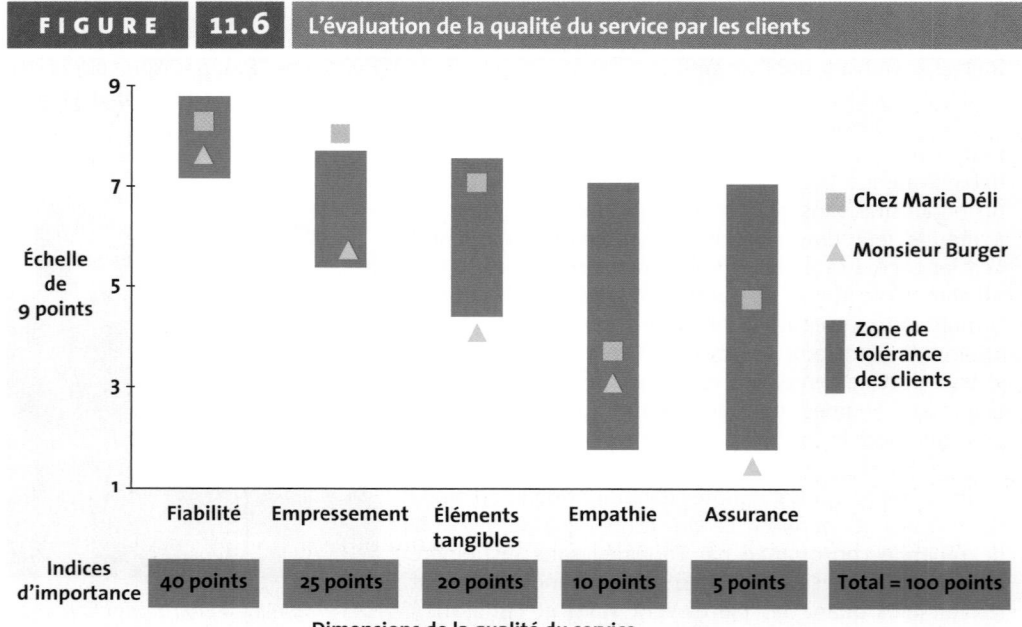

FIGURE 11.6 L'évaluation de la qualité du service par les clients

Note : Échelle de 9 (qualité exceptionnelle du service) à 1 (qualité très médiocre du service)

Les concessionnaires automobiles, par exemple, appellent souvent leurs clients une semaine après la prestation d'un service tel qu'un changement d'huile pour évaluer la qualité de leur service.

Une autre excellente façon d'évaluer les désirs des clients consiste à utiliser leurs plaintes à bon escient. Même si l'entreprise traite les plaintes efficacement et cherche à résoudre les problèmes de ses clients, l'essence de ces plaintes échappe trop souvent aux gestionnaires. Ainsi, un important détaillant d'ordinateurs a réagi aux récriminations de ses clients concernant l'absence de service de la part des vendeurs et les problèmes relatifs aux produits en les invitant à communiquer par courriel avec le Service à la clientèle. Or, cela s'est avéré difficile à faire pour les clients dont l'ordinateur était en panne[49].

Même si elles se sont dotées des meilleurs mécanismes de recherche, les entreprises doivent placer à l'occasion sur la ligne de front les gestionnaires responsables de la qualité du service afin qu'ils puissent interagir directement avec les clients. En effet, à moins de savoir ce que leurs vendeurs vivent au jour le jour et de parler directement aux clients avec qui ils interagissent, les gestionnaires ne pourront jamais élaborer un excellent programme de service à la clientèle.

L'écart de standards : établir des normes de service

Supposons que le Motel de Muskoka entreprenne de cerner les désirs de ses clients en matière de service et en obtienne une idée assez juste. Sa tâche est loin d'être terminée. Sa prochaine étape consiste à élaborer des normes de service et à mettre sur pied des systèmes qui assureront un service impeccable. Comment s'y prendra-t-il pour que chaque chambre soit nettoyée avant 14 heures ? pour que la fraîcheur et la qualité de la nourriture soient vérifiées chaque jour ? L'entreprise doit se fixer des normes rigoureuses en matière de service et apprendre à ses employés à faire leur travail en respectant ces normes. Les gestionnaires doivent donner l'exemple et assurer un service irréprochable, ce qui se reflétera à tous les échelons de l'organisation.

Atteindre ses objectifs en matière de service grâce à la formation

Les entreprises qui veulent assurer un excellent service doivent se fixer des objectifs précis et mesurables basés sur les attentes des clients. Pour atteindre cette qualité du service, elles doivent faire participer les employés à l'établissement des objectifs. Par exemple, même si, au Motel, le procédé le plus efficace consistait à nettoyer les chambres entre 8 heures et 17 heures, de nombreux clients aiment dormir tard et les nouveaux venus veulent pouvoir occuper leur chambre dès leur arrivée. Une norme axée sur la clientèle exigerait que les chambres soient nettoyées entre 10 heures et 14 heures.

Les employés sont généralement disposés à faire un bon travail dans la mesure où ils savent ce qu'on attend d'eux. Ainsi, la direction du motel devrait montrer exactement à ses employés comment ils doivent nettoyer les chambres et leur indiquer les tâches précises dont ils doivent s'acquitter.

Bien que les employés de première ligne puissent être initiés à des tâches précises liées à leur poste, il ne suffit pas de leur conseiller d'« être gentils » ou de « faire ce que les clients demandent ». Tout objectif rattaché à la qualité du service doit être précis : « Saluez les clients par un "Bonjour ou bonsoir, Monsieur ou Madame". Dans la mesure du possible, saluez-les par leur nom. »

Dans des cas extrêmes, cette formation est encore plus cruciale. Depuis les longues files d'attente aux comptoirs et les vols annulés en passant par les bagages perdus, les incidents relatifs au service à la clientèle sont en hausse dans l'industrie du transport aérien. Faisant face à un nombre

Les prestataires de services comme cette femme de chambre sont généralement disposés à faire un bon travail, mais l'entreprise doit les former pour qu'ils sachent précisément ce que signifie faire un bon travail.

croissant de plaintes, les compagnies aériennes ont réagi en améliorant la formation de leur personnel de manière à l'aider à reconnaître et à désamorcer les situations explosives. Par exemple, Delta Air Lines avait mis sur pied un programme de formation *Customer first* (« Le client avant tout ») à l'intention de son personnel au sol, de son personnel du Service à la clientèle, de ses agents de bord et de ses pilotes. Ce programme visait l'implantation de mesures de performance précises et de pratiques normalisées dans tous les secteurs des services de Delta Air Lines. Les politiques relatives au service assuré pendant les attentes occasionnées par un retard – distribution de goûters à bord, acheminement de nourriture jusqu'aux avions en attente et mise à jour tous les quarts d'heure – ont donné aux employés les outils et la ligne de conduite nécessaires pour mieux servir leurs clients[50].

S'engager envers la qualité du service

Les employés suivent l'exemple des gestionnaires. Si ces derniers aspirent à donner un excellent service et à bien traiter leurs clients, et s'ils exigent la même attitude de tous les membres de l'organisation, il est probable que les employés leur emboîteront le pas. Prenons l'exemple du PDG de WestJet, Gregg Saretsky. Nommé l'un des PDG les plus admirés du Canada à l'occasion du dixième sondage annuel sur les sociétés les plus respectées au Canada, Saretsky est parfaitement heureux de nettoyer des cabines et de mettre la main à la pâte pour aider les agents de bord lorsqu'il prend l'avion.

La réputation légendaire de WestJet en ce qui touche au service à la clientèle a valu à l'entreprise des revenus de 3,6 milliards de dollars en 2013[51]. Dès sa création, en 1996, les cadres ont démontré leur engagement à assurer un excellent service. À cette époque, le vice-président principal Don Bell a passé beaucoup de temps dans le centre d'appels de la compagnie à répondre aux questions des clients et à leur réserver des vols[52].

Les employés, qui comprennent que la ponctualité est un aspect critique de la qualité d'un service et de l'expérience des clients, font tout pour améliorer leurs délais d'exécution. En 2013, 73,9 % des avions ont atterri dans les 15 minutes de l'heure d'arrivée prévue[53]. Les agents de vente s'efforcent également d'assurer un service à la clientèle irréprochable. Leurs efforts ont été soulignés lorsque le centre d'appels de WestJet a été nommé « meilleur centre d'appels du pays » lors d'un sondage sur les compagnies aériennes mené par la Division du renseignement sur les prix à la consommation du magazine *Canadian Business*. Un régime de participation aux bénéfices offre au personnel des récompenses qui vont au-delà de la reconnaissance publique. La grande majorité des employés souscrivent au régime d'achat d'actions de WestJet, qui fait d'eux des propriétaires de la compagnie et les incite encore davantage à assurer un service impeccable.

L'écart de livraison : assurer la qualité du service

L'écart de livraison représente l'épreuve de vérité et il survient au moment où le client interagit directement avec le prestataire de services. Même en l'absence de tout autre écart, un écart de livraison conduit immanquablement à un échec de la prestation de services. Marcia Kessler a subi plusieurs écarts de livraison au Motel : sa chambre non nettoyée, l'attitude arrogante du chef de réception, la piscine non chauffée, le chanteur médiocre au piano-bar et la nourriture manquant de fraîcheur.

Une entreprise peut réduire les écarts de livraison en habilitant ses employés à agir dans l'intérêt de ses clients et dans son propre intérêt et en soutenant leurs efforts afin qu'ils puissent accomplir leur travail efficacement[54]. Elle peut aussi recourir à la technologie (*voir la figure 11.7*).

Autonomiser les employés

autonomisation
(*empowerment*)
Dans un contexte de prestation de services, fait d'encourager les employés à prendre des décisions sur la façon d'offrir un service au client.

Dans le contexte du service à la clientèle, l'**autonomisation** désigne le fait de laisser les employés décider de la façon d'exécuter un service. Lorsque les employés de première ligne sont autorisés à prendre les décisions nécessaires pour aider leurs

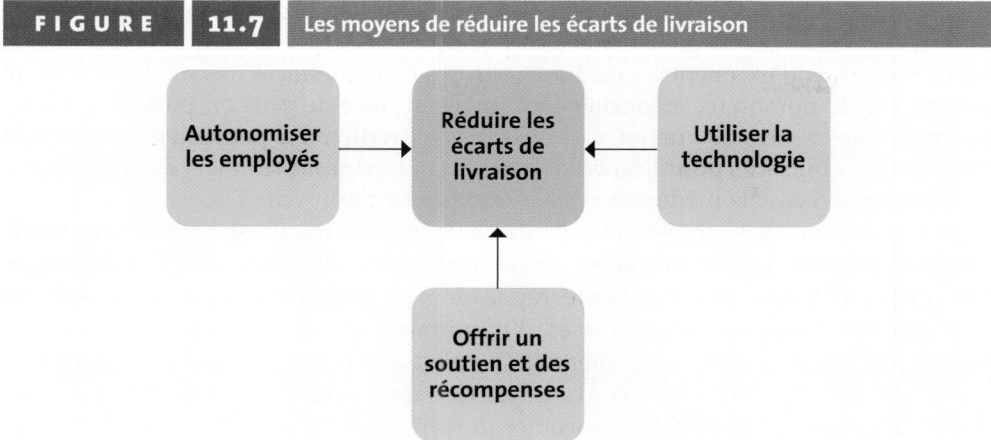

FIGURE | **11.7** | Les moyens de réduire les écarts de livraison

clients, la qualité du service s'améliore en général[55]. Best Buy, par exemple, a remanié sa structure organisationnelle de manière à permettre aux employés de participer davantage à la gestion quotidienne de l'entreprise et à faire des ajustements, au besoin. Sa nouvelle culture centrée sur les employés a permis à Best Buy de réduire son taux de roulement de façon importante. Les employés heureux rendent les clients heureux[56].

Toutefois, il peut s'avérer difficile et coûteux d'autonomiser les employés. Dans les cas où le service est répétitif et routinier, comme dans un restaurant rapide, il est parfois plus efficace et aisé de demander aux employés de suivre quelques règles simples. Par exemple, si un client n'aime pas son hamburger, l'employé pourrait lui demander ce qu'il voudrait à la place ou lui offrir un remboursement. S'il survient une situation qui n'est pas prévue dans les règles, il incombe alors à un gérant de s'en occuper.

L'autonomisation devient plus importante lorsque le niveau de prix est plus élevé et le service plus individualisé. The Keg Steakhouse & Bar embauche les meilleurs employés et les autonomise grâce à des programmes de formation exceptionnels. Les membres du personnel sont professionnels : leur amabilité, leur accueil chaleureux, leur personnalité et leur enthousiasme enrichissent l'expérience des clients de l'entreprise. C'est pour cette raison que The Keg Steakhouse & Bar a été désigné, pour la huitième année consécutive, l'un des 50 meilleurs employeurs du Canada[57].

Offrir un soutien et des récompenses

Le travail des employés est souvent difficile, surtout lorsque les clients se montrent déplaisants ou déraisonnables. Le bon vieux « service souriant » demeure la meilleure approche. Pour faire en sorte qu'un service soit exécuté adéquatement, la direction doit soutenir le prestataire du service.

En premier lieu, les gestionnaires et leurs collègues doivent offrir un soutien émotionnel aux employés en montrant qu'ils se soucient de leur bien-être et appuient leurs décisions. Sachant qu'il peut être très déroutant pour un serveur d'être critiqué par une cliente qui estime que sa nourriture a été mal préparée, le gérant doit appuyer son employé, le comprendre et l'aider à surmonter sa réaction potentielle aux admonestations de sa cliente[58]. Si le serveur est habilité à redresser la situation en offrant un autre plat et un dessert gratuit à la cliente, le gérant doit l'appuyer et éviter de le réprimander sous prétexte qu'il en a trop fait.

Le succès du Keg Steakhouse & Bar est dû en partie au fait que l'entreprise habilite ses employés à satisfaire sa clientèle.

En deuxième lieu, le soutien des gestionnaires doit être constant et cohérent à tous les échelons de l'organisation. Les patients s'attendent à ce que les médecins leur prodiguent d'excellents soins basés sur des traitements et des médicaments de pointe. Or, de nombreux médecins sont forcés de voir de plus en plus de patients pendant leurs heures de bureau. Ces objectifs contradictoires peuvent être tellement frustrants et épuisants pour les médecins et les autres professionnels de la santé que certains ont délaissé la médecine pour embrasser une autre carrière.

En troisième lieu, un élément clé de tout programme de service à la clientèle consiste à récompenser les employés qui assurent un excellent service. De nombreuses entreprises ont bâti leur excellente réputation en matière de service en veillant à ce que leurs employés reconnaissent l'importance qu'elles accordent au service à la clientèle. Pour ce faire, elles mettent sur pied des programmes de récompenses comme le club VIP et l'employé du mois. Certaines entreprises encouragent leurs associés ou leurs gestionnaires à raconter devant leurs collègues leurs prouesses de la semaine précédente en matière de service à la clientèle[59].

Utiliser la technologie

Le recours à la technologie joue un rôle de plus en plus important dans la prestation de services.

Depuis le milieu des années 1990, l'usage généralisé d'Internet a poussé les entreprises à investir massivement dans les technologies qui permettent aux clients d'acheter plus rapidement et plus facilement et d'être mieux informés qu'autrefois. Les kiosques électroniques, par exemple, ont fait leur entrée dans de nombreux lieux de service. Dans les aéroports, des machines électroniques permettent aux passagers d'obtenir leurs cartes d'embarquement et leurs numéros de siège souvent en moins d'une minute. Situés dans les principaux centres commerciaux de la province, les kiosques ServiceOntario permettent de renouveler la vignette autocollante d'une plaque d'immatriculation, de commander des plaques d'immatriculation personnalisées, d'effectuer un changement d'adresse et de payer des amendes. Outre qu'ils sont pratiques, ces kiosques sont ouverts beaucoup plus longtemps que les bureaux du ministère des Transports et offrent un service plus constant à leurs usagers.

Les services en ligne ont également transformé la façon dont les entreprises font du commerce entre elles. Cisco Systems, le plus gros fournisseur de matériel de réseautique et de gestion réseautique pour Internet, recevait plus de 80 % de ses nouvelles commandes de manière électronique et résolvait plus de 80 % des problèmes de ses clients au moyen de solutions libre-service[60].

Le recours à la technologie pour faciliter la prestation de services peut comporter de nombreux avantages : un accès à une plus grande variété de services, un meilleur contrôle des services de la part du client et une plus grande accessibilité à l'information. Les gestionnaires profitent eux aussi de l'efficacité accrue des processus de prestation de services, qui entraînent une réduction des coûts. Dans certains cas, une entreprise peut même dépasser des concurrents qui ont un moins grand souci du service à la clientèle[61]. Lisez la rubrique Forces d'Internet ci-contre pour découvrir comment une entreprise peut utiliser la technologie pour consolider ses relations avec sa clientèle, fidéliser ses clients et accroître ses revenus.

L'écart de communication : annoncer la promesse du service

L'écart de communication est la différence entre le service annoncé et le service réellement exécuté. Alléchée par une publicité qui annonçait un « service exceptionnel » à un prix très bas, une cliente décide de changer de fournisseur d'accès Internet. Au cours des trois premières semaines, divers problèmes technologiques font qu'elle arrive à se connecter à Internet six fois seulement. Sa déception s'accentue lorsque, ayant appelé le Service de soutien technique, elle constate qu'elle doit payer des frais d'interurbain, puisque le numéro sans frais n'est pas valable pour sa région.

Fairmont : créer des souvenirs durables

Hôtels Fairmont est la plus grosse société de gérance d'hôtels de luxe en Amérique du Nord avec ses 65 établissements situés dans une quinzaine de pays, dont le Canada, les États-Unis, le Mexique et certains pays des Antilles. La société, qui vise une expansion mondiale, a reconnu le besoin de construire sa marque en offrant un service à la clientèle exceptionnel sur tous les marchés.

Fidèle à sa philosophie, basée sur «la valeur que nous attachons aux souvenirs durables», Fairmont a élaboré une stratégie de commerce électronique destinée à encourager ses clients les plus fidèles : les gens d'affaires. En effet, plus de la moitié des clients de Fairmont sont des professionnels en voyage qui assistent à des congrès ou à des réunions d'affaires.

De concert avec Accenture & Cisco, Fairmont a créé un nouveau site Web et un moteur de réservation en ligne. Ses objectifs sont d'augmenter sa capacité à promouvoir ses établissements auprès des voyageurs individuels, de persuader les clients potentiels d'élire le Fairmont comme leur hôtel de choix et d'offrir à ses clients un service en ligne incomparable.

Pour commencer, l'entreprise a décidé d'offrir aux visiteurs de son site une expérience plus personnalisée et fondée sur les échanges. Ainsi, le nouveau système de réservation en ligne identifie les clients lorsqu'ils ouvrent une session et télécharge à l'avance l'information contenue dans leur profil telle que leur niveau d'adhésion au Club du Président Fairmont (le programme de fidélisation) et leurs préférences. Les clients peuvent voir les chambres, les tarifs, la disponibilité et les forfaits offerts dans chacun des établissements Fairmont. Ils peuvent confirmer, mettre à jour ou annuler leurs réservations en temps réel peu importe leur mode de réservation original.

Un autre aspect de la stratégie de commerce électronique élaborée par Fairmont a consisté à élargir la capacité de son entrepôt de données clients, ce qui a permis à la société de conserver les profils des clients de tous ses établissements, de cibler des segments précis de clients au moyen de messages personnalisés, d'incitatifs et de rabais, de mieux gérer son programme de fidélisation, d'attirer de nouveaux clients et de les fidéliser. Grâce à un système de suivi individuel, l'entreprise peut suivre ses clients à travers toute la chaîne d'hôtels. Cela lui a permis d'améliorer son service à la clientèle grâce à une meilleure connaissance des préférences, des modes de réservation et des habitudes de dépenses de ses clients.

La stratégie de Fairmont en matière de commerce électronique visait à stimuler la loyauté des clients en créant des services personnalisés et en détectant les nuances dans leurs habitudes de voyage grâce aux options sélectionnées par les clients sur son site Web ainsi qu'à l'information recueillie par les employés dans chaque établissement. En s'appuyant sur cette information, Fairmont a pu réunir des données qui lui ont permis de personnaliser et d'améliorer l'expérience de ses clients et de lancer des campagnes de marketing ciblées et adaptées aux préférences de certains segments de marché uniques.

Le nouveau site Web de Fairmont s'est classé parmi les finalistes du Webby Business Award et a remporté d'importants prix d'hospitalité. Il a permis à l'entreprise de réduire ses coûts liés à son centre d'appels, à la gestion du Club du Président Fairmont, aux promotions et aux brochures. Le site a attiré de nouveaux clients et les promotions de dernière minute en ligne ont stimulé les ventes. Dans l'ensemble, en consolidant ses relations avec les voyageurs grâce à des offres personnalisées, la stratégie de commerce électronique de Fairmont a provoqué une forte hausse des niveaux de satisfaction et de fidélité de sa clientèle.

Source : adapté de www.lexisnexis.com/publisher/EndUser?Action=UserDisplayFullDocument&orgId=616&topicId=12552&docId=l:599387580&start=20 (page consultée le 18 novembre 2014).

Lorsqu'elle obtient enfin la communication, on lui demande de rappeler à un autre moment parce que personne ne se trouve actuellement sur place. Alors qu'elle s'attendait à recevoir un service fiable et le soutien de représentants obligeants, elle a plutôt obtenu un service irrégulier et un soutien technique onéreux et difficile[62].

Bien que les entreprises ne puissent pas toujours contrôler la qualité du service, qui est susceptible de varier d'un jour à l'autre et d'un fournisseur à l'autre, elles sont en mesure de contrôler la façon dont elles annoncent leur offre de services. Si une entreprise promet plus que ce qu'elle peut offrir, elle ne pourra pas répondre aux attentes de ses clients. Une publicité peut attirer un client dans une situation de service une fois, mais si le service ne tient pas ses promesses, ce client pourrait bien être perdu à jamais. Les clients insatisfaits ont de bonnes chances d'exprimer leur mécontentement à leur entourage ou, de plus en plus, sur Internet, qui est devenu un canal important où les clients mécontents expriment leur frustration.

Une entreprise peut réduire l'écart de communication en maîtrisant les attentes de sa clientèle. Supposons que vous deviez vous faire opérer et que le chirurgien vous affirme que vous sortirez de l'hôpital au bout de cinq jours et pourrez reprendre vos activités normales après un mois. Vous vous faites opérer et vous sentez assez bien pour quitter l'hôpital après trois jours. Deux semaines plus tard, vous jouez de nouveau au tennis. Vous allez certainement penser que votre chirurgien est un génie. En revanche, peu importe le succès de l'opération, si vous aviez dû rester à l'hôpital 10 jours et subir une convalescence de 2 mois, vous auriez sûrement été contrarié.

Promettre seulement ce qu'on peut livrer, et même un peu moins, est un moyen efficace de maîtriser l'écart de communication[63]. Par exemple, lorsque FedEx a émis sa garantie de livraison du lendemain – au plus tard à 10 heures le jour ouvrable suivant –, elle a devancé les entreprises concurrentes jusqu'à ce que certaines d'entre elles lui emboîtent le pas. Aujourd'hui, FedEx livre souvent le colis le lendemain, même si le client a choisi le service deux jours. Si le colis arrive le deuxième jour, la livraison est conforme aux attentes du client. S'il arrive un jour plus tôt, elle les dépasse.

Une façon relativement facile de gérer les désirs des clients consiste à prendre en compte à la fois le moment où les attentes prennent forme et le moment où le service est exécuté. Les attentes sont ordinairement créées par les promotions, dans la publicité ou par la vente personnelle. Par exemple, si un vendeur promet à un client qu'il peut effectuer un travail en un jour et qu'il le fait en une semaine, le client sera déçu. Toutefois, si le vendeur coordonne le travail avec le prestataire de services, il a de bonnes chances de répondre aux attentes du client.

Une entreprise peut aussi gérer les attentes de ses clients au moment où elle exécute le service. Par exemple, dans certaines entreprises, des messages enregistrés indiquent aux clients qui téléphonent combien de minutes ils devront attendre avant qu'une ou un téléphoniste se libère.

OA ⑤ La reconquête de la clientèle

Malgré tous leurs efforts, il arrive que des prestataires de services soient incapables de satisfaire les désirs de leurs clients. Le cas échéant, la meilleure chose à faire consiste à reconnaître ses torts et à tirer des leçons de l'expérience. Certes, il est préférable d'éviter un échec de la prestation de services, mais advenant un tel échec, l'entreprise a une occasion unique de prouver son engagement envers ses clients[64].

Un programme efficace de reconquête de la clientèle permet d'augmenter de façon importante la satisfaction des clients, leurs intentions d'achat et le bouche-à-oreille positif. Il faut savoir, cependant, que le niveau de satisfaction des clients après la reconquête baisse habituellement au-dessous du niveau antérieur à l'échec de la prestation de services[65].

En cas d'échec de la prestation de services, comme un repas raté au restaurant, l'entreprise peut regagner la faveur de son client en lui offrant un dessert.

Le Motel de Muskoka aurait pu présenter des excuses à Marcia Kessler après ses multiples échecs par rapport au service en prenant des mesures immédiates et relativement simples : le chef de réception aurait pu s'excuser pour son comportement inadéquat et lui offrir une nuitée gratuite pour son prochain séjour. Il aurait pu lui accorder un repas gratuit pour compenser son petit-déjeuner médiocre. Aucun de ces gestes n'aurait coûté beaucoup d'argent au motel. Or, en ne faisant rien, l'entreprise a perdu Marcia à jamais comme cliente, alors que celle-ci aurait pu dépenser plusieurs milliers de dollars au cours des années subséquentes. De plus, Marcia fera sans doute une publicité peu flatteuse au Motel auprès de ses amis et de sa famille en raison de l'absence de programme de reconquête. En termes simples, une reconquête efficace consiste à être à l'écoute du client, à trouver une solution équitable et à régler le problème rapidement[66].

Être à l'écoute du client

Il arrive souvent que les entreprises découvrent l'échec de leur prestation de services uniquement lorsqu'un client se plaint. Que l'entreprise dispose d'un bureau des plaintes officiel ou que la plainte soit exprimée directement à l'employé concerné, le client doit avoir la possibilité de formuler ses griefs et l'entreprise doit être véritablement à l'écoute.

Les clients peuvent avoir une réaction très émotive à l'échec entourant la prestation d'un service, que cet échec soit grave (une chirurgie bâclée) ou anodin (une erreur dans la monnaie remise au restaurant). Dans bien des cas, le client veut seulement être entendu et l'employé devrait lui accorder tout le temps dont il a besoin pour libérer sa frustration. Le simple fait de décrire une faute perçue à une oreille attentive est thérapeutique en soi. Les prestataires de services devraient donc accueillir favorablement l'occasion d'incarner cette oreille attentive et manifester leur désir de corriger la situation pour éviter qu'elle se reproduise[67].

Trouver une solution équitable

La plupart des gens sont conscients des erreurs dont ils sont victimes. Mais, le cas échéant, les clients veulent être traités de façon juste, qu'il s'agisse d'équité en matière de distribution ou en matière de procédure[68]. Leur perception de ce qui est « équitable » est fondée sur leur expérience antérieure avec d'autres entreprises, sur le traitement qu'ils ont vu d'autres clients recevoir, sur des choses qu'ils ont lues et sur des anecdotes relatées par leurs amis.

L'équité en matière de distribution

L'**équité en matière de distribution** désigne la façon dont un client perçoit les avantages obtenus en comparaison des coûts (inconvénients ou perte) qu'il a subis. Les clients veulent toucher un montant juste pour une perte perçue résultant d'un échec de la prestation de services. Supposons qu'une personne arrive à l'aéroport et découvre que la compagnie aérienne a eu recours à la surréservation. Elle peut estimer que prendre le vol suivant et recevoir un bon de transport constitue un dédommagement adéquat pour les inconvénients qu'elle a subis.

Mais si aucun vol n'est disponible avant le lendemain, le voyageur peut demander une compensation supplémentaire, comme une nuitée à l'hôtel, des repas et un billet aller-retour qu'il pourra utiliser plus tard[69]. La clé de l'équité en matière de distribution est, bien sûr, l'écoute attentive. Un voyageur en vacances peut se satisfaire d'un bon de transport, tandis qu'un autre doit arriver à destination à temps pour un rendez-vous d'affaires. Peu importe la façon dont le problème est résolu, les clients veulent en général une réparation tangible – dans ce cas-ci, parvenir à destination –, et pas seulement des excuses. Si l'entreprise ne peut offrir une réparation tangible, elle doit alors rassurer le client en lui garantissant que des mesures seront prises pour empêcher le problème de se reproduire.

L'équité en matière de procédure

L'**équité en matière de procédure** désigne la perception du consommateur à l'égard de l'équité de la procédure utilisée pour traiter les plaintes relatives au service. Les clients veulent des procédures de traitement des plaintes efficaces dont ils peuvent influencer les résultats dans une certaine mesure. De plus, ils tendent à croire qu'ils ont été traités de façon équitable lorsque l'employé suit une ligne de conduite préalablement établie par l'entreprise. Précisons, toutefois, que l'adhésion rigide aux règles peut avoir des effets nocifs. Par exemple, le fait de demander l'approbation du gérant pour chaque remboursement, même d'une somme minime, peut prendre plusieurs minutes et, par conséquent, irriter les clients qui attendent à la caisse.

Prenons un dépanneur qui vend des cigarettes et de l'alcool. Le propriétaire a institué une politique qui oblige tous les clients qui veulent faire ce type d'achat à

équité en matière de distribution (*distributive fairness*) Façon dont un client perçoit les avantages obtenus en comparaison des coûts (inconvénients ou perte) qu'il a subis.

équité en matière de procédure (*procedural fairness*) Perception du consommateur à l'égard de l'équité de la procédure utilisée pour traiter les plaintes relatives au service.

présenter leur carte d'identité. Si les commis appliquent cette politique, les clients l'acceptent comme faisant partie intégrante du protocole d'achat et la perçoivent comme étant équitable pour tous. Cependant, si un client a nettement l'air d'avoir plus de 40 ans, laisser l'application de la politique à la discrétion du commis peut permettre d'éviter un échec de la prestation de services.

Régler le problème rapidement

En ce qui a trait aux retours et à d'autres questions relatives au service, il est important qu'une entreprise ait recours à des procédures qui sont perçues comme étant équitables par ses clients.

Plus une entreprise met de temps à corriger un échec lié à la prestation de services, plus le client sera irrité, et plus il a de chances de parler du problème à son entourage. Pour résoudre promptement cette lacune, l'entreprise doit adopter des politiques claires, former adéquatement ses employés et les autonomiser. Ces dernières années, les compagnies d'assurance maladie ont concerté leurs efforts pour éviter les problèmes de prestation de services dus au fait que les réclamations n'avaient pas été traitées rapidement ou à la satisfaction des clients.

Les entreprises devraient accueillir les plaintes favorablement et faciliter le processus de rétroaction en écoutant avec attention ce que leurs clients ont à dire. Même s'ils se plaignent, ceux-ci n'en démontrent pas moins une certaine fidélité et un désir sincère de voir le problème se régler. Sur les clients qui se plaignent, entre 56 % et 70 % feront de nouveau affaire avec l'entreprise si leur plainte est résolue. Cette proportion atteint 96 % si la plainte est résolue rapidement !

Cela peut paraître simpliste, mais pour se remettre de leurs échecs en matière de prestation de services, les entreprises doivent non seulement être à l'écoute des plaintes des clients, mais aussi faire le nécessaire pour donner satisfaction à ces derniers. L'application de cette règle élémentaire constitue un défi de taille pour les entreprises.

Profil d'expert   Simon Plante

Après un baccalauréat en administration des affaires de l'UQTR en 2005, option marketing, j'ai obtenu la maîtrise en gestion internationale (MBA) de l'Université Laval, avec une spécialisation en immobilier et marketing international.

À ma sortie de l'université, j'ai amorcé ma carrière en développement immobilier pour Boston Pizza International, qui faisait alors son entrée sur le marché québécois. Après un passage d'un peu moins d'une année comme analyste, gestion de portefeuille immobilier chez SITQ (aujourd'hui Ivanhoé Cambridge, l'une des 10 plus grandes sociétés immobilières au monde), j'ai effectué un retour chez Boston Pizza International, cette fois comme conseiller régional du marketing. Ce poste m'a permis de cultiver ma passion

pour le marketing, de développer un vaste réseau de contacts et d'acquérir de l'expérience qui me sera fort utile tout au long de ma carrière. En septembre 2012, je me suis joint à l'équipe marketing de Tim Hortons, la plus grande chaîne de restaurants à service rapide au Canada, qui deviendra, un peu plus de deux ans plus tard, lors de sa fusion avec Burger King, la troisième plus grande société de restauration rapide au monde, avec des ventes d'environ 23 milliards de dollars et plus de 18 000 restaurants établis dans 100 pays. Aujourd'hui, je gère un important budget marketing.

À l'origine, j'avais choisi les finances, mais dès la première session, le cours de comportement du consommateur a été une véritable révélation pour moi, et j'ai rapidement déposé ma demande pour être admis dans le programme de marketing. Avant de suivre ce cours, je ne me doutais pas que le marketing avait des fondements aussi variés et solides, et que cette discipline puisait son savoir de sciences que j'adorais, telles que la psychologie, l'économie, l'anthropologie, les statistiques, et de l'art. C'est d'ailleurs ce mélange de sciences et d'art qui comble le cerveau droit et le cerveau gauche. Plus spécifiquement, dans mon emploi, je peux à la fois :

- élaborer des campagnes de communication, procéder aux achats médias, développer le créatif et en assurer le déploiement et le suivi ;
- gérer un important budget de commandites qui m'amène à diriger des partenariats avec des équipes et des organisations de sport professionnelles telles que les Alouettes de Montréal, l'Impact de Montréal, les Canadiens de Montréal, la Ligue nationale de hockey, les Blue Jays de Toronto, etc.
- agir comme conseiller, pour les propriétaires de restaurants et mes collègues des autres services ;
- analyser des recherches commerciales et des résultats de ventes et trouver des solutions ;
- analyser la rentabilité des promotions et déterminer le prix des produits ;
- surveiller constamment les stratégies des concurrents ;
- défendre l'image de la marque et m'assurer de son uniformité ;
- participer au développement de nouveaux produits.

Toutes ces actions se concrétisent au quotidien. Parfois, je constate qu'il y a une longue file d'attente devant notre restaurant corporatif. Alors, je contacte un collègue du Service des opérations et je lui demande ce qu'il se passe. Chaque fois, il me répond simplement : « C'est à cause de la campagne publicitaire lancée il y a deux jours, tout le monde veut essayer le nouveau produit ! »

Ce que j'aime aussi dans mon métier, c'est la possibilité d'interagir avec de nombreuses personnes, de milieux très variés. En plus des représentants, des fournisseurs, des propriétaires de restaurants, des gestionnaires de festivals et des organismes sans but lucratif (OSBL), je côtoie parfois des célébrités. J'ai même eu la chance de distribuer des exemplaires du jeu vidéo NHL 15 d'EA Sports en compagnie du hockeyeur David Desharnais et de participer à des événements destinés à de jeunes joueurs de football amateur avec des joueurs des Alouettes !

Je ne suis pas toujours au bureau devant un ordinateur. Je suis parfois sur la route aux quatre coins du Québec, souvent en réunion et mon horaire est très variable, jamais routinier. Pour vérifier mes actions ou nos stratégies, il m'arrive encore de m'inspirer des concepts puisés dans mes livres de marketing de l'université, je consulte régulièrement le site Web Infopresse et j'apprends de mes collègues plus expérimentés. Philip Kotler a dit : « Le marketing s'apprend en une journée, mais il faut une vie entière pour le maîtriser. » Si j'avais des conseils à prodiguer à un étudiant en marketing, je lui dirais d'être curieux en lisant plus que ce que propose le plan de cours, d'être respectueux envers ses collègues (l'un d'eux est peut-être son futur supérieur), de développer ses habiletés en communication, et de ne pas oublier qu'en marketing il faut toucher les cordes sensibles des consommateurs.

Faites le point

 **Définissez ce qui distingue la mise en marché d'un service de celle d'un produit et appliquez le modèle IHIP : Intangible, Hétérogène (variable), Indissociable de la production et de la consommation (simultané), Périssable**

Premièrement, un service est intangible – on ne peut le voir ni le toucher ou le goûter – et, de ce fait, il est difficile d'en décrire les avantages ou de le promouvoir. Les prestataires de services s'efforcent de réduire l'effet de cette intangibilité en y associant des qualités plus tangibles telles qu'une atmosphère agréable ou des rabais. Deuxièmement, les services sont plus variables que les produits. Les prestataires de services tentent de réduire cette variabilité par l'établissement de normes, la formation du personnel, l'offre de services

groupés et la technologie. Troisièmement, la production d'un service est indissociable de la production et de la consommation. Quatrièmement, comme un service ne peut être entreposé en vue d'une utilisation future, les gestionnaires marketing ont recours à des incitatifs pour échelonner la demande dans le temps.

 **Expliquez la nécessité pour le gestionnaire marketing de maîtriser le développement et la gestion d'un service**

Un service existe rarement tout seul. Une entreprise répond initialement à un besoin spécifique des consommateurs et offre pour cela un service de base. Liés au service de base, auquel ils ajoutent de la valeur, les services périphériques sont des services de moindre importance qui complètent l'offre de base. Un service de base dérivé est un service périphérique qui peut être autonome. Quant à la gestion des services, aux quatre «P» du marketing mix s'ajoutent les variables liées au personnel de contact, aux aspects physiques et à la gestion du processus.

 **Expliquez l'importance pour le gestionnaire marketing de comprendre et de gérer les attentes des clients**

Un écart de compréhension a lieu lorsque les gestionnaires marketing ne comprennent pas les attentes de leurs clients. Ceux-ci sont déçus parce qu'ils obtiennent un service insuffisant ou inadéquat. Pour comprendre les désirs et les besoins des clients, les gestionnaires marketing doivent analyser la qualité de leur service en menant de vastes études de consommation et en interagissant avec les clients.

 **Décrivez les stratégies qu'une entreprise peut mettre en œuvre pour amener ses employés à offrir un meilleur service**

En premier lieu, l'entreprise doit former ses employés, peu importe la façon dont ils accomplissent leur travail et interagissent avec les clients. En deuxième lieu, elle doit démontrer son engagement profond envers un service de qualité en établissant des normes rigoureuses, en les respectant et en donnant l'exemple. En troisième lieu, l'entreprise peut habiliter les prestataires de services à régler les problèmes relatifs au service. En quatrième lieu, elle doit offrir à ses employés un soutien émotionnel et les outils dont ils ont besoin pour faire un bon travail. En cinquième lieu, le plan de service doit être constant à tous les échelons de l'organisation. En dernier lieu, les prestataires de services ont besoin de stimulants afin d'accomplir leur travail adéquatement.

OA 5 Présentez trois stratégies de reconquête de la clientèle

Dans un monde idéal, les échecs en matière de prestation de services n'existent pas. Or, ces échecs sont inévitables et, lorsqu'ils se produisent, l'entreprise doit présenter des excuses au client, l'écouter attentivement, le laisser formuler ses griefs ; trouver une solution équitable qui non seulement dédommage le client, mais qui est conforme à une procédure que ce dernier estime équitable ; et, enfin, régler le problème rapidement.

Mots clés

- autonomisation, p. 366
- écart de communication, p. 359
- écart de compréhension, p. 359
- écart de livraison, p. 359
- écart de standards, p. 359
- écart relatif au service, p. 359
- équité en matière de distribution, p. 371
- équité en matière de procédure, p. 371
- hétérogénéité (ou variabilité), p. 348
- indissociabilité (ou simultanéité), p. 351
- intangibilité, p. 347
- périssabilité, p. 351
- programme d'écoute des consommateurs, p. 362
- qualité du service, p. 360
- service à la clientèle, p. 344
- zone de tolérance, p. 362

Révision des concepts

1. Décrivez les quatre dimensions qui distinguent la mise en marché d'un service de la mise en marché d'un produit.

2. Pourquoi l'intangibilité est-elle décrite comme la principale différence entre un produit et un service ?

3. Indiquez ce qu'une entreprise peut faire pour minimiser l'impact négatif potentiel de la variabilité d'un service sur la prestation de celui-ci.

4. Que peuvent faire les entreprises pour compenser la périssabilité de leurs services ?

5. Un hôtel propose plusieurs types de services. Donnez des exemples de service de base, de service périphérique et de service de base dérivé pour une telle institution.

6. Décrivez les éléments du modèle des écarts. Expliquez les stratégies que les entreprises peuvent mettre en œuvre pour prévenir les écarts de livraison.

7. Décrivez les cinq dimensions de la qualité du service auxquelles les consommateurs se réfèrent souvent pour juger de la qualité du service reçu.

8. Expliquez comment le recours à la technologie peut permettre aux entreprises d'assurer un service de meilleure qualité.

9. Qu'entend-on par « reconquête de la clientèle » ? Comment les entreprises peuvent-elles y recourir pour éviter de perdre un client à la suite d'un problème lié la prestation d'un service ?

10. Expliquez ce qui distingue l'équité en matière de distribution et l'équité en matière de procédure dans le contexte de la reconquête de la clientèle.

Marketing appliqué

1. Les entreprises dont vous achetez les produits et les services ne vendent pas uniquement des produits ou uniquement des services. Quels services un grand magasin fournit-il ? Quels produits un dentiste vend-il ?

2. Vous patientez dans la salle d'attente de votre médecin depuis une heure. En sachant que les produits sont différents des services, nommez une liste de mesures que le chef de bureau pourrait prendre pour améliorer la prestation globale du service. Réfléchissez à la façon dont il pourrait régler les problèmes associés à l'intangibilité, à l'hétérogénéité, à l'indissociabilité et à la périssabilité des services.

3. Un nettoyeur à sec de votre région vous a demandé d'effectuer une analyse de la zone de tolérance de ses clients. Vous avez constaté que les zones de tolérance relatives à la fiabilité et à l'empressement sont beaucoup plus larges que celles des trois autres dimensions de la qualité du service. Vous avez aussi noté que le nettoyeur à sec se situe au-dessus de la zone de tolérance en ce qui a trait à la fiabilité, mais au-dessous d'elle en ce qui touche à l'empressement. Quel conseil devriez-vous donner au gestionnaire du nettoyeur à sec ?

4. Créez un système simple qui permet de recueillir l'opinion des clients sur les services du nettoyeur à sec.

5. Pensez à votre dernier emploi. Quelle formation votre employeur vous a-t-il donnée sur la manière d'interagir avec les clients et d'offrir un bon service à la clientèle ? Qu'aurait-il pu faire pour mieux vous préparer à interagir avec les clients ?

6. Décrivez une situation précise dans laquelle un employé aurait pu éviter une défaillance dans la prestation d'un service s'il avait été habilité à le faire par son employeur. Qu'aurait dû faire l'employé ?

7. Quels types de soutien et de stimulants votre université pourrait-elle donner aux conseillers pour qu'ils soient plus attentifs aux besoins des étudiants ?

8. Quelles technologies utilisez-vous pour faciliter vos transactions avec un détaillant ou un prestataire de services particulier ? Préférez-vous utiliser la technologie ou interagir en personne avec quelqu'un ? En quoi les réponses de vos parents à ces deux questions seraient-elles différentes des vôtres ?

9. Un centre de culture physique lance une campagne promotionnelle qui promet de vous faire perdre 2,5 centimètres de tour de taille par mois si vous vous inscrivez au centre et suivez son programme. Comment cette promesse pourrait-elle créer un écart de communication ? Que devrait faire le centre pour éviter un problème lié à la prestation de services ?

10. Vous êtes engagé par un service de recherche d'emploi qui promet de trouver des emplois rémunérateurs aux nouveaux diplômés. L'entreprise fournit une liste impressionnante d'employeurs à ses clients potentiels. Elle demande des honoraires initiaux, puis prend une commission d'intermédiaire si son client décroche un emploi. L'entreprise annonce ses services d'une manière très dynamique et possède une vaste clientèle. Or, vous constatez qu'en fait elle se contente d'afficher les CV qui lui sont soumis dans une variété de moteurs de recherche d'emploi en ligne. L'entreprise ne se met jamais en rapport avec des employeurs au nom de ses clients. Le PDG, lui-même récemment diplômé de l'université, affirme que son entreprise ne promet pas de communiquer avec des employeurs potentiels. Elle annonce uniquement qu'elle a accès à une banque d'employeurs à qui elle transmet les CV de ses clients. Que pensez-vous des pratiques de cette entreprise ?

Internaute averti

1. Quels services la compagnie aérienne WestJet (www.westjet.com) offre-t-elle ? Comparez-les avec les services offerts par Air Canada (www.aircanada.ca) en vous basant sur les cinq dimensions de la qualité du service (fiabilité, empressement, assurance, empathie et éléments tangibles).

2. Évaluez la facilité avec laquelle vous pouvez réserver une chambre à l'aide du système de réservation en ligne de Fairmont (www.fairmont.com). Vérifiez la politique de confidentialité de la société. Êtes-vous à l'aise au sujet du fait que la société utilise des témoins de connexion (cookies) pour identifier les visiteurs qui reviennent sur le site ?

Étude de cas

HÔTEL CHIC RECHERCHE CLIENTÈLE SÉLECTE[70]

Les hôtels de luxe poussent comme des champignons et les hôtels ordinaires proposent de plus en plus de chambres luxueuses afin d'attirer une clientèle sélecte[71]. Néanmoins, malgré ce foisonnement d'hôtels haut de gamme, le groupe Ritz-Carlton demeure le leader incontesté du marché. La célèbre chaîne se distingue simplement en offrant le meilleur service. Or, que fait-elle au juste pour se démarquer de la concurrence et comment conserve-t-elle son avantage concurrentiel basé sur un service exceptionnel ?

Propriété du groupe Marriott International, le groupe Ritz-Carlton exploite 87 hôtels répartis dans 29 pays du monde entier. Les hôtels Ritz-Carlton emploient 35 000 personnes et forment leurs employés de manière à ce qu'ils exécutent un service parfait[72]. L'histoire du Ritz-Carlton commence en 1927 avec l'ouverture du Ritz-Carlton Boston, un hôtel ayant la réputation de faire l'impossible pour satisfaire ses hôtes. C'est ainsi que les fauteuils de la chambre de Winston Churchill ont été recouverts de tissu rouge, le rouge étant la couleur préférée de celui-ci, et la chambre de Joan Crawford, redécorée sur le thème des Life Savers, sa friandise favorite[73].

Le service à la clientèle exceptionnel du Ritz-Carlton repose également sur un personnel hautement qualifié qui se soucie du bien-être des clients, ainsi que sur un système sophistiqué de gestion de la relation client, faisant en sorte que les hôtes du Ritz-Carlton bénéficient en toutes circonstances d'un service remarquable.

L'autonomisation des employés

La devise du personnel du Ritz-Carlton est : « Nous sommes des dames et des messieurs au service de dames et de messieurs. »

Le Ritz-Carlton allie une formation intensive du personnel à des pratiques d'embauche soigneuses afin de créer un environnement accueillant pour les clients. Par exemple, les employés reçoivent l'ordre de ne jamais dire « non » à un client et chaque concierge reçoit une allocation quotidienne de 2 000 $ par client qu'il peut utiliser pour résoudre les problèmes des clients insatisfaits d'un aspect du service. Les clients du Ritz-Carlton sont souvent étonnés par les petites attentions que les employés ont à leur égard, mais ce service personnalisé s'appuie sur une formation continue. Ainsi, dans tous les Ritz-Carlton, à chaque quart de travail, le personnel assiste à une séance d'information d'un quart d'heure au cours de laquelle on fait le rappel de l'une des 12 « valeurs de service » qui représentent la marque distinctive de l'entreprise.

La formation n'est qu'un aspect de l'excellent service à la clientèle de cette chaîne hôtelière ; avant même d'y arriver, le Ritz-Carlton embauche le type d'employé approprié. Il recherche des personnes chaleureuses et attentionnées et s'efforce de leur instiller sa devise : « Nous sommes des dames et des messieurs au service de dames et de messieurs[74]. » Avant l'ouverture du Ritz-Carlton Dallas, chaque employé avait suivi plus de 80 heures de formation. Sur les 400 employés de l'hôtel, la moitié provenait d'autres hôtels Ritz-Carlton pour faire en sorte que le nouveau venu perpétue le service à la clientèle et la minutie qui font la renommée de l'entreprise.

Des systèmes de technologies de l'information sophistiqués

Pour soutenir sa performance, le Ritz-Carlton a recours à un système de gestion client appelé Mystique, qui recueille des informations sur les clients, depuis leurs demandes spéciales jusqu'aux observations informelles faites par les employés. Ce système est assez difficile à mettre en œuvre parce que ces observations doivent être recevables et confirmées par divers aspects du séjour du client. Ainsi, si un client commande un martini décoré de petits oignons blancs à trois reprises, le barman devrait entrer cette boisson comme étant la préférée du client dans le système ; par contre, si le client commande cette boisson une seule fois, il ne vaut sans doute pas la peine de le noter. Néanmoins, comme les employés s'efforcent constamment de surprendre leurs clients, tout élément d'information qui leur permet de le faire dans le futur crée de la valeur pour les employés comme pour les clients.

L'objectif du Ritz-Carlton est d'encourager ses clients à s'investir activement dans la marque Ritz-Carlton. Ses recherches révèlent que les clients qui se sentent liés à la marque dépensent 23 % de plus que les autres clients. Voilà pourquoi le service à la clientèle est un élément important de la valeur de l'entreprise. Après tout, une simple hausse de 4 % de l'engagement de la clientèle entraînerait des ventes d'environ 40 millions de dollars pour la chaîne ! Les employés apprennent comment aborder les clients, comprenant, par exemple, qu'on s'adresse différemment à une vedette rock et à un cadre retraité. Ils apprennent à adapter leur style à la situation parce que leurs interactions ne seront pas les mêmes si un client les salue avec un « Bonsoir, jeune homme. Comment allez-vous ? » ou avec un « Salut, mon pote, ça gaze ? ».

La reconnaissance du meilleur

Finalement, au-delà de sa clientèle hautement loyale, le Ritz-Carlton a remporté quelques-uns des prix les plus prestigieux pour la qualité de sa prestation, dont le Malcolm Baldrige National Quality Award. Dernièrement, afin de faire profiter d'autres entreprises de son savoir-faire, la chaîne a instauré un programme de formation axé sur le service à la clientèle au coût de 1700 $ par personne. Désormais, des banques, des hôpitaux, des cabinets d'avocats et des concessionnaires d'automobiles – des industries souvent critiquées pour la médiocrité de leur service – inscrivent leurs employés à des programmes de formation afin d'améliorer la qualité de leur service. Même des employés de concessions d'automobiles Lexus et de Starbucks ont suivi la formation donnée par le Ritz-Carlton.

Les participants à ce programme de formation apprennent ce qui fait la qualité supérieure du service à la clientèle du Ritz-Carlton et comment ils pourraient appliquer certaines de ses techniques à leur propre entreprise. Les blanchisseurs, les jardiniers, les voituriers et les portiers des hôtels Ritz-Carlton s'impliquent tous dans la formation du personnel d'autres entreprises qui se tournent vers le Ritz-Carlton pour obtenir de l'aide. Ils les conseillent sur la façon d'aider les hôtes ou les clients dans leur propre domaine de compétence et leur montrent comment déborder du cadre de leurs fonctions, au besoin, même pendant les périodes d'affluence, afin d'assurer un fabuleux service à la clientèle en tout temps.

Questions

1. Évaluez le groupe Ritz-Carlton en fonction des cinq dimensions de la qualité du service (*voir la figure 11.5, p. 361*). Selon vous, le Ritz-Carlton accorde-t-il la même importance à chaque dimension ou en considère-t-il une ou deux comme étant plus cruciales que les autres ? Expliquez votre réponse.

2. Comparez la qualité du service offert au Ritz-Carlton avec celle du dernier hôtel où vous avez séjourné.

3. En vous appuyant sur le modèle des écarts, nommez les écarts de la qualité du service que vous avez remarqués lors de votre dernier séjour à l'hôtel. Que pourrait faire l'hôtel pour corriger ces écarts ?

CHAPITRE 12

Les stratégies et concepts relatifs à la fixation des prix dans l'estimation de la valeur

Quand vous allez au cinéma, préférez-vous les films traditionnels, 3D ou IMAX? Chaque type de film attire une clientèle qui affiche des préférences et des croyances différentes en matière de prix. Vaut-il mieux payer un peu plus pour vivre une expérience d'immersion plus forte ou garder son argent et attendre que le film sorte en DVD pour le regarder à la maison? Le film *Avatar* est-il vraiment meilleur en 3D sur le grand écran?

Ces différentes conceptions du prix reflètent le concept de valeur. Comme il se produit de plus en plus de films 3D et IMAX, Cineplex Divertissement a modifié sa stratégie en matière de technologie afin de suivre la tendance. Avec ses 131 salles de cinéma et ses 1 353 écrans, Cineplex est le plus important exploitant de technologies de projection numérique, 3D et IMAX au Canada[1]. Au cours de la dernière année, l'entreprise a presque doublé le nombre de ses projecteurs numériques, et en compte désormais 238, desquels 199 sont compatibles avec la technologie RealD 3D.

Bien que la technologie de base 3D existe depuis les années 1890, au début de son utilisation au cinéma l'équipement et les processus requis pour produire et projeter des films étaient très onéreux. Aujourd'hui encore, le coût de la conversion au cinéma numérique est prohibitif: jusqu'à 150 000 $ par écran ou plus. Ce coût est répercuté sur les billets, qui se vendent de 3 à 5 $ de plus que les billets des films traditionnels[2]. Vous serez peut-être étonné d'apprendre que, lors de la dernière récession, même si les consommateurs avaient sabré dans leur budget de vacances et de produits de luxe, ils ont continué d'aller au cinéma.

Grâce aux films comme *Avatar* et *Alice au pays des merveilles,* Cineplex a enregistré ses recettes les plus substantielles au cours du premier trimestre de 2010, les films 3D et IMAX comptant pour 33,9 % de celles-ci, comparativement à 7 % au cours de la même période l'année précédente[3]. Le cinéma est en pleine évolution. En cernant les besoins et les désirs des consommateurs en matière de divertissement cinématographique et en y répondant, Cineplex a fourni de la valeur à ses clients et à ses parties prenantes.

Tant que les consommateurs accorderont de la valeur aux avantages associés à un prix plus élevé, ils accepteront de payer quelques dollars de plus pour voir des films 3D. Néanmoins, il y aura toujours des consommateurs qui choisiront des options moins chères. Par conséquent, pour élaborer des stratégies de prix profitables, l'entreprise doit à tout prix comprendre comment les consommateurs construisent leur perception de la valeur. Comme une stratégie de prix efficace doit également tenir compte d'autres facteurs, son élaboration représente un formidable défi pour toutes les entreprises. Choisissez la bonne stratégie et vous récolterez des dividendes substantiels. Choisissez la mauvaise et vous courrez droit à l'échec. Même si une stratégie de prix est bien implantée, les consommateurs, la situation économique, les marchés, les concurrents, les règlements gouvernementaux et même les propres produits et services de l'entreprise changent constamment – ce qui veut dire qu'une stratégie de prix judicieuse aujourd'hui pourrait ne plus l'être demain.

Le film Avatar *de James Cameron détient le record des entrées IMAX avec des ventes de 286 millions de dollars.*

OA **1** La pression qui s'exerce sur les gestionnaires marketing est énorme, car ce sont eux qui sont chargés de la fixation des prix, des bons prix. Comme l'indique la feuille de route ci-contre, nous expliquerons dans ce chapitre le concept du « prix », pourquoi il est aussi important, comment les gestionnaires marketing cernent les objectifs relatifs à la fixation des prix ainsi que les divers facteurs influant sur la fixation des prix. Par la suite, nous élargirons ce thème en nous concentrant sur certaines stratégies de fixation des prix, en particulier, de même que sur les facteurs psychologiques qui entrent en jeu. Finalement, nous décrirons quelques tactiques de prix dans les contextes du commerce interentreprises et du commerce de détail, puis nous traiterons de certains enjeux légaux et éthiques importants que soulève la fixation des prix.

Imaginons un instant qu'une consommatrice se rend compte qu'elle peut économiser à l'achat d'un article donné en se rendant dans un magasin situé à 20 kilomètres de plus que le magasin le plus proche de son domicile. Il se pourrait fort bien qu'elle trouve que cette différence de prix n'en vaut pas la peine lorsqu'elle considère le temps et les coûts de transport que cet achat requiert. Par conséquent, elle conclut que même si le prix du détaillant le plus près est plus élevé, le coût total est inférieur. Afin d'inclure dans le concept de prix des aspects comme ceux dont il vient d'être question, nous considérerons le prix comme étant la somme des efforts que le client est prêt à faire afin de se procurer un produit ou un service. Il est habituellement question du montant que le consommateur est disposé à donner au vendeur pour se procurer l'article, mais l'effort peut avoir trait à d'autres sacrifices, qu'ils soient pécuniaires, comme les frais de transport, les taxes ou les frais d'expédition, ou non, notamment la valeur attribuée au temps nécessaire pour se procurer

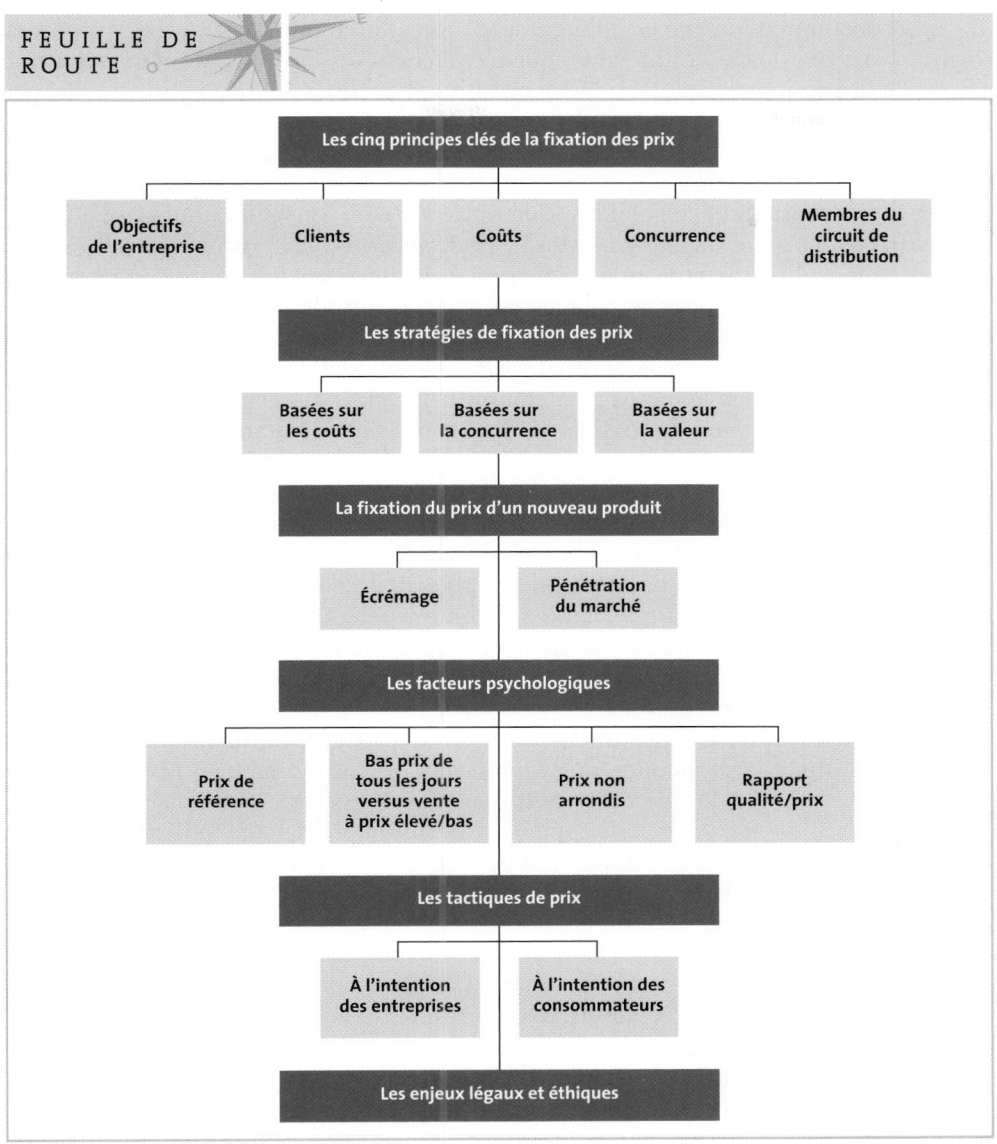

FEUILLE DE ROUTE

le produit ou le service. Tous ces sacrifices, le consommateur doit les faire s'il veut prendre possession du produit[4].

Les consommateurs comparent les avantages du produit avec les sacrifices à faire pour se procurer celui-ci, puis ils prennent leur décision en fonction de cette évaluation globale de la valeur nette du produit. Ainsi, un produit d'excellente qualité mais dont le prix est trop élevé peut se voir attribuer une faible valeur nette et faire moins bonne figure sur le marché qu'un produit de qualité inférieure dont le prix est nettement plus bas. En outre, il est impossible de définir le prix sans tenir compte du produit ou du service auquel on l'attribue. Pour une fixation des prix adéquate, il est donc nécessaire que le produit ou le service corresponde à la valeur perçue par le consommateur.

Cela soulève une question : s'il est possible de vendre des produits et des services à un prix trop élevé, est-il possible d'en vendre à un prix trop bas ? La réponse est simple : oui. Un prix trop bas peut être synonyme de piètre qualité, de mauvais rendement ou de tout attribut négatif associé au produit ou au service. Un prix trop bas peut, par ailleurs, ne pas couvrir les frais de l'entreprise, de sorte qu'elle ne sera pas en mesure de rester en opération.

Les consommateurs ne souhaitent pas nécessairement que tous les produits soient à bas prix tous les jours. En fait, ils recherchent des produits dont la valeur est élevée, ce qui peut arriver lorsque le prix est relativement élevé ou relativement bas, selon les avantages du produit ou du service.

Le prix est le seul élément du marketing mix qui génère des revenus. Si tous les autres éléments sont parfaits, mais si le prix est inadéquat, les ventes ne décolleront pas. Diverses études sur le sujet ont démontré que les consommateurs considèrent que le prix est l'un des facteurs les plus importants dans leur processus décisionnel[5]. En conséquence, si une entreprise veut procurer de la valeur et que cette dernière est mesurée en fonction des avantages perçus par rapport au coût du produit, les décisions relatives à la fixation des prix ont une importance capitale.

Le prix est le plus complexe des quatre « P », notamment parce qu'il est souvent l'élément du marketing mix le moins bien compris. Autrefois, les gestionnaires marketing s'occupaient du prix après coup, une fois que la stratégie de marketing était élaborée. Ils fixaient les prix en fonction de ceux de la concurrence ou, pis encore, en additionnant les coûts de production aux profits souhaités. Les prix restaient pratiquement toujours les mêmes, sauf lorsque des changements draconiens survenaient dans la conjoncture. Encore de nos jours, il arrive souvent que les décisions relatives à la fixation des prix ne correspondent pas à ce que l'on comprend du rôle du prix dans le marketing mix.

En outre, les gestionnaires marketing entretenaient une conception simpliste à l'égard du rôle du prix, à savoir qu'il ne s'agit que du montant d'argent que le consommateur débourse en vue de se procurer un bien ou un service. Nous savons maintenant que le prix est non seulement un sacrifice à faire, mais également un indice sur le produit. En effet, le consommateur se sert du prix du produit ou du service afin d'évaluer sa qualité[6], particulièrement quand il connaît moins bien la catégorie de produits. Par exemple, la plupart des étudiants ne s'y connaissent pas beaucoup en

À l'achat d'un vin, la plupart d'entre nous croient que plus le prix est élevé, plus la qualité du produit est grande.

vins. Ainsi, si une étudiante devait choisir un vin dans le rayon Spécialités à la Société des alcools du Québec, il est fort probable qu'elle évaluerait la qualité du produit en fonction du prix affiché et conclurait que plus le vin est coûteux, plus ce produit est de grande qualité.

En somme, les gestionnaires marketing devraient voir les décisions relatives à la fixation des prix comme une occasion d'appliquer des stratégies et d'ajouter de la valeur au produit au lieu de considérer qu'elles résultent simplement du reste du marketing mix. Le prix en dit bien plus long au consommateur que le coût du produit ou du service. Il peut notamment l'informer de sa qualité, bonne ou non. Voyons maintenant les cinq principes de base de la fixation des prix.

OA ② Les cinq principes clés de la fixation des prix

Les stratégies de fixation des prix les plus efficaces reposent sur cinq principes fondamentaux : les objectifs de l'entreprise, les clients, les coûts, la concurrence et les membres du circuit de distribution (*voir la figure 12.1*). Nous étudierons ces cinq principes plus en détail, car chacun d'entre eux contribue différemment au processus décisionnel en relation avec la fixation des prix[7]. La première étape consiste à définir les objectifs de l'entreprise en ce qui a trait à la fixation des prix.

Les objectifs de l'entreprise

Vous savez maintenant que chaque entreprise se fixe des objectifs différents. Par exemple, Walmart veut être perçue comme une entreprise axée sur la valeur, c'est pourquoi elle a opté pour une politique de bas prix de tous les jours, contrairement à Holt Renfrew, dont les prix élevés véhiculent une image haut de gamme.

| FIGURE | 12.1 | Les cinq principes clés de la fixation des prix |

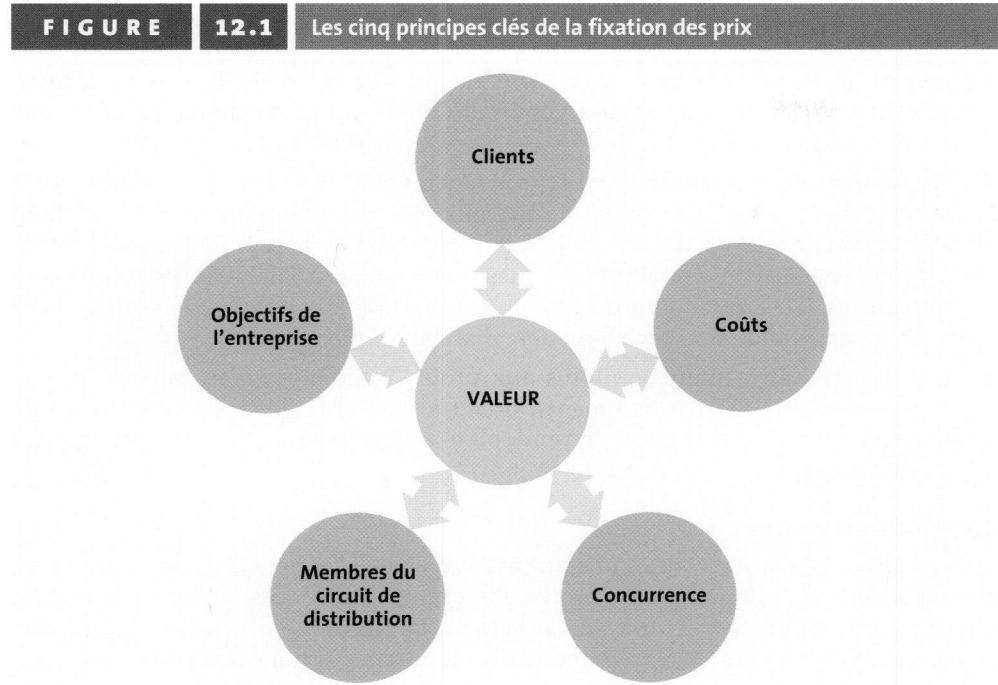

Ainsi, chaque entreprise se fixe des objectifs qui lui permettront de réussir, peu importe sa définition de la réussite. Ces objectifs précis représentent habituellement la façon dont l'entreprise prévoit prendre de l'expansion. La direction souhaite-t-elle que l'entreprise prenne de l'expansion grâce à une augmentation de ses profits ou de ses ventes ? grâce à une diminution de sa concurrence ? ou en faisant en sorte que la clientèle soit satisfaite ?

Les objectifs de l'entreprise ne constituent pas un concept aussi simple qu'il y paraît. La moindre nuance quant à leur expression peut en changer complètement le sens. Le tableau 12.1 présente quelques exemples d'objectifs courants et leur rôle dans la stratégie de fixation des prix. En outre, ces objectifs ne s'excluent pas toujours mutuellement. En effet, une entreprise peut établir deux objectifs non concurrentiels, voire davantage.

L'orientation profit

Même si le but de toute entreprise est de faire des profits, une organisation met en œuvre une **orientation profit** en fixant les prix en fonction du profit à atteindre, en maximisant les profits ou en optant pour le rendement recherché.

orientation profit
(*profit orientation*)
Objectif d'une entreprise pouvant être atteint en fixant les prix en fonction du profit à atteindre, en maximisant les profits ou en optant pour le rendement recherché.

TABLEAU	12.1	Les objectifs de l'entreprise et leur rôle dans la stratégie de fixation des prix

Objectif	Exemple d'implication de la stratégie de fixation des prix
Orientation profit	Implanter une politique d'entreprise selon laquelle tous les produits doivent générer une marge de profit d'au moins 18 %.
Orientation ventes	Fixer les prix à un niveau très bas en vue de générer de nouvelles ventes arrachées aux concurrents, même si les profits peuvent en souffrir.
Orientation vers la concurrence	Dissuader les nouveaux concurrents de tenter de pénétrer le marché en fixant les prix à un niveau très bas.
Approche client	Cibler les segments de marché composés de consommateurs qui accordent une grande importance à un attribut en particulier et fixer les prix à un niveau relativement élevé (stratégie nommée « fixation d'un prix supérieur »).

- Une entreprise opte habituellement pour la **fixation des prix par rapport à la cible-bénéfice** lorsqu'elle a comme principal objectif d'atteindre un but précis relativement aux profits à faire. Afin de réaliser cet objectif, elle se sert du prix de vente pour stimuler les ventes et obtenir un profit donné pour chaque article vendu.

- La **stratégie de maximisation des profits** est inspirée de la théorie économique. Si l'entreprise parvient à concevoir un modèle mathématique précis qui tient compte de tous les facteurs permettant d'expliquer et de prédire les ventes et les profits générés, elle devrait être en mesure de savoir à quel prix les profits sont maximisés. Il est toutefois ardu de recueillir les données nécessaires relativement à ces facteurs et de trouver un modèle mathématique précis.

- L'entreprise qui s'intéresse moins aux profits optimaux qu'au taux de profits relativement à ses investissements, quant à elle, opte généralement pour une **fixation des prix par rapport au rendement recherché** ou une autre stratégie qui a pour but de produire un rendement.

L'orientation ventes

Les entreprises qui ont recours à une **orientation ventes** croient qu'il vaut mieux augmenter le chiffre d'affaires que les profits. Par exemple, un nouveau centre de culture physique pourrait se concentrer sur la vente à la pièce ou sur sa part de marché. Ainsi, il sera prêt à vendre ses abonnements moins cher et donc à générer, au début, moins de profits. Le contraire est également possible. Par exemple, une bijouterie haut de gamme peut se concentrer sur ses ventes à la pièce et, pour cette raison, conserver ses prix élevés. Cette boutique mise sur son image de prestige et sur celle de ses fournisseurs en vue de conclure des ventes. Même si le nombre de ventes est inférieur, ses revenus peuvent être très élevés.

Finalement, certaines entreprises peuvent se préoccuper davantage de leur part de marché que de leur volume des ventes. Ces entreprises considèrent que la part de marché est plus représentative de la réussite d'un commerce que les ventes, car elle tient compte de la conjoncture.

Pour détenir une plus grande part de marché, une entreprise peut choisir de baisser ses prix en vue de dissuader la concurrence de pénétrer le marché, d'inciter les concurrents déjà établis à se retirer du marché ou encore de tenter de s'emparer de la part de marché des concurrents. Par exemple, la compagnie aérienne à rabais irlandaise Ryanair baisse fréquemment ses prix sous ceux de ses concurrents en vue de détenir une plus grande part de marché. Dans tous les cas énumérés précédemment, ce ne sont pas les profits qui comptent le plus ; l'entreprise concentre ses efforts sur l'augmentation de ses ventes.

Se fixer un objectif de croissance de sa part de marché ne signifie pas qu'il faut nécessairement baisser ses prix. En effet, il est rare que la marque la moins chère domine sur un marché donné. Le ketchup Heinz, le fromage à la crème Philadelphia, le dentifrice Crest et les chaussures de sport Nike ont tous dominé le marché sur lequel ils se trouvent, et ce sont des marques de prix supérieur. Ainsi, une entreprise peut accroître sa part de marché simplement en proposant au consommateur des produits de grande qualité à un prix raisonnable, à condition que le consommateur perçoive ces produits comme ayant une grande valeur. Si le concept de valeur n'est pas au cœur de

l'orientation ventes, son rôle est toutefois implicite, car pour que les ventes augmentent, il est primordial que le consommateur perçoive une valeur plus grande qu'auparavant.

L'orientation vers la concurrence

Lorsqu'une entreprise opte pour une **orientation vers la concurrence**, elle applique un principe selon lequel elle devrait mesurer sa performance sur le marché en la comparant avec celle de ses concurrents. Pour ce faire, une entreprise pourrait procéder à un **alignement sur la concurrence**, c'est-à-dire qu'elle fixe le prix d'un produit ou d'un service pour qu'il soit semblable à celui des principaux concurrents du secteur. La valeur est implicite dans la stratégie orientée vers la concurrence dans la mesure où, si le concurrent de l'entreprise s'est servi de la valeur de son produit dans sa stratégie de fixation des prix, le fait de copier cette stratégie pourrait ajouter de la valeur au produit de l'entreprise.

L'approche client

L'**approche client** fait référence directement au concept de valeur. Une entreprise peut tenter d'ajouter de la valeur à ses produits en tenant compte des clients et en établissant le prix des produits de manière à répondre à leurs attentes. Elle peut aussi opter pour une structure de prix sans marchandage pour rendre le processus d'achat plus simple et plus facile pour le consommateur. L'entreprise peut ainsi diminuer le prix global du produit et, au final, en augmenter la valeur. Par exemple, la plupart des grands magasins ont choisi une structure de prix sans marchandage. Même si deux clients ont des préférences différentes, de sorte que l'un aurait été disposé à payer plus cher que l'autre, l'effort requis pour que le vendeur détermine le prix maximum qu'un client est prêt à payer coûterait plus cher que la perte théorique d'une valeur perçue plus élevée. Par contre, pour les produits à prix élevé – mobilier, automobiles, maisons, etc. –, il n'est pas rare d'avoir recours à des vendeurs qui ont une certaine marge de manœuvre pour déterminer le prix de vente.

L'entreprise peut également choisir de proposer au consommateur des produits ou des services d'avant-garde très coûteux offerts en quantité limitée. Cette stratégie vise à améliorer la réputation et l'image de l'entreprise, et donc à augmenter la valeur que lui confèrent les consommateurs. Par exemple, le fabricant canadien Paradigm, situé à Mississauga, en Ontario, vend ce que bien des audiophiles considèrent comme des produits de grande valeur, soit des haut-parleurs coûtant aussi peu que 189 $ la paire. Toutefois, Paradigm vend également des haut-parleurs haut de gamme qui valent 6 000 $. Même si très peu de consommateurs sont prêts à investir une telle somme dans l'achat de haut-parleurs, ce produit coûteux indique aux consommateurs ce que l'entreprise est capable de réaliser et permet d'améliorer l'image de celle-ci et de ses produits, et même l'image des haut-parleurs à 189 $. Depuis maintenant 17 années consécutives, ce qui ne s'était jamais vu, le magazine *Inside Track* a déclaré que Paradigm offre le meilleur rapport qualité/prix de l'industrie[8]. Ainsi, la stratégie consistant à établir les prix en tenant compte de la valeur que les consommateurs attribuent à une marque ou à un produit s'avère souvent la stratégie de fixation des prix la plus efficace, surtout si la publicité et les stratégies de distribution vont dans le même sens.

Une fois que l'entreprise est sur la bonne voie quant à ses objectifs généraux, elle doit mettre en œuvre des stratégies de fixation des prix qui lui permettront d'atteindre ces objectifs. À la deuxième étape du processus, elle doit évaluer la demande en vue de former la base de sa stratégie de fixation des prix.

orientation vers la concurrence
(*competitor orientation*)
Principe selon lequel l'entreprise devrait mesurer sa performance sur le marché en la comparant avec celle de ses concurrents.

alignement sur la concurrence
(*competitive parity*)
Stratégie visant à fixer le prix d'un produit ou d'un service pour qu'il soit semblable à celui des principaux concurrents du secteur.

approche client
(*customer orientation*)
Approche qui consiste à tenir compte des clients et à établir le prix des produits afin de répondre à leurs attentes.

Pouvez-vous distinguer les haut-parleurs Paradigm à 6 000 $ de ceux à 189 $?

Les clients

Le deuxième principe clé de la fixation des prix est le plus important des cinq, car il a trait à la compréhension de la réponse du consommateur au prix du produit. Le consommateur recherche des produits dont la valeur nette est élevée et, comme vous l'avez appris, le prix correspond à la moitié de l'équation de la valeur.

Pour évaluer la façon dont les entreprises tiennent compte des préférences des consommateurs au moment de l'élaboration de leurs stratégies de fixation des prix, il est nécessaire avant toute chose de s'appuyer sur la théorie économique. Celle-ci permet de comprendre, d'une part, le lien qui existe entre le prix et la demande (le désir des consommateurs de se procurer un produit donné) et, d'autre part, la façon dont les gestionnaires marketing se servent de leurs connaissances à ce sujet dans l'élaboration des stratégies de fixation des prix.

La courbe de demande et la fixation des prix

La **courbe de demande** est une représentation graphique des quantités de produits ou de services qui sont demandées par le consommateur à des prix différents au cours d'un certain intervalle de temps. Même si nous parlons de « courbe », la courbe de demande peut aussi être une droite, telle qu'illustrée dans la figure 12.2. Évidemment, une courbe de demande ne demeure valide que si l'on suppose que rien n'a changé dans l'environnement ni dans les stratégies de l'entreprise. Par exemple, le gestionnaire marketing qui élabore ses plans sur la base d'une courbe de demande doit supposer que l'entreprise n'augmentera pas le budget alloué à la publicité et que la conjoncture demeurera pratiquement la même.

La figure 12.2 illustre la courbe de demande la plus courante, soit une ligne orientée vers le bas où la demande augmente à mesure que le prix diminue. Dans cet exemple, les consommateurs achèteront davantage de disques compacts à mesure que leur prix diminuera. On peut s'attendre à observer une courbe de demande semblable pour de nombreux produits et services, si ce n'est pour la plupart d'entre eux.

L'axe horizontal représente la quantité de disques demandée, en centaines de milliers d'unités, en fonction des divers prix de vente possibles qui sont inscrits sur l'axe vertical. Chacun des points sur la courbe de demande représente la quantité demandée pour un prix donné. Ainsi, si le prix de vente d'un disque compact est de 10 $ (P_1), la demande sera de 1 million d'unités (Q_1), mais si le prix est fixé à 15 $ (P_2), la demande ne sera que de 500 000 unités (Q_2). Par conséquent, l'entreprise

courbe de demande
(*demand curve*)
Représentation graphique des quantités de produits ou de services qui sont demandées par le consommateur à des prix différents au cours d'un certain intervalle de temps.

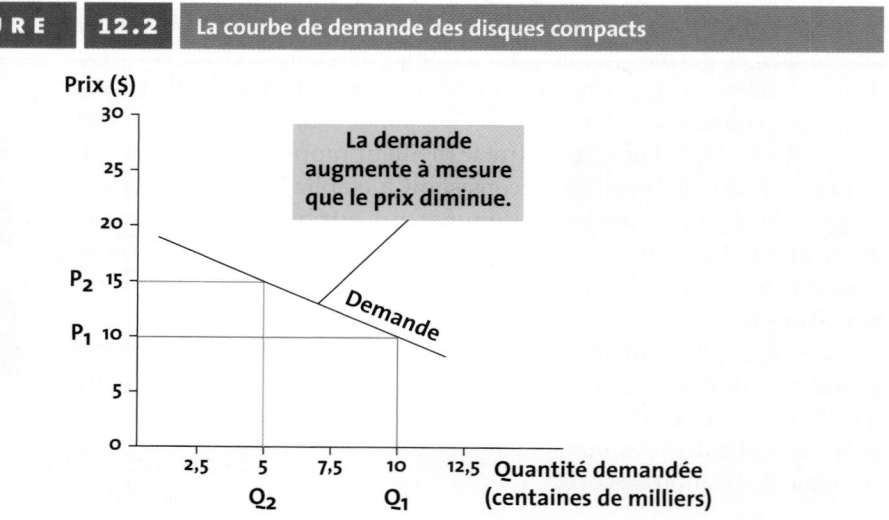

FIGURE   12.2   La courbe de demande des disques compacts

vendra beaucoup plus de disques compacts si elle fixe leur prix à 10 $ plutôt qu'à 15 $. Pourquoi ? Parce que la valeur attribuée aux produits est supérieure pour ce niveau de prix.

Lorsqu'une entreprise sait à quoi ressemble la courbe de demande d'un produit ou d'un service, cela lui permet d'évaluer divers prix de vente quant à la demande par rapport à l'objectif général qu'elle s'est fixé. Dans l'exemple précédent, le détaillant générait un total de 10 millions de dollars s'il vendait ses disques compacts à un prix unitaire de 10 $ (10 $ × 1 000 000 d'unités) et de 7,5 millions s'il les vendait à un prix unitaire de 15 $ (15 $ × 500 000 unités). Dans ce cas, puisqu'il n'y a que deux options (10 $ ou 15 $), le prix de vente de 10 $ est plus avantageux si l'entreprise souhaite maximiser ses ventes, en ce qui a trait à l'argent gagné et aux unités vendues. Mais serait-ce le cas si l'entreprise voulait maximiser ses profits ? Pour calculer les profits générés, il faut tenir compte du coût du produit. Ce sujet sera abordé un peu plus loin.

Fait intéressant, ce ne sont pas tous les produits et services qui présentent une courbe de demande inclinée vers le bas comme celle illustrée dans la figure 12.2. C'est notamment le cas pour les **produits ou services de prestige**, que les consommateurs achètent parfois davantage pour la visibilité que pour le caractère utilitaire du produit ou du service.

Plus le prix du produit est élevé, plus son statut l'est ; il est donc plus exclusif, car moins de personnes ont les moyens de se le procurer. Dans le cas présent, ce qui est d'autant plus important, c'est que, jusqu'à un certain point, plus le prix est élevé, plus le nombre d'unités vendues augmente. Lorsque le consommateur accorde une plus grande importance à l'augmentation du prestige qu'à la différence de prix entre le produit de prestige et les autres produits, c'est le produit de prestige qui revêt la plus grande valeur à ses yeux.

La figure 12.3 illustre la courbe de demande d'un service de prestige, soit une croisière dans les Caraïbes. Comme l'indique le graphique, quand le prix de vente passe de 1 000 $ (P$_1$) à 5 000 $ (P$_2$), la demande, elle, passe de 200 000 (Q$_1$) à 500 000 unités (Q$_2$). Toutefois, quand le prix augmente à 8 000 $ (P$_3$), la demande diminue à 300 000 unités (Q$_3$) après avoir atteint un sommet à environ 500 000 unités.

Même s'il y a de fortes chances que l'entreprise génère davantage de profits en vendant 300 000 croisières à 8 000 $ plutôt que 500 000 croisières à 5 000 $, il est impossible de confirmer ce fait avant de connaître les coûts associés au service. Par contre, nous savons que de plus en plus de consommateurs s'intéressent à la croisière à mesure que son prix augmente pour passer de 1 000 $ à 5 000 $, mais que la plupart d'entre eux iront voir ailleurs à mesure que le prix augmente de 5 000 $ à 8 000 $.

produit ou service de prestige (*prestige product or service*)
Produit ou service dont l'achat est effectué parfois davantage pour sa visibilité que pour son caractère utilitaire.

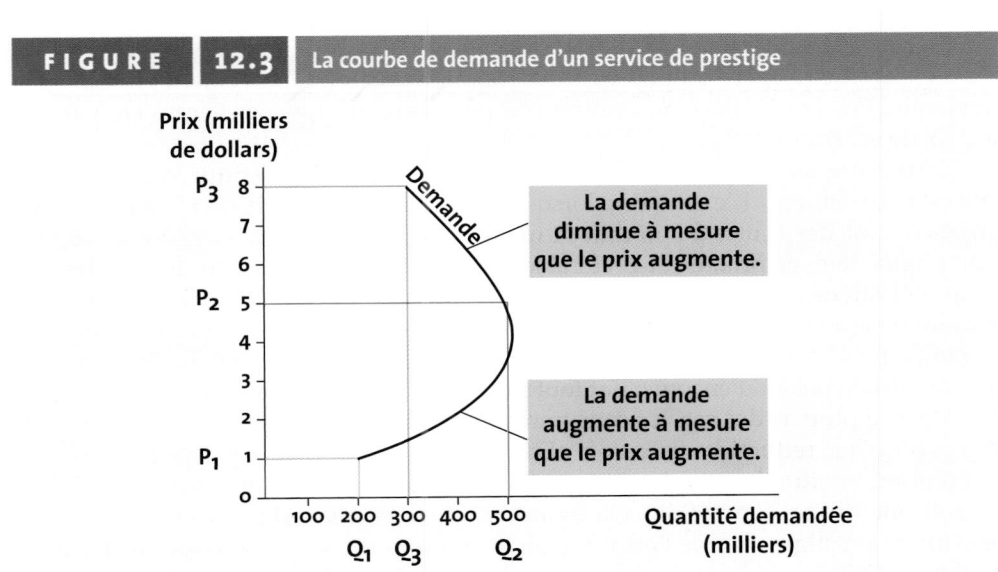

FIGURE 12.3 La courbe de demande d'un service de prestige

L'élasticité de la demande

Bien que nous comprenions maintenant un peu mieux la façon dont les consommateurs réagissent à divers niveaux de prix, nous devons encore évaluer leur réponse à un changement de prix. En général, les consommateurs sont moins sensibles à l'augmentation du prix d'un produit de nécessité, comme le lait, car ils n'ont pas d'autre choix que de se procurer du lait, même si les prix grimpent.

Les consommateurs sont moins sensibles au prix du lait qu'à celui du bifteck. Quand les prix du lait grimpent, la demande ne diminue pas de façon importante, car la population n'a pas d'autre choix que de se procurer du lait. Par contre, si le prix du bifteck dépasse un certain point, la population en achètera moins, car il existe plusieurs substituts à la viande de bœuf.

Quand le prix du lait grimpe, la demande ne diminue pas de façon importante. Par contre, si le prix du bifteck dépasse un certain point, la population achètera moins de bifteck, car il existe plusieurs substituts à la viande de bœuf. Les gestionnaires marketing doivent comprendre la réaction des consommateurs face à une augmentation, ou à une diminution, du prix de vente d'une marque ou d'un produit donné de manière qu'ils sachent s'il est avantageux ou non de changer son prix.

L'**élasticité de la demande** mesure l'effet d'une variation du prix d'un bien sur la quantité demandée. Il est possible de la calculer à l'aide de l'équation suivante :

$$\text{Élasticité de la demande} = \frac{\%\ \text{de variation de la quantité demandée}}{\%\ \text{de variation du prix}}$$

Habituellement, le marché est sensible au prix. On dit que le marché est **élastique**, quand l'élasticité est inférieure à –1, c'est-à-dire lorsqu'une diminution du prix de 1 % entraîne une augmentation des ventes du produit de plus de 1 %. Une variation relativement légère du prix engendrera une variation relativement grande de la demande. En conséquence, une entreprise peut faire grimper ses ventes en baissant le prix de ses produits.

D'un autre côté, le marché est dit insensible au prix, ou **inélastique**, quand l'élasticité est supérieure à –1, c'est-à-dire lorsqu'une diminution du prix de 1 % entraîne une augmentation des ventes du produit de moins de 1 %. Ordinairement, si une entreprise doit augmenter ses prix, il est préférable qu'elle le fasse avec les produits et les services inélastiques. La raison est simple : sur ces marchés, peu de consommateurs vont réduire ou cesser leur achat de ces produits et de ces services. Les consommateurs ne se rendent tout simplement pas compte que le prix était moins élevé, ou ils n'y voient aucun inconvénient ou encore n'ont tout simplement pas d'autre choix.

Dans la plupart des cas, les consommateurs sont plus sensibles à l'augmentation des prix qu'à la réduction de ceux-ci[9]. En outre, l'élasticité de la demande varie selon le point où se situe le prix dans la courbe de demande, à moins que cette dernière ne soit une droite, comme dans la figure 12.2 (*voir p. 386*). Ainsi, un produit ou un service de prestige, comme l'exemple de la croisière dans les Caraïbes illustré dans la figure 12.3, à la page précédente, présente une courbe de demande fortement

élasticité de la demande
(*price elasticity of demand*)
Mesure de l'effet d'une variation du prix d'un bien sur la quantité demandée ; plus précisément, le rapport entre la variation en pourcentage de la quantité demandée et la variation en pourcentage du prix d'un bien donné.

élastique (*elastic*)
Qualifie un marché, pour un produit ou un service particulier, qui est sensible au prix. Tout changement du prix entraînera des changements proportionnellement plus importants quant à la demande.

inélastique (*inelastic*)
Qualifie un marché, pour un produit ou un service particulier, qui est insensible au prix. Ainsi, un changement du prix n'entraînera pas de changements substantiels quant à la demande.

inélastique jusqu'à un certain point. Une augmentation du prix de vente avant ce point précis a donc peu d'influence sur les ventes du service. Par contre, lorsque le prix atteint ce point, les consommateurs commencent à se tourner vers d'autres services, car la valeur nette de la croisière diminue en raison de son prix trop élevé.

L'économie canadienne des dernières années permet d'observer les effets d'importants changements de prix. Au mois de janvier 2002, le dollar canadien s'établissait à 0,62 $ US. En 2007, il a connu une hausse vertigineuse jusqu'à atteindre la parité au début de l'automne. Une famille américaine qui disposait de 5 000 $ US en 2002 jouissait d'un pouvoir d'achat de 8 000 $ CAN si elle venait séjourner au Canada, ce qui n'était pas mal du tout. En 2007, le budget de 5 000 $ US ne valait plus que 5 000 $ CAN. Il n'est donc pas surprenant qu'un sondage américain portant sur le niveau de confiance des consommateurs et mené par le Conference Board des États-Unis ait révélé que le tourisme est moins populaire qu'auparavant[10], étant donné que le Canada ne représente plus une aubaine pour les Américains.

Passer ses vacances au Canada est maintenant bien plus coûteux pour les Américains qu'en 2002, étant donné la hausse importante du dollar canadien.

Les facteurs influant sur l'élasticité de la demande

Nous avons illustré la façon dont l'élasticité de la demande peut varier d'un produit à l'autre selon le point où il se situe sur sa courbe de demande et selon le moment. Mais quels facteurs entraînent une telle variation de l'élasticité de la demande ? Les paragraphes qui suivent traitent des facteurs les plus importants.

L'effet revenu Habituellement, le comportement d'un individu change à mesure que son revenu augmente. Il modifie sa demande de manière à passer des produits bon marché à des produits plus coûteux. Par exemple, un consommateur peut se mettre à acheter du bifteck au lieu du bœuf haché et aller au cinéma une fois par semaine au lieu d'une fois par mois. Conséquemment, quand l'économie se porte bien et que le revenu des consommateurs augmente de façon générale, l'élasticité de la demande du bifteck ou des films peut diminuer, même si leur prix est demeuré constant. Inversement, quand les revenus baissent, les consommateurs se tournent vers des choix moins coûteux ou alors ils dépensent moins. Cet **effet revenu** renvoie à un changement relatif à la quantité du produit demandé par les consommateurs en raison d'un changement dans leurs revenus.

L'effet de substitution L'**effet de substitution** fait référence à la capacité d'un client à remplacer un produit donné par un produit de substitution. Plus ce substitut est facilement accessible, plus l'élasticité de la demande du produit sera grande. Par exemple, il existe de nombreux produits de substitution apparentés dans le domaine du beurre d'arachide. Par conséquent, si le prix du beurre d'arachide Skippy augmente, il se peut que les consommateurs optent pour la marque Jif, pour la marque le Choix du Président ou pour toute autre marque, car il est facile de trouver un substitut à bas prix. Toutefois, les consommateurs les plus fidèles seront prêts à payer un peu plus cher s'ils considèrent que le beurre d'arachide Skippy est le beurre d'arachide qui présente la plus grande valeur.

N'oubliez pas que le marketing joue un rôle primordial dans la fidélisation des consommateurs en faisant en sorte que l'élasticité de la demande de certaines marques soit très faible. C'est d'ailleurs pourquoi Polo Ralph Lauren arrive à vendre des millions de ses chemises 65 $ chacune, alors que des chemises de qualité équivalente, mais sans le logo emblématique du joueur de polo, se vendent à un bien meilleur prix. Le fait d'amener les consommateurs à considérer une marque donnée comme

effet revenu (*income effect*) Changement relatif à la quantité du produit demandé par les consommateurs en raison d'un changement dans leurs revenus.

effet de substitution (*substitution effect*) Capacité d'un client à remplacer un produit donné par un produit de substitution, ce qui augmente l'élasticité de la demande de ce produit.

S'il existe de nombreux produits de substitution fortement apparentés à un produit donné, les consommateurs deviendront sensibles aux variations des prix et la demande du produit sera fortement élastique.

unique en son genre et extraordinaire rend les autres marques bien moins substituables.

L'élasticité croisée des prix L'élasticité croisée des prix est la variation en pourcentage de la demande d'un produit A qui survient à la suite d'une variation en pourcentage du prix d'un produit B. Par exemple, lorsque le prix des lecteurs DVD a chuté radicalement entre les années 2000 et 2004, la demande de DVD a connu une augmentation fulgurante. Les lecteurs DVD et les DVD sont des **produits complémentaires**, c'est-à-dire que leur demande est liée positivement, de manière que l'une et l'autre augmentent et diminuent en même temps. Autrement dit, une augmentation de la demande d'un produit A entraîne une augmentation de la demande d'un produit B[11]. Par contre, quand le prix des lecteurs DVD a chuté, la demande de lecteurs DVD a augmenté, mais, à l'opposé, la demande de magnétoscopes a chuté. Le lecteur DVD et le magnétoscope sont des **produits de substitution**, car la variation de leur demande est inversement proportionnelle.

Avant d'aborder le présent sujet, nous nous intéressons à l'influence des variations du prix sur les achats des consommateurs. L'importance de connaître l'influence du prix sur les ventes ne fait aucun doute, mais cela ne permet pas de dresser un tableau global de la situation. Ainsi, pour savoir à quel point une stratégie de fixation des prix est rentable, il est nécessaire de tenir compte du troisième principe clé : les coûts.

OA **3**

élasticité croisée des prix (*cross-price elasticity*) Variation en pourcentage de la demande d'un produit A qui survient à la suite d'une variation en pourcentage du prix d'un produit B.

produits complémentaires (*complementary products*) Produits dont les courbes de demande sont directement proportionnelles – elles se déplacent dans le même sens (p. ex., imprimantes et cartouches de rechange, automobiles et pneus).

produits de substitution (*substitute products*) Produits dont la variation de la demande est inversement proportion-nelle. Donc, si la demande du produit A connaît une augmentation en pourcentage, alors la demande du produit de substitution B connaîtra une diminution en pourcentage.

coût variable (*variable cost*) Coût lié principalement à la main-d'œuvre et aux matériaux et qui varie en fonction du volume de production.

Les coûts

En vue de prendre une décision éclairée relativement à la fixation des prix, l'entreprise doit comprendre sa structure de coûts de manière à évaluer dans quelle mesure ses produits et ses services seront rentables selon divers prix de vente. Généralement, le prix de vente ne doit pas être fixé en fonction des coûts, car les consommateurs fondent leur décision sur les avantages perçus. Ils se soucient très peu des coûts de production et de distribution du produit ou du service. Ils se fient au prix indiqué et aux avantages que leur offre le produit pour juger de sa valeur. Les consommateurs ne paieront pas un prix plus élevé pour un produit de qualité inférieure simplement parce que l'entre-prise qui le fabrique n'est pas en mesure d'être aussi rentable que ses concurrents.

Prenons l'exemple d'un disque compact vendu chez Indigo et Walmart. Il est fort probable que la plupart des consommateurs se le procurent chez Walmart, où il y a plus de chances que son prix soit moindre. Toutefois, de nombreux consommateurs trouvent d'autres avantages à choisir Indigo plutôt que le géant des bas prix. Il y a notamment le vaste choix de disques compacts, le fait qu'il leur sera plus facile de trouver le produit qu'ils recherchent, ou c'est peut-être parce qu'ils aiment bien l'idée de chercher un disque compact tout en sirotant un café au lait qu'ils se sont procuré sur place. D'ailleurs, si ces consommateurs n'accordaient aucune importance à ces avantages, Indigo devrait fermer ses portes.

Les coûts variables

Les **coûts variables** sont les coûts liés principalement à la main-d'œuvre et aux maté-riaux et qui varient en fonction du volume de production. Ainsi, plus une entreprise produit de biens ou de services, plus le total des coûts variables augmente. Le contraire est également vrai. Étant donné que chaque unité produite entraîne les mêmes coûts, les gestionnaires marketing expriment habituellement les coûts variables en un coût unitaire. Reprenons l'exemple des disques compacts. Les coûts variables incluent la main-d'œuvre nécessaire pour graver chacun des disques, le coût des disques vierges, celui des boîtiers et des étiquettes ainsi que les droits qu'il faut payer à l'artiste. Ces coûts augmentent chaque fois qu'un disque est fabriqué.

Pour ce qui est des services, la notion de coûts variables est beaucoup plus complexe. Par exemple, un hôtel engage certains coûts variables chaque fois qu'il loue une chambre. Ces coûts comprennent notamment le salaire de la main-d'œuvre et les frais relatifs aux produits nécessaires au nettoyage et au réassortiment des chambres. Toutefois, ces coûts ne sont pas engagés si la chambre est inutilisée. Imaginons que les coûts variables totaux d'une chambre d'hôtel s'élèvent à 20 $. Chaque fois que l'hôtel loue une chambre, il engage 20 $ de coûts variables. Par conséquent, si un soir l'hôtel loue 100 chambres, le total des coûts variables sera de 2 000 $ (20 $/chambre × 100 chambres).

Les coûts variables changent en fonction de la quantité de biens ou de services produits. Ainsi, si un producteur crée cinq disques compacts, il doit payer les coûts pour chacun d'entre eux. Mais s'il en produit 500, il est fort probable qu'il pourra acheter les disques en gros et payer moins cher. Finalement, il arrive que les coûts variables unitaires augmentent ou diminuent si le volume de production change de façon importante, mais ce n'est pas toujours le cas.

Les coûts fixes

Les **coûts fixes** demeurent pratiquement toujours au même niveau, indépendamment du volume de production. Normalement, les coûts fixes incluent les frais de location, de services, d'assurance, le salaire du personnel administratif (cadres et hauts dirigeants) ainsi que la dépréciation des installations et du matériel. Les coûts fixes demeurent stables en dépit des fluctuations du volume de production, à l'intérieur d'une fourchette plus ou moins large. Ainsi, que le producteur fabrique 5 ou 500 disques compacts, le prix de location de ses locaux sera le même. Par contre, un producteur qui presse 100 millions de disques compacts par an aura besoin d'une infrastructure plus importante. On parle souvent, dans ce cas, de coûts semi-fixes, bien qu'en pratique ces coûts soient considérés comme fixes pour une entreprise qui élabore son budget annuel.

coût fixe (*fixed cost*)
Coût qui demeure pratiquement toujours au même niveau, indépendamment du volume de production.

Le coût total

Enfin, le **coût total** correspond tout simplement à la somme des coûts variables et des coûts fixes. Par exemple, en un an, un hôtel a engagé 100 000 $ en coûts fixes. Nous savons également que l'hôtel a loué 10 000 chambres dans l'année, ce qui donne des coûts variables totaux de 200 000 $ (10 000 chambres × 20 $/chambre). Ainsi, le coût total s'élève à 300 000 $.

coût total (*total cost*)
Somme des coûts variables et des coûts fixes.

Nous tâcherons maintenant de comprendre comment utiliser ces coûts dans le cadre d'une analyse qui permettra de simplifier le processus décisionnel relatif à la fixation des prix.

L'analyse du point mort et la prise de décision

Il existe un moyen utile qui permet aux gestionnaires marketing de comprendre les liens qui unissent le coût, le prix, le revenu et les profits associés à un produit ou à un service à différents niveaux d'activité. Au cœur de cette analyse se trouve le **point mort**, c'est-à-dire le point auquel le nombre d'unités vendues génère tout juste assez de revenus pour égaliser les coûts totaux. À ce point, aucun profit n'est fait.

point mort
(*break-even point*)
Point auquel le nombre d'unités vendues génère tout juste assez de revenus pour égaliser les coûts totaux; à ce point, aucun profit n'est fait.

Comment calcule-t-on le point mort? Même si les profits, soit la différence entre les coûts et le revenu total (revenu total ou ventes totales = prix de vente de chaque unité × nombre d'unités vendues), permettent de connaître la somme générée ou perdue sur une certaine période, ils ne disent pas combien d'unités doivent être produites puis vendues afin que l'entreprise atteigne le point où elle ne perd plus d'argent, où elle égalise ses coûts.

La figure 12.4, à la page suivante, illustre les éléments relatifs aux coûts et aux revenus dont il a été question jusqu'à maintenant.

Servons-nous de l'exemple de l'hôtel pour illustrer le fonctionnement de l'analyse du point mort. Rappelez-vous que les coûts fixes s'élèvent à 100 000 $ et que les coûts variables sont de 20 $ par chambre louée. Si l'hôtel loue ses chambres 100 $ la nuitée, combien de chambres doit-il louer en un an pour égaliser ses coûts? En observant

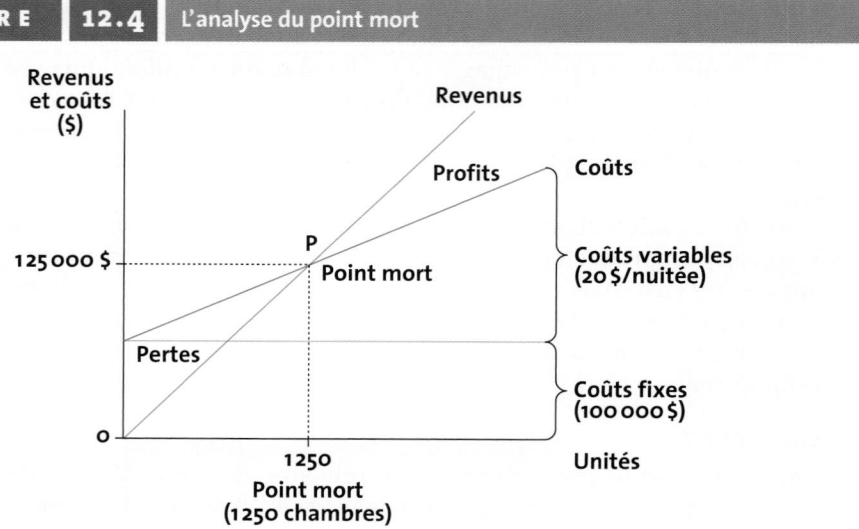

FIGURE 12.4 L'analyse du point mort

attentivement le graphique de la figure 12.4, on constate que le point mort se situe à 1 250, ce qui signifie que l'hôtel doit louer 1 250 chambres avant que ses revenus ne compensent ses coûts. Si l'hôtel loue moins de chambres, il perdra de l'argent et, s'il en loue plus de 1 250, il générera des profits. Afin de calculer le point mort selon le nombre d'unités, il faut tenir compte des coûts fixes et de la **contribution unitaire**, c'est-à-dire la différence entre le prix de vente et le coût variable. On utilise cette donnée pour calculer le point mort.

contribution unitaire
(*contribution per unit*)
Différence entre le prix de vente et le coût variable. Donnée utilisée pour calculer le point mort.

$$\text{Point mort (unités)} = \frac{\text{Coûts fixes}}{\text{Prix de vente} - \text{coût variable}}$$

Dans le cas présent:

$$\text{Point mort (unités)} = \frac{100\,000\ \$}{100 - 20 = 80\ \$} = 1\,250 \text{ nuitées}$$

À partir du moment où l'hôtel dépasse le point mort de 1 250 chambres, il commence à générer des profits, et ce, au même rythme que la contribution unitaire. Conséquemment, si l'hôtel loue 2 500 chambres, soit 1 250 de plus que le point mort, il générera des profits qui s'élèveront à 100 000 $ (1 250 chambres × 80 $ de contribution unitaire).

Si l'analyse du point mort n'aide pas les gestionnaires marketing à fixer les prix des produits et des services, elle les aide toutefois à évaluer leur stratégie de fixation des prix en clarifiant la situation dans laquelle le produit ou le service sera rentable. En outre, cette analyse devient un outil encore plus puissant lorsqu'elle est utilisée dans le cadre d'une analyse comparative de divers prix de vente. Par exemple, les gestionnaires de l'hôtel pourraient ne pas s'arrêter à 100 $ et évaluer plusieurs prix en vue de savoir combien de chambres il faudrait louer et à quel prix pour atteindre des profits s'élevant à 200 000 $.

Évidemment, ce type d'analyse comporte certaines limites. D'abord, il serait étonnant qu'un hôtel fixe un seul prix pour toutes ses chambres. Ainsi, le prix qui servirait dans l'analyse du point mort serait probablement un prix «moyen». Ensuite, les prix diminuent souvent en fonction du volume, car les coûts diminuent également. L'entreprise doit donc procéder à plusieurs analyses du point mort pour diverses quantités de produits.

Par ailleurs, l'analyse du point mort ne permet pas de déterminer avec certitude combien de chambres seront louées ou combien d'unités d'un produit donné seront vendues à un certain prix. Elle permet seulement d'indiquer à l'entreprise quels sont les coûts, les revenus et la rentabilité à un prix et à une quantité donnés. Pour évaluer le nombre d'unités qui seront vendues, l'entreprise doit estimer la demande de son produit ou de son service, sujet dont nous avons traité précédemment.

Dans un hôtel, le coût de l'établissement est fixe ; il demeure stable même si aucune chambre n'est louée. Le coût des serviettes et de la literie, quant à lui, est variable ; il augmente donc en fonction du nombre de chambres louées.

La concurrence

Étant donné l'influence considérable du quatrième principe clé, la concurrence, sur la stratégie de fixation des prix[12], nous verrons maintenant ses conséquences ainsi que la façon dont les entreprises concurrentes réagissent à certaines stratégies de fixation des prix. Il existe trois types de concurrence : la concurrence oligopolistique, la concurrence monopolistique et la concurrence pure. Chacun de ces types présente ses propres défis et avantages.

La **concurrence oligopolistique** survient quand seules quelques entreprises dominent un marché. Habituellement, les entreprises changent leurs prix en réaction à la concurrence afin d'éviter de déstabiliser l'environnement économique. Parmi les exemples les plus connus de marchés où la concurrence est oligopolistique, citons l'industrie bancaire et celle de la vente d'essence au détail.

Il arrive parfois que la réponse des entreprises concurrentes au sein d'un marché oligopolistique entraîne une **guerre des prix**, une situation qui survient quand il y a un excès de capacité dans une industrie qui cherche à éliminer les concurrents les plus faibles. Une guerre des prix éclate souvent dans l'industrie du transport aérien quand un transporteur à rabais pénètre un marché peuplé de transporteurs qui y sont déjà bien établis. Pourquoi une entreprise décide-t-elle de prendre part à une guerre des prix[13] ? Reprenons l'exemple des transporteurs aériens. Les nouveaux arrivants veulent accroître leur part de marché, alors que les transporteurs déjà établis baissent leurs prix pour préserver la leur. Ils peuvent aussi baisser leurs prix pour éviter de sembler ne pas se soucier des consommateurs ou encore par une réaction exagérée aux prix réduits d'un concurrent. Dans bien des cas, les entreprises n'ont pas besoin de répondre à une baisse de prix par une baisse de prix[14], car les consommateurs ne tiennent pas seulement compte de ce facteur dans leur processus décisionnel. En effet, une entreprise peut miser sur un meilleur service à la clientèle, sur une qualité accrue ou sur la fidélité des consommateurs à sa marque.

La **concurrence monopolistique** survient lorsque bon nombre d'entreprises vendent des produits qui se ressemblent, mais qui sont tout de même différenciés dans l'esprit du consommateur. Quand autant d'entreprises se font concurrence, c'est souvent la différenciation plutôt que la guerre des prix qui représente la meilleure option stratégique. Ainsi, quand Apple est entrée sur le marché des lecteurs MP3, où la concurrence est féroce, non seulement l'entreprise a fixé un prix supérieur à son produit, mais elle a également opté pour une stratégie de positionnement basée sur la conception brillante, l'allure branchée et l'aspect utile du produit.

Pour ce qui est de la **concurrence pure**, il s'agit d'un état du marché où bon nombre d'entreprises vendent des produits que les consommateurs considèrent

concurrence oligopolistique (*oligopolistic competition*) Domination d'un marché par quelques entreprises seulement, soit moins d'une dizaine.

guerre des prix (*price war*) Situation qui survient quand il y a un excès de capacité dans une industrie qui cherche à éliminer les concurrents les plus faibles.

concurrence monopolistique (*monopolistic competition*) État du marché où bon nombre d'entreprises vendent des produits qui se ressemblent, mais qui ne sont pas identiques. On pourrait croire qu'il s'agit de biens de substitution, mais en réalité ils sont différenciés dans l'esprit du consommateur.

concurrence pure (*pure competition*) État du marché où bon nombre d'entreprises vendent des produits que les consommateurs considèrent comme des articles de substitution.

comme des articles de substitution, tels que le sel de table. Le prix de ces produits est ordinairement fixé en vertu de la loi de l'offre et de la demande.

Pour une boulangerie industrielle, du blé, ce n'est rien d'autre que du blé ; par conséquent, il est rare qu'elle se préoccupe de savoir de quel fournisseur il provient. Toutefois, en situation de concurrence pure, la meilleure solution n'est pas nécessairement d'avoir le plus bas prix, car, ce faisant, une guerre des prix peut éclater et avoir pour effet de ronger les profits de l'entreprise. Certaines entreprises ont plutôt eu l'idée de différencier leurs produits. C'est d'ailleurs ce qu'a fait la Fédération colombienne des producteurs de café (FNC) avec son personnage Juan Valdez, à un moment où tous les grains de café étaient perçus comme étant identiques. La Fédération a donc lancé son programme *Café 100% colombien*, grâce auquel les buveurs de café sont maintenant en mesure de distinguer les grains colombiens parmi tous les autres. Dans certains cas, la concurrence pure permet d'ouvrir le marché à de nouvelles entreprises qui peuvent demander un prix plus élevé pour un produit qui offre un aspect pratique unique, tel que celui présenté dans la rubrique Question d'éthique ci-contre.

Lorsqu'une entreprise arrive à différencier son produit qui était auparavant banal, que ce soit simplement par une étiquette ou encore par un logo, elle permet aux consommateurs de le reconnaître et de le distinguer des autres produits. Dans le cas présent, l'entreprise parvient au moins à sortir un tant soit peu son produit d'un marché en situation de concurrence pure.

Les membres du circuit de distribution

Les téléviseurs et autres appareils électroniques sont couramment vendus sur le marché gris.

Les membres du circuit de distribution, soit les fabricants, les grossistes et les détaillants, qui constituent le cinquième principe clé, peuvent avoir des visions divergentes quant à la stratégie de fixation des prix. Imaginons qu'un fabricant qui cherche à améliorer l'image et la réputation de sa marque fait affaire avec un détaillant qui se soucie avant tout de l'augmentation de ses ventes. Il se pourrait fort bien que le fabricant veuille conserver des prix relativement élevés pour véhiculer une image de qualité supérieure, alors que le détaillant souhaite baisser ses prix et accepter une marge de profit moins

grande pour vendre le produit, peu importe l'image perçue par les consommateurs. Si les membres du circuit de distribution n'ont pas une bonne communication relativement aux objectifs à atteindre en matière de fixation des prix et qu'ils ne choisissent pas des partenaires qui pensent comme eux, il y a gros à parier qu'un conflit éclatera.

La gestion du circuit de distribution est très complexe. En outre, il arrive que la distribution ait lieu de manière à contourner le circuit de distribution dit normal. Le **marché gris**, par exemple, est une forme de marché dont les méthodes présentent des irrégularités sans qu'elles soient illégales. En général, sur le marché gris, on contourne les réseaux commerciaux officiels afin de vendre des biens à un prix inférieur à celui établi par le fabricant[15].

marché gris (*grey market*) Forme de marché dont les méthodes présentent des irrégularités sans qu'elles soient illégales.

C'est pourquoi de nombreux fabricants d'appareils électroniques s'assurent que les détaillants signent une entente dans laquelle ils exigent certaines activités et en interdisent d'autres avant d'en faire des détaillants autorisés. Par contre, si le détaillant a en stock un trop grand nombre de téléviseurs haute définition, il peut les vendre à un détaillant à rabais non autorisé tout juste au-dessus du prix auquel il les a achetés. Ce faisant, la marchandise se retrouve sur le marché à un prix bien plus bas que celui demandé par les détaillants autorisés. À long terme, l'image du fabricant peut être ternie si le détaillant à rabais ne respecte pas sa politique en matière de retour, d'assistance, de service, etc.

Afin d'éviter ce type de distribution sur le marché gris, certains fabricants, comme Fujitsu, ont recours à un long avertissement qu'ils diffusent sur leur site Web ou qu'ils affichent sur l'emballage de leurs produits et dans leurs publications, selon lequel la garantie du fabricant devient nulle et non avenue si le produit a été acheté ailleurs que

Question d'éthique

Les frais imposés par les guichets automatiques à étiquette blanche donnent l'alerte rouge

Vendredi soir. Vous êtes dans un bistro avec des amis. Comme d'habitude, vous n'avez pas assez d'argent sur vous. Aucun problème, il y a justement un guichet automatique dans l'entrée de l'établissement. Vous vous servez donc de votre carte bancaire pour retirer 20 $. C'est simple, pratique… mais coûteux! Selon le guichet utilisé, faire un tel retrait pourrait vous coûter bien plus cher que 20 $. Si les retraits au guichet automatique de votre succursale bancaire coûtent peu cher en général, ceux effectués à un guichet privé vous font payer un supplément qui se situe entre 1,50 $ et 6,15 $.

De nos jours, au Canada, environ deux tiers des guichets automatiques entrent dans la catégorie «étiquette blanche», c'est-à-dire qu'ils appartiennent à une entreprise privée, contrairement à ceux qui appartiennent aux institutions bancaires[16]. Au cours des 10 dernières années, le nombre de guichets à étiquette blanche s'est multiplié. On en voit donc partout, dans les bars, les dépanneurs, les cinémas et les relais routiers des quatre coins du pays. Les détracteurs de l'étiquette blanche affirment que cette industrie a tellement pris d'expansion que les lois fédérales qui s'appliquent aux banques ne suffisent plus. En outre, cette lacune dans les lois et les règlements a eu pour effet d'attirer de plus en plus d'entrepreneurs alléchés par les profits que génère ce type de commerce. Actuellement, entre 200 et 250 entreprises opèrent au sein de l'industrie de l'étiquette blanche canadienne, ce qui représente 35 000 guichets automatiques privés et environ 135 millions de transactions par an[17].

Étant donné que ce marché comporte si peu de contraintes, il devient attirant pour plusieurs. En effet, il est possible de se procurer un guichet automatique sur eBay pour la modique somme de 1 500 $. De plus, les Canadiens ferment les yeux sur les frais élevés, que compense le côté pratique de ces machines : avoir accès facilement à de l'argent. Par contre, étant donné que le marché n'est pas régi adéquatement, la Gendarmerie royale du Canada commence à se poser des questions sur le lien possible entre les guichets automatiques privés et le blanchiment d'argent. Même si le pays est en train de resserrer les lois en la matière, cela n'aura aucune incidence sur les propriétaires de guichets automatiques[18]. La provenance illicite de l'argent n'est pas la seule raison de s'inquiéter. En effet, les guichets à étiquette blanche s'avèrent un excellent moyen d'émettre de la fausse monnaie sur le marché, ce problème ayant été soulevé par la Banque du Canada. À la lumière de ces faits, il est intéressant de savoir que le commerce de l'étiquette blanche est issu directement de la décision, en 1996, du Bureau de la concurrence de forcer Interac à ouvrir son marché aux entreprises non financières[19].

Pendant ce temps, les Canadiens ont dû payer plus de 420 millions de dollars en 2008 pour avoir accès à leur argent[20]. Même si les consommateurs acceptent de payer de tels frais, l'industrie de l'étiquette blanche devrait-elle continuer d'avoir le droit de les exiger ou faudrait-il mieux régir celle-ci de façon que les frais soient limités ?

chez un détaillant autorisé[21]. Il faut toutefois préciser que la *Loi sur la protection du consommateur* prévoit, au Québec, une garantie légale que toute entreprise qui vend au détail doit respecter. Cette garantie obligatoire stipule que tout bien ou service doit «pouvoir servir à l'usage auquel il est normalement destiné, et ce, pendant une durée raisonnable compte tenu de son prix, des conditions de son utilisation et des dispositions du contrat ».

D'autres facteurs influant sur la fixation des prix

Jusqu'à maintenant, nous nous sommes concentrés sur les facteurs relatifs aux produits et aux entreprises (les cinq principes clés). Nous nous pencherons maintenant sur des facteurs influant sur la fixation des prix dont la portée est plus large, soit Internet et les facteurs économiques.

Internet

Le passage du commerce traditionnel à la recherche de renseignements et à l'achat en ligne de produits ou de services a rendu les consommateurs plus sensibles au prix et plus ouverts aux nouvelles catégories de produits qu'ils ne connaissaient pas avant l'avènement d'Internet. La nourriture gastronomique, les livres, la musique, les films, les appareils électroniques et même les médicaments sur ordonnance (*voir la rubrique Forces d'Internet, p. 397*) ne sont que quelques-unes des catégories de produits les plus présentes sur Internet. Depuis qu'ils ont accès à des fromages, à du pain, à de la viande, à des épices et à divers types de confiseries, les consommateurs exigent davantage de leur supermarché local en matière de choix et de variété. De même, ils s'intéressent au prix plus qu'auparavant. Par ailleurs, puisque les consommateurs peuvent acheter des appareils électroniques en ligne à un prix fortement réduit, les entreprises traditionnelles n'ont plus le choix de miser sur leur service avant-vente, sur leur expertise, sur leur service-conseil et sur leur service après-vente plutôt que sur leurs prix.

Avec Internet est apparu le moteur de recherche, lequel permet aux consommateurs de dénicher les meilleurs prix rapidement, pour quelque produit que ce soit, ce qui a également pour effet d'augmenter leur sensibilité au prix et de réduire les coûts issus de la recherche de bas prix[22]. Non seulement les consommateurs en savent davantage à propos des prix offerts, mais ils se renseignent également sur les entreprises, leurs produits, leurs concurrents et les marchés sur lesquels ils évoluent.

Une autre influence d'Internet sur les prix vient de la croissance de sites de vente aux enchères tels qu'eBay. L'époque où les vendeurs proposaient leurs produits superflus en liquidation aux acheteurs locaux est révolue. Même s'il est certainement possible de faire de bonnes affaires sur eBay, bien des articles sont vendus à un prix supérieur, car certains enchérisseurs ont tendance à se laisser prendre au jeu des enchères. En outre, les produits uniques à caractère spécial, qu'il fallait autrefois faire évaluer par un professionnel pour pouvoir en connaître la valeur, sont maintenant facilement accessibles par des millions d'enchérisseurs potentiels qui attribuent une certaine valeur à tout, de la bague de fiançailles ornée d'un diamant jonquille vendue au prix de 189 000 $ à la Porsche 356 Roadster 1960 au prix de 86 500 $.

Maintenant, de nombreux consommateurs consultent les enchères précédentes afin d'évaluer le prix de vente de produits déjà vendus et d'attribuer une valeur aux articles en vente sur le site.

Les facteurs économiques

Deux nouvelles tendances liées entre elles ont exercé une influence sur le processus décisionnel relatif à la fixation des prix : l'augmentation du revenu disponible des consommateurs et la conscience du statut. Ainsi, certains consommateurs sont prêts à dépenser de l'argent pour se procurer des objets qui leur confèrent un certain statut social. Par exemple, quand le magasin Holt Renfrew, à Toronto, a lancé son cabas de coton *I'm not a plastic bag* («Je ne suis pas un sac en plastique») à tirage limité créé par la designer d'accessoires britannique Anya Hindmarch, des gens ont campé devant ce véritable phare de la rue Bloor pour se le procurer. En tout, 3 000 sacs ont été livrés dans les magasins Holt Renfrew de tout le Canada. Ils se sont écoulés en moins d'une heure au prix de 18 $ chacun[23]. En outre, les produits autrefois considérés comme trop haut de gamme pour les gens qui ne sont pas richissimes, notamment les montres Rolex et les voitures de marque Mercedes-Benz, sont maintenant achetés de plus en plus par des professionnels. Bien que de tels produits soient fabriqués davantage à l'intention de l'élite, un nombre croissant de consommateurs franchit, sur le plan financier, le pas qui les sépare de celle-ci.

Le tirage limité de cabas en coton créés par la designer Anya Hindmarch s'est entièrement vendu, à 18 $ l'unité, en moins d'une heure dans les magasins Holt Renfrew du pays.

Par contre, on remarque également la tendance opposée, soit celle d'acheter des articles à bas prix. En effet, les détaillants qui ont opté pour une politique de bas prix de tous les jours, comme Walmart ou le Tigre Géant, sont de plus en plus populaires auprès des consommateurs qui peuvent se permettre de faire leurs achats dans les magasins à rayons et les boutiques spécialisées. Cela illustre bien la tendance selon laquelle il est désormais bien vu de chercher à économiser un dollar ou deux. Les détaillants H&M et Loblaw, avec sa ligne de vêtements Joe Fresh, ont véritablement introduit le chic jetable et le magasinage croisé dans les habitudes des Canadiens.

Forces d'Internet | **Une stratégie clairement gagnante**

Achèteriez-vous des lunettes ou des lentilles de contact sur Internet ? Vous le feriez peut-être si le prix vous convenait. En 2000, à Vancouver, Roger Hardy et sa sœur Michaela Tokarksi ont fondé Clearly Contacts dans un bureau situé au sous-sol et équipé d'un ordinateur, d'un téléphone et d'une table de ping-pong. En quelques années à peine, Clearly Contacts est devenue la lunetterie en ligne enregistrant la plus forte croissance au monde. Alors qu'il travaillait pour un fabricant de lentilles de contact, Hardy a constaté que ses marges de profit étaient extrêmement élevées. Il s'est dit qu'il devait exister une solution moins coûteuse pour les consommateurs en quête de lunettes et de lentilles. Il a donc entrepris de changer les choses en se donnant pour mission de « sauver le monde des lunettes trop chères »[24].

Dans le passé, le marché des lunettes d'ordonnance était dominé par les opticiens. Le modèle d'entreprise de Clearly Contacts permet à celle-ci d'éliminer les intermédiaires, d'automatiser le processus de commande et d'expédier les produits directement aux consommateurs pour un prix de 50 % à 70 % inférieur à ceux que pratiquent les détaillants de lunettes traditionnels. Les prix vont de 38 $ à 198 $, une excellente valeur pour des montures de grands noms comme Prada, Dior, Armani et Fendi[25]. Néanmoins, Hardy a découvert que, même si les consommateurs achètent volontiers des livres ou des vêtements sur Internet, ils sont réticents à acheter des lunettes en ligne. Curtis Petersen, directeur de l'acquisition et de la rétention de la clientèle chez Clearly Contacts, souligne qu'il s'agit d'un achat plus complexe. Il faut convaincre les consommateurs de modifier leur comportement et de faire quelque chose d'un peu différent pour compléter leur achat[26]. Un miroir virtuel leur permet de juger de l'effet de quelques-uns des 500 modèles sur leur visage. L'expédition gratuite et les modalités de paiement souples contribuent à minimiser le risque perçu lié à l'achat.

En juin 2010, afin de persuader les Vancouvérois d'essayer ses produits, l'entreprise a distribué gratuitement 3 000 paires de lunettes de créateurs. Les consommateurs devaient s'inscrire en ligne pour obtenir un code de coupon. La stratégie de Clearly Contacts consistait à mettre des montures de qualité supérieure dans les mains des consommateurs afin de dissiper leurs craintes face à l'achat de lunettes en ligne. L'année précédente, l'entreprise avait lancé à Toronto une promotion similaire, qui consistait à offrir des verres correcteurs gratuits pendant toute une journée. La promotion a été si populaire que le site Web de l'entreprise a été fermé durant plus de deux heures. Malgré cela, celle-ci a réussi à donner 1 000 montures de créateurs avant 13 heures et la promotion a généré un bouche-à-oreille positif[27].

La majeure partie du budget publicitaire de Clearly Contacts est affectée à des bannières publicitaires électroniques et au référencement, un choix très judicieux pour un détaillant en ligne. Il semble que l'entreprise ait trouvé une formule gagnante, puisqu'elle s'est approprié environ 10 % du marché des verres correcteurs et s'est classée au palmarès des entreprises canadiennes à forte croissance de Profit 100. Avec ses opérations en Amérique du Nord, en Europe et en Asie, ses 2 millions de clients et plus, et ses revenus de 119 millions de dollars[28], Clearly Contacts est clairement devenue un joueur de premier plan. L'entreprise a d'ailleurs été rachetée par Essilor, le plus important producteur de lentilles ophtalmiques au monde.

La vente en ligne de lunettes fracasse les prix. Outre un vaste choix de montures, Clearly Contacts offre le retour gratuit des lunettes pour réduire le risque perçu à l'achat.

D'ailleurs, le **magasinage croisé** est une habitude qui consiste à acheter autant des articles de prestige que de la marchandise à bas prix ou à fréquenter des commerces axés sur le statut social aussi bien que sur les prix. Ces commerces proposent donc aux consommateurs des articles à la mode dont la valeur est élevée. Elle est si élevée, en fait, qu'il importe peu au consommateur que le vêtement qu'il vient d'acheter demeure en bon état pour une courte période seulement. Ces tendances contraires ont fait que les prix de certains articles de prestige ont augmenté, alors que ceux de bien d'autres ont chuté.

Finalement, l'environnement économique local, régional, national ou international influe lui aussi sur la fixation des prix. En effet, si nous commençons par le

magasinage croisé
(*cross-shopping*)
Habitude qui consiste à acheter autant des articles de prestige que de la marchandise à bas prix ou à fréquenter des commerces axés sur le statut social aussi bien que sur les prix.

portrait le plus large, l'essor de l'économie mondiale a entraîné des changements au sein de la concurrence internationale. Nombre d'entreprises sont actives dans plusieurs pays à la fois. Par exemple, une entreprise peut concevoir son produit dans un pays, l'assembler dans un deuxième pays avec des pièces produites dans un troisième, avant que ce produit ne soit vendu et que le service après-vente ne soit effectué par téléphone à partir d'une centrale située dans un quatrième pays. En élargissant leurs horizons sur le plan mondial, les entreprises peuvent dorénavant trouver les méthodes les plus économiques en matière de production de biens et de services.

Pour ce qui est de l'économie locale, maintenant, elle aussi est susceptible d'avoir un effet sur la fixation des prix. La concurrence, le revenu disponible et le chômage peuvent être autant d'indices qu'une stratégie de fixation des prix doit être modifiée. Par exemple, à la campagne, il n'est pas rare de constater que les prix sont plus élevés. Cela s'explique par le fait qu'il coûte plus cher d'y distribuer les produits et les services et que la concurrence y est moins féroce. Dans le même ordre d'idées, les détaillants demandent souvent un prix supérieur s'ils sont situés dans un quartier où le revenu disponible des consommateurs est plus élevé et le chômage plus faible.

OA  Les stratégies de fixation des prix

Trouver le «bon» prix de vente n'est jamais simple. Si l'entreprise BlackBerry avait décidé de vendre son téléphone Passport à un prix initial inférieur, en quoi cela aurait-il eu une influence sur les ventes, tant les siennes que celles de ses concurrents ? Toute entreprise établit des objectifs différents, fonctionne d'une façon différente et évolue dans un milieu différent de ceux des autres entreprises. Chacune d'entre elles emploie donc une stratégie de fixation des prix unique adaptée à ses besoins. En fait, une seule entreprise peut requérir une stratégie de fixation des prix pour chacun de ses produits et services, stratégies qui devront être adaptées en fonction des changements qui s'opèrent avec le temps dans le milieu. Par conséquent, le choix d'une stratégie de fixation des prix dépend du produit ou du service ainsi que du marché cible. Bien que les entreprises tentent d'avoir recours à des stratégies semblables, chaque produit et chaque service doit comporter une stratégie qui lui est propre, car il est impossible de trouver deux stratégies identiques en matière de marketing mix. Nous verrons les stratégies de fixation des prix basée sur les coûts, sur la concurrence et sur la valeur.

Les méthodes basées sur les coûts

fixation des prix basée sur les coûts
(cost-based pricing)
Stratégie qui consiste d'abord à calculer le coût de production d'un bien, puis à y ajouter un pourcentage ou une marge fixe, ce qui donne le prix de vente du bien en question.

Comme leur nom l'indique, les méthodes de **fixation des prix basée sur les coûts** consistent d'abord à calculer le coût de production d'un bien, puis à y ajouter un pourcentage ou une marge fixe, ce qui donne le prix de vente du bien en question. Cette approche ne tient pas compte des perceptions des consommateurs ou des prix de vente de la concurrence. Bien qu'elles soient assez simples comparativement aux autres méthodes de fixation des prix, les méthodes basées sur les coûts exigent qu'on fasse un relevé et un calcul unitaires de tous les coûts engagés. En outre, cette approche ne tient pas compte des variations que peuvent connaître les coûts à diverses étapes de la production. Si les coûts varient, il pourrait être nécessaire d'ajuster le prix de vente en conséquence (à la hausse ou à la baisse). En somme, selon ce type de méthodes, les prix sont habituellement fixés en fonction du coût moyen du produit ou du service.

Les méthodes basées sur la concurrence

fixation des prix basée sur la concurrence
(competitor-based pricing)
Stratégie visant à fixer le prix d'un produit ou d'un service à une valeur inférieure, égale ou supérieure à celle de la concurrence.

La plupart des entreprises sont conscientes que les consommateurs comparent les prix de leurs produits avec ceux des concurrents. Ainsi, grâce à une méthode de **fixation des prix basée sur la concurrence**, elles peuvent faire en sorte que le client perçoive le produit ou le service offert d'une certaine manière relativement à ce qu'offre la concurrence. Par exemple, un prix qui est très proche de celui d'un concurrent indique que le produit est semblable, alors qu'un prix beaucoup plus élevé signale au consommateur que le produit est de plus grande qualité, qu'il présente davantage de fonctions ou tout autre avantage auquel ce dernier accorde de l'importance.

La **fixation d'un prix supérieur** est une autre méthode basée sur la concurrence selon laquelle une entreprise décide de vendre un produit à un prix plus élevé que ses concurrents en vue d'attirer les consommateurs qui cherchent toujours à acheter le meilleur produit ou pour qui le prix a peu d'importance. Par exemple, qu'une Ferrari de 250 000 $ soit réellement supérieure ou non à une Ferrari de 230 000 $, certains consommateurs sont prêts à payer les 20 000 $ de plus pour se procurer ce qu'ils perçoivent comme la crème des voitures sport.

Chez Ferrari, on a opté pour la méthode de fixation d'un prix supérieur dans le cas de la Scaglietti.

fixation d'un prix supérieur (*premium pricing*) Méthode de fixation des prix axée sur la concurrence et selon laquelle une entreprise décide de vendre un produit à un prix plus élevé que ses concurrents en vue d'attirer les consommateurs qui cherchent toujours à acheter le meilleur produit ou pour qui le prix a peu d'importance.

fixation des prix basée sur la valeur (*value-based pricing*) Stratégie adoptée par une entreprise axée sur la valeur d'un produit ou d'un service telle que perçue par le client, qui l'évalue en comparant les avantages auxquels il peut s'attendre avec les sacrifices qu'il devra faire pour se procurer ce produit ou ce service.

différentiel de valeur (*improvement value*) Estimation du supplément de prix que le consommateur est prêt à payer (ou non) pour un produit donné, en comparaison d'autres produits semblables.

Les méthodes basées sur la valeur

Les méthodes de **fixation des prix basée sur la valeur** comprennent les approches adoptées par une entreprise qui sont axées sur la valeur d'un produit ou d'un service telle que perçue par le client. Ce dernier l'évalue en comparant les avantages auxquels il peut s'attendre avec les sacrifices qu'il devra faire pour se procurer ce produit ou ce service. Évidemment, chaque consommateur perçoit la valeur à sa manière. Parfois, la méthode basée sur la valeur peut être plutôt non conventionnelle, comme l'explique la rubrique Marketing et médias sociaux ci-dessous. Alors, comment est-il possible de mettre en œuvre une méthode de fixation des prix basée sur la valeur ? Penchons-nous sur les deux principales méthodes.

La méthode basée sur le différentiel de valeur

Selon cette méthode, le gestionnaire marketing doit évaluer le différentiel de valeur d'un nouveau produit ou service. Le **différentiel de valeur** représente une estimation du supplément de prix que le consommateur est prêt à payer (ou non) pour un produit donné, en comparaison d'autres produits semblables. Par exemple, imaginons qu'un géant des télécommunications conçoit un tout nouveau téléphone cellulaire. À partir de n'importe quelle méthode de recherche, telle l'enquête auprès des consommateurs,

Marketing et médias sociaux   **Le prix d'un t-shirt**

Imaginez que vous gagnez de l'argent 365 jours par année simplement en portant une chemise ! Jason Sadler a tiré le gros lot lorsqu'il a inventé ce moyen original de gagner de l'argent. Au lieu de vous vendre sa chemise, il revêt un t-shirt portant le logo d'une entreprise durant toute une journée, devenant ainsi un panneau d'affichage vivant. Les jours sont vendus pour leur valeur nominale, de sorte que le premier jour de l'année coûte 1 $ et le dernier, 365 $. Soucieux de fournir une excellente valeur aux entreprises, Sadler prend de multiples photos de lui-même portant le t-shirt au cours de la journée, photos qu'il publie ensuite sur son site Web (iwearyourshirt.com) et son blogue quotidien, ainsi que sur Flickr, YouTube, Ustream et Twitter.

Sadler a attiré l'attention des médias partout en Amérique du Nord et ailleurs dans le monde, captant l'intérêt des consommateurs et stimulant les ventes. Son profil Twitter a attiré plus de 21 000 fervents abonnés[29]. Des vidéos affichées quotidiennement sur YouTube récoltent un nombre de vues allant de quelques centaines à un peu moins de 10 000. Dingue, dites-vous ? La première année, Sadler a rapidement écoulé son stock et empoché environ 83 000 $, commandites incluses[30], simplement en portant un t-shirt différent chaque jour.

La stratégie de fixation des prix basée sur la valeur de Sadler n'est peut-être pas conventionnelle, mais elle a séduit les entreprises. Et bien qu'il ait augmenté son prix, qui est passé à 2 $ pour la journée du 1er janvier, les ventes ont continué d'aller bon train. Or, s'il a doublé son prix, Sadler a également doublé son offre, puisque chaque t-shirt était porté par deux personnes, ce qui a maximisé l'exposition des entreprises. Pas mal pour un modèle d'entreprise axé uniquement sur les médias sociaux.

le gestionnaire marketing peut faire en sorte que les consommateurs évaluent le nouveau produit par rapport aux produits existants et qu'ils estiment à quel point il leur est supérieur, ce qui constitue le différentiel de valeur.

Le tableau 12.2 illustre comment se calcule le différentiel de valeur. Ainsi, les consommateurs évaluent la supériorité (ou l'infériorité) du nouveau cellulaire par rapport au modèle déjà existant. Pour ce faire, cinq critères sont appréciés : la clarté, la couverture, le caractère sécuritaire de l'appareil, l'autonomie et la compatibilité. Selon les répondants, le son du nouveau cellulaire est 20 % plus clair que celui du modèle avec lequel il a été comparé. Les consommateurs qui ont fait partie de l'enquête ont également évalué l'importance accordée à chacun des critères sur un total de 1,00 point. La clarté compte pour 0,40 point. Ensuite, le gestionnaire marketing multiplie le différentiel de valeur par l'importance relative du critère pour obtenir le facteur pondéré. La clarté, par exemple, présente un facteur pondéré de 8 % (20 % × 0,40). Le gestionnaire marketing refait la même opération pour chacun des critères, puis il additionne les facteurs pondérés pour arriver à une approximation du différentiel de valeur du nouveau produit, tel que perçu par les consommateurs. Dans cet exemple, le différentiel de valeur est de 21 %. En conséquence, si les autres cellulaires coûtent 100 $, l'entreprise peut se permettre de fixer le prix de vente maximal de son nouveau cellulaire à 121 $ (100 $ × 1,21).

Le différentiel de valeur du nouvel iPhone est-il suffisamment important, par rapport aux produits des concurrents, pour qu'Apple puisse se permettre de le vendre plus cher qu'auparavant ?

méthode du coût d'utilisation (*cost of ownership method*) Méthode de fixation des prix axée sur la valeur en utilisation et permettant d'établir un rapport entre le prix à payer pour posséder un certain produit et sa vie utile. Cette méthode considère les coûts de manutention, d'entreposage, d'entretien, d'assurance, l'impact en cas de défaillance et autres coûts pertinents.

La méthode basée sur le coût d'utilisation

Une seconde méthode de fixation des prix basée sur la valeur permet d'établir un rapport entre le prix à payer pour posséder un produit et la vie utile de ce produit. Suivant cette **méthode du coût d'utilisation**, il est possible que le consommateur soit prêt à payer une somme plus importante pour un produit, étant donné qu'au cours de la vie utile de celui-ci il reviendra meilleur marché que son équivalent de moins grande qualité[31].

Prenons, par exemple, un fabricant de moquettes qui cherche à établir le prix d'une nouvelle moquette de première qualité[32]. Ses autres moquettes, plus ordinaires, ont une durée de vie estimée à deux ans. Leur prix de vente, au mètre carré, est calculé ainsi :

$$
\begin{array}{rl}
10,00 \$ & \text{le mètre carré} \\
+ \ 2,00 \$ & \text{pour l'installation} \\
+ \ 1,00 \$ & \text{pour la dépose de l'ancienne moquette} \\
\hline
= 13,00 \$ & \text{tous les deux ans}
\end{array}
$$

TABLEAU 12.2	Le différentiel de valeur		
Critère évalué	**Différentiel de valeur**	**Importance (pondération)**	**Facteur pondéré**
Clarté	20 %	0,40	8 %
Couverture	40 %	0,20	8 %
Caractère sécuritaire de l'appareil	10 %	0,10	1 %
Autonomie	5 %	0,20	1 %
Compatibilité	30 %	0,10	3 %
Total		1,00	21 %

La nouvelle moquette de première qualité dure en moyenne six ans. Pour ce qui est des frais d'installation et de dépose, ils demeurent les mêmes. Étant donné que la moquette ordinaire doit être retirée puis réinstallée trois fois en six ans, cela revient à un coût de 39,00 $ le mètre carré au cours de cette période. Toutefois, il faut actualiser les paiements sur six ans selon les taux d'intérêt en vigueur, car le client n'est pas dans l'obligation de payer la somme entière d'un seul coup ; ainsi, la décote représente la valeur de cette somme en fonction du temps. Dans notre exemple, elle s'élève à 10 %. Ainsi, la somme actualisée à payer par le client est de 35,10 $ par mètre carré sur six ans. En outre, puisque la nouvelle moquette de première qualité requiert une seule installation de 2,00 $ le mètre carré et une seule dépose de 1,00 $ au cours de ces six années et que la valeur future de l'argent n'entre pas en ligne de compte (le client doit payer la somme entière à ce moment), l'entreprise peut demander un prix de 32,10 $ par mètre carré (35,10 $ – 3,00 $). Par contre, l'entreprise peut choisir de fixer un prix de vente inférieur et de faire profiter ses clients des économies pour les inciter à se procurer la nouvelle moquette de première qualité.

Bien que les méthodes de fixation des prix basée sur la valeur puissent être très efficaces, leur mise en œuvre adéquate nécessite une étude de consommation poussée. Le vendeur doit savoir comment les consommateurs de divers segments de marché attribuent de la valeur aux avantages que présentent ses produits. Il doit également tenir compte des changements relatifs à l'attitude des consommateurs, car leur perception de la valeur aujourd'hui ne sera peut-être pas la même demain. Par exemple, lors de son lancement en 2007, l'iPhone se vendait 599 $. Alors que les acheteurs précoces faisaient la file devant les portes des boutiques pour se le procurer, il n'a fallu que quelques mois pour que son prix de vente chute à 399 $.

La fixation du prix d'un nouveau produit

L'élaboration de stratégies de fixation du prix d'un nouveau produit s'avère l'une des tâches les plus ardues d'un gestionnaire marketing. Quand ce nouveau produit est du déjà-vu, qu'il est semblable à d'autres produits sur le marché, la tâche est en quelque sorte plus facile, car la valeur approximative du produit a été établie précédemment. Mais lorsqu'il s'agit d'un produit véritablement novateur, que rien de tel n'a été fait auparavant, il devient beaucoup plus complexe de saisir la perception des consommateurs et de fixer un prix de vente en conséquence.

Prenons l'exemple des coussins gonflables et de la valeur que leur attribuent les consommateurs. Nous savons que, dans le cas d'accidents de la route, ce produit permet d'éviter l'invalidité permanente et même de sauver des vies. Alors, comment les constructeurs automobiles s'y prennent-ils pour que l'on associe une certaine valeur à de tels bénéfices ? Question de leur compliquer la tâche davantage, ces entreprises doivent également déterminer la valeur d'un coussin gonflable qui n'aura peut-être jamais à se déployer. Une bonne recherche en marketing peut révéler la valeur d'un produit novateur aux yeux des consommateurs. Penchons-nous sur deux stratégies de fixation du prix d'un nouveau produit : l'écrémage et la pénétration du marché.

L'écrémage

Sur beaucoup de marchés, particulièrement ceux des nouveaux produits et services, les innovateurs et les acheteurs précoces (*voir le chapitre 10*) sont prêts à payer un prix assez élevé pour se procurer le nouveau produit ou service en question. Une entreprise peut souhaiter tirer parti de cette différence de la valeur perçue. Cette stratégie s'appelle l'**écrémage**. Vous rappelez-vous lequel de vos amis a été le premier à se procurer un cellulaire muni d'un appareil photo intégré, à envoyer un courriel ou un message texte, à jouir des avantages de la technologie MP3 ? Cette personne faisait probablement partie du segment des acheteurs précoces du marché de la téléphonie cellulaire, celui où les consommateurs sont prêts à payer le prix le plus élevé pour

écrémage (*price skimming*) Stratégie visant à fixer à un niveau assez élevé le prix de lancement d'un nouveau produit ou service, prix que les innovateurs et les acheteurs précoces seront prêts à payer.

se procurer dès son lancement le produit muni de nouvelles fonctions. Une fois ce marché saturé (« écrémé »), les ventes commencent à ralentir. C'est généralement à ce moment que les entreprises réduisent le prix de vente du produit ou du service afin d'attirer le deuxième segment de marché le plus sensible au prix, lequel est prêt à payer un prix inférieur à celui du lancement. Ce processus peut durer tant et aussi longtemps que la demande n'est pas satisfaite, même une fois que le prix le plus bas est atteint. Les produits de luxe sont toutefois une exception à cette règle. Par exemple, la Maison Louis Vuitton ne baisse pas ses prix, elle les maintient élevés afin de préserver son image prestigieuse.

Pour que la stratégie d'écrémage fonctionne, le produit ou le service doit être perçu comme étant en quelque sorte révolutionnaire. Les consommateurs doivent y voir des avantages qu'aucun autre produit sur le marché ne présente. Les entreprises peuvent opter pour la stratégie d'écrémage pour de nombreuses raisons. Ainsi, une entreprise peut fixer un prix relativement élevé à son produit pour indiquer au marché qu'il est de grande qualité. Une autre entreprise peut choisir de fixer un prix de départ élevé pour restreindre la demande, ce qui lui permet de gagner du temps sur le plan de la production. Dans le même ordre d'idées, certaines entreprises ont recours à l'écrémage pour tenter de compenser les sommes investies en recherche et développement. Finalement, l'écrémage peut également servir à évaluer la sensibilité des consommateurs au prix. Chose certaine, une entreprise qui fixe un prix de départ trop élevé peut toujours l'abaisser, mais pour celle qui fixe le prix trop bas, il est pratiquement impossible de le monter sans se heurter à une résistance des consommateurs.

Pour un écrémage réussi, il faut que les concurrents ne parviennent pas à pénétrer facilement le marché. Sinon, la concurrence basée sur les prix fera baisser le prix de vente du produit et annulera les avantages de la stratégie d'écrémage.

Il existe plusieurs raisons pour lesquelles les concurrents ne réussissent pas à pénétrer le marché. Ce peut être à cause d'une protection conférée par un brevet, de leur incapacité à copier le produit novateur (p. ex., une fabrication complexe, des matériaux difficiles à trouver ou une technologie brevetée) ou des coûts élevés que la pénétration du marché représente.

Un mois avant le lancement du dernier volume de Harry Potter, il était possible de le commander sur Amazon.ca à moitié prix.

fixation des prix de pénétration du marché
(*market penetration pricing*) Stratégie visant à fixer un prix peu élevé pour un produit ou un service qui vient d'être introduit sur le marché dans le but d'en augmenter rapidement les ventes, la part de marché et les profits inhérents.

Le coût unitaire relativement élevé caractéristique de la production à une petite échelle est un autre inconvénient possible des stratégies d'écrémage. Ainsi, l'entreprise doit faire un compromis et choisir entre un prix de vente élevé et des coûts de production élevés.

L'écrémage peut également provoquer un certain mécontentement chez les consommateurs. En effet, il est possible que ceux qui ont payé le prix fort se sentent floués au moment de la chute du prix de vente du produit. Par exemple, lors de son lancement, le roman *Harry Potter et les reliques de la mort* s'est vendu à plusieurs millions d'exemplaires au prix de 45 $. Un mois avant son lancement, toutefois, il était possible de le commander sur Amazon.ca à moitié prix[33]. Afin d'éviter les réactions négatives des consommateurs, certaines entreprises cherchent de toutes sortes de manières à différencier leurs produits. Par exemple, les éditeurs lancent généralement leurs nouveaux ouvrages d'abord sous forme de livres reliés, puis sous forme de livres brochés à prix réduit.

La pénétration du marché

Au lieu de fixer un prix de départ élevé, certaines entreprises optent pour une stratégie de **fixation des prix de pénétration du marché**, c'est-à-dire qu'elles établissent un prix peu élevé pour un produit ou un service qui vient d'être introduit sur le marché. Le but est d'en augmenter rapidement les ventes, la part de marché et les profits inhérents. À l'opposé de l'écrémage, cette stratégie incite les consommateurs à se procurer un produit dès son lancement au lieu de les encourager à attendre que son prix diminue. Alors que pour l'écrémage les profits sont le fruit d'une forte marge bénéficiaire sur un volume des ventes relativement faible, la stratégie de pénétration du marché vise des profits résultant d'un important volume des ventes accompagnés d'une faible marge unitaire. Même si ce n'est pas toujours le cas, les entreprises s'attendent par ailleurs à profiter d'une réduction du coût unitaire à mesure que la production augmente. Ce phénomène porte le nom d'**économie d'expérience**. Selon ce phénomène, plus l'expérience de production est grande, plus le coût diminue. Certaines entreprises lancent leurs produits à perte parce qu'elles prévoient récupérer leur argent lorsque leurs coûts auront été réduits par l'économie d'expérience.

En plus de favoriser l'augmentation des ventes, de la part de marché et des profits, la fixation des prix de pénétration du marché dissuade les concurrents, car la marge de profit est minimale. En outre, si les coûts de production chutent en fonction du volume, les concurrents qui tentent de pénétrer le marché devront composer avec des coûts faramineux, du moins jusqu'à ce qu'ils arrivent à rattraper les premiers entrants.

La stratégie de pénétration du marché présente elle aussi quelques inconvénients. D'abord, l'entreprise doit être en mesure de satisfaire une demande dont la croissance est fulgurante, ou du moins elle doit être capable de s'ajuster rapidement. Ensuite, les bas prix ne sont ordinairement pas synonymes de grande qualité. Bien entendu, un prix inférieur à celui auquel les consommateurs s'attendaient réduit le risque de se procurer un produit pour en évaluer la qualité. Puis, une entreprise devrait éviter la stratégie de fixation des prix de pénétration du marché si certains segments ciblés sont prêts à payer un prix élevé pour se procurer son produit. Cela reviendrait à « laisser de l'argent sur la table ».

Les facteurs psychologiques influant sur les stratégies de fixation des prix basée sur la valeur

Il est très important de comprendre la psychologie qui se trouve derrière la perception, le jugement et les décisions des consommateurs pour pouvoir mettre en œuvre une stratégie de fixation des prix efficace. C'est pourquoi les gestionnaires marketing tiennent compte des principaux processus psychologiques qui exercent une influence sur les réactions du consommateur face au prix et sur l'utilisation du prix dans le processus décisionnel.

Lorsqu'un consommateur voit un prix, il lui donne un sens en le plaçant dans une catégorie comme « coûteux », « aubaine », « bon marché », « trop cher » ou « raisonnable ».

Dans les sections qui suivent, nous étudierons les facteurs influant sur le processus psychologique selon lequel le consommateur évalue le prix qu'il voit ou donne un sens à celui-ci[34]. Mais tout d'abord, lisez la rubrique Marketing entrepreneurial, à la page suivante, pour comprendre comment le prix psychologique et une vision éclairée de l'entrepreneur sont parfois complémentaires.

L'usage du prix de référence par le consommateur

Le **prix de référence** est un prix avec lequel le consommateur compare le prix de vente actuel du produit qu'il souhaite se procurer, en vue de faciliter sa prise de décision. Dans certains cas, le vendeur fournit un **prix de référence externe**, soit un prix étalon avec lequel le consommateur peut comparer le prix de vente d'un produit en vue de déterminer s'il s'agit d'une bonne affaire[35]. Le vendeur tente d'ancrer les perceptions de l'acheteur en suggérant que ce prix de référence externe représente le prix courant ou le prix d'origine.

En voyant le prix réduit et en le comparant avec le prix de référence externe, il n'est pas rare que la perception de la valeur du produit augmente aux yeux du

économie d'expérience
(*experience curve effect*)
Réduction du coût unitaire à mesure que la production augmente ; plus l'expérience de production est grande, plus le coût diminue, ce qui permet des réductions de prix. On parle parfois d'économie de complexité parce que cette économie résulte de l'apprentissage du producteur. Elle est irréversible, alors que les économies d'échelle se perdent dès que le volume de production n'est plus optimal.

prix de référence
(*reference price*)
Prix avec lequel le consommateur compare le prix de vente actuel du produit qu'il souhaite se procurer, en vue de faciliter sa prise de décision.

prix de référence externe
(*external reference price*)
Prix étalon avec lequel le consommateur peut comparer le prix de vente d'un produit en vue de déterminer s'il s'agit d'une bonne affaire. Il peut s'agir du prix courant (c'est-à-dire hors promotion) du produit visé, du prix d'une marque concurrente jugée équivalente ou d'un prix standard calculé par un tiers (p. ex., prix du mazout rapporté par la Régie de l'énergie).

| Marketing entrepreneurial | **Le doux parfum du succès** |

La plupart des entrepreneurs qui fondent une entreprise espèrent réaliser des profits. Or, même si cet objectif faisait partie du plan de Barbara Stegemann, celle-ci avait une autre motivation : transformer l'industrie de l'héroïne en Afghanistan, un pays déchiré par la guerre. Son entreprise, The 7 Virtues Communications Group, basée à Halifax, aide les grosses sociétés et les organismes gouvernementaux à s'adapter aux changements dans leur environnement. Aujourd'hui, elle propose un modèle de développement durable en Afghanistan en encourageant un groupe d'agriculteurs et d'agricultrices à délaisser la culture du pavot au profit de la culture des orangers dont les fleurs serviront à fabriquer des huiles parfumées.

Une étude de faisabilité menée en 2004 a révélé que les Afghans étaient bien placés pour pénétrer le marché international des saveurs et des parfums, dont la valeur est estimée à 18,4 milliards de dollars américains[36]. L'étude a montré que les huiles essentielles avaient une valeur élevée pour un faible volume ; autrement dit, comme l'opium produit à partir des pavots, de petites quantités d'huile essentielle valent leur pesant d'or. Stegemann a été inspirée par son amitié avec le capitaine Trevor Greene, ayant servi en Afghanistan. Malgré les graves blessures qu'il a subies au cours de son séjour dans ce pays, il était prêt à y retourner. « Du parfum plutôt que des pavots », voilà le slogan que Stegemann a adopté lorsqu'elle a entrepris d'accaparer une partie des 600 millions de dollars que les Canadiens dépensent annuellement en parfums[37].

L'entrepreneure a rencontré des représentants de l'Agence canadienne de développement international, de l'ambassade de l'Afghanistan à Ottawa et du Canada Afghanistan Business Council. Ces rencontres ont débouché sur un partenariat extraordinaire avec une société afghane, Gulestan, propriété d'Abdullah Arsala, qui produit des huiles essentielles[38]. La première tasse d'huile de fleur d'oranger, suffisante pour produire 1000 flacons de parfum, a coûté 2000 $ à Stegemann. Le nouveau produit a été lancé le 8 mars 2010[39], à l'occasion de la Journée internationale de la femme, une date appropriée, puisque la plupart des producteurs de fleurs d'oranger sont des femmes. L'année suivante, Stegemann a promis d'acheter la totalité de leur récolte, ce qui lui permettrait de produire de 8 000 à 12 000 flacons de parfum.

Le prix psychologique joue souvent un rôle important dans l'industrie du parfum, ce produit se classant parmi les incontournables pour bien des consommateurs. À 70 $ les 50 mL, le parfum 7 *Virtues* n'est pas donné, mais son prix n'est pas dissuasif. En effet, l'histoire derrière le 7 *Virtues* fait en sorte que le parfum s'envole. Malgré son prix relativement élevé, Stegemann a vendu près du tiers de son stock le jour de son lancement[40].

Le prix psychologique et la philosophie « Faites du parfum, pas la guerre » sur lesquels s'appuie le parfum 7 Virtues contribuent à faire vendre le produit.

---

prix de référence interne
(*internal reference price*)
Prix auquel le consommateur se réfère en faisant appel à sa mémoire afin d'évaluer le prix indiqué sur un produit. Il peut s'agir du prix qu'il a payé la dernière fois qu'il a fait un tel achat ou encore du prix qu'il s'attend à payer pour cet article.

consommateur[41]. Dans l'annonce publicitaire apparaissant ci-contre, Sears affiche en petits caractères un prix de référence externe de 24,99 $ auquel elle ajoute la mention « Rég. » pour indiquer au consommateur qu'il s'agit du prix régulier ou courant des jeans de marque Lee. De plus, l'annonce met en évidence le prix « réduit » de 21,99 $. Le prix de référence externe montre donc au consommateur qu'il s'agit d'une aubaine et que cet achat lui permet d'économiser de l'argent.

Le consommateur peut également se fier à un **prix de référence interne**, c'est-à-dire faire appel à sa mémoire afin d'évaluer le prix indiqué sur un produit. Il peut s'agir du prix qu'il a payé la dernière fois qu'il a fait un tel achat ou encore du prix qu'il s'attend à payer pour cet article[42]. Par exemple, une cliente qui consulte le menu d'une pizzeria et qui y voit le prix d'une grande pizza au pepperoni ne peut faire appel qu'à un prix de référence interne à titre de comparaison. Si le prix indiqué est de 12 $, mais que le prix de référence interne de la cliente est de 10 $ – car elle se rappelle qu'elle paie habituellement ce prix pour ce produit –, elle trouvera peut-être le menu coûteux.

Le lien qui unit les divers prix de référence est un concept encore plus complexe, c'est-à-dire que le prix de référence externe influe sur le prix de référence interne[43]. Lorsqu'un consommateur est constamment soumis à des prix de références externes élevés, sa référence interne change pour s'approcher des prix élevés. Il en vient à se dire que son prix de référence interne n'était pas bien loin de celui affiché. Résultat : le consommateur perçoit un prix de vente relativement plus bas que celui qu'il pensait et y voit là une aubaine.

Dans cette annonce publicitaire, Sears affiche en petits caractères un prix de référence externe de 24,99 $ pour montrer qu'il s'agit du prix courant des jeans de marque Lee.

La politique de bas prix de tous les jours versus la vente à prix élevé/bas

L'entreprise qui opte pour une **politique de bas prix de tous les jours** se positionne face aux consommateurs en pratiquant des prix de détail constants qui se situent toujours entre le prix courant et le prix de réclame offerts par ses concurrents[44]. En réduisant les coûts de recherche que les consommateurs devraient engager en essayant de découvrir dans quel magasin tel ou tel produit est en solde, la politique de bas prix de tous les jours ajoute de la valeur aux produits des commerces qui optent pour cette stratégie. Par exemple, Walmart mise sur cette politique pour indiquer à ses clients que pour tout groupe de produits d'achat fréquent, le prix est plus bas que celui que leur proposent les autres entreprises sur le marché. Cela ne veut pas nécessairement dire que tous les articles qu'achète le consommateur seront moins chers chez Walmart que n'importe où ailleurs. En fait, certains concurrents proposent de meilleurs prix, mais en moyenne, les prix de Walmart ont tendance à être plus bas.

D'autres entreprises préfèrent opter pour une stratégie de **vente à prix élevé/bas**, soit proposer des articles à prix courant élevé et, au moment des soldes, réduire grandement leurs prix pendant une certaine période en vue d'inciter les clients à acheter. Au final, la préférence du consommateur dépend de la façon dont ce dernier évalue les prix et la qualité des produits. Certains consommateurs veulent éviter de chercher les meilleurs prix et favorisent donc les commerces qui ont une politique de bas prix de tous les jours pour profiter efficacement des prix les plus bas. D'autres, par contre, aiment bien relever le défi de trouver qui offre les meilleurs prix, ou alors ils sont si sensibles aux prix qu'ils sont prêts à mettre le temps et les efforts nécessaires à cette recherche.

Même cette catégorisation est plus complexe qu'elle n'en a l'air. Effectivement, il reste à y ajouter la perception de la qualité. En ce sens, certains consommateurs ont l'impression que les commerces qui ont une politique de bas prix de tous les jours vendent des produits de moins grande qualité, comparativement aux magasins qui

politique de bas prix de tous les jours (*everyday low pricing [EDLP]*) Stratégie utilisée par les entreprises pour montrer aux consommateurs que leurs prix de détail se situent toujours entre le prix courant et le prix de réclame offerts par leurs concurrents.

vente à prix élevé/bas (*high/low pricing*) Stratégie selon laquelle un magasin propose des articles à prix courant élevé et, au moment des soldes, réduit grandement ses prix pendant une certaine période en vue d'inciter les clients à acheter.

pratiquent la vente à prix élevé/bas. Cette perception est en partie attribuable au fait que, dans ces derniers, les consommateurs considèrent le prix d'origine comme le prix de référence. En somme, toutefois, la décision du consommateur dépend encore et toujours de la valeur qu'il accorde au produit.

Les prix non arrondis

Vous êtes-vous déjà demandé pourquoi les prix n'étaient pratiquement jamais des chiffres ronds, comme 3 $ ou 23 $? Dans de nombreuses catégories de produits, les **prix non arrondis**, soit ceux qui se terminent par un nombre impair, habituellement le 9, sont très courants (p. ex., 3,99 $, 11,99 $ et 7,77 $). Même si cette explication n'est pas prouvée, la plupart des gestionnaires marketing croient que les prix non arrondis étaient d'abord un moyen d'empêcher les employés de tout bonnement empocher l'argent des ventes. Étant donné que le prix n'était pas un chiffre rond, l'employé devait ouvrir la caisse pour rendre la monnaie au client, ce qui signifie que la vente devait être enregistrée dans la caisse.

De nos jours, il s'agit d'une pratique si répandue qu'il semblerait que les commerçants craignent la réaction des consommateurs s'ils arrondissent leurs prix. En outre,

la recherche en marketing a démontré que les consommateurs tronquent mentalement le prix de manière qu'il paraisse plus bas qu'il ne l'est vraiment. En conséquence, si un produit coûte 21,99 $, le consommateur se concentrera davantage sur le 21 $ que sur le 0,99 $, ce qui l'amènera à considérer le prix comme bien en deçà de 22 $, alors que la différence n'est que de un cent. Finalement, la principale conclusion que tirent les recherches sur le sujet est que le prix non arrondi indique au consommateur que le prix est plus bas qu'il ne l'est en réalité[45]. En définitive, si le commerçant cherche à suggérer au consommateur qu'il profite d'une aubaine, les prix non arrondis peuvent s'avérer une stratégie fructueuse.

Les prix non arrondis ont pour but de donner l'impression que le prix est peu élevé.

Le rapport qualité/prix

Imaginez un instant que, ce soir, vous avez un rendez-vous galant. Pour l'occasion, vous allez cuisiner un plat italien des plus romantiques. Lorsque vous vous rendez au supermarché pour acheter les ingrédients dont vous avez besoin, vous remarquez que votre recette d'*antipasti* requiert des fèves Lupini (une grosse légumineuse habituellement importée d'Italie). Vous n'avez jamais entendu parler de ces fèves, et encore moins eu l'occasion d'en acheter ou d'en cuisiner. Heureusement, vous en trouvez au supermarché. Il y en a trois marques dont le prix diffère, soit 3,99 $, 3,79 $ et 3,49 $. Comment choisir ? Allez-vous compromettre la réussite de votre plat pour économiser 0,50 $? Probablement pas. Si vous n'avez accès à aucun autre renseignement susceptible de vous aider à prendre une décision, il y a de fortes chances que vous choisissiez la conserve à 3,99 $, car, comme la plupart des consommateurs, vous croyez que le produit le plus cher est de meilleure qualité.

Pourtant, ce ne sont pas tous les consommateurs qui se fient au prix pour évaluer la qualité d'un produit. Lorsque le consommateur connaît les marques offertes, qu'il a essayé le produit ou qu'il sait comment évaluer la qualité du produit objectivement, le prix n'est plus un indice de la qualité[46]. Le commerce, la marque, la garantie offerte et le lieu de fabrication du produit sont autant de renseignements qui lui permettent de juger de la qualité d'un produit. Même l'eau du robinet peut devenir un produit de grande valeur, comme expliqué dans la rubrique Marketing durable ci-contre. Néanmoins, le prix joue généralement un rôle primordial dans l'évaluation de la valeur nette que représente un produit[47]. À partir de ces divers facteurs psychologiques, le gestionnaire marketing doit découvrir comment ceux-ci interviennent au moment où il fixera le prix d'un produit. Il sera maintenant question du rôle que jouent les facteurs psychologiques dans les décisions relatives aux tactiques de prix d'un nouveau produit.

Marketing durable	De l'eau à emporter

Ah l'été, quel bonheur! Les festivals, les concerts extérieurs, le temps magnifique, les divertissements en agréable compagnie. Et quand le soleil tape fort, rien de mieux qu'une bouteille d'eau bien glacée. Si vous vivez dans la municipalité régionale de Waterloo, en Ontario, les édiles espèrent que cette bouteille contiendra de l'eau du robinet. En effet, la municipalité s'est donné pour mission de sensibiliser la population à l'excellente qualité de l'eau du robinet et à lui faire apprécier celle-ci. Même si l'eau est une denrée que la plupart d'entre nous tiennent pour acquise, l'ONU estime que plus d'un milliard de personnes n'ont pas accès à l'eau potable dans le monde[48].

Afin de faciliter l'accès des résidants à l'eau du robinet lors des événements publics, la municipalité a acheté un wagon-citerne qu'elle compte installer sur les sites des festivals et d'autres événements communautaires. Tout ce que les résidants ont à faire, c'est apporter une bouteille réutilisable. Lorsqu'elle est vide, ils peuvent la remplir gratuitement à la citerne. Cette initiative est parrainée par les fournisseurs d'eau municipaux, dont les membres représentent divers paliers de gouvernement responsables de l'adduction et de la distribution d'eau, notamment la municipalité régionale de Waterloo, la Ville de Kitchener, les services publics de Kitchener, la Ville de Cambridge et la Ville de Guelph.

Comme les consommateurs sont de plus en plus soucieux de protéger leur environnement, des initiatives comme celle du wagon-citerne municipal leur permettent de soutenir la durabilité dans leur communauté. À l'heure actuelle, l'usine de recyclage de Waterloo traite plus de 15 000 bouteilles de plastique chaque jour[49]. La municipalité espère que son système de distribution d'eau potable mobile ainsi que son slogan «Apportez votre bouteille! Remplissez-la! Buvez-la!» contribueront à protéger l'environnement et à réduire les déchets. Certains consommateurs peuvent être réticents à boire l'eau du robinet; pourtant, c'est ce pour quoi ils paient quand ils achètent de l'eau embouteillée Dasani et Aquafina. Sur les étiquettes, vous pouvez lire «eau traitée déminéralisée», autrement dit, l'eau du robinet.

Reste à savoir si la municipalité de Waterloo peut transformer les habitudes invétérées des résidants pour les convaincre d'apporter leurs bouteilles réutilisables. Les consommateurs obtiennent une valeur réelle sur bien des plans et, comme l'eau du wagon-citerne est gratuite, son prix est juste. Néanmoins, cela peut prendre un certain temps avant que les consommateurs cessent d'acheter de l'eau embouteillée pour s'approvisionner gratuitement à la citerne mobile. Cette initiative constitue un point de départ et un rappel concret que l'eau est une ressource précieuse qu'il faut conserver.

Les consommateurs qui assistent à des événements publics à Waterloo peuvent remplir leurs bouteilles d'eau à une citerne mobile.

Les tactiques de prix

Il est important de faire la différence entre les stratégies de fixation des prix et les tactiques de prix. Une stratégie de fixation des prix est une approche à long terme qui tient compte de tous les produits de l'entreprise et qui est basée sur cinq principes clés (objectifs de l'entreprise, clients, coûts, concurrence et membres du circuit de distribution). Une **tactique de prix**, quant à elle, est un ajustement à court terme permettant de s'adapter à ces cinq principes clés. Habituellement, elle peut être utilisée en réponse à une menace (p. ex., une réduction temporaire du prix pour égaler un concurrent) ou, d'une façon générale, être une manière acceptée de calculer le prix final d'un produit offert pour une durée limitée. Nous verrons ces tactiques de prix, que nous séparerons d'ailleurs selon qu'elles visent un intermédiaire dans un contexte de commerce interentreprises ou dans un contexte de commerce de détail.

tactique de prix
(pricing tactic)
Ajustement à court terme, contrairement aux stratégies de fixation des prix qui sont conçues pour une longue durée, utilisé pour s'adapter aux objectifs de l'entreprise, aux clients, aux coûts, à la concurrence ou aux membres du circuit de distribution.

Les tactiques de prix à l'intention des entreprises

Les tactiques de prix employées dans le contexte du commerce interentreprises sont très différentes de celles utilisées dans le contexte du commerce au détail. Parmi les tactiques les plus courantes, citons la réduction saisonnière, l'escompte de caisse, l'indemnité, la remise sur quantité et la fixation de frais de transport uniformes ou la fixation géographique des prix (*voir le tableau 12.3*).

La réduction saisonnière

réduction saisonnière
(*seasonal discount*)
Réduction additionnelle offerte sur le prix de vente d'un article en vue d'inciter les détaillants à commander de la marchandise avant la période habituelle.

Une **réduction saisonnière** est une réduction additionnelle offerte sur le prix de vente d'un article en vue d'inciter les détaillants à commander de la marchandise avant la période habituelle. Par exemple, le fabricant d'appareils de climatisation Lennox pourrait proposer à ses détaillants une réduction saisonnière s'ils passent leurs commandes et reçoivent la marchandise avant le 1er avril, c'est-à-dire avant la saison chaude, au cours de laquelle les ventes d'appareils de climatisation sont les plus fortes. Ce faisant, Lennox peut établir plus facilement son calendrier de production et écouler ainsi son stock de produits finis. Les détaillants, par contre, doivent évaluer si les profits effectués en raison de la réduction obtenue compensent le désavantage d'avoir un inventaire plus important pendant une plus longue période.

L'escompte de caisse

escompte de caisse
(*cash discount*)
Rabais consenti par le vendeur à un client qui règle une facture avant l'expiration d'une période déterminée.

Un **escompte de caisse** est un rabais consenti par le vendeur à un client qui règle une facture avant l'expiration d'une période déterminée. En général, l'escompte de caisse s'exprime en pourcentage, comme 2/10, n/30 ou « 2 % dans 10 jours, net dans 30 jours ». Cela signifie que l'acheteur peut économiser 2 % du montant à payer s'il règle dans les 10 jours suivant la date d'achat. Sinon, le tout, donc le montant net, est payable dans les 30 jours suivant cette même date. Pourquoi les vendeurs qui sont dans le contexte du commerce interentreprises proposent-ils des escomptes de caisse à leurs clients ? Parce que si le client règle sa facture rapidement, la valeur temporelle de l'argent sera plus grande. Le fait pour l'entreprise de mettre la main sur ce montant lui permet de le réinvestir et de rentabiliser cette somme, ou cela lui évite d'emprunter de l'argent et de payer des intérêts. Dans les deux cas, sur le plan financier, il est plus avantageux pour l'entreprise que ses clients paient rapidement.

L'indemnité

L'indemnité est une autre tactique de prix qui permet de réduire le coût final que doivent assumer les membres du circuit de distribution en échange d'un traitement

TABLEAU 12.3	Les tactiques de prix utilisées dans le commerce interentreprises
Tactique	**Description**
Réduction saisonnière	Réduction additionnelle offerte sur le prix de vente d'un article en vue d'inciter les détaillants à commander de la marchandise avant la période habituelle.
Escompte de caisse	Rabais consenti par le vendeur à un client qui règle une facture avant l'expiration d'une période déterminée.
Indemnité	Participation publicitaire ou frais d'insertion (réduction additionnelle) en échange d'un traitement de faveur. La participation publicitaire est un avantage accordé à un distributeur s'il accepte d'insérer le produit d'un fabricant dans sa publicité et ses efforts promotionnels. Les frais d'insertion sont des indemnités versées à un détaillant afin que ce dernier vende un nouveau produit ou qu'il offre plus d'espace ou encore un meilleur emplacement à un produit actuel.
Remise sur quantité	Réduction de prix consentie au client en fonction de la quantité de produits ou de services qu'il a achetée.
Fixation de frais de transport uniformes ou fixation géographique des prix	Fixation de frais de transport uniformes : le transporteur demande un prix fixe, peu importe où se trouve l'acheteur. Fixation géographique des prix : le transporteur a établi une série de prix en fonction des territoires qu'il dessert.

de faveur. On compte parmi les indemnités la participation publicitaire et les frais d'insertion. La **participation publicitaire** est un avantage accordé à un distributeur s'il accepte d'insérer le produit d'un fabricant dans sa publicité et ses efforts promotionnels. Les **frais d'insertion**, quant à eux, sont des indemnités versées à un détaillant afin que ce dernier vende un nouveau produit ou qu'il offre plus d'espace ou encore un meilleur emplacement à un produit actuel. Certains affirment que les frais d'insertion vont à l'encontre de l'éthique, car les petits fabricants qui ne peuvent les payer sont désavantagés. En outre, le fait de demander des frais d'insertion élevés pourrait être considéré comme la sollicitation d'un pot-de-vin étant donné que cela revient à « payer » un détaillant pour avoir un meilleur traitement que les autres.

La remise sur quantité

La **remise sur quantité** est une réduction de prix consentie au client en fonction de la quantité de produits ou de services qu'il a achetée. Plus la quantité est grande, plus la remise sera grande, et plus il sera avantageux d'acheter une grande quantité de produits.

La **ristourne** est une réduction établie en fonction du prix de vente et consentie si, au cours d'une période déterminée, une certaine quantité de marchandise est achetée. Ce type de réduction incite les revendeurs à garder le même fournisseur, car s'ajoute au coût du changement de fournisseur la perte de la ristourne. Par exemple, les concessionnaires automobiles tentent souvent d'atteindre un quota de vente ou un objectif de vente au cours d'une période donnée, comme un trimestre ou une année. S'ils atteignent leur objectif, ils ont droit à une réduction, sous forme de remboursement, sur le prix de tous les véhicules qu'ils ont achetés au fabricant au cours de cette période. C'est pourquoi les rabais chez les concessionnaires automobiles sont fréquents à la fin d'un trimestre ou d'une année financière. Si ces derniers arrivent à vendre quelques voitures de plus et à atteindre leur quota de vente, la réduction sera substantielle. Ils ne voient donc aucun inconvénient à réduire le prix de vente de quelques centaines de dollars, car le remboursement vaudra bien plus que le montant perdu.

La **remise sur quantité non cumulative**, quant à elle, est une remise sur quantité, mais l'offre n'est valide que pour une commande. Cette remise incite donc le détaillant à faire l'achat d'un plus grand nombre d'articles à l'occasion d'une seule commande. Ces achats moins fréquents mais en plus grande quantité permettent au fabricant de réduire le coût de traitement des commandes ainsi que les coûts associés à la vente et au transport de la marchandise. Par exemple, un marchand de jeans pourrait profiter d'une remise de 40 % chez le fabricant à l'achat de 500 $ de marchandise, d'une remise de 50 % si son achat se situe entre 501 $ et 4 999 $, et d'une remise de 60 % si sa commande atteint les 5 000 $.

La fixation de frais de transport uniformes et la fixation géographique des prix

Ces tactiques de prix ont trait uniquement à l'expédition, dont les coûts sont énormes pour de nombreux fabricants. Selon la tactique de **fixation de frais de transport uniformes**, le transporteur demande un prix fixe, peu importe où se trouve l'acheteur, ce qui simplifie grandement la tâche du vendeur et de l'acheteur. Quant à la **fixation géographique des prix**, il s'agit de la fixation des prix en fonction de la division géographique de la zone de livraison. Par exemple, un fabricant situé à Montréal pourrait diviser le Canada en cinq régions et fixer un prix différent pour chacune. Ainsi, tous les acheteurs d'une même région paieraient le même prix d'expédition. Cette tactique peut être avantageuse pour les expéditeurs, car ces frais sont plus représentatifs que les frais de transport uniformes.

Les tactiques de prix à l'intention des consommateurs

Lorsqu'une entreprise vend ses produits et ses services directement aux consommateurs au lieu de les vendre à une autre entreprise, elle utilise des tactiques différentes, évidemment. Nous examinerons certaines approches utilisées à l'intention des consommateurs, soit la gamme de prix, l'offre groupée et la tactique de prix d'appel (*voir le tableau 12.4 à la page suivante*).

---

participation publicitaire (*advertising allowance*) Avantage accordé à un distributeur s'il accepte d'insérer le produit d'un fabricant dans sa publicité et ses efforts promotionnels.

frais d'insertion (*slotting allowances*) Indemnités versées à un détaillant afin que ce dernier vende un nouveau produit ou qu'il offre plus d'espace ou encore un meilleur emplacement à un produit actuel.

remise sur quantité (*quantity discount*) Réduction de prix consentie au client en fonction de la quantité de produits ou de services qu'il a achetée.

ristourne (*cumulative quantity discount*) Réduction établie en fonction du prix de vente et consentie si, au cours d'une période déterminée, une certaine quantité de marchandise est achetée.

remise sur quantité non cumulative (*non-cumulative quantity discount*) Offre de réduction de prix pour les clients qui achètent en grosses quantités. L'offre n'est valide que pour une commande.

fixation de frais de transport uniformes (*uniform delivered pricing*) Fixation d'un prix par le transporteur, peu importe où se trouve l'acheteur.

fixation géographique des prix (*geographic pricing*) Fixation des prix en fonction de la division géographique de la zone de livraison.

TABLEAU 12.4	Les tactiques de prix à l'intention des consommateurs
Tactique	**Description**
Gamme de prix	Stratégie visant à déterminer un prix plancher et un prix plafond pour toute une ligne de produits semblables, puis à établir quelques niveaux de prix qui représentent les différences de qualité parmi ces produits.
Offre groupée	Stratégie servant à vendre plus d'un produit en même temps. Le prix de l'ensemble des produits est plus bas que le prix des mêmes produits vendus séparément.
Tactique de prix d'appel	Stratégie qui vise à accroître l'achalandage d'un commerce en réduisant fortement le prix d'un produit courant. Souvent, le prix du produit se situe au prix coûtant ou tout juste au-dessus de celui-ci.

La gamme de prix

Quand un gestionnaire marketing détermine un prix plancher et un prix plafond pour toute une ligne de produits semblables, puis qu'il établit quelques niveaux de prix qui représentent les différences de qualité parmi ces produits, on dit qu'il a recours à une tactique de **gamme de prix**.

Songez un instant aux catégories de prix des magasins de vêtements pour hommes Moores. L'entreprise fixe divers niveaux de prix pour ses vestons sport. Par exemple, les vêtements de la marque maison Joseph & Feiss se vendent autour de 119 $. Si l'on relève un peu le budget au niveau du prix moyen, on y trouve les vestons Alfred Sung, dont les prix se situent entre 159 $ et 199 $. La gamme supérieure, quant à elle, propose notamment les vestons sport pure laine Pronto Uomo à 229 $.

Bien qu'il puisse être difficile de dire lequel des vestons est de la plus grande qualité, les divers prix proposés par Moores indiquent au consommateur que le détaillant en a pour tous les goûts et tous les budgets.

L'offre groupée

Lorsqu'une entreprise se retrouve avec des produits à rotation lente qu'elle souhaite écouler, il arrive parfois qu'elle incite les consommateurs à les acheter en les « groupant » avec un meilleur vendeur et en vendant le lot à un prix plus bas que le prix des mêmes produits vendus séparément. Parfois aussi, une entreprise groupe des produits pour encourager les consommateurs à faire des réserves de ces produits de manière qu'ils n'achètent pas ceux des concurrents, pour inciter les clients à essayer un nouveau produit ou pour les amener à acheter un article moins tentant juste pour avoir le produit offert dans le lot. Cette tactique, qui consiste à vendre plus d'un produit en même temps à un prix inférieur, se nomme l'**offre groupée**.

Le tableau 12.5 présente un exemple d'offre groupée. Imaginons que vous avez quatre offres différentes à vendre : la connexion Internet, le service de téléphonie résidentielle, le service interurbain et la télévision par satellite. Les consommateurs

gamme de prix
(*price lining*)
Stratégie visant à déterminer un prix plancher et un prix plafond pour toute une ligne de produits semblables, puis à établir quelques niveaux de prix qui représentent les différences de qualité parmi ces produits.

offre groupée
(*price bundling*)
Stratégie servant à vendre plus d'un produit en même temps. Le prix de l'ensemble des produits est plus bas que le prix des mêmes produits vendus séparément.

TABLEAU 12.5	Un exemple d'offre groupée					
	Internet	**Téléphonie résidentielle**	**Service interurbain**	**Télévision par satellite**	**Total**	**Économies annuelles**
Tarif régulier	36,00 $	18,35 $	14,95 $	71,00 $	140,30 $	
Offre groupée	31,00 $	18,35 $	9,95 $	66,00 $	125,30 $	360,00 $
Tarif régulier pour étudiants	36,00 $	18,35 $			54,35 $	
Plein tarif et ajouts	36,00 $	18,35 $	9,95 $		64,30 $	
Offre groupée pour étudiants	31,00 $	18,35 $	9,95 $		59,30 $	60,00 $
Tarif familial régulier	36,00 $			71,00 $	107,00 $	
Plein tarif et ajouts	36,00 $	18,35 $		71,00 $	125,35 $	
Offre familiale groupée	31,00 $	18,35 $		66,00 $	115,35 $	120,00 $

combinent et utilisent différemment ces services, car leurs besoins sont uniques. L'abonnement à chacun des services séparés est l'option la plus coûteuse, comme l'indique la première ligne du tableau. Par contre, si les consommateurs groupent au moins trois de ces services, ils profiteront d'une réduction.

Voyons comment une entreprise de télécommunications pourrait avoir recours à l'offre groupée pour ajouter de la valeur à ses produits. Par exemple, un étudiant à l'université dont le budget est limité pourrait choisir de ne s'abonner qu'aux services jugés indispensables, soit Internet et la téléphonie résidentielle. Le prix courant de ces deux services s'élève à 54,35 $ par mois. Dans le cadre de son offre groupée, l'entreprise peut tenter de persuader l'étudiant de s'abonner au service interurbain en lui proposant de réduire le prix de sa connexion Internet. Ainsi, elle a un lien plus étroit avec son client en plus de revenus supplémentaires. La facture mensuelle de l'étudiant grimpera peut-être légèrement, à 59,30 $, mais en groupant ses services, il économisera 60 $ par an en plus de pouvoir faire des appels interurbains à ses parents de temps en temps!

Dans le même ordre d'idées, prenons l'exemple d'une famille abonnée à la télévision par satellite et au service Internet de cette entreprise à raison de 107,00 $ par mois et au service de téléphonie résidentielle chez un autre fournisseur. Encore une fois, en groupant ses services, l'entreprise peut inciter cette famille à s'abonner à son service de téléphonie résidentielle en réduisant la facture d'un autre service. L'ajout fait que la facture mensuelle s'élèvera à 115,35 $, mais la famille concernée réalise des économies de 120,00 $ par an par rapport au prix des services pris séparément. De plus, chaque mois, elle recevra une seule facture pour tous les services auxquels elle est abonnée.

La tactique de prix d'appel

La **tactique de prix d'appel** est une stratégie qui vise à accroître l'achalandage d'un commerce en réduisant fortement le prix d'un produit courant. Souvent, le prix du produit se situe au prix coûtant ou tout juste au-dessus de celui-ci. La raison d'être de cette tactique est la suivante : même si le consommateur n'est entré dans le magasin que pour profiter d'une aubaine incroyable, sur le café par exemple, il en profitera probablement pour acheter d'autres articles dont il a besoin. Ces articles, eux, sont vendus à un prix qui fait augmenter la marge de profit, ce qui compense facilement le bas prix du café. Imaginons toutes les combinaisons de produits possibles! Par exemple, si le commerce vend 500 grammes de crevettes fraîches à un prix d'appel, un employé pourra alors saisir l'occasion et demander aux clients qui achètent ce produit : «Que diriez-vous d'une sauce cocktail pour accompagner vos crevettes ?»

tactique de prix d'appel (*leader pricing*) Stratégie qui vise à accroître l'achalandage d'un commerce en réduisant fortement le prix d'un produit courant.

La baisse des prix à l'intention des consommateurs

Le prix final que paie un consommateur pour un produit ou un service diffère souvent du prix d'origine, car les gestionnaires marketing ont employé diverses méthodes pour faire en sorte que sa valeur perçue soit plus grande aux yeux du consommateur. Parmi ces techniques, on compte la démarque, le rabais sur quantité, la réduction saisonnière, le coupon de réduction et le rabais.

La démarque

La **démarque** est une réduction du prix de vente d'un produit ou d'un service initialement marqué à un prix plus élevé[50]. Partie intégrante de la vente à prix élevé / bas décrite précédemment, la démarque permet au détaillant de liquider les produits désuets ou à rotation lente, les articles saisonniers une fois que la saison est passée ou d'égaler le prix d'un concurrent. Le détaillant doit se débarrasser de la marchandise qui n'est plus populaire, car cette dernière nuit à son image ou constitue une somme d'argent inutilisée parce que les produits sont en stock alors que ce montant pourrait servir ailleurs.

démarque (*markdown*) Réduction du prix de vente d'un produit ou d'un service initialement marqué à un prix plus élevé.

Les détaillants ont également recours à la démarque pour faire la promotion de certains produits ou en augmenter les ventes. Ainsi, la démarque peut augmenter l'achalandage d'un commerce, particulièrement lorsqu'elle est jumelée avec une offre promotionnelle. Une fois l'achalandage accru, la partie est gagnée, croient certains commerçants, car si le consommateur est entré dans le magasin, il y a des chances qu'il fasse l'achat d'autres produits à prix courant.

Le rabais sur quantité

rabais sur quantité
(*size discount*)
Forme la plus courante de
remise sur quantité ; plus
le client achète d'articles,
plus le prix de chaque
unité est réduit (p. ex.,
réduction par gramme).

Nous avons déjà vu comment les entreprises ont recours à la remise sur quantité dans le contexte du commerce interentreprises, mais ce principe est aussi appliqué dans le commerce de détail. La forme la plus courante de ce type de remise est le **rabais sur quantité**. Par exemple, il existe trois formats de Cheerios, des céréales General Mills : la boîte de 425 grammes, celle de 575 grammes et celle 1,5 kilo. Ces boîtes sont vendues respectivement aux prix de 4,19 $, 4,49 $ et 6,89 $. Plus le volume acheté est grand, moins le prix par gramme est élevé, ce qui signifie que le fabricant offre un rabais sur quantité aux consommateurs. Au Québec, la réglementation oblige les supermarchés à afficher les prix en

*Les consommateurs
obtiennent un rabais
sur quantité lorsqu'ils
achètent un plus grand
volume d'un produit.
C'est notamment le
cas pour les céréales
Cheerios. Plus la boîte est
grosse, plus le prix par
gramme est bas.*

fonction des unités de poids ou de volume sur les étiquettes de prix de manière que le consommateur puisse comparer facilement le rapport qualité/prix de divers produits. Ailleurs au Canada, la pratique est laissée à la discrétion des établissements. Dans les faits, la plupart des supermarchés affichent ces prix de sorte que le client achète de

plus grandes quantités d'un produit pour profiter de remises. Cela a aussi pour effet que le consommateur risque moins de changer de marque et que, dans bien des cas, il consomme davantage ce produit, selon les caractéristiques d'utilisation de celui-ci. Il serait surprenant que l'achat d'un plus gros paquet de papier hygiénique entraîne une utilisation accrue du produit, mais pour ce qui est des céréales, il est tout à fait plausible que le consommateur en mange davantage ou plus fréquemment[51].

La réduction saisonnière

La réduction saisonnière est une réduction additionnelle offerte sur le prix de vente d'un article en vue de stimuler la demande au cours de la basse saison. C'est notamment le cas pour les séjours à l'hôtel, les billets de remonte-pente dans les stations de ski, les motoneiges, les tondeuses, les barbecues, les forfaits vacances, les vols aériens (pour certaines destinations) et les cartes de Noël. Certains consommateurs vont même jusqu'à planifier leurs achats en fonction de ces rabais et passer le lendemain de Noël à écumer les centres commerciaux à la recherche d'aubaines imbattables.

Le coupon de réduction et le rabais

coupon de réduction
(*coupon*)
Rabais sur le prix de vente
final d'un produit. Les
coupons de réduction sont
distribués de plusieurs
manières : impression dans
des journaux, distribution
dans des enveloppes pro-
motionnelles à domicile,
insertion dans les embal-
lages, impression sur les
emballages, distribution
dans les présentoirs au
point de vente, impression
sur le coupon de caisse,
courriels, SMS, etc.

rabais (*rebate*)
Réduction de prix accordée
au consommateur. Dans
certains cas, le rabais est
accordé pour des raisons
de défaut ou de désué-
tude. Il peut aussi s'agir
d'une forme de promotion,
faite ordinairement
au moyen de coupons
émis par le fabricant et
honorés par le détaillant.

Le coupon de réduction et le rabais abaissent le prix de vente final d'un produit. Il y a toutefois une différence entre les deux. En ce qui concerne le **coupon de réduction**, c'est le détaillant qui l'émet, alors que, pour ce qui est du **rabais**, c'est le fabricant qui se charge d'accorder la remise d'une partie du prix de l'article au consommateur en argent comptant.

Le coupon de réduction vise à inciter les consommateurs à essayer un nouveau produit, à remercier les clients fidèles ou à amener les consommateurs à racheter un produit. En permettant à ces derniers d'économiser, l'entreprise ajoute de la valeur à ses produits. Alors que le coupon de réduction offre au consommateur une économie instantanée quand il le présente à la caisse, le rabais constitue davantage une promesse d'économie. Le plus souvent, le rabais prend la forme d'une remise postale. En outre, il engendre plus de tracas que le coupon de réduction. En effet, le consommateur doit acheter l'article au cours d'une certaine période, envoyer les documents pertinents, dont, le plus souvent, le reçu, et finalement attendre de quatre à six semaines, sinon davantage, avant de recevoir son chèque. Bien que certains consommateurs considèrent qu'un rabais de 50 $ ajoute de la valeur à un produit, ils peuvent également se demander s'il vaut la peine de faire tant d'efforts et d'attendre aussi longtemps pour obtenir un rabais de quelques dollars. Les gestionnaires marketing, pour leur part, considèrent que le rabais donne un plus grand contrôle que le coupon de réduction et qu'il fournit davantage de renseignements sur les consommateurs. Finalement, le coupon de réduction et le rabais sont considérés à la fois comme des tactiques de prix et des outils promotionnels. Vous en apprendrez donc davantage à leur sujet à la lecture du chapitre 16.

En somme, les stratégies de fixation des prix et les tactiques de prix sont si nombreuses qu'il n'est pas étonnant que des entreprises sans scrupules en profitent pour choisir une approche contraire aux intérêts des consommateurs. Nous traiterons donc des enjeux légaux et éthiques relatifs à la fixation des prix.

Les enjeux légaux et éthiques relatifs à la fixation des prix

OA **5**

Les prix ont tendance à changer naturellement pour répondre aux variations que connaît le marché. S'il est rare de voir des entreprises tenter de contrôler le marché en ce qui concerne la qualité et la publicité, il est moins rare de voir certaines d'entre elles opter pour une stratégie de fixation des prix malhonnête qui vise à réduire la concurrence ou à berner les consommateurs par la fraude et le mensonge. Toute une série de lois et de réglementations fédérales, provinciales et municipales ont été édictées dans le but de prévenir ces pratiques frauduleuses, mais certains de ces dispositifs ne sont pas appliqués et, dans d'autres cas, il est difficile de prouver qu'il y a eu fraude.

Les pratiques trompeuses en matière de prix

Bien qu'il soit illégal et à l'encontre de l'éthique de mentir dans une annonce publicitaire, une certaine exagération est généralement acceptée (*voir le chapitre 16*). Toutefois, le prix affiché ne devrait jamais être trompeur au point de causer du tort au consommateur. Par exemple, un concessionnaire automobile annonçant qu'on fait chez lui les «meilleures affaires en ville» donnera à penser qu'il exagère. Par contre, si un détaillant annonce «les prix les plus bas… garantis!», il s'agit d'une affirmation très précise qui peut s'avérer mensongère s'il n'offre pas vraiment les meilleurs prix.

Les prix de référence trompeurs

Nous avons abordé précédemment le sujet du prix de référence, lequel sert de valeur de référence avec laquelle le consommateur peut comparer le prix de vente d'un produit. Si le prix de référence est authentique, alors la publicité est informative, mais s'il est gonflé ou encore carrément fictif, alors la publicité est mensongère et risque de tromper l'acheteur. Le Bureau de la concurrence a d'ailleurs infligé une amende de un million de dollars à Suzy Shier après qu'une enquête eut révélé que l'entreprise apposait une étiquette sur ses vêtements qui montrait le prix «courant» et le prix «en solde», alors qu'en réalité le magasin avait vendu trop peu de vêtements sur une très courte période au prix «courant»[52]. Par contre, il n'est pas facile de déterminer si le prix de référence est authentique. À l'aide de quels critères peut-on y parvenir? Si une publicité annonce un prix courant, comment savoir si c'est le cas, et ce qui constitue un prix courant? Combien d'unités le magasin doit-il vendre à ce prix pour qu'il soit authentique? La moitié du stock? quelques articles? un seul? Finalement, qu'arrive-t-il si le détaillant annonce ses articles au prix courant, mais que personne n'en achète? Ce prix peut-il être considéré comme le prix courant? Habituellement, si un commerce veut pouvoir affirmer que le prix affiché est un prix courant, il faut qu'au moins 50 % des ventes du produit aient été effectuées à ce prix, affirme le Conseil canadien des bureaux d'éthique commerciale[53].

La fixation d'un prix à perte

Comme nous l'avons étudié, la tactique de prix d'appel est un moyen légal, pour un commerce, de tenter d'accroître son achalandage en réduisant fortement le prix d'un produit courant, mais de manière qu'il demeure au-dessus du prix coûtant. La **fixation d'un prix à perte**, quant à elle, pousse un peu plus loin cette notion et fait passer le prix de vente d'un produit sous le prix coûtant. Nous avons tous déjà vu une promotion du type «Achetez-en un et obtenez le second gratuitement», que ce

fixation d'un prix à perte
(*loss leader pricing*)
Notion qui pousse un peu plus loin celle de la tactique de prix d'appel en faisant passer le prix de vente d'un produit sous le prix coûtant.

soit dans un supermarché ou dans un magasin d'escomptes. Si l'article en question n'est pas vendu au double du prix coûtant, il est évident que les revenus générés ne sont pas suffisants pour couvrir le coût demandé au détaillant, de sorte que le prix total des deux articles se situe en dessous du prix coûtant.

La publicité-leurre

Une autre pratique trompeuse en matière de prix consiste à annoncer un article à un prix incroyablement bas sans que le détaillant ait l'intention de vendre ne serait-ce qu'une seule unité de cet article. Cette tactique, appelée **publicité-leurre**, est mensongère, puisque le détaillant cherche à attirer le client en annonçant une offre spéciale portant sur un produit (leurre), puis à faire pression sur lui pour qu'il achète un autre produit (produit de substitution) en dénigrant le produit bon marché, en le comparant défavorablement ou en ne disposant que d'un stock symbolique du produit annoncé. Il s'agit d'un autre cas où il est difficile d'appliquer les lois en vigueur, car le travail du vendeur consiste entre autres à tenter de vendre les articles les plus coûteux, sans qu'il s'agisse chaque fois d'un leurre. En effet, le mensonge provient de l'intention du vendeur, ce qu'il est très difficile de prouver.

La vente à prix prédatoire

Lorsqu'une entreprise fixe des prix déraisonnablement bas pour détruire la concurrence, elle fait de la **vente à prix prédatoire (ou d'éviction)**. Cette pratique est illégale en vertu de la *Loi sur la concurrence,* car elle va à l'encontre du libre-échange et il s'agit d'une concurrence déloyale. En outre, cela revient à encourager la domination du marché par quelques entreprises seulement (oligopole).

Toutefois, la prédation est difficile à prouver. D'abord, il faut démontrer que l'entreprise avait l'intention d'éliminer la concurrence ou de l'empêcher de pénétrer le marché. Ensuite, le plaignant doit faire la preuve que l'entreprise demande un prix inférieur au coût moyen, ce qui est une tâche tout aussi complexe.

La discrimination par le prix

La discrimination par le prix peut prendre plusieurs formes, mais certaines formes sont illégales en vertu de la *Loi sur la concurrence*. Lorsqu'une entreprise vend un même produit à divers revendeurs (grossistes, distributeurs ou détaillants), mais à un prix différent, il s'agit d'un cas de **discrimination par le prix**. Habituellement, les grandes entreprises peuvent profiter de prix plus bas.

Il a déjà été question de la remise (ou rabais) sur quantité, c'est-à-dire d'une réduction de prix consentie au client en fonction de la quantité de produits ou de services qu'il achète. La légalité de cette tactique naît du principe que les coûts associés à la vente (et au service qui s'y rapporte) de 1 000 unités à un seul client entraîne moins de frais pour le vendeur que s'il vend 100 unités à 10 clients. Toutefois, la remise sur quantité doit être accessible à tous les consommateurs. Il est donc interdit de favoriser un acheteur au détriment d'un autre. Certains gestionnaires marketing contournent cette règle et offrent un prix réduit à leurs clients privilégiés. La *Loi sur la concurrence* demande seulement aux entreprises de ne pas empêcher la concurrence. Si la remise sur quantité se trouve dans une zone grise de la loi, il est par contre tout à fait légal de demander un prix différent au revendeur si l'entreprise tente d'égaler les prix de la concurrence. En outre, l'accord de troc, soit l'entente établie entre un acheteur et un vendeur à propos d'un échange de marchandises, est courant et parfaitement légal dans un contexte de vente au détail tel que la vente d'une voiture ou d'un objet de collection.

La collusion

La **collusion** est une entente que concluent des entreprises pour fixer le prix de vente d'un produit ou d'un service. Récemment, les cinq plus grandes compagnies de disques, soit Universal Music, Sony Music, Warner Music, BMG Music et EMI, ainsi que trois des principaux détaillants dans le domaine, soit Musicland Stores, Trans

publicité-leurre
(*bait and switch*)
Pratique commerciale trompeuse qui consiste à attirer le client en annonçant une offre spéciale portant sur un produit (leurre), puis à faire pression sur lui pour qu'il achète un autre produit (produit de substitution) en dénigrant le produit bon marché, en le comparant défavorablement ou en ne disposant que d'un stock symbolique du produit annoncé.

vente à prix prédatoire (ou d'éviction)
(*predatory pricing*)
Vente d'un ou de plusieurs biens à un prix déraisonnablement bas pour détruire la concurrence. Cette pratique est illégale en vertu de la *Loi sur la concurrence.*

discrimination par le prix
(*price discrimination*)
Fixation de prix différenciés pour un même produit destiné à des revendeurs (grossistes, distributeurs, détaillants) ou à des consommateurs finaux différents.

collusion (*collusion*)
Entente entre des entreprises afin de déterminer le prix de vente d'un produit ou d'un service plutôt que de laisser faire le jeu de l'offre et de la demande. Cette approche est illégale.

World Entertainment et Tower Records, se sont entendus pour payer 67,4 millions de dollars et remettre 75,7 millions de dollars de disques à la population ainsi qu'à des organismes sans but lucratif afin de régler à l'amiable une poursuite qui avait été engagée contre eux pour collusion à la fin des années 1990[54].

Ce cas de collusion est particulièrement intéressant, car il allie la collusion horizontale et la collusion verticale. La **collusion horizontale sur les prix** survient lorsque des entreprises qui fabriquent et vendent des produits concurrents sont de connivence ou travaillent de concert afin de fixer le prix d'un bien, ce qui a pour effet que le prix ne fait plus partie du processus décisionnel du client. Dans l'exemple précédent, le tribunal a conclu qu'il y avait eu une collusion horizontale sur les prix entre les compagnies de disques, lesquelles se seraient entendues sur les prix de vente et de distribution de disques. La **collusion verticale sur les prix**, quant à elle, a lieu lorsque les acteurs à divers niveaux d'un même réseau (p. ex., les fabricants et les détaillants) changent, d'un commun accord, le prix de vente d'un produit ou d'un service. Dans le cas qui nous intéresse, le tribunal a conclu qu'il y avait eu collusion entre les compagnies de disques et les détaillants afin que les prix de vente des disques demeurent fixes.

Comme le démontrent clairement ces enjeux légaux, les décisions relatives à la fixation des prix soulèvent des questions d'éthique. Lorsqu'ils choisissent leurs stratégies de fixation des prix ainsi que leurs tactiques de prix, les gestionnaires marketing doivent trouver le juste milieu entre leur objectif, soit faire en sorte, par le prix fixé, que le consommateur attribue de la valeur au produit, et l'importance d'être honnêtes et justes envers ce dernier. Qu'il s'agisse d'une entreprise ou d'un consommateur, les acheteurs sont influencés par diverses stratégies de fixation des prix. Il incombe donc aux gestionnaires marketing de choisir la méthode la plus adaptée aux besoins du vendeur, de l'acheteur et de la population.

collusion horizontale sur les prix (*horizontal price fixing*) Connivence ou collaboration entre des entreprises produisant et vendant des produits concurrents afin de fixer le prix d'un bien, de sorte que le prix ne fait plus partie du processus décisionnel du client.

collusion verticale sur les prix (*vertical price fixing*) Situation survenant lorsque les acteurs à divers niveaux d'un même réseau (p. ex., les fabricants et les détaillants) changent le prix de vente d'un produit ou d'un service, d'un commun accord.

Faites le point

 **Expliquez ce qu'est le prix ainsi que l'importance qu'il revêt dans l'estimation de la valeur en marketing**

Le prix est le seul élément du marketing mix qui génère des revenus. Il compte également dans la construction de la valeur perçue attribuée à un produit ou à un service. Même s'il est important de tenir compte des coûts et d'autres facteurs au moment de la fixation des prix, le plus important demeure la perception du rapport qualité/prix par le consommateur.

 **Indiquez en quoi les cinq principes clés de la fixation des prix, soit les objectifs de l'entreprise, les clients, les coûts, la concurrence et les membres du circuit de distribution, influent sur les décisions relatives à la fixation des prix**

Les stratégies de fixation des prix efficaces sont élaborées à partir de cinq principes clés, soit les objectifs de l'entreprise, les clients, les coûts, la concurrence et les membres du circuit de distribution. Les objectifs de l'entreprise servent de cadre de référence à la stratégie de fixation des prix. Une entreprise qui se soucie de son image vendra des produits à prix élevé, alors que celle qui se concentre sur la valeur de ses produits optera davantage pour une politique de bas

prix de tous les jours. Lorsque les gestionnaires marketing comprennent la réaction des consommateurs à l'égard des prix, ils sont en mesure de fixer des prix adaptés à l'attitude et aux préférences de ces derniers. La courbe de demande et l'élasticité de la demande sont deux outils liés entre eux qui permettent de calculer la sensibilité des consommateurs aux variations de prix. Le revenu des consommateurs et l'accessibilité des produits de substitution exercent aussi une influence sur la réponse de la clientèle aux variations de prix. Le troisième principe clé, les coûts, représente un élément déterminant de la fixation des prix. Ainsi, le coût de production d'un bien aide le gestionnaire marketing à évaluer les niveaux de prix possibles ainsi que la rentabilité de chacun. L'analyse du point mort est un outil utilisé par les gestionnaires marketing pour établir le seuil de rentabilité d'un produit ou d'un service. Quant à la concurrence, elle agit sur les prix, car la plupart des entreprises surveillent les activités des concurrents et réagissent rapidement à celles-ci. Une concurrence féroce peut causer une guerre des prix. L'intensité de la concurrence est généralement évaluée à partir de la structure du marché au sein d'une industrie, celle-ci pouvant être oligopolistique, monopolistique ou de la concurrence pure. Le dernier principe clé réside dans les membres du circuit de distribution, à savoir les fabricants, les grossistes et les détaillants. Ils influent sur la fixation des prix en raison de leur rôle clé dans la livraison du produit au consommateur. En outre, les membres du circuit de distribution, tout en étant liés entre eux, ont leurs propres objectifs et leur propre contexte de concurrence. Si le fabricant veut conserver des prix relativement élevés pour véhiculer une image de qualité supérieure, tandis que le détaillant veut baisser ses prix et accepter une moins grande marge de profit pour vendre le produit, peu importe l'image perçue par les consommateurs, un conflit risque d'éclater. En outre, les fabricants peuvent accorder un rabais à un membre du circuit de distribution, ce qui est de nature à influer sur le prix demandé au consommateur.

OA 3 Expliquez comment les entreprises établissent les prix de leurs biens et de leurs services

Il faut d'abord que les entreprises identifient une zone de prix. Cette zone est parfois calculée à partir d'une analyse de la fonction de demande et de son élasticité, ou plus simplement à partir d'une analyse de la structure de coûts, à laquelle on ajoutera une marge bénéficiaire. Dans certains cas, les entreprises ne feront ni l'un ni l'autre – elles seront forcées de s'ajuster en fonction de la concurrence.

Cette zone approximative sera par la suite modulée selon des tactiques de prix jugées à propos. D'une part, l'entreprise pourra faire le choix d'un prix d'écrémage ou d'un prix de pénétration du marché, en fonction du contexte. D'autre part, de fins ajustements pourront être effectués afin d'en arriver au prix finalement affiché.

OA 4 Décrivez diverses stratégies de fixation des prix et tactiques de prix ainsi que leur utilisation en marketing

Les entreprises ont tendance à choisir une stratégie de fixation des prix ou une tactique de prix à partir du produit ou du marché. Les stratégies de fixation des prix sont conçues à long terme, alors que les tactiques de prix permettent un ajustement à court terme aux cinq principes clés. Les stratégies de fixation des prix peuvent être réparties en trois groupes, soit les stratégies en fonction des coûts, celles par rapport à la concurrence et celles axées sur la valeur. Comme leur nom l'indique, les méthodes de fixation des prix basée sur les coûts sont une stratégie qui consiste d'abord à calculer le coût de production d'un bien, puis à y ajouter un pourcentage ou une marge fixe, ce qui donne le prix de vente du bien en question. Selon la méthode de fixation des prix basée sur la concurrence, l'entreprise étudie ce que fait la concurrence et réagit en conséquence. Elle peut choisir

d'abaisser ses prix pour égaler les prix d'un concurrent ou pour qu'ils se situent sous leurs prix ou tout juste au-dessus d'eux.

En ce qui touche aux méthodes de fixation des prix basée sur la valeur, elles comprennent les approches adoptées par une entreprise qui sont axées sur la valeur d'un produit ou d'un service telle que perçue par le client (p. ex., bon marché, coûteux, une aubaine). L'estimation de la valeur par le consommateur peut être influencée par son prix de référence interne ou par le prix fixé par le gestionnaire marketing dans le but de suggérer un bon rapport qualité/prix. Les gestionnaires marketing ont souvent recours à l'écrémage ou à une stratégie de fixation des prix de pénétration du marché lorsqu'ils lancent un nouveau produit. Leur choix dépend du produit en question et des objectifs poursuivis (p. ex., avoir une plus grande part de marché, exercer une influence sur les prix ou lancer une innovation).

Aussi, les entreprises peuvent avoir recours à une foule de tactiques de prix, lesquelles forment deux catégories : les tactiques relatives au commerce interentreprises et celles relatives au commerce de détail. Parmi les tactiques de prix et les réductions employées dans le commerce interentreprises, citons la réduction saisonnière, l'escompte de caisse, l'indemnité, la remise sur quantité ainsi que la fixation de frais de transport uniformes ou la fixation géographique des prix. Finalement, on compte parmi les tactiques de prix relatives au commerce de détail la gamme de prix, l'offre groupée, la tactique de prix d'appel, la démarque, le rabais sur quantité, la réduction saisonnière, le coupon de réduction et le rabais.

OA 5 Expliquez les enjeux légaux et éthiques relatifs à la fixation des prix

Il existe pratiquement autant de façons de se mettre dans le pétrin qu'il y a de stratégies et de tactiques portant sur la fixation des prix. Les trois enjeux légaux les plus importants ont trait aux pratiques trompeuses en matière de prix. Plus précisément, si une entreprise compare un prix réduit avec un prix « courant », ou un prix de référence, elle doit auparavant avoir vendu le produit à ce prix. De la même manière, le fait de fixer un prix inférieur au prix coûtant va à l'encontre de la *Loi sur la concurrence*, tout comme la publicité-leurre. Enfin, il est permis dans certains cas de demander des prix différents à divers consommateurs, mais cela est illégal si la décision est arbitraire. Par contre, la collusion n'est jamais permise.

Mots clés

- alignement sur la concurrence, p. 385
- approche client, p. 385
- collusion, p. 414
- collusion horizontale sur les prix, p. 415

- collusion verticale sur les prix, p. 415
- concurrence monopolistique, p. 393
- concurrence oligopolistique, p. 393
- concurrence pure, p. 393

- contribution unitaire, p. 392
- coupon de réduction, p. 412
- courbe de demande, p. 386
- coût fixe, p. 391
- coût total, p. 391
- coût variable, p. 390
- démarque, p. 411
- différentiel de valeur, p. 399
- discrimination par le prix, p. 414
- économie d'expérience, p. 403
- écrémage, p. 401
- effet de substitution, p. 389
- effet revenu, p. 389
- élasticité croisée des prix, p. 390
- élasticité de la demande, p. 388
- élastique, p. 388
- escompte de caisse, p. 408
- fixation de frais de transport uniformes, p. 409
- fixation des prix basée sur la concurrence, p. 398
- fixation des prix basée sur la valeur, p. 399
- fixation des prix basée sur les coûts, p. 398
- fixation des prix de pénétration du marché, p. 402
- fixation des prix par rapport à la cible-bénéfice, p. 384
- fixation des prix par rapport au rendement recherché, p. 384
- fixation d'un prix à perte, p. 413
- fixation d'un prix supérieur, p. 399
- fixation géographique des prix, p. 409
- frais d'insertion, p. 409
- gamme de prix, p. 410
- guerre des prix, p. 393
- inélastique, p. 388
- magasinage croisé, p. 397

- marché gris, p. 394
- méthode du coût d'utilisation, p. 400
- offre groupée, p. 410
- orientation profit, p. 383
- orientation ventes, p. 384
- orientation vers la concurrence, p. 385
- participation publicitaire, p. 409
- point mort, p. 391
- politique de bas prix de tous les jours, p. 405
- prix de référence, p. 403
- prix de référence externe, p. 403
- prix de référence interne, p. 404
- prix non arrondi, p. 406
- produit ou service de prestige, p. 387
- produits complémentaires, p. 390
- produits de substitution, p. 390
- publicité-leurre, p. 414
- rabais, p. 412
- rabais sur quantité, p. 412
- réduction saisonnière, p. 408
- remise sur quantité, p. 409
- remise sur quantité non cumulative, p. 409
- ristourne, p. 409
- stratégie de maximisation des profits, p. 384
- tactique de prix, p. 407
- tactique de prix d'appel, p. 411
- vente à prix élevé/bas, p. 405
- vente à prix prédatoire (ou d'éviction), p. 414

Révision des concepts

1. Expliquez l'importance du prix dans le marketing mix du point de vue de l'entreprise et du point de vue du consommateur.

2. Nommez les cinq principes clés de la fixation des prix. À votre avis, quel principe est le plus important et pourquoi ?

3. Expliquez comment une entreprise s'y prend pour évaluer la sensibilité des consommateurs aux variations de prix. Quels facteurs influent sur cette sensibilité ?

4. Pourquoi est-il important pour une entreprise d'évaluer les coûts de production lorsqu'elle fixe ses prix ?

5. Pourquoi est-il important pour une entreprise de comprendre le concept du point mort d'un produit ?

6. En quoi Internet a-t-il changé l'utilisation que font certains consommateurs du prix dans le processus décisionnel ?

7. Nommez les principales différences entre les stratégies de fixation des prix et les tactiques de prix. Donnez trois exemples de chacune de ces différences.

8. Expliquez l'influence possible des facteurs psychologiques sur la stratégie de fixation des prix choisie par une entreprise.

9. Dans quelle situation l'écrémage devrait-il être utilisé ? Quand est-il pertinent d'avoir recours à une stratégie de fixation des prix de pénétration du marché ?

10. Nommez quatre types de pratiques relatives à la fixation des prix qui sont illégales ou qui vont à l'encontre de l'éthique.

Marketing appliqué

1. Vos deux colocataires et vous-même démarrez un service de toilettage pour les animaux de compagnie afin de payer vos études. Il existe déjà deux services de ce genre dans votre quartier. Devriez-vous fixer vos prix de manière qu'ils soient supérieurs ou inférieurs à ceux des concurrents ? Justifiez votre réponse.

2. L'un de vos colocataires considère que l'objectif le plus important est de générer des profits considérables tout en surveillant les prix de la concurrence. L'autre trouve qu'il est important d'optimiser le volume des ventes et de fixer les prix de façon qu'ils correspondent aux prix que le consommateur s'attend à payer. Qui a raison ? Pourquoi ?

3. Vous décidez d'acheter un espace publicitaire dans le journal de votre quartier pour faire la promotion de votre service de toilettage. Il vous coûte 1000 $. Vous choisissez de demander 40 $ pour le toilettage d'un chien et souhaitez faire des profits s'élevant à 20 $ par toilettage. Combien de chiens devrez-vous toiletter pour récupérer le coût de la publicité ? Quel est le point mort si vous demandez 50 $ par toilettage ?

4. Vous vous rendez au supermarché pour y faire vos courses hebdomadaires. Vous remarquez que le prix du bœuf haché a grimpé de 0,50 $ le kilogramme. En quoi cette hausse du prix influera-t-elle sur la demande du bœuf haché ? de la dinde hachée ? des pains à hamburger ? Justifiez votre réponse à l'aide du concept de l'élasticité de la demande.

5. Zinc Energy Resources Co., une nouvelle division d'un grand fabricant de piles, a récemment breveté un modèle innovateur au zinc-air. Le coût unitaire est réparti ainsi : le boîtier coûte 8 $, les matériaux, 6 $ et la main-d'œuvre, 6 $. Les coûts associés au réoutillage des installations déjà existantes s'élèvent à un million de dollars. À cela s'ajoutent un million de dollars en coûts fixes annuels (ce qui comprend les ventes, le marketing et les frais de publicité), un million de dollars en frais généraux et administratifs et d'autres coûts fixes s'élevant à deux millions de dollars.

   a) Quel est le coût unitaire variable de la nouvelle pile ?

   b) À combien s'élèvent les coûts fixes de la nouvelle pile ?

   c) Si le prix de vente de la pile était de 35 $, quel serait son point mort ?

6. En quoi les stratégies de fixation des prix varient-elles au sein d'un marché où la concurrence est monopolistique ? oligopolistique ? pure ?

7. Bien que cette pratique ne soit pas illégale, certaines entreprises qui ont une boutique en ligne demandent un prix différent à divers clients malgré que le produit ou le service soit le même. Puisque des commerces de différentes régions peuvent exiger des prix différents, certains sites demandent au consommateur de donner leur code postal avant de divulguer leurs prix. Pourquoi arrive-t-il que les prix varient en fonction du marché ou du code postal ? Cette pratique est-elle acceptable sur le plan éthique ? S'agit-il d'une pratique commerciale juste ?

8. Vous êtes engagé dans un supermarché à titre de responsable des prix. La pratique de ce supermarché en matière de fixation des prix consiste habituellement à ajouter un pourcentage fixe au coût du produit. Évaluez cette méthode. De quelle manière vous y prendrez-vous ?

9. Les coupons de réduction et les rabais profitent à des membres différents du circuit de distribution. Quel choix feriez-vous entre les coupons de réduction et les rabais si vous étiez un fabricant ? si vous étiez un détaillant ? si vous étiez un consommateur ? Pourquoi ?

10. Vous êtes engagé à titre de chef de marque chez un fabricant de t-shirts dont la nouvelle collection sera lancée sous peu. En raison d'une critique élogieuse à l'égard de la collection, l'entreprise veut repositionner sa marque pour en faire une marque de prestige. Votre employeur vous demande à quel prix il faudrait vendre les nouveaux chandails. La collection actuelle, de qualité moyenne, est vendue au prix unitaire de 20 $. Quelles étapes entreprendrez-vous afin de déterminer les nouveaux prix de vente ?

Internaute averti

1. Plusieurs modèles de fixation des prix sont fournis en ligne. Chacun est intéressant pour un groupe de consommateurs différent. Rendez-vous à l'adresse www.cafr.ebay.ca et faites une recherche pour y trouver un manuel de marketing. Quelles options et quels prix le site vous suggère-t-il ? À votre avis, est-ce que tout le monde choisirait le manuel le moins cher ? Expliquez pourquoi. Maintenant, allez sur le site www.amazon.ca. Plusieurs prix y sont-ils affichés ? Le cas échéant, quels sont-ils ? Si vous deviez acheter un autre exemplaire d'un manuel de marketing, où l'achèteriez-vous et pourquoi ?

2. Les prix peuvent varier en fonction du marché servi. Étant donné que Dell vend ses ordinateurs directement aux consommateurs des quatre coins du monde, il est facile de

comparer les prix offerts à chacun des marchés. Rendez-vous sur le site www.dell.ca. Trouvez sur le site canadien le prix d'un ordinateur de bureau précis. Ensuite, allez sur le site états-unien de Dell (www.dell.com) et sur celui d'un autre pays afin de trouver le prix de ce même ordinateur. (Si vous devez convertir les devises, visitez le site www.xe.com.) Dans quelle mesure le prix de l'ordinateur varie-t-il ? À quoi peuvent être attribuables de telles différences de prix ?

Étude de cas

LA CHASSE AU PLUS BAS PRIX : BIZRATE CONTRE EBAY[55]

Les économistes ont désigné les sites de vente aux enchères tels qu'eBay comme le meilleur moyen de représenter la valeur d'un produit, quel qu'il soit, car son prix ne dépend que de la valeur que lui attribue le consommateur. Autrement dit, le prix reflète précisément la valeur du produit. Par conséquent, les prix apparaissant sur ce site ne devraient-ils pas être parmi les plus bas ?

Plusieurs sites de comparaison de prix, dont www.shopzilla.com, www.pricegrabber.com et www.shopbot.ca, sont devenus très populaires. Le moteur de recherche le plus utilisé est certainement www.bizrate.com.

Cependant, les sites de vente aux enchères et ceux de comparaison de prix garantissent-ils vraiment au consommateur le prix le plus bas ? Pour répondre à cette question, nous avons fait des recherches sur les sites Bizrate et eBay relativement aux deux produits suivants : le camé-scope DCR-DVD 101 de Sony et le récepteur HTR-5790 de Yamaha. Sur Bizrate, nous avons trouvé 17 magasins qui vendaient le récepteur Yamaha à des prix allant de 495 $ à 719 $. Pour ce qui est du caméscope Sony, 51 magasins en vendaient à des prix se situant entre 449 $ et 800 $.

Sur eBay, les prix du récepteur Yamaha variaient de 495 $ à 550 $ et ceux du caméscope de Sony, de 480 $ à 774 $.

	Bizrate		eBay	
Produit	**Minimum**	**Maximum**	**Minimum**	**Maximum**
Récepteur Yamaha	495 $	719 $	495 $	550 $
Caméscope Sony	449 $	800 $	480 $	774 $

L'analyse de ces deux produits révèle que les deux sites offrent les prix les plus bas, mais que les prix les plus élevés sont moins élevés sur eBay. En outre, eBay présente plusieurs produits semblables sur une même page, ce qui pourrait expliquer le fait que les gammes de prix sont plus petites que sur Bizrate.

Questions

1. En quoi Internet a-t-il changé la concurrence par les prix entre les produits de marques connues ?

2. La concurrence par les prix sur Internet aurait-elle été différente si nous avions cherché des produits de base ou des produits de luxe ?

3. À votre avis, l'accès à une telle comparaison des prix entraîne-t-il une réduction de la concurrence par les prix de manière que tous les consommateurs soient sur un pied d'égalité ?

4. Quelles suppositions avez-vous tendance à faire à propos d'un produit dont le prix est très bas ? dont le prix est très élevé ?

CHAPITRE 13

OBJECTIFS D'APPRENTISSAGE

Après avoir lu ce chapitre, vous devriez être en mesure :

OA **1** d'expliquer l'importance de la distribution et les liens existant entre le circuit ou les canaux de distribution, la gestion de la chaîne d'approvisionnement et la gestion logistique ;

OA **2** d'expliquer comment les canaux de distribution ajoutent de la valeur pour les entreprises et les consommateurs ;

OA **3** de décrire les décisions et les stratégies relatives à l'implantation et à la gestion d'un canal de distribution ;

OA **4** d'expliquer l'incidence de la logistique et de la gestion de la chaîne d'approvisionnement sur la stratégie de distribution.

PARTIE 6

**La distribution de valeur : concevoir
le circuit de distribution et la chaîne
d'approvisionnement**

Les canaux de distribution : la stratégie de distribution

Zara International Inc. (www.zara.com), détaillant espagnol de vêtements chics mais à prix modiques et filiale d'Inditex (Industrias de Diseño Textil, une firme de la Galice, en Espagne), poursuit sa croissance. L'entreprise exploite en effet quelque 2 008 magasins de vêtements de mode dans plus de 88 pays, dont 25 au Canada[1]. Les ventes annuelles de la chaîne totalisent plus de 14 milliards de dollars, un chiffre impressionnant pour une entreprise fondée il y a à peine 40 ans. Le premier magasin Zara a ouvert ses portes en 1975 à La Corogne, une ville de la Galice, au nord-ouest de l'Espagne. À proximité se trouvent le siège social ultramoderne de Zara et son centre de distribution de 500 000 mètres carrés, qui approvisionne tous les magasins de la chaîne.

Rendant hommage à l'image « branchée » de Zara, selon *Vogue*, même les clientes françaises de l'entreprise croient que celle-ci est d'origine française. Divers magazines de mode montrent couramment des vedettes comme Cindy Crawford magasinant dans une boutique Zara au Canada ; Chelsea Clinton entrant dans un magasin Zara à Ankara, en Turquie ; les enfants de la famille royale espagnole se rendant régulièrement au magasin Zara de la chic avenue Vélazquez à Madrid ; et des autocars remplis de touristes qui s'arrêtent au magasin Zara du Paseo de Garcia, à Barcelone. Aujourd'hui, on trouve des boutiques Zara dans des quartiers chics comme la 5ᵉ Avenue, à New York, les Champs-Élysées, à Paris, Regent Street, à Londres, et le centre commercial Shibuya, à Tokyo.

Inditex (www.inditex.com), qui possède et dirige Zara, compte une centaine d'entreprises spécialisées dans des activités liées à la conception textile, à la production et à la distribution. Inditex dirige aussi sept autres chaînes : Pull&Bear, Massimo Dutti, Bershka, Stradivarius, Oysho, Uterqüe et Zara Home. Cependant, Zara International est la chaîne la plus importante et la plus ancienne, contribuant à plus de 64 % de ses ventes.

Grâce à sa chaîne d'approvisionnement et à ses systèmes d'information sophistiqués, Zara peut livrer ses vêtements de mode relativement bon marché à ses magasins de New York (à gauche) et de Paris (à droite) en quelques semaines.

Bien que Zara rivalise avec les détaillants locaux sur la plupart de ses marchés, les analystes estiment que ses trois concurrents les plus proches sont le groupe de magasins de vêtements américain Gap, la société suédoise Hennes & Mauritz (H&M), et l'entreprise italienne Benetton. Toutefois, les quatre sociétés fonctionnent de manière très différente. Gap et H&M possèdent la plupart de leurs magasins, mais externalisent toute la fabrication.

Au contraire, Benetton a investi des sommes assez importantes dans la production, mais ses magasins sont gérés par des licenciés. Zara non seulement possède la majorité de ses magasins, mais elle produit aussi la plus grande partie de ses vêtements dans ses usines ultramodernes du nord-ouest de l'Espagne. Zara se démarque aussi en fabriquant plus de 40 % des tissus qui composent ses vêtements, à la différence de la plupart de ses concurrents.

De sa base espagnole, Zara gère également son propre circuit de distribution mondial. La gestion de sa chaîne d'approvisionnement lui donne une souplesse qui fait l'envie de la concurrence. Cela permet aussi à Zara de fonctionner avec des stocks minimaux parce que ses magasins reçoivent des livraisons deux fois par semaine et que les nouveaux articles demeurent rarement sur les tablettes plus d'une semaine. En ce sens, parmi tous les détaillants de vêtements, Zara est celui qui possède l'une des chaînes d'approvisionnement les plus sophistiquées. L'entreprise met seulement de quatre à cinq semaines pour créer une nouvelle collection, puis environ une semaine pour la fabriquer. Ses concurrents, par comparaison, ont besoin d'une moyenne de six mois pour créer une nouvelle collection et de trois semaines supplémentaires pour la fabriquer. Comment Zara s'y prend-elle ?

La société tire son avantage concurrentiel d'un usage astucieux de l'information et de la technologie. Tous les magasins Zara sont reliés électroniquement au siège social espagnol. Les gérants, conjointement avec un groupe de chasseurs de tendances férus de mode, fréquentent régulièrement les points chauds de la mode tels que les campus universitaires et les boîtes de nuit. Leur travail consiste à agir comme les yeux et les oreilles de la société afin de repérer les prochaines tendances de la mode. À l'aide d'appareils portatifs sans fil, ils transmettent des images au siège social de l'entreprise afin que les stylistes puissent produire des patrons que les fabricants situés à proximité pourront commencer à réaliser, produisant ainsi les vêtements qui seront suspendus dans les magasins Zara quelques semaines plus tard.

Les stylistes de Zara reçoivent les informations en temps réel lorsqu'ils prennent des décisions avec l'équipe commerciale au sujet des tissus, des coupes et des prix d'une nouvelle ligne de vêtements. Cet alliage d'échange d'informations en temps réel et de production internalisée permet à Zara de fonctionner avec des stocks quasi inexistants et de livrer quand même de nouveaux modèles à ses magasins deux fois par semaine. Grâce à ce système logistique ultrarapide, l'entreprise arrive à vendre une grande partie de son stock à plein prix ; les articles invendus comptent pour moins de 10 % de celui-ci, tandis que ce pourcentage se situe entre 17 et 20 % en moyenne dans l'industrie[2]. Les clientes adorent les résultats de cette opération de haute voltige : elles font de longues queues dans les boutiques Zara les jours de livraison, un phénomène baptisé « zaramania » par la presse.

Dans ce chapitre, nous aborderons le troisième élément du marketing mix, soit la distribution, qui englobe toutes les activités nécessaires pour livrer le bon produit au bon client au moment où il en a besoin. Les étudiants en marketing sous-estiment souvent l'importance de la distribution dans le marketing mix simplement parce qu'elle se déroule en coulisse. Pourtant, les canaux de distribution ajoutent de la valeur aux produits, puisqu'ils acheminent ceux-ci aux clients de façon efficace, c'est-à-dire rapidement et à un faible coût.

Comme le montre la feuille de route à la page suivante, nous décrirons d'abord l'importance de la distribution, la nature d'un canal de distribution, la manière dont celui-ci ajoute de la valeur aux produits et dont il est mis sur pied. Ensuite, nous examinerons la chaîne d'approvisionnement et le rôle crucial qu'elle joue dans la stratégie de distribution. Nous terminerons le chapitre en examinant comment la gestion logistique intègre des activités allant de l'acheminement efficace des matières premières jusqu'à la livraison des produits finis.

L'importance de la distribution   OA ①

Jusqu'ici, nous avons vu comment les entreprises effectuent des études de marché poussées, étudient les comportements des consommateurs et des entreprises, segmentent soigneusement les marchés et choisissent les meilleurs marchés cibles, développent de nouveaux produits et services et fixent des prix qui annoncent une bonne valeur. Toutefois, même si l'entreprise accomplit toutes ces actions sans faute, elle n'atteindra sans doute jamais ses objectifs en matière de revenus si elle n'arrive pas à implanter des canaux de distribution appropriés pour rejoindre ses clients potentiels.

Convaincre des intermédiaires comme des grossistes et des détaillants de vendre de nouveaux produits peut s'avérer plus difficile qu'on ne le croit. Par exemple, une épicerie typique peut stocker entre 30 000 et 40 000 produits différents. Or, un bon nombre de ces produits doivent être retirés des tablettes pour laisser la place à tous les nouveaux aliments, boissons, produits ménagers, produits pour animaux et autres articles qui sont mis en marché chaque année.

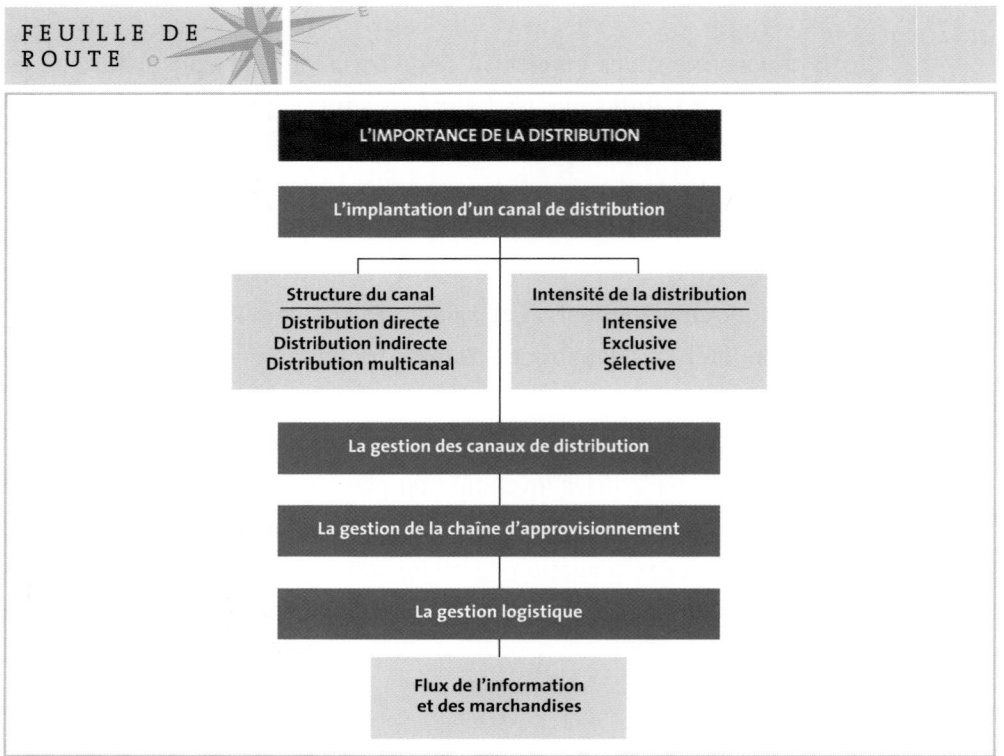

L'introduction des douzaines de nouveaux produits mis en marché chaque jour rend la lutte pour les linéaires féroce. Comme nous le verrons dans ce chapitre, la distribution n'est pas seulement compliquée pour bon nombre d'entreprises ; elle est onéreuse et exige le paiement de frais d'insertion pour l'allocation d'un espace sur les étalages des magasins. La rubrique Marketing entrepreneurial (*voir p. 427*) montre également l'importance d'une stratégie de distribution originale et maîtrisée.

Toutes les entreprises de biens et de services ont besoin d'une stratégie de distribution bien pensée, même celles qui frappent la monnaie. Le 21 octobre 2004, la Monnaie royale canadienne a émis la première pièce en couleurs dans le monde entier, une pièce de 25 cents ornée d'un coquelicot rouge, qui visait à rendre hommage aux 117 000 Canadiens morts au combat[3]. Normalement, les pièces de monnaie sont distribuées par les banques. Or, très peu de consommateurs retirent des pièces de la banque. La Monnaie royale canadienne avait donc besoin d'un partenaire capable de mettre ses pièces en circulation rapidement, car le jour du Souvenir approchait. Elle a choisi Tim Hortons en raison de ses nombreux restaurants situés partout dans le pays et de sa capacité à rejoindre un très grand nombre de Canadiens. Et comme, à l'époque, les clients ne pouvaient payer qu'en espèces, ils étaient presque assurés de recevoir quelques pièces de 25 cents portant le coquelicot en même temps que leur Double double (deux crèmes, deux sucres). La Monnaie royale canadienne a de nouveau utilisé cette stratégie de distribution en 2006 lorsqu'elle a émis sa deuxième pièce en couleurs, un 25 cents orné de l'emblématique ruban rose destiné à faire connaître la Fondation canadienne du cancer du sein. Cette fois, les pièces ont été distribuées exclusivement dans les Pharmaprix[4].

Une stratégie de distribution bien pensée et intégrée adéquatement aux autres éléments du marketing mix peut accroître les revenus d'une entreprise. Brick Brewing, une entreprise de Waterloo, en Ontario, s'enorgueillit de ses talents d'innovatrice au sein de l'industrie. En effet, elle a créé une bouteille en plastique brun de 473 millilitres, légère et incassable, qui refroidit plus vite et reste froide plus longtemps. Cela fait d'elle la première entreprise canadienne à embouteiller de la bière dans un contenant en plastique[5]. Bien que cette décision semble plutôt liée au produit ou à l'emballage, la bouteille en plastique était étroitement associée à la stratégie de distribution de l'entreprise, puisqu'elle a permis à celle-ci d'offrir son produit dans les lieux où les bouteilles en verre sont interdites, comme les résidences universitaires, les événements sportifs et les salles de concert. De plus, l'entreprise a pu ainsi rivaliser avec la distribution de bières en canettes sans avoir à investir dans un équipement de conserverie coûteux. Bien qu'une augmentation des ventes et

Les Aliments M&M a privilégié une distribution moins étendue et plus sélective pour préserver l'image de marque de l'entreprise.

l'accès à un nombre accru de consommateurs soient souvent souhaitables, ce n'est pas toujours le cas. Au fil des ans, plusieurs détaillants comme Walmart ou Esso ont tenté de convaincre Les Aliments M&M de vendre ses produits dans leurs succursales. Ces détaillants auraient étendu le réseau de distribution de l'entreprise de façon spectaculaire. Or, Les Aliments M&M a toujours refusé d'aller dans cette direction, car elle pressentait que cela pourrait faire du tort à sa marque. En effet, l'entreprise est fière d'offrir des produits de qualité supérieure, tandis que les détaillants comme Walmart visent surtout à conserver des prix bas.

Les liens entre le circuit ou les canaux de distribution, la chaîne d'approvisionnement et la logistique

Avant de commencer cette section, une petite mise au point sémantique s'impose. Il importe, en effet, de ne pas confondre les termes **circuit de distribution** et **canal de distribution**. Si le canal de distribution est le chemin commercial parcouru par un produit pour aller du producteur au consommateur final, le circuit de distribution est, quant à lui, le regroupement de l'ensemble des canaux par lesquels un même bien est acheminé du producteur au consommateur. Le circuit de distribution se compose donc des différents canaux de distribution qu'emprunte un même produit pour rejoindre ses différents consommateurs cibles. Nous traiterons ici essentiellement du canal de distribution.

On confond souvent la gestion des canaux de distribution, la gestion de la chaîne d'approvisionnement et la gestion logistique, car elles sont étroitement liées. Toutefois, l'étude individuelle de ces trois pratiques commerciales et des relations qu'elles entretiennent donne un aperçu complet du rôle de la stratégie de distribution dans la production et l'acheminement des produits aux consommateurs finaux.

Un canal de distribution est un réseau d'établissements par lequel transite un produit à partir du moment où il est fabriqué jusqu'à celui où il est utilisé par le consommateur. Comme tel, il englobe tous les établissements et les activités de mise en marché[6]. Comme le montre la figure 13.1 à la page suivante, le canal de distribution met les produits à la portée des consommateurs, qu'il s'agisse d'individus ou d'entreprises. Dans certains cas, les entreprises utilisent des canaux de distribution directs pour acheminer les marchandises jusqu'aux consommateurs, tandis qu'à d'autres moments la distribution se fait indirectement en passant par des intermédiaires.

Comme nous l'avons mentionné dans le chapitre 1, la **gestion de la chaîne d'approvisionnement** est l'ensemble des méthodes et des techniques utilisées en vue d'intégrer de façon efficiente et efficace les fournisseurs, les fabricants, les entrepôts, les magasins et les sociétés de transport dans une chaîne de valeur continue où les bonnes quantités de marchandises sont produites et distribuées au bon endroit et au bon moment. Cette pratique vise aussi à minimiser les coûts à l'échelle du réseau tout en offrant aux clients les niveaux de service désirés[7].

circuit de distribution
(*distribution network*)
Regroupement de l'ensemble des canaux de distribution par lesquels un même bien est acheminé du producteur au consommateur.

canal de distribution
(*distribution channel*)
Réseau d'établissements par lequel transite un produit à partir du moment où il est fabriqué jusqu'à celui où il est utilisé par le consommateur.

gestion de la chaîne d'approvisionnement
(*supply chain management*)
Ensemble des méthodes et des techniques utilisées en vue d'intégrer de façon efficiente et efficace les fournisseurs, les fabricants, les entrepôts, les magasins et les compagnies de transport dans une chaîne de valeur continue où les bonnes quantités de marchandises sont produites et distribuées au bon endroit et au bon moment.

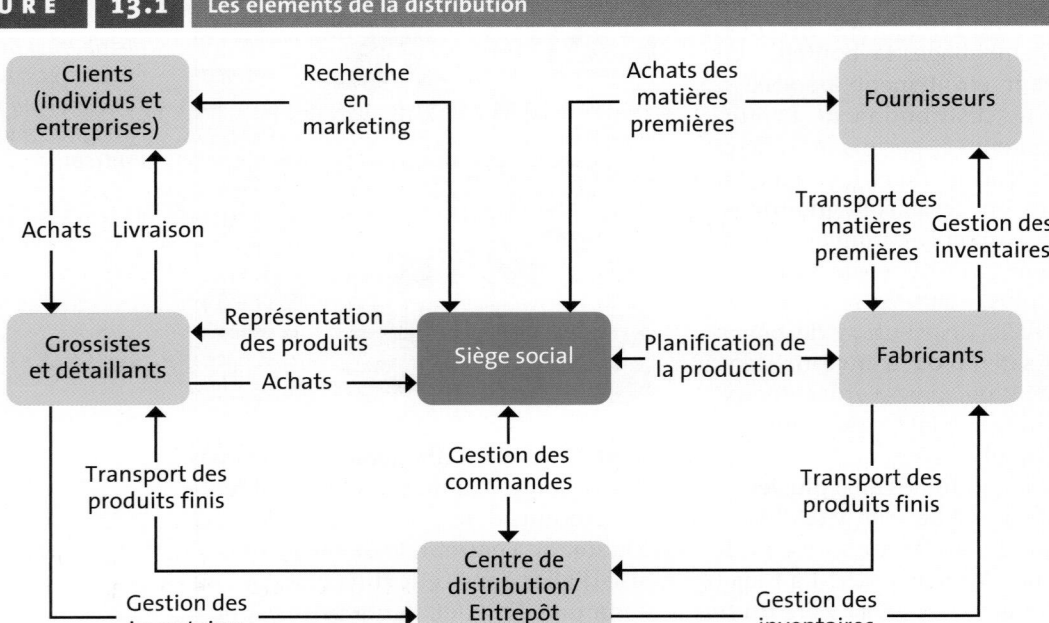

Comme nous l'avons vu dans l'introduction de ce chapitre, Zara utilise une chaîne d'approvisionnement entièrement intégrée, puisqu'elle possède chaque maillon de la chaîne ou du moins exerce sur cette chaîne un contrôle considérable. En conséquence, elle peut concevoir, créer, fabriquer, transporter et finalement vendre ses vêtements de mode beaucoup plus rapidement et efficacement que n'importe lequel de ses principaux concurrents.

Une chaîne d'approvisionnement simplifiée se composerait d'un fabricant qui vend ses produits à des intermédiaires comme des détaillants ou des grossistes. Une chaîne d'approvisionnement typique est beaucoup plus complexe, puisqu'elle englobe les fournisseurs de matières premières ainsi que les fabricants, les grossistes et les commerces de détail. Le **grossiste** est un commerçant qui achète des produits à des fabricants et les revend à des détaillants. Le **détaillant** vend des produits directement aux consommateurs. Les fabricants expédient leurs produits à un grossiste ou, dans le cas des détaillants possédant plusieurs magasins, à leur centre de distribution ou directement à leurs magasins. Plus la chaîne d'approvisionnement compte d'intermédiaires, plus les transactions nécessaires pour que les produits d'une entreprise se rendent jusqu'aux consommateurs sont nombreuses et complexes.

Bien que cette description reflète le flux typique des produits manufacturés, une chaîne d'approvisionnement peut prendre une multitude de formes. Certaines chaînes de détail telles que Home Depot et Costco font office à la fois de détaillants et de grossistes. Elles fonctionnent comme des détaillants lorsqu'elles vendent directement aux consommateurs et comme grossistes lorsqu'elles vendent à d'autres entreprises telles que des entrepreneurs de bâtiments ou des propriétaires de restaurants. Lorsque des fabricants comme Dell ou Avon vendent directement aux consommateurs, ils cumulent des activités de production et de vente au détail. Lorsque Dell vend directement à une université ou à une entreprise, elle accomplit une transaction interentreprises (B2B), mais quand elle vend à des étudiants ou à des employés individuels, elle exécute une opération de détail (B2C).

La gestion de la chaîne d'approvisionnement repose sur les relations entre les membres de la chaîne et des canaux de distribution, et sur la nécessité de coordonner les efforts afin d'offrir aux clients la meilleure valeur possible.

grossiste (*wholesaler*)
Commerçant qui achète des produits en grande quantité, qui en prend possession, qui bien souvent les entrepose et qui se charge de la manutention avant de revendre les produits en plus petites quantités aux détaillants ou encore aux clients industriels ou professionnels.

détaillant (*retailer*)
Commerçant qui vend des produits directement aux consommateurs.

| Marketing entrepreneurial | **De la nostalgie en bouteille** |

Tout petit, Brian Alger ne pouvait se rassasier des Pop Shoppe. L'entreprise de boissons gazeuses au rabais avait été fondée en 1969, à London, par deux diplômés en gestion des affaires qui avaient compris qu'ils pouvaient vendre le soda qu'ils fabriquaient dans leurs propres magasins. En éliminant les intermédiaires et le canal traditionnel de détail, les deux hommes pouvaient proposer 20 sodas de saveurs différentes à un prix modique. Les consommateurs affluaient dans les boutiques et repartaient avec un assortiment de sodas vendus en caisses de 24. En six ans à peine, les jeunes gestionnaires avaient étendu leur entreprise au-delà des frontières canadiennes et jusqu'aux États-Unis où ils exploitaient des magasins dans 11 États[8]. En vendant ses sodas à 10 cents seulement la bouteille, Pop Shoppe offrait une solution de rechange peu coûteuse aux boissons gazeuses traditionnelles. À son apogée, en 1977, l'entreprise vendait un million de sodas par jour. Pourtant, dès 1983, l'entreprise a fait faillite, en partie à cause de la guerre des prix déclenchée par Coca-Cola et PepsiCo.

En 2002, lorsque Alger a appris que les marques Pop Shoppe étaient devenues périmées, il les a enregistrées de nouveau. Deux ans plus tard, il a réintroduit plusieurs sodas sur le marché, notamment le Lime Ricky et le Cream Soda, mais seulement après avoir apporté quelques changements majeurs. Premièrement, il a lancé une marque de qualité au lieu de mettre en marché des produits au rabais. Il y avait déjà trop de marques privées bon marché sur les tablettes des magasins et il savait qu'il ne pouvait pas rivaliser avec elles au niveau du prix[9]. Deuxièmement, il a décidé de ne pas ouvrir de magasins de détail Pop Shoppe. Si, dans les années 1970, les consommateurs étaient prêts à faire un détour par les magasins Pop Shoppe pour acheter des sodas ou faire remplir leurs bouteilles de verre, le concept était dépassé et n'était plus ni pratique ni économiquement réalisable[10].

Alger travaille seul et n'a ni employé, ni siège social, ni entrepôt. Il communique avec ses fournisseurs, ses partenaires et ses distributeurs à partir de son bureau principal, situé à Grimsby, en Ontario. La distribution a constitué un défi de taille. Alger n'avait pas accès aux frigos à sodas des dépanneurs, qui regorgeaient déjà de marques mieux connues. Si le canal des épiceries était attrayant, Alger ne pouvait pas payer les frais d'insertion, qui pouvaient aller jusqu'à 100 000 $ pour un linéaire. De plus, aucun distribu-teur ne voulait s'associer avec lui. C'est alors qu'il est tombé sur Beverage World, un grossiste-distributeur de boissons de niche opérant à Hamilton, en Ontario. L'entreprise cherchait à signer une entente exclusive avec une nouvelle marque de qualité. Grâce à ce contrat, Alger a pu s'associer avec un détaillant établi qui pouvait s'occuper des ventes, des entrepôts, de l'expédition et de bien plus encore.

Dès 2006, des magasins comme Costco, Kitchen Table et Hasty Market ont commencé à stocker la ligne de produits Pop Shoppe dans leurs magasins. Puis, Zellers leur a emboîté le pas et Alger distribuait désormais ses produits à l'échelle nationale. Depuis lors, il a étendu sa distribution grâce à un restaurateur néo-brunswickois possédant des magasins régionaux[11]. Il sera bientôt le leader des sodas de qualité supérieure dans le pays. Mais comme le marché canadien est petit et ne vaut que 25 millions de dollars, Alger reluque l'énorme marché américain. Pour arriver à s'y implanter, il devra élaborer une stratégie de distribution vraiment pétillante.

La stratégie de distribution originale de Pop Shoppe a contribué à son succès.

La gestion logistique est la composante de la chaîne d'approvisionnement qui se concentre sur le mouvement et le contrôle des produits. Elle désigne l'intégration d'au moins deux activités dont le but est de planifier, de mettre en œuvre et de gérer efficacement l'écoulement des matières premières, le stock de protection et les produits finis du point d'origine au point de consommation. Ces activités peuvent englober, sans s'y limiter nécessairement, le service à la clientèle, la prévision de la demande, les communications relatives à la distribution, le contrôle des stocks, la manutention, le traitement des commandes, les pièces et l'entretien, le choix de l'emplacement de l'usine et de l'entrepôt, l'approvisionnement, le conditionnement, le traitement des marchandises retournées, le recyclage et la mise au rebut du matériel, la circulation, le transport et l'entreposage[12].

La gestion des canaux de distribution, la gestion de la chaîne d'approvisionnement et la **gestion logistique** sont liées, mais elles étaient traitées de façon distincte dans le passé. Autrefois, la gestion des canaux de distribution relevait de la division du marketing et d'un vice-président du marketing. En revanche, le vice-président de la direction des opérations s'occupait de la logistique. Malgré leurs objectifs similaires, les deux divisions élaboraient souvent des solutions différentes et travaillaient parfois à contre-courant. Par exemple, la division du marketing voulait augmenter les ventes, tandis que la division de la logistique cherchait à réduire les coûts. Les entreprises ont fini par prendre conscience des fabuleux avantages rattachés à la coordination des activités de marketing et de logistique, non seulement au sein de l'entreprise, mais dans toute la chaîne d'approvisionnement.

gestion logistique
(*logistic management*)
Intégration d'au moins deux activités dont le but est de planifier, de mettre en œuvre et de gérer efficacement l'écoulement des matières premières, le stock de protection et les produits finis du point d'origine au point de consommation.

OA **2** ## Les canaux de distribution ajoutent de la valeur

Un canal de distribution est constitué de diverses entités qui achètent (les détaillants et les grossistes), vendent (les fabricants et les grossistes) ou facilitent l'échange (les entreprises de transport). À l'instar des interactions humaines, ces relations vont des partenariats étroits aux arrangements uniques. Dans presque tous les cas, cependant, elles se nouent parce que les parties désirent obtenir quelque chose l'une de l'autre. Ainsi, Home Depot veut des marteaux de marque Stanley, propriété de la compagnie Black & Decker, laquelle veut avoir la possibilité de vendre ses outils à des clients, et les deux entreprises veulent que UPS s'occupe de livrer leurs produits.

Chaque membre du canal de distribution joue un rôle spécialisé. Si un membre estime qu'un autre membre ne fait pas son travail correctement ou efficacement, il peut en général lui trouver un remplaçant. Par conséquent, si Black & Decker n'obtient pas un bon service de UPS, elle peut se tourner vers FedEx. De même, si Home Depot considère que ses clients ne perçoivent pas les outils Stanley comme ayant une bonne valeur, elle peut acheter les outils à un autre fabricant. Home Depot pourrait même décider de fabriquer ses propres outils ou d'utiliser ses propres camions pour ramasser les outils Stanley. Toutefois, même si un membre du canal est remplacé par un autre, la fonction qu'il accomplit subsiste, de sorte que quelqu'un doit l'exécuter.

Home Depot et Black & Decker ont établi un partenariat mutuellement profitable. Home Depot achète les outils de marque Stanley parce que ses clients perçoivent ceux-ci comme ayant une bonne valeur. Black & Decker vend des outils à Home Depot parce que celle-ci a créé un excellent marché pour ses produits.

T A B L E A U **13.1** Les fonctions remplies par les intermédiaires		
Fonctions transactionnelles		
Achat : achat de produits dans le but de les revendre à d'autres intermédiaires ou à des clients **Prise de risques :** obsolescence et dépréciation possible des stocks en fonction des modes **Promotion :** promotion des produits auprès des consommateurs **Vente :** transactions avec les clients potentiels		
Fonctions logistiques		
Distribution : transport des marchandises jusqu'au point d'achat **Entreposage :** maintien des stocks et protection des marchandises		
Fonctions facilitatrices		
Collecte d'informations : échange de renseignements sur les clients et d'autres membres du canal **Financement :** offre de crédit et d'autres services financiers aux consommateurs		

Le canal de distribution remplit diverses fonctions transactionnelles, logistiques et facilitatrices, comme l'explique le tableau 13.1. Les intermédiaires jouent un rôle important en réduisant le nombre de contacts commerciaux, ce qui rend les systèmes plus efficaces. Ils harmonisent également les exigences des consommateurs individuels avec les produits manufacturés, se chargent de la distribution et de l'entreposage des marchandises et les mettent à la disposition des acheteurs, facilitent les recherches tant par les acheteurs que par les vendeurs et normalisent les transactions. Bien que les fonctions d'un canal de distribution puissent passer d'un intermédiaire ou d'un membre du canal à un autre, il est important de reconnaître qu'elles ne peuvent pas être supprimées. Comme nous l'avons vu dans l'exemple de Home Depot, ces fonctions doivent être exécutées par une organisation ou une autre afin que le bon produit soit livré au bon client au bon moment.

Nous étudierons maintenant la structure d'un canal de distribution ainsi que l'intensité de distribution appropriée.

L'implantation d'un canal de distribution   OA

La structure du canal de distribution

Lorsqu'une entreprise démarre ou pénètre un nouveau marché, elle n'est pas toujours en mesure de mettre sur pied la « meilleure » structure pour son canal de distribution, c'est-à-dire de choisir ses fournisseurs et ses clients. Un nouveau détaillant de vêtements pour enfants se souciera avant tout d'obtenir le bon assortiment de vêtements ; pour ce faire, il devra explorer le marché. Certains fabricants refuseront de vendre leurs produits à ce nouveau détaillant parce que son crédit n'est pas encore établi ou que d'autres détaillants de la région stockent une quantité suffisante de leurs produits. Le problème peut être tout aussi aigu pour les fabricants qui pénètrent un nouveau marché et dont le principal souci consiste à trouver des détaillants qui accepteront de courir le risque de vendre leurs lignes de produits. Chaque entreprise doit élaborer une stratégie de distribution et déterminer de quelle façon elle vendra ses produits aux consommateurs. La distribution peut être directe, indirecte ou multicanal, ou représenter une combinaison de ces trois formes.

La distribution directe

Comme l'illustre la figure 13.2 à la page suivante, un canal de distribution directe permet aux fabricants de traiter directement avec les consommateurs. De nombreux produits et services sont distribués de cette façon. Pendant des décennies, la stratégie de distribution de Dell était basée exclusivement sur l'utilisation d'un canal de distribution directe. L'entreprise vient tout juste de modifier cette stratégie en décidant de vendre des ordinateurs personnels sélectionnés dans les magasins Walmart. D'autres entreprises, comme TigerDirect.com, Avon et Tupperware, continuent de recourir uniquement à la distribution directe. La distribution directe joue aussi un rôle majeur dans les transactions interentreprises (B2B). Ainsi, IBM vend ses ordinateurs centraux directement à ses plus gros clients du secteur public (les gouvernements) et à des entreprises du secteur privé (les banques et les compagnies d'assurances).

Dernièrement, Nestlé, le géant mondial de l'agroalimentaire, a adopté une stratégie de distribution directe pour atteindre des consommateurs au Brésil, en lançant une barge-épicerie sur deux affluents du fleuve Amazone[13]. Enfin, certaines entreprises sont parfois forcées de distribuer leurs produits directement parce qu'elles n'arrivent pas à obtenir de linéaires dans les commerces de détail ou à payer les frais d'insertion élevés imposés par les détaillants. En effet, de nombreuses grandes chaînes d'épiceries exigent des frais d'insertion pour couvrir les coûts relatifs à la réorganisation des linéaires et de l'entrepôt, auxquels s'ajoutent les coûts administratifs associés à l'ajout d'un nouveau produit. La rubrique Question d'éthique ci-contre explique plus en détail la question des frais d'insertion.

La distribution indirecte

Dans le cas de la distribution indirecte, un ou plusieurs intermédiaires travaillent avec les fabricants pour fournir des produits et des services aux consommateurs. Dans certains cas, un seul intermédiaire intervient. De nombreux fabricants d'automobiles, comme Ford, General Motors ou DaimlerChrysler, ont recours à la distribution indirecte, les concessionnaires agissant à titre de détaillants, comme le montre la figure 13.2. En général, les gros détaillants comme La Baie d'Hudson recourent à un seul intermédiaire. Lorsqu'un détaillant n'achète pas en quantité suffisante pour que le fabricant juge rentable de traiter directement avec lui, il fait appel à un grossiste. On recourt souvent aux grossistes dans le cas des produits à faible valeur unitaire, tels que les friandises et les croustilles, comme le montre le dernier exemple de la figure 13.2.

Au moment d'élaborer sa stratégie de distribution, un fabricant peut opter pour une stratégie de pression ou pour une stratégie d'aspiration (ou stratégie d'attraction). Dans le premier cas, il concentrera ses efforts promotionnels (p. ex., la vente personnelle ou la promotion des ventes) sur les membres du canal de distribution afin de les convaincre de vendre son produit. Cette stratégie pousse le produit à travers le canal de distribution jusqu'aux consommateurs finaux. Si les membres du canal sont réticents à stocker de nouveaux produits, le fabricant pourra avoir recours à une stratégie d'aspiration, que l'on nomme parfois aussi stratégie d'attraction. Dans ce cas, il dirigera ses efforts

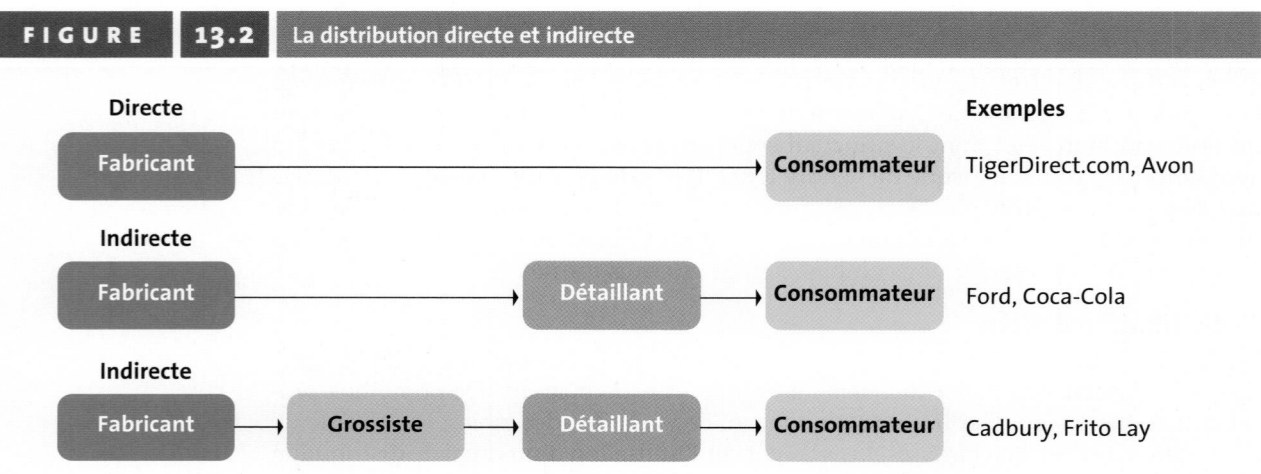

FIGURE 13.2 La distribution directe et indirecte

Directe				Exemples
Fabricant			Consommateur	TigerDirect.com, Avon
Indirecte				
Fabricant		Détaillant	Consommateur	Ford, Coca-Cola
Indirecte				
Fabricant	Grossiste	Détaillant	Consommateur	Cadbury, Frito Lay

Les frais d'insertion : inutiles ou nécessaires[14] ?

La plupart des consommateurs ne se demandent jamais comment les produits arrivent sur les tablettes de l'épicerie. Souvent, ils ignorent que les fournisseurs paient des milliers de dollars en frais d'insertion pour que l'épicerie stocke leurs produits. En ce qui touche à la mise en marché des produits d'épicerie, les linéaires et la position des produits sont critiques. Les frais d'insertion peuvent déterminer si un article sera placé à la hauteur des yeux ou sur la tablette du bas où il sera plus difficile à repérer.

Au Canada, les frais d'insertion peuvent aller de quelques centaines de dollars à 25 000 $ par produit par magasin et jusqu'à 1 million de dollars par chaîne d'épicerie. Selon Val Laidlaw, directeur du secteur consommateur à Dare Foods, une entreprise de Kitchener, en Ontario, l'entreprise qui veut faire inscrire un produit au catalogue d'un détaillant doit d'abord convaincre ce dernier que son produit se vendra bien. Les détaillants se soucient peu du fait que le produit pourrait permettre à l'entreprise d'augmenter sa part de marché. Ils se préoccupent uniquement de savoir s'il lui permettra d'élargir une catégorie de produits, d'attirer de nouveaux clients ou d'augmenter leurs profits.

Beaucoup de grandes chaînes d'épiceries imposent des frais d'insertion pour couvrir les coûts liés à la réorganisation des étalages et de l'entrepôt qu'exige le stockage d'un nouveau produit. De plus, l'ajout d'un nouveau produit entraîne des frais d'administration. Ces frais dépendent de nombreux facteurs, comme le volume potentiel des ventes, la valeur de reprise, le type de promotion associée au produit (échantillons, démonstrations en magasin, prix promotionnel, publicité à frais partagés), la catégorie de produits et la taille de l'entreprise. Les épiceries de détail savent que les grosses entreprises comme Kraft ou Colgate-Palmolive ont les moyens de payer des frais d'insertion. Toutefois, les leaders de certaines catégories de produits populaires comme Coke et Tide en sont exemptés parce que les détaillants savent qu'ils doivent absolument stocker ces produits. De plus, si la demande d'un produit est forte, il est possible que le détaillant n'exige pas de frais d'insertion.

La taille d'une catégorie de produits est aussi un facteur déterminant en matière d'allocation de l'espace. Par exemple, un fabricant de biscuits ou de craquelins qui paie des frais d'insertion suffisants obtiendra sans doute de l'espace sur les tablettes, puisque les consommateurs sont portés à essayer de nouveaux produits dans ces catégories. Toutefois, comme l'agrandissement de la section des aliments surgelés d'une épicerie coûte très cher, il est fort difficile de faire inscrire de nouveaux produits dans cette catégorie. Les références qui ne se vendent pas bien restent au plus six mois sur les tablettes. Et si l'on se fie aux analyses de Nielsen, le taux d'échec des nouveaux produits avoisine les 70 %.

Les épiceries ont le droit d'être sélectives lorsqu'elles doivent choisir parmi plus de 100 000 produits alors que leurs étalages peuvent en contenir 40 000. Toutefois, les critiques affirment que les frais d'insertion empêchent un accès équitable au marché et réduisent les choix des consommateurs, étant donné que les petites entreprises n'ont pas les moyens de payer ces frais. De plus, ces frais sont reportés sur les consommateurs sous forme de prix plus élevés. Selon vous, les frais d'insertion sont-ils inutiles ou nécessaires ?

promotionnels directement vers les consommateurs afin de créer une demande pour son produit. Cette demande pourra, en retour, convaincre les détaillants de vendre son produit. Les consommateurs qui voient des publicités télévisées ou imprimées relatives à de nouveaux produits, ou qui reçoivent de l'information ou des coupons de réduction par publipostage, peuvent demander à leurs détaillants locaux de stocker ces produits, ce qui attire ceux-ci à travers le canal de distribution. Lorsque Greb Industries a commencé à vendre ses Hush Puppies au Canada, les détaillants étaient réticents à stocker ces chaussures. Charles Greb a donc lancé une campagne publicitaire télévisuelle qui mettait en vedette un adorable basset et promouvait le «confort pieds nus» assuré par les chaussures. La réaction enthousiaste des consommateurs a poussé les détaillants à stocker cette marque[15].

La distribution multicanal

De nos jours, de nombreuses entreprises optent pour la distribution multicanal ou hybride. Comme le montre la figure 13.3 à la page suivante, les sociétés comme Nike ont plus de facilité à rejoindre les consommateurs et leurs clients commerciaux en combinant les canaux de distribution directs et indirects. Dans les grandes villes, Nike peut vendre ses produits directement par l'entremise des magasins portant

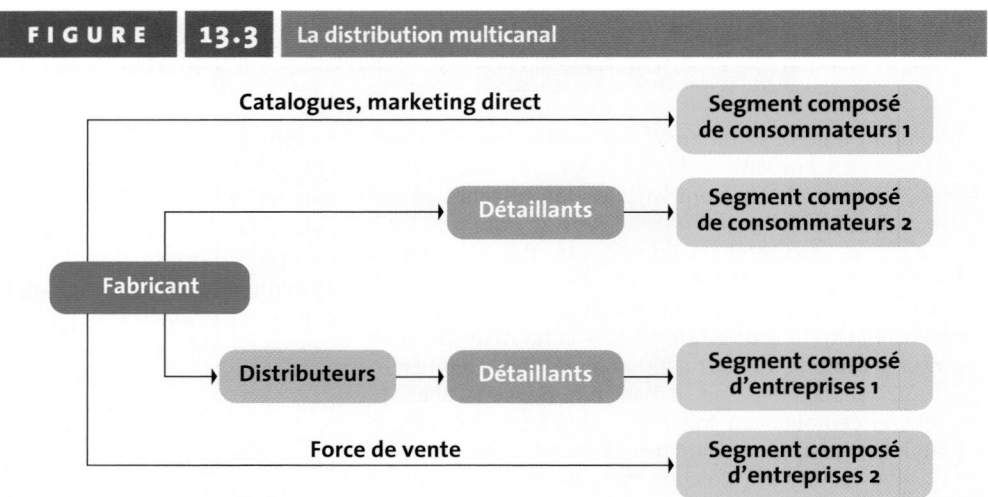

FIGURE 13.3 La distribution multicanal

sa marque, tandis que dans d'autres régions, elle le fait indirectement grâce à des détaillants comme Sports Experts et Foot Locker. Certaines entreprises embauchent du personnel de vente pour distribuer leurs produits aux clients, tandis que d'autres optent pour une stratégie de distribution directe au moyen de la vente par catalogue. Sears Canada vend directement par l'entremise de ses détaillants ainsi qu'en ligne et par catalogue.

Lorsque vient le temps de choisir les canaux et les détaillants qui vendront ses produits, le fabricant doit se demander où le client final s'attend à trouver le produit et réfléchir à certaines caractéristiques importantes du détaillant.

Les attentes du client

La gestion du circuit de distribution fait partie intégrante de toute stratégie commerciale. Un élément clé de cette stratégie consiste à cerner les attentes du client. Pour un détaillant, il est important de savoir quels produits et fabricants ses clients préfèrent. En revanche, les fabricants doivent savoir à quel endroit les clients de leur marché cible s'attendent à trouver certains produits et ceux de leurs concurrents. Les clients s'attendent en général à trouver certains produits dans certains magasins, mais non dans d'autres.

Par exemple, le fabricant de vêtements pour enfants OshKosh B'gosh ne vendrait pas ses produits à Holt Renfrew ou au Tigre Géant parce que ses clients ne s'attendent pas à y trouver ses vêtements pour enfants. Holt Renfrew vend plutôt des vêtements importés de France et le Tigre Géant, des stocks en liquidation. Toutefois, les clients d'OshKosh B'gosh comptent certainement trouver les vêtements du fabricant dans des grands magasins tels que La Baie d'Hudson ou Sears.

Les entreprises doivent se tenir au courant des changements relatifs aux endroits où leurs clients achètent leurs produits et modifier leurs stratégies de distribution en conséquence.

Par exemple, lorsque le chanteur country Garth Brooks a constaté que la majorité de ses CD étaient achetés chez Walmart, il a conclu avec le détaillant une entente de distribution exclusive qui a éliminé son étiquette de disque. De même, Eagles, un groupe rock populaire dans les années 1970 et admis au Temple de la renommée du rock and roll, a fait distribuer *Long Road out of Eden*, son premier album depuis 28 ans, uniquement par Walmart. Depuis lors, d'autres groupes comme Journey et Foreigner ont suivi cette voie. Bien que, dans ces cas, la distribution soit limitée à un seul détaillant, les artistes profitent d'une meilleure publicité et augmentent leurs parts de profits. La rubrique Marketing et médias sociaux ci-contre décrit comment General Mills a pu obtenir des linéaires pour ses produits sans gluten, un marché de niche caractérisé par une forte demande.

| Marketing et médias sociaux | **Les grandes marques ciblent des marchés de niche au moyen des médias sociaux** |

En 2009, General Mills a remarqué une tendance nette : les produits sans gluten étaient de plus en plus demandés par les consommateurs. Toutefois, il aurait été illogique de lancer un nouveau produit à grande échelle, car seulement 2 % de la population souffre de la maladie cœliaque, tandis qu'un autre 10 % s'efforce d'éviter le gluten[16]. Un marché aussi restreint ne pouvait certainement pas justifier l'investissement nécessaire pour un lancement à grande échelle. Convaincre des distributeurs ne serait pas chose facile.

General Mills savait que ce marché de niche était non seulement important, mais, de plus, complètement négligé. Elle a donc conçu la céréale de petit déjeuner Chex sans gluten, puis une ligne de mélanges à pâte Betty Crocker, elle aussi sans gluten. La première difficulté à laquelle l'entreprise s'est heurtée a été d'obtenir des linéaires pour ces produits de niche. Comme, actuellement, la plupart des magasins réduisent leurs gammes de produits d'au moins 15 %, la tâche semblait irréalisable. Toutefois, la concurrence que se livrent les entreprises pour les linéaires a été utile. Désormais, au lieu de stocker beaucoup de marques différentes d'une même catégorie de produits, les détaillants vendent seulement les plus populaires plus quelques marques de distributeurs. General Mills a donc pu exploiter la popularité de sa marque

General Mills a utilisé les médias sociaux pour promouvoir ses produits sans gluten et ouvrir la voie vers la grande distribution.

et elle a lourdement mis en évidence son principal élément de différenciation[17]. Cela signifiait que, même si les ventes des nouveaux produits étaient moins importantes, ces derniers pouvaient quand même être distribués au moyen des canaux bien établis.

Au lieu de promouvoir ses nouveaux produits par les médias de masse, General Mills a eu recours au marketing direct et aux médias sociaux afin d'atteindre les bons consommateurs. Elle s'est associée avec les principales fondations qui luttent pour soutenir les personnes atteintes par la maladie cœliaque et a investi dans le référencement, une étape cruciale, puisque la plupart des gens chez qui on vient de diagnostiquer la maladie cœliaque se précipitent sur Internet pour voir quels aliments ils peuvent manger. Dena Larson, directrice marketing Produits de boulangerie chez General Mills, explique que, malgré leur petit nombre, les consommateurs atteints de la maladie cœliaque sont des internautes avertis. La rumeur selon laquelle l'entreprise concevait des produits sans gluten a généré un grand brouhaha sur Twitter, et les outils de médias sociaux continuent d'aider les personnes atteintes de la maladie cœliaque à échanger des renseignements et des astuces sur les produits sans gluten dès leur lancement sur le marché[18].

Les caractéristiques des membres d'un canal

Pour choisir un type de distribution, une entreprise doit tenir compte de plusieurs facteurs liés aux membres du canal comme tels. En général, plus un membre du canal est gros et complexe, moins il sera porté à passer par des intermédiaires. Un petit fabricant de jouets spécialisés fera sans doute appel à un groupe de vendeurs indépendants pour vendre ses produits, tandis qu'un gros fabricant comme Mattel utilisera sa propre force de vente. De même, une épicerie indépendante peut acheter ses produits à un grossiste, mais Walmart, le plus gros détaillant du monde, achète directement aux fabricants. Les grandes entreprises constatent souvent qu'en se chargeant elles-mêmes de la distribution elles peuvent mieux la gérer, sont plus efficaces et économisent de l'argent.

L'intensité de la distribution

Au moment d'implanter leur canal de distribution ou de lancer de nouveaux produits, les entreprises choisissent l'**intensité de la distribution** appropriée, c'est-à-dire le nombre d'entreprises intervenant à chaque niveau de la chaîne d'approvisionnement. Il existe trois niveaux d'intensité de la distribution : intensive, exclusive et sélective (*voir la figure 13.4 à la page suivante*).

intensité de la distribution (*distribution intensity*) Nombre d'entreprises intervenant à chaque niveau de la chaîne d'approvisionnement.

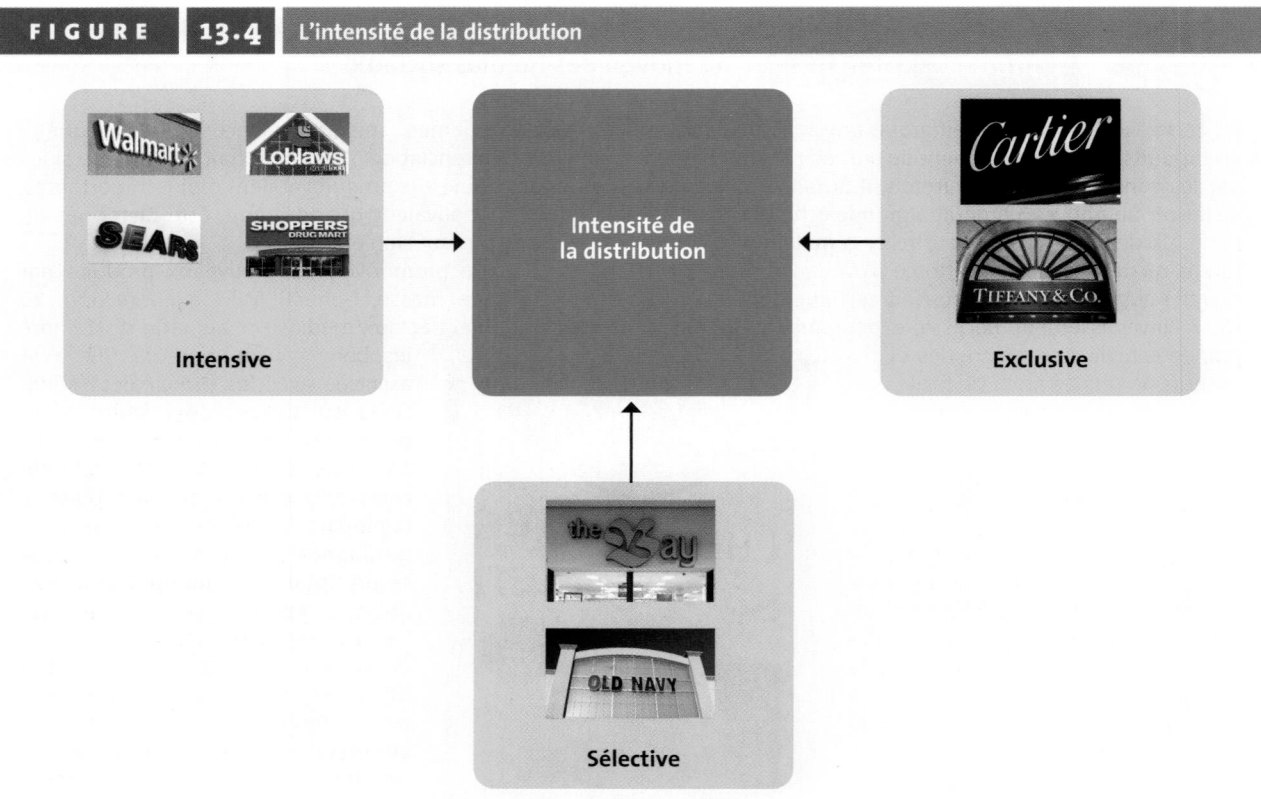

FIGURE 13.4 L'intensité de la distribution

La distribution intensive

distribution intensive
(*intensive distribution*)
Stratégie qui vise la
distribution d'un produit
par l'intermédiaire du plus
grand nombre possible
de détaillants.

La stratégie de **distribution intensive** vise la distribution d'un produit par l'intermédiaire du plus grand nombre possible de détaillants. La plupart des fabricants de produits emballés, comme Pepsi, Procter & Gamble, Kraft et d'autres marques nationales vendues dans les épiceries et les magasins à bas prix, ont recours à la distribution intensive. PepsiCo, par exemple, veut que ses produits soient offerts partout : dans les épiceries, les dépanneurs, les restaurants et les distributrices. Les montres Timex, dont les moins chères coûtent environ 60 $, sont vendues à de nombreux endroits. Plus ces produits sont visibles, mieux ils se vendent. La rubrique Forces d'Internet ci-contre décrit comment Google déploie sa stratégie de distribution intensive de livres numériques en les vendant directement aux consommateurs ayant accès à un navigateur Web.

La distribution exclusive

distribution exclusive
(*exclusive distribution*)
Stratégie où un petit
nombre de détaillants a
le droit exclusif de vendre
les produits d'une
certaine marque.

Les fabricants choisissent parfois une stratégie de **distribution exclusive** en attribuant un territoire exclusif à un nombre limité de détaillants de sorte qu'aucun autre détaillant ne peut vendre leurs produits sur ce territoire. La distribution exclusive profite aux fabricants en permettant que leurs produits soient représentés par les détaillants les plus appropriés. Les fabricants de produits de beauté, comme Chanel ou Estée Lauder, limitent leur distribution à quelques détaillants de produits haut de gamme dans chaque région. En effet, ils craignent d'affaiblir leur image en vendant leurs produits dans des pharmacies, des magasins à bas prix, et des épiceries. De même, les montres Rolex sont vendues uniquement par des bijoutiers et dans quelques commerces de détail haut de gamme, car le fabricant ne veut pas risquer de ternir sa prestigieuse image de marque.

Forces d'Internet

Google met les livres numériques à la portée de votre navigateur

Google, le leader des moteurs de recherche, a transformé la face du Web en mettant une pléthore de renseignements numérisés à la portée des consommateurs. En lançant Google Editions, à la fois plateforme et application, l'entreprise cherche à révolutionner le marché du livre numérique. Bien que Google numérise des livres depuis plusieurs années, livres que l'on peut trouver sous l'onglet Google Books, le projet Google Editions devrait lui permettre de diversifier ses sources de revenus, qui proviennent presque exclusivement de la publicité associée à la recherche sur Internet. Google avait envisagé d'ouvrir une boutique de livres en ligne dès 2006, mais ce projet avait avorté parce que les navigateurs Web étaient alors incapables de supporter ce service[19]. Grâce à une technologie plus récente, Google a développé une distribution intensive et fournit aux éditeurs l'infrastructure nécessaire pour vendre des livres directement aux consommateurs[20].

Google Editions promet à des millions d'internautes l'accès à des millions de livres en ligne. Ceux-ci peuvent acheter des versions numériques des livres à Google ou aux libraires qui offrent ce service sur leurs propres sites. Pour assurer l'adhésion des distributeurs, en l'occurrence des libraires, Google a proposé un modèle différent de celui d'Amazon ou d'Apple. Ce modèle ne restreint en aucune façon l'accès aux livres et le type d'appareil nécessaire, c'est-à-dire que les livres peuvent être lus sur n'importe quel dispositif pouvant se connecter à Internet et pas seulement sur une liseuse numérique. Aucune application ni interface distinctes ne sont nécessaires[21] et les livres, entièrement consultables, demeurent sur une tablette électronique, ce qui permet aux lecteurs d'y revenir à n'importe quel moment dans le futur. Le modèle Google signifie aussi que les libraires gardent la part du lion des recettes ; en effet, en vendant des livres numériques directement aux consommateurs plutôt que par l'entremise des plateformes concurrentielles, les libraires conserveraient 63 % des revenus[22].

La plupart des entreprises de produits emballés pour la vente au détail comme Pepsi (en haut) ont recours à la distribution intensive : elles veulent être partout. Au contraire, les fabricants de cosmétiques comme Chanel ou Estée Lauder (en bas) utilisent une stratégie de distribution exclusive en limitant la distribution de leurs produits à quelques détaillants haut de gamme dans chaque région.

Dans le cas où l'approvisionnement est limité ou lorsqu'une entreprise démarre, l'attribution d'un **territoire exclusif** garantit au distributeur un stock suffisant et une sélection adéquate de produits. Ainsi, Cervélo est un fabricant de vélos canadien qui produit des vélos de course ultralégers et choisit avec soin ses distributeurs agréés. En limitant son territoire de vente, l'entreprise garantit aux distributeurs un approvisionnement adéquat, ce qui les incite fortement à faire mousser la vente des produits Cervélo.

Les distributeurs savent que, en l'absence de concurrents qui couperaient les prix, leurs marges bénéficiaires sont protégées. Cela les amène à stocker un plus grand nombre de produits et à intensifier la publicité, la vente personnelle et la promotion des ventes.

La distribution sélective

La stratégie de **distribution sélective**, soit la distribution à quelques clients choisis sur un territoire donné, se situe entre la distribution intensive et la distribution exclusive. Comme cette dernière, elle contribue à préserver l'image particulière d'un vendeur et à contrôler le flux des marchandises dans un secteur, de sorte que de nombreux fabricants de produits d'achat réfléchi y ont recours. Rappelons que les produits d'achat réfléchi

territoire exclusif
(*exclusive geographic territory*)
Nombre limité de détaillants qui se voient attribuer un territoire selon la stratégie de distribution exclusive. Ainsi, aucun autre détaillant ne peut vendre les produits d'une marque donnée sur le même territoire.

distribution sélective
(*selective distribution*)
Stratégie qui se situe entre la distribution intensive et la distribution exclusive ; distribution à quelques clients qui ont été sélectionnés sur un territoire donné.

sont les produits pour lesquels les consommateurs sont prêts à prendre le temps de comparer les offres, soit la plupart des vêtements, les articles ménagers comme les casseroles ou les draps et les serviettes de marque, la quincaillerie et les outils de marque ainsi que les équipements électroniques.

Le fabricant de vêtements Moncler a recours à la distribution sélective afin de préserver son image plus chic et ses prix. Ici encore, les détaillants sont fortement motivés à vendre les produits, mais pas autant que s'ils détenaient un territoire exclusif.

La gestion des canaux de distribution

Le bon fonctionnement d'un canal de distribution requiert la collaboration de tous ses membres. Toutefois, il n'est pas rare que les membres aient des objectifs qui s'opposent. Par exemple, Black & Decker voudrait que Home Depot stocke tous ses outils Stanley, mais non ceux de ses concurrents, afin de pouvoir maximiser ses ventes. Or, Home Depot vend différentes marques d'outils afin de maximiser ses propres ventes dans cette catégorie. Lorsque les membres de la chaîne d'approvisionnement n'arrivent pas à s'entendre sur leurs buts, leurs rôles et leur rétribution, cela provoque un **conflit de réseau**. En Angleterre, le chanteur-compositeur Prince a mis les détaillants en colère en décidant de distribuer gratuitement son CD *Planet Earth* dans le journal *The Mail*. Après l'annonce de ce cadeau publicitaire, Sony Music, une filiale de Columbia Records, a déclaré qu'elle ne distribuerait pas le CD du chanteur dans les magasins de détail du Royaume-Uni[23].

Un conflit de réseau peut se régler grâce à la négociation. Cependant, si les membres sont incapables de parvenir à une entente, leurs relations risquent de se dégrader et les entreprises, de se dissocier. Il arrive toutefois que le conflit consolide la chaîne d'approvisionnement. Au milieu des années 1980, Procter & Gamble avait de la difficulté à vendre ses produits à Walmart ; la relation entre les deux entreprises présentait des lacunes relatives à l'échange d'informations, à la planification conjointe ou à la prévision des ventes et à la coordination des systèmes. Sam Walton, le fondateur de Walmart, a donc participé à une excursion en canot avec Lou Pritchett, le vice-président des ventes de Procter & Gamble. Au cours de cette sortie, les deux hommes ont examiné comment les deux entreprises pourraient tirer profit de leur collaboration. Le conflit a donc débouché sur un partenariat beaucoup plus fort entre les deux entreprises, qui travaillent ensemble à établir des prévisions de ventes et à déterminer comment reconstituer au mieux les stocks de produits Procter & Gamble sur les tablettes de Walmart. Toutes les parties en profitent. Les clients jouissent de meilleurs prix et d'une meilleure disponibilité des produits. De plus, comme Procter & Gamble produit en fonction de la demande, elle n'a pas besoin de constituer des stocks volumineux et ses vendeurs passent moins de temps dans les magasins. Enfin, Walmart augmente ses ventes et diminue ses coûts en matière de gestion des stocks[24].

Les entreprises peuvent gérer leurs canaux de distribution en établissant des relations solides avec leurs partenaires de la chaîne d'approvisionnement. Ou ils peuvent coordonner les activités du réseau au moyen d'un système de marketing vertical.

La gestion du canal de distribution au moyen d'un système de marketing vertical

Bien qu'un conflit soit susceptible d'éclater dans n'importe quel canal de distribution, il est en général plus aigu lorsque les membres du canal sont des entités indépendantes. Les canaux dont les membres sont plus étroitement liés en vertu d'un contrat ou d'un droit de propriété commun partagent les mêmes objectifs et sont donc moins sujets aux conflits.

Dans un canal de distribution indépendant (*voir la colonne de gauche de la figure 13.5*), les membres indépendants (fabricant, grossiste et détaillant) essaient d'atteindre leurs objectifs et de maximiser leurs profits souvent au détriment des autres membres. Aucun n'a d'emprise sur les autres.

conflit de réseau
(*supply chain conflict* [*channel conflict*])
Absence d'entente entre les membres de la chaîne d'approvisionnement sur leurs buts, leurs rôles et leur rétribution.

| FIGURE 13.5 | Un canal de distribution indépendant versus un canal de distribution vertical |

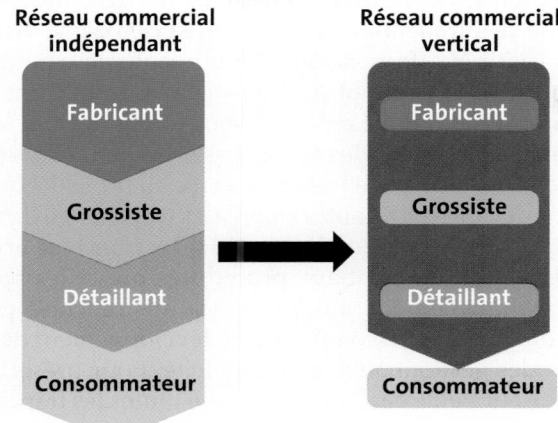

Par exemple, la première fois que Zara achète du coton à Tessuto e Colore, une entreprise du nord de l'Italie, les deux parties essaient de conclure le marché le plus profitable possible. Une fois le marché conclu, elles n'ont pas d'obligation l'une envers l'autre. Avec le temps, Zara et Tessuto établiront peut-être une relation basée sur des transactions plus routinières et automatiques, Zara comptant sur Tessuto pour l'approvisionner en coton et Tessuto comptant sur Zara pour acheter une bonne partie de sa production. Ce scénario illustre la première phase d'un **système de marketing vertical** (*voir la colonne de droite de la figure 13.5*), dans lequel les membres forment un système uni. Ils comprennent que toutes les parties peuvent maximiser leurs profits si elles collaborent en vue de rendre le système de distribution plus efficace plutôt que d'agir de façon individuelle ou à contre-courant. Il existe trois types de systèmes de marketing vertical, chacun étant plus formel et rigide que le précédent. Plus le système de marketing vertical est formel, moins il a de chances d'être soumis à des conflits.

Le système de marketing vertical administré

La relation Zara-Tessuto est un exemple de **système de marketing vertical administré**. Dans ce type de système, il n'y a ni propriété commune, ni relation contractuelle ; le membre le plus puissant du système contrôle les relations au sein de ce dernier. Dans notre exemple, en raison de sa taille et de sa puissance relative, Zara exerce un certain contrôle sur Tessuto : par exemple, elle dicte à Tessuto ce que celle-ci doit fabriquer et à quel moment elle doit livrer les produits. Zara a aussi une forte influence sur les prix. Toutefois, si l'une ou l'autre partie n'aime pas la façon dont la relation se déroule, elle peut simplement se retirer.

Le système de marketing vertical contractuel

Avec le temps, Zara et Tessuto peuvent officialiser leur relation en signant des contrats stipulant certains détails : les quantités achetées par Zara chaque mois, le prix et les pénalités encourues pour les retards de livraison. Dans ce **système de marketing vertical contractuel**, des entreprises indépendantes à tous les niveaux d'approvisionnement se lient au moyen de contrats afin de réaliser des économies d'échelle, de simplifier la coordination et d'éviter les conflits[25].

Zara et Tessuto e Colore, une entreprise du nord de l'Italie, pourraient établir un système de marketing vertical dans lequel les transactions deviendraient routinières et automatiques : Zara compterait sur Tessuto pour l'approvisionner en tissus et Tessuto compterait sur Zara pour acheter une grande partie de sa production.

système de marketing vertical (*vertical marketing system*) Chaîne d'approvisionnement dont les membres forment un système uni. Il y a trois types de systèmes : administré, contractuel et d'entreprise.

système de marketing vertical administré (*administered vertical marketing system*) Chaîne d'approvisionnement dans laquelle il n'y a ni propriété commune, ni relation contractuelle ; la partie la plus puissante du système a le contrôle des relations au sein de ce dernier.

système de marketing vertical contractuel (*contractual vertical marketing system*) Chaîne d'approvisionnement dans laquelle des entreprises indépendantes à tous les niveaux d'approvisionnement sont liées par des contrats afin de réaliser des économies d'échelle, de simplifier la coordination et d'éviter les conflits.

franchisage (*franchising*) Entente contractuelle entre un franchiseur et un franchisé permettant à ce dernier de diriger une entreprise dont le nom et la formule ont été créés et sont soutenus par le franchiseur.

Le franchisage est le type le plus courant de marketing vertical contractuel ; les ventes au détail des franchiseurs et des franchisés au Canada totalisent plus de 100 milliards de dollars annuellement – ce qui représente autour de 25 % de toutes les ventes au détail du pays –, et ce secteur emploie plus de 1 million de personnes[26]. L'industrie canadienne des franchises se classe ainsi deuxième au monde, tout de suite après les États-Unis[27]. Le **franchisage** est une entente contractuelle entre un franchiseur et un franchisé permettant à ce dernier de diriger une entreprise dont la raison sociale et la formule ont été créées et sont soutenues par le franchiseur. Le tableau 13.2 présente quelques-unes des franchises canadiennes les plus populaires.

Dans un contrat de franchisage, le franchisé verse au franchiseur une somme forfaitaire ainsi que des redevances sur toutes ses ventes en échange du droit d'exploiter sa marque ou sa raison sociale à un endroit précis. Le franchisé accepte également d'exploiter l'entreprise conformément aux procédures prescrites par le franchiseur. Le franchiseur offre habituellement son assistance au franchisé pour le choix de l'emplacement et la construction du commerce, le développement des produits et des services, la formation des gestionnaires et la publicité. Pour préserver la réputation du franchisé, le franchiseur veille également à ce que toutes les franchises fournissent la même qualité de services et de produits.

Le franchisage allie les avantages liés au fait de posséder son entreprise avec l'efficacité d'un système de marketing vertical régi par une société mère (un système de marketing vertical d'entreprise, comme nous le verrons ci-après). Le franchisé est motivé à réussir parce qu'il empoche les bénéfices qui restent une fois les redevances payées au franchiseur. Ce dernier est motivé à développer de nouveaux produits, services et systèmes et à promouvoir la franchise parce qu'il touche des redevances sur toutes les ventes. Le franchiseur s'occupe efficacement de la publicité et de la conception des produits et des systèmes, dont il partage les coûts entre les franchisés.

Le système de marketing vertical d'entreprise

Comme Zara œuvre dans le secteur de la mode éphémère, ce que l'on appelle le *fast-fashion* en anglais, elle doit avoir un contrôle absolu sur les vêtements les plus en vogue. C'est pourquoi elle fabrique elle-même les pièces les plus tendances et sous-traite la production des vêtements qui le sont moins à d'autres fabricants[28]. La portion de la chaîne d'approvisionnement que Zara possède et gère est appelée

TABLEAU	13.2	Les franchises canadiennes les plus populaires	
Rang	**Franchise**	**Type**	**Nombre de magasins**
1	Tim Hortons	Café, beignes, sandwichs	2 902
2	Subway	Sous-marins, sandwichs et salades	2 457
3	McDonald's	Hamburgers, poulet, salades	1 421
4	YUM!	Pizza Hut, Taco Bell, PFK	1 261
5	Shoppers Drug Mart	Pharmacie	1 090
6	H&R Block Canada	Déclaration d'impôts	1 047
7	A&W Food Services	Hamburgers, rondelles d'oignons, racinette	700
8	Cara	Harvey's, Kelseys, Montana's Cookhouse, Milestones, Swiss Chalet	686
9	Jan-Pro Systèmes d'entretien	Nettoyage industriel et commercial	600
10	Jani-King Canada	Nettoyage industriel et commercial	593

Source : adapté de www.canadianfranchisedirectory.ca/ (page consultée le 11 décembre 2014).

système de marketing vertical d'entreprise. Comme Inditex, la société mère, possède les usines, les entrepôts, les magasins et les studios de design, elle peut imposer ses priorités et ses objectifs au reste de la chaîne, ce qui réduit les conflits.

Une chaîne d'approvisionnement efficace est un avantage stratégique

OA **4**

Pourquoi un fabricant voudrait-il passer par un grossiste ou par un détaillant pour vendre ses produits ? Ces membres de la chaîne d'approvisionnement n'amputent-ils pas ses bénéfices ? Ne serait-il pas moins onéreux pour les consommateurs d'acheter directement aux fabricants ? Dans une économie agraire simple, la chaîne d'approvisionnement emprunte souvent un chemin direct qui va du fabricant au consommateur : le consommateur va à la ferme et achète les produits directement au fermier. Mais comment cuira-t-il sa nourriture ? Il ne sait pas comment fabriquer une cuisinière et n'a pas l'équipement pour le faire. Le fabricant de cuisinières, qui possède les compétences nécessaires, doit acheter les matières premières et les composants à divers fournisseurs, fabriquer la cuisinière, puis la rendre accessible au consommateur. S'il est situé loin du consommateur, il doit transporter sa cuisinière à l'endroit où le consommateur pourra y accéder. Pour compliquer les choses encore davantage, le consommateur peut vouloir voir un choix de cuisinières, être informé au sujet de toutes leurs caractéristiques et demander à ce que l'appareil soit livré et installé chez lui.

C'est ainsi que chaque membre de la chaîne d'approvisionnement ajoute de la valeur au produit. Le fabricant de composants aide le fabricant de cuisinières en lui fournissant les pièces et le matériel nécessaires à la fabrication d'une cuisinière. L'entreprise de transport apporte la cuisinière au détaillant. Le détaillant stocke la cuisinière jusqu'à ce que le consommateur veuille l'acheter, il renseigne celui-ci sur ses caractéristiques, livre et installe la cuisinière. À chaque étape, la cuisinière coûte plus cher, mais elle a aussi plus de valeur pour le consommateur.

Les figures 13.6A et 13.6B, à la page suivante, illustrent comment les membres de la chaîne d'approvisionnement peuvent ajouter de la valeur au produit globalement, et ce qui est vrai pour la chaîne d'approvisionnement dans son ensemble l'est tout autant pour le canal de distribution plus spécifiquement. La figure 13.6A montre trois fabricants, dont chacun vend directement à trois groupes de consommateurs, un système qui nécessite neuf transactions. Chaque transaction coûte de l'argent : par exemple, le fabricant doit exécuter la commande, l'emballer, remplir les formulaires et expédier le produit – et chacun de ces coûts est transmis au consommateur.

La figure 13.6B montre les trois mêmes fabricants et groupes de consommateurs, mais cette fois le produit passe par un détaillant et le nombre de transactions est réduit à six. L'élimination de transactions rend la chaîne d'approvisionnement plus efficiente, ce qui crée de la valeur pour les clients en facilitant l'achat du produit et en abaissant son prix, toutes choses égales d'ailleurs.

La gestion de la chaîne d'approvisionnement simplifie la distribution

La gestion de la chaîne d'approvisionnement est la solution du XXIᵉ siècle à une foule de problèmes liés à la distribution auxquels les entreprises se heurtent. Déjà dans les années 1990, même les entreprises les plus innovantes avaient besoin de 15 à 30 jours, et parfois même davantage, pour acheminer un produit de l'entrepôt jusqu'au client. Le processus commande-livraison classique comportait plusieurs étapes : la passation

système de marketing vertical d'entreprise (*corporate vertical marketing system*) Chaîne d'approvisionnement dans laquelle la société mère exerce tout le contrôle et peut imposer les priorités et les objectifs de l'entreprise au reste de la chaîne. Ce type de système peut être instauré dans des installations telles que les usines de confection, les entrepôts, les magasins de détail et les studios de design.

Combien d'entreprises interviennent pour fabriquer une cuisinière et l'installer dans votre cuisine ?

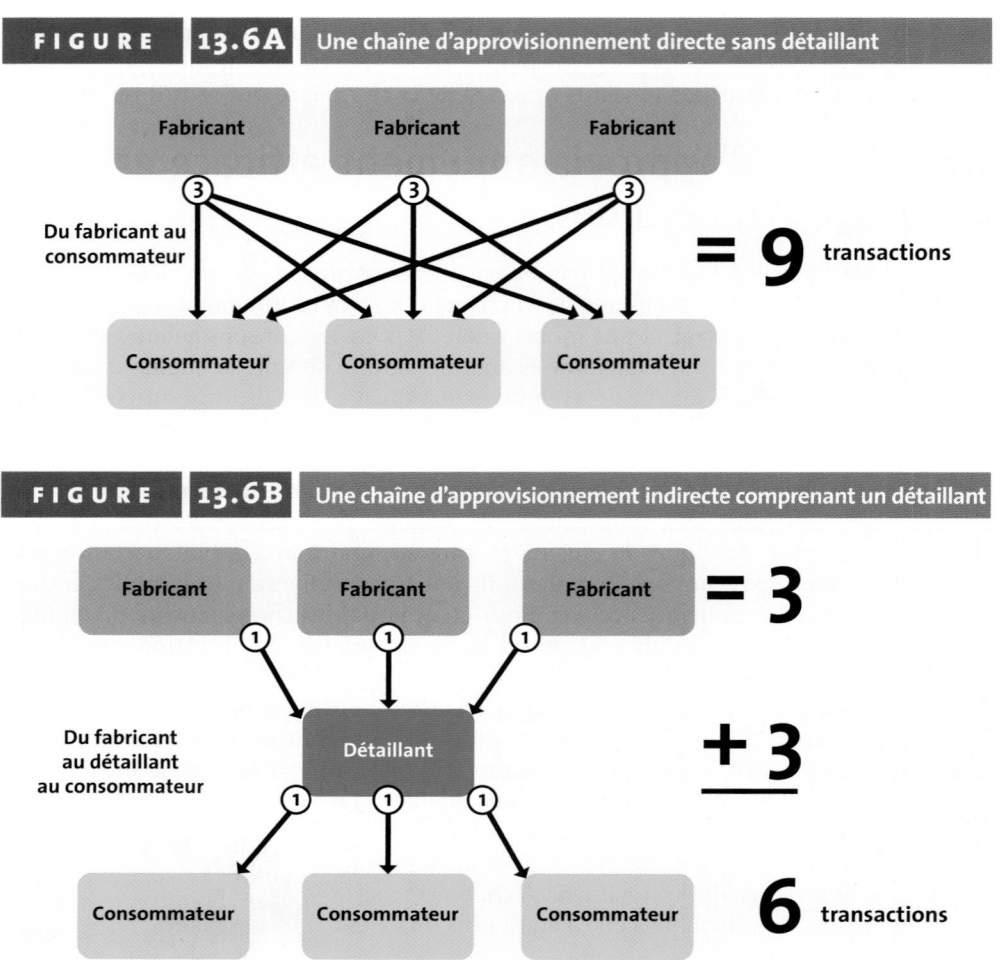

FIGURE 13.6A Une chaîne d'approvisionnement directe sans détaillant

Fabricant Fabricant Fabricant

Du fabricant au consommateur

Consommateur Consommateur Consommateur

= **9** transactions

FIGURE 13.6B Une chaîne d'approvisionnement indirecte comprenant un détaillant

Fabricant Fabricant Fabricant

Du fabricant au détaillant au consommateur

Détaillant

Consommateur Consommateur Consommateur

= **3**
+ **3**
6 transactions

de la commande, généralement par téléphone, par télécopieur ou par la poste ; le traitement de la commande à l'aide d'un système manuel d'autorisation de crédit et d'attribution d'un entrepôt ; enfin, la livraison. L'engrenage pouvait s'enrayer, et il s'enrayait souvent : les produits commandés n'étaient pas disponibles ; les commandes, perdues ou égarées ; les cargaisons, mal acheminées. Ces erreurs allongeaient le temps que mettait un produit à parvenir aux clients et rendaient la procédure tout entière plus coûteuse et frustrante, un scénario familier à beaucoup d'entre nous.

En réaction à cette situation, les entreprises ont commencé à entasser des stocks à chaque niveau de la chaîne d'approvisionnement (fournisseurs, fabricants, grossistes et détaillants). Or, stocker des produits lorsque ce n'est pas nécessaire représente une dépense énorme et inutile. Si un fabricant stocke un grand nombre de produits dans un entrepôt, non seulement il perd des profits en ne vendant pas ses produits, mais il doit aussi assumer des frais d'entrepôt.

Depuis peu, toutefois, les entreprises ont effectué un virage dans la direction opposée. Comme nous l'avons mentionné dans l'introduction du chapitre, Zara tire un avantage concurrentiel du fait qu'elle livre de nouveaux modèles dans ses magasins beaucoup plus vite que ses concurrents. Elle maintient des stocks minimaux, produit de nouvelles collections rapidement et se trouve rarement prise avec des stocks désuets. Ses magasins reçoivent des livraisons plusieurs fois par semaine et les nouveaux articles restent rarement sur les tablettes plus d'une semaine. Ce système rapide n'est pas limité aux magasins de détail : Zara met aussi seulement de quatre à cinq semaines pour dessiner une nouvelle collection, puis environ une semaine pour la fabriquer. Ainsi, elle passe continuellement à travers ses stocks de tissus. Ses concurrents, par contre, mettent en moyenne six mois pour créer une nouvelle collection et trois semaines additionnelles pour la fabriquer.

La gestion de la chaîne d'approvisionnement influe sur la mise en marché

Toute décision commerciale est influencée par la chaîne d'approvisionnement et a un effet sur celle-ci. Le moment où les produits sont créés et fabriqués, la manière dont les composants critiques arrivent à l'usine et le moment où ils y arrivent, voilà autant de détails qui doivent être coordonnés avec la production.

> **centre de distribution** (*distribution centre*) Installation conçue afin de recevoir de la marchandise, d'en entreposer et d'en redistribuer aux détaillants ou aux consommateurs.

Le Service des ventes doit coordonner sa promesse de livraison avec l'usine ou le centre de distribution. Un **centre de distribution** est une installation conçue afin de recevoir de la marchandise, d'en entreposer et d'en redistribuer aux détaillants ou aux consommateurs. Il peut appartenir à un détaillant, à un fabricant ou à une entreprise spécialisée dans le domaine[29]. De plus, la publicité et la promotion doivent être coordonnées avec les services qui gèrent les stocks et le transport. La meilleure façon pour une entreprise de perdre sa crédibilité aux yeux de ses clients consiste à promettre un produit ou à offrir une promotion, puis à ne pas avoir en main la marchandise au moment escompté par le client. L'entrepreneur Michael Dell s'est lancé dans le commerce des ordinateurs et a fondé une entreprise qui offre une meilleure valeur à sa clientèle grâce à une gestion extrêmement efficace de sa chaîne d'approvisionnement. L'entreprise fabrique quelque 50 000 ordinateurs sur commande par jour, mais stocke des pièces pour l'équivalent de quatre jours de production seulement. Les ventes en ligne comptent pour près de la moitié de ses commandes. S'appuyant sur une technologie de pointe, Dell surveille chaque aspect de la chaîne d'approvisionnement. Elle remplit même des fiches de rendement, afin de comparer le rendement individuel de ses fournisseurs avec des critères préétablis.

Michael Dell fabrique des ordinateurs sur commande sur cette chaîne de montage.

La gestion logistique

La gestion de la chaîne d'approvisionnement s'appuie sur cinq activités liées entre elles : implanter un canal de distribution – ce qui a été traité précédemment dans ce chapitre –, gérer le flux de l'information, de même que les relations entre les membres de la chaîne d'approvisionnement, le flux des marchandises et les stocks. Nous examinerons ces dernières activités dans les prochaines sections.

La gestion du flux de l'information

L'information circule du client au magasin, au centre de distribution, au grossiste s'il y a lieu, et au fabricant, puis aux fabricants de composants et aux fournisseurs de matières premières. L'information est également acheminée du centre de distribution au grossiste, s'il y a lieu, et au fabricant. Pour simplifier les choses, et parce que le flux de l'information est similaire dans d'autres maillons de la chaîne d'approvisionnement, nous avons raccourci la chaîne présentée dans ces pages en excluant les grossistes ainsi que le flux qui va des fournisseurs aux fabricants. La figure 13.7, à la page suivante, illustre le flux de l'information qui commence lorsqu'un client achète un téléviseur haute définition (HD) Sony chez Future Shop. Le flux suit les étapes suivantes :

> **code universel des produits (CUP)** (*universal product code [UPC]*) Code à barres généralement imprimé sur tous les produits.

- **Flux 1 (du client au magasin)** Le préposé aux ventes de Future Shop scanne le **code universel des produits (CUP)** du téléviseur HD, le code à barres qui figure sur l'emballage de la plupart des produits, et remet un reçu au

FIGURE **13.7** Le flux de l'information

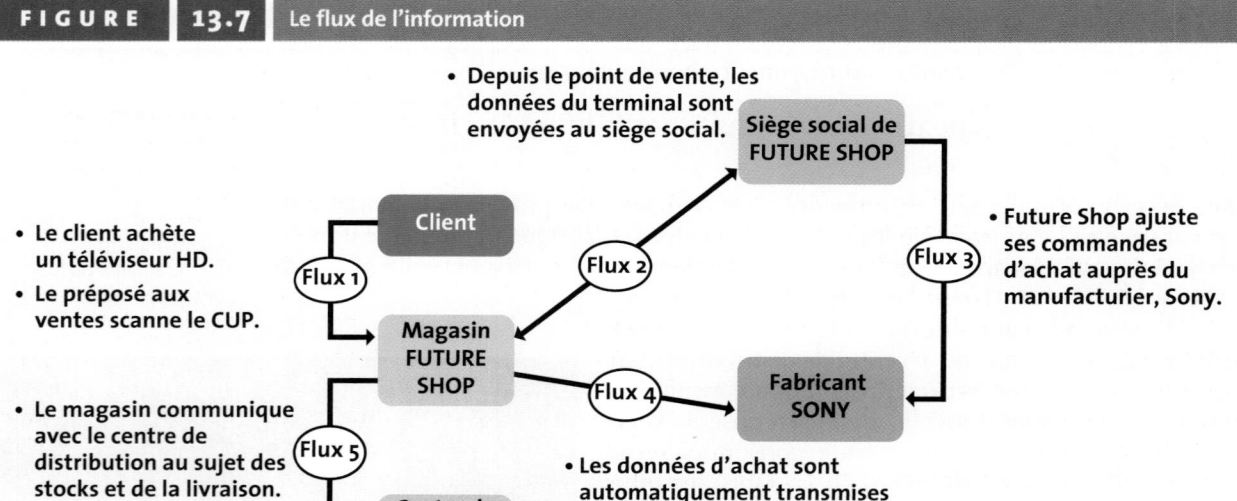

client. Le code universel des produits (CUP) est un code à 13 chiffres qui identifie le fabricant et contient des détails sur l'emballage sécurité-enfants et les promotions spéciales. À l'avenir, les CUP pourraient céder la place aux étiquettes d'identification par radiofréquence (RFID) que nous étudierons un peu plus loin dans ce chapitre.

- **Flux 2 (du magasin au siège social)** Le terminal du point de vente enregistre les renseignements sur l'achat et les transmet par voie électronique au siège social de Future Shop, où ils seront intégrés dans un système de gestion des stocks et utilisés pour surveiller et analyser les ventes, et planifier le placement d'une nouvelle commande de téléviseurs HD, une promotion ou la modification d'un prix. Le siège social envoie aussi des renseignements au magasin sur les ventes globales de la chaîne, l'agencement des marchandises, les futures promotions et ainsi de suite.

- **Flux 3 (du siège social au fabricant)** Le siège social rassemble l'ensemble des données d'achat provenant d'un même magasin Future Shop, puis une nouvelle commande de marchandises est automatiquement acheminée à Sony. L'acheteur de Future Shop peut aussi communiquer directement avec Sony pour obtenir des renseignements et négocier des prix, fixer des dates de livraison, planifier des événements promotionnels ou régler d'autres questions relatives aux produits.

- **Flux 4 (du magasin au fabricant)** Dans certains cas, le magasin envoie les données d'achat directement au fabricant, qui décide à quel moment expédier de nouvelles marchandises au centre de distribution ou au magasin. Toutefois, si un produit est commandé fréquemment, le processus de commande peut être automatisé et exécuté pratiquement sans intervention.

- **Flux 5 (du magasin au centre de distribution)** Le magasin communique aussi avec le centre de distribution de Future Shop pour coordonner les livraisons et vérifier l'état des stocks. Lorsque les stocks atteignent le seuil de réapprovisionnement, Future Shop reçoit une nouvelle commande de téléviseurs HD, laquelle est enregistrée dans son système informatique.

Dans le flux 3, Future Shop et Sony échangent des documents au moyen d'un système appelé « échange de données informatisé » (EDI).

L'échange de données informatisé

L'échange de données informatisé (EDI) est un échange de documents entre les systèmes d'un détaillant et d'un fournisseur. Outre les données de vente, les bons de commandes, les factures et les renseignements sur les marchandises retournées peuvent circuler entre les membres du réseau.

Aujourd'hui, de nombreux détaillants exigent que leurs fournisseurs les informent à l'avance des livraisons qui auront lieu au moyen d'un **avis préalable d'expédition**, un document, généralement électronique, par lequel le fournisseur avise le détaillant qu'il lui envoie des marchandises et lui fournit des détails sur la nature et la quantité de celles-ci. Si l'avis préalable est précis, le détaillant n'a pas à ouvrir tous les cartons qu'il reçoit pour vérifier leur contenu. De plus, l'EDI permet aux fournisseurs de transmettre au détaillant des renseignements sur l'état des stocks, sur leurs promotions et leurs changements de prix, de même que sur les modifications des bons de commandes, l'état de la commande, les prix de détail et les itinéraires d'acheminement.

Grâce à l'EDI, les fournisseurs peuvent décrire leurs produits et afficher des photos, et les acheteurs, émettre des appels d'offres en passant par Internet. Les deux parties peuvent négocier les prix par courrier électronique et fixer les modalités de fabrication du produit et son apparence finale. L'EDI comporte trois principaux avantages pour les membres de la chaîne d'approvisionnement. Premièrement, il diminue le temps de cycle, soit le temps écoulé entre la décision de passer une commande et la réception de la marchandise. Grâce à l'EDI, le flux d'information est plus rapide et donc la rotation des stocks, plus importante. Deuxièmement, l'EDI améliore la qualité globale des communications en favorisant une meilleure tenue de dossiers, en diminuant le nombre d'erreurs dans le placement et la réception des commandes, ainsi que dans l'interprétation des données. Troisièmement, les données échangées sont dans un format lisible par un ordinateur, qui peut être facilement analysé et utilisé pour diverses tâches allant de l'évaluation de la performance du fournisseur en matière de livraison jusqu'à l'automatisation des processus de réapprovisionnement.

En raison de ces avantages, de nombreux détaillants demandent à leurs fournisseurs de communiquer avec eux au moyen de l'EDI. Toutefois, les fournisseurs et les détaillants de petite ou de moyenne envergure qui souhaitent recourir à l'EDI se heurtent à des obstacles importants, en raison surtout des coûts et d'une compétence insuffisante en technologies de l'information (TI). Néanmoins, l'EDI demeure un élément important de tout système de gestion partagée des stocks.

Le géant des jouets Hasbro, par exemple, a implanté un système EDI sur son réseau afin d'améliorer le traitement de ses commandes. Auparavant, environ 70 % de toutes les commandes étaient réparties entre une centaine de fournisseurs situés en Asie. Le fournisseur expédiait chaque commande au fabricant approprié, qui les révisait manuellement une à une. Advenant une exception ou un retard, le procédé devenait laborieux en raison des nombreux coups de téléphone et télécopies nécessaires pour régler les problèmes. Après que Hasbro eut implanté l'EDI pour ses fabricants, 80 % des commandes ne requièrent plus aucune interaction humaine. En conséquence, les opérations asiatiques ont pu traiter deux fois plus de commandes sans nécessiter de ressources additionnelles[30].

échange de données informatisé (EDI) (*electronic data interchange [EDI]*) Échange de documents entre les systèmes des membres d'un réseau logistique.

avis préalable d'expédition (*advanced shipping notice*) Document, généralement électronique, par lequel le fournisseur avertit le client d'une expédition à venir et lui fournit des détails sur la nature et la quantité des marchandises.

Hasbro fabrique des jouets et des jeux comme ce Risk Star Wars – The Clone Wars Edition. L'entreprise communique efficacement avec ses fournisseurs au moyen d'un système EDI.

FIGURE 13.8 L'entrepôt de données

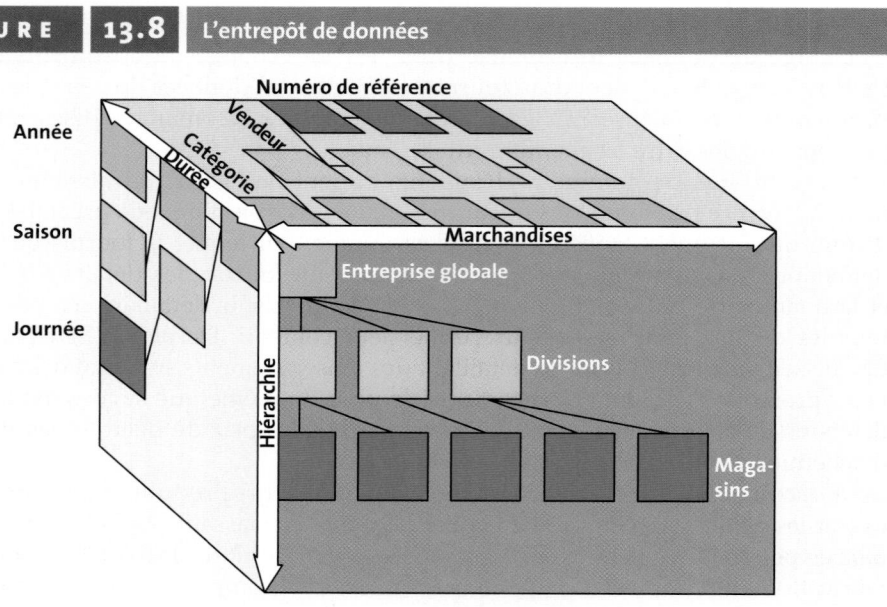

L'entrepôt de données

Les données d'achat recueillies au point de vente (*voir le flux 2 dans la figure 13.7, p. 442*) sont conservées dans de gros fichiers informatiques appelés entrepôts de données. Ces données sont parfois représentées sous forme d'un cube multidimensionnel permettant divers niveaux d'analyse (*voir la figure 13.8*).

Par exemple, l'axe horizontal présente les données relatives aux marchandises commercialisées en fonction de leur niveau d'agrégation : numéro de référence (on utilise généralement l'acronyme anglais SKU – *Stock Keeping Unit*), vendeur ou catégorie des marchandises (p. ex., robes, pantalons, etc.). Sur l'axe vertical, on peut accéder aux données selon le niveau hiérarchique : magasins, divisions ou entreprise globale. Enfin, le troisième côté représente la dimension temporelle : journée, saison ou année.

Un PDG qui veut connaître l'état de santé global de l'entreprise pourrait regarder les données agrégées par trimestre pour une catégorie de produits, une région du pays ou l'ensemble de l'entreprise. La requête d'un acheteur pourrait concerner un fabricant, un magasin, une date précise. Des analystes travaillant à divers niveaux de l'opération de détail extraient des données de l'entrepôt pour prendre une foule de décisions marketing sur le développement et le réapprovisionnement des catégories de produits.

Dans certains cas, les fabricants ont aussi accès à cet entrepôt de données. Ils communiquent avec les détaillants par le truchement de l'échange de données informatisé et le recours à des systèmes logistiques appelés « gestion partagée des stocks » et « gestion collaborative de la planification, des prévisions et des approvisionnements ».

La gestion de la chaîne d'approvisionnement grâce aux alliances stratégiques

Gérer une chaîne d'approvisionnement ne se résume pas à exercer son influence sur d'autres membres d'un système administré ou à établir un système de marketing vertical contractuel ou d'entreprise. Il faut aussi tenir compte de l'aspect humain.

Dans un canal de distribution traditionnel, les relations entre les membres sont souvent centrées sur le débat concernant le partage des profits : si un membre prend de l'avance, l'autre reste forcément derrière. Ce type d'approche transactionnelle peut être acceptable lorsque les parties ne veulent pas établir de relation à long terme. Si l'entreprise Harry Rosen discerne un engouement pour les ceintures blanches étroites, elle voudra les acheter à un fournisseur avec lequel elle pourra établir une relation continue. Elle ne se contentera pas d'une transaction unique simplement pour obtenir un prix avantageux une seule fois. L'établissement de relations à long terme joue un rôle important dans les pratiques commerciales d'une entreprise.

La plupart du temps, les entreprises cherchent à nouer une alliance stratégique dans laquelle les membres de la chaîne d'approvisionnement s'engagent à préserver leur relation à long terme et à investir dans des possibilités profitables pour tous. Dans une chaîne d'approvisionnement conventionnelle ou administrée, il y a de nets avantages à établir des alliances stratégiques même en l'absence de contrats ou de relations de propriété. Les deux parties en profitent parce que la hausse des bénéfices rejaillit sur les ventes et sur les profits tant de l'acheteur que du vendeur. Comme ces alliances stratégiques sont créées dans le but explicite d'explorer et d'exploiter des possibilités communes, les membres dépendent fortement les uns des autres et se font confiance ; ils ont des objectifs communs et s'entendent sur la manière de les atteindre ; et ils sont prêts à courir des risques, à échanger des informations confidentielles et à investir des sommes importantes dans l'intérêt de l'alliance. Les alliances stratégiques réussies s'appuient sur une confiance mutuelle, une communication ouverte, des objectifs communs et des engagements crédibles[31].

Une confiance mutuelle

La confiance mutuelle est le ciment qui unit les membres d'une alliance stratégique.

Lorsque les fournisseurs et les acheteurs se font confiance, ils sont plus disposés à échanger des idées pertinentes, à clarifier leurs objectifs et leurs problèmes et à communiquer efficacement. L'information échangée entre les parties devient ainsi de plus en plus complète, exacte et opportune. De plus, en vertu de ce climat de confiance, les membres de la chaîne d'approvisionnement ne sont pas obligés de surveiller constamment leurs faits et gestes mutuels. Chacun sait que l'autre ne cherchera pas à l'exploiter même si une occasion se présente. Le système d'identification par radiofréquence (RFID), qui permet de réceptionner des cartons scellés dans un centre de distribution sans les ouvrir, ne pourrait pas exister sans cette confiance mutuelle.

Au début, Harry Rosen était un petit atelier de confection de 46 mètres carrés établi à Toronto. Aujourd'hui, c'est une chaîne nationale de vêtements de qualité pour hommes. Elle fait tout pour établir avec ses fournisseurs des alliances stratégiques fondées sur la confiance mutuelle, la communication ouverte, les objectifs communs et les engagements crédibles.

Une communication ouverte

Pour échanger de l'information, établir des prévisions de ventes ensemble et coordonner les livraisons, Harry Rosen et ses fournisseurs communiquent entre eux d'une manière ouverte et honnête. Cela peut paraître aller de soi, mais la plupart des entreprises sont réticentes à échanger de l'information avec leurs partenaires commerciaux. Or, une communication ouverte et honnête est la clé de relations fructueuses parce que les membres de la chaîne d'approvisionnement doivent comprendre ce qui anime chaque membre, son rôle au sein de l'alliance, les stratégies de chaque entreprise et tout problème qui survient au sein de la relation.

Des objectifs communs

Les membres de la chaîne d'approvisionnement doivent viser des objectifs communs s'ils veulent nouer des relations fructueuses. Leurs objectifs communs donnent aux partenaires une raison d'unir leurs forces et leurs compétences et d'exploiter ensemble des possibilités d'affaires. Par exemple, Harry Rosen et ses fournisseurs locaux reconnaissent que leur alliance stratégique soutient leurs intérêts communs. Harry Rosen a besoin de la réaction rapide des fabricants locaux, et ces derniers reconnaissent que s'ils peuvent satisfaire Harry Rosen, ils auront une grande quantité de travail au cours des années à venir. En conséquence, si Harry Rosen a besoin d'un cycle de fabrication spécial pour une expédition urgente, les fournisseurs feront tout pour accéder à sa demande. Et si l'un des fournisseurs a de la difficulté à obtenir tel ou tel tissu ou à financer ses stocks, Harry Rosen aura tout intérêt à l'aider parce qu'ils visent les mêmes objectifs à long terme.

Des engagements crédibles

Les relations entre deux parties sont fructueuses parce que celles-ci prennent des engagements crédibles ou s'investissent de façon tangible dans la relation. Ces engagements, qui sont financiers, visent à améliorer les produits ou les services offerts à la clientèle[32]. Par exemple, si Harry Rosen s'engage à aider financièrement ses fournisseurs à construire des usines ultramodernes et à se doter de systèmes informatiques destinés à améliorer la communication, elle prend un engagement crédible : elle ne se contente pas de belles paroles, elle avance aussi l'argent.

Comme bien d'autres aspects du marketing, la gestion de la chaîne d'approvisionnement peut sembler facile à première vue : il suffit d'expédier la marchandise au bon endroit au bon moment. Mais la multiplicité des facteurs et des acteurs intervenant dans une chaîne d'approvisionnement crée des complexités uniques et incontournables et exige que les entreprises travaillent avec soin à implanter la chaîne la plus rentable et efficace possible.

Le flux des marchandises

Pour mieux comprendre les divers types de flux des marchandises, examinez le scénario suivant[33]. Sony expédie des marchandises à un centre de distribution de Future Shop ou directement aux magasins. Si les marchandises passent par un centre de distribution, elles sont ensuite expédiées aux magasins, puis aux clients.

Le flux entrant de marchandises

répartiteur (*dispatcher*) Personne responsable de la coordination des livraisons aux centres de distribution.

Comme il y a toujours beaucoup d'activité dans les centres de distribution, le **répartiteur**, qui coordonne les livraisons aux centres de distribution de Future Shop, assigne un créneau temporel à chaque envoi de téléviseurs HD. Si le transporteur rate ce créneau, il doit payer une amende. Même si de nombreux fabricants paient des frais de transport, certains détaillants négocient avec leurs fournisseurs pour qu'ils absorbent ces frais.

Ces détaillants estiment qu'ils peuvent réduire le prix net de leurs marchandises et mieux contrôler le flux de celles-ci s'ils négocient directement avec les sociétés de transport et regroupent les envois d'un grand nombre de fournisseurs.

La réception et la vérification

étiquette d'identification par radiofréquence (RFID) (*radio frequency identification [RFID] label*) Étiquette constituée d'une puce et d'un dispositif capables de transmettre à un lecteur spécialisé des informations relatives au contenu d'un conteneur ou à un produit en particulier.

À l'étape de la réception, le réceptionnaire prend livraison des marchandises qui arrivent au centre de distribution ou au magasin et les enregistre. Ensuite, il s'assure qu'elles ne sont pas endommagées et correspondent bien à ce qui a été commandé.

Aujourd'hui, de nombreux systèmes de distribution s'appuient sur l'échange de données informatisé afin de minimiser, voire d'éliminer, ces étapes. L'avis préalable d'expédition indique au réceptionnaire du centre de distribution ce que devrait contenir chaque caisse. Le réceptionnaire scanne le CUP qui figure sur le carton ou l'étiquette d'identification par radiofréquence, qui identifie le contenu de la caisse, lequel est alors automatiquement enregistré comme étant reçu et vérifié. L'**étiquette d'identification par radiofréquence (RFID)** est constituée d'une puce et d'un dispositif capables de transmettre à un lecteur spécialisé des informations relatives au contenu d'un conteneur ou à un produit en particulier.

L'entreposage et le transbordement

Il existe trois types de centres de distribution : traditionnel, de transbordement et combiné. Un centre de distribution traditionnel est un entrepôt dans lequel les marchandises qui arrivent par camion sont déchargées et rangées dans des casiers ou sur des tablettes. Lorsqu'un magasin a besoin d'un produit, un préposé va jusqu'au casier, prend le carton et le place dans un contenant. Le produit est acheminé par un convoyeur ou un autre système de manutention vers une aire d'entreposage temporaire où toutes les marchandises sont regroupées et préparées pour l'expédition au magasin.

Les étiquettes d'identification par radiofréquence rendent la réception et la vérification des marchandises précises, rapides et faciles.

Le deuxième type de centre, soit le centre de transbordement, est un lieu où les fournisseurs expédient des marchandises préemballées selon la quantité requise pour chaque magasin. Les marchandises portent déjà des prix et des étiquettes antivol. Comme les produits sont prêts pour la vente, ils sont acheminés directement à une aire d'entreposage temporaire. Lorsque tous les produits destinés à un magasin sont réunis dans cette aire, ils sont chargés dans un camion et partent pour leur destination.

La plupart des centres de distribution modernes combinent les deux approches précédentes. Il est difficile pour une entreprise de fonctionner sans entrepôt même si les marchandises sont stockées seulement quelques jours. Par exemple, les ventes de certains produits comme les piquets de tentes de Mountain Equipment Co-op sont plutôt faibles, mais comme ces piquets font partie d'un assortiment, ils doivent être stockés. Ces articles sont habituellement entreposés dans un centre de distribution même si le reste des marchandises est expédié au centre de transbordement. De plus, aussi efficace que soit la prévision des ventes, les marchandises arrivent parfois au magasin avant qu'on en ait besoin. C'est pourquoi le détaillant doit disposer d'un lieu où les entreposer temporairement.

Dans un centre de transbordement, les marchandises passent des camions du fournisseur aux camions de livraison du détaillant en quelques heures à peine.

La préparation des marchandises pour la vente

Les marchandises prêtes à la vente peuvent être exposées sur-le-champ dans le magasin. Pour préparer les marchandises, il faut les étiqueter et les marquer et, dans le cas des vêtements, les suspendre sur des cintres. L'étiquetage et le marquage consistent à fabriquer des étiquettes de prix et d'identification et à les fixer aux produits. Il est plus rentable pour un détaillant d'exécuter ce travail long et salissant dans un centre de distribution plutôt qu'au magasin. Certains détaillants obligent leurs fournisseurs à expédier des marchandises prêtes à la vente, leur attribuant ainsi ce procédé long et coûteux.

L'expédition des marchandises aux magasins

L'expédition des marchandises aux magasins est une opération assez complexe pour les chaînes multimagasins. Un centre de distribution Future Shop envoie une centaine de camions à ses magasins chaque jour. Pour faire face à la complexité du transport, les centres de distribution utilisent un système sophistiqué de routage et d'ordonnancement qui prend en compte le rythme des ventes de chaque magasin, l'état des routes et les contraintes liées au transport afin d'élaborer les itinéraires les plus efficaces possible. En conséquence, les magasins reçoivent une estimation du temps d'arrivée, et la chaîne d'approvisionnement maximise l'utilisation de sa flotte de véhicules. La rubrique Marketing durable ci-contre expose comment Frito Lay Canada s'y prend pour optimiser ses itinéraires et son parc de véhicules. Au Canada, on choisit différentes méthodes d'expédition en fonction de la nature des produits, des coûts, de la distance entre les clients et les fabricants ainsi que des besoins des clients. Ces méthodes comprennent le transport aérien (p. ex., Air Canada), ferroviaire (p. ex., Canadien Pacifique), terrestre (p. ex., Challenger Motor Freight) et maritime (p. ex., Sea-Can).

La gestion des stocks au moyen d'un système juste-à-temps

Les clients demandent des références précises et veulent pouvoir les acheter quand ils en ont besoin. Or, les entreprises n'ont pas les moyens de stocker une plus grande quantité de références que celle qu'elles jugent nécessaires parce que cela leur coûterait trop cher. Supposons qu'un marchand de chaussures stocke à ses frais des chaussures pour une valeur de un million de dollars. Les experts estiment que cela lui coûterait de 200 000 $ à 400 000 $ par an, soit entre 20 % et 40 % de la valeur des stocks, pour maintenir ceux-ci! Les coûts de stockage varient fortement selon le domaine d'activité des entreprises, mais restent toujours assez élevés. Une règle simple, communément utilisée, est de considérer que ceux-ci représentent en moyenne 25 % de la valeur du stock disponible. C'est pourquoi les entreprises doivent trouver un équilibre et stocker suffisamment de marchandises pour répondre à la demande de leur clientèle, sans plus.

Dans le but de concilier ces objectifs en apparence contradictoires, de nombreuses entreprises ont adopté un système de stockage **juste-à-temps (JAT)**. Ce type de système, qui porte aussi le nom de **réaction rapide** dans le domaine de la vente au détail, est conçu pour qu'une moins grande quantité de marchandise soit livrée plus souvent que dans le cadre d'une gestion des stocks traditionnelle. L'entreprise reçoit donc la marchandise « juste à temps » pour qu'elle serve à la fabrication d'un autre produit, dans le cas des pièces ou des composants, ou qu'elle soit vendue au moment où le client veut l'acheter, dans le cas des biens de consommation. Les avantages d'un système juste-à-temps englobent la réduction du **délai d'approvisionnement** (en éliminant les transactions postales sur papier et les livraisons de nuit), une meilleure disponibilité du produit et un moins gros investissement dans les stocks. Le système juste-à-temps diminue cet investissement, mais augmente, en fait, la disponibilité du produit.

Pour mieux comprendre ce qu'est un système juste-à-temps, examinons le processus en cinq étapes suivi par Procter & Gamble. Les gestionnaires reçoivent directement de leurs détaillants des données relatives à la demande. Ils travaillent étroitement avec ceux-ci pour établir des prévisions de ventes et des calendriers d'expédition afin de mieux aligner la production de Procter & Gamble sur la demande dans le commerce de détail. Cet effort réduit à la fois les stocks excédentaires et les ruptures de stock. Mais, surtout, Procter & Gamble produit juste assez pour répondre à la demande. En vue d'atteindre cet équilibre, l'entreprise a cessé de fabriquer chaque produit une fois par mois. Désormais, elle fabrique chaque produit tous les jours, puis le livre au client le lendemain[34].

juste-à-temps (JAT)
(just-in-time [JIT])
Méthode de gestion des stocks selon laquelle une moins grande quantité de marchandise est livrée plus souvent que dans le cadre d'une gestion des stocks traditionnelle ; l'entreprise reçoit donc la marchandise « juste à temps » pour qu'elle serve à la fabrication d'un autre produit. Porte aussi le nom de « réaction rapide » dans le domaine de la vente au détail.

réaction rapide
(quick response)
Mode de gestion des approvisionnements utilisé dans la vente au détail ; les produits sont reçus uniquement au moment où le client veut se les procurer.

délai d'approvisionnement
(lead time)
Délai qui s'écoule entre le moment où une commande est placée et le moment où la marchandise entre en stock pour être vendue.

| Marketing durable | **Frito Lay Canada : en route vers la durabilité** |

« Innovation » rime parfois avec « concession ». En 2010, alors que Frito Lay lançait un nouvel emballage entièrement biodégradable fait principalement d'acide polylactique d'origine végétale et dégradable en 14 semaines, les consommateurs se sont manifestés à l'encontre du produit. Le motif évoqué n'allait pas à l'encontre du développement durable, mais du bruit fait par le sac lorsque les amateurs y plongeaient la main pour y manger leur collation préférée. L'entreprise a donc décidé de retirer le sac... en se promettant de modifier l'emballage pour tenir compte des souhaits de ses clients[35].

Cet exemple fait partie de la vision plus globale du développement durable de Frito Lay Canada, qui est de « ne laisser aucune trace ». L'entreprise s'est fixé des objectifs clairs afin de réduire sa consommation d'eau, d'électricité et de carburant, de l'ordre de 20 % à 25 % à l'aube de 2015, ainsi que ses déchets pour tout ce qu'elle fabrique, transporte et vend[36]. Chez Frito Lay, la réussite financière se mesure à l'aune de la performance sociale et environnementale.

Comme elle possède l'un des plus gros parcs de véhicules privés au Canada, Frito Lay est très consciente de l'incidence réelle que ces véhicules peuvent avoir sur son empreinte carbone. Elle a donc pris des mesures pour améliorer la performance de son parc, notamment en achetant des véhicules sur mesure, écoénergétiques, moins lourds que les modèles comparables et dotés de nouveaux moteurs peu polluants et même de jupes à faible frottement et d'un carénage ventral aérodynamique. De plus, en optimisant ses itinéraires, Frito Lay a pu réduire le nombre de ses camions de livraison, un véritable exploit compte tenu du fait qu'elle est l'une des entreprises de biens emballés pour la vente au détail qui enregistrent la plus forte croissance au Canada. En recourant à l'ordonnancement stratégique, en optant pour des camions Sprinter à carrosserie plus légère, Frito Lay a également diminué de 3 % le nombre de kilomètres parcourus et de 7 % sa consommation de diésel[37].

Tout récemment, Frito Lay Canada est devenu le premier fabricant alimentaire à intégrer des véhicules électriques à émission zéro à son parc[38]. Ses six premiers camions ont une autonomie de 60 kilomètres par jour, ce qui est suffisant pour la majorité des trajets qui partent de ses centres de distribution de Brampton, Ottawa, Surrey et Laval. L'électricité consommée par les camions est compensée par des crédits d'impôt liés aux énergies renouvelables, et les batteries seront même recyclées à la fin de leur vie utile.

Les initiatives de l'entreprise en matière de durabilité vont bien au-delà de la gestion de son parc. Grâce aux efforts qu'elle a déployés dans d'autres domaines, Frito Lay a diminué sa consommation d'électricité de plus de 20 % et d'eau de 30 % depuis 1999. Elle a installé des dispositifs de récupération de chaleur dans toutes ses usines afin de capter la chaleur provenant des conduits d'échappement de la chaîne de fabrication et de l'utiliser pour chauffer ses bâtiments, sécher l'amidon et chauffer l'eau et l'huile[39]. Depuis 1999, l'entreprise a aussi réutilisé 40 millions de caisses de carton, ce qui équivaut à sauver plus de 300 000 arbres par année.

Son engagement envers la croissance durable est au cœur des préoccupations de Frito Lay Canada et permet à l'entreprise de suivre le rythme d'un marché en constante évolution. Puisqu'elle voit la durabilité comme un parcours, elle prévoit multiplier les nouvelles initiatives dans l'avenir. Pour couronner la réussite de toutes ces initiatives, le magazine *McLean's* a classé le groupe PepsiCo Canada parmi les 50 entreprises les plus socialement responsables au pays, et ce, pour la troisième année consécutive[40].

Les camions électriques de Frito Lay sont un aspect important de ses initiatives en matière de durabilité.

Mark Montpetit

Je suis assis dans le hall de l'aéroport Billy Bishop, à Toronto, et je sirote un café au lait ; mon vol est retardé. Je m'apprête à partir pour Calgary où je dois rencontrer le directeur d'épicerie de l'un des plus importants détaillants alimentaires au Canada. Je travaille dans le domaine de la gestion de produits. Comme je le dis souvent, je suis un expert de la science de l'épicerie. J'agis à titre de consultant auprès d'un détaillant important pour chaque facette de sa catégorie de produits (les détaillants alimentaires divisent leur entreprise en sous-catégories, comme le maïs soufflé). Il me consulte sur tout, depuis les prix jusqu'à l'activation de marque en passant par le choix de produits.

Je représente Aliments ConAgra, une grosse entreprise nord-américaine de biens emballés pour la vente au détail, qui commercialise des marques phares dans la plupart des catégories de produits où elle est représentée. Aujourd'hui, ses ventes annuelles en Amérique du Nord dépassent les 12 milliards de dollars, et le Canada joue un rôle dans cette réussite.

Vous vous demandez peut-être en quoi cela profite au fabricant. D'abord, nous conseillons les entreprises uniquement dans les catégories où nous dominons le marché. Nous nous investissons dans une catégorie et faisons tout pour la propulser au sommet. Nous mettons à profit nos connaissances des données internes (p. ex., futures introductions de produits, investissements dans les médias) et alignons notre stratégie d'entreprise sur celle du détaillant, ce qui lui assure une plus grande efficacité : nous vendons les bons produits au bon moment.

Vous vous demandez peut-être aussi quel est le rapport avec le marketing. Bien que nous touchions à plusieurs éléments du marketing mix, c'est sur la promotion que nous avons la plus forte incidence. Nous montrons aux détaillants que leurs clients achètent des catégories précises de produits. Il n'y a rien de plus frustrant que de ne pas trouver son produit préféré dans un magasin. Les détaillants stockent souvent une trop grande variété de produits (ce qui provoque des ruptures de stock ou crée de la confusion chez les clients), ou ne vendent pas ceux que les clients recherchent. En tant qu'analyste de produits, je fais en sorte que ces derniers puissent trouver les produits qu'ils cherchent et je m'efforce d'améliorer leur expérience globale d'achat.

La partie la plus complexe de mon travail est aussi la plus gratifiante. Elle consiste à amener les détaillants à souscrire à mes idées. Bien sûr, je dois exploiter les données et la recherche, mais, en fin de compte, la capacité d'amener un changement dépend souvent de la relation avec l'agent de changement. Même si les deux parties s'entendent sur le fait que ma recommandation sera bénéfique pour telle ou telle catégorie de produits, il faut souvent tenir compte d'autres priorités (p. ex., les délais, la stratégie d'entreprise). Il n'y a rien de plus satisfaisant que d'instituer un changement chez un détaillant et de voir le détaillant comme le fabricant en récolter les bénéfices.

On vient d'annoncer l'embarquement des passagers pour mon vol. J'ai préparé trois présentations que je vais étudier au cours des trois heures que durera le trajet. Si le directeur de produits décide de suivre mes recommandations, je devrai connaître chaque catégorie mieux que les gestionnaires de produits eux-mêmes.

 **Expliquez l'importance de la distribution et les liens existant entre le circuit ou les canaux de distribution, la gestion de la chaîne d'approvisionnement et la gestion logistique**

Les entreprises ne peuvent pas considérer la distribution de produits comme allant de soi. Elles doivent implanter des canaux de distribution appropriés et convaincre les membres du canal de stocker leurs nouveaux produits, deux étapes essentielles à une stratégie de distribution réussie. Un canal de distribution comprend les établissements et les activités de marketing qui transfèrent le droit de propriété des biens et les font passer du point de production au point de consommation. La gestion de la chaîne d'approvisionnement est l'ensemble des opérations servant à coordonner les activités des fournisseurs, des fabricants, des entrepôts, des magasins et des sociétés de transport afin que les bonnes quantités de marchandises soient produites et distribuées au bon endroit et au bon moment. Dans ce sens, la chaîne d'approvisionnement est plus longue et regroupe un plus grand nombre d'aspects que le circuit de distribution, puisqu'elle englobe les fournisseurs. La logistique a trait à l'acheminement et au contrôle des produits, tandis que la gestion de la chaîne d'approvisionnement touche aussi aux aspects relatifs à la gestion du circuit de distribution.

 **Expliquez comment les canaux de distribution ajoutent de la valeur pour les entreprises et les consommateurs**

Si les canaux de distribution n'existaient pas, les consommateurs seraient forcés de se débrouiller pour trouver les matières premières, fabriquer les produits et les transporter là où ils pourraient les utiliser. Chaque membre du canal ajoute de la valeur au produit en exécutant une de ces fonctions. La gestion de la chaîne d'approvisionnement crée également de la valeur pour chaque membre de la chaîne et relie entre elles un grand nombre des activités de l'entreprise, notamment la fabrication, la gestion des stocks, le transport, la publicité et la commercialisation. Rien de plus normal, puisque la chaîne d'approvisionnement inclut la gestion du circuit de distribution et la gestion logistique.

 **Décrivez les décisions et les stratégies relatives à l'implantation et à la gestion d'un canal de distribution**

Les entreprises, surtout celles qui démarrent, ne peuvent pas toujours choisir leurs partenaires idéaux, mais elles doivent se contenter des partenaires qu'elles peuvent trouver pour obtenir les matières ou attirer les clients dont elles ont besoin. En général, plus une entreprise est importante et complexe, plus elle est susceptible d'accomplir certaines activités de la chaîne d'approvisionnement elle-même plutôt que de recourir à des intermédiaires. En ce qui concerne la structure du canal de distribution, les entreprises ont le choix entre la distribution directe, indirecte ou multicanal. Les entreprises qui veulent la plus grande couverture commerciale possible ont recours à la distribution intensive, alors que celles qui veulent préserver une image exclusive ou qui sont trop petites pour vendre à tout le monde auront recours à la distribution exclusive. La stratégie de distribution sélective se situe quelque part entre les deux.

 **Expliquez l'incidence de la logistique et de la gestion de la chaîne d'approvisionnement sur la stratégie de distribution**

Pour qu'une chaîne d'approvisionnement fonctionne bien, le flux de l'information et des marchandises doit être coordonné, et les membres de la chaîne doivent travailler dans leur intérêt mutuel. Dans les chaînes d'approvisionnement plus complexes, l'échange de données informatisé (EDI) crée un flux continu de l'information entre les membres. Un grand nombre des meilleures chaînes d'approvisionnement utilisent un système de stockage juste-à-temps (ou à réaction rapide), de manière à obtenir la bonne quantité de marchandise au moment précis où elles en ont besoin. Le système de stockage juste-à-temps améliore donc la disponibilité du produit et diminue l'investissement dans les stocks. Le recours croissant à la technologie de l'identification par radiofréquence aura sans doute dans l'avenir un impact révolutionnaire sur les canaux de distribution, la gestion de la chaîne d'approvisionnement et la gestion logistique. On peut s'attendre à ce que le processus global de fabrication et de livraison devienne beaucoup plus sophistiqué et efficace.

Plus les membres de la chaîne d'approvisionnement sont étroitement alignés les uns sur les autres, moins ils s'exposent à des conflits. Dans un système de marketing vertical administré, un membre puissant et dominateur exerce un contrôle sur les autres membres. Dans un système de marketing vertical contractuel (p. ex., une franchise), les relations contractuelles entre les membres régissent la coordination et le contrôle des opérations. En ce qui concerne le système de marketing vertical d'entreprise, il fonctionne relativement sans heurt parce que les divers maillons de la chaîne appartiennent à une seule entreprise. Enfin, un système de marketing vertical peut aussi être géré efficacement grâce aux liens solides tissés par les membres du système. Pour créer ces liens, les partenaires doivent se faire confiance, communiquer ouvertement, viser des objectifs communs et être prêts à investir dans leur réussite.

Mots clés

- avis préalable d'expédition, p. 443
- canal de distribution, p. 425
- centre de distribution, p. 441
- circuit de distribution, p. 425
- code universel des produits (CUP), p. 441
- conflit de réseau, p. 436
- délai d'approvisionnement, p. 448
- détaillant, p. 426
- distribution exclusive, p. 434
- distribution intensive, p. 434
- distribution sélective, p. 435

- échange de données informatisé (EDI), p. 443
- étiquette d'identification par radiofréquence (RFID), p. 446
- franchisage, p. 438
- gestion de la chaîne d'approvisionnement, p. 425
- gestion logistique, p. 428
- grossiste, p. 426
- intensité de la distribution, p. 433
- juste-à-temps (JAT), p. 448
- réaction rapide, p. 448
- répartiteur, p. 446

- système de marketing vertical, p. 437
- système de marketing vertical administré, p. 438
- système de marketing vertical contractuel, p. 438
- système de marketing vertical d'entreprise, p. 439
- territoire exclusif, p. 435

Révision des concepts

1. Expliquez pourquoi une stratégie de distribution bien pensée est essentielle à la réussite d'une entreprise.

2. Nommez les facteurs qu'une entreprise doit prendre en compte au moment de choisir sa stratégie de distribution.

3. Expliquez ce qui distingue les canaux de distribution direct, indirect et multicanal. Quel rôle les technologies et le comportement des consommateurs jouent-ils dans l'essor de la distribution multicanal ?

4. Décrivez les fonctions accomplies par les intermédiaires. Pourquoi une entreprise choisit-elle de confier ces fonctions à des intermédiaires au lieu de les exécuter elle-même ?

5. Expliquez l'incidence des attentes des clients et des caractéristiques des membres de la chaîne d'approvisionnement sur la stratégie de distribution d'une entreprise.

6. Distinguez l'intensité de la distribution intensive, sélective et exclusive. Dans quels cas est-il préférable d'utiliser chaque stratégie ?

7. Indiquez comment les entreprises gèrent leur circuit de distribution au moyen d'un système de marketing vertical.

8. Expliquez comment la gestion de la chaîne d'approvisionnement et la gestion de la logistique ajoutent de la valeur aux produits qu'une entreprise offre à ses clients.

9. Expliquez comment la gestion de la chaîne d'approvisionnement améliore les opérations de mise en marché.

10. Quels sont les principaux éléments d'un système de gestion logistique ? Décrivez les avantages d'un système de stockage juste-à-temps.

Marketing appliqué

1. Expliquez ce qu'est une stratégie de distribution et relevez les principales activités associées au circuit de distribution, à la chaîne d'approvisionnement et à la gestion logistique. Nommez plusieurs façons dont la gestion de la chaîne d'approvisionnement ajoute de la valeur à l'offre d'une entreprise tant pour les consommateurs que pour ses partenaires commerciaux.

2. Vous venez d'être embauché dans une petite boulangerie qui voudrait distribuer ses produits dans les épiceries. La demande des produits de la boulangerie ne cesse d'augmenter et, maintenant que l'entreprise a augmenté sa capacité de production, elle veut élargir sa distribution. Vous avez rendez-vous avec le gérant d'une chaîne locale d'épiceries. Le gérant connaît bien les produits de la boulangerie et est emballé à la perspective de les vendre dans son épicerie. Il établit un contrat et vous remarquez que les frais d'insertion s'élèvent à 10 000 $. Lorsque vous l'interrogez à ce sujet, il répond que c'est le prix à payer pour faire des affaires avec lui et que les plus grosses boulangeries ne voient pas d'un bon œil l'arrivée de votre ligne de produits. Vous savez que la boulangerie n'a pas les moyens de payer ces frais. Que devriez-vous faire ?

3. Expliquez les avantages et les désavantages de la décision de Dell de renoncer à sa stratégie de distribution directe pour se tourner vers la distribution multicanal.

4. Effectuez une recherche sur la tendance à « manger local » et expliquez pourquoi leur conscience accrue des coûts liés au transport et des problèmes environnementaux incite un nombre croissant de consommateurs à réclamer des aliments produits dans un rayon de 160 kilomètres de leur domicile.

5. Nommez un détaillant qui fait partie d'une chaîne d'approvisionnement indépendante (traditionnelle) et un détaillant qui fait partie d'un système de marketing vertical. Décrivez les avantages et les inconvénients de chaque système.

6. Comment le flux de l'information peut-il être géré dans la chaîne d'approvisionnement ? Comment le flux constant de l'information augmente-t-il l'efficacité de l'exploitation d'une entreprise ?

7. Décrivez comment les transactions interentreprises (B2B) pourraient s'appuyer sur l'échange de données informatisé pour le traitement des données d'achat. Compte tenu de l'information présentée dans le chapitre 7 sur les situations d'achat interentreprises, indiquez la situation d'achat (nouvel achat, rachat modifié ou rachat direct) qui se prêterait le mieux à la technologie EDI. Expliquez votre réponse.

8. Exposez les avantages pour un détaillant comme Sports Experts de consacrer du temps et des efforts à préparer la marchandise pour la vente soit au point de fabrication, soit dans le centre de distribution, plutôt que de confier cette tâche au personnel du commerce de détail. Justifiez votre réponse.

9. Pourquoi une grande entreprise comme Nike voudrait-elle établir des alliances stratégiques avec des centres locaux d'entraînement physique ? Décrivez ce que Nike devra faire pour préserver ses relations avec ces établissements.

10. Vous occupez depuis peu le poste de chef de marque adjoint pour un produit de consommation populaire. Un jour, au cours d'une réunion d'urgence, le chef de marque vous annonce qu'il y a un problème avec l'un des fournisseurs et qu'il a décidé de vous envoyer à l'usine pour enquêter sur la situation. À l'usine, vous apprenez qu'un fournisseur clé est devenu de plus en plus négligent en ce qui concerne la qualité de ses produits et les délais de livraison. Vous demandez au directeur de l'usine pourquoi il ne change pas de fournisseur, puisque la situation pose un problème majeur pour votre marque. Il vous avise que, comme le fournisseur en question est son cousin et que sa femme est très malade, il ne peut pas changer de fournisseur maintenant. Quelle ligne de conduite devriez-vous adopter ?

Internaute averti

1. Dell est reconnue pour sa capacité à gérer sa chaîne d'approvisionnement efficacement. Ouvrez une session sur le site Web de l'entreprise (www.dell.com) et suivez les étapes pour configurer un ordinateur en vue de l'acheter. Imprimez une copie du système informatique que vous avez conçu et notez la date de livraison et le prix. Décrivez comment Dell a révolutionné les ventes et la livraison d'ordinateurs. Y a-t-il des signes que Dell s'est associée à d'autres entreprises pour vendre des périphériques comme des imprimantes ou des scanners ? Comment cette alliance ajouterait-elle de la valeur pour ses clients ?

2. L'introduction de ce chapitre décrit comment Zara International, une filiale d'Inditex, gère avec brio sa chaîne d'approvisionnement. Visitez le site Web d'Inditex (www.inditex.com) et lisez la section qui porte sur l'engagement social de la société, et en particulier sur son code de conduite. Compte tenu de ce que vous avez appris sur les relations stratégiques dans ce chapitre, indiquez comment Inditex aborde les facteurs essentiels à l'établissement d'alliances bénéfiques pour les deux parties au regard de son code de conduite.

Étude de cas

WALMART : PIONNIÈRE DE LA GESTION DE LA CHAÎNE D'APPROVISIONNEMENT[41]

Walmart domine l'industrie du détail en ce qui touche aux recettes de ventes, à la clientèle et à la capacité à réduire ses coûts tout en offrant une bonne valeur à ses clients. Après tout, le plus gros détaillant du monde s'enorgueillit des nombreuses marques d'approbation que lui a values son habileté à améliorer continuellement l'efficacité de sa chaîne d'approvisionnement tout en remplissant sa mission, qui est d'offrir « des bas prix de tous les jours » à sa clientèle.

La gestion serrée des stocks est légendaire chez Walmart, qui a recours à des techniques de stockage juste-à-temps, dont certaines, de son propre cru, permettent à l'entreprise de se vanter

Pour être compétitive, Walmart doit sans cesse innover, jusqu'à la gestion de sa chaîne d'approvisionnement.

d'avoir les meilleures chaînes d'approvisionnement du monde. Walmart a non seulement transformé sa propre chaîne d'approvisionnement, mais elle a aussi révolutionné la façon dont les fournisseurs du monde entier fonctionnent. Par exemple, les détaillants de partout insistent désormais beaucoup plus sur une livraison ponctuelle et précise de la part de leurs fournisseurs.

Pour répondre à ces exigences, les fournisseurs ont dû mettre à jour leurs systèmes de gestion des stocks et de livraison afin de faire des affaires comme l'exigent leurs plus importants clients[42]. Reconnue pour sa capacité à s'approvisionner à l'échelle de la planète, Walmart a été la première à adopter la stratégie consistant à atteindre des niveaux de croissance et de rentabilité élevés grâce à un contrôle précis de la fabrication, des stocks et de la distribution. Bien que l'entreprise ne soit pas unique à cet égard, elle est de loin la société la plus prospère et la plus influente de sa catégorie, et elle a mis au point diverses techniques innovantes.

Et quand Walmart fait quelque chose, elle le fait en grand. En effet, son système informatique est le plus puissant après celui du Pentagone pour ce qui est de la capacité de mémoire. Ses systèmes analysent plus de 10 millions de transactions chaque jour à partir des données recueillies aux points de vente et distribuent leur analyse en temps réel tant à l'interne (aux gestionnaires) qu'à l'externe par satellite (aux nombreux fournisseurs de Walmart). Ces derniers utilisent ces données pour planifier la production et l'expédition des commandes.

Aujourd'hui, on attribue en grande partie la popularité de la gestion de la chaîne d'approvisionnement au succès de l'alliance de Walmart avec Procter & Gamble. Au cours des années 1980, les deux entreprises ont collaboré à la conception d'un logiciel reliant Procter & Gamble aux centres de distribution de Walmart, qui tirait parti de la nouvelle infrastructure mondiale des télécommunications. Quand un magasin Walmart vendait un article Procter & Gamble, l'information était transmise directement aux systèmes de planification et de gestion de cette dernière. Lorsque le niveau de stock des produits Procter & Gamble au centre de distribution de Walmart atteignait le seuil de commande, le système avisait automatiquement Procter & Gamble qu'elle devait expédier d'autres produits. Walmart pouvait aussi suivre l'arrivée des cargaisons à l'un ou l'autre de ses entrepôts, ce qui lui permettait de coordonner ses propres expéditions vers les magasins. Walmart comme Procter & Gamble réalisent des économies grâce à une meilleure gestion des stocks et à un meilleur traitement des commandes, économies que Walmart transmet à ses clients par ses bas prix de tous les jours. En dépit de cette réussite, les dirigeants de Walmart ne peuvent pas s'asseoir sur leurs lauriers. Les valeurs sociales changeantes, les fluctuations économiques, les percées technologiques et d'autres facteurs commerciaux obligent Walmart à continuer d'innover pour garder ses prix bas.

Les innovations de Walmart

Walmart a mis au point un grand nombre d'innovations relatives aux processus d'achat et de distribution des produits qu'elle vend. Il y a une vingtaine d'années déjà, Walmart a piloté l'adoption des codes universels des produits dans toute l'industrie du détail ; elle a aussi été l'une des premières à utiliser l'échange de données informatisé pour les commandes des fournisseurs. Son réseau de distribution en étoile fait que les produits sont acheminés aux centres de distribution de tout le pays avant d'être expédiés à des milliers de magasins, dont chacun se trouve à moins d'une journée de transport. Grâce à ses centres de transbordement, l'une des innovations les plus célèbres de l'entreprise, les marchandises sont acheminées par camion depuis les fournisseurs jusqu'à un centre de distribution, puis immédiatement transférées sur des camions qui les apportent aux magasins sans jamais être entreposées[43]. Walmart utilise sa flotte de véhicules pour acheminer les marchandises de ses entrepôts aux magasins en moins de 48 heures et réapprovisionner ses stocks environ deux fois par semaine. Par conséquent, grâce à une logistique axée sur le transfert, l'entreprise accélère l'acheminement des marchandises depuis ses centres de distribution jusqu'à ses magasins de détail du monde entier.

Aujourd'hui, le géant du détail améliore sans cesse l'efficacité de sa chaîne d'approvisionnement en faisant passer les besoins des consommateurs avant toute chose tout en adoptant de nouvelles technologies et des pratiques plus écologiques. L'une des pionnières de la technologie RFID, Walmart a constaté l'importance d'équilibrer sa vision avec ses niveaux de maturité technologique après qu'elle eut obligé ses fournisseurs à fixer des étiquettes RFID aux caisses et aux palettes destinées à ses magasins[44]. Cette innovation technologique a largement profité à certaines entreprises, tandis que d'autres, y compris Walmart, sont tombées sur un os. Au moment où Walmart a imposé cette règle à ses fournisseurs, la technologie RFID en était à ses balbutiements et les coûts de planification, de matériel, de logiciels et de formation étaient exorbitants pour bon nombre d'entre eux. De plus, la technologie était suffisamment nouvelle pour qu'on n'ait pas encore établi de pratiques exemplaires pour sa mise en œuvre. En fait, il n'existait aucun exemple susceptible d'aider les nouveaux adeptes à surmonter les embûches. Depuis, Walmart a annulé sa règle, mais elle continue de tester l'utilité de la technologie.

En réaction aux critiques provenant de groupes de consommateurs, Walmart s'est attaquée à la durabilité de sa chaîne d'approvisionnement et, comme c'est souvent le cas des grosses entreprises, elle a amorcé la tendance pour les autres détaillants. Après s'être engagée à réduire ses émissions de gaz à effet de serre dans une proportion équivalant au retrait de quatre millions de voitures sur les routes pendant un an, Walmart a demandé à ses fournisseurs d'écologiser tout le cycle de vie de leurs produits[45]. Les fournisseurs doivent assumer les coûts de leurs initiatives durables, un prix que la plupart acceptent de payer pour conserver leurs liens avec Walmart. Beaucoup reconnaissent aussi que la réduction de leur consommation d'énergie sera profitable compte tenu de la hausse des coûts de l'énergie. Récupérer la chaleur, recycler davantage, réduire les déchets, minimiser les emballages et les déplacements, tous ces facteurs diminuent les coûts liés à la chaîne d'approvisionnement tout en séduisant les consommateurs et en préservant les ressources mondiales.

Par ailleurs, Walmart consolide ses approvisionnements sur le marché international[46]. Dans le cadre de ce nouveau modèle d'affaires, l'entreprise vise à augmenter le pourcentage des produits achetés directement des fournisseurs et à s'approvisionner auprès de centres de distribution internationaux plutôt que de pays individuels. Les fournisseurs tiers qui faisaient des affaires substantielles avec le géant du détail auparavant seront de plus en plus écartés de la chaîne d'approvisionnement. Outre l'élimination des coûts liés aux intermédiaires, cette initiative pourrait donner à Walmart un meilleur contrôle sur le fret entrant et abaisser ses coûts de stockage. Les innovations constantes de l'entreprise lui permettent donc de réduire ses coûts de stockage et d'exploitation, et, par ricochet, de garder ses prix bas.

Walmart est devenue experte dans l'art de gérer le flux des marchandises et de l'information entre ses fournisseurs, ses centres de distribution et ses magasins de détail grâce à la technologie, qui favorise une gestion précise de la logistique et des stocks. C'est ce type d'innovation qui a propulsé Walmart à la tête de l'industrie du détail. Ce ne sont pas toutes les organisations qui arrivent à utiliser cette approche avec brio : Walmart est un cas unique où une seule entreprise très puissante s'est donné pour mission première d'améliorer le rendement de tous les membres de sa chaîne d'approvisionnement. L'implantation d'un système de gestion de la chaîne d'approvisionnement supérieur lui procure de nombreux avantages : un meilleur service à la clientèle et une meilleure satisfaction des clients, une baisse des coûts de production et de transport de même qu'une utilisation plus rentable de l'espace dans ses magasins de détail. Au fond, tout cela démontre l'aptitude de Walmart à relier les fournisseurs, les fabricants, les distributeurs, les commerces de détail et, en fin de compte, les clients, peu importe leur situation géographique. Bien que l'innovation ne soit pas le seul ingrédient de la réussite de Walmart, elle constitue la pierre angulaire de sa forte position concurrentielle.

Questions

1. Comment une entreprise individuelle comme Walmart gère-t-elle une chaîne d'approvisionnement compte tenu du fait que celle-ci englobe une foule d'entreprises ayant des objectifs potentiellement contradictoires ? Décrivez certains conflits susceptibles d'éclater dans cette situation.

2. Expliquez comment la façon dont Walmart gère sa chaîne d'approvisionnement améliore la disponibilité de ses produits et réduit ses coûts d'achat et de transport ? Donnez des exemples précis dans chaque cas.

CHAPITRE 14

La vente au détail

Is offrent un service rapide et courtois, mais les Apple Stores peuvent-ils aller encore plus loin[1]? Les magasins de détail Apple, qui jouent un rôle crucial dans le succès de l'entreprise et rapportent 20 % de ses revenus, lui ont valu le titre « d'entreprise la plus admirée » dans le monde, décerné par le magazine *Fortune 500*. Avant d'ouvrir ses propres magasins de détail, Apple vendait ses marchandises par l'entremise de gros détaillants de produits électroniques et était donc dépendante d'eux. Ces détaillants n'étaient pas particulièrement motivés à vendre les produits Apple et ne possédaient pas le savoir-faire nécessaire pour vendre ces articles de haute technologie. Apple a donc compris que la seule façon de mettre ses produits uniques en valeur consistait à les vendre elle-même.

Au cours de son processus décisionnel, Apple a consacré beaucoup de temps et d'effort à la conception de ses boutiques. L'entreprise a loué un entrepôt pour créer un prototype de boutique qu'elle pourrait ensuite reproduire partout au Canada. Après quelques répétitions, l'Apple Store définitif a vu le jour ; son concept repose sur la façon dont les consommateurs magasinent et pas seulement sur les catégories de produits. Le plus important magasin Apple, situé à Boston, ressemble à un cube de verre orné d'un logo Apple rutilant. Même certains magasins plus petits sont conçus sur le même thème, avec des plafonds qui donnent l'impression d'être éclairés par le soleil. Au Canada, la plupart des magasins Apple sont situés dans des centres commerciaux ; pourtant, tous sont lumineux, ouverts et invitants. Les ordinateurs sont connectés à Internet et les consommateurs peuvent naviguer à leur guise sur le Web et dialoguer en ligne. Si vous cherchez un café Internet, les magasins Apple vous fournissent même ce service gratuitement !

L'Apple Store est bien plus qu'un magasin de détail qui vend des iPod, des iPhone, des iPad et d'autres produits. Le magasin est conçu de manière à permettre aux clients d'essayer les produits avant de les acheter. Cette caractéristique est particulièrement importante pour les clients qui aiment essayer les nouvelles technologies dès leur arrivée sur le marché. Aux nouveaux acheteurs, Apple propose également des ateliers gratuits pour leur enseigner les notions de base. Pour obtenir des services techniques gratuits, ils peuvent prendre place au « Genius Bar », derrière lequel s'activent des « génies » formés au siège social de l'entreprise.

Le magasin organise aussi des ateliers payants, comme le programme *One to one*, portant sur toutes sortes de thèmes, depuis le fonctionnement de base des Mac jusqu'à l'utilisation de logiciels propriétaires tels que Keynote, pour créer des présentations professionnelles, ou Page, le traitement de texte. Des ateliers destinés aux photographes, musiciens et cinéastes professionnels les renseignent sur les applications détaillées (Aperture, Logic Pro, Final Cut Pro, etc.) qu'ils peuvent utiliser pour optimiser leurs créations[2]. Les Apple Stores proposent aussi des programmes Jeunesse gratuits avec le Camp Apple pour les 8 à 12 ans. Depuis quelques mois, l'entreprise a également beaucoup investi pour développer le marché de l'entreprise. De nombreux services sont disponibles en magasin pour la clientèle d'affaires[3].

Chaque nouveau client qui pénètre dans le magasin est accueilli par un « concierge » arborant une chemise orange, qui le dirige vers l'endroit approprié. À l'intérieur, pas de point de paiement : le personnel utilise plutôt Easypay, un lecteur de cartes de crédit mobile et sans fil, pour faire payer les clients là où ils se trouvent dans le magasin.

Apple peut également se vanter de réaliser le meilleur taux de vente de l'industrie du détail, soit, en 2013, 4 650 $ par pied carré, laissant ainsi loin derrière elle Best Buy (775 $) et même Michael Kors (2 000 $)[4]. Si les entreprises avaient un second prénom, celui d'Apple serait « Innovation ». L'entreprise continue de démontrer sa volonté de faire ce qu'il faut pour être unique tout en continuant de fabriquer les meilleurs produits technologiques et d'offrir le meilleur service à la clientèle de l'industrie du détail.

La vente au détail se situe à la fin de la chaîne d'approvisionnement, au point de rencontre du marketing et du consommateur. Comme Apple l'a compris avant d'ouvrir ses magasins de détail, peu importe que la stratégie d'une entreprise soit solide et que son produit soit formidable, si celui-ci n'est pas disponible au moment où le client le désire, à l'endroit où il souhaite l'acheter, au prix qu'il est disposé à payer, dans la couleur, la taille et le style voulus, ce produit ne se vendra pas. Le détaillant a la responsabilité de veiller à ce que les attentes des clients soient comblées.

vente au détail (*retailing*)
Activité commerciale qui consiste à vendre des produits et des services aux consommateurs à des fins de consommation personnelle. Elle comprend les produits vendus en magasin, par catalogue, sur Internet ainsi que des services offerts par les restaurants rapides, les compagnies aériennes et les hôtels.

Comme l'indique la feuille de route ci-contre, dans ce chapitre, nous expliquerons comment les fabricants choisissent des détaillants pour vendre leurs produits et décrirons les types de détaillants qui existent actuellement au Canada. Nous examinerons comment ces détaillants créent de la valeur en déployant des stratégies basées sur le marketing mix. Nous conclurons le chapitre avec un exposé sur la façon dont les options à canaux multiples, que l'on appelle également le multicanal, transforment peu à peu le paysage de la vente au détail et sur l'évolution actuelle du marketing vers le marketing multicanal.

La **vente au détail** est l'activité commerciale qui consiste à vendre des produits et des services aux consommateurs pour leur usage personnel ou celui de leur famille. Elle comprend les produits vendus en magasin, par catalogue, sur Internet ainsi que des services offerts par les restaurants rapides, les compagnies aériennes et les hôtels.

FEUILLE DE
ROUTE

Le choix des détaillants

Les types de détaillants

L'élaboration d'une stratégie de vente au détail

L'exploration des options du multicanal

L'évolution vers un marketing multicanal

Certains détaillants disent vendre à prix «d'entrepôt», mais s'ils vendent à des particuliers en vue de la consommation personnelle, ils demeurent des détaillants, quels que soient leurs prix. Le grossiste (*voir le chapitre 13*), pour sa part, est un commerçant qui achète des produits en grande quantité, qui en prend possession, qui bien souvent les entrepose et qui se charge de la manutention avant de revendre les produits en plus petites quantités aux détaillants ou encore aux clients industriels ou professionnels.

Au Canada comme partout dans le monde, la vente au détail est en transformation. Les fabricants ne règnent plus sur plusieurs réseaux commerciaux, comme auparavant. Des détaillants comme Walmart, Carrefour (une enseigne française), Home Depot, Loblaw et Metro (un conglomérat allemand de la vente au détail à ne pas confondre avec l'enseigne québécoise du même nom)[5] – les plus grands détaillants du monde – dictent à leurs fournisseurs ce qu'ils doivent fabriquer et la façon de le faire, le moment de la livraison et, dans une certaine mesure, le prix. De toute évidence, ces détaillants mènent le bal.

La vente au détail est, dans l'ensemble, une affaire de gros sous. À peu près tout ce que vous dépensez, sauf pour l'impôt, finit dans les coffres des détaillants. Votre nourriture, votre loyer, votre garde-robe, vos études, vos assurances et votre coupe de cheveux sont tous des services ou des produits vendus par des détaillants. Même les organismes sans but lucratif comme l'Armée du Salut, Renaissance et le Centre des sciences de l'Ontario ont des activités de vente au détail. Au Canada, les ventes au détail ont atteint près de 483 milliards de dollars en 2013, répartis dans plus de 200 000 établissements[6]. La vente au détail est la troisième plus grosse industrie du Canada en ce qui a trait au volume; elle embauche approximativement deux millions de personnes[7].

Même des organismes sans but lucratif, comme Renaissance (qui est membre du réseau Goodwill Industries International), ont des activités de vente au détail.

Dans ce chapitre, nous étudierons comment les fabricants choisissent les détaillants qui vendront leurs produits.

La stratégie du fabricant dépend de la présence globale du détaillant sur le marché et de la compatibilité de son nouveau produit ou de sa nouvelle ligne de produits avec l'offre de ce détaillant. La figure 14.1, à la page suivante, présente quatre facteurs qu'un fabricant prend en compte lorsqu'il envisage de s'associer avec des détaillants[8]. Au moment de choisir des détaillants (le premier facteur), le fabricant doit évaluer

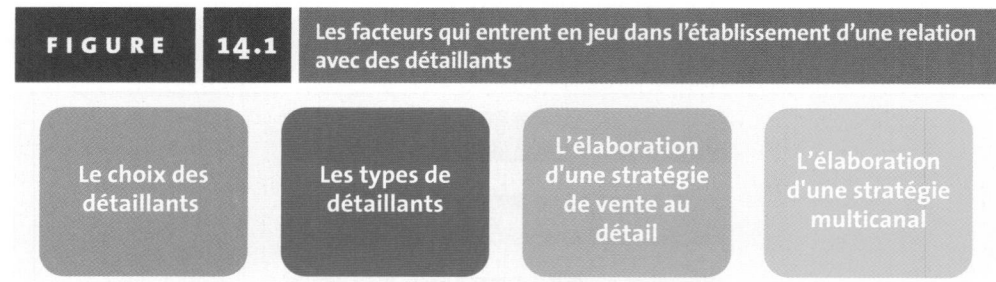

FIGURE	14.1	Les facteurs qui entrent en jeu dans l'établissement d'une relation avec des détaillants

Le choix des détaillants	Les types de détaillants	L'élaboration d'une stratégie de vente au détail	L'élaboration d'une stratégie multicanal

lesquels sont les plus appropriés pour vendre ses produits. Il doit aussi se demander à quel endroit les clients de son marché cible s'attendent à trouver ses produits, parce que c'est précisément dans ces magasins qu'il voudra les distribuer.

En fonction de la taille globale et de la complexité de son entreprise, le fabricant détermine les fonctions de la chaîne d'approvisionnement qu'il exécutera lui-même et celles qu'il déléguera à d'autres membres de la chaîne. Enfin, le nombre de détaillants qui vendront ses produits dans une région géographique donnée dépendra du type et de la disponibilité du produit, ainsi que de l'image que le fabricant souhaite véhiculer.

En deuxième lieu, le fabricant relève les types de détaillants les plus appropriés pour vendre ses produits. Bien que ce choix s'impose souvent de lui-même (p. ex., un supermarché pour les produits frais), le fabricant peut avoir à choisir entre plusieurs types de détaillants pour certains produits.

Comme nous l'avons vu au chapitre 13, un canal de distribution solide repose sur la coordination des efforts du fabricant et des détaillants. À la troisième étape, par conséquent, les deux parties arrêtent une stratégie basée sur les quatre « P ».

Enfin, de nombreux détaillants et certains fabricants explorent une **stratégie multicanal** consistant à vendre les produits par l'entremise de plusieurs canaux de distribution (p. ex., en magasin, par catalogue, en kiosque et par Internet). À la quatrième étape, le fabricant examine les circonstances dans lesquelles les vendeurs pourraient préférer adopter une stratégie particulière. Bien que ces facteurs soient nommés consécutivement, le fabricant peut les considérer simultanément ou dans un ordre différent.

stratégie multicanal
(*multichannel strategy*)
Politique de marketing faisant appel, simultanément, à plusieurs canaux de distribution (p. ex., magasin, catalogue, kiosque et Internet).

OA ① Le choix des détaillants

Moores, Vêtements pour hommes crée de la valeur en aidant ses clients à composer une tenue complète. Des conseillers vestimentaires guident les clients, et des tailleurs veillent à ce que chaque vêtement soit parfaitement ajusté.

Imaginez que, en prévision d'une entrevue pour obtenir un emploi, vous devez acheter un complet ou un tailleur, mais ne pouvez vous rendre dans un magasin pour le faire. Il vous faudrait déterminer avec précision la taille, la couleur et la coupe du vêtement désiré. Vous devrez ensuite communiquer avec divers fabricants, soit en personne, soit par téléphone ou par Internet, afin de commander le complet ou le tailleur. En présumant que le vêtement choisi vous ira relativement bien, vous pourriez néanmoins avoir quelques retouches à confier à un tailleur ou à une couturière. Vous devrez ensuite reprendre la même démarche pour acheter une chemise ou un chemisier, des accessoires et des chaussures. L'exercice s'avérerait pour le moins compliqué.

Des détaillants comme Moores, Vêtements pour hommes créent de la valeur en proposant de faire tout le travail pour vous. Le magasin offre un vaste choix de complets, de chemises, de cravates et d'autres accessoires soigneusement choisis à l'avance. Pendant votre visite au magasin, vous pouvez voir, toucher et essayer chacun des articles. Vous pouvez acheter un complet ou une chemise à la fois, ou acheter plusieurs chemises assorties à votre complet. Enfin, un conseiller vous aidera à coordonner les éléments de votre tenue et un tailleur veillera à ce que chacun de ces éléments vous aille parfaitement.

Au moment de choisir des détaillants, le fabricant doit examiner la structure du canal de distribution, se demander où le client final s'attend à trouver ses produits et étudier les caractéristiques des membres du canal. Comme nous l'avons vu au chapitre 13, il doit aussi choisir l'intensité de la distribution appropriée. Imaginons les scénarios ci-dessous :

- 1er scénario : MAC Cosmetics, une filiale de la Société Estée Lauder, lance une nouvelle ligne de mascaras.
- 2e scénario : Estée Lauder met en marché une ligne de foulards, d'articles en cuir et d'accessoires de mode, des produits qui ne font pas partie de son assortiment à l'heure actuelle.
- 3e scénario : Brigitte, une jeune entrepreneuse, commercialise une nouvelle ligne de cosmétiques écologiques.

Chaque scénario est différent et oblige le fabricant à envisager différentes options pour rejoindre les clients de son marché cible par l'entremise des détaillants.

La structure du canal de distribution

La difficulté ou la facilité qu'aura un fabricant à convaincre des détaillants d'acheter ses produits dépend du degré d'intégration verticale du canal, comme nous l'avons décrit au chapitre 13 ; de la notoriété de la marque du fabricant ou de la popularité de son produit ; et du pouvoir relatif du fabricant et du détaillant.

Le 1er scénario représente un système de marketing vertical. Comme MAC appartient à la Société Estée Lauder et exploite ses propres magasins, lorsque la filiale lancera sa nouvelle ligne de mascaras, les magasins la recevront automatiquement. Ils n'auront pas leur mot à dire.

Toutefois, quand une entreprise établie comme Estée Lauder pénètre un nouveau marché avec des foulards, des articles en cuir et des accessoires de mode, comme le décrit le 2e scénario, elle ne peut pas se contenter de distribuer ses produits par l'entremise de n'importe quel détaillant. Elle doit déterminer les endroits où les consommateurs s'attendent à trouver des foulards, des articles en cuir et des accessoires haut de gamme, puis exploiter ses relations existantes avec les acheteurs de cosmétiques, la force de sa marque et sa réputation globale pour renforcer sa position dans ce nouveau marché.

Dans le 3e scénario, notre jeune entrepreneuse Brigitte aurait encore plus de mal à convaincre un détaillant d'acheter et de vendre sa ligne de cosmétiques écologiques parce qu'elle n'a pas d'emprise sur le marché : son entreprise est petite et sa marque est inconnue. Elle aurait du mal à attirer l'attention des consommateurs sur ses produits et encore plus à les y intéresser. Elle pourrait avoir à verser des frais d'insertion (*voir le chapitre 13*) relativement élevés simplement pour obtenir des linéaires. Mais, comme Estée Lauder dans le scénario précédent, au moment de choisir des détaillants, Brigitte devrait se demander où les consommateurs s'attendent à trouver ses produits et s'interroger sur certaines caractéristiques importantes du détaillant.

Les attentes des consommateurs

Pour un détaillant, il est important de savoir quels produits et fabricants ses clients préfèrent. En revanche, les fabricants doivent savoir à quel endroit les clients de leur marché cible s'attendent à trouver leurs produits et ceux de leurs concurrents. Les clients espèrent en général trouver certains produits dans certains magasins, mais non dans d'autres. Par exemple, Estée Lauder ne vendrait pas ses produits chez Walmart ou Dollarama, parce que ses clients ne s'attendent pas à y trouver des cosmétiques ou des vêtements haut de gamme. Walmart vend plutôt des marques de cosmétiques moins chères, comme Revlon et Maybelline, et Dollarama, des stocks en liquidation. Toutefois, les clients d'Estée Lauder comptent certainement trouver les cosmétiques de l'entreprise dans des grands magasins comme La Baie d'Hudson et Sears.

Les caractéristiques des membres du canal

Pour choisir un type de distribution, une entreprise doit tenir compte de plusieurs facteurs liés aux membres du canal comme tels. En général, plus un membre du canal est gros et complexe, moins il sera porté à passer par des intermédiaires. Brigitte fera sans doute appel à un groupe de vendeurs indépendants pour vendre sa ligne de cosmétiques écologiques, tandis qu'un gros fabricant comme Estée Lauder utilisera sa propre force de vente qui a déjà des relations dans l'industrie. De même, une épicerie indépendante peut s'approvisionner chez un grossiste ; mais Walmart, le plus gros détaillant au monde, achète directement aux fabricants. Les grandes entreprises constatent souvent qu'en se chargeant elles-mêmes de la distribution, elles peuvent mieux la gérer, sont plus efficaces et économisent de l'argent.

OA **2** # Les types de détaillants[9]

Même si le choix du type de détaillant le plus apte à vendre leurs nouvelles lignes de produits semble aller de soi dans le cas d'Estée Lauder et de Brigitte, ce choix peut parfois être délicat. Les fabricants doivent comprendre les caractéristiques générales des différents types de détaillants afin de choisir le meilleur canal de distribution. Ainsi, les caractéristiques d'un détaillant qui sont fondamentales pour un fabricant de produits alimentaires peuvent être très différentes de celles que recherche un fabricant de cosmétiques. Dans les sections qui suivent, nous ferons un survol des divers types de détaillants, en désignant les acteurs importants et en exposant les enjeux auxquels chaque type de détaillant fait face.

Les détaillants en alimentation

Le paysage des détaillants en alimentation est en train de changer radicalement. Il n'y a pas si longtemps, les marchés d'alimentation traditionnels étaient l'endroit principal où l'on achetait sa nourriture. Aujourd'hui, cependant, on trouve des aliments dans les pharmacies, les magasins à prix réduits, les magasins-entrepôts et les dépanneurs. Les chaînes de pharmacies comme Pharmaprix vendent du lait, du pain et même, dans certains points de vente, des fruits frais. Walmart et Real Canadian Superstore proposent des supermagasins dont la gamme de produits comprend de 30 % à 40 % de denrées alimentaires. Dans les magasins-entrepôts comme Costco, la vente de produits alimentaires représente environ 50 % des ventes. On trouve maintenant dans les dépanneurs de stations-service bien plus que de la barbotine et de l'essence. Les dépanneurs de Petro-Canada, par exemple, proposent des sandwichs et des salades de grande qualité. Par ailleurs, les clientèles de magasins comme IKEA trouvent un restaurant sur place, ce qui leur permet de prolonger leur séance de magasinage. Bien sûr, les restaurants se disputent également la part du budget que les consommateurs consacrent à la nourriture. Le tableau 14.1 présente les caractéristiques des trois principaux types de détaillants en alimentation, soit les **supermarchés traditionnels**, les **marchés à très grande surface** et les dépanneurs.

Pareille concurrence n'augure rien de bon pour les épiceries traditionnelles. Certaines d'entre elles n'en font pas moins de bonnes affaires parce qu'elles offrent beaucoup de valeur à leur clientèle cible : elles sont bien situées, il est facile de s'y retrouver, elles offrent des prix honnêtes et proposent des produits et des services auxquels tiennent leurs clients. Pete's Frootique, un marchand d'alimentation de la région de Halifax, se démarque efficacement grâce à sa sélection de produits et à la qualité de son service. Des employés compétents renseignent les clients sur les produits, et sur la

supermarché traditionnel (*conventional supermarket*) Détaillant libre-service où l'on vend des denrées alimentaires, de la viande et des produits non alimentaires, bien qu'en quantité limitée, tels des produits de santé et de beauté et des articles d'usage courant.

marché à très grande surface (*big-box food retailer*) Magasin de détail se présentant sous trois formes : le supercentre, l'hypermarché et le club-entrepôt ; plus grand que le supermarché traditionnel, ce type de magasin propose souvent des produits alimentaires en plus de marchandises diverses (vêtements, produits électroniques, quincaillerie, etc.).

TABLEAU 14.1	Les caractéristiques des détaillants en alimentation	
Catégorie	**Description**	**Exemples**
Supermarchés traditionnels	Ils offrent des articles d'épicerie, des viandes et, en moins grandes quantités, des produits non alimentaires, comme des produits de santé et de beauté et des articles d'usage courant, selon une formule de libre-service.	Safeway est un supermarché populaire dans les provinces de l'Ouest; Sobeys est plus répandu dans les Maritimes.
Marchés à très grande surface	Il en existe trois types, soit le supercentre, l'hypermarché et le club-entrepôt. Plus vastes que les supermarchés traditionnels, ils vendent des produits alimentaires et non alimentaires.	Les supercentres et les clubs-entrepôts sont populaires au Canada, alors que les hypermarchés fonctionnent particulièrement en Europe et en Amérique du Sud. La nourriture représente en général un pourcentage important de la marchandise offerte dans les hypermarchés (Carrefour) et les clubs-entrepôts (Costco).
Dépanneurs	Ces commerces, petits et bien situés, où il y a peu d'attente à la caisse, proposent une variété limitée d'articles.	Ces magasins, comme 7-Eleven, affichent des prix habituellement plus élevés que la plupart des autres types de détaillants en alimentation. La plupart des dépanneurs, comme Couche-Tard, vendent aussi de l'essence, qui représente plus de 55 % des ventes annuelles.

façon de les conserver et de les apprêter. Les clients trouvent même une diététicienne pour les conseiller sur les aliments qui les aideront à faire le plein d'énergie[10].

Les détaillants de marchandises diverses

Les principaux types de **détaillants de marchandises diverses** sont les magasins à prix réduits, les magasins spécialisés, les grandes surfaces spécialisées, les magasins à rayons, les pharmacies, les magasins de liquidation et les magasins d'escomptes (ou à très bas prix). Nombre de ces détaillants généralistes utilisent plusieurs canaux de distribution, dont Internet et la vente par catalogue.

Les magasins à prix réduits

Un **magasin à prix réduits**, également appelé «magasin minimarge», «magasin de rabais», «magasin à bas prix» ou encore «discompteur», offre une grande variété de marchandises, peu de services et des bas prix. Au Canada, Walmart domine l'industrie des magasins à prix réduits. Walmart est à l'origine de la politique des bas prix, tous les jours, et l'efficience de ses opérations lui permet d'offrir le panier de marchandises le moins cher sur tous les marchés où elle se trouve. Cela ne signifie pas pour autant que Walmart offre le prix le plus bas sur tous ses articles dans tous ses marchés, mais l'entreprise tente d'offrir les meilleurs prix pour une grande variété de produits. Zellers a été, pendant de nombreuses années, un gros joueur dans cette catégorie de magasins. En 2011, le groupe HBC revendait la chaîne Zellers au géant du détail américain Target, qui a converti entre 2013 et 2014, dans l'ensemble du Canada, quelque 150 magasins en Target. Mais Target s'est finalement complètement retirée du marché canadien en janvier 2015, confirmant ainsi la suprématie de Walmart dans ce secteur.

Les magasins spécialisés

Les **magasins spécialisés** sont des magasins relativement petits qui vendent une quantité limitée de produits complémentaires. Ces magasins adaptent leur stratégie de vente au détail à des segments de marché très précis en offrant un assortiment de produits profond mais étroit ainsi que l'aide d'associés aux ventes compétents. Par exemple, Payless ShoeSource est le plus grand détaillant spécialisé dans les chaussures pour toute la famille de l'hémisphère occidental. Ses magasins proposent des chaussures et des accessoires de mode de qualité pour femmes, hommes et enfants à des prix abordables selon une formule libre-service.

détaillant de marchandises diverses (*general merchandise retailer*) Magasin à prix réduits, magasin spécialisé, grande surface spécialisée, magasin à rayons, pharmacie, magasin de liquidation et magasin d'escomptes (ou à très bas prix); ce type de détaillant peut avoir recours à plusieurs canaux de distribution, dont Internet et la vente par catalogue.

magasin à prix réduits (*discount store*) Magasin de vente au détail offrant un vaste assortiment de produits bon marché, mais un service limité. On trouve ces détaillants également sous les termes de magasin minimarge, magasin de rabais, magasin à bas prix ou de discompteur.

magasin spécialisé (*specialty store*) Magasin relativement petit qui vend une quantité limitée de produits complémentaires.

Sephora est un magasin de cosmétiques au concept original.

MAC, la filiale de la Société Estée Lauder, vend sa ligne de cosmétiques dans ses propres magasins spécialisés ainsi que dans certains grands magasins. Les magasins spécialisés seraient d'excellents distributeurs pour les nouvelles lignes lancées par Estée Lauder et par Brigitte. Les consommateurs s'attendent sans doute à trouver des foulards, des articles en cuir et des accessoires Estée Lauder dans les magasins de vêtements pour femmes, et les boutiques de cadeaux ou d'articles en cuir. La ligne de cosmétiques écologiques de Brigitte trouverait une place de choix dans un magasin spécialisé en cosmétiques comme Sephora.

Sephora, première chaîne française de parfums et de cosmétiques – et division du Groupe LVMH (Louis Vuitton-Moët Hennessy), leader de l'industrie du luxe – illustre un concept de magasin spécialisé original. Au Canada, les cosmétiques de marque prestigieuse sont généralement vendus dans les grands magasins. Chaque marque occupe un comptoir derrière lequel une vendeuse à la commission aide les clientes. Sephora est un magasin spécialisé en cosmétiques et en parfum de 550 sur 840 mètres carrés, qui offre un assortiment profond de produits dans un format libre-service. Ses magasins vendent plus de 15 000 articles et plus de 200 marques, y compris une marque maison. Les produits sont groupés par catégorie et les marques classées par ordre alphabétique de manière à pouvoir être facilement repérées par les clientes. Celles-ci sont libres de magasiner et d'essayer les produits à leur guise. D'ailleurs, l'entreprise les encourage à le faire. Le personnel compétent et serviable est payé par Sephora, contrairement aux vendeuses de cosmétiques des grands magasins, qui sont en partie rémunérées sous forme de primes offertes par les fournisseurs. L'environnement ouvert de Sephora allié à l'éclairage tamisé incite les clientes à s'attarder dans le magasin.

Les grandes surfaces spécialisées

grande surface spécialisée (*category specialist*) Commerce offrant un assortiment étroit (peu de lignes) mais profond (beaucoup de choix dans les lignes tenues).

Une **grande surface spécialisée** est un commerce offrant un assortiment étroit (peu de lignes) mais profond (beaucoup de choix dans les lignes tenues). Certaines de ces grandes surfaces ressemblent à des magasins spécialisés grand format, comme Paderno (articles de maison et articles de cuisine) ou Indigo (livres) ; d'autres empruntent aux magasins à prix réduits le type d'aménagement et les bas prix, mais concentrent leur assortiment de produits, comme Future Shop (électronique) ou RONA (décoration et rénovation). La plupart des grandes surfaces spécialisées adoptent la formule libre-service, mais certaines, comme Home Depot, proposent un service à la clientèle plus élaboré. La gamme de produits qu'offrent ces grandes surfaces spécialisées à prix réduits peut être à ce point étendue que les autres détaillants peinent à soutenir la concurrence ; lorsque cela arrive, les grandes surfaces spécialisées sont appelées des **discompteurs spécialisés (ou casseurs de prix)**.

Les magasins à rayons

discompteur spécialisé (ou casseur de prix) (*category killer*) Grande surface spécialisée à prix réduits dans une catégorie de produits, dont l'assortiment est tel que les autres détaillants peinent à demeurer concurrentiels.

Les magasins à rayons sont des commerces où l'on trouve toutes sortes de produits (un large assortiment), de nombreux modèles de chaque type (un assortiment profond) et divers services, le tout organisé en différents rayons pour mieux présenter la marchandise. Ils font souvent penser à une enfilade de boutiques spécialisées : vêtements pour femmes, pour hommes, pour enfants, articles pour la maison, mobilier, électroménagers et articles de cuisine, etc.

Depuis la disparition d'Eaton, les grandes chaînes de magasins à rayons qu'il reste au Canada sont Sears et La Baie d'Hudson. D'autres chaînes de magasins offrent une grande variété de produits. Certaines, comme Sears, proposent des produits à des prix relativement bas et livrent une concurrence serrée aux magasins à prix réduits ; d'autres, comme Holt Renfrew, tiennent des produits exclusifs et chers et se mesurent aux chaînes de boutiques spécialisées haut de gamme.

Au cours des dernières années, les magasins à rayons ont perdu des parts de marché au profit des magasins spécialisés, des magasins à prix réduits et des grandes surfaces spécialisées. Ils semblent coincés au milieu, entre les détaillants qui offrent plus de valeur à meilleur prix et ceux qui offrent un assortiment plus vaste et plus au goût du jour, de même qu'un meilleur service à la clientèle, du moins selon la perception qu'en ont les consommateurs. Les magasins à rayons ne semblent pas prêts à déclarer forfait, cependant. Ainsi, au rayon de la mode dernier cri, La Baie d'Hudson propose une gamme de marques maison plus étendue que par le passé.

Des magasins comme Home Depot sont ce qu'on appelle de grandes surfaces spécialisées à prix réduits parce qu'ils offrent une variété limitée de produits, mais des lignes profondes de chaque type de produits.

Les pharmacies

Les **pharmacies** sont des magasins spécialisés dans la vente de produits de soins de santé et d'hygiène, bien que la vente de produits pharmaceutiques y compte pour plus de 60 % des ventes. Les plus grandes chaînes de pharmacies canadiennes – Pharmaprix, Jean Coutu, Pharmasave et London Drugs[11] – n'ont pas la tâche facile, car la vente de médicaments sur ordonnance leur laisse une marge de profit fortement réduite ; les compagnies d'assurances et les programmes gouvernementaux paient la majeure partie du coût de nombreuses ordonnances, et les compagnies d'assurances négocient des prix très bas auprès des pharmacies. Celles-ci tentent donc de compenser la faible marge de profit sur les médicaments d'ordonnance en concentrant leurs efforts sur les produits non pharmaceutiques. Les pharmacies offrent depuis longtemps une grande variété de produits, mais la nourriture – particulièrement les denrées périssables comme le lait et les fruits – constitue un ajout relativement récent[12].

pharmacie (*drugstore*)
Magasin spécialisé dans la vente de produits de soins de santé et d'hygiène, bien que la vente de produits pharmaceutiques y compte pour plus de 60 % des ventes.

Les magasins de liquidation

Winners, Designer Depot, HomeSense et autres **magasins de liquidation** proposent un assortiment changeant de produits à des prix relativement bas. En général, ces détaillants achètent des surplus d'inventaire ou des fins de série à des fabricants et à d'autres détaillants pour une fraction (le quart ou le cinquième) du prix de gros original. En vertu de ce mode d'achat, les clients ne savent jamais ce qu'ils trouveront en magasin au cours de leur prochaine visite. Ils savent en revanche qu'il y aura des aubaines, mais ce ne seront jamais les mêmes d'une fois à l'autre. Pour assurer une certaine constance dans la marchandise, certains détaillants enrichissent leurs stocks achetés à un bon prix de marchandises qu'ils achètent au prix du gros. Outre les bons prix, la clé du succès des magasins de liquidation réside dans le climat de chasse au trésor qu'ils procurent à la clientèle.

Les magasins d'escomptes sont à cheval sur deux catégories de détaillants : les magasins de liquidation et les magasins à prix réduits. Ils constituent l'un des segments les plus dynamiques de la vente au détail. Les **magasins d'escomptes**, comme Dollarama, sont des détaillants de marchandises diverses à prix réduits d'une superficie ne dépassant habituellement pas 850 mètres carrés (9 000 pieds carrés).

magasin de liquidation (*off-price retailer*)
Détaillant offrant aux clients un assortiment changeant de produits dont les prix sont relativement bas.

magasin d'escomptes (*extreme value retailer*)
Détaillant de marchandises diverses à prix réduits d'une superficie ne dépassant habituellement pas 850 mètres carrés (9 000 pieds carrés).

L'élaboration d'une stratégie de vente au détail   OA

À une époque où de plus en plus de consommateurs canadiens en veulent plus pour leur argent, les détaillants doivent concevoir des stratégies propres à créer de la valeur. Les consommateurs d'aujourd'hui sont prêts à magasiner chez les détaillants ou par le canal de distribution qui leur procurera le meilleur rapport qualité/prix. Or, les distinctions entre les divers types de détaillants sont de plus en plus floues à mesure que ceux-ci élargissent leurs gammes de produits et de services. Ainsi, Walmart, et dans une moindre mesure Pharmaprix et Canadian Tire, s'aventurent dans la vente de produits d'épicerie. Les détaillants doivent donc impérativement définir des stratégies de vente au détail efficaces et se positionner savamment s'ils veulent se démarquer dans le paysage de plus en plus concurrentiel qui est le leur et fournir aux consommateurs de bonnes raisons de faire affaire avec eux.

Comment doivent-ils s'y prendre ? Pour commencer, les principes dont nous avons discuté dans le chapitre 8 – sur la segmentation, le ciblage et le positionnement – leur seront très utiles. Comme nous l'avons alors noté, les détaillants doivent d'abord bien connaître les opinions, les comportements et les préférences des consommateurs des marchés sur lesquels ils se trouvent. Ils doivent ensuite exploiter la connaissance qu'ils ont de leurs clients pour développer des segments de marché et déterminer ceux qu'ils veulent courtiser : leurs marchés cibles. Les détaillants qui tentent de plaire à tout le monde finissent souvent par se trouver incapables de bien servir quelque marché que ce soit. Une fois le marché cible choisi, les détaillants doivent définir leur marchandisage, leurs prix, la communication et les stratégies de distribution qui leur permettront d'atteindre et de servir ce marché cible. Ainsi, ils doivent coordonner soigneusement ces divers éléments de façon à présenter aux consommateurs un positionnement clair et cohérent de la clientèle qu'ils visent et de ce qu'ils ont à lui offrir. Un détaillant comme Harry Rosen, qui souhaite être perçu comme un détaillant de vêtements haut de gamme, doit offrir des vêtements de grande qualité, proposer des services personnalisés et fixer des prix plus élevés que la moyenne. Les boutiques Harry Rosen projettent en outre une impression de prospérité et de professionnalisme correspondant à la perception que leurs clients ont d'eux-mêmes.

Consciente de l'importance de créer des stratégies efficaces de vente au détail, Loblaw a créé divers formats de magasins en fonction des marchés cibles. Par exemple, l'enseigne Real Canadian Superstore de Loblaw vise les consommateurs en quête de produits de première qualité, d'un vaste assortiment et de nombreux services pour lesquels ils sont disposés à payer plus cher. En revanche, les magasins de la bannière No Frills s'adressent aux consommateurs qui s'accommodent d'un assortiment et de services réduits parce qu'ils souhaitent payer beaucoup moins cher.

Examinons maintenant plus en détail la façon dont les détaillants utilisent les quatre « P » pour créer de la valeur pour les consommateurs.

En plus des vêtements, des chaussures, des cosmétiques et de la literie, La Baie d'Hudson vous permet également d'équiper votre cuisine.

Le produit

L'inventaire d'un magasin d'alimentation typique compte de 30 000 à 40 000 produits, tandis qu'un magasin à rayons régional peut en compter jusqu'à 200 000. L'une des activités fondamentales des détaillants consiste à offrir la bonne combinaison de marchandises et de services aptes à répondre aux besoins de la clientèle du marché cible. Proposer un assortiment varié donne aux clients la possibilité de choisir et permet d'attirer des clients nouveaux et existants. Par exemple, La Baie d'Hudson a ajouté des lignes de chaussures de marque à son assortiment après qu'une analyse eut révélé que les ventes de chaussures étaient en hausse, tandis que celles de vêtements et d'accessoires de mode déclinaient[13]. HMV Canada a, quant à elle, secoué le marché de détail de la musique en ajoutant à son offre des écouteurs, des livres, des gadgets et des vêtements susceptibles d'attirer les adolescents et les jeunes dans la vingtaine qui veulent avoir fière allure et porter des articles branchés[14].

Afin de réduire leurs coûts de transport et de manutention, les fabricants expédient habituellement leurs marchandises en grandes quantités aux détaillants, qui reçoivent donc des conteneurs de pots de mayonnaise et des caisses de chemises bleues. Comme les clients ne souhaitent généralement pas acheter plusieurs exemplaires des mêmes articles, les détaillants ouvrent les caisses et vendent aux clients les petites quantités qu'ils désirent. Les fabricants n'aiment pas stocker de grandes quantités de marchandises parce que leurs usines et leurs entrepôts ne sont habituellement pas ouverts aux clients. Les consommateurs ne souhaitent pas entreposer chez eux plus de marchandises que ce dont ils ont besoin parce qu'ils n'ont pas l'espace disponible. Aucun de ces groupes n'aime stocker des marchandises qu'il n'utilise pas, car cela équivaut à immobiliser de l'argent qui pourrait servir à d'autres fins. Des détaillants offrent donc de la valeur aux fabricants comme à leurs clients en se chargeant de l'entreposage, quoique de nombreux détaillants commencent à inciter leurs fournisseurs à retenir leurs marchandises jusqu'à ce qu'ils en aient besoin. (*Rappelez-vous le système juste-à-temps, que nous avons vu dans le chapitre 13.*)

Il est difficile pour les détaillants de miser sur la marchandise pour se distinguer de leurs concurrents, car ceux-ci peuvent acheter et vendre la plupart des mêmes marques populaires. C'est pourquoi tant de détaillants ont développé des marques de distributeurs (ou marques maison), qui réunissent des produits conçus et mis en marché par le détaillant et qui ne sont offerts que chez lui. Par exemple, La Baie d'Hudson et Déco Découverte offrent les draps de la marque House & Home.

Le prix

Le prix contribue à déterminer la valeur d'une marchandise ou d'un service, et la fourchette de prix que propose un magasin contribue à définir son image. Même si les chaînes Banana Republic et Old Navy appartiennent toutes les deux à Gap, leur image ne pourrait être plus différente l'une de l'autre. Banana Republic fixe ses prix pour attirer de jeunes professionnels, alors qu'Old Navy vise à rejoindre des consommateurs branchés mais soucieux des prix. Donc, lorsqu'un fabricant comme Estée Lauder cherche à déterminer quel type de magasin est le plus approprié à sa nouvelle ligne de foulards, d'articles en cuir et d'accessoires de mode, il doit garder à l'esprit l'image que projettent ces détaillants en ce qui touche le rapport qualité/prix.

Comme nous l'avons expliqué au chapitre 12, fixer un prix va beaucoup plus loin qu'ajouter une marge au coût de revient d'un produit. Le fabricant doit fixer le prix que les détaillants paieront pour son produit de telle sorte que les deux parties fassent un profit raisonnable. De même, le fabricant et le détaillant doivent réfléchir au prix que le consommateur est disposé à payer. Canadian Tire a résolu ce problème en partie en créant une application pour les téléphones intelligents iPhone, BlackBerry et Android. Cette application permet aux clients en magasin de balayer les codes barres des produits pour connaître leur prix et leur disponibilité, obtenir des renseignements à leur sujet et lire les évaluations et les commentaires d'autres clients. Les clients peuvent aussi télécharger le prospectus hebdomadaire de Canadian Tire afin de voir les articles en solde et les spéciaux[15]. Cette information peut déterminer les attentes des clients en matière de prix en leur permettant d'accéder aisément et sans délai aux prix les plus actuels.

Le prix doit toujours être fixé en fonction d'autres éléments indissociables de la vente au détail: le produit, la communication, la distribution, le personnel et la présentation. Vous ne paieriez pas 20 $ pour une tablette de chocolat vendue à l'épicerie du quartier; en revanche, ce prix est une aubaine pour une tablette de chocolat de série limitée faite de chocolat noir belge de première qualité et vendue chez Holt Renfrew dans un emballage souvenir plaqué or.

La rubrique Marketing entrepreneurial ci-contre présente un homme doté d'une vision extraordinaire et un concept fondé sur une marchandise très bon marché.

La communication (*promotion*)

Les détaillants savent qu'une bonne communication tant dans leur environnement que par l'entremise des médias de masse – journaux, magazines et télévision – peut faire une différence entre des ventes qui plafonnent et une clientèle en constante augmentation. Toutefois, comme nous le verrons dans la rubrique Marketing et médias sociaux (*voir p. 470*), de nouveaux supports publicitaires électroniques sont de plus en plus utilisés pour communiquer avec les consommateurs. Une fois les clients attirés en magasin, les détaillants misent sur des présentoirs et des panneaux placés à des endroits stratégiques comme les bouts d'allées (ou bouts d'îlots), ou à proximité des caisses, pour les informer et les inciter à acheter les produits annoncés.

Lorsque le fabricant et le détaillant coordonnent leurs efforts, ils font en sorte que les clients reçoivent un message cohérent. C'est dans la mesure où les fabricants collaborent avec leurs détaillants pour coordonner les activités de promotion que les deux parties peuvent préserver leurs images de marque. Ainsi, Estée Lauder pourrait travailler avec ses détaillants les plus importants pour élaborer la publicité et créer des pancartes destinées aux points de vente. Elle pourrait même participer aux frais de publicité en assumant la totalité ou une fraction des coûts liés à la production publicitaire et à la publicité-médias selon une entente appelée publicité à frais partagés.

Les cartes de crédit de magasins à rayons et les cartes-cadeaux constituent des formes de communication plus subtiles qui facilitent également le magasinage. Pour attirer la clientèle et stimuler les ventes, les détaillants offrent aussi des promotions axées sur le prix : coupons, rabais en magasin ou en ligne, offres de deux pour un, etc. Ces promotions sont déterminantes pour augmenter l'achalandage, faire gonfler le montant moyen dépensé par les clients et favoriser les achats répétés. Les promotions en magasin sont également avantageuses pour la clientèle ; elles l'informent sur la nouveauté, sur la marchandise offerte et sur les prix.

En plus des formes traditionnelles de communication, de nombreux détaillants consacrent plus de ressources à l'aménagement et à l'environnement du magasin comme moyen de promouvoir et de montrer la marchandise. La présentation de la marchandise, tant en magasin qu'en vitrine, est devenue un moyen de communication important. La chaîne Pharmaprix a ainsi redessiné ses comptoirs de cosmétiques pour en faire des « galeries BEAUTÉ ».

Puisqu'une bonne part des activités liées aux courses peut s'avérer plutôt banale, les détaillants qui parviennent à se démarquer en proposant une ambiance différente et stimulante ajoutent de la valeur à l'expérience du magasinage. G.A.P. Adventures[MD], fondée par Bruce Poon Tip, de Calgary, a inauguré des magasins concepts à Vancouver, à Toronto, à Calgary, à Melbourne et à New York, où les visiteurs peuvent regarder des documentaires maison d'expéditions mettant en scène des voyageurs aux quatre coins du monde[16]. Mark's/L'Équipeur (anciennement Mark's Work Wearhouse) a installé un grand congélateur dans ses magasins pour permettre à ses clients de vérifier le degré d'isolation d'un vêtement avant de l'acheter.

Tout cela fait partie de la nouvelle stratégie de marchandisage de l'entreprise. Outre ses grands congélateurs, Mark's/L'Équipeur a aussi installé dans ses succursales des rampes recouvertes de bardeaux de toiture, de tuiles, de roches ou d'acier inoxydable qui imitent les conditions présentes sur les chantiers de construction afin

Pharmaprix a redessiné et renommé ses comptoirs de cosmétiques en « galeries BEAUTÉ », afin d'améliorer la présentation et la promotion de la marchandise.

| Marketing entrepreneurial | **Tigre Géant marque son territoire** |

Le 13 mai 1961, Gordon Reid ouvre son tout premier Tigre Géant à Ottawa. Le concept est simple : réduire les coûts de production au minimum et vendre un volume important de marchandises à bas prix tous les jours. Ce commerce imposant propose au consommateur tout ce dont il a besoin, et ce, sous un même toit. L'entreprise canadienne compte maintenant 190 succursales et emploie plus de 6 500 personnes qui partagent la vision du fondateur[17].

Le succès retentissant de Tigre Géant repose sur des frais de location peu élevés, un système de transport efficace et de faibles coûts opérationnels. Tigre Géant possède son propre parc de remorques, le Tiger Trucking, qui assure le transport des marchandises vers la plupart des succursales, situées en Ontario et au Québec. Dans le magasin, les employés travaillent directement avec les clients. Beaucoup de succursales n'annoncent même pas leur numéro de téléphone. En effet, si un employé était chargé de répondre au téléphone, cela augmenterait les coûts et cet employé ne pourrait pas aider les clients en

Les clients adorent magasiner chez Tigre Géant parce que les produits y sont bon marché, que les magasins sont bien situés et bien aménagés, et que les articles de base cachent souvent une perle rare.

magasin[18] ! La politique de remboursement de l'entreprise est claire : argent remboursé sur présentation d'une preuve d'achat, sans limite de temps[19].

Chaque succursale de Tigre Géant propose un vaste assortiment de vêtements décontractés, de chaussures, de produits d'alimentation et de nettoyage, d'articles ménagers, d'articles de papeterie, de jouets ainsi que de produits de santé et de beauté. Au Tigre Géant, bon nombre d'articles de qualité et de vêtements de mode sont identiques à ceux que l'on trouve dans les grandes chaînes, mais à des prix inférieurs. Les articles de fins de série et les exemplaires uniques sont souvent en solde dans l'une ou l'autre des succursales. Mais ce n'est pas tout. Tigre Géant a créé une boutique en ligne (www.gianttiger.com/home.do), qui présente les vêtements les plus récents et les nouvelles tendances. Son engagement profond envers la communauté dénote un intérêt sincère pour la clientèle. L'entreprise appuie des organismes caritatifs locaux et des campagnes de financement. De plus, plusieurs succursales du Tigre Géant ont embelli leur devanture au moyen d'une murale colorée tout en attirant l'attention de la population sur des enjeux de société[20].

Le succès de l'entreprise ne semble pas vouloir se démentir. En effet, en 2002, elle a conclu avec The North West Company un contrat de franchisage qui prévoyait l'ouverture de 72 nouveaux magasins. Cette nouvelle a eu d'importantes répercussions et l'ouverture des 20 premières succursales dans des villes comme Regina, Winnipeg, Edmonton et Calgary prouve hors de tout doute que Tigre Géant a le vent dans les voiles[21]. Depuis, l'entreprise s'est étendue dans la région métropolitaine de Toronto. Même qu'en 2006, l'annonce de la réduction à 6 % de la taxe sur les biens et services a été faite dans une succursale du Tigre Géant de la région d'Ottawa ! La couverture médiatique de ce type d'événements alliée à la loyauté de sa clientèle a permis à l'entreprise de maintenir ses excellents résultats financiers. Malgré la concurrence féroce que lui livre Walmart, Tigre Géant est un détaillant de chez nous que les Canadiens continuent d'encourager fidèlement.

de permettre à ses clients d'essayer ses bottes de travail antidérapantes. Ces caractéristiques rehaussent l'expérience visuelle et sensorielle de la clientèle, la renseignent tout en l'éduquant et améliorent le potentiel de vente des magasins en permettant aux clients d'« essayer avant d'acheter ».

Sears Canada a aussi découvert de nouvelles façons de rejoindre les consommateurs, en particulier les plus jeunes. Elle offre désormais la technologie Skype dans 10 de ses magasins de vêtements de mode. Par ses recherches, Sears a découvert que beaucoup de jeunes femmes magasinaient avec leurs amies, l'une d'elles agissant à titre de styliste[22]. Skype permet aux acheteuses d'accéder instantanément à l'opinion d'une amie en les mettant en rapport avec une styliste virtuelle.

Marketing et médias sociaux

Dell exploite le pouvoir des médias sociaux pour accroître ses ventes

Dell est reconnue comme l'entreprise qui s'est taillé une niche dans le secteur de l'informatique en vendant ses ordinateurs directement au consommateur, d'abord par téléphone, puis par son site Web. La vente en ligne par le truchement d'outils de médias sociaux peut apparaître comme une suite logique, mais cela n'a pas été aussi simple.

De prime abord, Lionel Menchaca, le blogueur en chef de Dell, n'était pas convaincu du potentiel commercial de Twitter. Toutefois, comme l'essai de nouveaux outils de médias sociaux faisait partie de son travail, il a ouvert un compte Twitter. Chaque fois qu'il publiait un billet sur le blogue de l'entreprise, Direct2Dell, il publiait aussi un gazouillis. Or, il s'est très vite rendu compte que dès qu'il affichait un lien sur Twitter, les internautes cliquaient dessus[23]. Cette découverte l'a incité à s'engager à vendre les produits Dell par l'intermédiaire de Twitter.

Dell vend ses produits par l'entremise de @DellOutlet depuis juin 2007. Les bonnes affaires et les spéciaux sont transmis aux abonnés de Twitter plusieurs fois par semaine. Stephanie Nelson, qui gère le compte, affirme que chaque gazouillis ou presque comprend un bon de réduction ou un lien menant vers un produit en solde, et environ la moitié des billets contiennent des rabais offerts exclusivement sur Twitter. Grâce à ce genre d'incitatifs, Dell avait attiré plus de 1,4 million d'abonnés vers la fin de 2009. Un nombre stabilisé, puisque début 2015, 1,43 million de personnes sont abonnées à @DellOutlet[24].

Il a fallu 18 mois pour générer le premier million de dollars, mais seulement 6 mois pour doubler ce nombre. Et ce nombre n'est qu'une goutte dans l'océan des recettes globales de l'entreprise, qui s'élevaient à 14,5 milliards de dollars au deuxième trimestre de 2014[25]. Néanmoins, ce modèle représente un fort potentiel de croissance pour Dell, les médias sociaux ouvrant une nouvelle voie pour augmenter les ventes et nouer des relations avec sa clientèle.

Pour Dell, les médias sociaux sont des générateurs de clients potentiels et des forums permettant d'observer les corrélations entre les internautes qui commentent ses produits, puis les achètent. L'entreprise a découvert que les personnes qui lisent les évaluations et les commentaires des consommateurs ont 138 % plus de chances d'effectuer un achat[26].

Un café chez Tim Hortons ou chez Second Cup ? La perception de l'ambiance d'un magasin influe considérablement sur la valeur accordée par les clients.

Une variété de facteurs, dont certains très subtils, déterminent si les clients achèteront ou non. La perception qu'ont les clients du décor et de l'ambiance d'un magasin influe considérablement sur la valeur qu'ils accordent à ce dernier et sur la probabilité qu'ils y reviennent. Où préférez-vous prendre un café : chez Tim Hortons ou chez Second Cup ? Dans quelle boutique aurez-vous davantage envie de converser avec vos amis ? La musique, les couleurs, les odeurs et l'achalandage peuvent aussi influer sur l'expérience de magasinage[27]. Par conséquent, le soin qu'apportent les détaillants à améliorer l'expérience de magasinage contribue à mettre les clients dans de bonnes dispositions et donc à leur donner envie de dépenser.

La vente personnelle et les représentants du Service à la clientèle font également partie de la démarche de communication. Les détaillants doivent offrir des services pour faciliter l'achat et l'utilisation des produits. Dans le cadre de la campagne *All you need is cheese*, les Producteurs laitiers du Canada ont envoyé dans les magasins des ambassadeurs de la marque équipés de scanners portatifs. Sur place, ils pouvaient balayer directement les articles contenus dans les paniers des clients, puis imprimer des recettes à base de fromage et des suggestions de menus[28]. Les représentants, qu'ils soient en magasin, au téléphone ou devant un ordinateur, doivent être en mesure de renseigner les clients sur les caractéristiques et la disponibilité des produits. Ils peuvent aussi faciliter la vente de produits ou de services que les clients perçoivent comme étant compliqués, risqués ou coûteux, comme un climatiseur ou une bague à diamants.

Les fabricants peuvent jouer un rôle de premier plan pour préparer les détaillants et les représentants à vendre leurs produits. Estée Lauder, par exemple, pourrait organiser des ateliers sur la façon d'utiliser et de vendre une nouvelle ligne de cosmétiques. Dans certaines entreprises de vente au détail, la technologie s'ajoute aux vendeurs et au service à la clientèle, lorsqu'elle ne les remplace pas tout simplement. Pensons aux terminaux en magasin, à Internet et aux caisses libre-service.

L'information qu'obtient un détaillant de son personnel en magasin et de son système de gestion de la relation client est déterminante pour fidéliser sa clientèle et gérer un programme de fidélisation. Les détaillants avaient coutume de traiter tous leurs clients de la même façon ; aujourd'hui, cependant, les détaillants les plus perspicaces veillent à offrir une plus grande valeur à leurs meilleurs clients. Par un contact personnalisé, des services et des promotions ciblées, ils tentent d'accroître leur **part de marché client** – c'est-à-dire le pourcentage des achats d'un client qui ont été effectués chez eux – auprès de leurs meilleurs clients. Ainsi, les détaillants en ligne peuvent, à partir de l'information recueillie auprès des clients, offrir un service personnalisé que seuls les conseillers des meilleurs établissements spécialisés pouvaient offrir auparavant.

part de marché client
(*share of wallet*)
Pourcentage des achats d'un client qui ont été effectués chez un détaillant donné.

La distribution (*place*)

Les détaillants ont compris que la commodité est un ingrédient clé de la réussite[29]. Comme le veut la boutade, les trois éléments les plus importants de la vente au détail sont « l'emplacement, l'emplacement et l'emplacement ». De nombreux consommateurs choisissent des magasins en fonction de leur emplacement, ce qui fait d'un bon emplacement un avantage concurrentiel que peu de rivaux peuvent reproduire. Par exemple, lorsque Starbucks sature un marché en ouvrant des points de vente dans les meilleurs emplacements, ses concurrents ont bien du mal à venir ronger des parts de ce marché : où s'installeront-ils ?

Pour mieux accommoder la clientèle, certains Pharmaprix sont ouverts jour et nuit.

Toujours en quête des meilleurs emplacements, les détaillants expérimentent diverses formules pour rejoindre leurs marchés cibles. La plus grande chaîne de pharmacies du Canada, Shoppers Drug Mart – Pharmaprix, au Québec – compte maintenant des points de vente ouverts jour et nuit, afin que les clients puissent venir chercher leurs médicaments et autres articles en tout temps.

Le paysage changeant de la vente au détail

Maintenant, tout comme à l'avenir, les détaillants qui veulent réussir doivent apprendre les règles de la concurrence dans un monde où la valeur est reine. Rappelez-vous, la valeur n'est pas juste synonyme de bas prix. Elle consiste à en avoir plus pour son argent. À ses débuts, un détaillant comme Costco, qui offre beaucoup de valeur, était surtout considéré comme une destination de ravitaillement mensuel. Or, aujourd'hui, Costco fait partie du rituel des courses hebdomadaires. Des clients de tous âges, d'à peu près toutes les catégories de revenu et de tous les segments de marché privilégient de plus en plus la « valeur ». Les consommateurs ont changé fondamentalement leurs points de référence en matière de prix et de qualité, à tel point qu'ils ont assimilé l'idée que de nombreux détaillants doivent offrir des prix nettement plus bas. Par exemple, les clientes des magasins Suzy Shier savent qu'elles y trouveront les grands courants de la mode à des prix très abordables. En outre,

Les consommateurs se tournent de plus en plus vers des détaillants axés sur la valeur, comme Costco qui attire des gens de tous âges et de toutes tranches de revenu.

de plus en plus de gens ont adopté un style de vie plus décontracté, si bien que les clients distinguent maintenant le vêtement de « bonne » qualité de celui de qualité « acceptable » pour certains accessoires et éléments de leur garde-robe, comme les vêtements décontractés de fin de semaine. Leur conception de la valeur évolue avec leur conception de la qualité.

Les détaillants axés sur la valeur continuent d'améliorer leur offre de service en modifiant l'aménagement de leurs magasins et en rendant l'expérience de magasinage plus rapide et plus facile. Comme l'indique la rubrique Marketing durable ci-contre, certains détaillants s'engagent publiquement à prendre des mesures liées au développement durable afin d'aider leurs succursales comme leurs clients à adopter des pratiques plus écologiques. Le nombre de détaillants axés sur la valeur augmente rapidement, et une variété grandissante de détaillants et de points de vente sont soumis au jugement de la clientèle. La majorité des détaillants régionaux et nationaux n'ont pas encore mesuré la force des détaillants axés sur la valeur, Les plus vulnérables, cependant, à savoir les petites chaînes régionales non différenciées, ont dû jusqu'à maintenant s'incliner devant les détaillants axés sur la valeur lorsque ceux-ci sont entrés sur leur marché.

Diverses théories ont été formulées pour expliquer la structure et l'évolution de l'industrie de la vente au détail[30]. La roue de la distribution (*voir la figure 14.2, p. 474*) propose une autre façon de voir comment les nouveaux acteurs de la vente au détail se disputent le marché. De façon générale, les détaillants qui font leur entrée sur le marché offrent des bas prix, gardent de faibles marges de profit et ont peu de prestige. Avec le temps, ils offrent de plus en plus de services et apportent diverses améliorations ; ils peuvent donc augmenter leurs prix, empocher des marges plus importantes et améliorer leur réputation auprès de la clientèle. Les restaurants McDonald's, par exemple, n'offraient à leurs débuts que des hamburgers, des frites et des laits frappés pour emporter. Aujourd'hui, ils proposent un menu abondant et varié, un café de qualité, une salle à manger, l'accès à Internet sans fil et une aire de jeux pour les enfants. Un piano trône même dans un McDonald's de Manhattan, qui embauche un portier. En Europe, l'entreprise met à l'essai une formule moins rapide, plus proche du restaurant traditionnel. À Wolfratshausen, en Allemagne, les clients du McDonald's trouvent un foyer, des canapés de cuir, des planchers en bois, des vases remplis de fleurs et un McCafé où l'on sert des pâtisseries, du tiramisu et des cappuccinos[31].

La liste renouvelable d'IKEA

Pour la plupart des entreprises, la durabilité se conquiert pas à pas avec l'espoir de provoquer une incidence positive à long terme. Or, IKEA semble avoir chaussé des bottes de sept lieues à cet égard. En effet, toute initiative durable amorcée par le plus important détaillant en articles d'ameublement au monde ne peut manquer de faire une différence notable. Comme l'entreprise compte plus de 25 millions de clients au Canada, les améliorations opérées dans ses 12 magasins canadiens ne passent pas inaperçues.

Lorsque le jeune entrepreneur Ingvar Kamprad a fondé IKEA en 1943, l'entreprise de vente par catalogue d'articles ménagers s'appuyait sur un concept simple : « Proposer des meubles de qualité au plus bas prix possible afin d'améliorer le quotidien du plus grand nombre. » Depuis lors, IKEA est devenu un géant mondial de l'ameublement et elle continue d'améliorer le quotidien des gens.

L'entreprise aborde le développement durable sous divers angles : en créant des partenariats avec d'autres organisations (Cascades Récupération, pour le recyclage du papier et des cartons), en réaménageant ses magasins, dans ses relations avec la clientèle, en proposant à ses clients des produits abordables nécessitant moins d'énergie, en récupérant certains produits (matelas) et ainsi de suite. Avec la création de sa Liste renouvelable en 2010, IKEA s'engage publiquement en faveur de la durabilité en décrivant ses accomplissements et en se fixant des objectifs en vue de multiplier ses initiatives durables[32]. L'entreprise participe aux programmes internationaux de l'UNICEF visant à sauver les enfants et collabore avec le Fonds mondial pour la nature (WWF). Elle a aussi établi des partenariats de longue date avec Arbres Canada et avec la Fondation Fais-Un-Vœu. Dans ses magasins de détail au Canada, IKEA a disposé des bacs de recyclage et créé, dès 2007, des places de stationnement « vertes » afin de récompenser ses clients

Réservé aux véhicules à faibles émissions polluantes

Électriques • Hybrides • Diesel
Carburants de remplacement

La planète et ses habitants
fr.IKEA.ca

IKEA®

IKEA réserve des places de stationnement de premier choix à ses clients qui conduisent un véhicule hybride ou écoénergétique.

qui conduisent un véhicule hybride ou écoénergétique. De plus, elle a été la première détaillante canadienne à éliminer progressivement les ampoules à incandescence dès 2011. Les améliorations apportées par IKEA touchent non seulement l'intérieur, mais aussi l'extérieur de ses magasins. Ainsi, elle a recouvert le toit de 150 de ses magasins et centres de distribution de panneaux solaires produisant de l'électricité.

Outre les changements apportés dans ses magasins, IKEA s'efforce d'aider ses clients à adopter un mode de vie plus durable. À Toronto, elle a mis sur pied un service de navettes gratuit afin d'inciter ses clients à utiliser un mode de transport plus écologique et à laisser leurs voitures à la maison. De plus, elle offre la livraison gratuite aux clients qui empruntent ces navettes[33]. Elle a mis sur pied le programme *L'affaire est dans le sac* afin d'encourager ses clients à se soucier de l'environnement en vendant ses sacs de plastique cinq cents l'unité. Le programme a permis de ramasser 280 000 $, somme que l'entreprise a versée à Arbres Canada[34]. Depuis 2009, IKEA ne fournit plus de sacs de plastique, mais elle encourage plutôt ses clients à acheter son sac bleu recyclable au coût de 75 cents pour le format moyen ou 1 dollar pour le grand format afin de réduire les déchets de plastique.

Les initiatives durables d'IKEA ne passent pas inaperçues. En 2014 et pour la sixième année, IKEA a été le seul détaillant honoré par Mediacorp Canada comme l'un des employeurs les plus écologiques du Canada[35]. L'entreprise prend son engagement envers la durabilité très au sérieux ; chaque année, elle publie un rapport sur le développement durable qui décrit son expansion globale et sa progression dans la réalisation de ses objectifs en matière de durabilité. IKEA fait un énorme bond en avant en intégrant la responsabilité environnementale, économique et sociale dans l'ensemble de son organisation.

Certains restaurants McDonald's du Canada ont remplacé le plastique tapageur par des matériaux naturels aux couleurs attrayantes et opté pour des foyers, des téléviseurs à écran plat, des chaises recouvertes de cuir et des luminaires modernes. Le design des restaurants est revu pour intégrer jusqu'à quatre zones correspondant aux besoins de différents marchés cibles : par exemple, une zone de grande circulation pour les clients pressés, une zone dotée de sièges confortables pour les clients qui souhaitent s'attarder

FIGURE 14.2 La roue de la distribution

2. **Caractéristiques du point de vente à ce stade :**
   - prix plus élevés
   - marges de profit plus élevées
   - prestige à la hausse

Avec le temps, le point de vente continue d'ajouter des services.

3. **Caractéristiques du point de vente à ce stade :**
   - prix encore plus élevés
   - marges de profit encore plus élevées
   - prestige supérieur

Avec le temps, le point de vente ajoute des services.

Passage du temps

1. **Caractéristiques du point de vente au départ :**
   - bas prix
   - faibles marges de profit
   - peu de prestige

4. **De nouvelles formes de points de vente apparaissent dans l'environnement de la vente au détail et présentent les caractéristiques des points de vente à leurs débuts (1).**

En introduisant du café de grande qualité et des sièges confortables (à droite), McDonald's se déplace dans la roue de la distribution et s'éloigne des aménagements McDonald's traditionnels (à gauche).

et une zone conçue pour les familles et les groupes[36]. Ces changements ne sont pas étrangers à la stratégie de la chaîne consistant à s'emparer d'une bonne partie du marché des boissons spécialisées que dominent actuellement des détaillants comme Starbucks et Second Cup. En introduisant du café de grande qualité et des sièges confortables, McDonald's suit la roue de la distribution ; elle touche des marges plus importantes et améliore son image de prestige. Ces innovations relativement aux produits et au format des points de vente ont permis à la chaîne de conserver sa clientèle fidèle et d'investir de nouveaux segments de marché tout en offrant des prix compétitifs, ce qui constitue des facteurs clés de la réussite. Il n'est donc pas surprenant que les

restaurants McDonald's continuent de dominer l'industrie et parviennent à écarter la concurrence des nouveaux arrivants.

Dans le concept de la roue de la distribution, l'ajout de services et d'améliorations, l'élargissement des marchandises offertes et le réaménagement des installations entraînent en général une augmentation des dépenses pour les détaillants, qui se traduit par une augmentation des prix. Celle-ci ouvre la porte à de nouveaux acteurs aux méthodes de gestion minceur, qui entrent à leur tour dans la ronde. C'est ainsi que Walmart a pénétré le marché canadien en vendant moins cher que Zellers, Kmart et Woolco, des magasins à rayons alors solidement établis. Par la suite, des magasins d'escomptes, comme Dollarama, ont intégré le marché en vendant moins cher que Walmart et d'autres magasins à prix réduits ou magasins de rabais.

L'exploration des options du multicanal

OA 4

Jusqu'ici dans ce chapitre, nous avons exploré le circuit le plus traditionnel qu'empruntent les fabricants pour vendre leurs marchandises au consommateur final, soit le commerce de détail. Toutefois, il existe d'autres options. Par exemple, les clients de la chaîne de restaurants rapides Pizza Pizza peuvent passer leur commande en magasin, par téléphone, par Internet et, depuis peu, en utilisant une application gratuite pour iPhone, iPod touch et iPad. Cette application permet aux clients de commander et de payer leur pizza, puis de suivre le délai de livraison garanti[37]. Un fabricant peut vendre directement aux consommateurs dans ses magasins, au moyen de kiosques, par catalogue ou par Internet. Dans les sections qui suivent, nous explorerons les avantages relatifs de chacune de ces options du point de vue du fabricant et du détaillant. Nous examinerons aussi les synergies qui opèrent lorsqu'un produit est vendu par l'entremise de plusieurs canaux de distribution.

Les canaux de vente au détail

Chaque canal de vente au détail – magasins, kiosques, catalogues et Internet – présente des avantages uniques (*voir le tableau 14.2 à la page suivante*).

Les magasins

Les **magasins traditionnels (ou brique et mortier)** comportent plusieurs avantages dont sont privés les clients qui magasinent par catalogue ou en ligne.

La possibilité d'explorer   Souvent, les clients n'ont qu'une vague idée de ce qu'ils cherchent (p. ex., un chandail, un plat pour le souper, un cadeau). Ils vont au magasin pour voir ce qui est disponible avant de prendre une décision. Bien que certains consommateurs naviguent sur Internet et feuillettent des catalogues pour trouver des idées, beaucoup préfèrent encore courir les magasins.

La possibilité de toucher et d'essayer les produits   Le plus grand avantage associé aux achats en magasin réside peut-être dans le fait que les clients peuvent utiliser leurs cinq sens (le toucher, l'odorat, le goût, la vue, l'ouïe) pour examiner la marchandise.

L'interaction avec le personnel du magasin   Les associés aux ventes sont aptes à fournir des renseignements significatifs et personnalisés. Leur rôle est particulièrement utile lorsque le client veut acheter un produit qui lui paraît compliqué, comme un produit électronique, ou qu'il connaît mal, comme une bague à diamants.

Le paiement en espèces ou par carte de crédit   Les magasins sont presque le seul canal où le client peut payer ses achats en espèces. Certains clients préfèrent ce type de paiement facile, qui permet de conclure la transaction sur-le-champ et n'entraîne pas d'intérêts potentiels. D'autres préfèrent utiliser leur carte de crédit ou de débit en personne plutôt que de transmettre leurs données de paiement par voie électronique.

magasin traditionnel (ou brique et mortier) *(brick-and-mortar)* Magasin traditionnel ayant une présence physique.

TABLEAU 14.2		Les avantages selon les canaux de vente au détail		
Magasin	**Kiosque**	**Catalogue**	**Internet**
• Possibilité d'explorer • Possibilité de toucher et d'essayer les produits • Interaction avec le personnel du magasin • Paiement en espèces ou par carte de crédit • Divertissement et contacts sociaux • Gratification immédiate • Réduction du risque	• Vaste sélection • Accès à des articles en ligne qui sont en rupture de stock au magasin • Accès à des listes de préférences et à des listes de cadeaux • Accès au compte fidélisation	• Commodité • Information • Sécurité	• Vaste sélection • Renseignements plus complets sur la marchandise • Personnalisation

Le divertissement et les contacts sociaux   Les courses en magasin peuvent constituer une expérience stimulante pour certaines personnes en interrompant leur routine quotidienne et en leur permettant d'interagir avec des amis.

La gratification immédiate   Les magasins ont l'avantage de permettre aux clients d'emporter leurs achats dès qu'ils les ont payés.

La réduction du risque   Les clients qui achètent un produit dans un magasin physique jugent leur achat moins risqué et sont davantage certains que, si un problème survient, il sera résolu.

Les kiosques

Certains détaillants utilisent des kiosques simplement pour donner aux associés aux ventes un accès au site Web de l'entreprise afin qu'ils soient mieux en mesure d'aider les clients à se renseigner sur les produits ou à passer des commandes. D'autres, comme Indigo, misent sur des kiosques libre-service pour permettre aux clients de vérifier l'assortiment de produits et leur disponibilité dans leurs magasins. Certaines épiceries ont aussi des kiosques libre-service grâce auxquels les clients peuvent choisir, payer et emporter des DVD. Certes, aujourd'hui, de nombreux clients arrivent au magasin munis d'un kiosque mobile sous la forme d'un téléphone intelligent qui leur permet d'accéder à l'information sur les produits et même de comparer les prix d'autres détaillants sur Internet.

Une vaste sélection   Les clients qui ont la possibilité de se rendre au magasin et d'utiliser un kiosque électronique pour chercher des produits accèdent généralement à un assortiment plus vaste que celui qui est disponible en magasin. Ainsi, Bureau en Gros propose environ cinq fois plus de produits en ligne qu'en succursale.

L'accès à des articles en ligne qui sont en rupture de stock au magasin   Les détaillants qui ont des kiosques électroniques en magasin ont la possibilité de ne pas perdre une vente même si un article est en rupture de stock ou qu'ils ne stockent pas un vaste assortiment de produits.

L'accès à des listes de préférences et à des listes de cadeaux   Les clients qui cherchent un cadeau peuvent parcourir des listes de cadeaux de mariage ou de cadeaux de fête prénatale (*baby shower*) ainsi que des listes de préférences pour eux-mêmes ou pour le destinataire du cadeau.

L'accès au compte fidélisation   La possibilité d'accéder à leur compte fidélisation et de déterminer le nombre de points pouvant être affectés à des achats constitue un net avantage pour les clients. Cela permet également aux détaillants de surmonter les contraintes en matière de personnel en libérant des employés qui pourront alors aider d'autres clients.

Les catalogues

Les catalogues présentent des avantages uniques par rapport aux magasins ou à Internet. Comme tous les canaux de vente hors magasin, les catalogues sont pratiques parce qu'ils permettent aux clients de regarder la marchandise et de passer des commandes 24 heures par jour, 7 jours par semaine. Ce canal possède aussi d'autres atouts dont sont dépourvus les autres canaux de vente hors magasin.

La commodité   L'information contenue dans un catalogue est facilement accessible, et ce, pendant une longue période. Il suffit d'ouvrir le catalogue pour y trouver les renseignements voulus. Le développement du magalogue – fusion du magazine et du catalogue – stimule le désir des consommateurs de pouvoir consulter des catalogues. Williams-Sonoma produit un magalogue qui met en vedette ses articles de cuisson et ses aliments gastronomiques, associés à des conseils et à des recettes.

L'information   Les catalogues renseignent le consommateur sur les produits et leurs usages. Par exemple, le catalogue IKEA montre aux consommateurs comment agencer ses produits dans une cuisine, un bureau ou une chambre pour enfant.

La sécurité   La sécurité dans les centres commerciaux et les aires de magasinage préoccupe de plus en plus les consommateurs, en particulier les personnes âgées. Les commerces hors magasin ont l'avantage de permettre aux clients de voir la marchandise et de passer des commandes en toute sécurité chez eux.

Internet

Le magasinage en ligne procure la même commodité que les catalogues et d'autres canaux de distribution hors magasin. Toutefois, comparé aux magasins et aux catalogues, il permet d'accéder à un assortiment plus vaste de produits et à des renseignements personnalisés sur les produits et services en un temps relativement court. Il fournit aussi aux détaillants la possibilité unique de recueillir des données sur les habitudes d'achat des consommateurs, données qu'ils peuvent exploiter pour améliorer l'expérience de magasinage dans tous leurs canaux.

Une vaste sélection   L'un des avantages d'Internet est le vaste choix d'options qu'il offre aux consommateurs. En magasinant sur Internet, ceux-ci peuvent facilement «voir» et sélectionner des produits proposés par un grand nombre de détaillants. Des résidants de London, en Ontario, peuvent faire des achats électroniques chez Harrods à Londres, en Angleterre, en moins de temps qu'il ne leur faut pour se rendre à leur supermarché local. Les sites Web offrent généralement des assortiments de produits plus profonds (plus de couleurs, de marques et de tailles) que les magasins. Cette offre permet aux cybercommerçants de satisfaire les demandes des clients en ce qui touche les styles, les couleurs ou les tailles les moins populaires tout en réduisant les coûts généraux des stocks[38].

Des renseignements plus complets sur la marchandise   Les cyberentreprises peuvent fournir à chaque client autant de renseignements qu'il souhaite et plus encore que ce qu'il pourrait obtenir dans les magasins ou les catalogues. Les clients peuvent parcourir des pages et des pages d'Internet jusqu'à ce qu'ils détiennent suffisamment de données pour éclairer leur décision d'achat. Au contraire des catalogues, l'information provenant d'une base de données électronique peut être mise à jour fréquemment et est accessible 24 heures par jour, 7 jours sur 7, toute l'année. De plus, ajouter des renseignements sur un site Web coûte probablement beaucoup moins cher que dispenser une formation continue aux associés aux ventes.

Les renseignements disponibles sur un site Web sont parfois tellement complets qu'ils proposent même des solutions aux problèmes des clients. Par exemple, Home Depot guide ses clients pas à pas dans leurs projets d'installation et de réparation, insufflant ainsi aux bricoleurs la confiance nécessaire pour entreprendre des rénovations chez eux. Les directives fournies indiquent aussi le degré de diffi-culté de la tâche et énumèrent la liste des outils et des matériaux nécessaires pour réaliser le projet.

La personnalisation   L'atout potentiel le plus significatif du cybercommerce réside dans le fait qu'il permet, à peu de frais, d'adapter l'information à chaque client, que ce soit sur le plan du service à la clientèle ou en lui proposant des offres personnalisées :

- **Un service à la clientèle personnalisé.** Les approches traditionnelles auxquelles les cyberentreprises ont recours pour répondre aux questions des clients – soit les foires aux questions (FAQ) ou l'affichage d'un numéro sans frais ou d'une adresse courriel – ne procurent pas toujours le renseignement voulu au moment où ils en ont besoin. Pour améliorer le service à la clientèle de leur canal de vente électronique, de nombreuses entreprises offrent désormais un service d'échange en temps réel par clavardage. Cette caractéristique permet aux clients de cliquer sur un bouton à n'importe quel moment pour se connecter à un service de messagerie instantanée ou converser avec un représentant du Service à la clientèle. Les entreprises profitent également de cette technologie pour inviter automatiquement les visiteurs du site à ouvrir une session de dialogue en ligne. Le moment où ces invitations sont lancées peut être déterminé en fonction du temps que le visiteur passe sur le site, de la page qu'il regarde ou du produit sur lequel il a cliqué. Sur le site de Bluefly (www.bluefly.com), par exemple, si un visiteur cherche plus de trois articles en cinq minutes, démontrant ainsi plus qu'un intérêt fugace, une fenêtre contextuelle ornée d'une binette souriante apparaît pour lui offrir de l'aide[39].

- **Une offre personnalisée.** La nature interactive d'Internet permet aussi aux détaillants d'adapter leurs offres à chacun de leurs clients. Ainsi, sur un grand nombre de sites, l'internaute peut créer sa propre page d'accueil, comme My Yahoo, en l'adaptant à ses besoins individuels. Grâce à un témoin de connexion, un logiciel qui transmet des informations sur l'internaute au serveur, Amazon.ca améliore l'expérience de magasinage des visiteurs en leur présentant des pages d'accueil personnalisées contenant des suggestions de livres et de produits choisies en fonction de leurs achats antérieurs. De plus, Amazon.ca envoie aux clients intéressés des courriels personnalisés pour leur annoncer que leur auteur ou chanteur favori vient de publier un livre ou de sortir un nouveau CD. Les cyberdétaillants peuvent aussi recommander des produits complémentaires à leurs clients en personnalisant ces recommandations. De même qu'un vendeur bien formé ferait des suggestions à ses clients avant qu'ils paient leurs achats, une page Internet interactive peut suggérer au visiteur des articles susceptibles de l'intéresser (p. ex., « Les clients qui ont acheté cet article ont aussi acheté… »).

Les défis de la cybervente

Lorsqu'un client achète des produits dans un magasin traditionnel, il a accès à une information sensorielle touchant, par exemple, la façon dont une chemise tombe, la saveur d'une crème glacée ou l'odeur d'un parfum. Or, ce type d'information n'est pas accessible sur Internet. C'est pourquoi les cybercommerçants s'efforcent de fournir des renseignements sur les caractéristiques visibles ou concrètes du produit, comme la couleur, le style ou le nombre de grammes de glucides. Un client peut deviner si un vêtement lui fera ou non dans la mesure où celui-ci est toujours offert dans les mêmes tailles et qu'il a appris avec le temps quelle taille lui allait selon la marque. Du fait que les clients ne peuvent pas toucher ni essayer les vêtements en ligne, les détaillants font face à un taux de retour de plus de 20 % des achats faits sur Internet, tandis que ce taux est de seulement 10 % pour les produits achetés en magasin. Alors que d'autres produits comme les vêtements s'avèrent moins faciles à acheter en ligne, parce qu'on aime les toucher et les essayer, la marchandise qu'offre Amazon s'accommode fort bien de l'environnement global d'Internet.

Le rôle des marques

Les marques offrent aux clients une expérience constante qui permet d'esquiver la difficulté résultant de l'impossibilité de toucher et d'essayer la marchandise avant de l'acheter en ligne. Comme les clients ont confiance dans les marques qu'ils connaissent, les produits dotés d'attributs sensoriels importants (les vêtements, les parfums, les fleurs et la nourriture) et provenant de marques réputées se vendent bien par des canaux hors magasin, comme Internet, les catalogues et le téléachat.

Il suffit de penser à un article de marque comme le parfum Tommy Hilfiger. Même si vous ne pouvez pas sentir le parfum avant de l'acheter en ligne, vous savez que son odeur sera identique à celle de votre dernier flacon, car le fabricant fait en sorte que la fragrance ne change pas d'un flacon à l'autre.

Le recours à la technologie

Les entreprises qui font du commerce électronique utilisent la technologie pour convertir l'information sensorielle en information visuelle transmissible sur Internet. Les cyberdétaillants font plus que présenter une simple photo de leurs produits aux clients, ils leur donnent aussi la possibilité d'examiner ceux-ci sous divers angles grâce à la technologie 3D ou à la technique du zoom.

Afin de surmonter les contraintes résultant de l'incapacité d'essayer les vêtements vendus en ligne, les détaillants ont commencé à utiliser des mannequins virtuels sur leurs sites Web. Grâce à ces mannequins, le client peut voir à quoi ressemble le vêtement choisi sur une silhouette aux proportions semblables à la sienne, puis faire pivoter le mannequin pour examiner le vêtement sous tous les angles. Les mannequins virtuels sont soit choisis parmi un ensemble de modèles « préconçus » soit, comme H&M (www.hm.com) le fait, créés à partir des réponses du client à des questions sur sa taille, son poids, la forme de son visage, la longueur de ses jambes et d'autres dimensions corporelles. Sur le site de Timberland (www.timberland.com), les clients peuvent concevoir des bottes personnalisées en choisissant parmi une variété de teintes, de monogrammes, de couleurs de semelles et de surpiqûres.

H&M utilise des mannequins virtuels pour surmonter les contraintes découlant de l'impossibilité d'essayer les vêtements en ligne.

Les services

Certains fournisseurs de services obtiennent un succès considérable sur Internet parce qu'ils peuvent présenter très efficacement les caractéristiques visuelles de leurs produits en ligne. Ainsi, REI Adventures (www.rei.com/adventures), est une filiale de REI, un détaillant d'articles de sport et de plein air multicanal Sur son site, les clients peuvent chercher des voyages en fonction de la destination, du type d'activité recherché ou d'une caractéristique spéciale (vacances en famille, groupe privé, femmes et jeunesse). Le site présente aussi les biographies des guides touristiques de chaque région ainsi que des descriptions pittoresques qui vous incitent à faire vos bagages et à mettre les voiles.

Même si Amazon.com était une librairie en ligne à ses débuts, l'entreprise vend à peu près de tout sur son site aujourd'hui. Mais ce n'est pas pour cette raison qu'Amazon est le plus important cyberdétaillant. Comme l'explique la rubrique Forces d'Internet à la page suivante, son engagement à bien servir ses clients lui attire une clientèle fidèle et rentable.

Combien vaut un client d'Amazon.com[40] ?

Vous seriez surpris d'apprendre la valeur réelle d'un client d'Amazon.com. Outre qu'Amazon est une cyberentreprise bien gérée, elle a toujours axé sa stratégie sur sa clientèle. Le cyberdétaillant, qui vendait uniquement des livres à l'origine, vend aujourd'hui presque tous les produits imaginables, y compris une vaste gamme de services Web. De plus, il permet à d'autres marchands de vendre leurs produits sur son site Web. Donc, Amazon vend de tout. Quoi d'autre ?

Jeff Bezos, fondateur et PDG de l'entreprise, est reconnu pour son « obsession » à l'égard des clients. L'expérience client constitue un avantage concurrentiel important d'Amazon et le cyberdétaillant exploite ses capacités technologiques pour améliorer l'expérience de chacun de ses clients. Outre son système de recommandation exclusif, Amazon devine ce que ses clients cherchent et trouve un moyen de le leur fournir rapidement. Citons le cas de ce client, qui avait commandé une PlayStation 3 coûtant 500 $ avec l'intention de l'offrir comme cadeau de Noël.

N'ayant pas reçu le colis, le client s'est connecté au site d'Amazon, sur lequel un lien permettait de suivre le trajet du colis. Le logiciel de gestion de commandes indiquait que le paquet avait déjà été livré et que quelqu'un en avait accusé réception, mais le colis était introuvable. Le client en a logiquement conclu qu'il avait été volé. Il a donc communiqué avec Amazon par l'entremise du site de l'entreprise, laquelle, après lui avoir posé quelques questions, lui a expédié une autre PlayStation 3 sans même lui faire payer la livraison.

Dans ce cas précis, Amazon a perdu 500 $, plus les frais de livraison, à cause d'une erreur qu'elle n'avait même pas commise. Néanmoins, parce qu'elle a fourni au client un moyen technique de découvrir ce qui s'était passé, puis a résolu le problème, elle a non seulement permis à cette famille de passer un bon Noël, mais elle a sans doute transformé le père soulagé en un fidèle client d'Amazon pour le restant de ses jours. En fin de compte, ce père racontera probablement son expérience extraordinaire à de nombreux autres clients potentiels d'Amazon.

De plus, pour compenser le fait que les achats en ligne ne peuvent être emportés sur-le-champ comme les achats en magasin, Amazon a instauré un programme donnant droit à un nombre illimité de livraisons gratuites en moins de deux jours moyennant des frais annuels de 99 $. En 2013, l'entreprise a recueilli plus de un milliard de dollars en revenus de livraison. Même si ces « coûts inutiles » risquent de faire sourciller certains analystes boursiers, en 2014, Amazon n'en conserve pas moins, au niveau mondial, près de 240 millions de clients actifs, définis comme des clients ayant réalisé au moins un achat sur le site d'Amazon au cours des 12 derniers mois.

Amazon demeure une entreprise centrée sur le client en exploitant la technologie qu'elle a développée et en sachant que les sommes affectées au service à la clientèle ne gonflent pas ses profits à court terme. Les mesures prises pour régler le problème du colis manquant ont coûté un bras à Amazon, mais l'entreprise y a probablement gagné un client pour la vie.

Les risques présumés des achats en ligne

Bien que la plupart des consommateurs aient déjà eu l'occasion d'effectuer des achats en ligne, ce type d'achat n'est pas sans susciter quelques craintes chez certains d'entre eux. Les deux risques qu'ils considèrent comme les plus sérieux sont : a) la sécurité des transactions effectuées par carte de crédit sur Internet ; et b) la violation potentielle des renseignements personnels. Bien que de nombreux consommateurs craignent les fraudes liées aux cartes de crédit, les problèmes graves ont été plutôt rares jusqu'ici, car presque tous les cyberdétaillants ont recours à des technologies complexes pour crypter les communications[41]. En 2014, Gregg Steinhafel, le président de Target, présente sa démission après que les données de près de 40 millions de clients de l'enseigne eurent été piratées (et que l'entreprise eut annoncé une perte de 1 milliard à la suite de son introduction ratée au Canada)[42]. En conséquence, les clients sont méfiants et les banques poursuivent le détaillant en justice pour avoir négligé de crypter adéquatement ces informations protégées.

Les consommateurs se préoccupent aussi du fait que les cyberdétaillants peuvent recueillir des données sur leurs achats antérieurs et leurs comportements en ligne, ainsi que des renseignements personnels. Ils s'inquiètent de la façon dont cette information sera utilisée dans le futur. Sera-t-elle vendue à d'autres entreprises ou eux-mêmes recevront-ils du matériel publicitaire non demandé par courriel ou par la poste ? La rubrique Question d'éthique ci-contre aborde justement ces questions.

La définition d'un renseignement personnel dépend du pays dans lequel vous vivez et de la personne à qui vous parlez. Pour certains, un renseignement personnel est une donnée qui n'est pas disponible publiquement. Pour d'autres, ce type de renseignements englobe les renseignements tant publics (p. ex., numéro de permis de conduire, renseignements sur l'hypothèque) que personnels (loisirs, revenus). Les cyberdétaillants doivent prendre les précautions nécessaires pour protéger les renseignements personnels de leurs clients en utilisant un logiciel de protection des renseignements personnels comme un pare-feu et un système de chiffrement chaque fois que des données sont transmises pour éviter leur interception[43].

Les Canadiens comptent sur les lois gouvernementales pour protéger leurs renseignements personnels, mais la situation est différente aux États-Unis : les lois visant à protéger ce type de renseignements s'appliquent uniquement à l'information concernant les fonctions gouvernementales et aux pratiques relatives à l'évaluation du crédit, à la location de vidéos, aux opérations bancaires et aux soins de santé. Le Canada, l'Union européenne, l'Australie et la Nouvelle-Zélande ont adopté des lois plus rigoureuses pour protéger les renseignements personnels de leurs citoyens, dont voici quelques clauses :

- Une entreprise peut recueillir des renseignements sur un client seulement si elle a clairement défini le but de cette collecte : finaliser une transaction, par exemple.
- L'entreprise est tenue d'informer la personne auprès de qui elle recueille des renseignements personnels la concernant des fins auxquelles ils sont destinés.
- L'information peut être utilisée uniquement à ces fins.

- L'entreprise peut conserver les renseignements uniquement aux fins convenues. Si elle veut les utiliser à d'autres fins, elle doit amorcer un nouveau processus de collecte.

Au Canada, les consommateurs sont les propriétaires de leurs renseignements personnels de sorte que les détaillants doivent demander leur consentement explicite s'ils veulent transmettre ces renseignements à d'autres parties en leur faisant signer un accord d'adhésion. Par contre, les renseignements personnels des Américains sont généralement considérés comme relevant du domaine public et les détaillants peuvent les utiliser comme bon leur semble. Les consommateurs américains doivent donc demander explicitement aux détaillants de ne pas divulguer leurs renseignements personnels en signant une entente de non-divulgation[44], un élément que les consommateurs canadiens devraient prendre en compte lorsqu'ils achètent auprès de détaillants américains.

Il y a un consensus croissant sur le fait que les renseignements personnels doivent être collectés de façon équitable et à des fins précises, et que les données doivent être pertinentes, à jour, essentielles à l'entreprise, assujetties aux droits de leur propriétaire, raisonnablement protégées et divulguées uniquement avec le consentement du consommateur. Afin d'apaiser les craintes des internautes, de nombreux cybercommerçants qui recueillent des renseignements sur leurs clients ont adopté des politiques de confidentialité détaillées qui précisent le type de renseignements collecté et l'usage qui en sera fait, donnent aux clients le choix de les divulguer ou non et permettent à ces derniers de réviser et de corriger les renseignements les concernant qui sont conservés en ligne. Les cyberdétaillants doivent garantir à leurs clients que leurs renseignements personnels seront protégés et qu'ils ne les transmettront pas à d'autres entreprises sans leur autorisation.

L'évolution vers un marketing multicanal

Les détaillants traditionnels qui vendaient leurs produits dans des magasins physiques ou par catalogue et certains fabricants investissent aujourd'hui davantage dans leur canal électronique, se muant ainsi en **détaillants multicanal**, c'est-à-dire qui vendent leur marchandise par l'entremise de plusieurs canaux de distribution (dans des magasins, par catalogue et par Internet) simultanément. Quatre facteurs expliquent ce phénomène. Comme nous l'avons vu dans les sections précédentes, le canal électronique permet tout d'abord aux entreprises d'échapper aux limitations de leur structure primaire, puis de rejoindre un marché plus étendu. Ensuite, il leur permet d'élargir leur part de marché client, soit le pourcentage des achats d'un client effectués chez un détaillant particulier. Enfin, grâce au canal électronique, les entreprises peuvent obtenir des renseignements précieux sur les comportements d'achat de leurs clients.

détaillant multicanal (*multichannel retailer*) Détaillant qui vend de la marchandise par l'entremise de plusieurs canaux de distribution (p. ex., en magasin, par catalogue, par Internet).

Surmonter les limitations de la structure existante

L'une des plus grandes contraintes auxquelles les détaillants traditionnels font face réside dans la taille de leurs magasins. En effet, la quantité de marchandises pouvant être exposée et vendue dans un magasin est limitée. En fusionnant leurs magasins avec des kiosques électroniques, les détaillants peuvent élargir leur assortiment de produits de façon spectaculaire. Ainsi, Walmart et Home Depot exposent un nombre limité d'appareils électroménagers dans leurs magasins, mais les clients peuvent utiliser un kiosque électronique pour voir une sélection plus grande, obtenir des renseignements plus détaillés et passer des commandes.

L'inconstance du service est une autre limitation à laquelle les détaillants traditionnels doivent faire face. En effet, la disponibilité et les connaissances des associés aux ventes peuvent varier considérablement d'un magasin à l'autre, voire dans un même magasin à divers moments de la journée. Cette inconstance est vraiment problématique pour les détaillants qui vendent une marchandise nouvelle et complexe. Par exemple, les détaillants de produits électroniques comme Best Buy ont du mal à communiquer les caractéristiques et les avantages de leurs nouveaux produits à tous leurs associés aux ventes. Pour régler ce problème, Best Buy a installé des kiosques électroniques que les associés aux ventes et les clients peuvent utiliser pour se renseigner sur les produits.

Un détaillant qui vend sa marchandise par catalogue peut aussi utiliser un canal électronique pour surmonter les limitations liées à ce canal de distribution. Une fois le catalogue imprimé, il est impossible de modifier les prix et d'y ajouter de nouveaux articles. C'est pourquoi des détaillants comme Lands' End ont recours à un site Web pour fournir aux clients une information en temps réel sur la disponibilité des stocks et les baisses de prix des produits en liquidation.

Accroître sa présence sur le marché

Les faibles coûts d'accès à Internet et l'amélioration constante des moteurs de recherche et des robots de magasinage permettent à des commerces de niche pour des produits rares, des articles de collection et des loisirs de faire passer leur zone d'attraction commerciale – c'est-à-dire la zone géographique où résident les clients potentiels d'un détaillant et d'un centre commercial – de quelques quartiers urbains à la planète entière. Internet a également facilité l'expansion des marchés pour les détaillants traditionnels. Si un client à Zurich peut magasiner en ligne chez Sears (www.sears.ca) ou chez Lee Valley Tools (www.leevalley.com), un client de Bureau en Gros peut aussi acheter un ordinateur en ligne et passer le prendre en magasin. En plus d'accroître les ventes en élargissant la clientèle et en attirant de nouveaux clients, un canal électronique permet aux détaillants multicanal de réaliser des économies d'échelle en coordonnant leurs achats et leurs activités logistiques d'un canal à l'autre et en consolidant les données et leurs activités de marketing. De façon générale, les consommateurs qui magasinent chez des détaillants multicanal achètent plus que ceux qui magasinent chez les détaillants à canal unique.

L'ajout d'un canal électronique est particulièrement intéressant pour les entreprises dont la marque jouit d'une grande notoriété, mais dont les magasins et le canal de distribution sont limités. Ainsi, des détaillants comme Harrods, IKEA et Harry Rosen sont bien connus pour offrir une marchandise unique et de grande qualité, mais leurs clients doivent se rendre en Angleterre ou dans des grandes villes pour acheter leurs produits. Fait intéressant, la plupart de ces détaillants traditionnels sont devenus des détaillants multicanal prospères grâce à leurs catalogues et à leurs boutiques en ligne.

Élargir sa part de marché client[45]

Même si un canal électronique peut détourner des autres canaux une fraction des ventes, son association avec d'autres canaux de distribution peut faire augmenter le total des achats réalisés auprès d'un détaillant. Les détaillants traditionnels à canal unique peuvent utiliser un canal pour promouvoir les services offerts au moyen d'autres canaux. Par exemple, une entreprise peut afficher son adresse Internet sur des pancartes en magasin, des sacs de magasinage, des factures de cartes de crédit et des reçus d'achat, ainsi que sur la publicité imprimée ou diffusée qui sert à faire connaître le magasin. Le détaillant peut miser sur son canal électronique pour augmenter l'achalandage de ses magasins en y annonçant des promotions et des événements spéciaux. Les détaillants traditionnels peuvent profiter de leurs magasins pour abaisser les coûts liés au traitement des commandes et des retours en s'en servant comme des « entrepôts » pour y réunir les marchandises destinées à être livrées aux clients. Ils peuvent donner à ceux-ci le choix d'économiser les frais de livraison en venant chercher leurs achats ou en les retournant au magasin. De nombreux détaillants n'appliquent pas de frais de livraison pour les commandes passées en ligne ou par catalogue lorsque le client passe les prendre au magasin. Les recherches ont démontré que les clients qui magasinent chez des détaillants multicanal dépensent pas mal plus que ceux qui le font chez des détaillants à canal unique – entre 25 % et 100 % de plus[46] !

Découvrir les comportements d'achat des consommateurs

Il n'est pas facile d'observer le comportement des clients au magasin ou quand ils commandent par catalogue. En effet, la plupart des gens n'aiment pas se sentir épiés par des vendeurs ni les recevoir chez eux et être harcelés de questions sur leurs habitudes de vie. En cela, la vente en ligne fournit des indices précieux sur les décisions d'achat des consommateurs d'autant plus qu'ils peuvent être recueillis discrètement. Toutefois, les consommateurs modifient souvent leur comportement en fonction du canal de distribution ; par exemple, ils peuvent naviguer pendant un long moment en ligne, mais se précipiter au magasin pour acheter un produit et en ressortir aussitôt. Le détaillant qui rassemble des données sur les actions d'un client dans tous ses canaux devrait pouvoir obtenir une image plus nette de son comportement d'achat et des raisons pour lesquelles il se fournit, ou ne se fournit pas, chez lui.

En général, les consommateurs qui magasinent chez des détaillants multicanal – c'est-à-dire des détaillants qui utilisent plusieurs canaux de distribution pour vendre leur marchandise (comme Sears avec ses magasins, ses catalogues et son site Web) – achètent plus que ceux qui magasinent chez des détaillants à canal unique.

Vendre directement aux consommateurs sans passer par les détaillants

La désintermédiation est le processus qui consiste pour un fabricant à vendre directement aux consommateurs sans passer par les détaillants. Les détaillants sont préoccupés par ce phénomène, car les fabricants peuvent obtenir un accès direct à leurs clients par un site de vente en ligne. Ainsi, Naturalizer vend ses chaussures et ses accessoires sur son site Web (www.naturalizer.com), mais aussi directement à des détaillants comme Zappos. Toutefois, le tableau 14.3 explique pourquoi la plupart des fabricants sont réticents à se lancer dans la vente au détail.

Les fabricants sont dépourvus de nombreuses compétences essentielles au commerce électronique et ne sont pas aussi efficaces que les détaillants pour communiquer directement avec les clients. Les détaillants ont beaucoup plus d'expérience dans la vente directe ; ils proposent des assortiments de produits complémentaires, recueillent des renseignements sur les clients et les exploitent. Les détaillants possèdent aussi un atout du fait qu'ils peuvent proposer une gamme de produits et de services plus large, comme une variété de marques ou des offres spéciales, pour résoudre les problèmes des clients. Par exemple, le client qui veut acheter les composants d'un système de divertissement maison auprès de plusieurs fabricants doit visiter plusieurs sites Web sans être certain que les composants seront compatibles ou arriveront en même temps.

Les fabricants qui vendent directement aux consommateurs s'exposent à perdre l'appui des détaillants dont ils se passent. C'est pourquoi bon nombre d'entre eux, comme Energizer (www.energizer.com), le plus grand producteur au monde de piles et de lampes de poche, utilisent leur site Web uniquement comme outil de marketing pour présenter leurs produits et diriger les consommateurs vers des magasins situés à proximité où ils peuvent les acheter.

TABLEAU 14.3	Les capacités requises pour la vente au détail multicanal			
Capacités	**Détaillant traditionnel**	**Kiosque**	**Catalogue**	**Fabricant**
Création d'assortiments et gestion des stocks	Élevée	Élevée	Élevée	Basse
Gestion à distance des ressources humaines	Élevée	Basse	Basse	Basse
Distribution efficace de la marchandise dans les magasins	Élevée	Basse	Basse	Élevée
Présentation efficace de la marchandise dans un format imprimé et distribution de catalogues	Moyenne	Moyenne	Élevée	Basse
Présentation efficace de la marchandise sur un site Web	Moyenne	Élevée	Élevée	Basse
Traitement électronique des commandes des particuliers	Moyenne	Élevée	Élevée	Basse
Distribution efficace de la marchandise dans les foyers et traitement des retours	Moyenne	Élevée	Élevée	Basse
Intégration des systèmes d'information assurant une expérience client fluide dans tous les canaux	Basse	Moyenne	Moyenne	Basse

Faites le point

 **Définissez les facteurs dont les fabricants tiennent compte pour choisir leurs détaillants**

Comme les fabricants veulent que leurs produits soient disponibles à l'endroit, au moment et dans le format voulus par les consommateurs, ils doivent se demander où les clients de leur marché cible s'attendent à trouver leurs produits. Par exemple, en général, les consommateurs ne comptent pas trouver des articles à bas prix chez un détaillant de produits de luxe. Le fabricant doit aussi tenir compte de la structure de son canal principal, ainsi que des caractéristiques des membres de ce canal. Enfin, le fabricant doit choisir l'intensité de la distribution appropriée.

 **Nommez les différents types de détaillants**

En gros, il existe deux catégories de détaillants: les détaillants en alimentation et les détaillants de marchandises diverses. Chaque catégorie comprend divers formats, notamment les supercentres, les hypermarchés, les clubs-entrepôts, les dépanneurs, les magasins à prix réduits, les magasins spécialisés, les grandes surfaces spécialisées, les discompteurs spécialisés, les magasins à rayons, les pharmacies, les magasins de liquidation et les magasins d'escomptes.

 **Expliquez comment les détaillants utilisent les quatre « P » afin de créer de la valeur pour les consommateurs**

Pour élaborer une stratégie coordonnée – la pierre angulaire d'un partenariat efficace –, détaillants et fabricants doivent tenir compte des quatre « P ». Les détaillants proposent à leurs clients un choix de marchandises selon les quantités que ceux-ci désirent, ainsi que des services qui facilitent la vente et l'utilisation des produits vendus. Ils offrent des emplacements commodes de même qu'une ambiance et une présentation qui rehaussent l'expérience de magasinage. Les promotions en magasin et ailleurs renseignent les clients. Enfin, les prix demandés reflètent l'image que véhicule le magasin, ainsi que les produits et les services qui y sont offerts.

 **Décrivez les options d'une stratégie multicanal relatives à la vente au détail**

Chaque type de canal de vente au détail (magasins, kiosques, catalogues et Internet) possède ses avantages et ses limitations, y compris en ce qui a trait à la disponibilité, à la commodité et à la sécurité, entre autres. Le détaillant qui adopte une stratégie multicanal peut exploiter les avantages et atténuer les limitations de chaque canal et augmenter sa présence globale sur le marché.

 **Expliquez pourquoi les détaillants traditionnels s'orientent désormais vers la vente au détail multicanal intégrée**

Internet a élargi le marché de nombreux détaillants, que ce soient ceux qui occupent un marché de niche ou les grands détaillants internationaux. Les consommateurs apprécient particulièrement le fait d'acheter en ligne des produits de base et des produits de marque parce qu'ils peuvent aisément juger de la qualité des produits et comparer les prix. Les produits que les clients souhaitent d'habitude toucher ou essayer se vendent moins facilement en ligne. Les détaillants multicanal ont la possibilité d'accaparer une plus grande part du marché client et de mieux comprendre le comportement d'achat de leurs clients. Ils peuvent ainsi mieux déterminer ce que ces derniers recherchent et leur offrir diverses façons de magasiner.

Mots clés

Révision des concepts

1. Décrivez les facteurs dont les fabricants doivent tenir compte pour choisir les détaillants qui vendront leurs produits.

2. Quel usage les gestionnaires marketing font-ils des quatre « P » pour créer de la valeur ?

3. Décrivez les types de détaillants opérant au Canada et indiquez les défis propres à chacun.

4. Les détaillants d'objets divers se retrouvent dans plusieurs catégories : magasins à prix réduits, grandes surfaces spécialisées, discompteurs spécialisés, etc. Or, on dirait qu'un nombre croissant de ces détaillants se ressemblent. Quels facteurs pourraient expliquer cette tendance ?

5. En quoi la stratégie du fabricant, au moment de choisir un détaillant, dépend-elle de la présence globale de celui-ci sur le marché et de la compatibilité de son nouveau produit avec l'offre de ce détaillant ?

6. En vous basant sur le concept de la roue de la distribution, expliquez en quoi le paysage de la vente au détail a changé au Canada.

7. Expliquez comment Internet a contribué à reconfigurer les stratégies de marketing de la vente au détail. Nommez quelques avantages propres à chacune des formes suivantes : magasin traditionnel, vente au détail en ligne et vente en kiosque.

8. Présentez les avantages de la vente au détail multicanal, tant selon le point de vue du détaillant que celui du consommateur.

9. Expliquez pourquoi les détaillants doivent impérativement élaborer une stratégie de vente au détail efficace et préciser leur positionnement. Comment définissent-ils ce type de stratégie ? Indice : observez les diverses formules de magasins que propose Loblaw (visitez ses sites français et anglais) ou une autre chaîne de marché d'alimentation.

10. Il est possible pour un fabricant de décider de ne pas faire appel à des détaillants et de vendre directement ses produits au consommateur final. Pour quelles raisons un fabricant envisagera-t-il de vendre directement au consommateur ? Toutefois, quels sont les risques qu'encourt ce fabricant en choisissant un mode de distribution direct ?

Marketing appliqué

1. Comment les établissements de vente au détail évoluent-ils selon le concept de la roue de la distribution ? Pour chaque catégorie du modèle de la roue de la distribution, donnez un exemple de détaillant.

2. Pourquoi les magasins à rayons traditionnels n'exercent-ils plus sur les consommateurs canadiens l'attrait qu'ils exerçaient durant la seconde moitié du XXe siècle ? Avec quels types de détaillants doivent-ils maintenant disputer leur marché ?

3. Que font les détaillants pour accroître la valeur de leurs produits et services ? Dans quelle mesure les cyber-détaillants menacent-ils les magasins brique et mortier à cet égard ?

4. Certaines personnes affirment que les détaillants ne constitueront plus un canal de distribution valable parce qu'ils ne font qu'ajouter des coûts au produit final sans créer de services à valeur ajoutée. Adhérez-vous à ce point de vue ? Peut-on penser que dans un avenir prochain les consommateurs feront la plus grande partie de leurs achats directement auprès des fabricants ? Justifiez votre réponse.

5. Il y a plusieurs années, les sociétés pétrolières ont pris la décision stratégique d'élargir leur offre de base – l'essence – en proposant des produits alimentaires. Aujourd'hui, rares sont les stations-service qui ne vendent pas de nourriture. Dans quelle catégorie de détaillants en alimentation ces stations-service se trouvent-elles ? Selon vous, cette orientation stratégique était-elle prudente ? Expliquez votre raisonnement.

6. Nommez trois catégories de produits qui se prêtent particulièrement bien à la vente en ligne. Nommez trois catégories de produits qui ne s'y prêtent pas pour l'instant. Justifiez vos choix.

7. Comment la version en ligne de Bureau en Gros (www.staples.ca) offre-t-elle de la valeur à sa clientèle, en plus des produits tangibles qu'elle propose ? Indiquez par quels moyens les entreprises ont pu surmonter les obstacles qui freinaient la cybervente au détail.

8. Quels types de détaillants en alimentation trouve-t-on dans votre localité ? Dans quelles circonstances iriez-vous

faire vos courses chez chacun de ces détaillants ? Où irait une famille comprenant deux jeunes enfants ?

9. Vous pouvez vous habiller dans un magasin à prix réduits, une boutique spécialisée, une grande surface spécialisée, un magasin de liquidation, un magasin à rayons ou une boutique en ligne. Lesquels de ces types de commerces ont votre préférence ? Expliquez pourquoi.

10. Imaginez que vous êtes chargé de l'achat des confiseries pour une chaîne régionale de détaillants en alimentation. La politique du magasin impose des frais d'insertion importants pour le placement de nouveaux produits sur les étagères. Ces frais couvrent notamment les ajustements du système informatique et le réaménagement de l'espace disponible en entrepôt et en magasin. Avec les années, ces frais ont augmenté et constituent aujourd'hui une source appréciable de revenus pour la chaîne. Un confiseur local d'une marque populaire de bonbons souhaite vendre ses produits par l'entremise de votre chaîne, mais il juge que les frais d'insertion sont trop élevés et ne reflètent pas le coût réel que représente l'ajout de ses produits. Quelles sont les considérations morales d'une telle politique, sachant que le confiseur est issu d'un groupe culturel minoritaire ? Que devrait faire la chaîne ?

Internaute averti

1. Des entreprises comme Lee Valley Tools ont élargi leur offre et vendent maintenant par l'entremise de plusieurs canaux de distribution. Rendez-vous sur le site de l'entreprise (www.leevalley.com) et déterminez ses canaux de distribution (Internet, magasins ou catalogue). Commentez les avantages d'une stratégie multicanal par rapport à une stratégie à canal unique.

2. En vous basant sur votre expérience personnelle ou sur celle d'un ami, choisissez un site Web de vente au détail que vous connaissez bien. Évaluez ses aspects négatifs et positifs, et indiquez dans quelle mesure vous croyez qu'il permet au détaillant de maintenir avec succès une présence en ligne.

Étude de cas

STAPLES[47]

Staples, connue au Québec sous le nom Bureau en Gros, opère sur le marché très compétitif des fournitures de bureau. Ce marché équivalant à 240 milliards de dollars était auparavant la chasse gardée de détaillants traditionnels de fournitures de bureau. Ces détaillants traditionnels achètent une part importante de leur marchandise à des grossistes, qui l'ont achetée à des fabricants. Les détaillants traditionnels de fournitures de bureau engagent souvent des vendeurs à la commission qui utilisent le catalogue du grossiste auprès de leur clientèle d'affaires.

Or, grâce à leur capacité à vendre moins cher, les clubs-entrepôts, les grandes surfaces et les magasins à prix réduits ont ravi des parts de marché aux trois grands détaillants de fournitures de bureau. Des détaillants comme Walmart et Costco vendent des fournitures de bureau à bas prix, forçant ainsi les principaux détaillants de fournitures de bureau à proposer plus que des produits et à offrir des services additionnels et un meilleur service à la clientèle. Les trois grands détaillants de fournitures de bureau ont aussi intensifié leurs efforts de marketing interentreprises afin de vendre à d'autres sociétés comme Wells Fargo ou IBM. Staples Advantage, par exemple, offre une gamme de produits et de services à plus de 66 000 clients interentreprises[48].

Le profil de l'entreprise

Lancée en 1986 par Tom Stemberg, un gestionnaire devenu entrepreneur, Staples a vu ses ventes dépasser les 24 milliards de dollars en 2009, et ce, pour 26 pays[49]. Son entreprise a été la première à appliquer le concept de grande surface aux fournitures de bureau. En transformant sa mission originale, qui était de réduire les coûts et d'éliminer les tracasseries inhérentes à la gestion d'un bureau, pour s'employer plutôt à simplifier l'achat de fournitures de bureau, Staples est devenue la plus grande entreprise de fournitures de bureau du monde.

Pour se démarquer de la concurrence, Staples s'efforce d'offrir une expérience de magasinage unique dans tous ses segments de marché. Pour garantir la satisfaction des clients, l'entreprise juge essentiel que tous ses employés acquièrent de solides compétences en gestion de la clientèle et une connaissance approfondie des fournitures de bureau. Par conséquent, la formation fait partie intégrante du développement du personnel de Staples. La disponibilité des produits constitue un deuxième aspect crucial du service à la clientèle. Dans l'industrie des fournitures de bureau, certains articles ne peuvent être remplacés par d'autres ; pensons, par exemple, aux cartouches d'encre pour imprimantes. Les clients qui ne trouvent pas en magasin l'article dont ils ont besoin risquent de ne jamais revenir.

Staples utilise différents canaux de distribution pour répondre aux besoins de ses divers segments de marché. Les petites entreprises recourent généralement aux magasins de détail, au catalogue et au site Web. Les magasins de détail ont à cœur de répondre aux besoins des consommateurs et des petites entreprises. Ils le font notamment en mettant à la disposition de leurs clients des kiosques électroniques en magasin, qui leur permettent de commander des produits non disponibles en succursale et de les recevoir le lendemain. Les clients peuvent faire livrer les produits chez eux, à leur entreprise ou à un magasin local. Si un client ne veut pas se rendre au magasin, il peut visiter le site www.staples.com pour commander les produits qu'il désire et choisir parmi un assortiment beaucoup plus vaste. Une succursale type de Bureau en Gros compte approximativement 7 000 références, mais le site Web en tient environ 45 000. Grâce à cette approche multicanal, Staples peut accroître sa productivité en ne tenant en stock que les produits qui s'écoulent rapidement, tout en donnant quand même à ses clients un accès à une grande variété de produits.

Staples juge que le canal Internet lui a permis d'accroître ses ventes tout en réduisant ses coûts indirects. Elle a mis sur pied trois sites autonomes, soit www.Staples.com, un site public, www.Quill.com, un site de commerce en ligne voué à la moyenne entreprise (ce site s'adresse uniquement aux entreprises américaines), et www.StaplesLink.com, un site sécurisé à l'intention des entreprises clientes ayant un contrat d'approvisionnement chez Staples. Staples a également équipé ses magasins de kiosques Staples.com permettant aux clients d'acheter n'importe quels produits, même ceux que le magasin n'a pas en stock. Les clients peuvent payer leurs achats à la caisse ou sur le site Web et les faire livrer chez eux ou à leur entreprise. Cette approche multicanal permet à Staples d'accroître sa productivité en ne tenant en stock que les produits qui s'écoulent rapidement, sans sacrifier pour autant la disponibilité des autres produits.

L'intégration multicanal

L'objectif général de Staples était de devenir le chef de file des fournisseurs de services et de fournitures de bureau en combinant son expérience, sa vaste infrastructure de distribution, son expertise en matière de service à la clientèle et les applications Web des technologies de l'information. L'intégration des divers canaux de distribution en une expérience uniforme pour la clientèle s'est avérée très éclairante pour l'entreprise. Comme beaucoup d'autres détaillants multicanal, Staples a constaté que ses clients achètent sa marchandise en utilisant de nombreux canaux, et que le nombre de canaux utilisés accroît d'autant le volume des ventes (les clients qui magasinent grâce à deux canaux achètent deux fois plus que ceux qui ne le font que par seul canal ; ceux qui magasinent au moyen de trois canaux achètent trois fois plus que les utilisateurs d'un seul canal). Par conséquent, plus les canaux utilisés sont nombreux, plus la facture est susceptible d'être élevée.

Staples doit relever plusieurs défis dans l'intégration de ses canaux de distribution, et la plupart ont trait au canal Internet. D'abord, l'entreprise doit déterminer dans quelle mesure Internet risque de cannibaliser ses ventes en magasin. Un des principaux avantages d'Internet réside dans son potentiel pour attirer de nouveaux clients et amener les clients existants à acheter plus. Toutefois, si l'ensemble des ventes n'augmente pas, c'est-à-dire si les ventes en ligne ne correspondent qu'à un déplacement des ventes en magasin vers la vente en ligne, Staples augmentera ses coûts indirects sans améliorer sa productivité d'ensemble. Par ailleurs, Staples doit songer à la situation des stocks de ses magasins comparée à celle des stocks des autres canaux. Dans la mesure où un magasin ne peut tenir en stock autant de marchandises qu'un site Web, le défi consiste à maintenir l'équilibre entre les ruptures de stock et la multiplication d'un trop grand nombre de références dans les magasins. Enfin, Staples doit lutter contre la concurrence dans les prix au sein de ses canaux de distribution et contre celle exercée par ses concurrents.

Staples crée de la valeur pour ses clients avec des services comme ses Centres de copies et d'impression.

Les services à valeur ajoutée de Staples[50]

Cette concurrence oblige Staples à continuer de se démarquer des autres détaillants de fournitures de bureau en ajoutant de la valeur à son offre de produits, qui constituent en soi des produits communs. Par exemple, les Centres de copies et d'impression qu'elle a créés dans ses grandes surfaces permettent aux clients de commander des travaux d'impression et de recevoir l'aide d'un spécialiste en magasin. Pour stimuler encore davantage ce secteur d'activité, Staples a également ouvert des Centres de copies et d'impression individuels, d'une superficie d'environ 185 mètres carrés, alors que la plupart de ses grandes surfaces mesurent 2 800 mètres carrés. Grâce à leur superficie réduite, ces centres peuvent être érigés dans des régions métropolitaines ou des endroits trop restreints pour recevoir une grande surface. Les clients peuvent commander leurs photocopies sur le site Web de Staples, puis passer les prendre au magasin ou les faire livrer. Les Centres de copies et d'impression vendent aussi des fournitures de bureau de base que les clients ont parfois besoin d'acheter à la dernière minute quand ils viennent chercher leurs commandes.

Questions

1. À quelle catégorie de détaillants Staples appartient-elle ?
2. Évaluez dans quelle mesure Staples a réussi la mise en œuvre de sa stratégie multicanal. À quels facteurs l'entreprise doit-elle son succès ?
3. Quels avantages et quels inconvénients l'utilisation de kiosques dans cette approche présente-t-elle ?
4. Comment les Centres de copies et d'impression permettent-ils à Staples de se démarquer de la concurrence ?

CHAPITRE 15

La communication
marketing intégrée

Lancé en 2003, le slogan « c'est ça que j'm » (en anglais, *i'm lovin' it*) est devenu la plateforme internationale de communication marketing intégrée de McDonald's. Le slogan
le plus réussi et le plus durable de l'entreprise surpasse les célèbres slogans « Vous
méritez bien ça » et « Venez comme vous êtes » tant par sa longévité que par la hausse
des ventes qu'il a entraînée[1]. Après deux ans seulement, ce slogan aurait eu pour effet d'attirer quelque 50 millions de clients chez McDonald's chaque jour, un gain de plus de 2 millions
de clients par jour[2].

Lors du lancement du slogan, des publicités mettaient en vedette le chanteur populaire
Justin Timberlake et reprenaient le titre de l'une de ses chansons. McDonald's visait alors
à intégrer le slogan « c'est ça que j'm » à une vraie campagne. Comme telle, la campagne
est diffusée au moyen de divers outils de communication : médias traditionnels (télévision,
radio et publicité imprimée), mais aussi panneaux publicitaires, affiches et commandites de
diverses organisations allant de la Petite Ligue aux Jeux olympiques.

Selon Mary Dillon, directrice du marketing, cette campagne a ravivé l'intérêt des consommateurs envers McDonald's et revitalisé son image de marque en la présentant comme le
symbole d'un style de vie moderne et branché[3]. Pas étonnant que l'entreprise reste fidèle à
son slogan « c'est ça que j'm » et ait demandé à ses nombreuses agences publicitaires de lui
donner une visibilité encore plus grande. En vertu de nouveaux plans de communication
marketing, le slogan éclipsera les Arches d'or dans les publicités télévisées, puisqu'il apparaî-
tra seul avant les célèbres arches. Il sera intégré à l'action afin de célébrer ce que l'entreprise
appelle « des moments McDonald's uniques ».

Déployer une campagne à l'échelle mondiale coûte cher et le fait de pouvoir s'appuyer
sur une plateforme unique permet à McDonald's de livrer un message cohérent tout en
réalisant des économies. Alors que la plupart des pays ont choisi de travailler avec la version

anglaise du slogan, d'autres ont préféré le traduire ou l'adapter à la culture locale. Par exemple,
en Espagne, le slogan est devenu *me encanta*, qui
signifie à peu près «ça me plaît vraiment[4]». Le clip
sonore unique de la publicité se passe de traduction et contribue à uniformiser la campagne dans
le monde entier.

Bien que McDonald's ait depuis longtemps
remplacé Timberlake dans ses pubs, l'entreprise
compte sur le slogan «c'est ça que j'm» et sur son
clip sonore distinctif («ba-da-ba-ba-ba») pour
bâtir la valeur de la marque et stimuler les ventes
dans le futur.

Le slogan «c'est ça que j'm» est incontestablement le plus réussi et le plus durable de l'entreprise McDonald's.

Dans les six derniers chapitres, nous nous sommes concentrés sur la façon dont les entreprises créent de la valeur en développant des produits et des services et en les livrant aux consommateurs au bon endroit et au bon moment. Toutefois, les consommateurs ont peu de chances de se précipiter sur les nouveaux produits et services s'ils ignorent leur existence. C'est pourquoi les gestionnaires marketing doivent trouver un moyen de communiquer la valeur d'un nouveau produit ou service – c'est-à-dire la proposition de valeur – à leur marché cible.

Le texte d'introduction sur McDonald's illustre comment une entreprise peut élaborer une stratégie de communication afin de démontrer la valeur de son produit. Commençons par examiner ce qu'est la communication marketing intégrée, d'où vient ce concept et comment il contribue à créer de la valeur.

**communication marketing
intégrée (CMI)**
(*integrated marketing
communication [IMC]*)
Stratégie de communica-
tion interne qui englobe
des objectifs, des cibles,
un message et les outils
de communication choisis
(publicité, vente per-
sonnelle, promotion des
ventes, marketing direct,
relations publiques et
médias électroniques)
et décrit les mesures de
contrôle de ces activités.

La **communication marketing intégrée (CMI)** représente la variable «communication» des quatre «P». Elle englobe une variété de techniques de communication: publicité, vente personnelle, promotion des ventes, marketing direct, relations
publiques et médias électroniques. De plus, elle confère de la clarté, de la cohérence
et un impact maximal au message[5]. Au lieu de se limiter à des outils de communication marketing distincts sans un contrôle unifié, le plan de communication marketing
intégrée considère chaque outil comme une partie d'un tout et un moyen unique de
rejoindre le public cible. Grâce à cette intégration des outils, l'entreprise dispose des
meilleurs moyens de toucher son public cible; elle peut diffuser un message clair et
cohérent qui améliorera sa proposition de valeur.

La stratégie de communication marketing intégrée comporte trois éléments: le
consommateur ou marché cible, les canaux qui véhiculent le message et l'évaluation
des résultats de la communication. Comme l'indique la feuille de route ci-contre,
tout d'abord, nous nous concentrerons sur le processus de communication entre
l'entreprise et les consommateurs, soit la façon dont la communication est reçue par
les consommateurs, qu'elle soit transmise par les médias ou par d'autres moyens, de
même que l'effet de la transmission de cette communication sur la forme et le contenu
du message. Par la suite, nous étudierons les six outils de communication marketing
intégrée et la manière dont chacun s'inscrit dans un plan de communication marketing intégrée. Puis, nous décrirons les étapes de l'élaboration d'un plan de communication
marketing intégrée réussi, depuis la définition du public cible jusqu'à la création d'une
publicité et à l'évaluation de l'impact de celle-ci. Bien que nous appliquions ces étapes

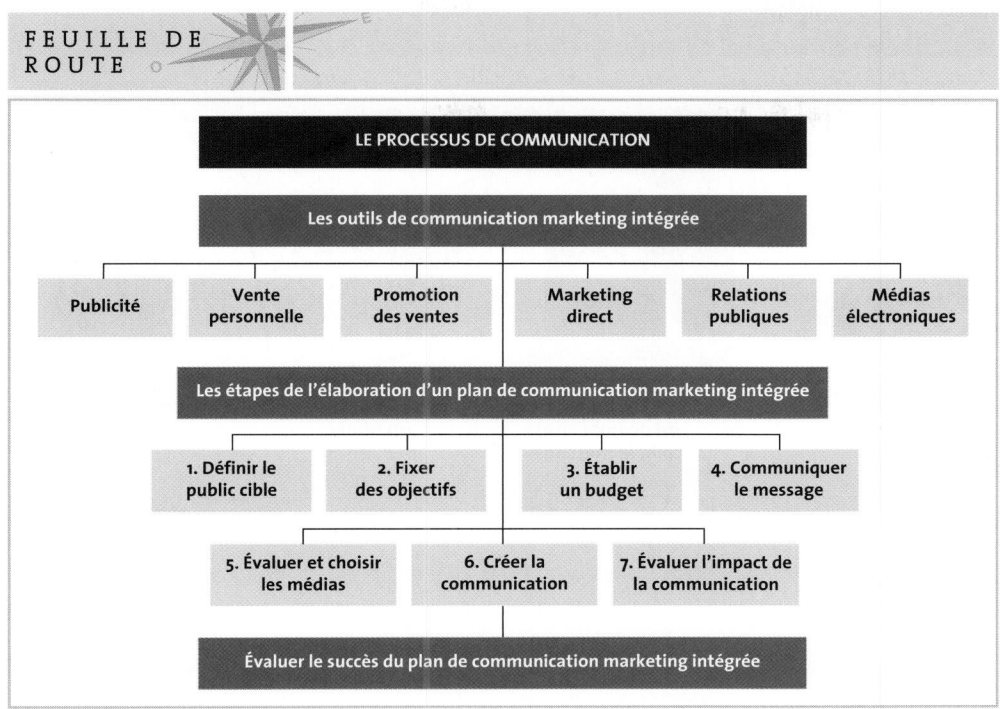

FEUILLE DE ROUTE

particulièrement à la publicité, le même procédé peut être utilisé dans le cas de la promotion des ventes, du marketing direct, des relations publiques et des médias électroniques. Enfin, nous verrons comment la complexité des plans de communication marketing intégrée pousse les gestionnaires marketing à inventer de nouvelles façons de mesurer les résultats de ces plans.

Communiquer avec les consommateurs

OA **1**

Comme le nombre de médias a augmenté, la tâche qui consiste à discerner la meilleure façon d'atteindre un marché cible est devenue beaucoup plus complexe. Nous examinerons un modèle qui décrit comment le message est transmis de l'entreprise au consommateur et les facteurs qui influent sur la façon dont ce dernier perçoit le message. Ensuite, nous étudierons l'incidence des communications marketing sur les consommateurs : depuis le moment où elles leur font connaître l'existence d'un produit ou d'un service jusqu'au moment où elles les incitent à l'acheter.

Le processus de communication

La figure 15.1, à la page suivante, illustre le processus de communication. Commençons par définir chacun de ses éléments, avant d'expliquer leurs interactions.

L'émetteur

L'**émetteur** est la personne ou l'entreprise qui envoie le message, et celle-ci doit s'identifier clairement auprès du public cible. Par exemple, une entreprise comme Home Depot, conjointement avec l'un de ses fournisseurs, Black & Decker, peut diffuser un message associé à son logo distinctif pour annoncer des « soldes de la fête des Pères ».

Poussés par le désir de trouver des façons originales de toucher les consommateurs, certains gestionnaires marketing ont été accusés de faire de la **publicité mensongère**, qui est définie comme toute représentation, omission, pratique ou tout acte compris dans une publicité qui est susceptible de tromper l'acheteur qui agit raisonnablement dans les circonstances. Par exemple, pour promouvoir le film d'horreur

émetteur (*sender*)
Personne ou entreprise qui envoie un message ; les lois obligent les annonceurs à s'identifier clairement.

publicité mensongère (*deceptive advertising*)
Toute représentation, omission, pratique ou tout acte compris dans une publicité qui est susceptible de tromper l'acheteur qui agit raisonnablement dans les circonstances.

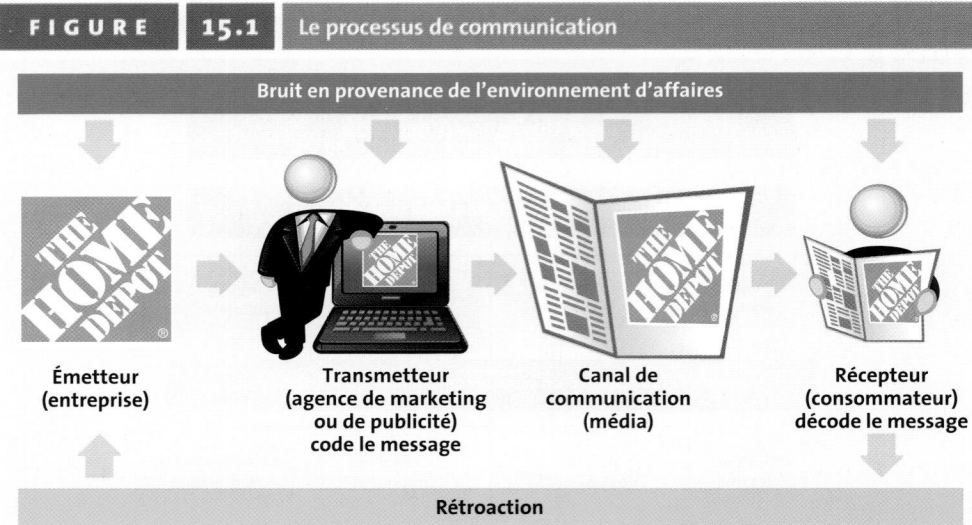

FIGURE 15.1 Le processus de communication

Godsend, expérience interdite, la société Lions Gate Entertainment a créé un site Web (www.godsendinstitute.org) qui ressemblait à s'y méprendre à celui d'une clinique de fertilité légale, entretenant ainsi volontairement une certaine confusion chez les consommateurs quant au véritable émetteur du message.

Le transmetteur

L'émetteur travaille avec un service artistique, interne ou externe (agence de marketing ou de publicité), pour mettre au point des communications marketing. Black & Decker travaille sans doute avec son agence de publicité pour élaborer son message qu'elle fournit ensuite à Home Depot. Cet agent ou intermédiaire est le **transmetteur**.

Le codage

Le **codage** est la conversion des idées de l'émetteur en un message, qu'il soit verbal, visuel ou les deux. Home Depot peut publier dans tous les grands quotidiens des annonces pleine page ainsi libellées : « Soldes extraordinaires de la fête des Pères : 25 % de rabais sur toute la marchandise ! ». Une publicité télédiffusée montrant des acheteurs en train d'examiner et de tester des outils chez Home Depot est une autre façon de coder le message selon lequel « il y a des soldes avantageux ici ». Comme le veut le dicton, « une image vaut mille mots ». Cependant, l'aspect le plus important du codage ne réside pas dans le message qui est envoyé, mais dans celui qui est reçu. Les clients de Home Depot doivent croire que les soldes sont assez profitables pour justifier un déplacement.

Le canal de communication

Le **canal de communication** est le média utilisé pour transmettre le message (médias imprimés, radiodiffusés ou télédiffusés, Internet, affichage, etc.). Home Depot peut recourir à la publicité radiodiffusée ou télédiffusée et à diverses annonces imprimées. Elle comprend que le média choisi doit être approprié pour créer un lien entre elle-même (l'émetteur) et les récepteurs visés. C'est pourquoi elle pourrait annoncer sur la chaîne Canal Vie au cours de l'émission *Des idées de grandeur,* ou bien encore sur la chaîne CASA et dans le magazine *Décoration Chez-Soi.*

Le récepteur

Le **récepteur** est la personne qui lit, entend ou voit le message ou l'annonce publicitaire, puis qui traite l'information. Bien sûr, l'émetteur espère que le récepteur de son message sera bien celui qui est visé au départ. Par exemple, Home Depot veut que son message soit reçu et décodé adéquatement par les personnes susceptibles

transmetteur (*transmitter*)
Agent ou intermédiaire avec qui l'émetteur travaille à l'élaboration de techniques de communication marketing (p. ex., le service artistique d'une entreprise ou une agence de publicité).

codage (*encoding*)
Dans le modèle de la communication, conversion des idées de l'émetteur en un message, qu'il soit verbal, visuel ou les deux.

canal de communication (*communication channel*)
Média utilisé pour transmettre un message (médias imprimés [journaux, magazines, etc.], médias électroniques [radio, télévision] ou hors média [Internet, affichage, etc.]).

récepteur (*receiver*)
Personne qui lit, entend ou voit le message ou l'annonce publicitaire, puis qui traite l'information.

d'acheter dans ses magasins. Le **décodage** est le processus par lequel le récepteur interprète le message de l'émetteur.

Le bruit

Le **bruit** est défini comme toute interférence provenant du message d'un concurrent, tout manque de clarté du message ou tout ennui lié au média. Ce problème touche tous les modes de communication. Home Depot peut décider d'annoncer dans des journaux que son marché cible ne lit pas ; ce faisant, elle diminuerait considérablement le taux de réception de son message de la part des personnes pour lesquelles il est pertinent. Comme nous l'avons mentionné, le codage désigne l'intention de l'émetteur et le décodage, ce que le récepteur comprend. Si les deux ne correspondent pas, cela dénote sans doute la présence d'un bruit.

La boucle de rétroaction

La **boucle de rétroaction** permet au récepteur de communiquer avec l'émetteur en vue de confirmer la réception et le décodage adéquats du message. La rétroaction peut revêtir de multiples formes : l'achat du produit, une plainte ou un compliment, l'encaissement d'un coupon, et ainsi de suite. Si Home Depot note une hausse de l'achalandage et des ventes dans ses magasins, ses gestionnaires sauront que leur public cible a reçu le message et compris qu'il y trouverait des aubaines fabuleuses pour la fête des Pères.

Comment les consommateurs perçoivent la communication

Le processus de communication comme tel n'est pas aussi simple que le laisse croire le modèle de la figure 15.1. Chaque récepteur peut interpréter le message de l'émetteur à sa façon, et l'émetteur adapte souvent son message au média utilisé et au degré de connaissance des récepteurs à l'égard du produit ou du service.

Les récepteurs décodent les messages différemment

Chaque récepteur décode le message à sa façon et pas nécessairement comme le souhaiterait l'émetteur. Le même message présenté à différentes personnes prendra

décodage (*decoding*)
Processus par lequel le récepteur interprète le message que lui envoie l'émetteur.

bruit (*noise*)
Dans le modèle de la communication, toute interférence provenant du message d'un concurrent, tout manque de clarté du message ou tout ennui lié au média. Ce problème touche tous les modes de communication.

boucle de rétroaction
(*feedback loop*)
Dans le modèle de la communication, possibilité pour le récepteur de communiquer avec l'émetteur en vue de confirmer la réception et le décodage adéquats du message.

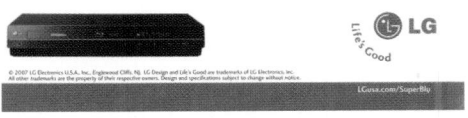

L'émetteur doit adapter son message en fonction des caractéristiques des récepteurs. LG, par exemple, a recours à différentes publicités pour annoncer son lecteur haute définition LG Super Blu selon qu'elle veut cibler les consommateurs (à gauche) ou ses détaillants (à droite).

Chaque récepteur décode les messages à sa façon. Que signifie cette enseigne de Taco Bell pour vous ?

souvent des significations opposées. Par exemple, quel message l'enseigne de Taco Bell ci-contre évoque-t-elle pour vous ?

Si vous êtes un client de cette marque, vous éprouverez peut-être de la satisfaction. Si vous avez commencé un régime et renoncé à votre plat mexicain préféré, l'image pourra vous déplaire ou provoquer un sentiment de privation. Si vous boudez ce produit par choix, vous ressentirez peut-être du dégoût. Si vous venez d'être congédié par cette entreprise, l'enseigne pourrait vous mettre en colère. L'émetteur a un contrôle limité, voire nul, sur la signification que chaque récepteur prêtera au message[6].

L'émetteur adapte son message au média et aux caractéristiques des récepteurs

Chaque média a un mode unique de communication. C'est pourquoi les annonceurs adaptent leur message et le choix du média selon qu'ils visent des fournisseurs, des actionnaires, des clients ou le grand public[7]. Par exemple, le message que LG enverrait à ses actionnaires au moyen d'un courriel ciblé serait différent du message qu'elle télédiffuserait à l'intention de ses clients le samedi matin.

Maintenant que nous avons étudié divers aspects du processus de communication, examinons les outils de communication marketing intégrée.

OA ② Les outils de communication marketing intégrée

Pour qu'une campagne de communication soit réussie, l'entreprise doit transmettre le bon message au bon public en utilisant le bon média. Or, rejoindre le bon public est de plus en plus difficile, car l'environnement média est de plus en plus complexe et fragmenté.

Les progrès technologiques ont produit la radio satellite, la technologie sans fil, les fenêtres surgissantes et les bannières publicitaires, les sites Web commandités par une entreprise, les assistants numériques personnels (ANP) et la messagerie texte, qui tous rivalisent pour capter l'attention des consommateurs. Il n'y a pas si longtemps, les annonceurs pouvaient toucher les masses en achetant de l'espace dans trois réseaux de télévision. Aujourd'hui, ils doivent acheter de l'espace dans 74 chaînes pour atteindre le même nombre de personnes. Les médias imprimés ont évolué et se sont spécialisés. Au Canada, à l'heure actuelle, il existe 124 quotidiens, plus de 1 000 journaux communautaires, plus de 1 300 périodiques d'intérêt général et plus de 700 revues spécialisées[8].

Cette prolifération des médias a poussé de nombreuses entreprises à consacrer moins d'argent à la publicité et davantage au marketing direct, à la création d'un site Web, au placement de produits et à d'autres formes de promotion afin de trouver le meilleur moyen de communiquer leur message à leur public cible. Cette fragmentation touche aussi le domaine de la télévision. Il existe des réseaux axés sur certains sports (OLN [anciennement Outdoor Life Network], Golf Channel), sur les enfants (Nickelodeon), sur les minorités ethniques (APTN – Aboriginal People's Television Network) et sur la religion (CTS, OMNI). Chacune de ces chaînes permet aux créateurs de plans de communication marketing intégrée de cibler étroitement le public de leur choix.

Examinons maintenant chacun des outils de communication marketing intégrée et la façon dont ils contribuent au succès d'une campagne de communication (*voir la figure 15.2*). Certains outils (publicité, vente personnelle, promotion des ventes et marketing direct) sont expliqués en détail dans d'autres chapitres ; nous nous contenterons de les survoler ici.

La publicité

L'outil de communication marketing intégrée le plus visible est sans doute la **publicité**, un mode de communication payant utilisé par une source identifiée, dont

publicité (*advertising*)
Mode de communication payant utilisé par une source identifiée, dont le message est transmis par un moyen de communication et qui a pour but d'influer sur le comportement ou sur l'attitude d'un individu à l'endroit d'un produit, d'un service ou d'une marque, que ce soit dans l'immédiat ou à l'avenir.

| FIGURE | 15.2 | Les outils de communication marketing intégrée |

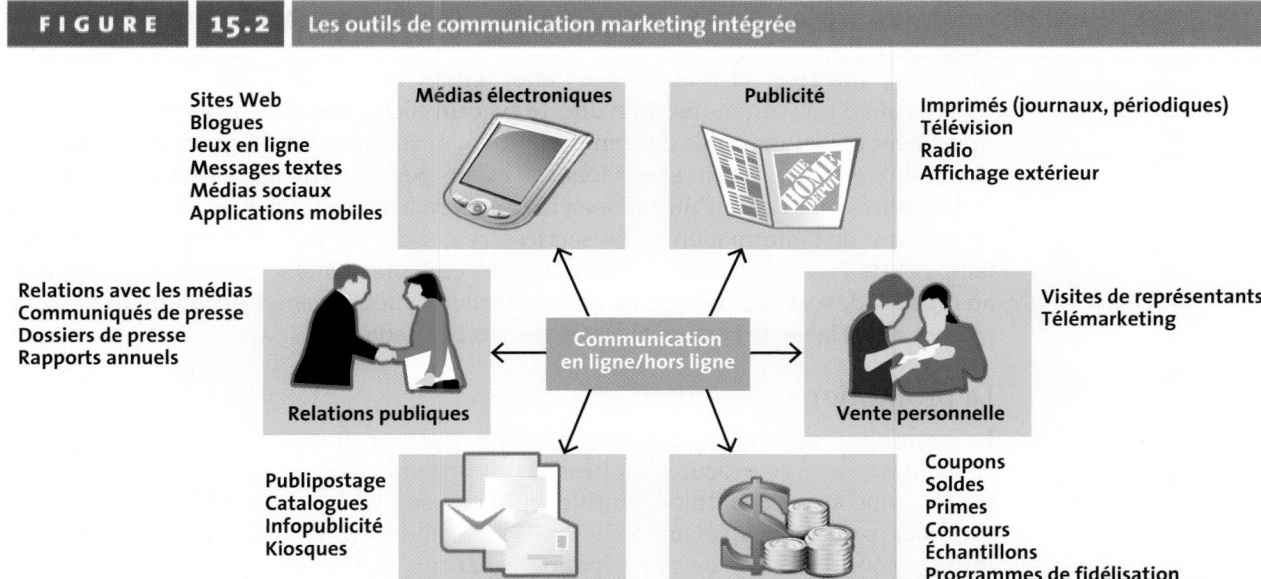

Médias électroniques
Sites Web
Blogues
Jeux en ligne
Messages textes
Médias sociaux
Applications mobiles

Publicité
Imprimés (journaux, périodiques)
Télévision
Radio
Affichage extérieur

Relations publiques
Relations avec les médias
Communiqués de presse
Dossiers de presse
Rapports annuels

Vente personnelle
Visites de représentants
Télémarketing

Communication
en ligne/hors ligne

Marketing direct
Publipostage
Catalogues
Infopublicité
Kiosques

Promotion des ventes
Coupons
Soldes
Primes
Concours
Échantillons
Programmes de fidélisation
Publicité sur le lieu de vente (PLV)
Rabais

le message est transmis par un moyen de communication et qui a pour but d'influer sur le comportement ou sur l'attitude d'un individu à l'endroit d'un produit, d'un service ou d'une marque, que ce soit dans l'immédiat ou à l'avenir[9]. Autrefois, la publicité était passive et hors ligne, mais de nos jours, elle est de plus en plus souvent en ligne et interactive. Par exemple, la publicité imprimée est diffusée dans les journaux et les magazines, donc hors ligne, et les consommateurs se contentent de la regarder (publicité passive). Par contre, les bannières publicitaires, les concours ou les coupons électroniques sont tous offerts sur Internet et obligent les consommateurs à fournir des informations ou à agir (publicité interactive). Essentiellement, la publicité peut se faire en ligne ou hors ligne et être passive ou interactive.

Dans le chapitre 16, nous expliquerons le but de la publicité et ses divers types, mais, pour l'instant, notons que la publicité est extrêmement efficace pour faire connaître un produit ou un service et éveiller l'intérêt des consommateurs. Cependant, elle peut aussi viser à rappeler des marques existantes aux consommateurs. Comme nous le mentionnions dans le texte d'introduction, le slogan «c'est ça que j'm» a ravivé l'intérêt des consommateurs à l'égard des produits de McDonald's, ce qui a provoqué une hausse tant de l'achalandage que des ventes.

La publicité de masse peut entraîner les consommateurs à converser avec les gestionnaires marketing. Toutefois, pour atteindre son public cible, la publicité doit faire une percée à travers le fouillis des autres messages. Et comme les gestionnaires marketing cherchent constamment des façons de toucher leur public cible, la publicité est devenue omniprésente. Il n'y a pas si longtemps, la majeure partie du budget de communication des grandes entreprises était consacrée à la publicité. Depuis les années 1990, toutefois, la part des fonds affectée à la publicité a diminué, alors que les sommes allouées à d'autres formes de promotion des ventes, en particulier le marketing direct et les relations publiques, ont augmenté, ce qui a mené à une approche plus équilibrée de l'utilisation d'outils de communication marketing.

La vente personnelle

La vente personnelle est un dialogue entre un acheteur et un vendeur, qui vise à exercer une influence sur la décision d'achat de l'acheteur. Elle peut avoir lieu dans divers cadres: en face à face, par vidéoconférence, par téléphone ou par Internet. Bien que les consommateurs n'interagissent pas souvent avec des vendeurs professionnels, la vente personnelle est un élément important de nombreux plans de communication marketing intégrée, surtout dans le contexte interentreprises (B2B).

Le coût d'une communication directe avec un client potentiel est assez élevé comparativement à d'autres outils de communication, mais il s'agit de la façon la plus efficace de vendre certains produits et services. Les clients peuvent acheter une foule de produits et de services sans l'aide d'un vendeur, mais les vendeurs simplifient le processus d'achat en donnant de l'information et des services, ce qui permet aux clients d'économiser du temps et de l'énergie. Dans bien des cas, les vendeurs ajoutent une valeur importante au produit, de sorte que la dépense additionnelle en vaut la peine. Le chapitre 16 explique plus en détail la vente personnelle et la gestion des ventes.

La promotion des ventes

La promotion des ventes désigne le recours à des incitatifs qui visent à amener le consommateur à se procurer un produit ou un service (p. ex., coupon de réduction, rabais, concours, échantillon gratuit, publicité sur le lieu de vente, etc.). Bien que certaines promotions soient orchestrées hors ligne (p. ex., coupons de réduction imprimés ou bulletins de participation), d'autres se font en ligne (p. ex., coupons électroniques téléchargés sur un téléphone intelligent). Les gestionnaires marketing utilisent généralement ces incitatifs conjointement avec d'autres programmes de publicité ou de vente personnelle. De nombreuses techniques de promotion des ventes, comme les échantillons gratuits et les publicités sur le lieu de vente, visent à augmenter les ventes à court terme, tandis que d'autres, comme les concours et les loteries publicitaires, font désormais partie intégrante des plans de communication marketing intégrée des entreprises, qui cherchent à fidéliser leurs clients. Nous reviendrons plus en détail sur la promotion des ventes dans le chapitre 16.

Le marketing direct

L'un des outils du plan de communication marketing intégrée pour lequel l'ensemble des dépenses a connu la hausse la plus forte récemment est le **marketing direct**, une technique de marketing qui procède par un contact direct auprès des clients potentiels[10]. La boîte à outils du marketing direct comprend une variété de techniques de communication hors ligne traditionnelles comme le publipostage, le catalogue, le marketing direct télévisuel (publireportage) et le kiosque électronique, de même que les nouvelles technologies comme le courrier électronique, le balado et le cellulaire. Les technologies par Internet ont profondément modifié les techniques de marketing direct.

Les courriels, par exemple, peuvent cibler des consommateurs précis et les renseigner sur de nouveaux produits ou des promotions spéciales, confirmer la réception

marketing direct
(*direct marketing*)
Technique de marketing qui procède par un contact direct auprès des clients potentiels afin de générer une réponse ou une transaction.

Les spécialistes du marketing direct utilisent désormais des appareils mobiles (tablettes, cellulaires ou téléphones intelligents) pour joindre les clients potentiels.

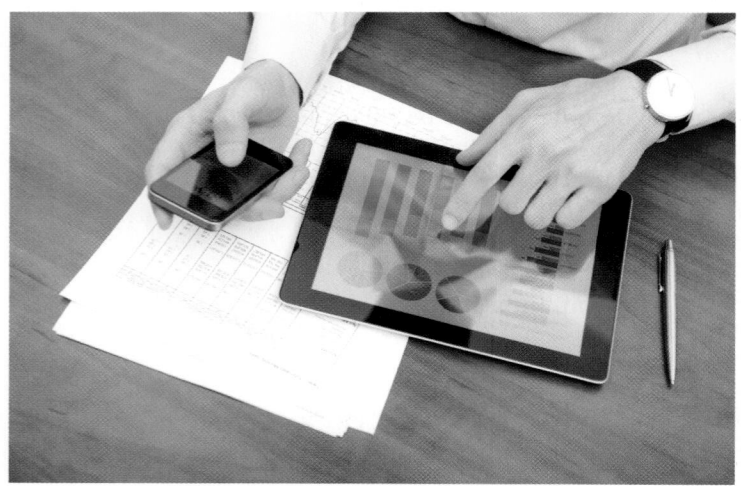

d'une commande ou indiquer que celle-ci a été expédiée. Tous ces outils s'adressent aux clients d'une manière différente. Dans certains cas, les outils de marketing direct sont cruciaux pour le succès initial du plan de communication marketing intégrée de l'entreprise et beaucoup d'autres sont utilisés uniquement après que les clients ont manifesté le désir de poursuivre le dialogue. Contrairement aux médias de masse, qui s'adressent à un large public, le marketing direct permet de personnaliser le message, ce qui constitue un avantage majeur.

Le marketing direct présente quatre caractéristiques clés: il est ciblé, il vise à déclencher une action, il est mesurable et il permet de recueillir des informations pour l'établissement d'une base de données[11]. Ce processus, qui repose sur l'information, permet aux gestionnaires marketing de cibler les bons publics. Ainsi, une entreprise qui vend un supplément vitaminique peut utiliser le marketing direct pour rejoindre uniquement des personnes abonnées à des magazines sur la santé en tentant de les inciter à l'action, soit en composant un numéro sans frais, en visitant un site Web ou en postant un bon de commande. En utilisant des coupons codés selon chaque magazine, des numéros sans frais différents ou des microsites Web, il est facile de mesurer le taux de réponse pour chaque magazine. Le recours à des formes de marketing direct visant une réaction, comme les courriels, le marketing direct télévisuel ou le télémarketing, peut entraîner des résultats importants tout en permettant d'évaluer la campagne de marketing en temps réel[12].

Le marketing direct présente des avantages pour les acheteurs et pour les vendeurs. Les entreprises qui lancent des campagnes de marketing direct ont ainsi la possibilité de vendre à des marchés cibles beaucoup plus vastes que ce que leur permettraient les canaux de distribution traditionnels. Comparativement à la vente personnelle ou à la publicité dans les médias de masse, le marketing direct est beaucoup moins coûteux lorsqu'il s'agit de rejoindre les consommateurs. Comme nous l'avons mentionné précédemment, l'une des caractéristiques déterminantes du marketing direct est d'être mesurable : des mécanismes de suivi permettent de quantifier les résultats de la campagne. La possibilité de mesurer le marketing direct signifie qu'un vendeur sait qui a répondu à sa campagne, ce qui lui fournit l'occasion de bâtir une base de données précieuses qu'il pourra utiliser pour faire des promotions croisées, adapter son offre et créer des promotions ciblées pour des clients précis à l'occasion de futures campagnes.

L'usage croissant de bases de données clients permet aux gestionnaires marketing d'identifier et de suivre les clients dans le temps et dans diverses situations d'achat, un facteur qui a favorisé la croissance rapide du marketing direct. Les gestionnaires marketing ont pu établir ces bases de données grâce à l'usage accru des cartes de débit et de crédit, des cartes de crédit maison et de fidélisation ainsi que du commerce électronique. Toutes ces transactions obligent l'acheteur à fournir au vendeur des renseignements personnels que ce dernier intègre à sa base de données. Comme ces renseignements permettent aux entreprises de mieux comprendre les comportements d'achat de leurs clients, celles-ci peuvent orienter leurs efforts de marketing direct d'une manière plus adéquate. Dans la rubrique Question d'éthique (*voir p. 501*), nous expliquons les avantages et les préoccupations associés au fait que les entreprises utilisent ces renseignements pour cibler leurs clients individuellement.

Comme le montre la figure 15.3 à la page suivante, le marketing direct peut prendre plusieurs formes : le publipostage et le courrier électronique, les catalogues, le marketing direct télévisuel, les kiosques et la vente personnelle. Dans les sections suivantes, nous décrirons les quatre premières formes, puis nous traiterons de la vente personnelle dans le chapitre 16.

Le publipostage et le courrier électronique

Le **publipostage** et le **courrier électronique** sont surtout considérés comme des formes de communication écrites ciblées, envoyées par la poste ou par courriel à d'éventuels clients.

Les listes d'adresses constituent le fer de lance du publipostage. Il faut choisir la bonne liste pour faire en sorte que l'information et l'offre visent le bon auditoire, sans quoi la promotion sera perçue comme du « courrier-déchet ». Selon Postes Canada, le publipostage est le média promotionnel préféré des Canadiens[13]. Chaque jour, nous sommes bombardés de messages publicitaires – panneaux publicitaires, annonces dans les journaux, publicités télévisées et courriels. Les envois du publipostage sont déposés dans les boîtes aux lettres, soit un environnement beaucoup moins encombré, faisant en sorte que le destinataire y prêtera plus attention. Ainsi, 93 % des Canadiens prennent connaissance des publipostages qui leur sont adressés chaque

publipostage et courrier électronique
(*direct mail and email*)
Formes de communication écrites ciblées, envoyées par la poste ou par courriel à d'éventuels clients.

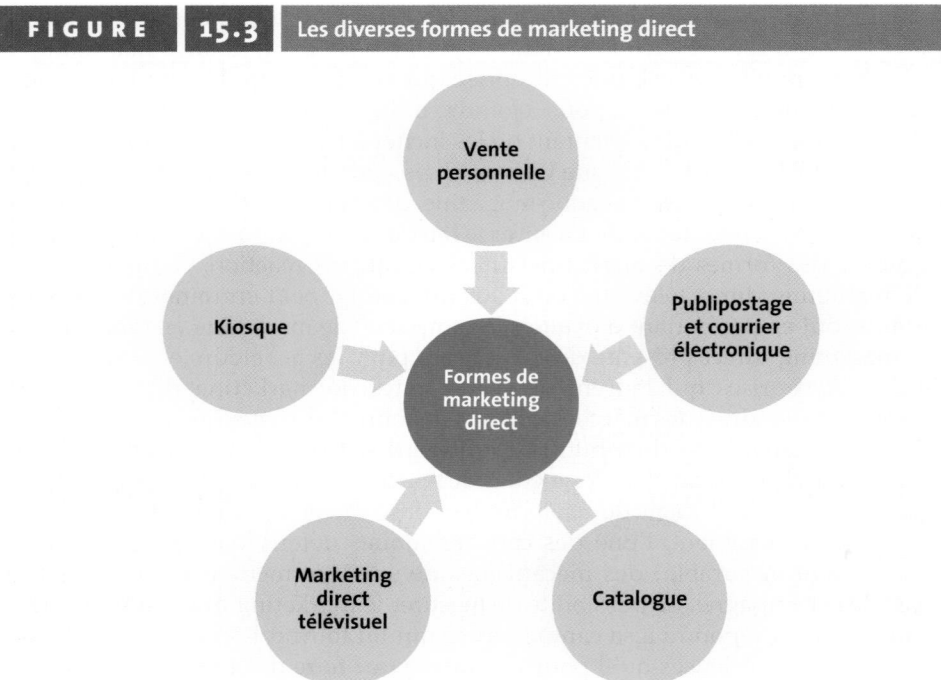

jour et 68 % les lisent dès leur réception[14].Toutefois, nous recevons beaucoup plus de messages marketing par courriel et ceux-ci ne sont pas toujours bienvenus. Avec un peu de chance, la *Loi canadienne anti-pourriel* (LCAP) entrée en vigueur le 1er juillet 2014 devrait limiter cette nuisance.

L'efficacité du publipostage tient non seulement au choix d'une bonne liste d'adresses, mais aussi à la présentation d'une offre suffisamment intéressante pour amener le consommateur à agir sur-le-champ. L'offre intéressante doit être pertinente aux yeux du consommateur et par rapport au produit. Elle prendra une forme différente selon qu'elle s'adresse à des particuliers ou à des entreprises. Cependant, elle ne consiste pas toujours à vendre un produit. Les collectes de fonds des organismes de charité enregistrés reposent en grande partie sur le publipostage. Par exemple, la Fondation des maladies du cœur et de l'AVC utilise abondamment le publipostage pour promouvoir sa cause, puisqu'elle ne reçoit aucun financement de la part des gouvernements. Les efforts de la Fondation ont permis de recruter plus de 130 000 bénévoles et 13 millions de donateurs[15] et de recevoir plus de 115 millions de dollars en dons[16].

Les catalogues

De nombreuses entreprises mettent les catalogues au service de leur développement stratégique. Malgré la croissance du commerce en ligne, les catalogues demeurent d'importants véhicules de communication pour les magasins de détail. Ils connaissent même un certain regain d'intérêt ces derniers temps[17].

Les catalogues sont ordinairement envoyés par la poste, ce qui peut devenir coûteux à mesure que l'entreprise grossit. Mountain Equipment Co-op comptait, en 2014, 3,9 millions de clients. Après avoir limité l'expédition de son catalogue à seulement 200 000 membres triés sur le volet pendant quelques années, en 2011, elle jetait l'éponge. Le dernier catalogue produit a toutefois été utilisé pour souligner les 40 ans d'existence de la coopérative[18].

De nos jours, la plupart des entreprises qui distribuent un catalogue – par exemple, IKEA et Bureau en Gros – en proposent une version en ligne. Néanmoins, malgré la facilité du magasinage en ligne, la grande majorité des Canadiens préfèrent

Question d'éthique — Déterminer l'identité des internautes

Autrefois, les entreprises achetaient de l'espace publicitaire sur les sites Web ayant un lien avec les produits qu'elles annonçaient (p. ex., une boisson santé annoncée sur le site de GNC). Désormais, la publicité cible un client en particulier plutôt que tous les visiteurs d'un site Web. Ainsi, une société spécialisée dans la publicité comportementale comme Tacoda peut suivre les activités d'un internaute de sorte qu'elle sait à quel moment il visite certains sites, ce qui lui permet de découvrir ses centres d'intérêt. Ensuite, elle place une annonce de façon stratégique sur ces sites – mais seulement sur le navigateur de cet internaute. D'autres visiteurs qui consultent la page en même temps recevront des publicités différentes correspondant à leurs propres centres d'intérêt.

En ce qui a trait à la protection de la vie privée, précisons que ce type de publicité ciblée ne permet pas de dresser le profil des consommateurs, mais sert plutôt à recueillir des informations sur leurs activités en ligne. Même lorsque plusieurs internautes utilisent le même ordinateur, les agences de publicité peuvent isoler des schémas comportementaux et déterminer l'identité de l'internaute qui se trouve à l'ordinateur à tel ou tel moment. Par exemple, si vous partagez votre ordinateur avec un colocataire, les publicitaires peuvent déterminer qui de vous deux utilise l'appareil d'après vos habitudes de navigation. Les consommateurs qui ne veulent pas être ciblés ainsi peuvent se désengager en modifiant les paramètres de leur navigateur.

Aussi utile que cette technologie de pistage puisse sembler aux publicitaires, elle pourrait aussi permettre à des pirates rusés de cibler les navigateurs plus facilement. Si elle tombe dans de mauvaises mains, l'information sur les habitudes de navigation et d'achat des consommateurs pourrait permettre à des tiers de violer leur vie privée et leur sécurité. Comme, dans certains pays, cette technologie est imposée aux consommateurs, qui doivent se désengager de leur propre gré s'ils refusent d'y adhérer, certains internautes pourraient ne pas connaître tous les paramètres qu'ils acceptent lorsqu'ils visitent ces sites.

Croyez-vous que les entreprises qui vous envoient des publicités ciblées en fonction de vos habitudes de navigation violent votre vie privée? Ou pensez-vous plutôt que les agences publicitaires engagées dans ces activités vous fournissent des renseignements propres à rendre vos décisions d'achat plus agréables et plus efficaces?

encore feuilleter les pages d'un catalogue. La vocation du catalogue a toutefois évolué avec le temps. Moins volumineux, d'un design attrayant, plus ciblé sur certains produits et distribué de manière plus sélective, il sert désormais de complément à la vente en ligne[19]. Certaines études tendent même à démontrer qu'une personne qui feuillette un catalogue dépensera, en moyenne, davantage qu'une personne qui utilise uniquement le site Web[20].

Les catalogues de Sears sont d'importants véhicules de communication et de développement de la clientèle qui permettent à celle-ci d'acheter une grande variété de marchandises.

Et puis, beaucoup d'adultes gardent un souvenir attendri des heures écoulées, lorsqu'ils étaient enfants, à feuilleter les pages du catalogue de Noël de Sears en fantasmant sur les cadeaux qu'ils souhaitaient recevoir.

Le marketing direct télévisuel

Le **marketing direct télévisuel** renvoie aux publicités télévisées et aux infopublicités qui incitent fortement le client potentiel à passer à l'action, habituellement au moyen d'un numéro sans frais, d'une adresse postale ou d'un site Web. Si beaucoup de gens doutent de l'efficacité de cette forme de marketing direct, il n'en demeure pas moins que les infopublicités et les chaînes de téléachat sont les deux formes de marketing direct les plus appréciées des Canadiens[21]. Le marketing direct télévisuel représente maintenant 25 % de toutes les publicités télévisées, et les achats les plus populaires sont des articles pour faire de l'exercice, les produits visant à maintenir son poids ou à en perdre et les produits de beauté[22].

La plupart des publicités de marketing direct ont un format de 60 ou 120 secondes ou prennent la forme d'une longue infopublicité de 30 minutes. Pour beaucoup de gens, le mot « infopublicité » évoque l'image d'un présentateur en fin de soirée qui explique comment son produit tranche et débite tout mieux que n'importe quel autre produit sur le marché.

La plupart de ces vendeurs semblent annoncer des produits trop beaux pour être vrais, que ce soit un programme santé qui fera fondre vos kilos en trop, des couteaux miracles si bien affûtés que vous n'aurez plus jamais besoin d'en acheter d'autres ou une crème rajeunissante qui gommera vos rides comme par magie.

George Foreman fait la promotion de son gril par le biais d'infopublicités télévisuelles.

Presque tout le monde a entendu parler du gril George Foreman, mais peu d'entre nous reconnaissent en George Foreman le champion du monde poids lourd de boxe qu'il a déjà été.

Le marketing direct télévisuel est populaire parce qu'il donne des résultats, non seulement par ses infopublicités, mais aussi au moyen d'un format de publicités plus courtes. Grâce à sa campagne *Sauvez une vie*, la Société canadienne du sang a dépassé son objectif de 50 %[23]. La campagne *Sauvez une vie* visait à attirer 2 000 nouveaux donneurs ; or, ce sont plus de 3 000 donneurs, nouveaux ou qui n'avaient pas donné depuis longtemps, qui ont pris rendez-vous. La Société a remporté l'or dans la catégorie « Marketing télévisuel » de l'Association canadienne du marketing pour sa campagne sur les nouveaux donneurs[24].

Les kiosques de Dell permettent aux clients des centres commerciaux de trouver l'ordinateur qui leur convient.

Les kiosques

Comme nous l'avons souligné dans le chapitre 11, les kiosques électroniques peuvent faciliter la prestation de services aux consommateurs, par exemple en permettant aux voyageurs d'imprimer rapidement leur carte d'embarquement dès leur arrivée à l'aéroport. Or, les kiosques peuvent également servir à vendre des produits et des services à des utilisateurs finaux, habituellement dans les centres commerciaux. Certains kiosques sont installés temporairement dans des centres commerciaux, surtout durant les semaines précédant Noël. D'autres kiosques sont permanents. C'est le cas des kiosques de Dell, installés dans les centres commerciaux, qui permettent aux gens de

parler de vive voix à un représentant (à l'écran) et de trouver l'ordinateur qui leur convient. Les clients peuvent adapter leur ordinateur à leurs besoins, le commander et le faire livrer chez eux.

Dans les centres commerciaux, Virgin Mobile a inauguré un réseau de kiosques qui permettra de vendre, outre des téléphones, d'autres produits Virgin[25]. Les agences immobilières comme Century 21 misent sur leurs kiosques dans les centres commerciaux où des milliers d'acheteurs potentiels peuvent consulter les fiches descriptives de propriétés. Les kiosques Hallmark permettent aux clients de créer des cartes personnalisées. Dans le Rogers Centre, à Toronto, les spectateurs trouvent des kiosques où ils peuvent acheter un appareil photo jetable, des films ou des piles[26].

Les kiosques trouvent également leur place dans les milieux d'affaires, en particulier à l'occasion de foires commerciales, où les spécialistes du marketing peuvent rencontrer des clients potentiels et les renseigner sur leurs produits.

Les relations publiques

Dans une organisation, les **relations publiques** sont gérées par le service chargé des communications. Elles ont plusieurs objectifs, dont la projection et le maintien d'une image positive, la prise en charge des événements fâcheux et le maintien de bonnes relations avec les médias. Les relations publiques soutiennent les autres efforts de communication de l'entreprise en générant une attention médiatique « gratuite ». Par exemple, en 2012, Felix Baumgartner, le parachutiste autrichien, a énormément fait parler de lui lors de son saut depuis la stratosphère. Son exploit a été repris dans de nombreux médias (journaux, télévision, Internet, etc.), entraînant une couverture médiatique très forte pour Red Bull qui participé au financement de son projet.

Bien qu'il puisse être difficile pour une entreprise de convaincre les médias d'écrire des articles sur ses produits et ses services, cette attention médiatique est parfois cruciale pour son succès.

Accroître sa notoriété est en effet un objectif marketing très recherché par toutes les entreprises. Les créateurs de mode rivalisent ainsi entre eux pour convaincre les célébrités, surtout si elles sont en nomination pour un prix, d'arborer leurs créations sur le tapis rouge. Ainsi, lorsque Reese Witherspoon a porté une robe cocktail jaune conçue par Nina Ricci à la soirée des Golden Globes, cette tenue a attiré une telle attention médiatique que le cachet de la maison de couture a augmenté substantiellement. Chanel, Valentino, Zac Posen et Christian Dior sont tous de vieux habitués du tapis rouge qui fournissent régulièrement aux vedettes des robes ou des smokings dont les images sont diffusées dans le monde entier[27]. Le placement de vêtements de haute couture dans les événements médiatisés profite tant au créateur qu'à la vedette. Et cela ne doit rien au hasard. Les spécialistes des relations publiques orchestrent ces événements de façon à ce que les deux parties en retirent le maximum de bénéfices.

Au fond, les relations publiques correspondent à une forme de placement publicitaire gratuit des messages de l'entreprise dans les médias. La rubrique Forces d'Internet, à la page suivante, se penche sur le pouvoir viral des médias électroniques de propager rapidement un message et d'engendrer beaucoup de publicité positive pour les entreprises et leurs marques.

La campagne *Source d'espoir* de Yoplait, menée entre 2005 et 2008, a démontré qu'un plan de communication marketing intégrée bien orchestré, combinant une campagne promotionnelle avec une campagne de relations publiques, peut améliorer l'image d'une entreprise tout en soutenant une cause valable[28]. La campagne avait en effet pour objectif non seulement de faire vendre du yogourt, mais aussi de créer une association positive entre la marque et une cause sociale, dans ce cas-ci le cancer du sein.

relations publiques
(*public relations*)
Service d'une organisation chargé des communications, lesquelles ont plusieurs objectifs, dont la projection et le maintien d'une image positive de l'entreprise, la prise en charge des événements fâcheux et le maintien de bonnes relations avec les médias.

Forces d'Internet

Coke Diète et Mentos à l'honneur dans des vidéos virales

Les agences publicitaires grincent des dents lorsque des clients leur demandent de réaliser une vidéo virale. En matière de communication marketing, on ne peut jamais être certain que les consommateurs vont diffuser un document sur leurs réseaux, aussi intéressant ou drôle soit-il. Comment, dans ce cas, un avocat, Stephen Voltz, et un jongleur professionnel, Fritz Grobe, ont-ils découvert les ingrédients d'une vidéo virale réussie ? Pourtant, EepyBird, leur entreprise, a passé les cinq dernières années à mettre au point et à raffiner une formule éprouvée et reproductible, et créé des vidéos qui ont remporté deux nominations aux Emmy Awards et quatre Webby Awards.

Vous vous rappelez peut-être l'une de leurs premières vidéos intitulée *Experiment #137* (www.eepybird.com/featured-video/the-extreme-diet-coke-mentos-experiments/), qui montrait le duo loufoque en train de jeter des pastilles Mentos dans des bouteilles géantes de Coke Diète, créant ainsi un effet de geyser. Cette vidéo a été mise en ligne en juin 2006. Deux jours plus tard, les deux hommes ont reçu un appel des producteurs du *Late Show with David Letterman*. En quelques années seulement, la vidéo a été visionnée plus de 120 millions de fois. Advertising Age l'a baptisée « contenu commercial le plus important de 2006 ». Coca-Cola l'a comparée à une « publicité du Super Bowl à une fraction du coût[29] ». Qui aurait pu deviner qu'une simple vidéo augmenterait les ventes de pastilles Mentos de 20 % ou doublerait l'achalandage sur le site Web de Coca-Cola[30] ?

Les vidéos ont changé la vie de Voltz et celle de Grobe, et leur entreprise EepyBird est devenue une occupation à temps plein. Depuis, les deux hommes se sont donné pour mission d'explorer la créativité et la façon dont les objets ordinaires peuvent faire des choses extraordinaires[31]. Le duo a aussi expérimenté avec des autocollants, des avions en papier et du shampooing. Outre l'émission de Letterman, ils sont passés à *The Ellen DeGeneres Show*, *The Today Show* et *MythBusters*, et ont donné des performances à Paris, Londres, Istanbul, Las Vegas et sur

Wall Street, à New York. De plus, ils ont enregistré trois records Guiness.

Parmi leurs nombreux projets, une « voiture-fusée » carburant au Coke Zero et aux Mentos a été vue plus de un million de fois les deux premiers jours après son lancement en 2010 (www.eepybird.com/featured-video/the-coke-zero-mentos-rocket-car-2d/). La voiture est équipée d'un mécanisme à piston constitué de 108 tiges de 1,83 m insérées dans des tubes de 1,83 m, dont chacun est fixé à une bouteille de Coke Zero. Les Mentos fournissent l'énergie nécessaire pour pousser les tiges hors des tubes et propulser la voiture.

Comme leurs vidéos antérieures, cette vidéo continue de propulser leur carrière, sans parler des marques Coke et Mentos. Voltz et Grobe font sensation sur Internet et, aujourd'hui, ils donnent des conférences et des démonstrations partout dans le monde, divertissant un public de consommateurs et donnant des cours aux entreprises depuis la ligne de front des vidéos virales.

Les vidéos virales de Stephen Voltz et de Fritz Grobe ont connu un succès explosif sur Internet, profitant directement aux marques Coke et Mentos.

---

marketing engagé
(cause-related marketing)
Activité commerciale dans le cadre de laquelle une entreprise et une œuvre de charité travaillent ensemble en vue de commercialiser une image, un produit ou un service dont les deux acteurs bénéficient ; type de campagne publicitaire.

Cette forme de campagne publicitaire est appelée **marketing engagé**, soit une activité commerciale dans le cadre de laquelle une entreprise et une œuvre de charité travaillent ensemble en vue de commercialiser une image, un produit ou un service dont les deux acteurs bénéficient[32]. Dans le cadre de sa campagne *Source d'espoir*, Yoplait s'engageait à verser un montant fixe à la Fondation canadienne du cancer du sein pour chaque couvercle à ruban rose retourné par les consommateurs[33].

Étroitement lié à la campagne *Source d'espoir*, le programme *Champions* de Yoplait (en vigueur aux États-Unis seulement) était une autre campagne de relations publiques. Le but de ce programme national était de repérer et de saluer « des gens ordinaires qui font des choses extraordinaires » dans la lutte contre le cancer du sein. Les 25 histoires de champions retenues ont été publiées dans les médias locaux et le programme comme tel a souvent été mentionné dans les médias nationaux. Ces deux initiatives sont l'exemple de campagnes extrêmement efficaces qui ont permis de sensibiliser les consommateurs à l'engagement social de Yoplait et d'augmenter la notoriété de sa marque[34].

La campagne lancée par TOMS Shoes, une société fondée par Blake Mycoskie, est un autre exemple de marketing engagé[35]. Mycoskie a entrepris de commercialiser et de vendre les alpargatas, des chaussures traditionnelles argentines, à l'extérieur du pays pauvre qui les fabrique. Sur le site Web de l'entreprise, on peut lire que le principe fondateur qui a guidé Mycoskie est simple : frappé par le confort des chaussures et la pauvreté extrême des Argentins, il promet de « faire don d'une paire de chaussures neuves à un enfant dans le besoin pour chaque paire de chaussures achetée ». Ce message s'affiche sur le site Web de l'entreprise et dans

d'autres médias, notamment dans le magazine *O* d'Oprah Winfrey, qui mettait Blake Mycoskie en vedette en tant que « *Good Guy of the Month* » en mars 2007. TOMS Shoes adhère bien au marketing engagé. L'entreprise ne fait pas que fabriquer et vendre des chaussures, elle travaille également avec des groupes comme Insight Argentina, qui organise des activités bénévoles en Argentine, afin d'aider ce pays à régler ses problèmes sociaux les plus pressants[36].

Une autre fonction très prisée des relations publiques est la commandite événementielle. La **commandite événementielle** consiste en un soutien financier ou matériel d'un événement sportif ou culturel, en échange duquel une entreprise cherche à bénéficier d'une visibilité. Par exemple, Subaru commandite le triathlon Subaru Ironman Canada, considéré comme l'un des meilleurs événements Ironman du monde. Grâce à cette course, Subaru fait la promotion de ses véhicules qui, comme les athlètes, doivent être assez polyvalents pour exceller dans divers environnements et assez résistants pour surpasser leurs concurrents. Les entreprises ont souvent recours à une trousse de relations publiques pour communiquer avec divers publics. Certains éléments de cette trousse visent à informer directement des groupes précis, tandis que d'autres sont destinés à capter l'attention des médias et à diffuser de l'information. Le tableau 15.1, à la page suivante, décrit les diverses composantes d'une trousse de relations publiques.

De bonnes relations publiques constituent depuis toujours un important facteur de réussite. Or, depuis quelques années, elles ont pris de l'ampleur en raison de la hausse du coût des autres formes de communication. Simultanément, elles ont accru leur influence, car les consommateurs sont de plus en plus sceptiques face aux prétentions des publicités transmises par d'autres médias[37]. Dans bien des cas, ils considèrent la couverture médiatique engendrée par les relations publiques comme plus crédible et objective que tout autre aspect d'un plan de communication marketing intégrée, parce que l'entreprise n'« achète » pas d'espace dans les médias imprimés ni de temps d'antenne à la radio ou à la télévision.

Les médias électroniques

Internet a eu une incidence importante sur la façon dont les gestionnaires marketing communiquent avec leurs clients. Les **médias électroniques** vont du simple site Web jusqu'aux outils plus interactifs comme les blogues d'entreprise, en passant par les jeux en ligne, les messages textes, les médias sociaux et les applications mobiles. Au contraire des autres outils de communication marketing décrits précédemment, ces médias électroniques ont été conçus uniquement pour être utilisés en ligne. Les gestionnaires marketing y ont recours de plus en plus souvent pour toutes sortes de raisons : ils peuvent cibler des segments de

TOMS Shoes et son fondateur Blake Mycoskie adhèrent au marketing engagé. Pour chaque paire de chaussures achetée, l'entreprise fait don d'une paire de chaussures neuves à un enfant dans le besoin.

commandite événementielle (*event sponsorship*) Soutien financier ou matériel d'un événement sportif ou culturel, en échange duquel une entreprise cherche à bénéficier d'une visibilité. Cette activité est très prisée en relations publiques.

médias électroniques (*electronic medias*) Outils informatiques, notamment les courriels, les sites Web, les blogues d'entreprise, les jeux en ligne, les messages textes et les médias sociaux.

TABLEAU 15.1	Les composantes d'une trousse de relations publiques
Composantes de la trousse de relations publiques	**Fonction**
Publications : brochures, publications à sujet unique comme les livres	Renseigner divers groupes sur les activités de l'organisation et mettre en valeur certains domaines de compétence précis.
Documents audio et vidéo : émissions, messages d'intérêt public	Mettre l'organisation en valeur ou soutenir les initiatives en matière de marketing engagé.
Rapports annuels	Fournir des données financières sur la performance de l'entreprise et renseigner les investisseurs et d'autres parties prenantes sur les activités particulières de l'organisation.
Relations avec les médias : dossiers de presse, communiqués, discours, commandites événementielles	Engendrer une couverture médiatique des activités ou des produits et des services de l'organisation.
Médias électroniques : sites Web, campagnes de courriels	Dans le cas des sites Web, remplir les diverses fonctions décrites ci-dessus et, dans le cas des courriels, diriger les initiatives de relations publiques vers des groupes cibles.

Le triathlon annuel Subaru Ironman Canada, qui se tient à Penticton, en Colombie-Britannique, permet à Subaru d'établir un lien entre la performance et la durabilité de ses véhicules et cette compétition éreintante.

clientèle précis, mesurer facilement et en temps réel les effets de leurs actions, modifier celles-ci sans tarder afin d'en améliorer l'efficacité, et inciter leurs clients à diffuser leurs messages au sein de leurs réseaux sociaux. La rubrique Marketing entrepreneurial ci-contre met en vedette une agence de marketing numérique qui a saisi la capacité des médias électroniques à créer des expériences extraordinaires pour les consommateurs.

Les sites Web

Les entreprises communiquent de plus en plus avec leurs clients au moyen de leurs sites Web. Elles utilisent ceux-ci pour bâtir la valeur de leur marque et renseigner les consommateurs sur leurs produits ou leurs services ainsi que sur les endroits où ils sont distribués. Les détaillants et certains fabricants vendent leurs marchandises directement aux consommateurs sur Internet. Par exemple, le site Web américain d'Office Depot comporte un Centre de ressources commerciales, qui fournit des conseils et des renseignements sur les produits, ainsi que des liens vers d'autres entreprises. Il propose en outre des formulaires que les entreprises peuvent remplir pour se conformer aux exigences de l'Occupational Safety and Health Administration (OSHA), vérifier les dossiers des candidats à un emploi, analyser le flux d'encaisse et élaborer une politique en matière de harcèlement sexuel ; des ateliers sur la direction d'entreprise et des informations sur les entreprises locales et nationales. En affichant cette information sur son site Web, Office Depot renforce son image en tant que source essentielle de produits, de services et de renseignements pour les petites entreprises.

| Marketing entrepreneurial | **Du terrain de golf à l'agence de marketing numérique** |

Quand on réfléchit au savoir-faire qu'il faut pour diriger une agence de marketing numérique, celui d'une golfeuse professionnelle au sein de la Ladies Professional Golf Association (LPGA) n'est pas la première chose qui nous vient à l'esprit. Pourtant, ce sont ces compétences que la PDG de Critical Mass, Dianne Wilkins, apportait à l'agence. Le golf a payé ses études universitaires et, après avoir terminé sa maîtrise en administration des affaires, Wilkins a enseigné la gestion d'un terrain de golf. Un ami et golfeur professionnel l'a présentée au fondateur de l'agence, Ted Hellard, qui l'a engagée et envoyée orchestrer une campagne sur la Saab, en Suède, en 1998. Wilkins est ensuite devenue PDG de la société détachée Critical Mass qu'elle a créée à Stockholm et qui comptait déjà 65 employés après 6 mois.

Deux ans plus tard, Wilkins a été mutée au siège social de l'entreprise, situé à Calgary, avant d'être promue PDG pour le Canada. Aujourd'hui, Critical Mass a des bureaux à Calgary, Toronto, Chicago, New York, Nashville, London, ainsi qu'au Costa Rica. L'entreprise compte plus de 600 employés, qui travaillent avec des clients internationaux comme Budweiser, Infiniti, Las Vegas Convention and Visitors Authority, Moen et Nissan pour fusionner la pensée créative, les idées brillantes et les technologies émergentes. Wilkins avoue que l'une de ses campagnes préférées visait un microsite interactif créé pour NIKEiD, qui permet aux consommateurs de dessiner leurs propres chaussures, de télécharger leurs dessins, de choisir la semelle, de faire apposer leur nom sur les chaussures et de les faire fabriquer sur mesure et livrer à leur porte.

Bien que l'entreprise soit spécialisée dans le numérique, Wilkins entrevoit le jour où «les clients ne verront plus les expériences comme étant en ligne ou hors ligne, mais s'attarderont à la qualité de leurs interactions avec les marques[38]». Aujourd'hui, les activités en ligne des consommateurs sont fractionnées entre des douzaines de points de service. Critical Mass sait que chacun de ces points joue un rôle important dans l'expérience totale du client. Curious, sa division de recherche, a pour mission de recueillir des informations sur les clients et d'exploiter des données provenant de communautés virtuelles.

Embaucher des personnes compétentes ayant la bonne attitude et les garder est essentiel à la réussite de l'entreprise. L'importance accordée à la formation continue et aux «ruches» équipées de consoles Nintendo Wii permet aux employés de se détendre et de se familiariser avec les nouvelles technologies[39]. Wilkins souligne que, dans une agence de marketing numérique, il est important de rester centré et de s'en tenir à une ligne de conduite au lieu d'essayer de plaire à tout le monde. Ce n'est pas que Wilkins n'aime pas le changement, car, en fait, une fois que la décision d'apporter un changement a été prise, elle affirme qu'il faut à tout prix travailler sans relâche pour le mener à bien[40].

Wilkins est contente de son parcours. Bien que son handicap au golf ait souffert, son leadership a été bénéfique pour Critical Mass. *Marketing Magazine* l'a déclarée meilleure agence interactive au Canada et l'une des meilleures agences interactives au monde[41].

Les blogues d'entreprise

Le blogue d'entreprise, qui était autrefois un simple article occasionnel qu'affichait une entreprise sur le Web, est devenu un outil virtuel avantageux pratiquement du jour au lendemain. Le **blogue (ou carnet Web)** est un site Web sur lequel un ou plusieurs blogueurs s'expriment périodiquement sous forme de billets. Un blogue bien accueilli peut lancer des tendances, promouvoir des événements spéciaux, susciter un bouche-à-oreille positif, créer des communautés de consommateurs, accroître les ventes de l'entreprise, améliorer la satisfaction des clients parce que l'entreprise peut réagir directement à leurs commentaires, et les amener à établir une relation durable avec elle. Vu sa nature même, un blogue est transparent et contient des observations honnêtes de l'auteur, qui peuvent influer sur le niveau de confiance et de loyauté des clients. Tout ce qui ne relève pas d'une honnêteté totale rompra ce lien et fera du tort à la relation. Lorsqu'il est utilisé adéquatement, le blogue peut agir comme une tribune fiable pour limiter les dommages. En revanche, un blogue mal accueilli peut produire un contrecoup et des retombées économiques négatives et ébranler la confiance des clients[42].

Certaines entreprises utilisent fréquemment les blogues afin de communiquer avec leurs clients. Cela permet de créer un lien avec ces derniers, de communiquer des nouvelles de l'organisation ou tout simplement de partager de l'information diverse et variée sur ce qui intéresse les dirigeants ou les employés. À titre d'exemple, citons le blogue de Sir Richard Branson, le fondateur de l'entreprise Virgin, qui est très

blogue (ou carnet Web) *(blog, weblog, Web log)* Site Web sur lequel un ou plusieurs blogueurs s'expriment périodiquement sous forme de billets. Les blogues d'entreprise constituent une nouvelle forme de communication commerciale.

actif sur les médias sociaux. Il tient notamment un blogue où il partage ses coups de cœur et ses coups de gueule sur toute une série de sujets qui lui tiennent à cœur. Il y prodigue également régulièrement des conseils pour ceux qui désireraient se lancer en affaires (*voir le site www.virgin.com/richard-branson*).

Les blogues malhonnêtes, qui sont en fait des campagnes de publicité déguisées, sont problématiques. Lorsque Whole Foods Market, une chaîne d'alimentation spécialisée dans les produits biologiques et naturels, a voulu acheter sa concurrente Wild Oats, on a appris que son PDG, John Mackey, était un blogueur actif sur le site Web de Yahoo Finance depuis huit ans. Sous le pseudonyme Rahodeb (anagramme du prénom de sa femme Deborah), il dénigrait Wild Oats en prédisant la faillite probable de l'entreprise. Simultanément, il vantait les mérites de Whole Foods Market (et les siens, allant même jusqu'à écrire dans un billet que Rahodeb trouvait «mignonne» la nouvelle coupe de cheveux de Mackey). Les détails de cette fausse identité ont servi à établir la preuve contre la prise de contrôle de Wild Oats par Whole Foods Market, cette preuve étant basée sur le fait que les opinions et affirmations de Mackey prouvaient clairement son intention de faire de Whole Foods Market un monopole[43].

Les jeux en ligne

Les jeux en ligne, qui permettent aux consommateurs d'interagir avec le site et même avec d'autres joueurs, constituent un outil particulièrement utile pour atteindre un public plus jeune. Les entreprises choisissent désormais des stratégies dites multi-plateformes. Elles vont en effet décliner leur jeu sur différents supports en le rendant disponible sur une page Web traditionnelle, tout en développant également un format mobile. Ce format mobile prend souvent la forme d'une application téléchargeable sur un appareil de type téléphone intelligent. Évidemment, tout est fait pour que vous puissiez partager le jeu et vos performances avec vos amis par les médias sociaux. Une autre option, quoique moins répandue pour le moment, consiste à développer un jeu qui est conçu pour fonctionner directement dans une plateforme de médias sociaux, comme Facebook.

Ainsi, McDonald's met à la disposition de ses clients une page dédiée au jeu promotionnel Monopoly sur son site Web, et quelques applications mobiles téléchargeables dont McPlay pour les enfants de 6 à 8 ans, ou McDonald's GOL! pour les adeptes de soccer.

Lancé en 1987, le jeu promotionnel McDonald's Monopoly a désormais sa page dédiée sur le site Web de l'entreprise McDonald's.

La messagerie texte

Les nouvelles façons d'utiliser Internet ont favorisé l'apparition de la messagerie texte (ou SMS), un moyen auquel recourent de plus en plus de gestionnaires marketing pour communiquer avec les consommateurs plus jeunes. Des expériences récentes axées sur la messagerie texte ont produit des résultats impressionnants. En moyenne, une campagne de messages textes publicitaires génère un taux de réponse de 10 à 30 % selon les études. Les recherches démontrent aussi que plus de 90 % de tous les messages textes publicitaires sont lus, que le tiers des personnes qui reçoivent ces messages y répondent, et qu'un peu moins de 50 % de ce groupe fera par la suite un achat[44]. Les détaillants peuvent envoyer des coupons de réduction directement aux téléphones cellulaires des consommateurs[45]. Le taux de réponse va parfois jusqu'à 40 % comparativement à moins de 2 % pour de nombreuses campagnes de publicité imprimée ou en ligne. Le consommateur entre un code inscrit sur les pancartes en magasin pour obtenir le coupon, puis affiche celui-ci sur son téléphone au moment de payer ses achats. Bien que cette technologie soit encore très nouvelle, les détaillants canadiens sont de plus en plus nombreux à l'adopter vu l'intérêt qu'elle suscite chez les consommateurs. Grâce à la messagerie texte, ces derniers peuvent acheter des produits instantanément, ce qui leur évite d'avoir à se rendre au magasin ou même à visiter un site Web. Le client qui souhaite acheter un manteau annoncé dans un magazine peut le commander en transmettant le code associé à l'article au moyen d'un appareil mobile. Certaines salles de concert ont même recours à cette technologie pour vendre des billets. Après le tremblement de terre qui a dévasté Haïti en 2010, certains organismes caritatifs ont demandé et reçu des dons par SMS.

Les médias sociaux

L'expression «médias sociaux» désigne une vaste gamme de communautés virtuelles et de sites de réseautage social tels que YouTube, Facebook et Twitter. Comme l'explique la plupart des rubriques Marketing et médias sociaux présentées dans ce manuel, les gestionnaires marketing peuvent utiliser les médias sociaux pour entamer un dialogue proactif avec leurs clients. Dans les médias sociaux, le niveau de transparence et d'honnêteté est considérablement plus élevé que dans la plupart des autres outils de communication. Et comme les membres divulguent des renseignements très personnels, les gestionnaires marketing peuvent personnaliser leurs messages et leurs applications en fonction de leurs marchés cibles. Par exemple, TD Canada Trust utilise pleinement le pouvoir de Facebook avec sa page TD Helps, une sorte de foire aux questions où vous pouvez poser toutes vos questions en lien avec votre compte ou vos finances. Vous y trouvez également des outils pour évaluer votre situation de crédit[46].

Les universités ont également emboîté le pas et exploitent désormais pleinement le pouvoir des médias sociaux, que ce soit à des fins de recrutement ou pour donner des nouvelles de leur *Alma mater* aux diplômés, ou plus simplement aux étudiants actuels.

Les applications mobiles

Avec l'avènement des téléphones intelligents, les applications, ou applis, sont devenues très populaires. Elles remplissent diverses fonctions – jeux, publicité, commerce – ou permettent de commander une pizza et de suivre son trajet. L'App Store d'Apple, avec ses 1 200 000 titres, propose une des plus vastes collections d'applis mobiles au monde dans des domaines très variés, comme la musique, la cuisine, les voyages, les activités de plein air, les outils d'apprentissage pour les étudiants et les affaires. CIBC a été la première banque canadienne à lancer une application pour iPhone qui permet aux clients d'accéder à leurs comptes. Depuis peu de temps, Google avec Google Play est devenu la première plateforme de vente d'applications, devançant, pour la première fois de la courte histoire de ce marché, l'Apple Store[47].

Au fil du temps, la technologie continuera de s'améliorer et d'autres moyens de communication avec les consommateurs s'ajouteront aux outils de communication marketing intégrée. Pour l'instant, examinons les étapes de l'élaboration d'un plan de communication marketing intégrée conforme aux objectifs stratégiques de l'organisation.

OA ③ Les étapes de l'élaboration d'un plan de communication marketing intégrée

L'élaboration d'un plan de communication marketing intégrée exige une planification soignée. La figure 15.4 présente quelques-unes des étapes clés de ce processus, dont chacune vise à faire en sorte que le message atteigne le bon public et ait l'effet souhaité. Comme nous l'avons déjà mentionné, on peut suivre ces étapes pour tous les outils de communication marketing intégrée. Nous examinerons ces étapes, puisqu'elles concernent particulièrement la publicité.

Étape 1 : définir le public cible

Qui est le public cible de cette publicité : les hommes ou les femmes ?

La réussite d'une campagne publicitaire dépend de l'habileté de l'annonceur à définir son public cible. Les entreprises effectuent des recherches à cette fin, puis utilisent l'information recueillie pour donner le ton à leur programme publicitaire et choisir les médias qui communiqueront leur message à ce public.

Au cours de ses recherches, l'entreprise doit garder à l'esprit que les membres de son public cible peuvent, dans certains cas, être des utilisateurs courants de son produit. Prenons le cas des bijoux. Les recherches démontrent que, bon an mal an, quelque 43 % de la population adulte nord-américaine, soit plus de 95 millions de personnes, achètent des bijoux. Bien que les femmes en achètent beaucoup plus que les hommes (48 %) et plus souvent (36 %), ces derniers dépensent plus d'argent en bijoux que les femmes. On ne sera pas étonné d'apprendre que la majorité des achats de bijoux faits par les hommes sont des cadeaux[48].

Certains messages publicitaires peuvent aussi être dirigés vers des segments de la population qui ne font pas partie du public cible du gestionnaire marketing, mais participent au processus d'achat. Chrysler, par exemple, annonce ses fourgonnettes le samedi matin à la télévision, pendant les émissions pour enfants. Ces annonces visent à augmenter la notoriété de la marque auprès des enfants qui, l'espère Chrysler, influeront sur le choix de leurs parents en matière de fourgonnette[49]. Honda a rejoint directement les consommateurs de 18 à 34 ans en lançant une campagne intégrée qui misait sur la passion de son public cible pour la musique. Cette campagne est présentée dans la rubrique Marketing et médias sociaux ci-contre.

Étape 2 : fixer des objectifs

Comme pour n'importe quelle initiative stratégique, l'entreprise doit, d'entrée de jeu, anticiper le résultat qu'elle espère atteindre. Elle peut fixer des objectifs à court terme, comme susciter des demandes de renseignements, augmenter la notoriété du

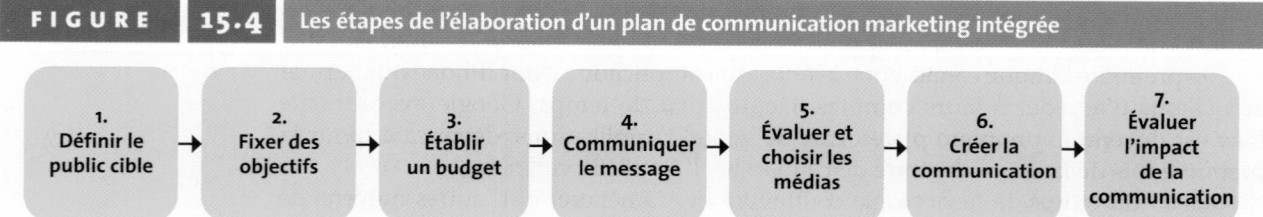

FIGURE 15.4 Les étapes de l'élaboration d'un plan de communication marketing intégrée

1. Définir le public cible → 2. Fixer des objectifs → 3. Établir un budget → 4. Communiquer le message → 5. Évaluer et choisir les médias → 6. Créer la communication → 7. Évaluer l'impact de la communication

| Marketing et médias sociaux | Le *Civic Nation Mix-Off*: « *mixer* » les outils de communication marketing intégrée |

Afin de raviver l'intérêt des 18 à 34 ans pour la marque Civic, Honda a lancé le *Civic Nation Mix-Off*. Cette nouvelle campagne de communication marketing intégrait un mélange de techniques hors ligne et en ligne. L'entreprise a diffusé son message au moyen de publicités télévisées, radiodiffusées, électroniques et extérieures afin de stimuler l'achalandage sur le microsite www.civicnation.ca, devenu www.facebook.com/hondacivicnation.

Les adeptes de la Civic Nation sont des passionnés de musique. Les visiteurs du site étaient invités à utiliser un mélangeur de pistes audio pour créer un « hymne à la Nation » de 30 secondes à l'aide d'extraits réalisés par le chanteur hip-hop torontois Saukrates dans des genres comme l'électronique, le hip-hop et l'électropop. De l'avis de Ravi Dindayal, directeur des services interactifs de Grip, l'agence qui a bâti la campagne, les propriétaires de Civic sont d'«excellents créateurs de contenu[50] ». Les utilisateurs pouvaient combiner divers instruments et présenter leur hymne sur le microsite, où il était soumis au vote des internautes.

Le plan de marketing axé sur les médias sociaux de Honda ne se bornait pas à inciter les internautes à voter sur le microsite. En effet, afin d'aider les candidats à remporter encore plus de votes, Honda a fait en sorte qu'ils puissent présenter leurs hymnes sur des blogues, Facebook, myspace et Twitter. Cette tactique a non seulement élargi la couverture de la campagne, mais elle a également favorisé la viralité du concours.

L'hymne qui remportait le plus de votes recevait le grand prix : il était joué pendant deux semaines au début de la prestation de DJ Starting from Scratch, l'un des DJ virtuels les plus populaires au Canada, au cours de l'émission *Traffic Flow MixShow* diffusée sur la chaîne Flow 93,5, laquelle est fréquentée par un public très urbain et multiculturel[51]. En raison de son public diversifié, ce DJ était vu comme le candidat idéal pour bâtir l'image de marque multiculturelle de la Civic Nation.

Le concours de mixage lancé par Honda pour la Civic Nation a permis aux adeptes de celle-ci de créer des bandes sonores et de voter pour leur hymne préféré.

produit et inciter les consommateurs à essayer celui-ci. Elle peut aussi fixer des objectifs à long terme, comme augmenter ses ventes et sa part de marché, et fidéliser les consommateurs. Stimuler les ventes et l'achalandage constituait le principal objectif à long terme de la campagne *c'est ça que j'm* de McDonald's ; mais à court terme, l'entreprise voulait améliorer la notoriété de la marque. C'est pourquoi sa campagne visait d'abord à capter l'attention des consommateurs au moyen de publicités télédiffusées, imprimées et extérieures. Les entreprises doivent définir explicitement leurs objectifs à long comme à court terme et évaluer ceux-ci. Plus loin dans ce chapitre, nous indiquerons comment elles s'y prennent pour mesurer le succès de leur plan de communication marketing intégrée.

Les objectifs d'une campagne publicitaire découlent des objectifs du plan marketing global et précisent les buts que sont censées atteindre les publicités. En général, ces objectifs sont énoncés dans le **plan de communication**, une partie du plan marketing global qui définit précisément les objectifs de la campagne publicitaire, la façon d'atteindre ces objectifs ainsi que la manière de déterminer si la campagne en question s'est avérée un succès[52]. Un plan de communication est crucial parce qu'il servira par la suite d'étalon pour mesurer le succès ou l'échec de la campagne.

Toutes les campagnes de communication visent à concrétiser certains objectifs : informer les clients, les convaincre et leur rappeler un produit ou un service. Nous étudierons ces objectifs plus en détail dans le chapitre 16. Les objectifs du plan de communication doivent aussi tenir compte du but visé par une publicité ; par exemple, l'entreprise veut-elle stimuler la demande d'un nouveau produit ou service ou accroître la notoriété de l'entreprise en général ?

plan de communication *(advertising plan)* Partie du plan marketing global qui définit précisément les objectifs de la campagne publicitaire, la façon d'atteindre ces objectifs ainsi que la manière de déterminer si la campagne en question s'est avérée un succès.

Cette annonce renseigne les consommateurs sur le choix d'accessoires vendus chez Winners.

Lorsqu'un gestionnaire marketing fixe ses objectifs publicitaires, deux options s'offrent à lui : une stratégie de pression ou une stratégie d'aspiration. Toutefois, il doit aussi tenir compte d'autres facteurs comme la nature du marché (le marché de détail par opposition au marché interentreprises), la nature du produit (un produit normalisé par opposition à un produit personnalisé ou très technique) et l'étape du cycle de vie du produit. En règle générale, lorsque la publicité s'adresse aux consommateurs, l'entreprise met en œuvre une **stratégie d'aspiration**, laquelle vise à amener les consommateurs à réclamer le produit pour *l'attirer* à travers le réseau de distribution. Un second type de stratégie, appelée **stratégie de pression**, vise à accroître la demande en incitant les vendeurs (grossistes, distributeurs ou représentants) à stocker et à vendre le produit. Cette stratégie vise à motiver le vendeur à mettre un produit en valeur de manière à éclipser ceux de la concurrence afin de *pousser* les consommateurs à l'acheter. Dans les faits, les entreprises vont souvent travailler sur les deux tableaux et mettre en place non seulement des actions de pression, mais aussi d'aspiration, et ce, afin de maximiser leurs chances de réussite.

Une fois les objectifs de la campagne de communication bien définis, l'entreprise établit son budget.

Étape 3 : établir un budget

Les entreprises ont recours à diverses méthodes pour établir le budget de leur plan de communication marketing intégrée. Comme toutes les façons de préparer un budget comportent à la fois des avantages et des inconvénients, il est préférable de ne pas se limiter à une seule méthode[53].

À une époque où les entreprises doivent contrôler leurs dépenses de manière rigoureuse, l'attribution des budgets est toujours un moment délicat où la négociation est importante. Les responsables doivent en effet se battre pour acquérir, pour leur division, une part suffisante du budget global disponible.

La **méthode liée aux objectifs et aux tâches** permet d'estimer le budget nécessaire pour exécuter les tâches précises qui aideront à réaliser les objectifs de communication. Pour employer cette méthode, les gestionnaires marketing doivent d'abord se fixer un ensemble d'objectifs, puis choisir le média le plus approprié pour atteindre leur public cible et, enfin, estimer le coût de la diffusion du nombre et du type de communications nécessaires pour concrétiser ces objectifs. Ce processus (fixer des objectifs, choisir le média et estimer les coûts) doit être répété pour chaque produit ou service. La somme de tous les budgets publicitaires individuels constitue le budget publicitaire global de l'entreprise. Outre la méthode liée aux objectifs et aux tâches, l'entreprise peut utiliser trois **règles simplifiées (ou heuristiques)** – méthode d'alignement sur la concurrence, pourcentage des ventes et budget disponible – pour établir son budget (*voir le tableau 15.2*).

Ces règles simplifiées permettent de s'appuyer sur les ventes et les communications antérieures pour constituer un budget de communication. Bien qu'elles soient faciles à appliquer, elles n'en présentent pas moins certaines limites, qui sont mentionnées dans le tableau 15.2.

Lorsque de petites entreprises ont recours à la méthode du budget disponible, elles dépensent habituellement moins et ne concrétisent donc pas toujours leurs objectifs de vente. Les plus grandes entreprises comme Coca-Cola et PepsiCo pourraient utiliser la méthode de l'alignement sur la concurrence. Toutefois, cette méthode, qui consiste à établir son budget en fonction de la part de marché détenue par l'entreprise, pourrait amener Coca-Cola à dépenser plus que PepsiCo. La méthode du pourcentage des ventes est aussi populaire et il existe des pourcentages normalisés pour

stratégie d'aspiration (*pull strategy*) Stratégie qui vise à stimuler la demande, par le truchement de la publicité et de prix attrayants, de sorte que les consommateurs forcent le réseau de distribution à offrir le produit. Les consommateurs « attirent » le produit à travers le réseau de distribution.

stratégie de pression (*push strategy*) Stratégie qui vise à écouler un produit en incitant les vendeurs (grossistes, distributeurs ou représentants) à le mettre en évidence. Le fabricant proposera souvent des programmes de publicité coopérative et des ristournes importantes.

méthode liée aux objectifs et aux tâches (*objective-and-task method*) Technique budgétaire simplifiée utilisée dans le domaine de la planification de la force de vente et de la publicité. Cette méthode comprend les étapes suivantes : établir les objectifs, évaluer l'efficacité des médias ou des représentants, estimer les besoins en ressources.

TABLEAU 15.2	Les règles simplifiées	
Technique	**Définition**	**Limites**
Objectifs et tâches	Le budget de communication est fondé sur le coût des tâches précises à exécuter pour réaliser les objectifs de communication.	Il peut être difficile de déterminer clairement les tâches à accomplir pour réaliser les objectifs, et, par le fait même, cette méthode devient la plus complexe à utiliser.
Alignement sur la concurrence	Le budget publicitaire est établi de telle sorte que la part des fonds allouée à la publicité est égale à la part de marché détenue par l'entreprise.	• Cela ne permet pas à l'entreprise de réagir aux possibilités ou aux problèmes imprévus auxquels elle fait face sur un marché. • Si tous ses concurrents emploient cette méthode pour établir leur budget de communication, leurs parts de marché resteront à peu près stables dans le temps.
Pourcentage des ventes	Le budget publicitaire équivaut à un pourcentage fixe des ventes anticipées. Par exemple, une entreprise dont les ventes anticipées s'élèvent à 2,5 millions de dollars et qui consacre 3,5 % de ce montant à la publicité disposerait d'un budget de 87 500 $.	• Il est fondé sur l'hypothèse que le pourcentage utilisé dans le passé, ou par les concurrents, demeure approprié pour l'entreprise. • Il ne tient pas compte des nouveaux projets (p. ex., lancement d'une nouvelle ligne de produits au cours de l'année).
Budget disponible	Se compose de l'argent qui reste une fois les frais d'exploitation et les profits inscrits au budget. Les gestionnaires marketing prévoient leurs ventes et leurs dépenses, exception faite des dépenses publicitaires. La différence entre les ventes et les dépenses prévues plus les profits anticipés est réservée au budget publicitaire.	• Il s'appuie sur l'hypothèse que les dépenses publicitaires ne stimulent pas les ventes et les profits.

certaines catégories de produits (*voir la figure 15.5 à la page suivante*). Comme nous avons tous besoin de manger, l'industrie alimentaire consacre un infime pourcentage (environ 1 %) de ses revenus à la publicité, tandis que l'industrie des jouets et des jeux doit y allouer environ 11 % de ses recettes.

Au moment de choisir une méthode de budgétisation pour leurs campagnes de communication, les entreprises doivent tenir compte du rôle de la publicité dans leurs efforts pour atteindre les objectifs fixés dans le plan de communication initial. Ensuite, les frais de publicité varient en fonction de l'étape du cycle de vie du projet, les dépenses étant beaucoup plus élevées pendant la phase d'introduction. Enfin, la nature du marché et du produit influe sur la taille des budgets publicitaires. Toyota a affecté moins de 14 % du total de son budget de communication à la publicité de la Scion parce qu'elle a fait appel à un grand nombre de médias non traditionnels pour capter l'attention de ses jeunes clients cibles. Dans le cas d'autres produits ou services, la portion du budget total consacrée à la publicité peut être aussi élevée que 95 % ; cela dépend des objectifs du plan de communication initial.

La nature du marché détermine aussi l'ampleur des fonds alloués à la publicité. Par exemple, ces fonds sont plus restreints dans le commerce interentreprises (B2B) que dans le commerce de détail (B2C). La vente personnelle, comme nous l'expliquerons dans le chapitre 16, joue d'ordinaire un rôle plus important sur les marchés industriels.

Étape 4 : communiquer le message

À cette étape, les gestionnaires marketing déterminent ce qu'ils veulent communiquer au sujet du produit ou du service. En premier lieu, l'entreprise définit le message clé qu'elle veut transmettre à son public cible. En second lieu, elle décide quel appel permettrait de transmettre ce message le plus efficacement. Pour les besoins de la présentation, nous décrirons ces décisions en séquence, mais en réalité elles doivent être prises simultanément.

règle simplifiée (ou heuristique) (*rule-of-thumb method*) Méthode selon laquelle le budget du plan de communication marketing intégrée est fondé soit sur les parts de marché de l'entreprise par rapport à la concurrence, soit sur un pourcentage fixe des ventes prévues ou sur ce qui reste une fois les frais d'exploitation et les profits prévus inscrits au budget.

FIGURE 15.5   Les dépenses de publicité fondées sur un pourcentage des ventes pour certaines catégories de produits

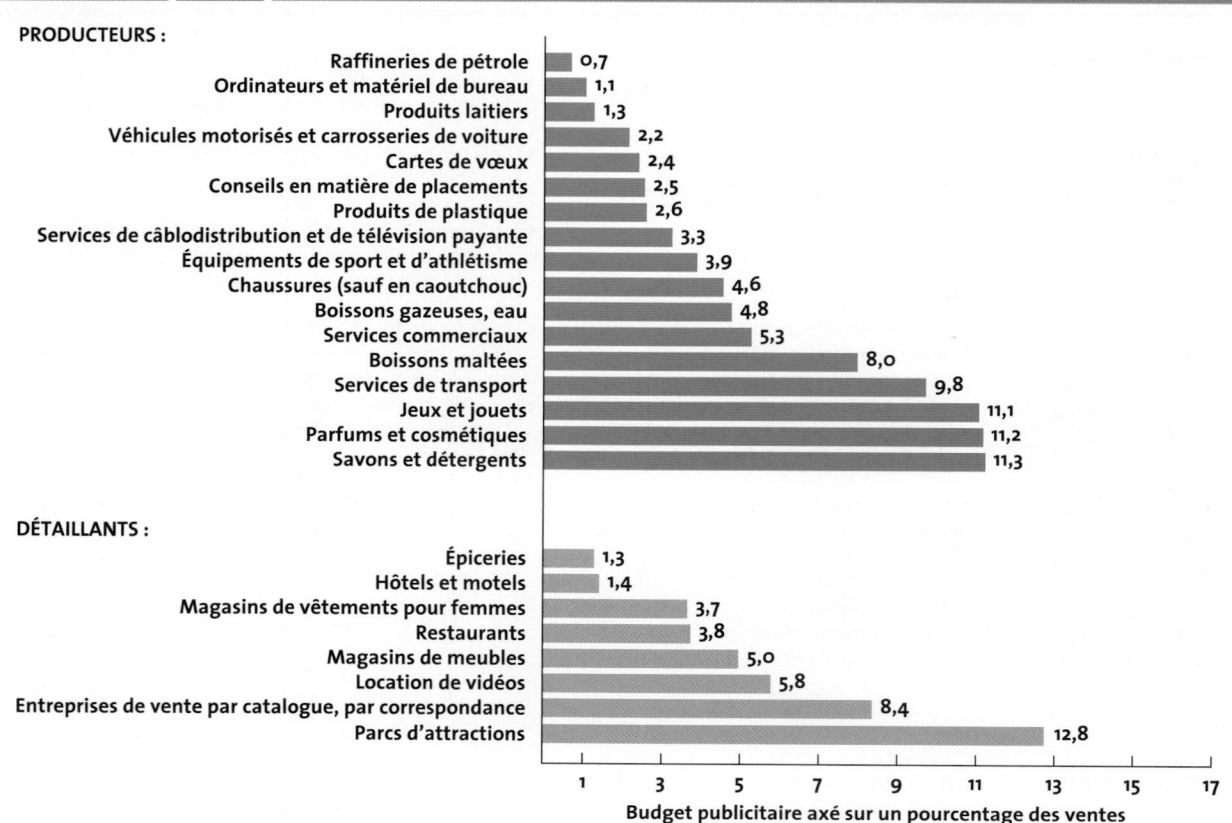

PRODUCTEURS :

Raffineries de pétrole	0,7
Ordinateurs et matériel de bureau	1,1
Produits laitiers	1,3
Véhicules motorisés et carrosseries de voiture	2,2
Cartes de vœux	2,4
Conseils en matière de placements	2,5
Produits de plastique	2,6
Services de câblodistribution et de télévision payante	3,3
Équipements de sport et d'athlétisme	3,9
Chaussures (sauf en caoutchouc)	4,6
Boissons gazeuses, eau	4,8
Services commerciaux	5,3
Boissons maltées	8,0
Services de transport	9,8
Jeux et jouets	11,1
Parfums et cosmétiques	11,2
Savons et détergents	11,3

DÉTAILLANTS :

Épiceries	1,3
Hôtels et motels	1,4
Magasins de vêtements pour femmes	3,7
Restaurants	3,8
Magasins de meubles	5,0
Location de vidéos	5,8
Entreprises de vente par catalogue, par correspondance	8,4
Parcs d'attractions	12,8

Budget publicitaire axé sur un pourcentage des ventes

Le message

Le message fournit au public cible des raisons de réagir de la manière souhaitée par l'entreprise. Vanter les avantages du produit ou du service constitue un point de départ logique au cours de l'élaboration du message publicitaire. En effet, le message doit communiquer la capacité du produit ou du service à résoudre un problème donné d'une manière explicite et irréfutable. Dans ce contexte, les annonceurs doivent se rappeler que les produits et les services règlent des problèmes, que ceux-ci soient réels ou perçus. Ainsi, les consommateurs ne veulent pas des mèches de 60 mm (2 3/8 po) ; ils veulent des trous de 60 mm[54]. Comme il existe de multiples façons de faire un trou de 60 mm, une entreprise comme Black & Decker doit convaincre les consommateurs que sa mèche est le meilleur outil pour pratiquer ce trou.

Une autre stratégie courante consiste à différencier un produit en mettant en avant ses caractéristiques uniques. Cette distinction constitue la base de l'**argument publicitaire unique**, qui devient souvent le thème général de la campagne publicitaire ou le slogan.

Bref, un bon argument publicitaire unique communique les attributs exclusifs du produit et devient donc un instantané de la campagne globale. Voici quelques arguments publicitaires parmi les plus célèbres :

Ford : « Construit pour durer. »

Red Bull : « Red Bull donne des ailes. »

Nike : « Faites-le, c'est tout. »

L'argument publicitaire unique détermine les caractéristiques uniques d'un produit ou d'une entreprise qui seront mises en valeur dans une campagne publicitaire. L'argument publicitaire unique de Ford est : « Construit pour durer. »

L'argument promu dans la publicité doit être non seulement *unique* par rapport à la marque, mais aussi *signifiant* pour le consommateur ; de plus, il doit être *défendable* dans le temps même s'il est répété.

L'appel du message

OA **4**

En vertu de la rhétorique ancienne (l'étude des principes et des règles de la composition), un argument peut s'appuyer sur trois types d'appels : *logos* (logique ou rationnel), *ethos* (moral) et *pathos* (émotionnel). Les annonceurs utilisent également divers appels pour décrire leur produit ou leur service.

Nous en étudierons deux types : l'appel rationnel et l'appel émotionnel. L'appel moral est parfois considéré comme un troisième type d'appel. Les gestionnaires marketing, surtout ceux qui travaillent pour des organismes sans but lucratif, ont souvent recours à ce type de message. Comme l'appel moral peut être rationnel ou émotionnel, il ne forme pas une catégorie distincte.

L'appel rationnel Un appel rationnel est une approche visant à aider les consommateurs à prendre une décision d'achat en leur offrant des renseignements précis et des arguments convaincants sur les enjeux qui les touchent. Le but est de faire pencher le consommateur pour les avantages que présente le produit annoncé[55]. L'appel rationnel fait appel à la logique du consommateur et à son désir d'apprendre. Kimberly-Clark, par exemple, recourt abondamment à des arguments rationnels pour vendre ses mouchoirs de papier Kleenex Anti-Viral. Notez le texte publicitaire affiché sur le site Web de la compagnie :

> Seuls les mouchoirs de papier KLEENEX® Anti-Viral possèdent une couche intermédiaire unique, composée d'ingrédients actifs contre les sécrétions, qui élimine les virus de la grippe et du rhume dans le mouchoir. Lorsque les sécrétions d'un nez qui coule, d'une toux ou d'un éternuement entrent en contact avec la couche intermédiaire unique du mouchoir KLEENEX® Anti-Viral, les virus de la grippe et du rhume sont emprisonnés et tués dans le mouchoir[56].

Cet appel est parfaitement adapté à ce type de produit. L'avantage concurrentiel de celui-ci découle d'une caractéristique tangible. En mettant en valeur ses avantages supérieurs à ceux d'autres mouchoirs de papier, le texte publicitaire transmet un message rationnel convaincant[57].

L'appel émotionnel Un appel émotionnel est une approche visant à satisfaire les désirs des clients plutôt qu'à leur vendre un bien qui a une fonction utilitaire. Un appel émotionnel efficace a recours à l'émotion pour créer un lien entre le consommateur et la marque.

Les émotions les plus souvent évoquées dans la publicité englobent la peur, l'humour, le sentiment de sécurité, le bonheur, l'amour (ou le sexe), le confort et la nostalgie. Les entreprises doivent tenir compte des différences culturelles, puisque l'humour n'est pas perçu de la même façon par tous les groupes culturels et que les attraits sexuels sont tabous dans certaines cultures.

---

argument publicitaire unique (*unique selling proposition [USP]*) Stratégie par laquelle l'attrait du produit présenté réside dans ses caractéristiques uniques. Le caractère unique devient souvent le thème général de la campagne publicitaire ou le slogan.

appel rationnel (*rational appeal*) Approche visant à aider les consommateurs à prendre une décision d'achat en leur offrant des renseignements précis et des arguments convaincants sur les enjeux qui les touchent. Le but est de faire pencher le consommateur pour les avantages que présente le produit annoncé.

Cette publicité sur les mouchoirs KLEENEX® Anti-Viral est fondée sur un appel rationnel qui aide les consommateurs à prendre une décision d'achat basée sur des données factuelles et des arguments irréfutables.

appel émotionnel (*emotional appeal*) Approche visant à satisfaire les désirs des clients plutôt qu'à leur vendre un bien qui a une fonction utilitaire.

Les entreprises ont recours à l'appel émotionnel pour satisfaire les désirs des clients plutôt que leurs besoins utilitaires, comme dans cette publicité, qui met l'accent sur la séduction.

Revenons au texte publicitaire sur les Kleenex de Kimberly-Clark ; la société utilise un appel émotionnel tout à fait différent pour ses mouchoirs de papier ordinaires. Les mouchoirs de papier sont étroitement liés aux moments d'émotion qui nous obligent à essuyer des larmes de joie ou de chagrin. Kleenex tente de renforcer ce déclencheur émotionnel en commanditant les films larmoyants diffusés sur la chaîne de télévision TNT. Contrairement à la publicité relative au Kleenex Anti-Viral, cette campagne s'appuie sur la nécessité implicite d'avoir des mouchoirs de papier sur soi pendant les films dramatiques. Les caractéristiques tangibles du produit, qui ne constituent plus le facteur de persuasion utilisé pour vendre comme dans l'appel rationnel, ne sont même pas mentionnées dans l'appel émotionnel.

Bien que le mot « émotion » évoque souvent les larmes, il existe différents types d'appels émotionnels basés sur le besoin de séduire (p. ex., le déodorant Axe), le besoin d'appartenance, le besoin de conseils (p. ex., Betty Crocker) et le besoin d'attention (p. ex., les cosmétiques). Comme l'estime de soi est une qualité essentielle, les publicités de Weight Watchers et de Jenny Craig mettent souvent en vedette des célébrités ou des personnes ordinaires qui affirment se sentir mieux dans leur peau depuis qu'elles ont adhéré au programme et perdu du poids. La publicité sur la perte de poids joue un peu sur la peur des consommateurs en montrant des images « avant et après », comme si l'image de la personne plus enveloppée était horrible à voir. Les candidats politiques misent aussi sur la peur dans le cas de questions aussi futiles que l'enlèvement des ordures ou aussi sérieuses que les prédateurs sexuels. L'appel émotionnel fondé sur la peur paraît plus efficace lorsque la menace semble dirigée vers des enfants ou d'autres victimes innocentes.

OA 5 Étape 5 : évaluer et choisir les médias

Le contenu d'une publicité est étroitement associé aux caractéristiques des médias que les entreprises choisissent pour transmettre leur message, et vice versa. Le **plan médias** désigne la recherche de la **combinaison de supports** qui permettra de livrer le message de façon claire, cohérente et attirante aux yeux de l'audience ciblée[58]. Par exemple, Bureau en Gros pourrait décider qu'une campagne massive de publicité diffusée à la télévision, à la radio, dans les imprimés et sur les panneaux d'affichage est appropriée entre les mois d'août et de septembre de chaque année, au moment de la rentrée scolaire.

Étant donné que l'**achat d'espace média**, soit l'achat de temps d'antenne (à la radio ou à la télévision) ou d'espace publicitaire dans un média imprimé (journal, magazine, etc.), représente généralement la plus grosse dépense d'un budget publicitaire, les gestionnaires marketing doivent peser leurs décisions avec soin. La publicité télédiffusée est de loin la plus coûteuse. Au Canada, il se dépense environ 13 milliards de dollars en publicité annuellement. Le pourcentage des dépenses publicitaires imputé à chaque média est demeuré à peu près constant depuis quelque temps : télévision, 25 % ; publipostage, 14 % ; journaux, 13 % ; radio, 10 % ; répertoires (professionnels et pages jaunes), 5,5 % ; magazines, 5 % ; et Internet (tous formats confondus, y compris mobile), 27 %. La fraction restante est affectée à d'autres médias, comme la publicité extérieure (panneaux d'affichage urbains et routiers, affichage sur les transports en commun, affichage de rue)[59]. Deux termes génériques servent à caractériser ces divers types de médias : média de masse et média de niche.

Les médias de masse et de niche

Les **médias de masse** comprennent les quotidiens nationaux, les périodiques, la radio et la télévision ; ils sont idéals pour atteindre une large audience anonyme. Quant aux **médias de niche**, ce sont des véhicules de communication de masse qui s'adressent

plan médias
(media planning)
Recherche de la combinaison de supports dont le message livré sera clair, cohérent et attirant aux yeux de l'audience ciblée.

combinaison de supports
(media mix)
Ensemble composé des médias choisis et de la fréquence des annonces diffusées dans chacun de ces médias.

achat d'espace média
(media buy)
Achat de temps d'antenne (à la radio ou à la télévision) ou d'espace publicitaire dans un média imprimé (journal, magazine, etc.).

généralement à de petits segments de marché et qui sont, la plupart du temps, utilisés pour rejoindre la clientèle de ce type de marché qui présente des caractéristiques démographiques et des champs d'intérêt particuliers. La télévision par câble, le publipostage et surtout les revues spécialisées comme *Urbania* ou *Full fille* sont des exemples de médias de niche. Dans certains cas, les médias de niche donnent aux annonceurs la possibilité de modifier et même de personnaliser leurs messages, ce qui n'est ordinairement pas possible dans les médias de masse. Par exemple, les annonceurs qui publient dans des magazines peuvent imprimer des cartes-réponses au nom de l'abonné ou modifier leurs annonces de manière à refléter les différences locales liées au climat ou aux préférences du public cible.

Choisir le bon média

Chaque type de média possède des caractéristiques propres qui permettent à l'annonceur d'atteindre des objectifs précis (*voir le tableau 15.3 à la page suivante*). Les consommateurs utilisent divers médias à des fins variées et les annonceurs doivent adapter leurs messages en conséquence. La télévision étant surtout un moyen d'évasion et de divertissement, la plupart des publicités télédiffusées s'appuient sur un mélange de techniques visuelles et auditives. La publicité extérieure est un autre moyen efficace de diffuser un message. MINI Cooper a trouvé une façon originale de présenter ses publicités à ses clients dans certaines villes au moyen d'un panneau publicitaire interactif. Les acheteurs d'une MINI reçoivent un porte-clé portant une puce d'identification par radiofréquence (RFID). Chaque fois qu'ils passent devant le panneau, un message personnel contenant leur nom s'y affiche.

Les médias de communication varient aussi quant à leur capacité à atteindre le public visé. Par exemple, la radio est un bon média pour annoncer des produits d'épicerie ou des restaurants rapides, puisque de nombreux consommateurs décident quoi acheter en chemin ou une fois arrivés à destination. Comme beaucoup de gens écoutent la radio dans leur voiture, ce média devient un moyen très efficace de rejoindre les consommateurs à un moment crucial de leur processus décisionnel. Chaque média a aussi une couverture et une fréquence uniques. Les annonceurs peuvent déterminer l'efficacité de leur combinaison de supports à atteindre leur public cible en calculant le **point d'exposition brute (PEB)** (couverture × fréquence) du calendrier publicitaire, un sujet que nous aborderons un peu plus loin.

MINI Cooper a trouvé une façon originale de présenter ses publicités à ses clients au moyen de ce panneau d'affichage interactif. Les acheteurs de la MINI reçoivent un porte-clé portant une puce RFID (angle supérieur droit). Chaque fois qu'ils passent devant le panneau, un message personnalisé s'y affiche.

Établir le calendrier publicitaire

Une autre décision importante qui incombe à l'annonceur concerne l'établissement du **calendrier publicitaire**, où figurent les dates et la durée des annonces d'une campagne. Ce calendrier s'applique à trois types de publicités[60] :

- Le **calendrier d'insertions continues** s'échelonne sur toute l'année ; il convient donc aux produits et aux services consommés de façon presque continue et nécessitant une campagne ininterrompue de persuasion ou de rappel. Par exemple, Procter & Gamble annonce son détergent à lessive Tide à longueur d'année.

- Le **calendrier d'insertions ponctuelles** désigne une stratégie dans laquelle les périodes de publicité intensive alternent avec des périodes sans publicité. Il s'applique généralement aux produits pour lesquels la demande fluctue, comme les raquettes de tennis, qui sont annoncées plus fréquemment au printemps et en été.

média de masse
(*mass media*)
Moyen de communication destiné à diffuser des informations auprès d'un très grand nombre de personnes (p. ex., journaux, magazines, radio, télévision).

média de niche
(*niche media*)
Véhicule de communication de masse qui s'adresse généralement à un petit segment de marché et qui est, la plupart du temps, utilisé pour rejoindre la clientèle de ce type de marché qui présente des caractéristiques démographiques et des champs d'intérêt particuliers (p. ex., un magazine qui s'adresse aux haltérophiles).

point d'exposition brute (PEB) (*gross rating point [GRP]*)
Unité servant à mesurer le nombre d'impressions produites par un message publicitaire (imprimé, radiodiffusé ou télédiffusé) ; est égal au pourcentage de l'auditoire multiplié par la fréquence.

calendrier publicitaire (*advertising schedule*) Calendrier où figurent les dates et la durée des annonces d'une campagne.

calendrier d'insertions continues (*continuous advertising schedule*) Calendrier qui s'étire sur toute l'année, donc adapté à des produits et à des services dont les consommateurs ont besoin sur une base relativement régulière et nécessitant ainsi une campagne publicitaire constante ou une publicité d'entretien.

calendrier d'insertions ponctuelles (*flighting advertising schedule*) Calendrier d'insertions où des périodes très chargées en publicité sont suivies de périodes sans publicité.

TABLEAU 15.3	La publicité dans les divers types de médias	
Média	**Avantages**	**Désavantages**
Télévision	• Elle offre une grande couverture. • Elle intègre la vidéo.	• Elle a un coût élevé. • Elle présente un encombrement publicitaire. • Elle peut accroître la notoriété des produits de la concurrence.
Radio	• Elle est relativement peu onéreuse. • Elle peut cibler un auditoire précis. • Elle offre une grande couverture.	• L'impact de la présentation est limité par l'absence d'image. • Elle suscite une attention moins concentrée que la télévision. • Elle implique de courtes périodes d'exposition.
Magazines	• Ils ciblent des publics très précis. • Les abonnés se passent les numéros.	• Ils sont relativement peu flexibles. • Ils comportent de longs délais de production.
Journaux	• Ils sont flexibles. • Ils sont ponctuels. • La publicité peut être adaptée à la réalité locale.	• Ils peuvent être coûteux sur certains marchés. • Ils risquent de perdre le contrôle sur le placement. • Les publicités ont une courte durée de vie.
Internet	• La publicité peut être liée à un contenu détaillé. • Il est très flexible et interactif. • Il permet de cibler un segment précis de consommateurs.	• Il est difficile de comparer ses coûts avec ceux des autres médias. • Il présente un encombrement croissant. • Les logiciels de filtrage bloquent la publication.
Publicité extérieure	• Elle est relativement peu onéreuse. • Il est possible de renouveler l'exposition. • Elle est facilement modifiable.	• Le public est difficile à cibler. • Le placement est difficile sur certains marchés. • Le temps d'exposition est très bref.
Publipostage	• Il cible un public très précis. • Il est possible de personnaliser la publicité.	• Il est relativement cher. • Il est souvent considéré comme du « courrier-déchet ».

calendrier d'insertions par vagues (*pulsing advertising schedule*) Combinaison de calendrier d'insertions continues et de calendrier d'insertions ponctuelles de manière à conserver un niveau de publicité de base et à en augmenter l'intensité pendant certaines périodes.

• Le **calendrier d'insertions par vagues** est un mélange de calendrier d'insertions continues et de calendrier d'insertions ponctuelles dont l'intensité varie selon la période. Par exemple, le détaillant de mobilier IKEA annonce ses produits à longueur d'année, mais il augmente ses dépenses publicitaires en août pour promouvoir les fournitures indispensables à toute rentrée scolaire.

Étape 6 : créer la communication

Après que l'annonceur a choisi son message, ainsi que le type de publicité et d'appel, il doit se concentrer sur la réalisation de son annonce. Au cours de cette étape, le message et l'appel sont convertis en mots, en images, en couleurs ou en musique de façon créative. Souvent, le style d'exécution dictera le type de média choisi pour livrer le message. Par exemple, dans une campagne publicitaire réalisée par Toyota, des tests de collision démontraient la sécurité des voitures Toyota. La société misait sur l'impact visuel de la collision, adouci par l'insistance d'enfants qui poussaient l'essayeur à recommencer. Ce style d'exécution fonctionne seulement à la télévision. C'est pourquoi il arrive souvent que les annonceurs prennent simultanément les décisions relatives au message, aux types d'appels et de médias, et au meilleur style d'exécution.

De plus, les annonceurs ont généralement recours à une combinaison de supports pour transmettre leur message. Dans ce cas, ils doivent utiliser des styles d'exécution compatibles afin de communiquer un message cohérent et irrésistible au public cible. La rubrique Marketing durable, à la page suivante, démontre qu'en termes de support, la créativité des annonceurs peut s'exercer partout et de manière parfois très responsable.

Bien que la créativité joue un rôle majeur au stade de l'exécution, les annonceurs doivent veiller à ne pas laisser celle-ci obscurcir leur message. Quel que soit le style d'exécution retenu, le message publicitaire doit pouvoir capter l'attention du public et l'inciter à s'arrêter pour regarder ou écouter l'annonce, et remplir son objectif. En fin de compte, le style d'exécution doit être adapté au média et aux objectifs publicitaires. Au Canada, l'obligation de diffuser les annonces dans les deux langues officielles vient compliquer les choses encore davantage. Et, comme nous l'avons mentionné antérieurement, la population multiculturelle du pays oblige les entreprises à étudier soigneusement les influences culturelles afin de ne pas brimer certains groupes avec des messages inadéquats.

IKEA a recours à une stratégie publicitaire par vagues. Elle annonce ses produits à longueur d'année, mais elle intensifie sa publicité au moment de la rentrée scolaire en août.

La publicité imprimée pose des problèmes particuliers parce que ce média s'avère statique : en effet, il n'y a ni son, ni mouvement, ni relief, la stimulation n'étant que visuelle. Ce type de publicité s'appuie sur plusieurs éléments clés qui figurent dans la plupart des annonces : le titre en gros caractères destiné à attirer l'attention et à être lu en premier ; le corps du texte, qui représente la partie informative du message ; le fond, généralement de couleur unie ; le premier plan, soit tout ce qui se détache sur le fond, et enfin la marque, qui annonce le commanditaire de la publicité. L'annonceur doit communiquer son message au moyen d'images attrayantes et d'un court texte.

Stupid.ca, une campagne publicitaire diffusée dans les imprimés et sur le Web, était si efficace qu'elle a remporté deux médailles d'or lors du concours *Canadian Advertising Success Stories*. Cette campagne était centrée sur le principe que, aux yeux des enfants, les parents sont ringards, les enseignants, pathétiques et le gouvernement, pire encore. Il fallait un message simple et audacieux auquel les enfants pourraient se rallier. Ce message, élaboré en partie par les opinions d'un groupe d'enfants, se résumait à une idée unique : fumer est à peu près la chose la plus stupide que l'on puisse faire. Ce message était communiqué sur un ton honnête et drôle, et pas du tout moralisateur. Les résultats ont été positifs, 91 % des enfants ayant affirmé que l'annonce contribuerait à empêcher leurs camarades de fumer. Mieux encore, une étude menée par Statistique Canada a révélé que le taux de tabagisme a décliné de 2 % chez les 12-17 ans et que le nombre de jeunes qui ont décidé de ne pas commencer à fumer a augmenté de 9 %[61].

Dans le cas de la radio et de la télévision, certains aspects de l'exécution sont cruciaux : dénicher les talents appropriés (comédiens ou chanteurs) pour communiquer le message et choisir une musique et des images frappantes. Nespresso, la célèbre marque de machine à café avec capsules, a été fondée en 1988. Ce n'est que bien des années plus tard qu'elle réussit à se positionner comme une marque haut de gamme. Pour atteindre cette image de luxe, elle lance en 2006 une campagne de communication avec Georges Clooney. L'agence McCANN Paris, qui est à l'origine de la saga Nespresso et du désormais célèbre slogan « *What else?* », souhaitait mettre en scène une vedette internationale qui serait non seulement appréciée d'un large public, mais qui véhiculerait les mêmes valeurs que Nespresso. Le choix se porta sur George Clooney qui semblait le plus en accord avec plusieurs valeurs revendiquées par Nespresso : l'authenticité, l'élégance, la modernité et l'humour, avec une bonne dose d'autodérision

La voix et le charisme de Georges Clooney soutiennent l'image crédible, digne de confiance et appréciée de la marque Nespresso, dont il est le porte-parole depuis 2006.

prétest (*pretesting*)
Évaluation d'une campagne publicitaire avant sa diffusion en vue de s'assurer que ses divers éléments sont bien intégrés et produisent les résultats escomptés.

pistage (*tracking*)
Surveillance d'indicateurs clés relativement au suivi des activités, dont l'évaluation quotidienne ou hebdomadaire du volume des ventes, pendant que la campagne de publicité est en cours, en vue de déceler tout problème qui pourrait survenir quant au message ou au média choisi.

post-test (*posttesting*)
Évaluation de l'effet d'une campagne publicitaire après sa mise en œuvre.

que l'on retrouve dans ses nombreux films. La campagne a connu un très grand succès, qui ne se dément toujours pas, puisque 10 ans plus tard, et des dizaines de milliards de capsules vendues, George Clooney en est toujours le porte-parole. Nespresso n'hésite toutefois pas à faire appel à d'autres célébrités qui semblent avoir la même « personnalité », pensons à Penelope Cruz, Matt Damon et, plus récemment, Jean Dujardin[62].

Étape 7 : évaluer l'impact de la communication

L'efficacité d'une campagne de publicité doit être évaluée avant, pendant et après la campagne. Le **prétest** désigne l'évaluation d'une campagne publicitaire avant sa diffusion en vue de s'assurer que ses divers éléments sont bien intégrés et produisent les résultats escomptés[63]. De son côté, le **pistage** englobe la surveillance d'indicateurs clés relativement au suivi des activités, dont l'évaluation quotidienne ou hebdomadaire du volume des ventes, pendant que la campagne de publicité est en cours, en vue de déceler tout problème qui pourrait survenir quant au message ou au média choisi. Le **post-test** est l'évaluation de l'effet d'une campagne publicitaire après sa mise en œuvre. À ce dernier stade, les annonceurs évaluent l'impact de la communication ou l'incidence sur les ventes générés par la publicité ou la campagne.

Évaluer l'incidence sur les ventes peut s'avérer particulièrement complexe en raison des nombreux facteurs autres que la publicité qui peuvent influer sur les choix des consommateurs, leurs comportements d'achat et leur attitude. Ces facteurs comprennent le niveau de publicité des concurrents, les conditions économiques du marché cible, les changements socioculturels et même le climat, tous ces éléments étant

---

Marketing durable

Vers une communication marketing responsable ?

La communication marketing se met au vert, et pas uniquement pour les entreprises désireuses de promouvoir un produit recyclé, recyclable ou nullement néfaste pour l'environnement. Cette approche est une réalité que des agences de communications intègrent peu à peu.

Né d'un constat en apparence fondamental, à savoir se servir des éléments existants dans l'environnement, certaines agences de communication novatrices ont proposé des solutions originales. En Angleterre, CURB Media utilise des supports peu conventionnels et biodégradables, comme le ciel, les bactéries ou la saleté. Lors du championnat européen de golf, l'agence s'est démarquée pour un de ses clients en inscrivant des *Tweets* dans le ciel grâce à des avions équipés de fumigènes, à l'instar des célèbres patrouilles acrobatiques aériennes. Dans un autre ordre d'idées, l'agence a eu recours à des bactéries qui se développaient sur un immense panneau – en fait, une boîte de Petri géante – pour le lancement du film *Contagion*. Enfin, CURB

Pour promouvoir l'utilisation des produits de nettoyage Procter & Gamble, l'agence CURB Media, basée à Londres, a utilisé l'eau à très haute pression et la saleté incrustée dans un mur pour dessiner un personnage composé de symboles.

Media a aussi utilisé l'eau et la saleté des murs d'un édifice londonien pour y dessiner la silhouette d'un personnage. Son client ? Procter & Gamble. Un bon exemple pour promouvoir l'utilisation des produits de nettoyage.

À quelques centaines de kilomètres de là, l'agence française Green'AD propose, quant à elle, des concepts biodégradables. En utilisant l'eau sous pression, il est ainsi possible de « dessiner » des messages, des slogans ou des logos en projetant de l'eau recyclée à travers un pochoir sur un trottoir ou sur un mur. Le délai de conservation va de quelques jours à quelques semaines selon le passage des piétons, ou encore la météo. À l'inverse, lorsque les supports urbains sont trop propres, l'agence se sert aussi de craie biodégradable pour ajouter de la couleur aux messages. L'idée et la technique utilisée restent les mêmes. L'originalité réside donc dans l'utilisation de la propreté ou de la saleté de l'environnement urbain et trouve son efficacité dans un environnement urbain ou lors d'un événement promotionnel.

susceptibles d'agir sur les comportements d'achat. Les annonceurs doivent tenter de cerner ces influences et d'isoler celles qui sont inhérentes à leur campagne de publicité.

Dans le cas des produits de consommation courante dont le cycle de vie a atteint la maturité, comme les colas, le volume des ventes est un bon indicateur de l'efficacité de la publicité. Étant donné que les ventes de ces produits sont relativement stables, et en présumant que les autres éléments du marketing mix et de l'environnement n'ont pas changé, on peut attribuer la modification du volume des ventes à la modification du message publicitaire.

Pour d'autres types de produits à divers stades de leur cycle de vie, les données relatives aux ventes sont seulement l'un des nombreux indicateurs que les gestionnaires marketing doivent examiner pour évaluer l'efficacité d'une publicité. Par exemple, sur un marché en plein essor, la croissance des ventes prise seule peut être trompeuse, puisque le marché croît dans son ensemble. Dans ce cas, les gestionnaires marketing évaluent les ventes par rapport à celles de leurs concurrents afin d'estimer leur part relative du marché. Les entreprises trouvent des façons inédites d'évaluer l'efficacité de leurs campagnes publicitaires ; par exemple, grâce à la câblodistribution numérique, elles peuvent diffuser une annonce particulière dans certains quartiers, puis suivre les ventes auprès des détaillants locaux ou régionaux.

Certaines catégories de produits subissent tellement d'influences qu'il est presque impossible de mesurer le rôle joué par la publicité dans le choix d'un consommateur individuel, surtout en ce qui a trait aux produits créant une dépendance, tels que la cigarette et l'alcool, ou des produits potentiellement nocifs pour la santé comme le prêt-à-manger ou les céréales riches en sucre. L'Union européenne fait même face à une demande d'interdire les publicités sur le prêt-à-manger et d'autres formes de publicité sur les aliments destinées aux enfants. Bien que beaucoup de gens soient persuadés que ce type de publicité joue un rôle capital dans l'obésité juvénile, les chercheurs n'ont pas réussi à démontrer un lien de causalité entre les deux. Ce lien serait plus important avec d'autres facteurs, comme l'influence des parents ou des pairs[64].

Les résultats : évaluer le succès du plan de communication marketing intégrée

OA **6**

Nous avons examiné comment les gestionnaires marketing se fixent des objectifs stratégiques avant de mettre en œuvre leur plan de communication marketing intégrée. Dès qu'une entreprise a choisi la manière d'établir son budget publicitaire et mis en œuvre sa campagne, elle arrive au point où elle doit évaluer le succès de celle-ci. Il est possible d'évaluer chaque étape du plan de communication marketing intégrée afin de déterminer dans quelle mesure elle a poussé les consommateurs vers l'étape suivante du processus d'achat. Toutefois, l'**effet décalé** complique l'évaluation de l'efficacité d'une promotion ainsi que les décisions concernant la répartition optimale des sommes allouées aux communications. En raison de l'effet cumulatif de celles-ci, il faut parfois plusieurs expositions pour inciter les consommateurs à acheter. C'est pourquoi les entreprises doivent faire preuve de patience. Elles doivent investir dans leur plan de communication marketing intégrée tout en sachant qu'il n'atteindra pas son plein potentiel sur-le-champ. De même, si les entreprises réduisent leurs dépenses de publicité, cela peut prendre du temps avant qu'elles ne constatent une diminution des ventes.

effet décalé (*lagged effect*) Réponse tardive à une campagne publicitaire.

Si elle veut évaluer le succès de son plan de communication marketing intégrée, l'entreprise doit se demander à quel moment et à quelle fréquence les consommateurs ont été exposés à diverses communications commerciales. Plus précisément, elle doit évaluer la fréquence et la couverture pour évaluer cette exposition. Dans la majorité des cas, une seule exposition à une communication est à peine suffisante pour engendrer la réaction désirée. C'est pourquoi les gestionnaires marketing évaluent la **fréquence** de l'exposition, c'est-à-dire le nombre de fois que l'audience est exposée à une communication sur une période donnée.

fréquence (*frequency*) Mesure du nombre de fois que l'audience est exposée à une communication sur une période donnée.

couverture (*reach*)
Nombre de personnes touchées pendant une campagne ; pourcentage de la population cible touché au moins une fois par une communication commerciale (p. ex., annonce publicitaire). Couverture et fréquence servent à quantifier l'exposition d'une campagne publicitaire.

L'autre mesure qui permet d'évaluer l'exposition des consommateurs à des communications commerciales est la **couverture**, soit le pourcentage de la population cible touché au moins une fois par une communication commerciale (p. ex., une annonce publicitaire)[65]. Les gestionnaires marketing fixent généralement leurs objectifs en points d'exposition brute (PEB), qui représentent la couverture multipliée par la fréquence (PEB = couverture × fréquence).

On peut calculer les PEB pour les imprimés, la radio ou la télévision, mais pour les comparer, il faut se référer au même média. Supposons qu'Unilever, le fabricant de Sunsilk, place cinq annonces dans le magazine *Flare*, qui touche 50 % de son segment cible « à l'avant-garde de la mode ». Le total des PEB générés par ces 5 annonces est de 50 (couverture) × 5 (annonces) = 250 PEB. Maintenant, supposons que Sunsilk ajoute 15 annonces à cette campagne, qui sont diffusées pendant l'émission *Perdus*, dont la cote d'écoute est de 9,2. Le total des PEB générés par ces 15 annonces est de 138 (9,2 × 15 = 138). Toutefois, les annonces sont généralement diffusées pendant plusieurs émissions, de sorte que le PEB total est égal à la somme des PEB produits par chaque émission.

Bien que les PEB constituent une mesure appropriée de l'impact des publicités télédiffusées et radiodiffusées, il faut un logiciel d'audimétrie Web pour évaluer l'efficacité de n'importe quelle cybercampagne. Ce logiciel indique combien de temps les visiteurs passent sur des sites particuliers et le nombre de pages qu'ils consultent. Le **taux de clics publicitaires** est le rapport, exprimé en pourcentage, entre le nombre de clics publicitaires constatés et le nombre de fois où une page Web a été consultée. Les résultats de toutes ces méthodes sont faciles à évaluer grâce à des outils comme Google Analytics. Facebook permet aussi aux entreprises de voir qui consulte leurs pages des adeptes, ce qu'ils y font et qui clique sur leurs publicités. Grâce à cette information, les gestionnaires marketing sont mieux à même de personnaliser le contenu de leurs pages. Le couponnage en ligne ou couponnage électronique est une technique publicitaire qui permet aux consommateurs d'imprimer un coupon directement sur un site, puis d'échanger ce coupon dans un magasin. Le renvoi en ligne est une autre technique publicitaire dans laquelle les consommateurs remplissent un formulaire d'intérêt ou de commande et sont dirigés vers un revendeur ou une entreprise hors ligne qui vend le produit ou le service en question.

À mesure que les plans de communication marketing intégrée se complexifient, l'évaluation n'est pas la seule préoccupation des gestionnaires marketing. En effet, il existe une foule de questions d'ordre juridique et éthique dont ils doivent se soucier. Nous les aborderons dans le prochain chapitre.

taux de clics publicitaires
(*click-through tracking*)
Rapport, exprimé en pourcentage, entre le nombre de clics publicitaires constatés et le nombre de fois qu'une page Web a été consultée.

Profil d'expert   Ami Shah

J'ai passé mon baccalauréat en administration des affaires à l'Université Wilfrid-Laurier. J'ai trouvé ce programme formidable, car il m'a procuré une expérience théorique et pratique du monde des affaires grâce à des programmes scolaires et coopératifs. C'est au cours de mes études que j'ai décidé d'orienter ma carrière vers le marketing.

J'ai décroché mon premier emploi chez Procter & Gamble (P&G) alors que j'étais encore à l'université. Après avoir rencontré des représentants de l'entreprise, j'ai eu l'impression que je m'y sentirais à l'aise, car nous avions des valeurs similaires. Je suis donc entrée dans la grande famille P&G et,

rétrospectivement, je suis vraiment contente d'avoir accepté cet emploi parce que j'ai adoré l'expérience.

J'ai débuté ma carrière en marketing à titre de directrice commerciale adjointe. Je me suis d'abord attaquée à deux marques de colorant capillaire dont la performance était médiocre : Natural Instincts et L'Image. Avec une équipe multidisciplinaire, j'ai évalué le marketing mix, puis j'ai élaboré et mis en œuvre des stratégies uniques pour augmenter la part de marché de chaque marque. Résultat : les ventes du colorant Natural Instincts, qui stagnaient depuis trois ans, ont augmenté de 15 % au cours de ma première année en fonction et celles de l'Image ont excédé les prévisions de 12 %.

Lorsque j'ai été promue directrice commerciale chez P&G, j'ai eu l'occasion de diriger la mise en marché de Perfect 10, une nouvelle marque qui allait révolutionner la technologie des colorants capillaires pour la première fois en plus d'un demi-siècle. Ce projet comptait beaucoup à mes yeux parce qu'il jouissait d'une grande visibilité et était le plus compliqué que j'aie eu à diriger jusque-là. Bien sûr, j'ai été confrontée à un certain nombre de difficultés : délais exigus, contraintes budgétaires, problèmes liés à la chaîne d'approvisionnement, équipe de lancement réduite. Néanmoins, au bout de six mois de travail acharné, j'ai surmonté ces obstacles et exécuté mon plan de marketing avec succès.

Alors que je travaillais chez P&G, j'ai pris un congé de six mois pour faire du bénévolat au Vietnam et en Inde. Au cours de cette période, je suis entrée en contact avec des entreprises sociales novatrices et je leur ai apporté mon expertise en marketing. En retour, elles m'ont fait bénéficier de leur expérience en tant qu'entrepreneures sociales sur des marchés en développement.

Après avoir travaillé pendant quelques années, j'ai décidé de retourner aux études et je me suis inscrite au programme de maîtrise en administration des affaires de l'INSEAD, une école de gestion internationale, qui possède des campus en France et à Singapour. J'ai trouvé l'expérience enrichissante, puisqu'elle m'a permis de prendre du recul face à mon expérience de travail et a stimulé mon désir de mettre cette expérience à profit dans une organisation plus entrepreneuriale et plus socialement responsable.

Une fois ma maîtrise terminée, j'ai travaillé dans les entreprises de ma propre famille, l'une de vente au détail et l'autre de vente en gros. C'était une expérience exaltante parce que, quand on travaille avec son propre argent, on apprend vite à être très pragmatique. En même temps, cela m'a permis de tester et d'apprendre à utiliser de nouveaux outils très rapidement. Ainsi, les ventes de notre magasin de détail (www.shalimardesigns.com) ont rapidement bondi de 10 % lorsque nous avons augmenté notre présence sur Google et utilisé davantage les outils de médias sociaux.

Depuis, je travaille comme chef de marque dans une jeune entreprise dynamique de biens emballés, Planet People, cofondée par un collègue de l'INSEAD. J'ai été engagée pour lancer deux gammes de produits nettoyants écologiques : iQ et Gloves Off. Ces deux gammes allient des formules de nettoyage non toxiques et sécuritaires ; toutefois, le produit iQ est unique parce qu'il est vendu en petites cartouches de concentré. Pour fabriquer une solution nettoyante, les consommateurs n'ont qu'à remplir une bouteille réutilisable iQ avec l'eau du robinet et y insérer la cartouche. Cette technique réduit la quantité de déchets plastiques de 80 %. Je suis vraiment emballée par mon travail sur le produit iQ, car c'est un produit auquel je crois vraiment. De plus, il a déjà obtenu une certaine reconnaissance, ayant reçu entre autres le prix du « Meilleur emballage vert » décerné par Green Awards.

Mon travail chez Planet People m'a beaucoup apporté jusqu'ici, quoiqu'il soit très différent de mon expérience chez P&G. Ici, le défi consiste à faire le meilleur marketing qui soit avec des fonds, des ressources et des recherches limités. Cela m'oblige à me fier davantage à mon instinct, à mettre la main à la pâte, à être plus créative et plus flexible, car je ne sais jamais ce qui m'attend le lendemain.

Il y a tellement d'aspects qui me plaisent dans le marketing ! C'est un univers dynamique, interactif et ludique, mais, de plus, j'adore le fait qu'en tant que gestionnaire marketing je doive vraiment comprendre qui est mon client. Mes meilleurs plans de marketing découlent d'une profonde compréhension de la clientèle cible et tiennent compte des informations clés sur cette clientèle et des difficultés liées aux essais auprès des consommateurs. Apprendre à connaître les consommateurs a un côté amusant parce qu'il faut aller les rencontrer et discuter avec eux. Depuis les groupes de discussion formels aux enquêtes aux points de vente menées pour P&G en passant par les démonstrations en magasin réalisées pour Planet People, le fait d'interagir avec les clients, de leur poser des questions et d'apprendre à les connaître m'a permis de prendre les décisions de marketing les plus aptes à combler leurs besoins et à accroître les résultats financiers de mon entreprise.

Faites le point

 **Décrivez le processus par lequel les entreprises communiquent avec les consommateurs**

En apparence, la communication marketing intégrée est un jeu d'enfant : les consommateurs sont informés de l'existence d'un produit ou d'un service, celui-ci capte leur intérêt, ils désirent se procurer le produit ou le service, puis ils passent à l'action et l'achètent. Or, ce n'est pas aussi simple que cela. Premièrement, la communication marketing intégrée a un effet cumulatif. Les annonces passées influent sur les actions futures des consommateurs. Deuxièmement, comme chaque personne interprète les messages des campagnes de communication à sa façon, le gestionnaire marketing n'a pas toujours l'assurance qu'un message précis et clair a été entendu. Troisièmement, pour être efficaces, les gestionnaires marketing doivent adapter leurs messages aux médias et au niveau de connaissance des récepteurs.

 **Expliquez les six outils de communication marketing intégrée**

Les six outils de communication marketing intégrée sont la publicité, la vente personnelle, la promotion des ventes, le marketing direct, les relations publiques et les médias électroniques. Dans le passé, la majeure partie du budget publicitaire d'une entreprise était consacrée à la publicité. Bien que celle-ci en prenne encore une portion importante, d'autres médias rongent désormais une fraction substantielle du budget total. Même si le coût de la vente personnelle, qui permet d'atteindre directement les clients potentiels, est très élevé, cette technique demeure la meilleure et la plus efficace pour vendre certains produits et services. La promotion des ventes prend la forme de primes ou de programmes qui encouragent un achat immédiat. Dans bien des cas, elle stimule les ventes à court terme, mais certains types de promotions des ventes sont intégrés au programme de fidélisation de l'entreprise. La fraction du budget publicitaire affectée au marketing direct augmente en raison de la multiplication des médias de marketing direct depuis quelques années. Bien que les appels téléphoniques demeurent une forme populaire de marketing direct, le publipostage, les publireportages, les médias de substitution comme les catalogues, Internet, le courrier électronique et les nouvelles technologies de la communication, comme les téléphones intelligents, sont en plein essor. Les relations publiques jouent aussi un rôle croissant parce que les autres médias deviennent plus chers et que les consommateurs sont de plus en plus sceptiques face aux messages publicitaires. Enfin, Internet a engendré des façons inédites de promouvoir des produits et des services.

 **Décrivez les étapes de l'élaboration d'un plan de communication marketing intégrée**

Les entreprises définissent leur public cible, fixent des objectifs, établissent leur budget, communiquent le message, évaluent et choisissent les médias, créent la communication et, enfin, évaluent l'impact de celle-ci.

 **Décrivez les appels publicitaires dont se servent les annonceurs pour attirer l'attention des clients**

Les appels publicitaires sont rationnels ou émotionnels. L'appel rationnel exerce une influence sur les décisions d'achat au moyen d'informations factuelles et d'arguments solides centrés sur les principaux avantages du produit ou du service, qui incitent les consommateurs à évaluer la marque favorablement. L'appel émotionnel vise à satisfaire les désirs des clients plutôt que leurs besoins utilitaires.

 **Expliquez comment les entreprises choisissent les médias qui serviront à transmettre leur message**

Les entreprises peuvent utiliser des médias de masse comme les journaux ou la télévision pour toucher un grand nombre de personnes. Les médias de niche, comme la câblodistribution, le publipostage et les revues spécialisées, servent habituellement à atteindre des segments réduits qui possèdent des caractéristiques démographiques ou des champs d'intérêt uniques. Le choix du média doit s'harmoniser avec les objectifs de l'entreprise. De plus, certains médias sont plus efficaces que d'autres pour toucher un public cible particulier.

OA 6 **Décrivez comment les entreprises planifient le budget et évaluent le succès de leur plan de communication marketing intégrée**

Un plan de communication marketing intégrée englobe un ensemble de facteurs. L'entreprise doit d'abord établir un budget publicitaire global sous forme de pourcentage des ventes. Ensuite, elle doit étudier ce que ses concurrents dépensent pour des catégories de produits similaires. Lorsqu'elle planifie son budget pour des catégories de produits ou des produits individuels, elle doit fixer des objectifs et prévoir des sommes suffisantes afin de les concrétiser.

Les gestionnaires marketing s'appuient sur un mélange de mesures traditionnelles et non traditionnelles pour évaluer le succès d'un plan de communication marketing intégrée. Comme les clients potentiels doivent être exposés aux messages plusieurs fois avant d'acheter, les entreprises évaluent cette exposition en multipliant la fréquence (le nombre de fois qu'une audience est exposée à un message) par la couverture (le pourcentage de la population cible exposé à une communication donnée). L'évaluation de l'efficacité des campagnes de communication diffusées sur Internet requiert des mesures différentes, comme le calcul des taux de clics publicitaires, qui indiquent combien de fois les visiteurs cliquent sur un bandeau publicitaire affiché sur un site Web.

Mots clés

- achat d'espace média, p. 516
- appel émotionnel, p. 515
- appel rationnel, p. 515
- argument publicitaire unique, p. 515
- blogue (ou carnet Web), p. 507
- boucle de rétroaction, p. 495
- bruit, p. 495
- calendrier d'insertions continues, p. 518
- calendrier d'insertions par vagues, p. 518
- calendrier d'insertions ponctuelles, p. 518
- calendrier publicitaire, p. 518
- canal de communication, p. 494
- codage, p. 494
- combinaison de supports, p. 516
- commandite événementielle, p. 505

- communication marketing intégrée (CMI), p. 492
- couverture, p. 522
- décodage, p. 495
- effet décalé, p. 521
- émetteur, p. 493
- fréquence, p. 521
- marketing direct, p. 498
- marketing direct télévisuel, p. 502
- marketing engagé, p. 504
- média de masse, p. 517
- média de niche, p. 517
- médias électroniques, p. 505
- méthode liée aux objectifs et aux tâches, p. 512
- pistage, p. 520
- plan de communication, p. 511
- plan médias, p. 516
- point d'exposition brute (PEB), p. 517

- post-test, p. 520
- prétest, p. 520
- publicité, p. 496
- publicité mensongère, p. 493
- publipostage et courrier électronique, p. 499
- récepteur, p. 494
- règle simplifiée (ou heuristique), p. 513
- relations publiques, p. 503
- stratégie d'aspiration, p. 512
- stratégie de pression, p. 512
- taux de clics publicitaires, p. 522
- transmetteur, p. 494

Révision des concepts

1. Décrivez brièvement le processus de communication marketing et nommez les sources potentielles de bruit à chaque étape du processus.

2. Qu'est-ce qu'un plan de communication marketing intégrée ?

3. Décrivez les outils de communication marketing intégrée utilisés par les gestionnaires marketing dans le cadre d'une campagne publicitaire.

4. Expliquez ce qui distingue la publicité de la promotion des ventes.

5. Décrivez certains éléments d'une trousse de relations publiques. Pourquoi une entreprise voudrait-elle inclure les relations publiques dans son plan de communication marketing intégrée ?

6. Nommez quelques-uns des principaux médias électroniques utilisés par les gestionnaires marketing pour communiquer avec leurs clients. En quoi ces médias modifient-ils la nature de la communication entre une entreprise et ses clients ?

7. Quelles sont les étapes de l'élaboration d'un plan de communication marketing intégrée ? Expliquez chacune d'elles brièvement.

8. Expliquez pourquoi une entreprise utiliserait une stratégie d'aspiration par opposition à une stratégie de pression dans ses communications marketing.

9. Décrivez brièvement les deux types d'appels publicitaires.

10. Expliquez les trois méthodes utilisées par les gestionnaires marketing pour évaluer le succès de leurs communications marketing intégrées ? Quel type d'information chaque méthode permet-elle de recueillir ?

Marketing appliqué

1. Juicy Couture, un fabricant de jeans design, a élaboré un nouveau plan de communication marketing intégrée. L'entreprise a choisi d'annoncer ses jeans durant le bulletin de nouvelles de Radio-Canada et de CBC, et dans les magazines *Maclean's* et *Les Affaires*. Sa publicité annonce les nouveaux styles de la saison et met en vedette une jeune mannequin de 17 ans. Évaluez cette stratégie.

2. Noël approche et vous avez décidé d'acheter un bijou de Birks pour une personne qui vous est chère. Évaluez comment les outils de communication utilisés par Birks (publicité, vente personnelle, relations publiques et médias électroniques) pourraient influer sur votre décision d'achat. En quoi l'importance relative de chaque outil changerait-elle si cet achat était effectué par vos parents ?

3. Choisissez l'une des annonces figurant dans ce manuel et indiquez si elle s'appuie sur un appel rationnel ou sur un appel émotionnel.

4. Bernard, un fabricant de meubles local, cible les étudiants du collège et de l'université vivant en appartement et les jeunes ménages qui achètent leur premier mobilier. Si vous travailliez pour Bernard, quel type de média choisiriez-vous pour votre campagne de publicité ? Expliquez votre réponse.

5. Bernard devrait-il baser son calendrier publicitaire sur une publicité continue, ponctuelle ou par vagues ? Pourquoi ?

6. Supposons qu'on interviewe votre enseignant de marketing à la télévision pour connaître l'incidence des chèques-cadeaux sur les ventes réalisées pendant les prochaines fêtes de Noël. Cette interview fait-elle partie du plan de communication marketing intégrée de votre université ? Le cas échéant, est-elle profitable pour l'université ? De quelle façon ?

7. Un magasin de détail annonce des pantalons de yoga dans un quotidien local. Les ventes de pantalons augmentent considérablement au cours des deux semaines subséquentes de même que les ventes d'autres articles de sport. Quels sont les objectifs à court et à long terme de l'annonce à votre avis ? Expliquez votre réponse.

8. À titre de stagiaire chez Pneus Michelin, vous devez établir un budget publicitaire. L'objectif du plan de communication marketing intégrée est d'augmenter la part de marché détenue par Michelin de 5 % au cours des 18 prochains mois. Votre supérieur vous dit : « C'est très simple : il suffit d'augmenter le budget de 5 % par rapport aux années précédentes. » Évaluez cette stratégie.

9. McDonald's dépense des millions de dollars en publicité. Expliquez comment l'entreprise peut évaluer l'incidence de sa publicité à l'aide de paramètres de marketing.

10. Vous entendez un ami parler des boissons santé GNC et décidez de visiter la page Web de l'entreprise. Supposons que GNC ait eu recours aux services de l'agence de publicité comportementale Tacoda pour surveiller les activités des consommateurs sur son site Web et créer une publicité plus ciblée. Ces initiatives constituent-elles une violation de la vie privée, selon vous ? S'inscrivent-elles dans une stratégie de communication marketing intégrée éthique ? Comment influeront-elles sur votre attitude à l'égard de GNC et sur la probabilité que vous achetiez ses produits ?

Internaute averti

1. Visitez le site Web de Cossette (http://www.cossette.com/fr/), une société-conseil en matière de plans de communication marketing intégrée. Ce site fournit de nombreux exemples de plans de communication marketing intégrée et des conseils en stratégie de communication. Sa section « Portfolio » est particulièrement intéressante. Sélectionnez un cas et répondez aux questions suivantes : quels étaient les objectifs de la campagne de communication ? Quels outils de communication ont été employés pendant cette campagne ? Comment ces techniques ont-elles permis à la campagne d'atteindre ses objectifs ?

2. L'Association canadienne du marketing est la principale source d'information sur les activités relatives au marketing direct tant pour les universitaires que pour les praticiens. Le site de l'Association (www.the-cma.org/french/) offre une pléthore de renseignements sur les pratiques de marketing direct et sur l'autoréglementation. À combien de marchés cibles différents l'Association s'adresse-t-elle sur sa page d'accueil ? Cliquez sur « Information aux Consommateurs ». Quels services l'Association propose-t-elle aux consommateurs ? Pourquoi offre-t-elle ces services d'après vous ? Maintenant, retournez à la page d'accueil et cliquez sur « Activités et Réalisations » pour lire quelques articles, études de cas ou rapports.

DOVE ÉLARGIT LA DÉFINITION DE LA VRAIE BEAUTÉ CHEZ LES FEMMES… ET LES HOMMES

Dans un monde où les images de la beauté sont basées sur la séduction physique et les retouches numériques, l'*Initiative Vraie Beauté* de Dove apporte une bouffée de fraîcheur. La campagne, qui met en vedette de vraies femmes et non des mannequins professionnels, a été lancée au Canada par Unilever au début de 2004.

Lors d'une étude menée auprès de 3 200 femmes à l'échelle mondiale, Unilever a découvert que 76 % d'entre elles souhaitaient voir des portraits plus réalistes de la beauté dans la publicité. Seulement 2 % des femmes se décrivaient comme étant « belles ».

Selon Aleksandra Hoszowski, la chef de marque adjointe de Dove, l'approche d'Unilever en matière de plan de communication marketing intégrée consiste à axer sa campagne sur une idée clé des consommateurs. Or, l'idée clé qui est ressortie de l'étude était celle-ci : la définition actuelle de la beauté est trop étroite et les femmes souhaitent qu'elle change. Hoszowski affirme que Dove s'est donné pour mission d'élargir la définition de la beauté. L'*Initiative Vraie Beauté* s'appuie sur la croyance que la beauté existe à tout âge et dans des formes et des tailles variées, et que la vraie beauté peut être saisissante.

Au début de la campagne, Unilever a écrit à 58 photographes bien connues du monde entier pour leur demander ceci : « Qu'est-ce qu'une belle femme, selon vous ? » Sharon MacLeod, directrice du marketing chez Dove Canada, dit qu'elle a été submergée de réponses et de photos de femmes et d'enfants de tous âges, tailles et origines ethniques. Dove a alors organisé une exposition réunissant 67 de ces photos (y compris des photos d'Annie Leibovitz), toutes prêtées gracieusement. Les dons recueillis auprès des visiteurs ont été versés dans le Fonds de l'estime de soi de Dove, créé pour aider les femmes et les jeunes filles à célébrer leur beauté unique.

Au fil de la campagne, le message a été transmis grâce à divers outils de communication marketing intégrée : publicités imprimées et télédiffusées, panneaux d'affichage, encarts promotionnels, sites Web, échantillons, publipostage, promotions en magasin et relations publiques.

Une bonne stratégie de communication doit faire en sorte que tous les outils appuient et diffusent le même message intégré et cohérent. Certaines personnes croient à tort que, dans le cadre d'un plan de communication marketing intégrée, il faut toujours communiquer le même message de la même façon. Or, MacLeod explique que, pour que la communication soit intégrée, il faut transmettre le même message, mais de différentes manières. Il est important de conserver une allure, une impression et un ton cohérents. « Nous sommes très conscients du ton employé par Dove, assure-t-elle. La personnalité de la marque Dove est honnête, directe, simple. Elle vous parle comme à une amie, sans battage publicitaire. »

Regardez n'importe quelle publicité de Dove et vous verrez que toutes sont cohérentes, avec leur fond blanc prédominant, leur conception simple et leurs vraies femmes. Le message qu'elles émettent est le suivant : « Soyez belle, soyez vous-même. »

Les résultats de la campagne sont impressionnants, puisque la totalité des visiteurs à l'exposition de photos a établi un contact avec la marque Dove. Le site www.campaignforrealbeauty.ca a reçu 50 000 visites au cours des deux premiers mois. Unilever a dû ajouter du personnel dans son centre d'appels, car la campagne a suscité l'intérêt le plus vif de toute l'histoire de l'entreprise.

Mais, surtout, la campagne a amené les consommateurs à s'exprimer. Elle les a engagés dans un débat et aidés à repenser leur définition de la beauté. Selon McLeod, l'étude menée à l'échelle mondiale a révélé à quel point le manque d'estime de soi perturbe les jeunes filles et les empêche de réussir dans la vie. En conséquence, Dove a créé un site Web (http://selfesteem.dove.ca/fr/) à l'intention des jeunes femmes, qui explore les problèmes liés à l'estime de soi et à l'image corporelle. L'entreprise a organisé des ateliers *Vraie Beauté* pour les filles de 8 à 12 ans dans les plus grandes villes du Canada.

L'Initiative Vraie Beauté de Dove est cohérente parce qu'elle s'appuie sur une prédominance de fonds blancs, une conception simple et des photos de vraies femmes.

Ces ateliers avaient pour but de stimuler l'estime de soi des jeunes filles grâce à la présence d'un modèle adulte féminin. Dove a aussi commandité le Sommet G(irls)20 tenu pendant le G20 de Toronto en 2010, qui réunissait des jeunes filles de partout dans le monde. Reconnues comme des leaders dans leur pays, celles-ci ont participé à des camps de mentorat afin d'acquérir les compétences nécessaires pour servir de mentors à la génération suivante.

Un message publicitaire, conçu au Canada et mettant en vedette des petites filles et des adolescentes, a été diffusé pendant le Super Bowl de 2006 dans le but d'établir un dialogue entre les femmes et le public éminemment masculin du football. Afin de poursuivre le dialogue, Dove a diffusé un second clip de 75 secondes intitulé *Evolution*, qui montrait la transformation d'une femme, jolie mais sans plus, en modèle séduisant grâce au maquillage et à la retouche d'images. Publié sur YouTube, le clip a été vu par des millions de personnes en quelques jours et présenté par Ellen DeGeneres et d'autres animateurs de la télévision. Il a remporté de nombreux honneurs, notamment deux Grands Prix lors du Festival international du film publicitaire, Lions de Cannes de 2007, et généré plus de 150 millions de dollars en relations publiques et en couverture médiatique au cours des six mois qui ont suivi sa sortie[66].

En 2010, la marque qui avait amorcé une conversation sur la vraie beauté à l'échelle planétaire déclenchait un dialogue très différent sur les vrais hommes. Dove a de nouveau tiré parti du Super Bowl, mais cette fois pour mettre en marché sa gamme de produits Dove Men+Care. Sa campagne publicitaire se fondait sur les résultats d'une nouvelle étude commandée à l'échelle mondiale, qui révélait que 80 % des hommes canadiens estiment qu'ils sont stéréotypés dans la publicité et que 71 % d'entre eux ne se reconnaissent pas dans les sportifs riches et avides de pouvoir qui y sont présentés.

En réalité, c'est par leurs divers rôles dans la vie que les hommes en viennent à se sentir bien dans leur peau. Ils apprécient les relations solides, s'investissent dans leur famille, mènent des vies intéressantes et définissent le succès à leur façon. En fait, 92 % des pères soutiennent qu'ils se sentent mieux dans leur peau parce qu'ils ont eu des enfants et 89 % des hommes engagés dans une relation durable assurent que le fait de trouver une partenaire les a beaucoup aidés à construire leur estime de soi[67]. Selon le Torontois Michael Kaufman, un expert de l'égalité entre les hommes et les femmes qui a travaillé sur la campagne de Dove, les hommes ne parlent pas souvent de leurs sentiments. Toutefois, en travaillant auprès d'eux, il a constaté qu'« au fond, ils ont l'impression de ne pas pouvoir satisfaire les attentes et les exigences associées à la virilité telle qu'elle est dépeinte aujourd'hui dans les médias et la culture populaire ».

La gamme de produits Men+Care de Dove combat l'irritation cutanée tandis que la campagne soulève des questions sur ce qu'est un « vrai » homme.

Dove a donc entrepris audacieusement de soulever des questions plus profondes sur la nature d'un «vrai homme» avec la campagne *Men+Care*. La publicité *A Journey to Comfort*, diffusée pendant le Super Bowl, dépeignait le parcours de vie d'un homme bien dans sa peau. Comme les publicités de l'*Initiative Vraie Beauté*, Dove a fait appel à des hommes ordinaires plutôt qu'à des mannequins pour sa campagne *Men+Care*. «Chaque fois que nous en parlons avec des hommes, ils déclarent qu'ils trouvent la publicité très rafraîchissante», d'affirmer MacLeod. «Ils l'ont très bien accueillie et sont heureux de voir qu'elle ne présente pas une image stéréotypée des hommes.»

Selon MacLeod, quand on commercialise un nouveau produit, il est important non seulement que la campagne soit efficace, mais aussi que le produit soit de qualité supérieure. La gamme de produits Men+Care s'appuie sur l'image de marque de Dove, associée à la douceur et à l'hydratation. Forte de ses compétences en soins de la peau, Dove a élaboré un produit qui vise à combattre le problème numéro un des hommes: la peau sèche et irritée. Les produits de la ligne Men+Care contiennent une formule spéciale à base de Micro Moisture, un ingrédient breveté qui soigne l'irritation cutanée.

Jusqu'ici, la mise en marché de la gamme Men+Care est très réussie et dépasse les attentes de MacLeod. Les campagnes, qu'elles s'adressent aux hommes ou aux femmes, sont des initiatives à long terme qui continueront d'évoluer, car Unilever écoute les consommateurs, entend ce qu'ils ont à dire, puis passe à l'action.

Questions

1. L'*Initiative Vraie Beauté* de Dove avait pour objectif d'élargir la définition de la beauté plutôt que de vendre des produits. Comment le recours à un plan de communication marketing intégrée a-t-il permis à l'entreprise d'atteindre cet objectif?

2. Comment Dove a-t-elle créé de la valeur pour son marché cible?

3. La campagne s'appuyait sur des messages publicitaires, mais elle a aussi bénéficié d'une formidable publicité au fil du temps. Quels outils de communication marketing seront les plus importants pour cette campagne dans l'avenir?

4. Dove aurait-elle intérêt à utiliser les mêmes outils de communication marketing intégrée pour la ligne Men+Care ou devra-t-elle adopter une approche différente?

CHAPITRE 16

OBJECTIFS D'APPRENTISSAGE

Après avoir lu ce chapitre, vous devriez être en mesure :

OA **1** d'expliquer le concept de publicité de même que les objectifs qu'elle poursuit ;

OA **2** de décrire les enjeux juridiques et éthiques qui préoccupent les publicitaires ;

OA **3** d'expliquer en quoi la promotion des ventes permet de compléter la stratégie de communication marketing intégrée d'une entreprise ;

OA **4** de définir la vente personnelle et d'expliquer pourquoi elle crée de la valeur pour les consommateurs ;

OA **5** de décrire les étapes du processus de vente personnelle.

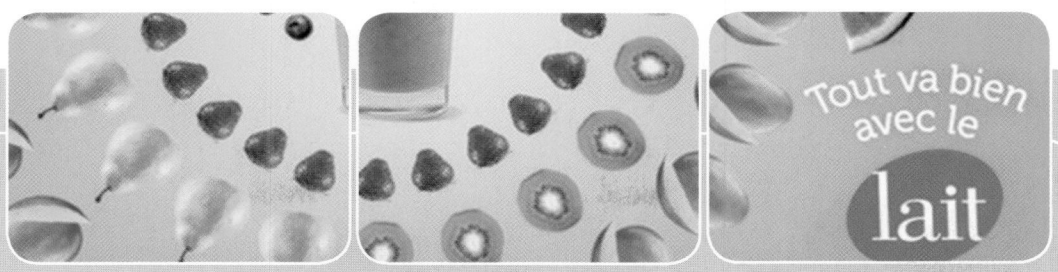

La publicité, la promotion des ventes et la vente personnelle

Lorsque Don Durst est entré chez Subaru Canada à titre de vice-président principal Ventes et marketing, les consommateurs canadiens connaissaient mal les produits du constructeur automobile, ses publicités étaient importées des États-Unis et sa part de marché globale était médiocre. Ayant mis sur pied des groupes de discussion dans tout le pays, Durst a découvert que, même si Subaru était implantée au Canada depuis 30 ans, la plupart des gens croyaient que la marque était coréenne. « Quand nous leur avons dit que Subaru était un constructeur japonais, leur attitude à l'égard de ses produits a changé radicalement[1] » affirme-t-il. Néanmoins, les consommateurs trouvaient que la Forester avait l'air démodé. Bien que le véhicule fût un choix sensé pour le marché cible (les familles avec de jeunes enfants), l'achat d'un véhicule utilitaire sport (VUS) était associé à la conformité et à la perte de son identité personnelle.

Afin de combattre cette impression, Subaru a lancé une Forester complètement redessinée en 2008, en la positionnant comme l'antithèse de la logique[2]. Contrairement à ses concurrentes, la Forester était présentée comme ludique, amusante et carrément *sexy* au moyen d'une campagne ayant pour thème « Le VUS japonais, plus *sexy* que jamais ». Le constructeur automobile a fait appel à des sumotoris, icônes de la culture japonaise, afin de mettre son héritage en évidence. La campagne présentait les sumotoris dans des situations stéréotypées, en les faisant notamment poser comme des pin-up.

La campagne visait deux objectifs ambitieux : augmenter les ventes annuelles de 47 % et l'achalandage chez les concessionnaires de 12 %. Un mois avant le lancement officiel de la campagne, le constructeur a mis sur YouTube une nouvelle publicité télévisée scénarisant une séance de lave-auto torride, créée par DDB Canada. Dans cette publicité, la nouvelle Subaru Forester pénétrait dans un lave-auto sur la musique de *Fire in the Disco* d'Electric Six. Plusieurs sumotoris se mettaient ensuite à laver la voiture au ralenti pour finir par se battre

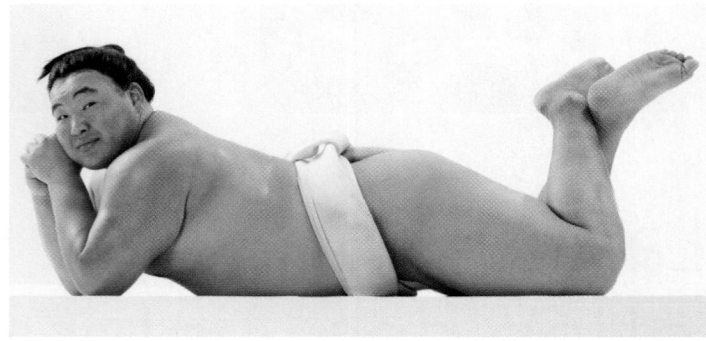

Byamba, triple champion du monde de sumo, pose pour la campagne Sexy comes standard *(Le* sexy *devient la norme) de Subaru.*

à coups de jets d'eau. La publicité a permis d'atteindre un taux de notoriété record de 74 %. En outre, des publicités imprimées dans les magazines et les journaux mettaient en vedette des sumotoris dans diverses poses suggestives. Une annonce simulait même une double page centrale, comme celles que l'on retrouve dans les magazines érotiques. Dans le cadre de cette campagne, le constructeur a également utilisé un microsite (www.sexysubaru.ca), des bannières publicitaires virtuelles et des babillards électroniques dans les jeux Xbox 360.

Comme l'un des objectifs de la publicité était d'augmenter l'achalandage chez les concessionnaires, les consommateurs y étaient accueillis par la silhouette d'un sumotori grandeur nature présentant la nouvelle Forester. Le thème de la campagne a été repris au Salon de l'automobile de Toronto, où les invités pouvaient se faire photographier dans le cadre de la séance de photos *sexy* Subaru Forester. Grâce à cette campagne, le kiosque de Subaru a été l'un des plus visités et celui qui a fait le plus parler de lui par les consommateurs et dans les médias. La campagne, couverte par les médias d'information incluant Citytv et CP24, a également généré une rumeur (*buzz*) sur Facebook et sur Flikr[3].

Ces résultats ont dépassé toutes les attentes, générant une hausse de 15 % de l'achalandage dans les salles d'exposition et une augmentation des ventes de 132 % par rapport à celles de l'année précédente[4]. La campagne a également permis à Subaru d'augmenter de quatre points sa part de marché dans la catégorie des VUS pour atteindre 11 %. Elle était réussie à tous les égards, et elle a récolté de nombreux prix lors des Canadian Marketing Association (CMA) Awards tout en étant élue meilleure campagne de 2009. Les ventes de la Forester ont augmenté sept fois plus vite que celles des autres marques de VUS, prouvant ainsi que les consommateurs la voient désormais comme un choix *sexy*.

Dans le chapitre précédent, nous avons examiné les outils de communication marketing intégrée ainsi que les étapes de l'élaboration d'un plan de communication. Alors que nous avons parlé brièvement de ces outils dans le chapitre 15, nous nous pencherons sur trois éléments en particulier : la publicité, la promotion des ventes et la vente personnelle, comme l'illustre la feuille de route ci-contre. Nous commencerons par introduire le modèle AIDA, un processus ou une série d'étapes que le gestionnaire marketing aimerait voir les consommateurs franchir au cours de leur décision d'achat. En tant que consommateur, vous ne voyez que le produit fini, par exemple une

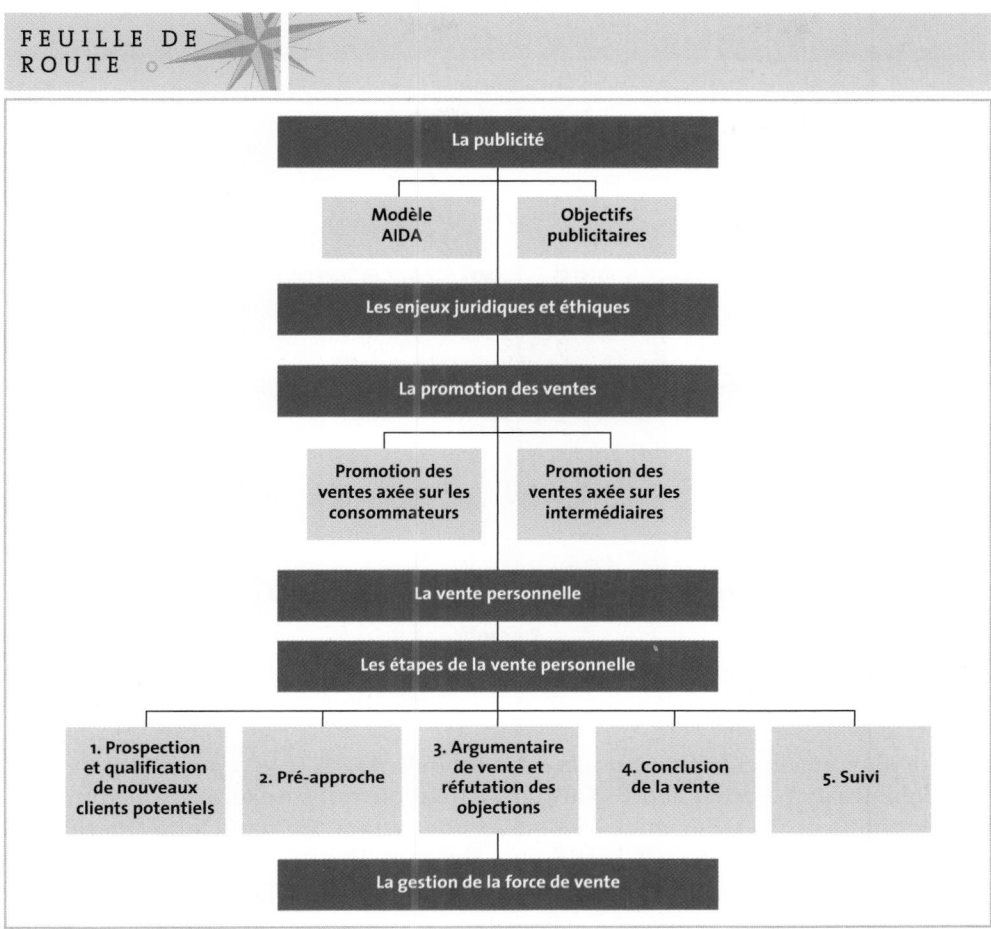

annonce publicitaire une fois qu'elle est lancée. Toutefois, de nombreuses décisions doivent être prises avant que vous ne voyiez cette annonce. Il sera donc question de certaines de ces décisions, en commençant par l'évaluation des objectifs publicitaires et l'établissement de la visée communicative du message publicitaire. Par la suite, nous traiterons des enjeux juridiques et éthiques de la communication marketing. Puis, nous étudierons la promotion des ventes et verrons en quoi elle ajoute de la valeur auprès des intermédiaires ainsi que des consommateurs. Le chapitre se termine sur une analyse de la façon dont les entreprises ont recours à la vente personnelle pour influer sur les décisions d'achat des consommateurs.

La publicité

Comme nous l'avons vu dans le chapitre 15, la communication marketing n'est pas un processus des plus simples. Une fois que le client est exposé à une annonce publicitaire, il passe par une série d'étapes avant d'acheter le produit ou de passer à l'action. Ainsi, il n'existe pas toujours de lien direct entre une communication marketing en particulier et l'achat que fait un consommateur.

Le modèle AIDA

Afin d'élaborer une publicité efficace, le gestionnaire marketing doit d'abord comprendre le fonctionnement de la communication marketing. Généralement, celle-ci amène progressivement le client d'une étape à l'autre, étapes que décrivent plusieurs modèles. Parmi les modèles de hiérarchie des effets, le plus connu, mais

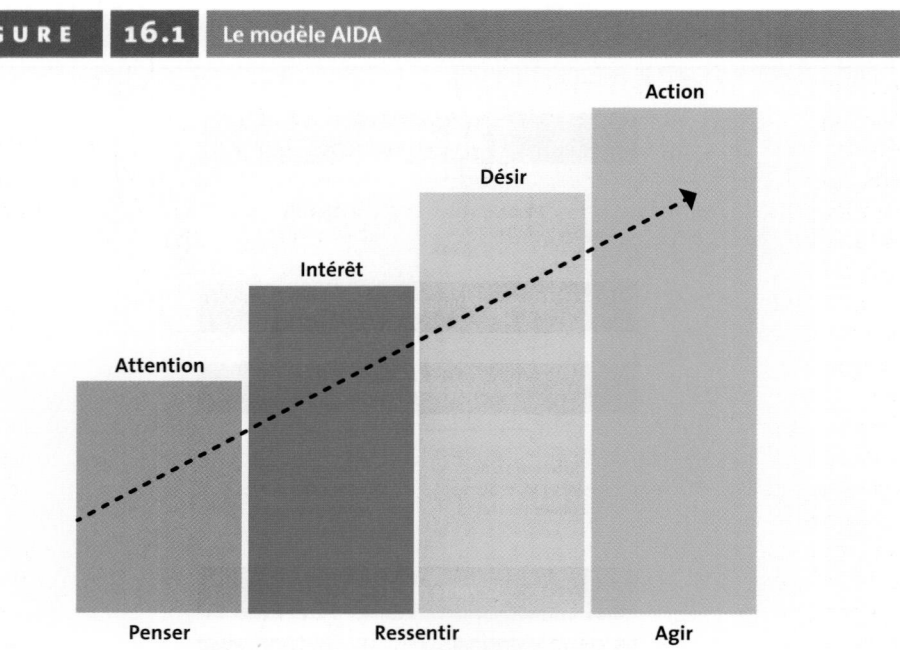

FIGURE 16.1 Le modèle AIDA

modèle AIDA (*AIDA model*)
Modèle hiérarchique des
effets d'une publicité
sur un consommateur :
l'Attention suscite l'Intérêt,
lequel stimule un Désir qui
provoque une Action.

aussi le plus ancien et le plus simple, est le **modèle AIDA** (*voir la figure 16.1*)[5]. AIDA fait référence au besoin d'abord d'attirer l'Attention, qui suscitera ensuite l'Intérêt, lequel stimulera un Désir qui provoquera une Action. Ce modèle fait partie des modèles de hiérarchie des effets, simplement parce que les effets sur les consommateurs se produisent selon une séquence d'étapes précise. Le modèle AIDA sous-entend que ces quatre différentes étapes vont conduire le consommateur à réagir de trois manières consécutives distinctes après avoir été exposé à une publicité. Dans un premier temps, le consommateur va penser au produit (stade cognitif où il acquiert de la connaissance sur le produit publicisé), pour ensuite ressentir une émotion (stade affectif où il va développer de l'intérêt et du désir pour le produit publicisé) et enfin agir (stade conatif, ou comportemental, où il va passer à l'acte d'achat). On considère souvent que « penser » précède « ressentir » qui précède « agir », mais cette séquence n'est pas toujours vraie. Dans le cas d'un achat impulsif, par exemple, vous ressentez souvent un désir, et agissez avant de penser. Pour des produits courants et peu différenciés comme le sel, vous pourriez penser, puis agir avant de ressentir. Il est donc important de toujours bien analyser le processus de décision d'achat d'un consommateur type dans une catégorie de produits et d'en tenir compte dans le développement de la campagne publicitaire.

L'attention

taux de notoriété assistée
(*aided recall*)
Pourcentage de personnes
qui disent connaître une
marque présentée dans
une liste ou citée par un
enquêteur.

**taux de notoriété
spontanée**
(*top-of-mind awareness*)
Pourcentage de personnes
qui citent spontanément
une marque, sans aucune
forme d'aide.

Même le meilleur outil de communication marketing ne sera sans doute d'aucune utilité si l'émetteur ne réussit pas d'abord à attirer l'attention du consommateur. La notoriété d'une marque désigne le niveau de connaissance d'une marque dans l'esprit du consommateur, soit la mesure dans laquelle il associe le nom d'une marque à un type particulier de détaillant, de produit ou de service.

Un certain nombre d'indicateurs servent à mesurer la notoriété de la marque, tels que le **taux de notoriété assistée** et le **taux de notoriété spontanée**. Le taux de notoriété assistée est le pourcentage de personnes qui disent connaître une marque présentée dans une liste ou citée par un enquêteur, tandis que le taux de notoriété spontanée est le pourcentage de personnes qui citent spontanément une marque, sans aucune forme d'aide. Il existe également le taux de notoriété spontanée de premier rang (ou notoriété *top-of-mind*), qui correspond au nombre de fois où une marque est citée en première position lors d'une énumération spontanée. Si vous demandez à une personne de nommer des marques de vêtements canadiens, elle pourrait par exemple vous répondre spontanément «RW & Co, Le Château, Reitmans». Ces trois marques bénéficient donc d'une notoriété spontanée, puisque le répondant les a mentionnées sans aide. La marque RW & Co bénéficie, quant à elle, d'une notoriété spontanée de premier rang, puisqu'elle aura été nommée en premier par ce répondant. Pour dériver les taux de notoriété, il faudra toutefois interroger un échantillon de consommateurs suffisamment grand et compiler l'ensemble des réponses obtenues.

Lorsqu'une marque jouit d'une forte notoriété spontanée, cela signifie que les consommateurs en quête d'un produit ou d'un service envisageront sérieusement d'acheter cette marque. Les fabricants, les détaillants et les fournisseurs de services construisent la notoriété spontanée de la marque en choisissant un nom mémorable, en présentant de façon répétée ce nom aux consommateurs par l'intermédiaire des publicités diffusées dans les lieux où la marque est offerte et attendue, mais aussi grâce à des commandites. Pour accentuer l'effet, le nom de marque est généralement accompagné d'un logo distinctif.

Lorsque Toyota a lancé la Yaris, une petite voiture bien conçue destinée aux jeunes consommateurs, le constructeur a bombardé son marché cible de notifications. En plus de la publicité imprimée et télévisée habituelle, la Yaris apparaît sur sa propre page myspace, sur son site Web et dans des messages directs envoyés aux téléphones cellulaires. De plus, tirant parti de la popularité du feuilleton *Prison Break*, télédiffusé sur le réseau Fox, Toyota a diffusé dans le guide télé (*TV Guide*) une publicité spéciale mettant en vedette un homme à la poitrine tatouée de modèles Yaris – au moment précis où l'intrigue de *Prison Break* reposait sur un tatouage[6]. Grâce à cette approche multicanal, Toyota a fait en sorte que non seulement les consommateurs en quête d'une nouvelle voiture, mais également tous les téléspectateurs soient informés du lancement de sa nouvelle ligne de produits. Même si l'un des canaux de communication échappait à un consommateur potentiel, un autre canal était susceptible de capter son attention.

L'intérêt

Une fois que le consommateur sait qu'une entreprise ou qu'un produit donné existe, la communication marketing doit ensuite susciter son intérêt. Il n'est pas suffisant d'informer les consommateurs, encore faut-il qu'ils soient persuadés qu'il vaut la peine de se renseigner au sujet de l'entreprise ou du produit en question. Pour y parvenir, le gestionnaire marketing s'assure que le message de l'annonce publicitaire met en avant les attributs qui sont importants aux yeux du groupe cible. Afin d'attirer les jeunes consommateurs en quête d'une voiture économe en essence, les publicités de Toyota montraient la Yaris sortant une seule pièce d'une tirelire ou écrasant une araignée aux pattes en forme de pompes à essence[7]. Grâce à ces communications, Toyota espérait susciter l'intérêt des consommateurs au point de les inciter à passer à l'action et à acheter son produit.

Le désir

Une fois que l'entreprise a réussi à susciter l'intérêt du consommateur qui correspond au marché cible, les messages qui suivent visent à faire passer ce dernier du stade «je l'aime» au stade «je le veux». Par exemple, en plus de souligner l'efficacité énergétique et le prix abordable de la Yaris, Toyota tentait de présenter celle-ci comme une voiture puissante afin de la distinguer des voitures écoénergétiques plus «douces» et d'ainsi faire en sorte qu'elle semble unique[8].

L'action

Le but de toute communication marketing est de faire passer le récepteur à l'action. Si le message a réussi à attirer l'attention du consommateur et à l'intéresser suffisamment pour qu'il arrive à la conclusion que le produit en question satisfera un désir en lui, il y a de bonnes chances qu'il réponde en faisant un achat. Ce modèle par étapes convient particulièrement bien aux produits coûteux à forte implication comme une nouvelle voiture. Comme nous l'avons mentionné au chapitre 6, le processus décisionnel du consommateur est plus complexe dans le cas des produits de spécialité et des produits d'achat réfléchi. Toutefois, pour d'autres types de produits, le processus publicitaire semble plus circulaire, de telle sorte que les gestionnaires marketing et les consommateurs entament un dialogue continu dans lequel les premiers émettent des messages visant à susciter des commentaires ou une rétroaction de la part des seconds ou à y répondre[9].

L'effet différé

effet différé
(*lagged effect*)
Réponse tardive du consommateur à une campagne publicitaire.

Il arrive que le consommateur ne réagisse pas immédiatement après avoir été exposé à la communication marketing en raison de l'**effet différé**, soit une réponse tardive à une campagne publicitaire. D'habitude, le consommateur doit être exposé plusieurs fois à une même annonce publicitaire avant de traiter véritablement son message[10]. Il devient alors plus complexe d'évaluer l'effet de la campagne publicitaire actuelle en raison de l'effet différé possible d'une campagne précédente[11]. Supposons que vous achetiez une Yaris après avoir lu la publicité parue dans le guide télé. La publicité vous a peut-être incité à acheter la Yaris, mais d'autres communications de Toyota, comme les publicités télévisées et les annonces publiées dans des revues d'automobiles que vous avez vues des semaines plus tôt, ont probablement influencé votre décision.

OA **1**   ## Les objectifs publicitaires

Comme nous l'avons vu dans le chapitre 15, la publicité est un mode de communication payant utilisé par une source identifiée, dont le message est transmis par un moyen de communication et qui a pour but d'influer sur le comportement ou sur l'attitude d'un individu à l'endroit d'un produit, d'un service ou d'une marque, que ce soit dans l'immédiat ou à l'avenir[12]. Cette définition distingue de façon importante la publicité des autres outils de communication, dont il a d'ailleurs été question dans le chapitre précédent. Premièrement, à l'opposé des relations publiques, la publicité n'est pas gratuite; il a fallu payer, que ce soit en argent, sous forme d'échange, etc., pour que le message soit diffusé. Deuxièmement, la publicité nécessite un média, que ce soit la télévision, la radio, les médias imprimés, le Web, les imprimés sur des t-shirts ou les graffitis sur les trottoirs, etc. Troisièmement, sur le plan juridique, la source du message doit être identifiée ou identifiable. Quatrièmement, la publicité est un mode de communication basé sur la persuasion et conçu pour exercer une influence sur le comportement du consommateur. Le message de persuasion peut aller de «Boire ou conduire, il faut choisir» à «Achetez la toute nouvelle Mercedes».

Certaines activités portent le nom de «publicité» alors qu'elles n'en sont pas vraiment. C'est d'ailleurs le cas du bouche-à-oreille. Même la publicité politique n'est pas réellement de la publicité, car elle n'est pas utilisée à des fins commerciales; elle ne peut donc être régie de la même façon que la véritable publicité.

La publicité représente une industrie énorme. Il ne fait aucun doute qu'elle est la forme de communication marketing la plus visible, à tel point d'ailleurs que bien des gens considèrent que le marketing et la publicité sont des synonymes. On évalue les dépenses mondiales en publicité à plus de 500 milliards de dollars dont près du tiers sont réalisées aux États-Unis seulement. En outre, la publicité semble être partout autour de nous, mais c'est plus qu'une simple impression, car elle est bel et bien *partout*[13].

Pourtant, combien d'annonces publicitaires parmi celles auxquelles vous avez été exposé aujourd'hui serez-vous en mesure de vous rappeler demain? Probablement trois ou quatre, tout au plus. Comme nous l'avons vu dans le chapitre 6, la perception est un processus hautement sélectif. Le consommateur n'a qu'à écarter les messages qui ne s'appliquent pas à lui. Lorsqu'un message publicitaire attire votre attention, il se peut que vous n'ayez aucune réaction. Si vous en avez une, il n'est pas sûr pour autant que vous vous souviendrez de cette annonce quelques heures ou quelques jours plus tard. Et si vous vous en souvenez, il y a des chances que vous ayez oublié le nom de la marque ou du commanditaire, ou pire encore (aux yeux du publicitaire, du moins), que vous associiez cette annonce à un produit concurrent[14].

Pour faire en sorte que vous vous souveniez de leur annonce et de leur marque, les publicitaires doivent d'abord capter votre attention. Comme nous l'avons mentionné dans le chapitre 15, la multiplication du nombre de médias et les changements dans l'utilisation que font les consommateurs des médias ont rendu la tâche des publicitaires encore plus ardue[15]. Comme le démontre l'introduction de ce chapitre, les publicitaires tentent d'atteindre leur public cible en faisant preuve de créativité et en faisant appel à une combinaison d'éléments promotionnels pour mettre toutes les chances de leur côté.

Dans le chapitre précédent, vous avez appris que toutes les campagnes publicitaires visent l'atteinte de certains objectifs, soit ceux d'informer le consommateur, de le persuader et de lui rappeler un fait. Pour voir les objectifs publicitaires d'un autre œil, on peut s'attarder à la visée communicative de l'annonce publicitaire. A-t-elle été conçue pour générer une augmentation de la demande d'un produit ou d'un service ou, de façon plus générale, de l'entreprise ? En effet, les annonces publicitaires peuvent stimuler la demande d'une catégorie de produits ou d'une industrie en entier, tout comme celle d'une marque, d'une entreprise ou d'un article en particulier. Mais revenons aux objectifs généraux, qui sont d'informer le consommateur, de le persuader et de lui rappeler un fait.

La publicité informative

La **publicité informative** vise la prise de conscience du client éventuel ; elle cherche à guider ce dernier tout au long du processus qui mène à l'achat d'un produit. Une telle publicité permet de déterminer certaines étapes importantes au début du cycle de vie d'un produit (*voir le chapitre 10*), particulièrement lorsque le client connaît peu de choses du produit ou de la catégorie de produits. Les détaillants ont souvent recours à la publicité informative pour aviser leurs clients d'une vente à venir ou de l'arrivée de nouveautés. Comme nous l'expliquons dans l'introduction du chapitre, Subaru a utilisé la publicité informative pour modifier la façon dont les consommateurs percevaient la marque Forester.

Les Canadiens dépensent 59 milliards de dollars en voyages dans leur pays, mais près de 30 milliards de dollars en voyages à l'étranger grâce aux campagnes de marketing mises en œuvre par les principales destinations touristiques internationales. La Commission canadienne du tourisme (CCT) a voulu montrer l'autre face de notre pays aux Canadiens afin de les inciter à dépenser une plus grande partie de leur budget de voyage au pays. En 2009, la CCT a lancé la campagne *Secret d'ici,* qui mettait en vedette des endroits moins connus du Canada accompagnés de la question «Où est-ce ? ». De nombreuses publicités présentaient des endroits exotiques, comme Liard River Hot Springs, en Colombie-Britannique, des nageurs évoluant dans les eaux cristallines de la baie Georgienne et des dunes de sable de la Saskatchewan. Les publicités télévisuelles montraient du contenu généré par les utilisateurs et illustrant des surfeurs dans les rapides de Lachine, au Québec, et des randonnées en traîneau à chiens dans les Territoires du Nord-Ouest. Les spectateurs étaient encouragés à visiter le site www.secretdici.ca. Grâce à cette campagne de publicité informative, qui a généré des recettes touristiques d'environ 700 millions de dollars, on estime à 2,7 millions le nombre de Canadiens qui ont choisi de prendre leurs vacances chez eux. Compte tenu des huit millions de dollars qu'a coûté la campagne et du rendement du capital investi de 150 %, les efforts de commercialisation de la CCT ont été les plus rentables jusque là[16].

publicité informative (*informative advertising*) Annonce publicitaire visant la prise de conscience du client éventuel et cherchant à guider ce dernier tout au long du processus qui mène à l'achat d'un produit.

La campagne Secret d'ici *lancée par la Commission canadienne du tourisme, présentait des images exotiques du pays, comme celle-ci, qui montre les eaux cristallines de la baie Georgienne.*

La publicité persuasive

Lorsqu'un produit a atteint une certaine notoriété, l'entreprise qui le fabrique a recours à la **publicité persuasive** en vue de pousser le consommateur à l'action. La publicité persuasive est ordinairement utilisée aux phases de croissance et de maturité hâtive du cycle de vie d'un produit, quand la concurrence bat son plein. Elle vise alors à accélérer le processus d'acceptation du produit. Aux phases suivantes, la publicité persuasive peut servir au cours du repositionnement d'une marque connue, de manière à inciter les consommateurs à modifier leur perception actuelle du produit. Les publicitaires font souvent appel à la publicité persuasive parce qu'ils désirent que le consommateur change de marque[17], qu'il essaie un nouveau produit ou qu'il renforce son achat du produit annoncé.

Grâce à la recherche au moyen de groupes de discussion, les Forces armées canadiennes ont découvert qu'un de leurs marchés cibles, les jeunes hommes, aimait l'action et le combat et non les discours sur les possibilités de carrière du type «Vous vivrez une expérience unique». C'est pourquoi le ministère de la Défense nationale a lancé une campagne axée sur l'action qui accorde une importance particulière au courage et au combat. Les publicités télédiffusées ainsi que le site Web présentaient des soldats qui patrouillaient dans les villes de l'Afghanistan ravagées par la guerre. Leur slogan était : «Combattez la peur, combattez le chaos, combattez la détresse, combattez avec les Forces canadiennes.» Ces annonces se sont avérées très persuasives, comme le prouve le bond de 40 % du nombre de candidatures, qui est passé à 40 000. De plus, entre avril 2006 et mars 2007, 12 862 personnes ont été recrutées pour travailler à temps plein ou pour faire partie de la réserve[18]. Ces annonces ont été suivies d'une seconde série de publicités télévisées conçues pour présenter le travail des Forces armées canadiennes au Canada, soit dans l'Arctique et au large des côtes. On y voyait des soldats effectuant des missions de sauvetage ou patrouillant au large des côtes, comme lors de l'écrasement d'un avion civil dans le Nord (*Hard Landing*) et d'une saisie de drogue effectuée par la Marine[19]. Les images du sauvetage de la mission *Hard Landing* ont surpris la plupart des membres des groupes de discussion qui n'imaginaient pas les Forces armées canadiennes prêtant main-forte dans les situations de crise et d'urgence.

La publicité sur la saisie de drogue, en montrant les Forces armées canadiennes dans un rôle de protection au Canada même, aurait diversifié la vision des répondants quant aux choix de carrière possibles dans les Forces armées[20]. Un sondage mené par Ipsos Reid (maintenant Ipsos Canada) a révélé que les Canadiens qui ont vu des soldats en action lors d'un cataclysme naturel (comme le tremblement de terre de 2010 en Haïti) les percevaient comme des personnes humaines obligeantes qui avaient troqué leur fusil contre une pelle[21].

La publicité de rappel

Finalement, la **publicité de rappel** est un mode de communication qui vise à rappeler aux consommateurs l'existence d'un produit ou à les inciter à se procurer de nouveau ce produit. Le plus souvent, la publicité de rappel est utilisée pour promouvoir un produit déjà accepté par les consommateurs et qui est à la phase de maturité de

son cycle de vie. Par exemple, vous est-il déjà arrivé d'aller au restaurant avec des amis et de commander un Coca-Cola, alors que vous vouliez en fait un thé glacé? Oui? Dans ce cas, on peut dire que le produit a atteint le stade de la notoriété spontanée. Ainsi, la seule vue d'une publicité de rappel, comme le logo de Coca-Cola sur un menu ou sur un parasol, pourrait être suffisante pour entraîner la réponse recherchée. Dans la rubrique Marketing entrepreneurial ci-contre, il est question d'une forme unique de publicité de rappel utilisée sur des cintres à laquelle les consommateurs sont exposés chaque fois qu'ils suspendent leurs vêtements.

Marketing entrepreneurial

Une publicité responsable sur un cintre écologique

Leigh Meadows a un conseil inusité pour les entrepreneurs : écoutez vos enfants. Un jour, Jacob, son fils de six ans, se fâche en la voyant jeter de vieux cintres en métal à la poubelle. Quand elle lui explique qu'ils ne sont pas recyclables, il demande pourquoi personne ne fabrique des cintres en papier[22]. Sa question incite Meadows à créer un nouveau produit, le Smart Hanger (littéralement « cintre malin ») (www.thesmarthanger.com), entièrement fait de papier recyclé certifié par le Forest Stewardship Council et contenant 90 % de papier recyclé postconsommation, c'est-à-dire ayant déjà été utilisé sous une autre forme. Selon Meadows, cette proportion n'est pas négligeable, puisque certains gobelets de café soi-disant verts contiennent seulement 10 % de papier recyclé postconsommation.

Dix pour cent seulement de la population réutilise les cintres en métal. Ces cintres de même que les cintres en plastique et en carton ne respectent pas les normes de recyclage, ce qui fait qu'environ 350 millions d'entre eux prennent le chemin du dépotoir chaque année. Avant d'élaborer son cintre, Meadows s'est renseignée auprès de la Ville de Toronto sur les matériaux recyclables afin de s'assurer que son produit serait écologique non seulement du berceau à la tombe, mais aussi du « berceau au berceau ».

Pour comprendre les exigences relatives à la forme et à la résistance d'un cintre, Meadows a travaillé dans une entreprise de nettoyage à sec pendant quelque temps. Vers la fin de 2009, après deux années de recherche et de planification, son entreprise torontoise, Media Hook, a mis en marché le Smart Hanger. Le fait que son fabricant se trouve à Brampton représentait un atout inestimable pour Meadows, qui s'est donné pour mission de fabriquer des produits canadiens, pratiques et durables pour remplacer les produits dangereux pour l'environnement[23].

Meadows a commencé sa carrière d'entrepreneure dans sa ville natale de Londres, en Angleterre, où elle a acheté une société de courtage d'assurances alors qu'elle n'avait que 21 ans. Elle se décrit aujourd'hui comme une entrepreneure en série qui aborde chaque nouvelle aventure en dressant une liste des objectifs qu'elle veut atteindre. Puis, elle cherche des entreprises en déclin ou très petites qui ont un excellent potentiel de croissance. Dans le cas du Smart Hanger, sa liste d'objectifs était axée sur l'environnement et sur le patrimoine légué aux générations futures, un aspect susceptible de faire la fierté de son fils.

Même si Meadows croyait que son cintre écologique pouvait être un succès, pour que son projet soit viable financièrement, il devait remplir une double fonction. La solution évidente consistait à y afficher des

Inspiré par son fils, le cintre recyclable imaginé par Leigh Meadows a une double fonction : écologique et publicitaire.

publicités, un excellent moyen d'atteindre les consommateurs directement chez eux et de faire en sorte qu'ils soient exposés au message. Et les consommateurs le sont de façon répétée : quand ils prennent leurs vêtements chez le nettoyeur et chaque fois qu'ils s'habillent et suspendent leurs vêtements. Une étude sur l'engagement des médias a révélé que la publicité sur les cintres l'emporte de loin sur les publicités télévisées, les encarts volants et les publicités en ligne pour ce qui est de la notoriété de la marque[24].

Avec son slogan « *Responsible advertising hangs on it* » (Publicité responsable sur cintre écologique), Meadows a ciblé des entreprises et des détaillants soucieux de faire un geste pour l'environnement[25]. Le cintre est un véhicule idéal pour les messages sur la responsabilité sociale. Media Hook a signé une entente avec l'Ontario Fabricare Association, anciennement appelée Dry Cleaners and Launderers Institute of Ontario, pour distribuer ses cintres intelligents[26].

L'entreprise a effectué une percée lorsque Meadows a été nommée finaliste lors d'un épisode spécial de l'émission *Dragon's Den* (*Dans l'œil du dragon* au Québec) portant sur les inventions écologiques (*Greenventions*), en juin 2010. Des portes se sont ouvertes et Meadows a conclu une entente avec Global Edge Brands, qui est aujourd'hui le distributeur exclusif des Smart Hanger en Amérique du Nord. En tant que chef de file mondial de l'industrie des vêtements vendus sous licence, cette entreprise donne à Media Hook un accès à des détaillants. Bien que la population associe plutôt les cintres aux entreprises de nettoyage à sec, Meadows affirme que le marché de détail envoie davantage de cintres au dépotoir, puisqu'un grand nombre de vêtements expédiés aux magasins arrivent sur des cintres.

Media Hook a signé un contrat avec Adidas pour fournir des cintres aux vestiaires des centres d'entraînement physique. De plus, écoutant la suggestion de son fils, selon laquelle la série *Bob l'éponge* devrait être annoncée sur des cintres, Meadows a signé une entente de mise en marché avec Nickelodeon. Under Armour utilisera le Smart Hanger pour lancer une nouvelle ligne de vêtements écologiques, et des ententes avec Sears et d'autres détaillants sont à l'étude. Media Hook songe aussi à élaborer des outils de promotion des ventes, comme des coupons de réduction, afin d'amener les consommateurs à visiter les sites Web des annonceurs.

Non seulement le Smart Hanger est un produit fonctionnel, mais il constitue aussi une plateforme publicitaire efficace et une solution écologique qui fait que le fils de Meadows est fier de sa mère.

En 1997, l'entreprise Kruger se retrouve dans une drôle de position. Au terme de la fusion de Papiers Scott et de Kimbely-Clark aux États-Unis, elle obtient le droit d'exploiter la marque de papier hygiénique Cottonelle pour une durée de 10 ans. Au terme de ces 10 ans, Kimberly-Clark pourra reprendre possession de cette marque et commercialiser à nouveau un produit sous ce nom de marque. Son contrat de licence se terminant en 2007, Kruger prend les devants et se prépare à cette échéance en mettant en marché, en 2004, une nouvelle marque de papier hygiénique appelée Cashmere. Kruger devait non seulement développer la notoriété de Cashmere, mais également s'assurer de capter l'attention des consommateurs d'une manière inédite pour se positionner clairement face à Cottonelle. Consciente que son principal marché cible est composé de femmes, Kruger a donc axé sa campagne publicitaire sur la mode, un thème qui revêt une importance particulière pour elles. Ainsi, les annonces des médias imprimés et les annonces télédiffusées présentaient un mannequin qui portait une robe semblant faite de cachemire, alors qu'en réalité il s'agit du papier hygiénique Cashmere. Dans les faits, Kruger s'est associée à huit créateurs canadiens de renom pour bâtir la première collection Blanc Cashmere. Cette campagne, *Collection Blanc Cashmere*[27], a été reconduite d'année en année. La notoriété spontanée de la marque a constamment progressé avec les années, tout comme la part de marché de Cashmere, qui a atteint un sommet jusqu'alors inégalé de 27,3 % en mai 2007, comparativement à 23,3 % l'année précédente[28]. Le succès perdure encore aujourd'hui, car malgré le retour de la marque Cottonelle sur le marché canadien en 2008, Kruger a pu protéger sa part de marché, qui a augmenté à plus de 30 % selon la base de données MarketTrack de Nielsen.

L'une des campagnes publicitaires axées sur la demande les plus connues est certainement la campagne Tout va bien avec le lait.

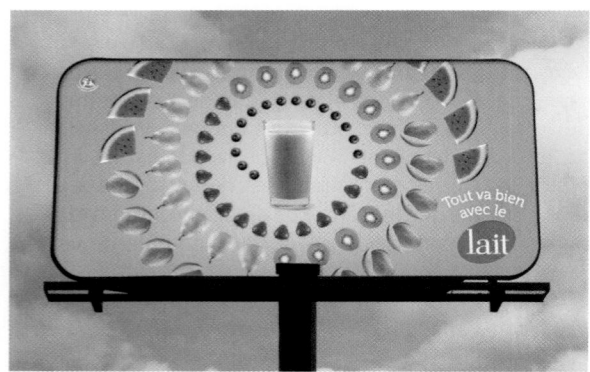

publicité centrée sur le produit (factuelle) (*product-focused advertisement*) Publicité qui sert à informer un consommateur, à le persuader ou à lui rappeler les faits relativement à un produit ou à un service donné.

publicité institutionnelle (*institutional advertisement*) Publicité servant à informer un consommateur, à le persuader ou à lui rappeler certains faits en ce qui concerne un endroit, une politique, une industrie ou une entreprise en particulier.

La visée communicative de la publicité

Pour arriver plus facilement à déterminer la visée communicative d'une publicité, de nombreuses entreprises tiennent compte des étapes du modèle AIDA dont il a été question précédemment. Certaines tenteront donc en priorité d'attirer l'attention, par exemple au cours de la mise en marché d'un nouveau produit. Si les consommateurs sont déjà au courant de l'existence d'un produit ou d'un service donné, l'entreprise doit susciter leur intérêt, puis créer chez eux un désir de se le procurer. Finalement, l'entreprise doit s'assurer que le consommateur sera prêt à passer à l'action après avoir été exposé à ses efforts publicitaires.

La visée communicative d'une publicité découle directement des objectifs de la campagne. Par exemple, la **publicité centrée sur le produit (factuelle)** sert à informer un consommateur, à le persuader ou à lui rappeler les faits relativement à un produit ou à un service donné, tandis que la **publicité institutionnelle** sert à informer un consommateur, à le persuader ou à lui rappeler certains faits en ce qui concerne un endroit, une politique, une industrie ou une entreprise en particulier. Dans certains cas, les annonces publicitaires sont conçues dans le but de stimuler la demande d'une marque, d'une entreprise ou d'un article en particulier.

La campagne publicitaire la plus connue et qui a entraîné une demande croissante d'une catégorie de produits est certainement la campagne institutionnelle de la Fédération des producteurs de lait du Québec (maintenant Les Producteurs de lait du Québec). Cette campagne publicitaire, qui existe depuis longtemps déjà, vise à inciter la population à consommer davantage de lait en faisant appel à son besoin d'appartenance. Alors que les premières campagnes visaient principalement à mieux faire connaître les bienfaits du lait, comme source de bien-être quotidien, les suivantes avaient pour but de faire avancer le consommateur au fil des étapes qui mènent à l'achat, voire de le faire acheter davantage. On se souviendra du slogan «Un verre de lait c'est bien, mais deux c'est mieux». Depuis l'automne 2014, le lait a une nouvelle signature: «Tout va bien avec le lait. » Faisant suite à cinq ans de messages «réconfortants», la nouvelle campagne tente de démontrer les multiples combinaisons, et donc les plaisirs, que peut procurer le lait, et ainsi inciter à l'achat.

Parmi les types de publicités de demande, il y a une publicité très particulière : la **publicité sociétale**. Il s'agit d'une publicité axée sur le bien-être du public et qui est généralement commanditée par un organisme sans but lucratif, un groupe de citoyens, un groupe religieux, une association professionnelle ou un parti politique[29]. La publicité sociétale est une forme de **marketing social**, soit une application des principes de marketing à des enjeux sociaux en vue de susciter un changement d'attitude et de comportement du public ou d'un segment de la population en particulier[30]. Étant donné que la publicité sociétale est un type particulier de publicité, régie par le Conseil de la radiodiffusion et des télécommunications canadiennes (CRTC), les diffuseurs doivent lui réserver un certain temps d'antenne gratuit.

Parmi les campagnes de publicité sociétale les plus populaires, on compte celles sur l'abandon du tabac (www.jarrete.qc.ca), sur la sécurité routière et les textos au volant (l'application mobile Mode conduite permet aux conducteurs de bloquer les appels et les textos entrants sur leur téléphone mobile : www.saaq.gouv.qc.ca) et contre la cyberintimidation avec la campagne du gouvernement du Canada *Non à la cyberintimidation* et la publicité *Fais suivre* (www.pensezcybersecurite.gc.ca).

Étant donné que ces campagnes publicitaires sont souvent conçues par les meilleures agences de publicité pour un client sans but lucratif, les publicités sociétales sont créatives et attirantes. Par exemple, comment avez-vous réagi à la campagne de promotion virtuelle de la sécurité de la navigation sur Internet du site Webaverti d'HabiloMédias, le centre canadien d'éducation aux médias et de littératie numérique ? En 2004, HabiloMédias, à l'époque le Réseau Éducation-Médias, lançait, avec le soutien de Microsoft et de Bell, une grande campagne d'information publique, *WebAverti*, destinée à aider les parents à protéger leurs enfants contre certains dangers possibles d'Internet. L'initiative *WebAverti* comprenait des messages d'intérêt public diffusés à la télévision, à la radio, dans la presse écrite et sur des babillards afin de diriger les parents vers un site Web complet (www.webaverti.ca). Les publicités présentaient des informations en lien avec les dangers possibles d'Internet pour les plus jeunes. Dans l'une d'entre elles, on mentionnait que 25 % des enfants auraient été invités à rencontrer quelqu'un qu'ils ont connu sur Internet. Une autre de ses annonces qui est parue dans les médias imprimés présentait un homme d'âge moyen, assis à son ordinateur, qui dialogue dans une salle de clavardage pour les enfants. Le slogan de la publicité allait comme suit : «Pour Lisa, âgée de 12 ans, il n'était que Jenny, 11 ans. »

Que l'objectif publicitaire de la campagne soit d'informer le consommateur, de le persuader ou de lui rappeler des faits, que la campagne mette l'accent sur un produit en particulier ou sur une entreprise en général, chaque objectif doit être précis et mesurable. Par exemple, dans le cas d'une campagne visant l'augmentation de la notoriété de la marque, l'objectif

publicité sociétale (*public service advertising [PSA]*) Publicité axée sur le bien-être du public et qui est généralement commanditée par un organisme sans but lucratif, un groupe de citoyens, un groupe religieux, une association professionnelle ou un parti politique ; forme de marketing social.

marketing social (*social marketing*) Application des principes de marketing à des enjeux sociaux en vue de susciter un changement d'attitude et de comportement du public ou d'un segment de la population en particulier.

La publicité sociétale, qui est axée sur le bien-être du public, est généralement commanditée par un organisme sans but lucratif, un groupe de citoyens, un groupe religieux, une association professionnelle ou un parti politique.

pourrait être d'accroître la notoriété de la marque, au sein du marché cible, de 50 % en six mois. Une autre campagne pourrait avoir comme objectif de persuader 10 % des clients d'un concurrent de changer de marque pour la marque concurrente qui fait l'objet de l'annonce publicitaire.

OA ② Les enjeux juridiques et éthiques relatifs à la publicité

La communication marketing intégrée regroupe un éventail de modes de communication. Au Canada, cependant, les médias étaient autrefois régis séparément les uns des autres. Par exemple, au lieu d'interdire complètement les annonces de cigarettes, la *Loi sur le tabac* de 1997 a imposé de nombreuses contraintes à l'industrie, dont l'interdiction graduelle pour les compagnies de tabac de commanditer des événements sportifs[31]. Par contre, en 2007, la Cour suprême du Canada a rejeté l'appel de l'industrie du tabac demandant de lever l'interdiction et d'ouvrir la porte à de nouvelles formes de publicités. Les manufacturiers de tabac peuvent donc faire la promotion de leurs produits dans des endroits qui ne sont fréquentés que par des personnes âgées de 18 ans ou plus ainsi que dans des magazines dont le lectorat est composé de plus de 85 % d'adultes[32]. Nous présenterons les divers organismes qui régissent les formes de publicités et les types de médias qui les diffusent. Ensuite, il sera question de certaines controverses entourant les nouvelles formes de publicités mensongères.

Au Canada, la réglementation relative à la publicité est constituée d'une série complexe de lois formelles et de règlements informels conçus pour protéger le citoyen contre les pratiques trompeuses. De nombreuses lois fédérales et provinciales ainsi qu'une vaste gamme d'organismes et d'ententes autoréglementés ont trait à la publicité (*voir le tableau 16.1*). Parmi les principaux mécanismes fédéraux qui régissent les activités publicitaires se trouvent le Bureau de la concurrence, le CRTC, la *Loi sur les aliments et drogues* ainsi que Les normes canadiennes de la publicité. Le gestionnaire marketing se doit de respecter, en plus de ces mécanismes, d'autres lois, comme la *Loi sur l'emballage et l'étiquetage des produits de consommation* et la *Loi sur le tabac*.

TABLEAU 16.1	**Les organismes de réglementation de la publicité**	
Organisme	**Rôle général**	**Champ d'application particulier**
Bureau de la concurrence *Loi sur la concurrence* **(1986)**	Applique les lois fédérales selon lesquelles les entreprises canadiennes doivent être exploitées de façon juste et équitable.	Applique les lois relatives à la publicité mensongère et aux pratiques trompeuses.
Conseil de la radiodiffusion et des télécommunications canadiennes (CRTC) (1968)	Réglemente et supervise tous les aspects de la radiodiffusion ainsi que les entreprises de télécommunications et les fournisseurs de services qui relèvent de la compétence fédérale.	Veille à ce que les systèmes de la radiodiffusion et des télécommunications répondent aux besoins du public canadien.
Santé Canada *Loi sur les aliments et drogues* **(1954)**	Régit les aliments, les appareils médicaux, les biens de consommation, les produits pharmaceutiques, les produits biologiques, les produits de santé naturels, les substances toxiques et les pesticides.	Établit les standards et les conditions en matière de sécurité et d'hygiène des produits. Régit l'étiquetage des aliments (étiquetage nutritionnel, teneur en éléments nutritifs, allégations en matière de santé).
Les normes canadiennes de la publicité (1957)	Aide à assurer l'intégrité et la viabilité de la publicité au moyen d'une autoréglementation de l'industrie.	Applique le *Code canadien des normes de la publicité*, les *Lignes directrices sur la représentation des femmes et des hommes dans la publicité* et le *Code de la publicité radiotélévisée destinée aux enfants*.

Le Bureau de la concurrence applique la *Loi sur la concurrence*, qui est la loi la plus plus complète en ce qui a trait aux activités de marketing des entreprises canadiennes. La *Loi sur la concurrence* favorise la concurrence tout en protégeant les consommateurs contre les pratiques publicitaires mensongères ou trompeuses. Le CRTC régit l'industrie de la publicité ainsi que les médias radiotélévisés et l'attribution de licences. Ainsi, toutes les publicités diffusées à la radio ou à la télévision doivent être préalablement approuvées par le CRTC. Quant à la *Loi sur les aliments et drogues*, elle interdit la promotion ou la vente d'aliments, de cosmétiques ou de drogues qui présentent un danger ou dont l'étiquetage est falsifié. Selon cette loi, toute entreprise se doit de respecter le règlement relatif aux allégations en matière de santé. Bien que ces dernières soient utilisées depuis plusieurs années aux États-Unis, ce n'est que tout récemment qu'ont été autorisées au Canada les allégations en matière de santé sur les aliments, notamment quant à la réduction des risques de maladie cardiaque, de cancer, d'ostéoporose et d'hypertension. Selon la *Loi sur l'emballage et l'étiquetage des produits de consommation*, les fabricants, les entreprises d'emballage et les distributeurs doivent afficher tous les renseignements pertinents sur leurs produits. En outre, tous les articles préemballés doivent porter une étiquette bilingue et présenter en valeurs métriques et impériales leur poids, leur volume ou leurs dimensions.

De nombreuses catégories de produits sont considérées comme autoréglementées. Par exemple, Les normes canadiennes de la publicité forment un organisme d'autoréglementation qui supervise les codes volontaires de pratique.

La publicité destinée aux enfants est régie principalement par une série de mesures d'autoréglementation élaborées par le *Code canadien des normes de la publicité* et par le *Code de la publicité radiotélévisée destinée aux enfants*. La seule exception est le Québec, où, selon *la Loi sur la protection du consommateur,* la publicité destinée aux enfants de moins de 13 ans est interdite.

Tout récemment, question de compliquer davantage la tâche des publicitaires dont les produits sont vendus aux États-Unis, les Bureaux du Procureur général ont commencé à exercer leur autorité en réglementant la publicité au sein de leur État respectif. L'Union européenne aussi a durci sa réglementation en matière de publicité, réglementation que tous les pays membres sont forcés de respecter. En outre, bon nombre de ses règlements sont plus sévères que les lois canadiennes ou que les mesures d'autoréglementation.

Autre différence entre le Canada et l'Union européenne: les lois relatives aux **réclames élogieuses**, soit l'éloge exagéré d'un produit. Cette forme de publicité est légale si elle ne trompe pas la clientèle[33] (par exemple, on peut légalement dire que dormir sur tel matelas procure un confort comparable au fait de dormir sur un nuage – une métaphore exagérée qui ne trompe personne). Au Canada, les consommateurs sont perçus comme étant rationnels et capables de comprendre les allégations faites dans les publicités. Ces espadrilles, dont nous tairons le nom, permettent-elles vraiment de sauter plus haut et de courir plus vite? La pizza Delissio contient-elle réellement de «meilleurs ingrédients» que les autres pizzas, ce qui en ferait la «meilleure pizza»? Dans les pays de l'Union européenne, toutefois, les réclames élogieuses sont considérées comme de la publicité mensongère. Par exemple, en Amérique du Nord, Kraft n'a eu aucune difficulté à faire la promotion de sa boisson Tang en lançant une annonce où celle-ci est entourée d'oranges. Par contre, en Allemagne, cette publicité a été jugée mensongère étant donné que Tang ne contient aucune orange. Ainsi, les publicitaires doivent connaître ces différences entre les pays afin d'éviter d'enfreindre la loi.

réclame élogieuse (*puffery*) Éloge exagéré d'un produit. Cette forme de publicité est légale si elle ne trompe pas la clientèle.

L'annonce sur ce panneau d'affichage est-elle un exemple de réclame élogieuse ou une publicité mensongère?

Certaines entreprises sont jugées sévèrement tout simplement parce qu'elles consacrent un budget important à la publicité. Les consommateurs se plaignent souvent du fait que le prix des produits de ces entreprises serait moins élevé si elles n'investissaient pas autant en publicité. Comme le mentionne la rubrique Question d'éthique ci-contre, bon nombre d'entreprises ont fait l'objet de vives critiques en raison de leurs dépenses pour la promotion de produits estampillés (RED).

La publicité et le marketing direct sont régis par des règles différentes de celles qui ont trait aux relations publiques. Par exemple, dans l'affaire opposant Nike à Mark Kasky, un citoyen californien[34], l'entreprise a fait valoir que la lettre envoyée à un éditeur et rédigée par son président-directeur général faisait partie d'une campagne de relations publiques et qu'elle ne constituait donc pas un message publicitaire[35]. Malheureusement pour Nike, la cour de la Californie a vu les choses sous un autre angle et statué qu'il s'agissait effectivement d'une forme de publicité, ce qui signifie que le bien-fondé des allégations faites dans la lettre devait être établi.

Le marketing furtif

Le **marketing furtif** est une stratégie se servant de façon originale de tactiques promotionnelles pour attirer de nouveaux clients, sans que le public cible sache toujours que le message véhicule une intention de vente[36]. Il peut prendre plusieurs formes et être transmis de multiples façons. Et puisque les gestionnaires marketing trouvent des façons de plus en plus originales de communiquer avec leur public cible, ils évoluent maintenant en terrain inconnu. Ainsi, les consommateurs commencent à douter de leurs capacités à distinguer un message publicitaire d'un message qui ne l'est pas. Avec l'apparition de nouveaux médias, les consommateurs ont parfois beaucoup de mal à discerner si un message est publicitaire ou non.

Prenons la combinaison promotionnelle que la société vancouvéroise Lions Gate Entertainment a utilisée pour promouvoir le film d'horreur *Godsend, expérience interdite*. Cette combinaison comprenait un site Web (www.godsendinstitute.org) et des outils de promotion traditionnels. Sur son site Web, la société n'avait pas clairement indiqué que celui-ci avait pour but de promouvoir son film. Le thème du film est le clonage et, lorsque les internautes tapaient le mot « clonage », la page Web du Godsend Institute, un institut fictif qui constitue le cadre du film apparaissait dans la liste des résultats. Le site Web ressemblait à s'y méprendre à celui d'une clinique de fertilité légale. Il proposait une visite en ligne des installations ainsi que des témoignages de parents qui avaient été des patients de l'institut. Des portraits de famille montraient des enfants que Godsend avait clonés à partir d'un frère ou d'une sœur à l'article de la mort. L'effet était spectaculaire… et entièrement faux. Pourtant, l'entreprise n'avait affiché aucun démenti sur le site afin d'expliquer son but réel. Tom Ortenberg, directeur de la sortie du film pour Lions Gate Entertainment, a déclaré que le site Godsend était une « idée d'un million de dollars » qui n'a coûté que 10 000 $, car le site a été visité par des millions d'internautes et a généré beaucoup de publicité[37].

Les gestionnaires marketing ont également commencé à recourir à de futurs consommateurs, qui pourraient devenir de véritables représentants de leur marque. En effet, sachant qu'un individu entretient en moyenne 56 conversations par semaine, cela rend le bouche-à-oreille efficace. C'est d'ailleurs dans ce domaine que se spécialisent certaines organisations comme Mom Central Canada. Elles amorcent, alimentent et font circuler ce genre de conversations parmi les leaders d'opinion canadiens[38]. Par exemple, Dare a mis sur pied un programme en vue du lancement de ses biscuits Petits Plaisirs[39] cuits au four. Dans le cadre de ce programme, les participants ont reçu 12 boîtes de biscuits qu'ils ont distribuées parmi leurs proches avant de donner leurs impressions à Dare. Le but des entreprises qui fonctionnent ainsi est de faire de ces programmes le point de départ de leur stratégie de **marketing viral**, une pratique visant à inciter des utilisateurs d'un produit ou d'un service à communiquer à d'autres clients potentiels de l'information sur ce produit ou ce service[40]. Il n'existe pas encore de réglementation

marketing furtif
(*stealth marketing*)
Stratégie se servant de façon originale de tactiques promotionnelles pour attirer de nouveaux clients, sans que le public cible sache toujours que le message véhicule une intention de vente.

marketing viral
(*viral marketing*)
Incitation des utilisateurs d'un produit ou d'un service à communiquer à d'autres clients potentiels de l'information sur ce produit ou ce service.

Question d'éthique

Voir (ROUGE)

Peu après leur lancement, les produits estampillés (RED) ont suscité la controverse tout en luttant contre les trois maladies les plus dévastatrices de la planète. Le Fonds mondial de lutte contre le sida, la tuberculose et le paludisme a été créé en 2002 avec l'appui de dirigeants du monde et de Kofi Annan, l'ancien secrétaire général de l'Organisation des Nations Unies (ONU)[41]. Quatre ans plus tard, à l'occasion du Forum économique mondial de 2006, Bono et Bobby Shriver ont annoncé la création de Product (RED), une initiative économique conçue pour injecter de l'argent provenant du secteur privé dans le Fonds mondial de lutte contre le sida, la tuberculose et le paludisme.

C'est ainsi que Converse, Motorola, Apple, GAP et d'autres entreprises ont fabriqué des produits spécialement pour (RED) afin d'appuyer cette démarche. Par exemple, Apple a créé un iPod nano de quatre gigaoctets édition spéciale (RED) et American Express a lancé une carte de crédit (RED)[42]. Une partie des revenus issus de la vente d'articles (RED) était versée au Fonds mondial. Ainsi, 10 % des ventes de cartes-cadeaux iTunes de 25 $, de 5 % à 15 % des profits des produits Converse et 50 % des profits réalisés par GAP avec la vente des articles de la collection (RED) étaient remis au Fonds mondial. Les publicités relatives aux produits (RED) mettaient en vedette des célébrités comme Penelope Cruz et Christy Turlington portant des vêtements Gap rouges et laissaient entendre que les consommateurs pouvaient changer le monde simplement en achetant un t-shirt Gap.

Il n'a pas fallu beaucoup de temps avant que ne se répande la nouvelle voulant que plus de 100 millions de dollars américains aient été investis par ces entreprises pour faire la promotion de leurs produits (RED), alors que seulement 18 millions avaient été remis au Fonds mondial de lutte contre le sida, la tuberculose et le paludisme. Les détracteurs ont affirmé que les 100 millions de dollars de dépenses publicitaires auraient dû être remis directement au Fonds mondial. Les promoteurs de Product (RED) ont répliqué qu'il s'agissait d'un projet de longue haleine et qu'une année n'était pas suffisante pour évaluer sa réussite. Aussi, ce ne sont pas 18 millions de dollars, mais bien 25 millions qui auraient été remis au Fonds mondial, et les dons étaient environ cinq fois supérieurs à la somme remise par le secteur privé depuis les quatre dernières années[43]. Les promoteurs ont ajouté que si les dépenses publicitaires n'avaient pas servi à la promotion des produits (RED), elles auraient été affectées à la promotion d'autres produits dont la vente ne rapportait pas un sou au Fonds mondial[44].

Les publicités des vêtements (RED) de Gap mettaient en vedette des célébrités comme Penelope Cruz.

En date d'aujourd'hui, Product (RED) aurait, selon ses organisateurs, rapporté plus de 275 millions de dollars, lesquels ont été affectés en entier aux programmes de lutte contre le sida en Afrique[45]. À la suite de cette controverse, l'organisation a modifié son fonctionnement, et ses partenaires ont évolué. Il n'en demeure pas moins qu'il est difficile d'estimer la valeur de la publicité parue dans des milliers de magazines, de journaux, d'articles en ligne et diffusée à la télévision, notamment le profil de l'organisation décrit à l'émission *The Oprah Winfrey Show.* Avant que cette controverse n'éclate, la majorité de la population ne connaissait même pas l'existence du Fonds mondial de lutte contre le sida, la tuberculose et le paludisme. N'empêche que bon nombre d'observateurs ont vus rouge et se sont demandés si les partenaires du projet n'étaient pas en train d'utiliser une noble cause à leur avantage. Est-il acceptable sur le plan éthique de tirer profit d'une cause sans but lucratif ?

sur ce type de campagnes publicitaires. En outre, les lois en matière de pratiques trompeuses ne contiennent aucune disposition sur la façon de traiter une telle forme de marketing.

Les jeux en ligne sont une manière très efficace de capter l'attention des enfants et de les amener vers le site Web d'une entreprise donnée. Ils constituent également une

Selon vous, les stratégies de marketing furtif destinées aux enfants, comme celles utilisées par Neopets, sont-elles acceptables sur le plan éthique ? Le gouvernement devrait-il réglementer les médias dans lesquels les enfants pourraient confondre divertissement et contenu commercial ?

excellente façon de s'attirer les foudres des groupes de vigilance à l'endroit des médias destinés aux enfants. Ces groupes considèrent que les sites Web n'avertissent pas les enfants que leurs jeux contiennent un message avec une mention de la marque. L'un des sites les plus controversés est certainement www.neopets.com, lequel propose aux enfants des jeux commandités par diverses entreprises. En acceptant les offres présentées par les commanditaires, l'utilisateur reçoit de l'aide pour prendre soin de son Neopet, un animal virtuel qu'il peut adopter en devenant membre du site[46]. L'utilisateur peut amasser des points en participant à des enquêtes de consommation ou en nourrissant son Neopet avec des produits McDonald's. Les jeunes filles, qui correspondent à la majorité des visiteurs du site, passent en moyenne 3,5 heures par mois sur ce site.

À mesure que des sites comme celui de Neopets gagnent en popularité auprès des enfants, les groupes de vigilance à l'endroit des médias destinés aux enfants commencent à poser des questions. Un enfant est-il en mesure de distinguer le divertissement du contenu commercial[47] ? Encore une fois, il n'existe à ce jour aucun règlement portant sur les sites Web destinés aux enfants, si ce ne sont les règlements qui ont trait à la protection des renseignements personnels de l'enfant. Toutefois, certains organismes de réglementation se penchent sur les pratiques utilisées par ces sites afin d'évaluer si les règlements actuels sont enfreints et si de telles pratiques doivent être réglementées. Pendant ce temps, les gestionnaires marketing continueront à chercher des manières originales d'atteindre leur public cible à l'aide de méthodes traditionnelles ou non.

OA ③ ## La promotion des ventes

promotion des ventes
(sales promotion)
Recours à des incitatifs qui visent à amener les consommateurs à se procurer un produit ou un service (p. ex., coupon de réduction, concours, échantillon gratuit, présentoir au point de vente, rabais).

Il est rare que la publicité soit le seul moyen de communiquer avec la clientèle cible. Comme nous l'avons mentionné dans le chapitre 15, un lien naturel est établi entre la publicité et la promotion des ventes. La **promotion des ventes** correspond au recours à des incitatifs qui visent à amener les consommateurs à se procurer un produit ou un service. Cette méthode est le plus souvent utilisée de concert avec d'autres plans ou programmes relatifs à la publicité ou à la vente personnelle. Dans le contexte d'un plan de communication marketing intégrée, la publicité suscite habituellement l'attention, l'intérêt et le désir, alors que l'objectif de la promotion des ventes est de conclure des ventes. De nombreuses techniques de promotion des ventes, comme les échantillons gratuits ou le présentoir au point de vente, tentent de réaliser des ventes à court terme, tandis que d'autres techniques, comme les programmes de fidélisation, les concours ou les loteries promotionnelles, font dorénavant partie intégrante du programme de gestion de la relation client, dont les gestionnaires marketing se servent d'ailleurs afin d'accroître la fidélité de la clientèle. Nous étudierons maintenant les diverses techniques auxquelles les entreprises ont recours dans le cadre de la promotion des ventes. Nous verrons également en quoi ces techniques complètent les efforts fournis par le publicitaire pour atteindre ses objectifs.

Les techniques servant à n'importe quelle forme de promotion des ventes peuvent cibler soit les membres du circuit de distribution, notamment les grossistes et les détaillants, soit les consommateurs. Comme nous l'avons mentionné dans le cas de la publicité, lorsque la promotion des ventes est destinée aux membres du circuit de distribution, le gestionnaire marketing emploie une stratégie de pression. Par contre, quand elle est destinée aux consommateurs, le gestionnaire marketing applique une stratégie d'aspiration. Certaines techniques de promotion des ventes peuvent être utilisées tant dans le cadre d'une stratégie de pression que dans celui d'une stratégie d'aspiration. Voyons maintenant les techniques de promotion des ventes et leur utilité.

La promotion des ventes axée sur les consommateurs

Nous décrirons chacune des techniques utilisées dans la promotion des ventes ainsi que leurs avantages et leurs inconvénients, lesquels sont énumérés dans le tableau 16.2. Face aux nombreuses techniques qui existent, le gestionnaire marketing doit en choisir une en fonction des objectifs de marketing qui ont été fixés. Finalement, nous verrons comment, dans certains plans de communication marketing intégrée, il est possible de tirer profit de la promotion des ventes.

Le coupon de réduction

Un coupon de réduction correspond à un rabais sur le prix de vente final d'un produit. Il peut s'agir d'un montant ou d'un pourcentage de réduction. Les coupons de réduc-

TABLEAU 16.2 Les types de promotions des ventes aux consommateurs

Technique promotionnelle	Objectif	Avantages	Inconvénients
Coupon de réduction	Stimuler la demande.	● Il encourage la fidélité au détaillant. ● Il permet de retracer la provenance des ventes.	● Il présente un faible taux de retour ou d'utilisation. ● Il a un coût élevé pour l'entreprise.
Promotion	Inciter la clientèle à essayer le produit.	● Elle réduit les risques courus par le consommateur. ● Elle permet de répondre à la concurrence.	● Elle peut réduire la valeur perçue.
Prime	Augmenter l'achalandage.	● Elle augmente la valeur perçue.	● La clientèle se procure l'ensemble pour la prime et non pour le produit principal. ● Elle doit être gérée avec précaution.
Concours	Augmenter l'engagement de la clientèle.	● Il procure un sentiment d'excitation.	● Il demande une grande créativité. ● Il doit être surveillé.
Loterie promotionnelle	Inciter la clientèle à consommer davantage.	● Elle réduit le changement de marque au sein de la clientèle existante.	● Les ventes chutent souvent une fois la loterie passée.
Échantillon	Inciter la clientèle à essayer le produit.	● Il offre une occasion d'engagement direct.	● Il a un coût élevé pour l'entreprise.
Programme de fidélisation	Inciter la clientèle à racheter le produit.	● Il fidélise la clientèle.	● Il a un coût élevé pour l'entreprise.
Présentoir au point de vente	Augmenter l'essai des produits d'une marque donnée.	● Il offre une bonne visibilité. ● Il comporte un soutien en magasin.	● Il est difficile de trouver l'emplacement idéal. ● Il a un coût élevé pour l'entreprise.
Rabais	Stimuler la demande.	● Il augmente la valeur perçue.	● Il est facile pour la concurrence de copier ce type d'offre. ● Il est possible que cette offre ne permette que de devancer les ventes futures.
Placement de produit	Démontrer l'utilisation du produit.	● Il permet de présenter les produits de manière originale. ● Il permet de présenter de nouveaux produits.	● L'entreprise a, dans bien des cas, peu de contrôle sur la présentation. ● Le produit pourrait être laissé dans l'ombre.

tion sont distribués par les fabricants et les détaillants dans les journaux, les magazines, les enveloppes promotionnelles à domicile et les encarts volants, dans et sur les emballages des produits, aux caisses (sur la facture ou en présentoir), sur Internet, par courriel, par SMS et par la poste. Leur utilisation est courante dans les supermarchés, mais d'autres détaillants, comme les grands magasins et les restaurants, s'en servent aussi pour attirer des consommateurs au détriment de leurs concurrents. Certains acceptent même les coupons de la concurrence. Rien qu'aux États-Unis, plus de 300 milliards de coupons sont distribués chaque année. De ce nombre, environ 1% seulement sont utilisés, ce qui représente tout de même plus de 200 millions de dollars d'économie pour les consommateurs. Au Canada, les chiffres sont d'environ sept milliards de coupons distribués par année, pour des taux de retour équivalents, voir légèrement supérieurs[48]. Toutefois, le taux de retour (ou taux de remontée) varie grandement en fonction de la manière dont le consommateur s'est procuré le coupon. Il existe un segment de marché composé des irréductibles chasseurs de coupons, qui consacrent beaucoup de temps et d'efforts à la recherche, au découpage et à l'utilisation des coupons de réduction. Bon nombre d'entre eux ont simplifié le processus à l'aide d'Internet, qui offre des forums ou des portails centrés sur l'échange et la gestion des coupons de réduction (p. ex., www.save.ca). Toutefois, étant donné que de nombreux consommateurs n'apprécient guère le lourd processus de la recherche de coupons, la moyenne du taux de retour se situe sous les 2%. On constate toutefois un changement important dans les comportements des consommateurs. Si les coupons apparaissant dans les journaux, les magazines, les présentoirs aux points de vente et ceux envoyés par la poste ont un taux de retour qui se situe entre 1% et 2%, ce taux s'élève à 17% environ pour les coupons électroniques. Cette différence notable s'explique par le fait que les consommateurs qui téléchargent des coupons de réduction le font dans le but d'acheter un produit en particulier dans un magasin en particulier, tandis que de nombreuses personnes reçoivent des coupons traditionnels sans avoir l'intention d'acheter le produit en promotion. Les coupons électroniques se présentent sous différentes formes. Vous pouvez vous abonner au site d'un détaillant que vous aimez pour recevoir des réductions par courriel. Vous pouvez également fouiller des sites comme RetailMeNot ou Tuango, ou tout simplement profiter des coupons que les détaillants affichent maintenant via Facebook. Certaines entreprises utilisent également les fonctionnalités des téléphones intelligents pour acheminer leurs coupons. Ces derniers peuvent être envoyés par SMS ou bien encore par une application mobile.

Le nombre de coupons électroniques est en pleine expansion. Aux États-Unis, près d'un tiers des entreprises utilisent les coupons électroniques[49].

De plus en plus de consommateurs s'intéressent à ce type de communication, mais encore faut-il que les coupons envoyés soient personnalisés et personnalisables. Ces coupons fournissent une pléthore de renseignements sur les consommateurs qui les utilisent. Bien qu'ils se ressemblent tous, leurs codes barres renferment parfois une quantité stupéfiante de données, y compris sur l'identité du client, son adresse courriel, sa page Facebook et même les termes de recherche qu'il a employés pour trouver le coupon. MediaCart est une autre illustration des nouveaux outils de promotion qui se sont développés avec les nouvelles technologies de l'information. Ce produit fait de la publicité au point de vente à partir des paniers d'achat. Bien que l'entreprise n'offre pas de coupons de papier traditionnels, elle renseigne les clients sur les bonnes affaires au moment où ils passent près d'elles dans les allées. Chaque écran vidéo comporte une puce d'identification par radiofréquence (RFID) qui communique avec les puces installées sur les

MédiaCart offre des promotions au point de vente à partir d'un panier d'achat.

tablettes du magasin. Outre qu'elle fournit de la publicité et des offres spéciales, cette puce peut enregistrer les habitudes d'achat du client, les produits devant lesquels il s'attarde et le trajet qu'il parcourt dans le magasin, des informations critiques que le détaillant peut utiliser pour offrir une meilleure expérience d'achat à ses clients et ainsi augmenter ses ventes.

Les coupons de réduction électroniques et les sites d'achats groupés, comme Groupon et PromoRabais, ont transformé la façon dont les entreprises offrent des promotions.

La promotion

Une **promotion** est une réduction temporaire du prix d'un article. Elle peut prendre plusieurs formes : un prix réduit, lorsque le prix est inférieur au prix courant ; une offre de type « Achetez un produit et obtenez-en un second gratuitement » ; ou un pourcentage de réduction à l'achat de plusieurs articles. La promotion peut également comprendre un accord de financement avantageux, notamment un taux d'intérêt réduit ou des modalités de paiement sur une plus longue période. La promotion incite le consommateur à essayer le produit en en réduisant le coût et, de ce fait, le risque perçu par ce dernier. Cependant, la promotion peut aussi réduire la valeur perçue.

Payless Shoe Source offre une promotion, soit une réduction temporaire du prix d'un article, ce qui incite le consommateur à acheter un second article à moitié prix.

promotion (*deal*)
Réduction temporaire du prix d'un article.

La prime

Une **prime** est un article offert gratuitement ou vendu à bas prix à un client pour le récompenser d'avoir acheté, essayé ou testé un produit. Ce type de récompense augmente l'achalandage des consommateurs, ces derniers lui accordant une grande valeur. Une prime peut être remise au consommateur de diverses façons. Elle peut être contenue dans l'emballage d'un autre produit, comme un jouet dans une boîte de céréales ; elle peut être placée bien en vue sur l'emballage, comme un coupon de réduction pour du maïs soufflé au cinéma sur une boîte de Cheerios ; elle peut être remise en mains propres au magasin ou envoyée par la poste.

En outre, une prime peut s'avérer un outil très efficace lorsqu'elle présente une cohérence avec le message et l'image de la marque et qu'elle est vivement désirée par le consommateur. Mais il peut être ardu de trouver une prime à un prix abordable qui réponde à ces critères.

Dans les restaurants rapides, comme McDonald's ou Burger King, le prix moyen d'un repas est de 5 $ et celui d'une prime est de moins de 0,50 $.

prime (*premium*)
Article offert gratuitement ou vendu à bas prix à un client pour le récompenser d'avoir acheté, essayé ou testé un produit.

Le concours

Un **concours** est une épreuve organisée par le fabricant d'une marque connue et qui requiert une certaine habileté ou un certain effort. Au Canada, il est interdit de remettre un prix en fonction du hasard seulement ; il doit y avoir un facteur d'habileté : la fameuse opération mathématique que l'on retrouve souvent en bas du formulaire de participation au concours. Ainsi, il existe des questions réglementaires pour faire en sorte que le concours soit à la fois un jeu de hasard et un jeu d'habileté. Vu l'effort que requièrent ces concours, le taux de participation est souvent inférieur à celui d'autres types de promotions. Par exemple, aux États-Unis, depuis plus de 40 ans, Pillsbury remet de l'argent (1 000 000 $ pour le gagnant, en plus d'électroménagers de la marque GE kitchen) et des prix aux gagnants de son grand prix Bake-Off^{MD}. Parmi toutes les

concours (*contest*)
Épreuve organisée par le fabricant d'une marque connue et qui requiert une certaine habileté ou un certain effort.

demandes reçues, l'entreprise choisit 100 candidats en vue d'une épreuve au cours de laquelle un jury composé d'experts doit choisir le grand gagnant. L'entreprise a également recours au comarquage afin d'inciter des fabricants d'autres marques, comme GE kitchen, Jif ou Crisco, à commanditer les prix des finalistes dans certaines catégories[50].

Pour qu'il soit suivi d'effets, un concours doit être annoncé et jouir de l'appui solide de détaillants et de revendeurs. Depuis un quart de siècle, Tim Hortons, la plus grande chaîne de restaurants à service rapide se spécialisant dans le café et les produits de pâtisserie, organise chaque année son concours *Déroule le rebord* pour gagner des prix divers dont le principal est une automobile. En vérifiant sous le rebord de sa boisson chaude favorite, le client est à même de connaître le prix gagné.

Comme l'explique la rubrique Marketing et médias sociaux ci-contre, les concours ont souvent pour objectif d'augmenter les ventes. Ils peuvent aussi servir à attirer l'attention sur une initiative de l'entreprise ou même à promouvoir une cause liée à l'environnement. La rubrique Marketing durable (*voir p. 552*) décrit comment le concours *Projet Torréfacteur vert* a permis à Nabob de montrer son engagement à améliorer la façon dont le café est produit à l'échelle de la planète.

La loterie promotionnelle

loterie promotionnelle
(*sweepstake*)
Technique de promotion des ventes qui offre la chance aux participants de gagner un prix si leur nom est tiré au hasard.

La **loterie promotionnelle** est une technique de promotion des ventes qui offre la chance aux participants de gagner un prix si leur nom est tiré au hasard. Elle ne nécessite aucune autre action que celle d'acheter un billet ou de remplir un formulaire de participation. Le principal avantage de la loterie promotionnelle est qu'elle incite la clientèle à consommer davantage, à condition que le formulaire de participation se trouve dans l'emballage ou qu'il soit remis à l'achat du produit. Contrairement au concours, la loterie promotionnelle détermine le gagnant au moment d'un tirage au hasard. Ainsi, la Fondation Maurice Tanguay pour les enfants handicapés organise chaque année une loterie d'envergure provinciale qui s'adresse à la population en général, la désormais classique Maison Tanguay.

L'échantillon

échantillon (*sample*)
Petite quantité d'un produit qui permet aux clients éventuels d'essayer le produit avant de prendre une décision d'achat.

Un **échantillon** permet aux clients éventuels d'essayer un produit avant de prendre une décision d'achat. La distribution d'échantillons est l'un des outils de promotion des ventes les plus coûteux, mais également l'un des plus efficaces. Les restaurants rapides et les supermarchés y ont fréquemment recours. Par exemple, Starbucks distribue des échantillons de ses nouveaux produits à ses clients. Costco offre un si grand nombre d'échantillons que ses clients peuvent prendre un repas complet sur place. Parfois, les échantillons de produits sont envoyés par la poste ou distribués dans les magasins. Procter & Gamble a déjà établi un magasin éphémère, le Look Fab Studio, à l'angle des rues Yonge et Bloor, un secteur prestigieux de Toronto, pour un mois seulement. La boutique a permis à ses visiteurs de recevoir gratuitement des conseils de beauté, de vivre une métamorphose et de participer à des ateliers donnés par les plus grands noms de l'industrie, dont le maquilleur de vedettes Paul Venoit[51]. Le but du studio éphémère était de hisser Procter & Gamble au rang d'expert en matière de produits de beauté et de positionner ses marques.

Le programme de fidélisation

programme de fidélisation
(*loyalty program*)
Programme spécialement conçu pour permettre à l'entreprise de garder sa clientèle et de s'assurer qu'elle reviendra en lui offrant une prime ou en se servant de toute autre mesure incitative.

Le **programme de fidélisation** constitue un outil qui peut être utilisé dans le cadre d'un programme de promotion des ventes. Il est spécialement conçu pour permettre à l'entreprise de garder sa clientèle et de s'assurer qu'elle reviendra en lui offrant une prime ou en se servant de toute autre mesure incitative. Les outils de ce genre, qui s'avèrent de plus en plus populaires, sont souvent jumelés avec un programme de gestion de la relation client à long terme. Au Canada,

Marketing et médias sociaux

Les nouvelles dimensions de la promotion des ventes

La promotion des ventes vise à attirer l'attention, à éveiller l'intérêt et à susciter le désir tout en augmentant directement le volume des ventes d'une marque ou d'un produit. Il s'agit souvent là d'un aspect ludique et créatif du marketing, et plus un concours, un coupon ou un programme de fidélisation réussit à captiver l'attention des consommateurs, meilleure est la promotion. Il n'est donc pas étonnant que les entreprises intègrent de plus en plus les médias sociaux dans toutes sortes de promotions afin d'accroître leur efficacité.

Certaines promotions ajoutent un outil de média social à un modèle de promotion traditionnel. Ainsi, Alexander Keith's a orchestré une promotion visant à augmenter les ventes de sa Pale Ale en l'honneur de l'anniversaire du fondateur de l'entreprise, né un 5 octobre. Cette promotion s'appuyait sur de la publicité télévisuelle, des affiches, des bannières publicitaires et même des panneaux lumineux affichant le compte à rebours installé dans les bars et les pubs; sur des microsites décomptant les jours; et sur des bandeaux apposés sur les emballages de bières annonçant les célébrations. À l'automne 2009, l'entreprise a ajouté les médias sociaux à son marketing mix: elle a invité les Canadiens à créer une carte de vœux virtuelle sur Facebook et à la faire signer par leurs amis. L'auteur de la carte contenant le plus grand nombre de signatures courait la chance de gagner 5000 $ ou un voyage à Halifax, lieu de naissance de Keith[52]. Le concours a attiré plus de 50000 adeptes et généré 1500 cartes de vœux[53], ce qui a entraîné d'innombrables interactions entre les consommateurs et la bière, un produit de consommation courante.

De nombreuses entreprises et marques adoptent cette approche pour faire leur entrée dans les médias sociaux. Il est beaucoup plus facile pour les gestionnaires marketing d'obtenir l'aval de l'entreprise lorsqu'ils se contentent d'ajouter des éléments à un modèle promotionnel déjà efficace. Une fois la valeur des outils de médias sociaux établie, ceux-ci peuvent être explorés davantage. Le Black Diamond Cheestrings (Ficello) offre un autre exemple de promotion traditionnelle qui s'est prolongée dans les médias sociaux. La marque a lancé la campagne *Cheesy's lucky lunchbox* (Le casse-croûte chanceux de Cheesy), qui consistait à distribuer des numéros d'identification personnelle (NIP) uniques dans les paquets de Cheestrings. Lorsqu'ils entraient ce NIP en ligne, les consommateurs couraient la chance de gagner des prix instantanés, comme des sacs thermos, des étuis à crayons et des calepins, ainsi que l'un des huit voyages au Bahamas offerts par l'entreprise[54]. Auparavant, les prix auraient été réclamés et distribués par la poste. Mais dans ce cas-ci, Black Diamond a intégré les médias sociaux à sa campagne en relayant le nom des gagnants sur Twitter au moyen du compte @Cheesy. Cette procédure permettait aux gagnants de confirmer leurs prix avant de les recevoir, et leur donnait la chance de voir leurs noms mis en lumière et – Black Diamond l'espère – de développer un lien plus solide avec la marque Cheestrings.

D'autres promotions font appel exclusivement à des outils de médias sociaux. L'une des plus populaires et des plus réussies est le concours *Gourou Doritos*. Dans le cadre de cette promotion, Doritos a commercialisé à l'échelle nationale une nouvelle saveur de croustilles sans nom dont l'emballage contenait à peine plus qu'un point d'interrogation et les détails du concours. Elle lançait le défi suivant aux consommateurs: baptiser la nouvelle saveur et afficher une publicité de 30 secondes sur YouTube pour la promouvoir[55]. Le gagnant recevrait 25000 $, le nom qu'il avait proposé serait retenu de façon permanente et sa vidéo pourrait être télédiffusée. Fait notable, le gagnant toucherait également un pourcentage des recettes des ventes futures des nouvelles croustilles. Les vidéos promotionnelles étaient affichées sur YouTube, mais également sur le site de Doritos, et les participants les diffusaient par l'entremise de Facebook et de Twitter afin de faire connaître la promotion et de remporter des votes. Le grand public était invité à regarder les vidéos et à voter pour la meilleure. La promotion a connu une immense popularité: elle a attiré 30000 adeptes de Facebook et plus de 1,5 million de visiteurs ponctuels sur YouTube, et 2100 vidéos différentes ont été soumises. Elle représente un succès éclatant dans l'histoire des promotions centrées sur les médias sociaux[56].

Un certain nombre de marques canadiennes ont repris la recette et lancé leur propre «concours de vidéo». Ainsi, Postes Canada a demandé à ses 62000 employés de réaliser une vidéo destinée à promouvoir les services postaux comme XpressPost et smartmoves en leur offrant la chance de gagner un voyage aux Jeux olympiques de Vancouver de 2010[57]. Les exemples sont légion et font preuve de beaucoup de créativité. Certaines compagnies, comme Wishpond Technologies Ltd, se spécialisent dans la création de ces promotions et autres concours électroniques. Le site http://corp.wishpond.com regorge d'exemples intéressants que nous vous suggérons d'aller explorer.

Peu importe l'objectif d'une promotion, les médias sociaux font désormais partie intégrante de tout bon plan de communication marketing intégrée. Le défi consiste toutefois à faire en sorte qu'ils soient appropriés et ajoutent de la valeur à la promotion.

| Marketing durable | Nabob : allier la qualité à la durabilité[58] |

En ce qui a trait à notre planète, même les changements minimes peuvent faire une différence en matière de durabilité à la longue. Voilà la nouvelle position adoptée par la Cie de café Nabob. Toutefois, Nabob ne se contente pas de faire des changements mineurs : elle effectue des transformations majeures à tous les paliers de l'entreprise afin d'aligner sa marque avec sa nouvelle philosophie en matière de développement durable. Nabob a fait beaucoup de chemin depuis sa création en 1896 par deux épiciers déterminés, qui mélangeaient des grains de café importés de première qualité. En 1994, Kraft a acheté Nabob, qui est aujourd'hui la plus importante marque de café torréfié et moulu de qualité au Canada.

Le succès de Nabob ne date pas d'hier et l'entreprise se lance aujourd'hui dans un nouveau projet consistant à soutenir la durabilité environnementale, sociale et économique. L'entreprise s'est engagée à reconnaître le rôle qu'elle peut jouer pour préserver les caféières et améliorer la vie des producteurs de café du monde entier. Elle sait qu'elle doit équilibrer les besoins des producteurs et des consommateurs avec la santé à long terme de l'environnement. Son slogan « Meilleurs grains. Meilleur café. Meilleur pour la planète » illustre sa décision récente de se concentrer sur la durabilité et de créer un impact positif dans le monde en améliorant la façon dont le café est produit.

L'un des changements mineurs apportés par l'entreprise est la création d'une nouvelle boîte de café faite de matériaux recyclés. De plus, une partie des grains achetés par Nabob sont certifiés par la Rainforest Alliance. Cette organisation investit dans la conservation de la biodiversité et la qualité de vie des populations locales dans leur milieu. Elle a élaboré un programme de certification socioéconomique pour l'agriculture, qui repose sur plus de 200 critères. Ces critères sont axés sur le respect des personnes et de l'environnement et sur la prise en considération des traditions rurales et de la culture locale.

Afin d'encourager les consommateurs à participer à ses efforts de durabilité, Nabob a lancé le concours *Projet*

Torréfacteur vert au printemps 2010. Ce concours a suscité un engouement et fait connaître l'engagement accru de Nabob envers le développement durable. Les participants à ce concours pancanadien devaient rédiger un texte de 1200 mots décrivant de manière créative les actions que leur communauté pouvait mener et expliquant les effets positifs potentiels du projet *Torréfacteur vert* sur celle-ci. Toutes sortes d'initiatives ont été proposées, notamment l'achat de panneaux solaires et l'ajout de bacs de recyclage aux installations d'une communauté. Nabob a versé 10 000 $ à la communauté gagnante pour lui permettre de réaliser son projet *Torréfacteur vert*.

Ce concours a contribué à renforcer l'engagement de Nabob envers la durabilité en encourageant la participation des consommateurs. De plus, il a permis à l'entreprise de commencer à intégrer la durabilité dans tous les aspects de son organisation, y compris dans sa stratégie de communication marketing.

Nabob s'est engagée à protéger les caféières et à améliorer la qualité de vie des producteurs de café.

on compte parmi les programmes de fidélisation les plus populaires ceux de Canadian Tire (un des plus anciens au Canada), AIR MILES et le plan Optimum de Pharmaprix. La chaîne d'alimentation Métro connaît également un franc succès depuis le lancement en 2010, au Québec, de son programme metro&moi.

Le présentoir au point de vente

présentoir au point de vente (*point-of-purchase [POP] display*)
Ensemble des supports promotionnels situés à un point de vente donné. Cela comprend notamment la signalétique (panneaux, banderoles, etc.), les présentoirs en carton au sol ou de comptoir, les annonces en magasin et les bornes interactives.

Le **présentoir au point de vente** est un support promotionnel situé à un point de vente donné, par exemple à la caisse ou dans les allées d'un supermarché. Les gestionnaires marketing investissent pratiquement autant dans ces présentoirs que dans les annonces publicitaires des revues ; cependant, pour être efficaces, les présentoirs doivent faire ressortir le produit dans des commerces qui sont souvent surchargés.

En outre, les fabricants doivent inciter les détaillants à installer le présentoir et à l'utiliser de manière à maximiser leur investissement. L'utilisation d'étalages qui accrochent l'œil jumelée à d'autres outils promotionnels a favorisé le lancement de

XOXO, une nouvelle marque de vin à la fin des années 2000. Délaissant les buveurs de vin traditionnels, la marque ciblait les femmes désireuses d'ajouter une touche spéciale à leurs « soirées entre filles ». Les étalages accrocheurs associés à l'emballage simple et facilement reconnaissable du vin ont produit un succès instantané, et l'entreprise a écoulé 36 000 bouteilles en quatre semaines seulement lors de

Le présentoir au point de vente est un support promotionnel situé à un point de vente donné, par exemple à la caisse ou dans les allées d'un supermarché.

son lancement ontarien. La distribution d'échantillons en magasin a généré un taux de conversion de 35 % à 50 %, largement supérieur au taux de 15 % à 20 % généralement associé à ce type d'essai[59].

Le rabais

Le rabais représente un type précis de réduction de prix. De nombreux produits, comme les petits appareils électroniques ou les téléphones cellulaires, offrent maintenant des rabais postaux intéressants qui peuvent, dans certains cas, réduire à néant le prix d'un téléphone, voire entraîner un remboursement. Il est très avantageux pour les entreprises d'offrir de tels rabais parce que les chances que le consommateur fasse les démarches nécessaires pour les réclamer sont faibles, même si le rabais est un facteur qui compte dans sa décision d'achat.

Depuis peu, les grands utilisateurs de cet outil de promotion des ventes, comme Best Buy, recourent moins qu'auparavant au rabais[60]. En effet, comme pour tout autre outil de promotion, l'utilisation à outrance du rabais peut finir par poser problème. Ainsi, Best Buy a découvert que les consommateurs étaient de plus en plus agacés à l'idée de devoir poster un formulaire pour réclamer l'argent du rabais. Bon nombre d'entre eux ont demandé que le rabais soit remis au moment de l'achat, car ils ne voyaient pas pourquoi il était impossible de fonctionner de la sorte. De plus, un nombre croissant de poursuites ont été intentées. Les plaignants ont affirmé que le chèque promis ne leur est jamais parvenu ou que l'offre contenait des clauses tellement détaillées qu'ils ont dû renvoyer à plusieurs reprises leur formulaire[61].

placement de produit (*product placement*) Insertion d'un produit dans un contexte non publicitaire (p. ex., dans une scène d'un film ou d'une émission de télévision).

Le placement de produit

Lorsqu'un gestionnaire marketing fait appel au **placement de produit**, il insère un produit dans un contexte non publicitaire, comme dans une scène d'un film ou d'une émission de télévision. Le premier placement de produit manifeste a été effectué par Hershey, dont on a pu voir les friandises au beurre d'arachide Reese's Pieces dans le film *E.T. l'extraterrestre*. En fait, le produit fait partie de l'histoire de ce film, ce qui lui a donné une grande visibilité et a entraîné une augmentation fulgurante de ses ventes[62].

Si Hershey n'a pas eu à payer pour que ses friandises apparaissent dans le film, d'autres entreprises n'ont pas peur de débourser la somme qu'il faudra pour profiter d'un placement de produit. Les entreprises paient autour de 8 milliards de dollars en placement de produits à la télévision et dans les films chaque année

À votre avis, quel montant PepsiCo a-t-elle payé à l'émission So You Think You Can Dance Canada *pour le placement de son produit Aquafina ?*

(p. ex., Heineken aurait payé 45 millions pour placer son produit dans le film de la saga James Bond *Skyfall* en 2012). Ford et Coca-Cola ont payé environ 30 millions de dollars chacune pour placer leurs produits et les annoncer à l'émission *American Idol*[63]. Les juges de *So You Think You Can Dance Canada* sont assis derrière un étalage bien visible de bouteilles d'Aquafina. Comme les consommateurs qui utilisent des enregistreurs vidéo numériques signalent qu'ils sautent les publicités télévisées 72,3 % du temps, le placement de produit devient de plus en plus important. En outre, les recherches ont démontré que les consommateurs se souviennent relativement bien des produits ainsi placés[64].

La promotion des ventes axée sur les intermédiaires[65]

Si la promotion des ventes est le plus souvent associée aux coupons de réduction, aux concours et à d'autres tactiques promotionnelles, il n'en demeure pas moins qu'on investit beaucoup plus d'argent dans la promotion des ventes auprès des intermédiaires que dans celle destinée aux consommateurs. La promotion des ventes auprès des intermédiaires permet d'inciter les détaillants et les grossistes à se procurer des produits d'une nouvelle marque, à les disposer à la hauteur des yeux sur les étalages et à en faire la promotion dans leurs prospectus et autre matériel promotionnel. Comme nous l'avons mentionné précédemment, plusieurs techniques de promotion des ventes auprès des consommateurs peuvent également servir à la promotion des ventes auprès des intermédiaires. Celles-ci incluent les rabais et les indemnités, la publicité coopérative de même que la formation de la force de vente. Nous décrirons brièvement chacune de ces techniques.

Les rabais et les indemnités

Les rabais et les indemnités sont des incitatifs efficaces utilisés pour maintenir ou augmenter le niveau de stock dans le canal de distribution. Il arrive ainsi que les fabricants offrent un rabais sur quantité, par exemple une réduction (en pourcentage ou en argent) sur le prix de chaque caisse commandée au cours d'une période donnée. Il arrive aussi qu'un détaillant reçoive gratuitement une quantité préétablie d'un produit, par exemple une caisse gratuite à l'achat de 10 caisses de marchandise. En outre, un détaillant peut recevoir une indemnité de mise en valeur en échange d'un effort supplémentaire dans la présentation d'un produit donné. Par exemple, si un commerce a accepté de faire paraître une annonce publicitaire comprenant un coupon de réduction sur le prix d'un certain produit, le commerçant pourrait recevoir une indemnité de mise en valeur sous forme d'une réduction du prix de la caisse de ce produit pendant la période où le coupon est en vigueur.

La publicité coopérative

publicité coopérative (ou publicité à frais partagés) (*cooperative advertising*) Publicité qui permet d'indemniser les intermédiaires pour l'argent qu'ils ont investi dans la promotion de leurs produits et de les inciter à présenter ces derniers plus souvent.

L'un des rôles les plus importants que joue le détaillant est la promotion des produits auprès des consommateurs. La **publicité coopérative (ou publicité à frais partagés)** permet d'indemniser les intermédiaires pour l'argent qu'ils ont investi dans la promotion de leurs produits et de les inciter à présenter ces derniers plus souvent. En général, les fabricants paient 50 % des frais publicitaires, jusqu'à concurrence d'un montant déterminé à l'avance. La limite est habituellement fixée en fonction de l'importance des affaires que le détaillant traite avec le fabricant. Pour s'assurer que la publicité locale est de grande qualité, certaines entreprises offrent un éventail d'annonces prêtes à être diffusées dans toute une gamme de médias ou à être adaptées, s'il y a lieu.

La formation de la force de vente

Étant donné que le détaillant entretient des contacts avec le consommateur et qu'il est, au final, responsable de la vente des produits dont il s'est approvisionné, il arrive que le fabricant offre au détaillant de former ses vendeurs. Cette formation permet à la force de vente du détaillant d'approfondir sa connaissance d'un produit donné, ce qui entraîne une augmentation de son niveau de confiance et des chances de réaliser des ventes. Quand VitalScience Corp. a lancé sa ligne de soins pour la peau dermaglow, l'entreprise a formé les vendeuses de cosmétiques de Pharmaprix, étant donné que ce sont les membres du personnel les plus susceptibles de devoir répondre aux questions de la clientèle sur le nouveau produit. Parmi les autres activités de formation possibles, il y a la distribution de manuels et de brochures d'information, les réunions du personnel de vente et les visites sur les lieux. En outre, les fabricants organisent parfois des concours en vue de motiver les intermédiaires à vendre davantage de leurs produits.

L'utilisation des techniques de promotion des ventes

Le gestionnaire marketing doit user de prudence lorsqu'il a recours aux outils de promotion, particulièrement ceux qui sont axés sur la réduction des prix. Selon l'article en promotion, le consommateur peut constituer des réserves lorsque les prix sont bas, ce qui ne fera que devancer les ventes. Il s'ensuivra des bénéfices immédiats au lieu de la stabilité des ventes à long terme. Par exemple, l'utilisation des coupons de réduction pour stimuler les ventes de produits ménagers peut amener les consommateurs à faire des réserves, ce qui aura pour effet de réduire la demande future. Si la même technique est employée pour promouvoir un produit périssable, comme le yogourt Danone, la demande de ce produit augmentera aux dépens des marques concurrentes telles que IÖGO.

Comme ici en Espagne lors d'un festival, le magasin éphémère d'Adidas peut prendre la forme d'une boite à chaussures.

Les techniques de promotion des ventes sont aussi variées que le permet l'imagination du gestionnaire marketing qui y recourt. Et de nouvelles techniques sont créées chaque jour. Prenons l'exemple du **magasin éphémère** comme le Look Fab Studio de Toronto ou les boîtes à chaussures Adidas qui ont fait leur apparition dans certains centres commerciaux ou événements. Le magasin éphémère est une vitrine temporaire généralement axée sur la présentation d'un nouveau produit ou d'un petit groupe de produits en vente chez un détaillant, un fabricant ou un fournisseur de services. Ces vitrines temporaires donnent la chance au consommateur de mieux connaître une marque et augmentent la notoriété de celle-ci, mais leur but premier n'est pas nécessairement de vendre les produits qu'elles présentent. Elles visent plutôt à inciter les visiteurs du magasin éphémère à assurer un suivi, en entrant chez un détaillant qui vend le produit en question ou en se rendant sur son site Web[66].

Habituellement, les détaillants ne se sentent pas menacés par les magasins éphémères, car ces derniers sont le plus souvent conçus dans le but de créer un achalandage chez les détaillants par l'entremise de coupons de réduction et d'échantillons. Et puisqu'ils sont temporaires, ils ne représentent pas une concurrence durable pour les détaillants.

De nombreuses entreprises se rendent également compte de l'utilité de la **publicité croisée**, soit l'association d'au moins deux entreprises dans le but de percer un marché cible. Pour que la publicité croisée soit efficace, les deux produits doivent attirer le même marché cible et créer de la valeur aux yeux du consommateur. Par exemple, Burger King a mené une campagne de publicité croisée en s'alliant à trois autres entreprises : Mott's, dont la compote de pommes aux fraises tente de plaire aux parents soucieux de la santé de leurs enfants ; les objets promotionnels de marque Star Wars, conçus pour attirer les collectionneurs et les amateurs de la série de films ; et le tournoi de basket-ball BK Kings of the Court 3-on-3, destiné aux étudiants à l'université et aux amateurs des clubs de basket-ball des universités américaines. Chacune des publicités cible un marché différent et tente de créer de la valeur d'une façon un tant soit peu différente aux yeux des clients de Burger King. Toutefois, Burger King cherche avant tout à augmenter ses ventes et la fidélité des clients à la marque.

magasin éphémère
(*pop-up store*)
Vitrine temporaire généralement axée sur la présentation d'un nouveau produit ou d'un petit groupe de produits en vente chez un détaillant, un fabricant ou un fournisseur de services.

publicité croisée
(*cross-promoting*)
Association d'au moins deux entreprises dans le but de percer un marché cible.

L'objectif de toute technique de promotion des ventes est de créer de la valeur tant pour le consommateur que pour l'entreprise. En comprenant les besoins de ses clients et la façon de s'y prendre pour les inciter à acheter ou à consommer un produit ou un service en particulier, une entreprise peut concevoir un message ou un événement publicitaire qui suscite un intérêt pour les consommateurs et entraîne la réponse recherchée. Au départ, la promotion des ventes servait à produire des résultats à court terme, alors que la publicité visait à générer des résultats à long terme. Toutefois, comme le démontre le présent chapitre, la promotion des ventes peut, aussi bien que la publicité, avoir des effets à court ou à long terme. En outre, la combinaison parfaite des deux types d'activités permet à l'entreprise et aux consommateurs d'obtenir des résultats impressionnants.

L'évaluation de la promotion des ventes à l'aide des indicateurs de marketing

Souvent, la promotion des ventes faite par les détaillants est amorcée par les fabricants. Par exemple, Sharp pourrait offrir la promotion suivante à Costco : pendant une semaine, Costco peut commander des téléviseurs haute définition (HD) avec écran à affichage à cristaux liquides (ACL) Aquos de 94 cm à 300 $ de moins que le prix de gros habituel. Toutefois, si Costco décide de se prévaloir de cette offre, elle doit annoncer le téléviseur bien en évidence sur sa page Web à 1 099 $ (soit 325 $ de moins que le prix de détail suggéré). De plus, Costco doit acheter un nombre suffisant d'appareils de ce modèle pour pouvoir les exposer à l'entrée de chacun de ses magasins.

Avant d'accepter cette promotion et de promouvoir le téléviseur Sharp auprès de sa clientèle, Costco doit évaluer l'impact de la promotion sur sa propre rentabilité. En effet, cette promotion pourrait être rentable pour Sharp, mais pas pour Costco.

Pour évaluer une promotion commerciale, le détaillant doit examiner :

- la marge bénéficiaire résultant de la promotion ;
- le coût du surplus de stock occasionné par l'achat d'une quantité plus importante du produit-vedette ;
- la hausse potentielle des ventes de ce produit ;
- l'incidence à long terme de la promotion sur les ventes ;
- la perte potentielle liée à l'achat par les consommateurs du produit en promotion plutôt que d'un téléviseur plus rentable ;
- les ventes additionnelles réalisées grâce aux clients attirés au magasin par la promotion.

Si elle solde le téléviseur à 1 099 $, Costco en vendra un plus grand nombre, mais sa marge bénéficiaire sera moindre parce que le rabais de 325 $ appliqué par le fabricant au prix de détail est supérieur au rabais de 300 $ normalement consenti sur le prix de gros. De plus, Costco pourrait subir des pertes parce que la promotion encourage les consommateurs à acheter le téléviseur soldé, lequel est moins rentable que les autres téléviseurs. En revanche, elle pourrait attirer des clients qui n'ont pas l'habitude de magasiner chez Costco, mais qui y viendraient pour acheter le téléviseur HD Sharp en solde. De plus, ces clients pourraient acheter d'autres produits, et Costco empocherait un bénéfice qu'elle n'aurait pas réalisé si elle n'avait pas fait la promotion du téléviseur.

La vente personnelle et la gestion de la force de vente

Tout le monde s'adonne d'une façon ou d'une autre au commerce. Sur le plan personnel, vous vendez vos idées ou vos opinions à vos amis, à votre famille, à votre employeur et à vos enseignants. Même si vous ne désirez pas faire carrière dans la vente personnelle, une bonne connaissance de celle-ci sera susceptible de vous aider dans la profession que vous choisirez. Prenons le cas fictif de Patrick Blein, un excellent avocat spécialisé dans le droit du travail. Il a financé ses études universitaires en vendant des chandails en alpaga à des groupes d'étudiants de tout le pays. Même s'il adorait son emploi à temps partiel, il a choisi de devenir avocat. Lorsqu'on lui demande si la vente lui manque, il répond : « Je me sers de mon talent de vendeur tous les jours. Je dois vendre aux nouveaux clients l'idée que je suis le meilleur avocat pour eux. Je dois vendre à mes collègues mon opinion sur des questions juridiques. Je fais même appel à mes habiletés de vendeur devant le juge ou le jury. » Dans ce chapitre, toutefois, il est question de la vente strictement sous l'angle des affaires.

La nature et la portée de la vente personnelle

La **vente personnelle** correspond au dialogue entre un acheteur et un vendeur. Elle a pour but d'influer sur la décision d'achat du consommateur. La vente personnelle peut avoir lieu dans diverses situations : en face à face, au cours d'une visioconférence, au téléphone et même par Internet. Au Canada, plus d'un million de personnes occupent un poste de vente[67], dans les domaines du commerce interentreprises (B2B) et du commerce de détail (B2C). Le premier groupe comprend les représentants des fabricants qui vendent des produits aux détaillants ou à d'autres entreprises, tandis que le second groupe se compose des vendeurs des commerces de détail, des agents immobiliers et des agents d'assurances.

vente personnelle
(*personal selling*)
Dialogue entre un acheteur et un vendeur. L'acheteur fait connaître ses besoins, le vendeur propose des solutions. Éventuellement, une transaction pourrait se conclure.

Les gens qui ont choisi la vente comme métier portent plusieurs noms : représentant de commerce, courtier, agent, etc. Comme Patrick Blein l'a découvert, la plupart des emplois touchent à la vente personnelle dans une certaine mesure.

La profession de vendeur n'a pas toujours bonne presse. Dans la pièce d'Arthur Miller, *Mort d'un commis voyageur*, Willy Loman, le personnage principal, mène une existence pathétique et souffre de la solitude inhérente à son métier de vendeur itinérant[68]. Malheureusement, ce classique du théâtre, qui a d'ailleurs permis à son auteur de remporter le prix Pulitzer, pèse lourd sur notre conscience collective et fait ombrage aux millions de vendeurs professionnels qui travaillent dur, qui pratiquent un métier épanouissant et gratifiant, et qui ajoutent de la valeur à leur entreprise ainsi qu'aux produits destinés à leurs clients.

De nombreux représentants peuvent maintenant compter sur un bureau virtuel, lequel leur permet de communiquer par Internet avec des collègues ou des clients.

La vente professionnelle peut donner lieu à une carrière très satisfaisante, et ce, pour plusieurs raisons. Premièrement, de nombreux individus apprécient le mode de vie associé au métier de vendeur, car ils travaillent habituellement de façon autonome. Certes, il leur arrive de devoir faire affaire avec un gestionnaire ou un collègue, mais ils sont le plus souvent responsables de leur emploi du temps. Cet horaire flexible est à l'origine d'un équilibre travail-famille meilleur que celui pouvant être offert par un travail de bureau. En outre, bien des représentants peuvent maintenant compter sur un bureau virtuel, qui leur permet de communiquer par Internet avec des collègues ou des clients. Puisqu'un représentant est évalué principalement sur son rendement, il est peu supervisé, au quotidien, à condition qu'il atteigne ses objectifs de vente.

Deuxièmement, la diversité que comporte cet emploi attire bien des gens vers l'industrie de la vente. Chaque jour est différent. Le représentant rencontre différents clients dans divers endroits. Les problèmes qu'il éprouve et la solution à ces problèmes sont uniques ; c'est pourquoi ce métier nécessite une grande créativité.

Troisièmement, la vente professionnelle et la gestion de la force de vente peuvent être très lucratives. La vente est d'ailleurs l'un des domaines où le salaire est le plus élevé pour les personnes qui possèdent un diplôme d'études collégiales

La vente professionnelle peut donner lieu à une carrière très lucrative et ce travail ne passe pas inaperçu aux yeux de l'administration.

ou universitaires. Le poste de vendeur a également d'autres avantages, notamment l'accès à un véhicule fourni par l'entreprise et une prime de rendement. Un vendeur de haut niveau peut jouir d'une rémunération globale supérieure à 150 000 $ annuellement. Même les vendeurs qui ne montent pas aussi haut dans l'échelle salariale peuvent gagner plus de 50 000 $ par an. Bien que l'aspect pécuniaire compte pour beaucoup, la satisfaction de faire un travail aussi intéressant et stimulant s'avère très importante.

Quatrièmement, étant donné que les représentants sont les employés de première ligne d'une entreprise, leur travail ne passe pas inaperçu aux yeux de l'administration. En outre, cette dernière peut facilement savoir qui sont ses meilleurs vendeurs ; ainsi, le représentant qui fait partie de ce nombre et qui aspire à un poste de cadre est en bonne position pour être promu.

La vente personnelle dans la stratégie de marketing

Si la vente personnelle fait partie intégrante de la stratégie de communication marketing intégrée de nombreuses entreprises, elle apporte également une contribution unique au marketing mix. Étant donné l'aspect « personnel » de la vente, le représentant est le seul individu en mesure d'ajuster le message qui est transmis à un acheteur donné, en ce sens qu'il peut modifier en tout temps l'argumentaire de vente ou la démonstration qu'il avait prévu présenter. Dans un contexte de vente personnelle, le représentant peut sonder le terrain en vue de découvrir si l'acheteur a certaines réserves à l'égard du produit ou du service qu'il lui propose, il peut renseigner ce dernier selon le cas et lui demander de passer sa commande au moment opportun. Contrairement aux autres types de promotions, l'argumentaire de vente peut être dirigé vers les clients dont le potentiel d'achat est le plus élevé.

Cette approche précise est d'une grande importance étant donné que les experts évaluent le coût moyen d'une transaction à 392 $ dans le domaine de la vente interentreprises[69].

Comme nous l'avons vu dans le chapitre 13, un facteur décisif de réussite consiste à établir des relations étroites avec les membres du circuit de distribution. Dans une organisation, personne n'est mieux placé que le représentant, un employé de première ligne, pour bâtir ce genre de relations. En outre, les meilleurs représentants sont les individus capables de nouer des liens forts avec leurs clients. Ils évaluent leur réussite non pas de manière ponctuelle, une vente à la fois, mais comme un objectif à long terme. Ainsi, à la lumière de ce que nous avons appris dans le chapitre 14 sur la vente au détail, nous pouvons dire que la **vente par réseau coopté** est une philosophie et un processus de vente qui mettent l'accent sur la relation à long terme et sur l'importance de saisir des occasions bénéfiques pour tous les acteurs. Les représentants qui pratiquent ce type de vente travaillent de concert avec leurs clients en vue de trouver des solutions qui conviennent à toutes les parties et qui satisfont les besoins et les désirs de chacun. Par exemple, une équipe de vente de Lenovo pourrait travailler conjointement avec votre université pour mettre à votre disposition le soutien et la sécurité informatiques dont vous avez besoin.

Des études sur le sujet ont démontré qu'une saine relation entre le client et le représentant contribue à établir un climat de confiance et de fidélité, de sorte que le client voudra continuer de faire affaire avec le représentant[70]. Pour bâtir de telles

vente par réseau coopté
(*relationship selling*)
Philosophie et processus de vente qui mettent l'accent sur la relation à long terme et sur l'importance de saisir des occasions bénéfiques pour tous les acteurs.

relations, des entreprises mettent en œuvre des programmes de gestion de la relation client axés sur la fidélité de leurs principaux clients. Puisque la force de vente travaille directement avec la clientèle, elle est dans la meilleure position pour aider l'entreprise à atteindre les objectifs qu'elle s'est fixés en matière de gestion de la relation client.

Le programme de gestion de la relation client, ou *customer relationship management* (CRM), comporte plusieurs composantes. Il y a la base de données ou l'entrepôt de données. Que le représentant travaille pour un magasin de vente au détail ou qu'il gère une équipe de vente pour un entrepreneur en aérospatiale, il peut y entrer les renseignements relatifs aux transactions effectuées, les coordonnées des clients, leurs préférences ainsi que des renseignements sur le segment de marché auquel appartient un client donné. Une fois les données analysées et le programme de gestion de la relation client élaboré, le représentant peut travailler à sa mise en œuvre. Par exemple, les banquiers optent pour une approche personnalisée selon laquelle ils donnent fréquemment rendez-vous à leurs meilleurs clients ou communiquent avec eux par téléphone. En outre, un représentant peut choisir de communiquer avec un client pour l'informer du lancement de nouveaux produits ou des changements apportés à la gamme de produits actuelle. Il peut également s'informer des préférences et des réserves de ce client relativement aux transactions qu'il a effectuées avec l'entreprise. Finalement, le représentant peut faire un appel de courtoisie. S'il sait comment s'y prendre, son client se sentira important et privilégié de voir un vendeur l'appeler simplement pour prendre de ses nouvelles.

La valeur ajoutée attribuable à la vente personnelle

OA **4**

Quel rôle jouent les représentants dans la chaîne d'approvisionnement? Ceux-ci coûtent cher et, comme nous le verrons un peu plus loin, ils peuvent être difficiles à gérer. Certaines entreprises, comme les détaillants, ont choisi de ne pas faire appel à une force de vente, optant plutôt pour une approche de libre-service. Par contre, les entreprises qui choisissent d'insérer la vente personnelle dans leur plan de communication marketing intégrée le font parce que celle-ci ajoute une certaine valeur à leurs produits ou à leurs services. Autrement dit, la force de vente rapporte davantage qu'elle ne coûte. En effet, la vente personnelle ajoute de la valeur en informant les clients et en leur donnant des conseils, en leur faisant économiser du temps et en leur simplifiant la vie[71].

La transmission d'informations et de conseils

Imaginons comme il serait difficile d'acheter un nouveau complet, une bague de fiançailles munie d'un diamant ou un téléviseur à écran plasma sans l'aide d'un vendeur. Dans le même ordre d'idées, UPS ne songerait pas un instant à investir dans l'achat d'un nouveau parc aérien si l'entreprise ne pouvait bénéficier des conseils de l'équipe de vente de Boeing. Bien sûr, il serait possible de se passer des services d'un vendeur, mais les consommateurs sont conscients des avantages de pouvoir consulter un professionnel et préfèrent payer indirectement pour qu'on leur transmette des renseignements et des conseils. Ainsi, les vendeurs dans les commerces de détail peuvent donner leur avis sur la coupe d'un vêtement, éclairer un client sur les dernières tendances ou sur la façon d'utiliser un produit donné. L'équipe de vente de Boeing peut donc informer UPS des aspects techniques de ses appareils et justifier le prix d'un tel achat.

Il y a cinq ans, bon nombre de personnes ont cru que les agents de voyages et d'autres fournisseurs de services seraient remplacés par des services en ligne plus efficaces, d'autant qu'Internet a changé considérablement la façon dont les gens choisissent leur destination. En effet, des milliers de personnes préfèrent se rendre sur les sites d'Expedia ou de Voyages à Rabais ou encore sur les sites des compagnies aériennes, des entreprises de location de voitures ou des hôtels pour faire leurs

Les services touristiques en ligne, comme ceux proposés par Expedia, conviennent parfaitement quand il s'agit de réserver un forfait plutôt simple. Mais lorsqu'il est question d'un voyage de groupe comportant de multiples destinations, les services d'un agent de voyages valent leur pesant d'or.

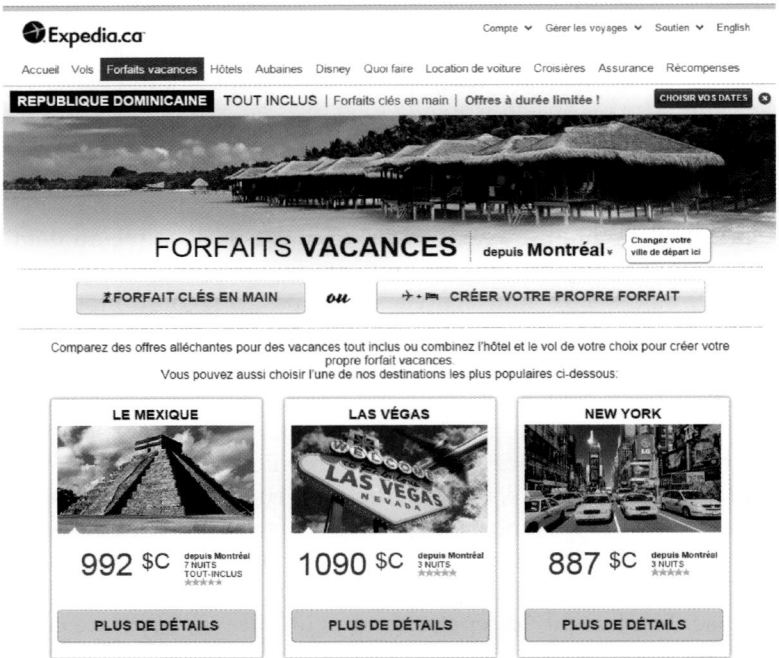

réservations en ligne. Mais pour celles qui planifient un voyage complexe, comme une croisière ou un voyage dans un pays peu touristique, les agents de voyages ajoutent une valeur au service qu'ils offrent. En effet, ils peuvent aider leurs clients à tracer un itinéraire, leur donner de précieux conseils et même leur faire économiser de l'argent.

L'économie de temps et la simplification de la tâche

Comme on le sait, le temps, c'est de l'argent. Les consommateurs estiment donc la valeur d'un produit ou d'un service en fonction du temps et des efforts qu'il leur permet d'économiser. Dans de nombreux supermarchés et pharmacies, les représentants employés par le vendeur chargé de l'approvisionnement de la marchandise mettent de l'ordre dans les produits, assemblent les présentoirs, évaluent le niveau des stocks et passent les commandes. Dans certains cas, notamment dans la vente de boissons gazeuses ou de produits de boulangerie et de pâtisserie, les représentants et les livreurs vont jusqu'à placer les produits sur les étalages. Sans les représentants, toutes ces tâches seraient assumées par des commis.

Par contre, il peut devenir problématique de confier un trop grand nombre de tâches au représentant du fournisseur. Par exemple, si ce dernier est chargé de la gestion des stocks, il risque de commander une quantité moindre des produits du concurrent. Il pourrait aussi placer les produits du concurrent à un endroit moins avantageux sur l'étalage. En somme, si le représentant peut simplifier la tâche du client en situation d'achat, il ne faut pas pour autant qu'il prenne les rênes de celle-ci.

OA **5**   ## Le processus de vente personnelle

Bien que la vente semble être un processus plutôt direct et simple, sachez qu'un bon représentant suit plusieurs étapes. Selon la situation et l'empressement de l'acheteur, le représentant peut sauter certaines étapes du processus. En outre, la durée de chacune d'entre elles varie selon la situation. Par exemple, si un client entre dans un magasin La Baie d'Hudson avec l'intention d'acheter un pantalon de twill, le processus de vente devrait être relativement court. Par contre, si Lenovo tente de vendre pour la première fois un ordinateur personnel à une université, il se peut que le processus requière plusieurs mois. À la lumière de ce fait, penchons-nous sur les différentes étapes du processus de vente personnelle (*voir la figure 16.2*).

| FIGURE | 16.2 | Les étapes du processus de vente personnelle |

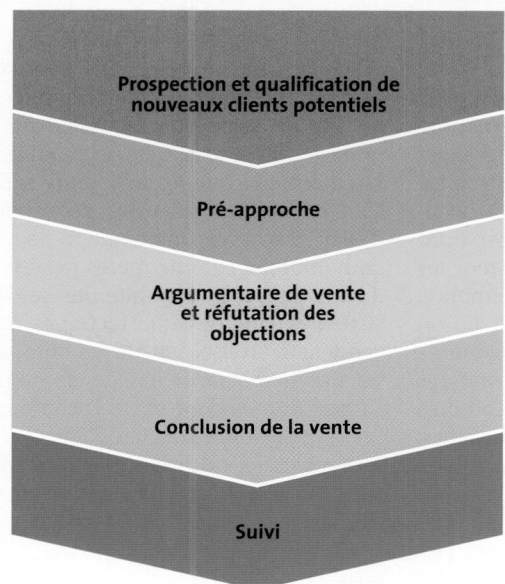

Prospection et qualification de
nouveaux clients potentiels

Pré-approche

Argumentaire de vente
et réfutation des
objections

Conclusion de la vente

Suivi

Étape 1 : la prospection et la qualification de nouveaux clients potentiels

La première étape du processus de vente consiste à dresser une liste de clients potentiels (**prospection**) et d'évaluer ces clients (**qualification**). Les représentants qui ont
déjà établi une relation avec un client sauteront cette étape, laquelle n'est pas non
plus franchie systématiquement dans un contexte de vente au détail. Par contre, dans
le commerce interentreprises, il est important de rechercher continuellement de nouveaux clients qui pourraient s'avérer rentables.

La prospection de clients peut se faire de diverses façons[72]. Le représentant
est susceptible de découvrir un client potentiel en parlant avec un de ses clients
ou en pratiquant le réseautage au cours d'événements tels qu'une conférence ou
une réunion de la chambre de commerce. En outre, depuis son apparition, Internet
apporte une aide précieuse en matière de prospection de clients. Par exemple, un
représentant peut se rendre dans une entreprise ou bien taper des mots clés dans le
moteur de recherche Google afin d'accéder instantanément à une grande quantité
de renseignements sur des clients potentiels, dont il pourra faire le tri pendant des
semaines. Cependant, comme l'explique la rubrique Forces d'Internet à la page suivante, Internet est un terrain fertile pour les escrocs qui peuvent se faire passer pour
des acheteurs ou des vendeurs potentiels sur les sites de vente aux enchères. De
même, les **foires commerciales** se prêtent parfaitement à la prospection de clients.
Ces manifestations commerciales de grande envergure sont
fréquentées par un grand nombre d'acheteurs qui désirent
prendre connaissance des produits et des services offerts
par les fournisseurs d'une industrie en particulier. Par
exemple, le Meetings & Incentive Travel organise chaque
année au mois d'août la foire IncentiveWorks au Palais des
congrès de Toronto. Plus de 700 entreprises regroupées en
475 kiosques y sont représentées, proposant des destinations locales et internationales, des hôtels, des centres de
villégiature, des services de conférence et d'organisation
de voyages de motivation, des cadeaux d'entreprise, des
primes ainsi que des récompenses[73].

prospection (*prospecting*)
Fait de dresser une liste de
clients potentiels.

qualification (*qualification*)
Processus d'évaluation des
clients potentiels.

foire commerciale
(*trade show*)
Manifestation commer-
ciale de grande envergure.

*Les foires commerciales
représentent l'occasion
idéale de dresser
une liste de clients
potentiels.*

Forces d'Internet   **Des internautes qui mordent à l'hameçon**

La fraude virtuelle est une entreprise lucrative qui rapporte au bas mot 300 milliards de dollars chaque année. Il existe de multiples façons d'escroquer les internautes. La plus populaire est l'hameçonnage, qui consiste à expédier des courriels frauduleux au nom d'une entreprise soi-disant légale afin d'inciter les utilisateurs à divulguer leurs renseignements personnels, lesquels serviront par la suite au vol d'identité[74]. Ces courriels invitent les internautes à visiter un faux site Web qui ressemble à s'y méprendre à celui d'une véritable entreprise, où on leur demande de mettre à jour des renseignements confidentiels, comme des mots de passe et des numéros de carte de crédit, d'assurance sociale ou de comptes bancaires, tous des renseignements que l'organisation légale possède déjà. Le site est structuré de façon à voler les informations fournies par l'utilisateur. Les courriels d'hameçonnage proviennent d'une variété de sources fausses « réelles » ou inventées comprenant des banques, des sites de vente aux enchères créés pour ressembler à eBay, à des sites de paiement comme PayPal, ou encore à des sites d'organismes de bienfaisance. On estime que plus de 80 000 personnes par jour mordent à l'hameçon et partagent leurs informations personnelles[75].

Une autre escroquerie s'appuie sur l'utilisation de cartes-cadeaux. Un criminel achète des cartes de téléphone ou des cartes-cadeaux avec de l'argent gagné illégalement, puis il les revend au rabais sur des sites de vente aux enchères. Les voleurs dérobent également des numéros de cartes-cadeaux exposées en magasin. Lorsque le véritable acheteur de la carte veut utiliser celle-ci, les fonds sont déjà dépensés. Pour faire échec à cette escroquerie, les grands détaillants évitent d'exposer des cartes-cadeaux ou ne les activent qu'au moment où elles sont utilisées pour payer un achat.

Une tactique facile et bien connue visant à escroquer tant les acheteurs que les vendeurs a cours sur les sites de vente aux enchères. Elle consiste pour un vendeur à annoncer une marchandise volée ou inexistante sur un site de sorte que l'acheteur qui remporte l'enchère ne la reçoit jamais. Cela se produit quand même assez rarement, puisque les acheteurs expérimentés prennent soin de vérifier l'identité du vendeur et, dans le cas d'eBay, d'acheter uniquement de vendeurs ayant reçu de nombreux commentaires positifs. Les acheteurs frauduleux peuvent aussi faire des dégâts dans les enchères virtuelles. Une de leurs tactiques consiste à amener un vendeur à utiliser un dépositaire fictif. (Ce dépositaire est une tierce partie indépendante qui conserve et verse l'argent du vendeur et de l'acheteur.) En temps normal, une fois la vente conclue, l'acheteur envoie le paiement au dépositaire, qui avise le vendeur qu'il l'a bien reçu. Mais dans ce cas-ci, aucun paiement n'est envoyé, et le vendeur expédie la marchandise à l'acheteur, mais n'est pas payé.

Attention ! Sur Internet, la pratique de l'hameçonnage est un des moyens d'escroquerie les plus fréquents.

contact non sollicité
(cold call)
Méthode de contact selon laquelle un représentant appelle un client potentiel ou se présente chez lui sans préavis.

télémarketing
(telemarketing)
Technique de marketing visant à entrer en contact avec le client potentiel, le plus souvent par téléphone.

Le **contact non sollicité** est une méthode de contact selon laquelle un représentant appelle un client potentiel ou se présente chez lui sans préavis. Le **télémarketing** ressemble au contact non sollicité, à la différence que cette technique de marketing est effectuée le plus souvent par téléphone. Parfois, c'est une firme spécialisée dans le télémarketing qui fait de tels appels, plutôt que les représentants de l'entreprise. Cependant, le contact non sollicité et le télémarketing sont des outils moins populaires qu'auparavant pour plusieurs raisons. Premièrement, le taux de réussite de ces méthodes est relativement bas étant donné que les besoins du client potentiel n'ont pas été déterminés d'avance. Par conséquent, ces méthodes s'avèrent très onéreuses. Deuxièmement, les gouvernements fédéral et provinciaux commencent à réglementer le télémarketing. La loi fédérale interdit d'ailleurs aux télévendeurs d'appeler les consommateurs dont le nom apparaît sur la liste de numéros exclus. Cette liste est gérée par l'Association canadienne du marketing. Toutefois, il existe aussi des règles à l'égard des personnes qui ne figurent pas sur cette liste, notamment la règle interdisant les appels de télémarketing avant 8 heures et après 21 heures (selon le fuseau horaire) ou celle interdisant de rappeler un consommateur qui a demandé qu'on cesse de l'appeler. La loi fédérale interdit également l'envoi de télécopies non sollicitées ainsi que les appels à un numéro de cellulaire et les messages textes non sollicités.

Une fois que la prospection de clients est faite, le gestionnaire marketing doit évaluer ces clients potentiels afin de décider s'il vaut la peine de faire des efforts en vue de convertir ces derniers en de véritables clients. Dans le domaine de la vente au détail, la qualification des clients est une pratique risquée, et même parfois illégale. En effet, un vendeur dans un commerce de détail devrait savoir que l'habit ne fait pas le moine. Il ne doit jamais juger qu'un client ne correspond pas à l'image de la boutique ou qu'il n'a sûrement pas les moyens de fréquenter celle-ci. Imaginons que vous entrez dans une bijouterie haut de gamme pour acheter une bague de fiançailles et qu'on vous ignore parce que vous portez des vêtements de tous les jours. Dans un contexte de marketing interentreprises, par contre, où le coût de préparation et de présentation d'un argumentaire peut être très élevé, le vendeur se doit d'évaluer le client potentiel. Il doit estimer si les besoins du client potentiel ont trait à un produit ou à un service. Il doit également découvrir si ce dernier a les ressources financières nécessaires pour se procurer le produit ou le service en question.

Étape 2 : la pré-approche

La **pré-approche** est l'étape qui précède la rencontre initiale avec le client ; elle constitue la suite logique de la prospection de clients décrite à l'étape 1. Bien que le représentant en ait appris davantage à propos du client à l'étape de la prospection et de la qualification de nouveaux clients potentiels, il doit maintenant poursuivre ses recherches et planifier sa rencontre avec lui. Supposons qu'une société de conseil en gestion cherche à vendre un nouveau système qui permettrait à une banque de déceler les erreurs relatives aux comptes de chèques. Le représentant de la société doit d'abord essayer de connaître à fond la banque en question : combien de chèques traite-t-elle ? Quel système utilise-t-elle actuellement ? Quels sont les avantages du système proposé par rapport au produit concurrent ? Les réponses à ces questions lui serviront ensuite de base pour sa présentation.

Une fois les recherches effectuées, le représentant se fixe des objectifs relatifs à sa première rencontre avec le client. Il est primordial de connaître d'avance les buts à atteindre. Par exemple, le représentant de la société de conseil ne peut s'attendre à un engagement de la part de la banque au cours de leur première rencontre. Par contre, il serait pertinent de démontrer comment fonctionne le système et de le présenter brièvement, entre autres pour montrer au client qu'il pourrait tirer profit de celui-ci.

Étape 3 : l'argumentaire de vente et la réfutation des objections

L'argumentaire de vente Une fois que le représentant a recueilli tous les renseignements dont il a besoin et qu'il s'est fixé des objectifs, il est prêt à rencontrer le client. Au cours de la première partie de la rencontre, le représentant doit apprendre à connaître le client, attirer son attention et susciter un certain intérêt pour l'argumentaire qui suivra. L'introduction de l'argumentaire est probablement la partie la plus importante du processus de vente, car c'est à ce moment que le représentant apprend où se situe le client dans son processus d'achat (*voir la figure 16.3 à la page suivante*). (*Pour revoir le processus d'achat dans le commerce interentreprises, retourner au chapitre 7.*)

Revenons à l'exemple cité précédemment. Imaginons que la banque se trouve à la première étape de son processus d'achat, soit la reconnaissance d'un besoin. Il serait imprudent de la part du représentant d'exposer les avantages et les inconvénients que présentent les fournisseurs potentiels, car pour cela il faudrait que le client en soit à la quatrième étape du processus, soit l'analyse des soumissions et le choix d'un fournisseur. Par contre, en posant une série de questions au client, le représentant sera en mesure d'évaluer le besoin de ce dernier et d'adapter son argumentaire de façon qu'il corresponde à ce besoin du client ainsi qu'à l'étape du processus où il se situe[76].

pré-approche
(*preapproach*)
En vente personnalisée, étape qui précède la rencontre initiale avec le client. L'équipe de vente évalue le dossier du client et planifie le déroulement de la rencontre initiale. La pré-approche est une étape cruciale en vente industrielle.

FIGURE 16.3 Un parallèle entre le processus de vente personnelle et le processus d'achat des organisations

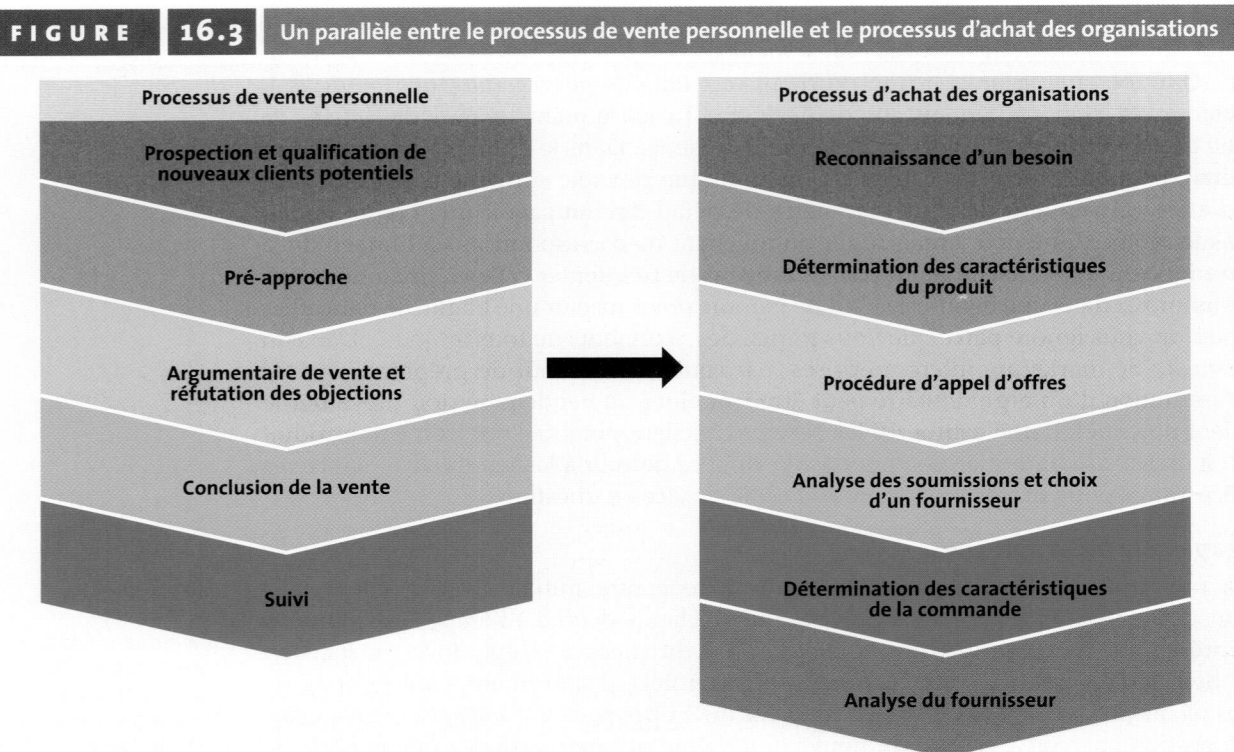

Une fois les questions posées, seule la moitié du chemin est parcourue, car il est tout aussi important d'écouter les réponses du client. Certains représentants, particulièrement ceux qui n'ont pas beaucoup d'expérience, croient que, pour maîtriser la situation, il faut être celui qui parle le plus. Pourtant, il est impossible de comprendre vraiment où se situe le client si on ne l'écoute pas avec attention. Qu'adviendrait-il si le directeur de l'exploitation disait « Cela ne vous semble-t-il pas un peu trop coûteux ? » et que le représentant ne l'écoutait pas ? Ce dernier ne saisirait pas les nuances des propos du client potentiel et ne comprendrait pas ce qu'il pense vraiment. Dans le cas présent, cela signifierait probablement que le directeur de l'exploitation ne verrait pas en quoi il pourrait profiter d'une telle offre.

Lorsque le représentant croit avoir compris où se situe le client, il peut se servir de ses connaissances pour aider ce dernier à régler son problème ou à satisfaire son besoin. Ainsi, le représentant pourrait tout d'abord décrire au directeur de l'exploitation de la banque les fonctions et les caractéristiques du système qui lui permettraient de réduire le nombre d'erreurs relatives aux comptes de chèques dans son établissement. À la lumière de ce seul aspect du système, il ne semble pas évident que celui-ci ajoute de la valeur aux pratiques de la banque. En s'appuyant sur les réponses à certaines questions qu'il a posées précédemment, le représentant pourra expliquer de façon plus claire au directeur de l'exploitation les avantages du nouveau système comparativement au système actuel. Ainsi, le représentant pourrait lui révéler que le nouveau système engendrerait une amélioration de 20 % et que, en fonction de la taille de l'établissement et du nombre de chèques qu'il traite chaque année, cette amélioration représenterait une économie annuelle de deux millions de dollars.

En outre, le système coûte 150 000 $ par an et son intégration au système actuel ne prend que trois semaines ; il ajoute donc une valeur importante et quasi immédiate à la banque.

La réfutation des objections L'argumentaire de vente comprend la réfutation des objections de l'acheteur relativement au produit ou au service. Bien que les objections puissent surgir à n'importe quel moment pendant le processus, il y a de fortes chances qu'elles soient soulevées au cours de l'argumentaire. En outre, elles peuvent porter sur tout un éventail de thèmes. Cependant, elles ont souvent trait à la valeur, notamment lorsque l'acheteur considère que le rapport qualité/prix est trop bas.

Un représentant compétent a une bonne idée des objections qui peuvent être formulées par l'acheteur. Ce dernier sait, par exemple, que le service de l'entreprise pour laquelle il travaille est un peu moins rapide que celui des concurrents ou que sa gamme de produits est plus restreinte. Même s'il est impossible d'éviter toutes les objections, un représentant chevronné est en mesure d'en prévoir certaines et de les réfuter. Par exemple, lorsque le directeur de l'exploitation de la banque a affirmé que le nouveau système de traitement des chèques lui semblait trop coûteux, le représentant était prêt à lui prouver que cet investissement serait recouvré rapidement.

Comme pour bien d'autres aspects du processus de vente, la meilleure façon de réagir à la formulation d'une objection est de rester calme, d'écouter la personne qui la formule, puis de poser des questions afin qu'il ne subsiste aucune réserve. Ainsi, le représentant pourrait répondre au directeur de l'exploitation en lui posant la question suivante: «Selon vous, à combien s'élèvent les pertes attribuables aux erreurs?» La réponse de ce dernier pourrait être à l'origine d'une conversation sur les tendances positives observées dans l'analyse coûts-bénéfices. Il est souvent plus efficace de poser une question que d'essayer de démontrer au client que son objection n'est pas fondée, car cette dernière approche pourrait sous-entendre que le représentant n'écoute pas vraiment son client et risquerait de mener à un affrontement. Pour réfuter l'objection du client et entreprendre la conclusion d'une vente, le représentant pourrait être tenté de proposer à son client une réduction de prix ou un incitatif contraire à l'éthique.

Étape 4: la conclusion de la vente

La **conclusion d'une vente** est l'étape au cours de laquelle un vendeur a obtenu une promesse d'achat de la part d'un client. Sans la conclusion de la vente, le représentant repart les mains vides; c'est pourquoi bon nombre d'entre eux trouvent cette étape très stressante. Bien qu'il ne soit jamais plaisant de perdre une vente, le représentant qui a une relation étroite avec ses clients doit considérer chaque argumentaire de vente comme un pas vers son objectif: conclure une vente. Et s'il n'arrive pas à réaliser cette vente, cela signifie peut-être tout simplement qu'il prépare la conclusion de la vente pour le prochain entretien.

Nous avons présenté le processus de vente comme étant une série d'étapes, mais il est rare que la conclusion d'une vente suive les autres étapes dans un ordre aussi précis. Par contre, un bon représentant sait écouter attentivement son client potentiel et décoder son langage corporel. Ces signes peuvent en effet l'aider à conclure rapidement une vente. Supposons que le directeur de l'exploitation de la banque, au lieu de se situer à la première étape du processus d'achat, en soit à l'étape de l'analyse des soumissions et du choix d'un fournisseur. Un représentant astucieux le comprendra promptement et demandera à son client de lui accorder la vente.

Étape 5: le suivi

Dans le domaine de la vente par réseau coopté, rien n'est jamais fini, même une fois que la vente a été conclue. L'attitude que le client adopte après la vente devient le point de référence de l'attitude qu'il adoptera au cours de la prochaine vente. C'est dans de tels cas que le suivi offre au représentant une occasion en or de renforcer sa relation avec le client grâce à un service d'une grande qualité.

Lorsque les attentes du client sont insatisfaites, il n'est pas rare que ce dernier se plaigne – de la livraison, du montant facturé ou du délai de traitement, du rendement du produit ou encore du service après-vente, comme l'installation de l'équipement ou la formation du personnel. Il est capital que le représentant prenne en charge efficacement ces plaintes, car l'avenir de la relation entre son client et lui en dépend. Comme

conclusion d'une vente
(*closing the sale*)
Étape au cours de laquelle un vendeur a obtenu une promesse d'achat de la part d'un client.

nous l'avons vu dans le chapitre 11, la meilleure façon de traiter une plainte est d'écouter le client, de trouver une solution sensée et de résoudre le problème rapidement.

Afin d'éviter les problèmes après-vente, le représentant devrait s'assurer auprès du client que tout se déroule selon ses désirs, et ce, tout juste après la vente, au moment où il prend possession du produit ou immédiatement après l'entretien. Ce service rapide démontrera de la réceptivité et de l'empathie. Cela indiquera aussi au client que le représentant et l'entreprise pour laquelle il travaille ont à cœur la satisfaction de leurs clients. Finalement, le suivi après-vente, que ce soit par un appel, un courriel ou une lettre, ramène le représentant à la première étape du processus de vente et lui permet de faire une nouvelle offre et de maintenir une saine relation avec le client.

La gestion de la force de vente

gestion de la force de vente (*sales management*) Ensemble des activités relatives à la planification, à l'orientation et à la gestion de la vente personnelle.

Comme pour toute autre activité commerciale mettant en présence des personnes, la force de vente nécessite une certaine gestion. La **gestion de la force de vente** est l'ensemble des activités relatives à la planification, à l'orientation et à la gestion de la vente personnelle, ce qui comprend le recrutement, la sélection, la formation, la motivation, l'ajustement et l'évaluation de la force de vente[77].

La gestion de la force de vente est une tâche gratifiante mais complexe. Dans les sections suivantes, il sera question de l'organisation de cette tâche, des principaux problèmes liés au recrutement et à la sélection des représentants, des défis associés à la formation des représentants, de la motivation et de la rémunération de ces derniers et, enfin, de la manière de les superviser et d'évaluer leur rendement.

L'organisation de la force de vente

On imagine aisément la difficulté qu'implique pour une entreprise le fait de partir de zéro pour former une force de vente. Doit-elle engager ses propres représentants ou des agents indépendants? Quel sera le rôle principal de chacun d'eux? Travailleront-ils en équipe? Nous répondrons maintenant à ces différentes questions.

La force de vente de l'entreprise ou des agents indépendants?

agent indépendant (ou agent du fabricant) (*independent agent*) Personne chargée de la vente de produits d'un fabricant sur une base forfaitaire, mais qui ne fait pas partie des employés de l'entreprise.

La force de vente d'une entreprise est constituée de l'ensemble des représentants employés par la société vendeuse. Quant aux **agents indépendants**, également appelés **agents du fabricant**, ce sont les personnes chargées de la vente de produits d'un fabricant sur une base forfaitaire, mais qui ne font pas partie des employés de l'entreprise. Ces agents sont rémunérés au moyen des commissions qu'ils touchent et n'acquièrent pas la propriété de la marchandise.

Il est utile d'avoir recours aux agents indépendants dans le cas d'une petite entreprise ou encore d'une entreprise qui compte pénétrer de nouveaux marchés, car ces dernières peuvent se permettre une couverture des ventes immédiate et complète sans avoir à payer le salaire d'un personnel à temps plein. Un bon agent possède un portefeuille de clients bien garni et peut vendre, au cours d'une même visite de vente, divers produits provenant de fabricants qui ne sont pas en concurrence. En outre, l'agent indépendant offre une certaine flexibilité, car il est bien plus facile de le remplacer que de remplacer un employé. De même, il est bien plus simple d'assurer ou d'étendre une couverture du marché avec un agent du fabricant qu'avec une force de vente interne.

En général, la force de vente est utilisée lorsqu'une gamme de produits est bien établie. Étant donné que le représentant est un employé de l'entreprise, le fabricant a un plus grand contrôle. Si, par exemple, la stratégie du fabricant consiste à offrir un service à la clientèle complet, le directeur des ventes peut définir précisément les actions qui doivent être exécutées par la force de vente. D'un autre côté, puisque les agents du fabricant sont rémunérés grâce à des commissions, il est difficile de les persuader d'entreprendre la moindre action qui ne débouche pas directement sur des ventes.

Bien que la vie menée par un représentant soit très diversifiée, ce dernier joue habituellement trois rôles principaux : la prospection des clients, la prise de commandes et la gestion du matériel de promotion des ventes.

Le recrutement et la sélection des représentants

Lorsqu'une entreprise a organisé sa force de vente, elle doit ensuite trouver des représentants et engager les meilleurs candidats. Bien que cette étape semble simple, elle doit être effectuée avec soin. En effet, étant donné que la formation d'un représentant est très coûteuse, aucune entreprise ne peut se permettre de faire de mauvais choix.

L'étape la plus importante du processus d'embauche est de déterminer de façon exacte la tâche à effectuer par le représentant ainsi que les traits de personnalité et les habiletés que le candidat doit posséder. Par exemple, un représentant de Coca-Cola qui se rend dans un supermarché Safeway pour y faire la présentation d'un nouveau produit doit être expérimenté, posséder un talent de communicateur et un bon esprit d'analyse. Le préposé à la prise de commandes chez Coca-Cola, qui traite un grand nombre de commandes chaque jour, doit être fiable et bien s'entendre avec les employés des divers échelons de l'entreprise, du directeur au client.

Pendant le processus d'embauche, est-il préférable de rechercher des représentants qui ont une aptitude pour la vente, ou bien un bon programme de formation peut-il transformer n'importe qui en un représentant très compétent ? Dans le cadre d'un sondage sur la question, mené auprès de directeurs commerciaux et de gestionnaires marketing, les répondants ont affirmé dans un rapport de sept pour un que la formation et la supervision sont plus déterminantes que les aptitudes des personnes[78]. Pourtant, certains répondants ont admis que, pour réussir en tant que représentant, il est important de posséder certains traits de personnalité. Des directeurs et des spécialistes de la vente ont donc cerné quelques caractéristiques essentielles, parmi lesquelles se trouvent le charisme, l'optimisme, la détermination, la motivation personnelle et l'empathie[79].

Un bon représentant, particulièrement dans un contexte de vente aussi ardu que le porte-à-porte, ne se contente pas d'un « non ». Il revient à la charge jusqu'à ce que la réponse soit positive, dans le respect de la loi et de l'éthique.

La formation

Tout représentant qui est embauché bénéficie ensuite d'une formation portant sur les techniques de vente et de négociation, sur les produits et les services offerts par l'entreprise, sur les technologies associées à la vente, sur la gestion du temps et du territoire de même que sur les politiques et les procédures de l'entreprise.

Il existe plusieurs méthodes de formation. L'entreprise peut choisir celle qui convient le mieux au thème de la formation, au type de représentant qu'elle forme ainsi qu'au coût de la formation par rapport à sa valeur. Par exemple, la formation en milieu de travail est un excellent moyen de transmettre ses connaissances dans la vente et la négociation, car le formateur peut voir le candidat à l'œuvre dans un contexte réel et lui donner une rétroaction immédiate sur sa performance. Les jeux de rôles sont une autre méthode de formation. Le représentant joue alors son rôle au cours d'une simulation, puis le formateur lui donne ses impressions.

Internet offre l'occasion de former des représentants à un coût nettement moindre. En effet, les programmes de formation en ligne ont révolutionné la formation au sein de nombreuses entreprises. Ainsi, l'entreprise peut présenter les nouveaux produits et services à ses représentants dans un environnement convivial auquel ces derniers ont accès partout et en tout temps. L'entreprise peut également les informer des changements de politiques ou de procédures ou leur transmettre des astuces relatives à la vente. La formation à distance par téléconférence permet en outre à un groupe de représentants de se trouver en quelque sorte dans une salle de classe virtuelle où le cours est donné par un instructeur ou un directeur. Même si la formation en ligne ne peut sans doute pas remplacer les interactions individuelles qu'on observe dans la formation en milieu de travail pour ce qui est des aspects plus poussés de la vente, il s'agit d'une méthode efficace et efficiente pour bien d'autres aspects de la formation.

La motivation et la rémunération

Un directeur commercial efficace se fixe comme objectif d'apprendre à connaître ses représentants et de découvrir ce qui les motive. Alors que certains représentants prisent la liberté et désirent faire cavalier seul, d'autres préfèrent attirer l'attention et sont plus productifs quand leur travail est reconnu. Il y a aussi ceux qui sont motivés davantage par les compensations financières. Un bon directeur commercial sait comment motiver ses représentants en fonction de l'aspect auquel chacun d'entre eux accorde de l'importance. Bien que les directeurs commerciaux aient le choix quant au facteur de motivation sur lequel mettre l'accent, les modes de rémunération des représentants sont assez normalisés. Ces modes s'inscrivent dans deux catégories : les récompenses financières et les récompenses non financières.

Les récompenses financières

La rémunération d'un représentant comprend habituellement plusieurs composantes. La plupart des représentants reçoivent au moins une partie de leur rémunération sous forme de salaire, soit une somme d'argent fixe remise périodiquement. Un autre exemple d'incitatif financier réside dans la commission, soit une somme d'argent qui correspond à un certain pourcentage des ventes conclues par le représentant. Il y a aussi le bonus, un montant établi par les gestionnaires et remis au représentant s'il atteint certains objectifs ; ordinairement, la prime est distribuée de façon périodique, à la fin de l'année, par exemple. Quant au concours entre représentants, il s'agit d'un incitatif de courte durée visant à stimuler la force de vente en vue d'atteindre des objectifs précis. Le prix peut être une somme d'argent ou tout autre incitatif financier.

Les récompenses non financières

Comme nous l'avons mentionné, un bon représentant sait faire preuve de motivation. Il veut faire un excellent travail et conclure des ventes parce que cela le rend heureux. Toutefois, ce sentiment d'accomplissement peut être accru par la reconnaissance de la part des collègues et de la direction. Les récompenses non financières doivent avoir une forte valeur symbolique. Il peut s'agir d'une plaque, d'une plume ou d'une bague, par exemple. Les vacances et les jours de congé sont également des choix de récompenses judicieux. Toutefois, plus encore que la récompense elle-même, la façon de la remettre s'avère importante. Ainsi, une distinction honorifique devrait être remise au cours d'une réunion du personnel de vente et annoncée dans le bulletin d'information de l'entreprise. En outre, la remise d'une telle récompense doit être empreinte de bon goût, car si le prix semble de piètre qualité, personne ne le prendra au sérieux[80].

L'évaluation du rendement

L'évaluation du rendement de la force de vente doit être en lien étroit avec le processus de récompense. Si un représentant fait un bon travail, il doit être récompensé. En partant de ce principe, comment le directeur commercial devrait-il s'y prendre pour évaluer ses représentants ? La réponse n'est pas simple, car les mesures à prendre doivent être associées au rendement, et l'évaluation d'une profession aussi complexe peut se faire de plusieurs façons. Par exemple, si l'évaluation est basée uniquement sur les ventes conclues au cours d'un mois, elle ne tient pas compte de ce que rapporte chacune des ventes, de leur importance, du progrès qui a été fait dans de nouvelles affaires ou de la qualité du service à la clientèle qu'offre le représentant. Puisque la réussite dans ce poste dépend de nombreux facteurs, il va sans dire que le directeur commercial doit avoir recours à de nombreuses mesures d'évaluation[81].

Les ventes conclues, les profits générés ainsi que le nombre de commandes reçues sont autant d'exemples de mesures d'évaluation objectives. Par contre, de telles mesures ne tracent pas le portrait de la situation et ne permettent pas d'évaluer le rendement de façon précise, car aucune comparaison n'est faite avec un autre représentant. Pour cette raison, les entreprises se servent des mesures objectives suivantes : le profit par client, le ratio commandes/appels, les ventes horaires ou les dépenses par rapport aux ventes. Quant aux mesures d'évaluation subjectives, elles permettent d'apprécier le comportement du représentant (le travail qu'il exécute et la qualité de ce travail) et reflètent l'opinion d'un individu à l'égard du rendement d'un autre. En conséquence, l'évaluation subjective peut être biaisée. Elle doit donc être utilisée avec précaution et seulement lorsqu'elle va de pair avec plusieurs mesures d'évaluation objectives.

La vente personnelle fait partie intégrante de la stratégie de communication marketing intégrée de certaines entreprises. Bien qu'elle ne convienne pas à tous les types d'entreprises, elle est largement utilisée dans le commerce interentreprises et le commerce de détail où le prix de la marchandise est relativement élevé et où les clients ont besoin d'un service personnalisé avant de prendre une décision d'achat. En raison des coûts importants engendrés par la force de vente, il est primordial que le représentant soit bien formé, motivé et rémunéré.

Faites le point

 **Expliquez le concept de publicité de même que les objectifs qu'elle poursuit**

La publicité est un mode de communication payant utilisé par une source identifiée, dont le message est transmis par un moyen de communication et qui a pour but d'influer sur le comportement d'un individu. Une campagne publicitaire vise à informer les consommateurs, à les persuader ou à leur rappeler un fait. La publicité peut également servir à stimuler la demande d'une catégorie de produits, d'une industrie, d'une marque ou d'un produit en particulier.

 **Décrivez les enjeux juridiques et éthiques qui préoccupent les publicitaires**

La publicité est régie par bon nombre d'organismes provinciaux et fédéraux. Les plus importants sont le Bureau de la concurrence, qui protège les consommateurs de la publicité mensongère ; le CRTC, qui régit la radio, la télévision, la diffusion par satellite et le câble, en plus de traiter des enjeux relatifs au tabac et aux propos répréhensibles ; et Santé Canada, qui, en appliquant la *Loi sur les aliments et drogues*, régit les aliments, les appareils médicaux, les biens de consommation, les produits pharmaceutiques, les produits biologiques, les produits de santé naturels, les substances toxiques et les pesticides.

La publicité et les différents outils de communication doivent ainsi respecter un certain nombre de lois et de règlements, qui peuvent varier d'un pays à l'autre. À titre d'exemple, lorsque l'émetteur d'un message commercial ne s'identifie pas clairement, cela constitue une pratique controversée. Les sites Web contrefaits et certains programmes de marketing furtif, dans lesquels le nom du commanditaire est caché aux clients potentiels, peuvent être considérés comme des pratiques publicitaires trompeuses.

 **Expliquez en quoi la promotion des ventes permet de compléter la stratégie de communication marketing intégrée d'une entreprise**

La promotion des ventes est une série d'incitatifs qui visent à amener les consommateurs à se procurer un produit ou un service. On compte parmi les outils de promotion des ventes les coupons de réduction, les concours, les échantillons gratuits, les présentoirs aux points de vente et les rabais. Il s'agit soit d'exercer des pressions sur le canal de distribution pour augmenter les ventes, comme c'est le cas dans les concours entre représentants, soit d'utiliser une stratégie d'attraction, comme c'est le cas avec les coupons de réduction et les rabais. La promotion des ventes est en général utilisée conjointement avec d'autres éléments de la stratégie de communication marketing intégrée, notamment les réductions de prix et les programmes de fidélisation. En outre, les outils de promotion des ventes auprès des intermédiaires comprennent les rabais et les indemnités, la publicité coopérative et la formation de la force de vente.

 Définissez la vente personnelle et expliquez pourquoi elle crée de la valeur pour les consommateurs

Bien que le coût moyen d'une visite de vente interentreprises soit élevé, de nombreuses entreprises tiennent à posséder leur propre force de vente et considèrent qu'elles ne réussiraient pas sans cette dernière. Les clients peuvent acheter quantité de produits et de services sans l'aide d'un représentant ; toutefois, dans certains cas, le coût supplémentaire compris dans le prix du produit ou du service vaut amplement les renseignements et les conseils précieux qui sont transmis par le représentant. En outre, le représentant peut simplifier le processus d'achat et permettre au consommateur d'économiser du temps et de l'argent. Notez que la vente personnelle est un outil de communication très important dans le commerce interentreprises.

 **Décrivez les étapes du processus de vente personnelle**

Même si la vente est abordée selon une série d'étapes, il reste qu'elle constitue avant tout un processus, et chaque étape a une durée variant en fonction de la situation. Au cours de la première étape, soit la prospection et la qualification de nouveaux clients potentiels, le représentant dresse une liste de clients potentiels. À la deuxième étape, la pré-approche, il recueille des renseignements sur le client potentiel et prépare son argumentaire de vente. La troisième étape, l'argumentaire de vente et la réfutation des objections, consiste à rencontrer le client. En l'écoutant et en lui posant des questions, le représentant apprend où se situe le client dans son processus d'achat. Il peut ainsi orienter la discussion de manière à lui expliquer en quoi les produits et les services de l'entreprise peuvent répondre à ses besoins. Au cours de la quatrième étape, la conclusion de la vente, le représentant cherche à réaliser la vente. Finalement, à l'étape du suivi, le représentant et le personnel de soutien renforcent la relation avec le client en s'assurant que ce dernier est satisfait de son achat et en traitant les plaintes, s'il y a lieu. Ainsi, le suivi prépare en quelque sorte le prochain achat.

Mots clés

- agent indépendant (ou agent du fabricant), p. 566
- conclusion d'une vente, p. 565
- concours, p. 549
- contact non sollicité, p. 562
- échantillon, p. 550
- effet différé, p. 536
- foire commerciale, p. 561
- gestion de la force de vente, p. 566
- loterie promotionnelle, p. 550
- magasin éphémère, p. 555
- marketing furtif, p. 544
- marketing social, p. 541
- marketing viral, p. 544
- modèle AIDA, p. 534

- placement de produit, p. 553
- pré-approche, p. 563
- présentoir au point de vente, p. 552
- prime, p. 549
- programme de fidélisation, p. 550
- promotion, p. 549
- promotion des ventes, p. 546
- prospection, p. 561
- publicité centrée sur le produit (factuelle), p. 540
- publicité coopérative (ou publicité à frais partagés), p. 554
- publicité croisée, p. 555
- publicité de rappel, p. 538
- publicité informative, p. 537

- publicité institutionnelle, p. 540
- publicité persuasive, p. 538
- publicité sociétale, p. 541
- qualification, p. 561
- réclame élogieuse, p. 543
- taux de notoriété assistée, p. 534
- taux de notoriété spontanée, p. 534
- télémarketing, p. 562
- vente par réseau coopté, p. 558
- vente personnelle, p. 557

Révision des concepts

1. Qu'est-ce que la publicité ?

2. Qu'est-ce que le modèle AIDA ? En quoi simplifie-t-il la planification et la mise en œuvre de la communication marketing intégrée ?

3. Quels sont les trois principaux objectifs de la publicité ?

4. Nommez et expliquez quelques enjeux juridiques et éthiques dont une entreprise doit tenir compte lorsqu'elle élabore sa stratégie de communication marketing.

5. Qu'est-ce que la promotion des ventes ? Quels sont ses principaux objectifs ?

6. Nommez six outils de promotion des ventes ainsi que les avantages et les inconvénients de chacun.

7. Expliquez les divers types de promotions des ventes destinés aux membres du circuit de distribution. Pourquoi sont-ils indispensables ? Est-il acceptable sur le plan éthique d'y avoir recours ?

8. Qu'est-ce que la vente personnelle ? Décrivez les étapes de ce processus. Quelle étape est la plus importante ? Pourquoi ?

9. Qu'est-ce que la gestion de la force de vente ? Pourquoi cette tâche est-elle perçue comme étant complexe ?

10. Quels sont les principaux éléments dont il faut tenir compte au moment du recrutement, de la formation et de la rémunération d'un représentant ?

Marketing appliqué

1. Choisissez une publicité dans ce manuel et dites à quelle page elle apparaît. Quels en sont les objectifs ? Y en a-t-il plus d'un ? Justifiez votre réponse.

2. En vous basant sur les étapes du modèle AIDA, expliquez pourquoi, face à une publicité pour le YOGA Jeans, un pantalon créé par la compagnie canadienne Second Clothing, un client potentiel pourrait ne pas être pas disposé à s'acheter un nouveau jean.

3. Imaginons que Lexus lance une nouvelle gamme de véhicules utilitaires légers pour laquelle une campagne publicitaire a déjà été créée. Comment vous y prendriez-vous pour évaluer l'efficacité de la campagne ?

4. Maintenant, imaginez que Lexus songe à lancer une campagne de promotion des ventes en vue de maximiser l'effet de sa campagne publicitaire. À votre avis, quels outils de promotion des ventes seraient les plus efficaces ? Pourquoi ?

5. En quoi la campagne de promotion des ventes de Lexus serait-elle différente si elle s'adressait à une entreprise qui possède un parc de véhicules utilitaires légers ?

6. Choisissez une publicité qui, selon vous, exagère la fonction du produit ou du service présenté. (Si vous ne trouvez pas d'exemple réel, inventez une publicité.) Expliquez s'il s'agit d'une publicité mensongère ou simplement d'une réclame élogieuse. Si vous habitiez en France, en quoi votre réponse serait-elle différente ?

7. Vous êtes invité à l'anniversaire de votre nièce âgée de six ans et lui offrez en cadeau la poupée d'une superhéroïne dont vous avez vu une annonce à la télévision. Elle saute de joie quand elle développe son cadeau, mais fond en larmes peu après : sa poupée est brisée. Elle vous explique qu'à la télévision la poupée vole et fait du karaté. Pourtant, en tentant l'expérience, elle a brisé la poupée. Vous décidez d'appeler le fabricant. Un représentant vous répond qu'il est désolé pour votre nièce, mais l'annonce publicitaire indique clairement que la poupée ne vole pas. Plus tard, alors que vous regardez la télévision, vous apercevez de nouveau l'annonce de la poupée. Vous remarquez de tout petits caractères dans le bas de l'écran qui indiquent que la poupée ne vole pas. Vous décidez d'écrire une lettre aux Normes canadiennes de la publicité pour vous plaindre de cette pratique. Quels éléments devriez-vous inclure dans votre lettre ?

8. « Les représentants ne servent à rien, sinon à majorer le prix de vente des produits. » Êtes-vous d'accord avec cette affirmation ? Justifiez votre point de vue.

9. Choisissez une industrie ou une entreprise pour laquelle vous aimeriez travailler à titre de représentant. Comment vous y prendriez-vous pour la prospection et la qualification de nouveaux clients potentiels ?

10. Vous occupez un emploi d'été dans un grand magasin de rénovation, au rayon des portes et fenêtres. Au cours de votre formation, vous prenez connaissance des produits, apprenez à répondre le mieux possible aux besoins des clients, découvrez les raisons pour lesquelles la valeur du concept de client est très importante pour un magasin comme celui-là et apprenez à vendre au client le produit qui lui convient le mieux, sans tenir compte du niveau de prix. Un jour, le directeur commercial vous informe que vous devez conseiller les fenêtres Smith à tous les clients qui cherchent à acheter des fenêtres. Cette marque est plus coûteuse sans pourtant présenter d'avantages substantiels, excepté dans certaines situations précises. Le directeur commercial insiste. Ne sachant quoi faire, vous conseillez les fenêtres Smith à vos clients, qui auraient pu être plus satisfaits avec une autre marque moins coûteuse. Le directeur commercial vous récompense en vous remettant une distinction honorifique, puis en vous confiant que, pour le remercier, la firme Smith lui a offert une croisière pour lui et sa famille. Aurez-vous l'intention de faire quelque chose ? Dans l'affirmative, comment traiterez-vous les faits dont vous avez été témoin ?

Internaute averti

1. Rendez-vous sur le site d'Entreprises pour l'essor des enfants (http://vivelesenfants.ca), un organisme qui produit et diffuse des campagnes publicitaires sociales pour promouvoir le bien-être des enfants. Explorez le site de l'organisme et attardez-vous sur la section « Médias ». En quoi le rôle de cet organisme complète-t-il les lois qu'appliquent les autres organismes ? Maintenant, cliquez sur « Vidéos », toujours dans la section « Médias », et recherchez les vidéos s'intitulant *Media Monkey* ou *Hippo Domestique*. Expliquez en quoi ce type de publicité sociétale est efficace pour transmettre le message de l'organisme Entreprises pour l'essor des enfants.

2. Allez sur le site de Go Coupons (www.gocoupons.ca) et nommez cinq produits qui y apparaissent. Dans quelle mesure les coupons de réduction sont-ils efficaces pour vendre ces produits ? Quels sont les avantages, pour le vendeur, d'avoir recours à un tel site plutôt qu'à une autre stratégie de communication marketing intégrée ? À votre avis, comment ce site arrive-t-il à être rentable ?

Étude de cas

JIGSAW MENACE VOTRE TÉLÉPHONE[82]

Les bandes-annonces des films *Saw* distribués par Lions Gate Entertainment sont plutôt horrifiantes avec leurs images d'orteils coupés et de comédiens hurlants, ainsi que leurs représentations fugitives du terrifiant fabricant de pièges, Jigsaw. Pourtant, afin de préserver l'engouement qu'a suscité la série entre le troisième et le quatrième film, le studio est allé encore plus loin.

Pour annoncer la sortie de *Saw III* en DVD, Lions Gate Entertainment a élaboré un plan complexe et conforme aux jeux et aux pièges détaillés contenus dans les films, qui visait à transmettre des images sanglantes du film à des millions d'admirateurs sur leurs téléphones cellulaires. Le marché des films d'horreur comprend aussi les jeunes hommes, dont la plupart ont vu le film lors de sa sortie sur les écrans. Or, pour leur remettre le film en mémoire en prévision de sa sortie sur DVD, Lions Gate Entertainment et son agence publicitaire Initiative ont créé des publicités faisant figure de réels divertissements. Comme l'a souligné le vice-président directeur d'Initiative, « il n'y a pas beaucoup de différence entre la publicité et le contenu, surtout dans le contexte du divertissement[83] ».

Lions Gate Entertainment a utilisé plusieurs plateformes de communication pour promouvoir son film SAW III.

Conjointement avec MobiTV, une entreprise qui offre le service de télévision en direct par téléphone cellulaire, Lions Gate Entertainment a créé le canal Saw III, qui diffuse, 24 heures par jour, 7 jours par semaine, des prises inédites, des scènes tournées en coulisses et des entrevues avec les acteurs. Afin de vendre son canal, MobiTV a également fait passer des publicités interactives sur son propre service. Ainsi, l'abonné qui regardait, par exemple, le canal Discovery sur son téléphone pouvait être exposé à une publicité sur le canal Saw. Cette initiative a donc sensibilisé le public non seulement à la sortie du DVD, mais aussi à la campagne orchestrée pour celle-ci grâce à une boucle virtuelle visant à capter l'attention d'un nombre de plus en plus grand de consommateurs.

Refusant de compter uniquement sur les abonnés au service MobiTV, Lions Gate Entertainment a aussi fait appel à une autre forme de divertissement largement consommé par le marché cible : les humoristes. On pourrait croire que les spectacles d'humour et les films violents dans lesquels les protagonistes se font démembrer ont peu de choses en commun, mais en incitant des humoristes tels que Richard Villa à mentionner le film dans leurs monologues et leurs sketches humoristiques, Lions Gate Entertainment a rappelé à un groupe entièrement différent de spectateurs qu'ils appréciaient ses films.

Et comme si l'alliance entre l'humour et l'horreur n'était pas assez étrange, Lions Gate Entertainment s'est associée à Warcon Records pour réaliser un spectacle de musique en direct sur le thème de *Saw III* pour annoncer à la fois le film et sa bande sonore. *Une soirée musicale inspirée de la bande sonore de* Saw III a pris l'affiche au Webster Hall de New York. Elle mettait en vedette des groupes ayant participé à la bande sonore du film et des têtes d'affiche comme Helmet, The SmashUp et Hydrovibe. Shawnee Smith, l'actrice qui incarne Amanda dans les films *Saw*, agissait à titre de maître de cérémonie. Sur place, les spectateurs pouvaient visiter une exposition présentant des accessoires du film, des dispositifs de torture et la sinistre marionnette Billie. Bien sûr, ils pouvaient aussi adhérer au Cercle de sang (*Circle of Blood*)[84].

Les adeptes aussi fervents ne sont certainement pas disposés à laisser tout le plaisir aux producteurs du film. Inspirés par les initiatives originales de Lions Gate Entertainment, certains d'entre eux ont annoncé eux-mêmes le produit dans une forme de publicité faisant appel à des technologies innovantes. Le site de réseautage myspace présente même une vidéo de la musique de *Saw* publiée par un membre qui a lui-même adopté le pseudonyme « Saw III »[85].

Grâce à ces communications marketing variées et originales, la franchise Saw continue de rapporter des dollars cinématographiques. Lors de sa sortie en DVD, *Saw III* a été la vidéo la plus demandée de la semaine, et selon Nielsen, l'effet de halo a propulsé les DVD des deux premiers films au rang des 20 DVD les plus populaires. Le sixième film de la série vient de sortir, preuve incontestable que les efforts publicitaires de l'entreprise ont été payants.

Questions

1. Dans quelle mesure la campagne publicitaire orchestrée par Lions Gate Entertainment par l'entremise des médias non traditionnels a-t-elle été efficace, selon vous ?

2. Étant donné que les films *Saw* semblent attirer surtout les jeunes hommes, la stratégie mise en œuvre par Lions Gate Entertainment est-elle une stratégie à court ou à long terme ? Pourquoi ?

3. Nommez les diverses techniques publicitaires et promotionnelles employées par Lions Gate Entertainment et examinez-les à la lumière du modèle AIDA décrit dans ce chapitre. À votre avis, dans quelle mesure ces techniques contribuent-elles au succès de l'entreprise ?

CHAPITRE 17

OBJECTIFS D'APPRENTISSAGE

Après avoir lu ce chapitre, vous devriez être en mesure :

OA **1** de nommer les facteurs qui favorisent la croissance de la mondialisation ;

OA **2** de décrire les facteurs dont une entreprise doit tenir compte avant de décider de pénétrer un marché étranger ;

OA **3** de décrire les stratégies de pénétration appliquées à de nouveaux marchés étrangers ;

OA **4** de nommer les ressemblances et les différences entre une stratégie de marketing nationale et une stratégie de marketing internationale ;

OA **5** d'expliquer l'incidence des questions éthiques sur les pratiques commerciales internationales.

PARTIE 8
Le marketing à l'échelle mondiale

CHAPITRE 17 Le marketing international

Le marketing international

En 1998, Chip Wilson, le créateur de lululemon athletica, a fondé à Kitsilano, un quartier branché de Vancouver, une entreprise de fabrication et de vente au détail de vêtements de sport inspirés du yoga. Son objectif initial était de s'en tenir à ce magasin de Kitsilano. Or, moins d'une décennie plus tard, lululemon est devenue une entreprise internationale et elle remporte un franc succès dans l'industrie canadienne des vêtements de gymnastique et de sport. Depuis sa création, l'entreprise connaît une croissance exponentielle, passant de 1 magasin à plus de 270 magasins de compagnie, fin 2014, situés principalement au Canada, aux États-Unis et en Australie[1]. La société exploite aussi plusieurs boutiques dans des centres de culture physique situés à Hong Kong, à Taiwan, à Singapour, aux Philippines, au Mexique, aux îles Caïmans, en Nouvelle-Zélande et au Royaume-Uni. Elle projette d'utiliser ces boutiques comme des tremplins pour ouvrir des magasins dans ces pays. En septembre 2014, lululemon envisage une implantation dans 8 pays au total et l'ouverture de 10 nouveaux magasins sur les continents asiatique et européen[2]. Pour l'année financière 2013, la société annonçait des ventes annuelles de plus de 1,6 milliard de dollars, des effectifs de plus de 7 600 employés, un taux de croissance de 16 % par rapport à l'année précédente et plusieurs projets d'expansion à l'échelle mondiale[3]. Environ la moitié de ses produits sont fabriqués dans des usines de Vancouver et l'autre moitié, par des fournisseurs indépendants concentrés aux États-Unis, en Israël, en Chine, à Taiwan, en Indonésie et en Inde. La distribution des vêtements se fait à partir d'entrepôts situés à Vancouver et dans l'État de Washington.

lululemon est en compétition directe avec des géants mondiaux bien établis comme Nike, Adidas, Reebok et d'autres fabricants américains et européens de vêtements de sport. Jusqu'ici, elle a ravi des parts de marché à ces entreprises, qui dominent le marché mondial depuis des années. Pourtant, sa ligne de vêtements et d'accessoires n'est pas donnée. Pour acheter un pantalon lululemon, vous devez être prêt à débourser 100 $ et 50 $ pour le haut.

Pour acheter des vêtements lululemon, comme ceux présentés dans cette vitrine, les consommateurs doivent être prêts à débourser 100 $ pour un pantalon et 50 $ pour le haut.

Quoi qu'il en soit, le succès de lululemon sur la scène internationale en une période aussi courte est phénoménal, compte tenu du fait qu'un grand nombre d'excellentes entreprises canadiennes ont échoué aux États-Unis et sur d'autres marchés internationaux. D'où vient cet engouement que suscite lululemon partout où elle s'établit ? Est-il attribuable à son plan de communication marketing intégrée ? à ses produits et à ses tissus ? à sa philosophie ou à ce que symbolise la marque : un mode de vie sain, équilibré et axé sur le plaisir, qui dit « Ne vous contentez pas de faire du yoga, soyez le yoga » ? à tout cela et bien plus encore[4] ?

Pourquoi lululemon connaît-elle un tel succès aux États-Unis, en Australie et dans bien des pays asiatiques où beaucoup d'autres entreprises se sont cassé les dents ? Une énorme partie du succès de lululemon est attribuable à sa compréhension de la culture des nouveaux marchés ainsi qu'à la manière dont elle pénètre ces marchés et communique avec les clients. Premièrement, en réaction à la présence croissante des femmes dans les sports, et en particulier le yoga, et à la demande pour des vêtements en tissus faits de fibres renouvelables, l'entreprise a créé des lignes de vêtements fonctionnels, confortables, moulants et à la mode dans des tissus durables. Deuxièmement, lululemon « vise le marché mondial, mais sollicite l'opinion des gens du cru[5] », c'est-à-dire qu'elle travaille étroitement avec ses clients – des adeptes du yoga et des athlètes des communautés locales – afin d'obtenir une rétroaction et de poursuivre ses recherches. Ces clients aident lululemon à établir une norme en matière de tissus techniques et de modèles fonctionnels. L'entreprise cultive des relations solides avec les communautés locales où elle s'installe. Elle favorise les interactions avec celles-ci au cours de ses rencontres régulières avec les concepteurs de la région et permet aux magasins locaux de personnaliser leurs produits. Troisièmement, lululemon a mis au point une organisation locale solide en s'associant avec des entreprises de la région. Cette approche, même si elle est fort pertinente, ne garantit pas pour autant le succès. lululemon ouvre en effet son premier magasin japonais en 2005. En 2006, elle s'associe avec Descente Ltd., un chef de file de la technologie textile liée au marché des vêtements de sport, en créant une coentreprise japonaise qui comprend très bien le marché japonais et lui sert de tremplin pour effectuer d'autres études de marché. La société lululemon Japan Inc. mettra cependant fin à ses activités en 2008. Robert Meers, directeur général à l'époque, explique cette fermeture par des coûts trop importants compte tenu des ventes, et par le choix stratégique de réorienter les activités de lululemon vers son principal marché international, soit les États-Unis, de même que vers les nouvelles activités de vente en ligne[6].

L'histoire de lululemon prouve que le succès d'une entreprise sur les marchés internationaux repose surtout sur une profonde compréhension de la culture des marchés visés et sur l'élaboration d'un marketing mix qui permette de combler les besoins et les désirs uniques des clients de ces marchés. Bien sûr, une entreprise doit tenir compte d'autres facteurs, comme les conditions politiques et économiques d'un marché, avant de décider si elle devrait y entrer ou non. Mais une fois sa décision prise, elle doit laisser les considérations culturelles lui dicter sa stratégie commerciale.

La mondialisation croissante des marchés touche toutes les compagnies – grandes, moyennes, petites et entrepreneuriales – au Canada et dans le monde. Un grand nombre d'entreprises canadiennes se trouvent intégrées à une chaîne d'approvisionnement mondiale. La concurrence n'est plus locale, provinciale ni même nationale: elle est mondiale. Les entreprises canadiennes doivent rivaliser avec d'autres entreprises mondiales pour l'obtention non seulement des matières premières, de la main-d'œuvre, du savoir-faire et d'autres intrants, mais aussi des marchés où elles vendront leurs produits. La plupart des gens ne pensent jamais à l'impact de la mondialisation sur leur vie quotidienne. Ainsi, prenez un moment pour lire les étiquettes des vêtements que vous portez actuellement. Il y a de bonnes chances que la plupart d'entre eux, même s'ils sont de marque canadienne ou américaine, aient été fabriqués dans une autre partie du monde, comme la Chine, l'Inde, la Thaïlande, le Mexique, le Brésil ou d'autres pays en développement.

Au Canada, nous sommes passés d'un réseau de marchés locaux et provinciaux à des marchés nationaux, puis à des marchés d'une même région (p. ex., le Canada et les États-Unis réunis) et, enfin, à des marchés mondiaux. Selon le gouvernement du Canada et la Banque de développement du Canada, la **mondialisation** désigne le processus permettant aux biens, aux services, aux capitaux, aux individus, aux renseignements et aux idées de voyager à l'échelle planétaire. Les marchés mondiaux résultent de plusieurs changements fondamentaux, comme la réduction ou la suppression des barrières commerciales par les gouvernements de divers pays, la diminution des préoccupations liées à la distance et au temps en ce qui concerne

mondialisation
(*globalization*)
Processus permettant aux biens, aux services, aux capitaux, aux individus, aux renseignements et aux idées de voyager à l'échelle planétaire.

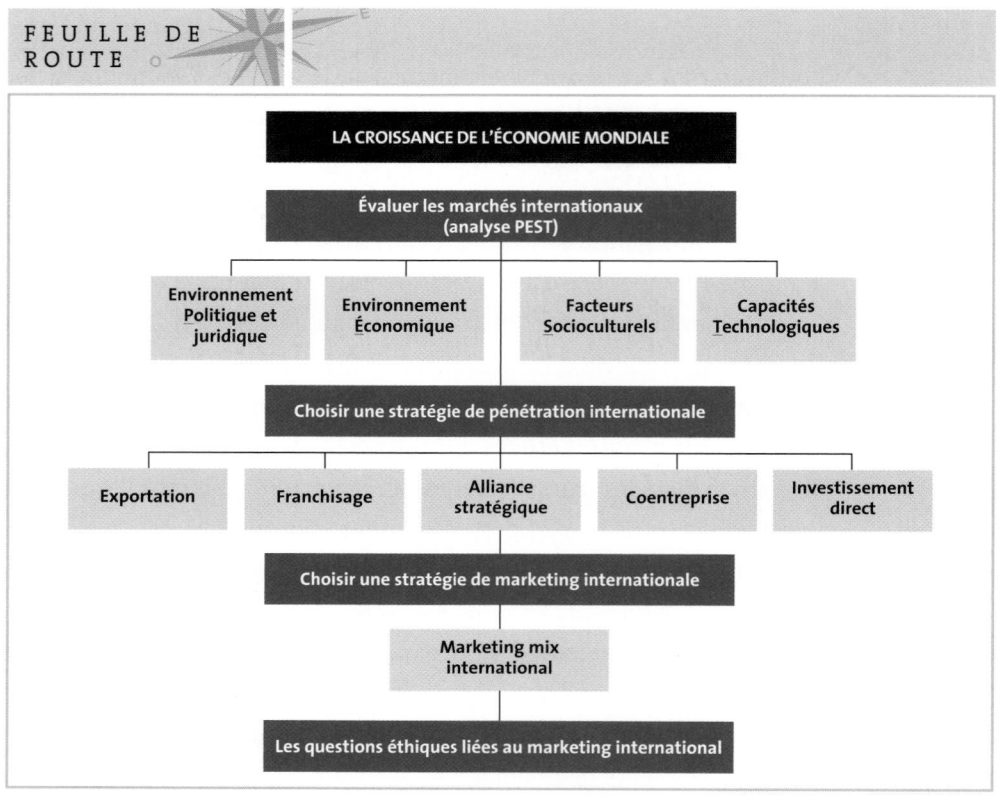

la circulation des produits et des idées entre les pays, la normalisation des lois trans-frontalières et l'intégration mondiale des processus de production[7].

Par exemple, prenons l'entreprise lululemon athletica. Il est possible qu'elle achète ses matières premières à un fournisseur situé dans un pays, ses machines à coudre et ses laveuses à un fournisseur d'un autre pays. Il se peut aussi que ses pantalons soient fabriqués dans un troisième pays et que des gestionnaires marketing de plusieurs pays organisent la vente de ces pantalons à des consommateurs situés un peu partout dans le monde. La mondialisation crée donc une foule d'interdépendances entre des entreprises disséminées à l'échelle du globe et entre les divisions d'une même entreprise (recherche et développement, conception, ingénierie, fabrication et marketing).

En plus de permettre des économies d'échelle parce que la recherche, la production et la commercialisation sont réalisées au niveau mondial, la mondialisation fait que de nombreux créneaux peu ou non rentables à l'échelle provinciale ou nationale le deviennent à l'échelle mondiale. Prenons l'exemple de Velan, une entreprise montréalaise qui tire 90 % de ses ventes du marché mondial en fabriquant des valves industrielles pour les centrales thermiques, nucléaires et de cogénération, pour l'industrie pétrolière et gazière, ou encore pour la construction maritime. Afin de se rapprocher de ses clients internationaux, Velan a délocalisé une partie de sa force de vente, mais aussi de sa production. Suite à l'accord Canada-Corée du Sud, pays avec lequel Velan a entrepris une percée dès 1988 et dans lequel elle possède désormais une unité de production, l'entreprise canadienne développe son marché en satisfaisant ses clients qui apprécient les produits « fabriqués en Corée »[8].

Chacun de ces changements cruciaux a pavé la voie au développement du marketing dans d'autres pays. Ainsi, la suppression des barrières commerciales, alliée à d'autres actions gouvernementales, favorise une circulation rapide et efficace des produits et des idées dans le monde, ce qui, en retour, facilite la livraison rapide de produits mieux adaptés aux besoins des consommateurs du monde entier. Lorsqu'elles cherchent des marchés internationaux potentiels, les entreprises doivent comprendre que tous les pays ne présentent pas le même degré de mondialisation. Dans ce domaine, la Banque mondiale classe les pays à partir d'une mesure composite qui évalue la présence ou l'absence des facteurs nécessaires pour participer au marché mondial. Les pays qui obtiennent la meilleure cote représentent les meilleurs marchés pour la commercialisation de produits et de services à l'échelle mondiale; ceux qui se classent plus bas sur l'échelle sont les marchés les plus problématiques.

La plupart des Canadiens ont tendance à considérer l'accès à des produits et à des services mondiaux comme allant de soi. En entrant dans un Starbucks, vous vous attendez à trouver votre café Jamaican Blue Mountain préféré moulu et prêt pour vous. Or, réfléchissez au processus qui a permis à ce café d'être acheminé depuis le flanc d'une montagne de la Jamaïque jusqu'à votre ville. Ou encore, demandez-vous comment les produits vendus dans les magasins à rabais comme Dollarama, Dollarmania et Dollar Plus peuvent être fabriqués, parcourir la moitié du globe, puis être vendus à un prix aussi dérisoire qu'un dollar ou moins. Voilà des questions que nous examinerons dans ce chapitre.

Nous nous pencherons d'abord sur la croissance de l'économie mondiale et sur les forces qui ont favorisé cette croissance. Nous observerons comment les entreprises évaluent le potentiel de marché d'un pays, prennent la décision de devenir internationales et – comme lululemon dans l'introduction – choisissent les marchés où elles s'implanteront. Ensuite, nous verrons comment s'élabore le marketing mix pour les produits vendus à l'échelle mondiale et nous aborderons certaines questions éthiques et juridiques liées à la mondialisation. La feuille de route ci-contre montre la séquence des thèmes étudiés dans ce chapitre.

La croissance de l'économie mondiale : la mondialisation du marketing et de la production

OA 1

Depuis des décennies, les changements technologiques, en particulier ceux survenus dans le domaine des communications, sont le moteur de croissance des marchés internationaux. De plus en plus, la radio, la télévision, l'ordinateur et maintenant Internet relient les régions éloignées du monde. Aujourd'hui, la communication est instantanée. Des sons et des images provenant de tous les pays sont diffusés par des télévisions, des radios et des ordinateurs en temps réel, ce qui permet aux récepteurs du monde entier d'observer comment les autres vivent, travaillent et s'amusent.

La **mondialisation de la production** (aussi appelée «délocalisation») consiste pour les fabricants à se procurer des biens et des services venant de n'importe où dans le monde afin de profiter des différences de prix et de qualité de divers facteurs de production (p. ex., main-d'œuvre, énergie, facteur géographique, différence de capitaux)[9]. Même si elle consistait, à l'origine, à relocaliser la fabrication dans des pays où les coûts de production sont moins élevés, la délocalisation touche aussi désormais les produits de l'économie du savoir, soit les services médicaux, financiers et technologiques ainsi que les services de consultation. Par exemple, la croissance de villes comme Bangalore, en Inde, démontre la progression rapide de la mondialisation de la production tant des biens que des services[10].

La délocalisation n'est pas toujours motivée par l'attrait d'une main-d'œuvre bon marché. Pour certaines entreprises comme IBM, elle s'inscrit dans une recherche constante et mondiale de talents, associée à un effort pour réduire ses coûts. IBM a fait des investissements considérables à Cracovie, en Pologne, mais même si les coûts de production y sont faibles, surtout par comparaison avec les États-Unis, les économies réalisables sont loin d'égaler celles que l'entreprise pourrait faire en Chine ou en Inde. Toutefois, Cracovie a investi lourdement dans l'enseignement technique pour ses étudiants, et ses 150 000 ingénieurs et techniciens hautement qualifiés forment un réservoir de talents qu'IBM peut exploiter pour soutenir ses affaires[11].

mondialisation de la production (*globalization of production*) Fait de se procurer des biens et des services venant de n'importe où dans le monde afin de profiter des différences de prix et de qualité de divers facteurs de production (p. ex., main-d'œuvre, énergie, facteur géographique, différence de capitaux).

Accord général sur les tarifs douaniers et le commerce (AGETAC ou GATT) (*General Agreement on Tariffs and Trade [GATT]*) Mécanisme créé en vue de réduire les barrières commerciales qui freinent les échanges entre les pays signataires, notamment les tarifs douaniers élevés imposés sur les produits importés et la restriction du nombre et du type de produits qu'il est possible d'importer. Créé en 1948 aux États-Unis, il a été remplacé par l'Organisation mondiale du commerce (OMC) en 1994.

Organisation mondiale du commerce (OMC) (*World Trade Organization [WTO]*) Organisation internationale qui a remplacé le GATT en 1994; au lieu de n'être qu'un accord, comme le GATT, l'OMC est une institution établie à Genève, en Suisse.

Fonds monétaire international (FMI) (*International Monetary Fund [IMF]*) Organisme fondé en même temps que le GATT, en 1948, dont le but premier est de promouvoir la coopération monétaire internationale et de faciliter l'expansion et la croissance du commerce international.

Banque mondiale (*World Bank Group*) Banque de développement spécialisée dans les prêts, les conseils stratégiques, l'assistance technique et le partage du savoir. Cette organisation offre ses services aux pays à revenu faible ou intermédiaire dans le but de réduire la pauvreté.

Le président de la Banque mondiale en 2015, Jim Yong Kim.

La croissance des marchés internationaux a également été favorisée par les organisations chargées de superviser leur fonctionnement. La plus importante de ces organisations est certainement l'Organisation mondiale du commerce (OMC), qui a remplacé l'**Accord général sur les tarifs douaniers et le commerce (AGETAC ou GATT)**, en 1994. Ce dernier visait à réduire les barrières commerciales qui freinent les échanges entre les pays signataires, notamment les tarifs douaniers élevés imposés sur les produits importés et la restriction du nombre et du type de produits qu'il est possible d'importer.

Au lieu de n'être qu'un accord, comme le GATT, l'**Organisation mondiale du commerce (OMC)** est une institution établie à Genève, en Suisse. Il s'agit du seul organisme international qui s'occupe des règles relatives aux échanges commerciaux à l'échelle mondiale. Sa principale fonction est de s'assurer que le commerce est aussi fluide, prévisible et libre que possible. En juin 2014, 160 pays étaient membres de l'OMC. Leur volume d'affaires représentaient 94,8 % du commerce mondial de 2012[12]. De plus, l'OMC administre les accords commerciaux, sert de forum pour les négociations commerciales, règle les différends commerciaux, révise les politiques commerciales des pays et fournit une assistance technique et de la formation aux pays en développement pour les aider à régler leurs problèmes relatifs à la politique commerciale. Ainsi, en 2010, le Japon a déposé un avis de contestation auprès de l'OMC au sujet du programme d'énergies renouvelables de l'Ontario, lancé en 2009[13]. En effet, le gouvernement de l'Ontario a mis sur pied un nouveau programme qui encourage les producteurs d'énergies renouvelables à développer et à commercialiser des technologies innovantes et propres susceptibles de favoriser la fermeture de centrales au charbon et la création d'emplois «écologiques». En vertu de ce programme d'incitatifs, les entreprises qui produisent de l'énergie à partir de ressources renouvelables comme le soleil et le vent bénéficient de prix garantis, supérieurs à ceux du marché. Le Japon s'est plaint qu'au fond ces prix garantis équivalaient à une subvention, ce qui viole les accords de commerce internationaux. L'OMC pourrait mettre des années à régler ce litige, surtout si le Canada le conteste.

Organisme fondé en même temps que le GATT, en 1948, le **Fonds monétaire international (FMI)** a pour but premier de promouvoir la coopération monétaire internationale et de faciliter l'expansion et la croissance du commerce international. Avec le FMI, la **Banque mondiale** a pour mission de lutter contre la pauvreté et d'améliorer le niveau de vie des pays en développement. C'est une banque de développement spécialisée dans les prêts, les conseils stratégiques, l'assistance technique et le partage du savoir. Cette organisation offre ses services aux pays à revenu faible ou intermédiaire dans le but de réduire la pauvreté dans les pays en développement[14]. Ainsi, la principale différence entre le Fonds monétaire international et la Banque mondiale réside dans le fait que le FMI se concentre surtout sur le maintien du système monétaire international, tandis que la Banque mondiale cherche à réduire la pauvreté au moyen de prêts à intérêt réduit et d'autres programmes. Par exemple, la Banque mondiale est la plus importante source de capitalisation extérieure en ce qui a trait

aux programmes d'éducation et de prévention du sida.

Ces deux organisations influent sur la pratique du marketing international de multiples façons, mais ensemble elles amènent les directeurs du marketing à participer au marché mondial en facilitant les échanges commerciaux, en finançant les entreprises méritantes, en ouvrant des marchés au commerce et en élevant le niveau de vie mondial, ce qui permet à un plus grand nombre de personnes d'acheter des biens et des services.

Toutefois, ces organisations ont été critiquées par divers organismes non gouvernementaux, groupes religieux et défenseurs des travailleurs et des pauvres. Ces groupes accusent surtout la Banque mondiale d'être un simple jouet entre les mains des pays industrialisés, qui utilisent ses prêts pour soutenir leurs efforts de mondialisation. D'autres affirment que la Banque mondiale prête trop d'argent aux pays en développement, souvent criblés de dettes et incapables de rembourser ces emprunts[15].

La mondialisation a manifestement ses détracteurs, qui pourraient bien avoir raison jusqu'à un certain point. Néanmoins, elle progresse aussi à un rythme régulier et croissant. Tout en gardant cette croissance à l'esprit, examinons maintenant comment les entreprises choisissent les pays dans lesquels elles décident d'étendre leurs opérations.

Évaluer les marchés internationaux

OA **2**

Comme différents pays à divers stades de mondialisation offrent aux gestionnaires marketing une variété de possibilités, les entreprises doivent évaluer la viabilité d'une implantation sur divers marchés potentiels. Elles le font grâce à une analyse de la situation semblable à celle qui est décrite dans le chapitre 4 intitulé «L'analyse de l'environnement marketing». Comme il est illustré dans la figure 17.1, les entreprises se fondent généralement sur quatre types de facteurs, désignés par l'acronyme PEST, pour évaluer le marché d'un pays: les facteurs **p**olitiques et juridiques, **é**conomiques, **s**ocioculturels et **t**echnologiques. L'analyse de ces facteurs combinés donne aux gestionnaires marketing une image plus complète du potentiel commercial d'un pays en ce qui concerne leurs produits et leurs services. Bien que nous décrivions chaque facteur séparément, précisons que les analystes les évaluent ensemble. Par exemple, les sociétés pétrolières et minières canadiennes peuvent s'implanter sur des marchés dotés d'un potentiel commercial élevé, mais où les risques politiques sont plus importants.

Analyser l'environnement politique et juridique

Les actions des gouvernements de même que celles de groupes politiques non gouvernementaux peuvent influer de manière importante sur la capacité des entreprises à vendre leurs produits et leurs services. En effet, ces actions entraînent souvent la promulgation de lois et de règlements qui soit favorisent la croissance du marché

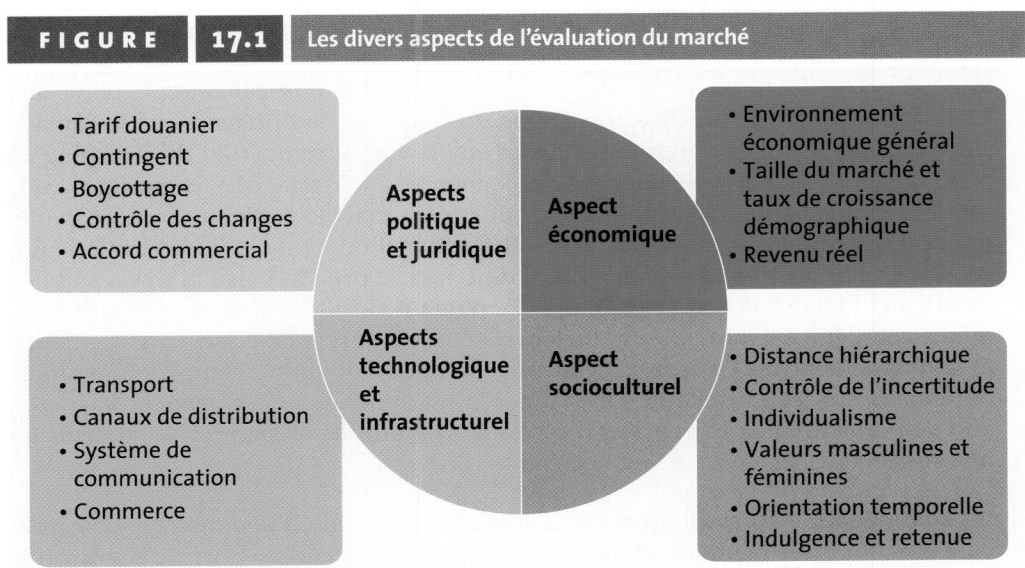

FIGURE 17.1 Les divers aspects de l'évaluation du marché

- Tarif douanier
- Contingent
- Boycottage
- Contrôle des changes
- Accord commercial

Aspects politique et juridique

Aspect économique

- Environnement économique général
- Taille du marché et taux de croissance démographique
- Revenu réel

Aspects technologique et infrastructurel

Aspect socioculturel

- Transport
- Canaux de distribution
- Système de communication
- Commerce

- Distance hiérarchique
- Contrôle de l'incertitude
- Individualisme
- Valeurs masculines et féminines
- Orientation temporelle
- Indulgence et retenue

FIGURE	17.2	Les actions gouvernementales

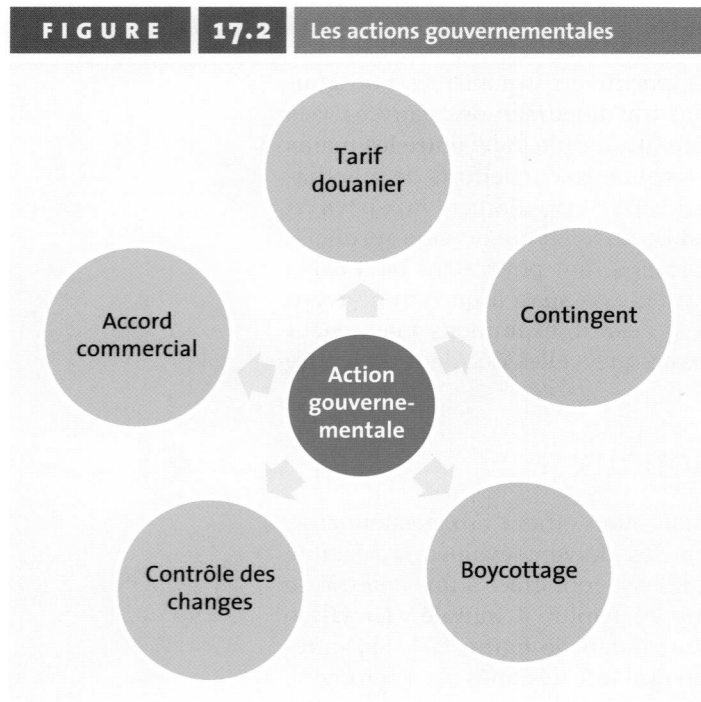

mondial, soit ferment le marché du pays et entravent cette croissance. Les politiques qui visent à restreindre le commerce mondial sont dites « protectionnistes », tandis que celles qui favorisent le commerce mondial sont appelées « politiques de libéralisation des échanges ». Nous décrirons divers types de politiques protectionnistes et de libéralisation des échanges. Nous expliquerons entre autres les sanctions commerciales, comme les tarifs douaniers, les contingents ou quotas, le boycottage, le contrôle des changes et les **accords commerciaux** (*voir la figure 17.2*).

Les sanctions commerciales

Une **sanction commerciale** est une pénalité ou une restriction imposée par un pays à un autre en ce qui a trait à l'importation et à l'exportation de biens, de services et d'investissements. En 2011, le Canada a imposé de lourdes sanctions commerciales à la Lybie en raison de l'escalade des violations des droits de la personne perpétrées par le gouvernement lybien à l'encontre de ses propres citoyens. Les mesures annoncées englobaient un embargo sur toutes les exportations du Canada vers la Lybie et sur toutes les importations de la Lybie au Canada[16].

Un embargo est une forme de sanction commerciale prise à l'encontre d'un pays, interdisant l'exportation d'un ou de plusieurs types de marchandises vers un pays (p. ex., un embargo sur le pétrole). Le Canada a ainsi plusieurs sanctions commerciales en vigueur, notamment à l'encontre de pays soupçonnés de terrorisme ou d'agir à l'encontre des droits de l'homme, comme la Corée du Nord, l'Iran, l'Irak, la Russie, la Syrie[17]. Quels sont les différents types de sanctions commerciales ?

Les tarifs douaniers   Le **tarif douanier (ou droits)** est une taxe imposée sur les produits importés dans un pays. Dans la plupart des cas, ces tarifs visent à rendre les produits importés plus chers et donc moins concurrentiels par rapport aux produits nationaux, ce qui protège les industries nationales de la concurrence étrangère[18]. Un pays peut aussi imposer des tarifs douaniers pour pénaliser un autre pays dont il juge les pratiques commerciales inéquitables. Ainsi, en 2002, les États-Unis ont imposé un tarif exorbitant de 19,31 % sur le bois d'œuvre canadien exporté aux États-Unis. En fait, l'industrie américaine du bois d'œuvre prétend que le Canada subventionne le bois d'œuvre canadien et que les producteurs font du dumping en vendant leur bois à un prix inférieur sur le marché américain[19]. Le **dumping** est une pratique qui consiste à vendre un produit sur un marché extérieur à un prix inférieur à celui qui est pratiqué sur le marché national ou même à un prix inférieur à son coût de revient[20]. À cause de ce tarif douanier, le prix du bois d'œuvre canadien vendu aux États-Unis a augmenté de 27 %, rendant ainsi les entreprises canadiennes moins compétitives face aux producteurs de bois d'œuvre américain[21]. Par ailleurs, le gouvernement du Canada prévoit pour 2015 une abolition complète des droits de douane sur les intrants de fabrication, la machinerie et l'équipement importés, afin de permettre aux entreprises d'économiser en droits annuels et de soutenir les investissements, la croissance et la création d'emplois[22].

Les contingents   Un **contingent** est la quantité maximale d'une marchandise pouvant être importée pendant une certaine période. Un grand nombre de contingents canadiens sur les textiles de fabrication étrangère ont été éliminés en 2005, ce qui a

---

accord commercial
(*trade agreement*)
Accord économique conclu entre deux ou plusieurs pays dans le but de gérer et de promouvoir les échanges commerciaux entre les pays membres.

sanction commerciale
(*trade sanction*)
Pénalité ou restriction imposée par un pays à un autre en ce qui a trait à l'importation et à l'exportation de biens, de services et d'investissements.

tarif douanier (ou droits)
(*tariff*)
Taxe imposée sur les produits importés dans un pays.

dumping (*dumping*)
Vente d'un produit sur un marché extérieur à un prix inférieur à celui qui est pratiqué sur le marché national ou même à un prix inférieur à son coût de revient.

contingent (*quota*)
Quantité maximale d'une marchandise pouvant être importée pendant une certaine période.

réduit le coût des vêtements importés vendus au Canada. Certaines entreprises ont décidé de redistribuer la majeure partie des sommes ainsi épargnées aux consommateurs – 75 % dans le cas de Walmart –, tandis que d'autres, comme bebe, ont redistribué seulement 25 % des économies réalisées et conservé le solde comme bénéfice[23].

Les tarifs douaniers et les contingents portent parfois un coup fatal à une entreprise qui tente de vendre ses produits dans un autre pays. Les tarifs douaniers élèvent les prix artificiellement et, par conséquent, réduisent la demande ; quant aux contingents, ils diminuent la disponibilité des marchandises importées. Inversement, les tarifs douaniers et les contingents sont avantageux pour les produits nationaux, puisqu'ils diminuent la concurrence étrangère. Dans le cas du bois d'œuvre, les tarifs et les contingents profitent aux producteurs de bois d'œuvre américains et rendent le bois d'œuvre canadien moins concurrentiel. Malheureusement, au lieu d'acheter du bois d'œuvre canadien à un prix inférieur, les clients américains finissent par payer leur propre bois d'œuvre plus cher.

De nombreux contingents sur les textiles de fabrication étrangère ont été supprimés. Certaines entreprises ont choisi de redistribuer à leurs clients la majeure partie des sommes épargnées, comme Walmart (à gauche). D'autres entreprises, comme bebe (à droite), ont redistribué seulement 25 % des économies réalisées et gardé le solde comme bénéfice.

Le boycottage Le **boycottage** est le refus d'un groupe d'entretenir des relations commerciales avec une entreprise afin de protester contre ses politiques. Il peut être décrété par un gouvernement ou par un organisme non gouvernemental comme un syndicat, un organisme de défense des droits de la personne ou un groupe environnementaliste.

Par exemple, les États-Unis continuent d'imposer des sanctions économiques à Cuba et à l'Iran, et, en 2010, le Canada a infligé ses propres sanctions à l'Iran. Cependant, le Canada est aussi victime de boycottage. Pour protester contre cette chasse non éthique, l'Union européenne a décidé de boycotter les produits du phoque en provenance du Canada[24].

boycottage (*boycott*)
Refus d'un groupe d'entretenir des relations commerciales avec une entreprise afin de protester contre ses politiques.

Le contrôle des changes Le **contrôle des changes** est le contrôle exercé par un gouvernement sur les taux de change de devises. Le **taux de change** indique la valeur d'une devise établie par rapport à une autre devise[25]. Dans chaque pays, un organisme désigné, souvent la banque centrale, fixe les règles relatives à l'échange des devises. Au Canada, c'est la Banque du Canada qui joue ce rôle. Ces dernières années, le dollar canadien s'est beaucoup apprécié vis-à-vis du dollar américain. Sa valeur pour un dollar américain est passée de 0,60 $ CAN en 2001 à 1,12 $ CAN fin 2014. La hausse du dollar canadien a eu une double incidence sur la capacité des entreprises canadiennes à faire des affaires à l'échelle mondiale. Pour les entreprises qui dépendent de l'importation de produits finis, de matières premières ou de services américains, le coût des opérations commerciales a baissé radicalement. En revanche, les acheteurs américains paient les produits et les services canadiens beaucoup plus cher qu'auparavant.

contrôle des changes
(*exchange control*)
Contrôle exercé par un gouvernement sur les taux de change de devises.

taux de change
(*exchange rate*)
Valeur d'une devise établie par rapport à une autre devise.

L'appréciation du dollar canadien vis-à-vis du dollar américain a fait augmenter le prix des produits exportés aux États-Unis et diminuer celui des produits importés de ce pays.

commerce de contrepartie (*countertrade*) Opérations de troc, c'est-à-dire l'échange de produits excluant l'emploi d'une monnaie forte.

zone d'échanges commerciaux (*trading bloc*) Ensemble des pays qui ont conclu un accord commercial donné.

Il existe une méthode qui permet de contourner les taux de change défavorables. Le **commerce de contrepartie** désigne les opérations de troc, c'est-à-dire l'échange de produits excluant l'emploi d'une monnaie forte.

Par exemple, le gouvernement des Philippines a conclu un accord de commerce de contrepartie avec le Vietnam. La Philippine International Trading Corporation importe du riz et en paie la moitié avec des fertilisants, des noix de coco et des sous-produits de la noix de coco[26]. Une étude réalisée auprès de cadres canadiens dans le but de sonder leur opinion sur le commerce de contrepartie a révélé que, bien que la majorité d'entre eux le juge avantageux, ils sont réticents à pratiquer ce type de commerce[27].

Toutes les restrictions sur le commerce et le marketing internationaux dont il a été question jusqu'ici sont considérées comme protectionnistes parce que, d'une façon ou d'une autre, elles protègent les industries nationales contre la concurrence étrangère. Un pays peut aussi adopter des politiques protectionnistes pour des raisons sociales, économiques ou politiques. Le gouvernement canadien, par exemple, verse des subventions aux agriculteurs, aux entreprises de technologie et à certaines entreprises pour leur permettre de croître et d'être concurrentielles à l'échelle mondiale. Ainsi Bombardier est une entreprise technologique de pointe qui reçoit d'importantes subventions gouvernementales.

Cependant, les politiques gouvernementales ne sont pas toutes protectionnistes. Les gouvernements instaurent souvent des politiques et des accords qui favorisent le commerce et le marketing internationaux. Nous examinerons ces accords.

Les accords commerciaux Les gestionnaires marketing doivent tenir compte des accords commerciaux qu'un pays a signés ou de la zone d'échanges commerciaux dont il fait partie. Un accord commercial est un accord intergouvernemental qui vise à réguler et à promouvoir les échanges commerciaux dans une région donnée. Une **zone d'échanges commerciaux** est constituée par l'ensemble des pays qui ont conclu cet accord commercial[28].

Certains accords commerciaux d'envergure représentent les deux tiers du commerce international: l'Union européenne, l'Accord de libre-échange nord-américain (ALENA), le Central America Free Trade Agreement (CAFTA), le Mercosur et l'Association des nations de l'Asie du Sud-Est (ANASE)[29]. Ces accords sont résumés dans le tableau 17.1. L'Union européenne représente le plus haut niveau d'intégration de pays individuels. Celui des autres accords varie.

- **L'Union européenne.** L'Union européenne est une union économique et monétaire qui regroupe 28 pays en 2015, comme le montre la figure 17.3 (*voir p. 586*). Quelques pays sont candidats comme l'Albanie, l'Islande, l'Ancienne République yougoslave de Macédoine, le Monténégro, la Serbie ou encore la Turquie, mais leur projet d'intégration est à l'étude. L'Union européenne représente une restructuration importante du marché mondial. L'abolition quasi totale des barrières commerciales entre les États membres de l'Union a changé la face du marché mondial.

  L'adoption d'une monnaie unique, l'euro, dans 18 des 28 pays européens constituant la zone euro (ou l'Union économique et monétaire), a simplifié la façon dont un grand nombre de multinationales commercialisent leurs produits. Avant la conversion à l'euro, qui a commencé le 1er janvier 1999, les entreprises n'arrivaient pas à fixer des prix cohérents pour différents pays européens parce qu'elles ne pouvaient y prévoir les taux de change. L'entrée en circulation de

TABLEAU 17.1	Les accords commerciaux
Nom	**Pays**
Union européenne	Allemagne, Autriche, Belgique, Danemark, Espagne, Finlande, France, Grèce, Irlande, Italie, Luxembourg, Pays-Bas, Portugal, Royaume-Uni et Irlande du Nord, Suède. Dix pays ont adhéré à l'Union européenne en 2004 : Chypre, Estonie, Hongrie, Lettonie, Lituanie, Malte, Pologne, République tchèque, Slovaquie et Slovénie. La Bulgarie et la Roumanie en sont devenues membres en 2007. La Croatie a intégré l'Union européenne en 2013.
Accord de libre-échange nord-américain (ALENA)	Canada, États-Unis et Mexique
Central America Free Trade Agreement (CAFTA)	Costa Rica, États-Unis, Guatemala, Honduras, Nicaragua, République dominicaine et Salvador
Mercosur	Membres à part entière : Argentine, Brésil, Paraguay, Uruguay et Venezuela
Association des nations de l'Asie du Sud-Est (ANASE)	Brunei Darussalam, Cambodge, Indonésie, Laos, Malaisie, Myanmar (ou Birmanie), Philippines, Singapour, Thaïlande et Vietnam

l'euro, le 1er janvier 2002, a éliminé les fluctuations de prix causées par les taux de change. Désormais, les entreprises peuvent étiqueter leurs produits avant de les distribuer dans la zone euro. Les exigences relatives aux brevets ont également été simplifiées, puisqu'une seule demande de brevet peut couvrir plusieurs pays.

De même, les règles qui régissent la confidentialité et la transmission des données, la publicité, la vente directe, etc., ont été simplifiées, pour permettre un commerce sans heurt.

- **L'Accord de libre-échange nord-américain (ALENA).** L'ALENA, qui regroupe les États-Unis, le Canada et le Mexique, concerne uniquement les questions relatives au commerce, comme les tarifs douaniers et les contingents. Ainsi, les conflits liés au bois d'œuvre et aux magazines à tirage dédoublé qui opposaient le Canada et les États-Unis ont été résolus par l'Organisation mondiale du commerce.

La création de l'Union européenne a entraîné une réduction des barrières commerciales et consolidé les relations entre les États membres.

| FIGURE | **17.3** | La carte de l'Union européenne |

Source : http://fr.wikipedia.org/wiki/Union_europeenne (page consultée le 27 octobre 2014).

- **Le Central America Free Trade Agreement (CAFTA).** Le CAFTA est un accord conclu entre le Costa Rica, les États-Unis, le Guatemala, le Honduras, le Nicaragua, la République dominicaine et le Salvador[30].

- **Le Mercosur.** Mercosur est un acronyme espagnol qui signifie « Marché commun du cône sud ». Il regroupe la plupart des pays d'Amérique du Sud. En 1995, les États membres du Mercosur ont créé la Zone de libre-échange des Amériques (ZLEA) en réaction à l'institution de l'ALENA. Toutefois, cette volonté de créer un grand marché sud-américain est restée lettre morte et aucun accord formel n'a été signé à ce jour.

- **L'Association des nations de l'Asie du Sud-Est (ANASE).** Créée pour promouvoir la sécurité en Asie du Sud-Est pendant la guerre du Vietnam, l'ANASE a modifié sa mission dans les années 1980. Celle-ci consiste aujourd'hui à édifier une stabilité économique et à réduire les restrictions commerciales entre les États membres.

Ces zones d'échanges commerciaux influent sur la manière dont les entreprises canadiennes font du commerce dans les pays membres. Leurs détracteurs soutiennent que ces zones donnent un avantage indu aux États membres en leur offrant des conditions de commerce favorables. Certains estiment qu'elles stimulent les économies en abaissant les barrières commerciales et en facilitant les investissements étrangers. Pour contrer ces avantages entre les pays membres, le Canada a tissé des accords spécifiques avec certains marchés ou pays. Les accords récents Canada-Europe ou Canada-Corée du Sud montrent la dynamique de l'environnement d'affaires mondial.

L'analyse du risque politique

Avant de s'engager dans le marketing international, une entreprise doit effectuer une analyse du risque politique, c'est-à-dire évaluer le niveau de risque politique et socioéconomique ainsi que les risques à la sécurité qui existent dans un pays. Elle doit estimer la probabilité que certains événements (changement de gouvernement, violences, adoption de politiques commerciales restrictives, etc.) surviennent au cours d'une période donnée. Ce type d'analyse nécessite des compétences précises dont la plupart des entreprises sont dépourvues. C'est pourquoi elles font appel à des organismes gouvernementaux (comme Exportation et développement Canada), à des ministères (comme Affaires étrangères, Commerce et Développement Canada) et à des entreprises privées spécialisées dans l'évaluation du risque politique (comme Aon ou Transparency) pour obtenir de l'information et des conseils.

L'analyse du risque politique atténue les possibilités qu'une entreprise perde son investissement ou ses biens et que ses employés soient exposés à un danger.

Analyser l'environnement économique

La plupart du temps, plus un pays est riche, plus une entreprise a de chances de prospérer dans ce pays. La figure 17.4 montre les trois facteurs sur lesquels une entreprise qui effectue une analyse économique du marché d'un pays doit se concentrer : l'environnement économique général ; la taille du marché et le taux de croissance démographique ; et, enfin, le revenu réel.

L'évaluation de l'environnement économique général

En règle générale, les économies saines offrent de meilleures possibilités d'expansion en matière de marketing international. Une entreprise a le choix entre plusieurs méthodes pour évaluer la santé économique relative d'un pays. Chaque méthode donne une vision légèrement différente et certaines méthodes sont plus utiles que d'autres dans le cas de certains produits et services.

Pour déterminer le potentiel de marché d'un pays pour son produit ou son service particulier, une entreprise doit recueillir le plus grand nombre de mesures possible. L'une de ces mesures est le niveau relatif des importations et des exportations. Les États-Unis, par exemple, enregistrent un **déficit de la balance commerciale**, c'est-à-dire qu'ils importent plus de biens qu'ils n'en exportent. Au contraire, le Canada déclare un **excédent de la balance commerciale**, c'est-à-dire qu'il exporte plus de biens qu'il n'en importe. Les entreprises préfèrent fabriquer leurs produits dans un pays comme le Canada, car elles peuvent exporter leurs produits plus facilement vers d'autres marchés.

déficit de la balance commerciale (*trade deficit*) Situation survenant lorsqu'un pays importe plus de biens qu'il n'en exporte.

excédent de la balance commerciale (*trade surplus*) Situation survenant lorsqu'un pays exporte plus de biens qu'il n'en importe.

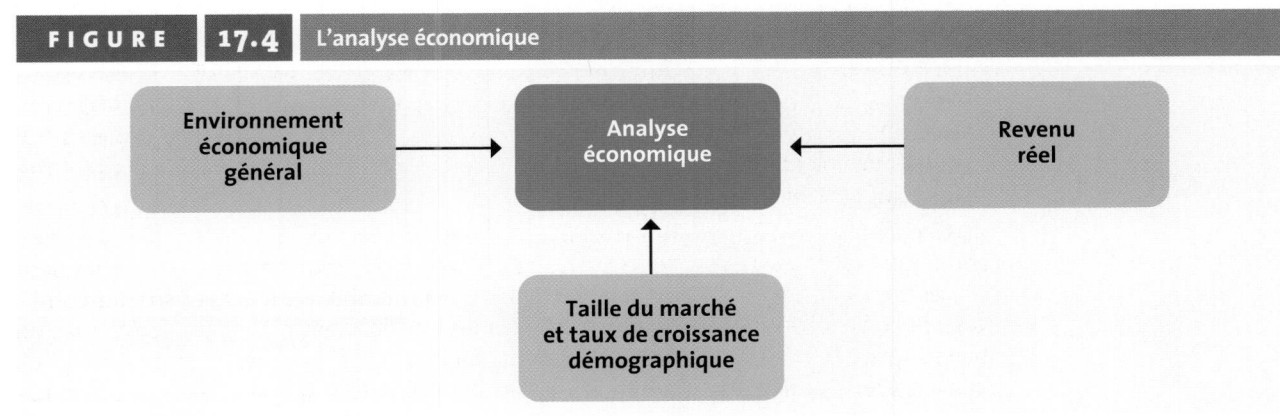

FIGURE 17.4 L'analyse économique

Environnement économique général → Analyse économique ← Revenu réel

Taille du marché et taux de croissance démographique ↑ Analyse économique

produit intérieur brut (PIB)
(*gross domestic product [GDP]*)
Valeur marchande des biens et des services produits par les résidants à l'intérieur d'un pays donné au cours d'une année. Il s'agit de la mesure normalisée la plus répandue pour évaluer la production d'un pays.

parité des pouvoirs d'achat (PPA) (*purchasing power parity [PPP]*)
Principe selon lequel si le taux de change entre deux pays est en équilibre, alors un même produit vendu dans les deux pays coûtera le même prix (montant exprimé par une unité commune).

La façon la plus courante d'évaluer la taille et le potentiel de marché d'une économie, et par conséquent le potentiel de marketing international d'un pays, consiste à utiliser des mesures normalisées d'extrants. L'une des mesures les plus répandues est le **produit intérieur brut (PIB)**, soit la valeur marchande des biens et des services produits par les résidants à l'intérieur d'un pays donné au cours d'une année. Quel est le lien entre le PIB d'un pays et le marketing international ?

Comme la croissance du PIB reflète une augmentation de la production et de la consommation dans le pays, elle offre d'excellentes possibilités de mise en marché pour la plupart des produits et des services. Lorsque la croissance du PIB ralentit, cela signifie que l'économie se contracte ou que la production et la consommation sont en baisse. Dans ce cas, les possibilités de commercialiser certains produits et services diminuent.

Une autre mesure couramment utilisée pour évaluer l'économie globale d'un pays est la **parité des pouvoirs d'achat (PPA)**. En vertu de ce principe, si le taux de change entre deux pays est en équilibre, alors un même produit vendu dans les deux pays coûtera le même prix (montant exprimé par une unité commune)[31]. Une nouvelle mesure qui s'appuie sur la parité des pouvoirs d'achat pour évaluer le pouvoir d'achat relatif des pays est l'indice Big Mac, relevé par *The Economist*, qui indique que les taux de change devraient être rectifiés afin que le prix d'un panier de biens et de services soit le même partout dans le monde.

La figure 17.5, dans laquelle le Big Mac de McDonald's représente le panier de biens et de services, montre que le hamburger le moins cher est en Inde. À l'été 2014, le Big Mac coûtait 1,75 $ en Inde, contre 5,25 $ sur le marché canadien. Cela signifie que la roupie indienne est sous-évaluée d'environ 67 %, c'est-à-dire que sa valeur

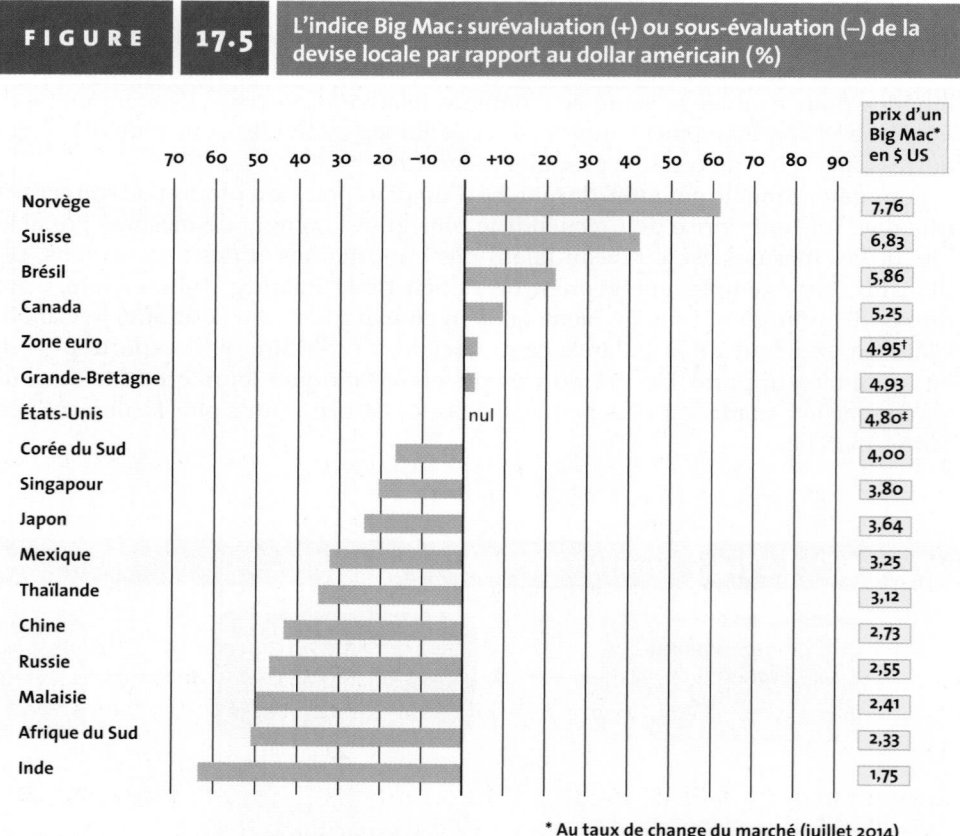

| FIGURE 17.5 | L'indice Big Mac : surévaluation (+) ou sous-évaluation (−) de la devise locale par rapport au dollar américain (%) |

	prix d'un Big Mac* en $ US
Norvège	7,76
Suisse	6,83
Brésil	5,86
Canada	5,25
Zone euro	4,95†
Grande-Bretagne	4,93
États-Unis	4,80‡
Corée du Sud	4,00
Singapour	3,80
Japon	3,64
Mexique	3,25
Thaïlande	3,12
Chine	2,73
Russie	2,55
Malaisie	2,41
Afrique du Sud	2,33
Inde	1,75

* Au taux de change du marché (juillet 2014)
† Moyenne pondérée des États membres
‡ Moyenne de quatre villes

Source : « Big Mac Index », *The Economist* ; www.economist.com/content/big-mac-index (page consultée le 22 octobre 2014).

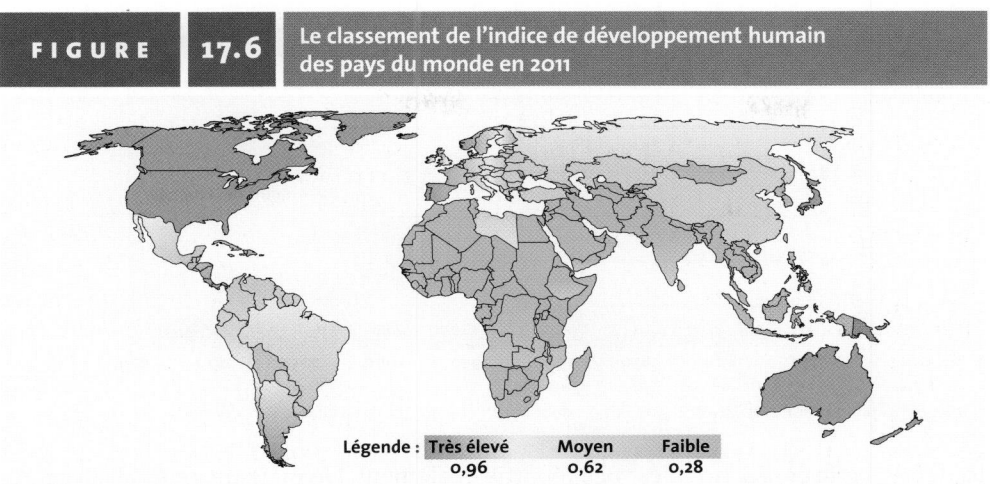

FIGURE 17.6 Le classement de l'indice de développement humain des pays du monde en 2011

Légende : **Très élevé** 0,96   **Moyen** 0,62   **Faible** 0,28

Source : www.nationmaster.com/red/graph/eco_hum_dev_ind-economy-human-development-index&b_map=1 (page consultée le 23 mars 2011).

est trop «basse» par rapport à celle du dollar canadien. Cette sous-évaluation de la roupie fait que les exportations de l'Inde vers le Canada sont moins chères, et procurent ainsi un avantage injuste à l'Inde. En revanche, les exportations du Canada vers l'Inde sont plus onéreuses.

Ces diverses mesures permettent aux gestionnaires marketing d'évaluer la santé relative d'un pays. Toutefois, des experts ont prétendu récemment qu'elles ne donnent peut-être pas une image complète de la santé économique d'un pays, car elles sont basées uniquement sur la production[32]. L'Organisation des Nations Unies a élaboré l'**indice de développement humain (IDH)**, un indice composite qui évalue, dans un pays donné, trois indicateurs inhérents à la qualité de vie : l'espérance de vie, le niveau de scolarité et le produit intérieur brut par habitant, et qui sert à déterminer si le revenu moyen estimé en fonction de la parité des pouvoirs d'achat permet de satisfaire les besoins essentiels des habitants de ce pays. Pour les gestionnaires marketing, ces mesures mettent en valeur les aspects du niveau de vie qui influent sur la consommation (*voir le chapitre 6, intitulé « Le comportement du consommateur », qui explique l'influence du niveau de vie sur la consommation*). L'IDH varie de 0 à 1 : un indice inférieur à 0,5 désigne un faible niveau de développement ; un indice entre 0,5 et 0,8, un niveau de développement moyen et un indice supérieur à 0,8, un niveau de développement élevé. La figure 17.6 présente une carte illustrant le classement de l'indice de développement humain des pays du monde en 2011. Les indices plus élevés indiquent des niveaux de consommation plus élevés, surtout dans le cas des biens et des services discrétionnaires.

Ces mesures macroéconomiques donnent un instantané d'un pays à un moment précis. Comme elles sont normalisées, elles permettent de comparer les pays dans le temps et de distinguer ceux qui connaissent une expansion économique et une mondialisation croissante.

Bien que la compréhension de l'environnement macroéconomique soit cruciale pour les gestionnaires qui doivent décider de pénétrer un marché ou non, il reste que celle des mesures relatives aux revenus individuels et à la taille des ménages s'avère tout aussi importante.

L'évaluation de la taille du marché et du taux de croissance démographique

La population mondiale augmente de façon spectaculaire depuis le tournant du XXe siècle (*voir la figure 17.7 à la page suivante*). On estime qu'elle a franchi le cap des 7 milliards de personnes en 2013 et qu'elle s'accroîtra pour atteindre 8,1 milliards en 2025, 9,6 milliards en 2050 et 10,9 milliards en 2100. Dans l'optique du marketing,

indice de développement humain (IDH) (*human development index [HDI]*) Indice composite qui évalue, dans un pays donné, trois indicateurs inhérents à la qualité de vie : l'espérance de vie, le niveau de scolarité et le produit intérieur brut par habitant, et qui sert à déterminer si le revenu moyen estimé en fonction de la parité des pouvoirs d'achat permet de satisfaire les besoins essentiels.

FIGURE   17.7   La croissance démographique

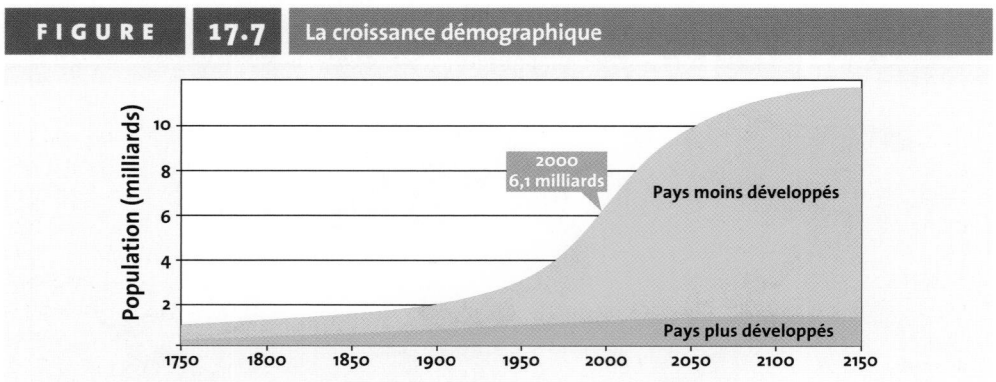

Source: www.prb.org/pdf14/2014-world-population-data-sheet_eng.pdf (page consultée le 15 décembre 2014).

toutefois, cette croissance n'est pas répartie également. De manière générale, les pays moins développés présentent une croissance démographique rapide, tandis que dans de nombreux pays développés, le taux de croissance démographique est quasi nul ou négatif.

Dans bien des pays développés, comme le Canada, la croissance démographique est attribuable à des taux élevés d'immigration. Les pays qui jouissent du plus grand pouvoir d'achat aujourd'hui pourraient devenir moins attrayants dans l'avenir pour la mise en marché de nombreux produits et services en raison de leur croissance stagnante.

La répartition de la population dans une région donnée est un autre facteur qui influe sur la croissance démographique. La population est-elle majoritairement rurale ou urbaine? Cette distinction détermine le lieu où les produits seront livrés et les services fournis de même que la manière de le faire. De longues chaînes d'approvisionnement dans lesquelles les produits passent par un grand nombre d'intermédiaires sont nécessaires pour atteindre les populations rurales; par conséquent, elles augmentent le coût des produits. L'Inde compte 1,1 milliard d'habitants et cette population est en grande partie rurale même si elle migre peu à peu vers les régions urbaines afin de répondre à la demande des centres industriels et de services qui se multiplient dans les grandes villes comme Bangalore et New Delhi. Cette migration de la population – et cela n'a rien d'étonnant – s'accompagne d'une croissance rapide de la classe moyenne[33]. Une autre tendance majeure concerne l'âge de la population; plus de la moitié des citoyens indiens ont moins de 25 ans[34] à la différence des Canadiens, dont l'âge moyen est de 39,7 ans[35].

L'évaluation du revenu réel

Le revenu réel – rajusté en fonction de l'inflation – influe sur le pouvoir d'achat des consommateurs et donc sur le marketing mix élaboré par les entreprises pour leurs marchés étrangers. Les deux tiers de la population chinoise gagnent moins de 25 $ par mois. Par conséquent, lorsque Procter & Gamble a voulu vendre son shampooing Head & Shoulders en Chine, elle a dû en modifier l'emballage et le prix pour que son produit soit abordable. Elle a mis de côté son flacon habituel pour fabriquer des emballages à utilisation unique, rendant ainsi son shampooing accessible et pratique pour les consommateurs chinois[36].

Coca-Cola et PepsiCo ont aussi modifié leurs produits et leurs prix afin d'être compétitives en Inde. Par exemple, à Jagadhri, une ville du nord-ouest de l'Inde qui compte 60 000 habitants, des fermiers pour la plupart, Coca-Cola et PepsiCo rivalisent pour s'emparer de la plus grande part du marché. Chaque entreprise a créé un nouvel emballage pour ses produits afin de vaincre sa concurrente. Coca-Cola produit des bouteilles de 200 millilitres qui se vendent 0,12 $ dans les petites boutiques, les arrêts d'autobus et les échoppes bordant les rues afin d'offrir une option moins chère au Pepsi. Mais pourquoi le marché de Jagadhri? Parce que ces deux entreprises savent

Pepsi-Coke, un duel légendaire

La rivalité légendaire de Coke et de Pepsi s'étend bien au-delà des frontières américaines. Les deux géants américains Coca-Cola et PepsiCo se battent dans la majorité des pays du monde pour conquérir quelques points de pourcentage de parts de marché. Cette bataille s'est déplacée sur le continent asiatique. Pour attirer plus de consommateurs, PepsiCo avait entrepris une vaste campagne Web lors des Jeux olympiques de Pékin pour inciter les consommateurs à envoyer leurs photos de soutien à l'équipe olympique chinoise. Élu par des internautes, le gagnant voyait son image affichée sur les canettes de Pepsi dans tout le pays[37].

En se servant du même outil électronique, PepsiCo avait aussi recours à David Beckham, égérie incontournable du football mondial pour faire la promotion de ses produits.

Mais il en fallait plus pour prendre en défaut Coca-Cola, qui détient 50 % du marché des boissons à base de cola en Chine. L'entreprise a lancé sa campagne mondiale des prénoms inscrits sur chaque bouteille ou canette, mais a dû apporter des modifications en Chine.

Au lieu d'inscrire des prénoms comme dans d'autres pays, ce sont plutôt des qualificatifs à la mode comme « Jolie fille » qui ont été utilisés. Et pour lancer le produit et sa nouvelle étiquette, l'entreprise a eu recours au réseau social Sina Weibo, incitant les amateurs de la boisson à l'étiquette rouge à y déposer une photo d'eux prise avec leur bouteille personnalisée. À la clé, une loterie attribuait des bouteilles de Coke aux gagnants[38].

Fort de ce succès, Coca-Cola a maintenu sa collaboration avec l'agence Leo Burnett pour lancer sa nouvelle campagne *Lyric bottle*. La campagne repose cette fois sur le rapport entre « tradition et modernité ». Tradition dans la mesure où chaque bouteille est associée à un code à scanner qui correspond à une chanson traditionnelle chinoise. Modernité dans le sens où le partage de cette chanson se fait par les réseaux sociaux. Entre ces deux pôles, les consommateurs partagent leur humeur et leurs états d'âmes, plus facilement au moyen d'une chanson qu'en l'exprimant directement et... consomment du Coke[39].

que 70 % de la population indienne, soit plus de 700 millions de personnes, vit encore dans des zones rurales et gagne moins de 42 $ par mois[40]. Si elles parviennent à pénétrer le marché à Jagadhri, elles réussiront dans d'autres régions rurales. Or, pour réussir, elles doivent vendre leur produit à un prix abordable. Le même constat a été fait sur le marché chinois pour ces deux entreprises concurrentes. La rubrique Forces d'Internet ci-dessus décrit comment PepsiCo et Coca-Cola se servent d'Internet pour atteindre les jeunes consommateurs chinois. Par ailleurs, qui croirait que l'Afrique, un continent ordinairement considéré comme pauvre, est le marché où les ventes de téléphones cellulaires augmentent le plus rapidement ? Aujourd'hui, 7 Africains sur 10 ont un abonnement avec une compagnie de téléphonie cellulaire[41]. La principale cause de cette croissance explosive résulte de deux facteurs, qui ont provoqué une baisse radicale des prix du temps d'antenne et des téléphones : la politique gouvernementale – de nombreux gouvernements africains, qui étaient autrefois les fournisseurs uniques, ont privatisé les services de téléphonie – et la concurrence féroce entre les fournisseurs de services de téléphonie cellulaire[42].

Coca-Cola et PepsiCo se livrent une rude bataille pour la conquête du marché indien.

Analyser les facteurs socioculturels

Si les entreprises qui visent les marchés internationaux peuvent avec une relative facilité acheter des rapports sur la situation politique, économique et technologique de divers pays, elles ont cependant plus de mal à obtenir des renseignements sur leur culture. Or, il est essentiel, pour qu'une initiative de marketing international ait du succès, que le gestionnaire marketing comprenne la culture d'un autre pays. Comme nous l'avons vu dans le chapitre 4, la culture est un ensemble de valeurs, de croyances, de mœurs et de coutumes communes à un groupe d'individus et qui se transmettent de génération en génération. Elle comporte deux aspects : les éléments perceptibles (p. ex., comportement, habillement, symboles, particularités physiques, rites) et les valeurs sous-jacentes (p. ex., la façon de penser, les croyances et les impressions). Les éléments perceptibles sont faciles à reconnaître, mais les entreprises trouvent souvent plus ardu de comprendre les valeurs sous-jacentes d'une culture et d'y adapter leurs stratégies commerciales de façon adéquate[43]. Même les multinationales qui sont implantées dans un pays depuis longtemps commettent à l'occasion des impairs qui leur causent un embarras énorme, une perte de ventes et parfois même des pertes financières. Nous décrirons un peu plus loin quelques-unes de ces «bourdes culturelles».

Les entreprises peuvent consulter le modèle des dimensions culturelles établi par Geert Hofstede, lequel est susceptible de les éclairer sur ces valeurs sous-jacentes. Hofstede a défini six dimensions qui distinguent les cultures[44]:

1. **La distance hiérarchique:** l'acceptation de l'inégalité comme une chose naturelle.

2. **Le contrôle de l'incertitude:** la mesure dans laquelle une société s'appuie sur l'ordre, la cohérence, la structure et des procédures officielles pour faire face aux situations de la vie courante.

3. **L'individualisme:** la responsabilité et la dépendance perçues envers le groupe.

4. **Les valeurs masculines et féminines:** la mesure dans laquelle les valeurs dominantes sont masculines. Des valeurs masculines plus faibles indiquent que les hommes et les femmes bénéficient d'un traitement égal à tous les niveaux de la société; des valeurs masculines plus fortes indiquent que les hommes dominent dans les postes de pouvoir[45].

5. **L'orientation temporelle:** un pays adoptant une perspective à long terme privilégie les engagements à longue échéance et est prêt à accepter un horizon temporel plus étendu pour le succès du lancement d'un nouveau produit, par exemple.

6. **L'indulgence et la retenue:** en 2010, les travaux de Michael Minkov ont permis d'ajouter une sixième dimension. L'indulgence se définit comme une possibilité pour une société de laisser les individus libres de profiter de la vie et de s'amuser. La retenue, à l'inverse, est la conviction que cette gratification doit être supprimée et réglementée par des normes strictes.

Le graphique de la figure 17.8 illustre deux de ces six dimensions. La distance hiérarchique se situe sur l'axe vertical et l'individualisme, sur l'axe horizontal. Plusieurs

FIGURE 17.8 La place de certains pays selon deux dimensions culturelles

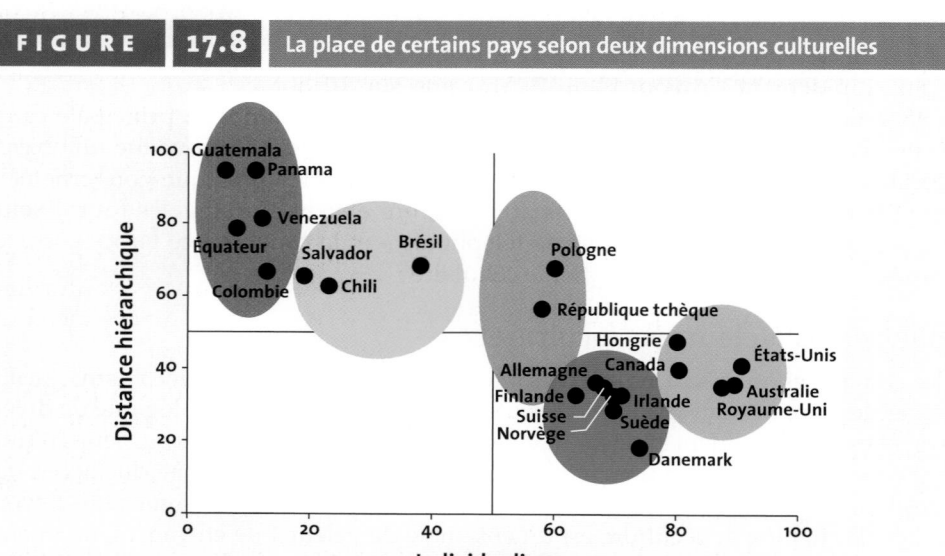

Source: basée sur les données de 2014 du site www.geert-hofstede.com. Geert Hofstede, *Culture's Consequences*, 2ᵉ éd., Thousand Oaks, Calif., Sage, 2001. Copyright © Geert Hofstede. Reproduit avec permission.

pays d'Amérique latine sont groupés tout en haut de l'axe de la distance hiérarchique, mais présentent des valeurs plus faibles sur l'axe de l'individualisme. En revanche, le Canada, les États-Unis, l'Australie et le Royaume-Uni affichent des valeurs élevées sur l'axe de l'individualisme et faibles sur l'axe de la distance hiérarchique. À partir de cette information, une entreprise peut s'attendre à être accueillie favorablement dans les pays anglophones si sa campagne de marketing met l'accent sur l'égalité et l'individualisme, tous facteurs confondus. Cependant, la même campagne pourrait recevoir un accueil moins favorable dans les pays sud-américains.

En Chine, les relations d'affaires sont souvent officialisées uniquement par une poignée de main, et la confiance ainsi que l'honneur comptent souvent bien plus que les arrangements juridiques.

Une autre façon de classer les cultures repose sur l'importance de la communication verbale[46]. Au Canada, aux États-Unis et dans la plupart des pays européens, les relations d'affaires sont régies par ce qui est dit et écrit, souvent au moyen de contrats officiels. En revanche, dans des pays comme la Chine et la Corée du Sud, la plupart des relations s'appuient sur des indices non verbaux, auquel cas la situation ou le contexte signifie beaucoup plus que les mots. En Chine, par exemple, les relations d'affaires sont souvent officialisées par une simple poignée de main, et la confiance ainsi que l'honneur l'emportent généralement sur les arrangements juridiques.

Dans l'ensemble, la culture a une incidence sur tous les aspects du comportement des consommateurs : pourquoi ils achètent, qui prend les décisions d'achat et comment, quand et où ils achètent. Au fond, comprendre le comportement des consommateurs consiste avant tout à comprendre leur culture, surtout en ce qui a trait au marketing international. Par exemple, en Inde, McDonald's vend un Maharaja Mac à base d'agneau plutôt que de bœuf parce que la vache est un animal sacré dans la religion hindoue. En Israël, les restaurants cashers de McDonald's affichent les couleurs nationales du pays, le blanc et le bleu, plutôt que l'arche dorée et rouge[47]. De même, Coca-Cola a inventé une nouvelle boisson, le Vitango, qu'elle destine à l'Afrique, et Procter & Gamble a élaboré son Nutristar à l'intention des consommateurs vénézuéliens[48]. Les deux entreprises soutiennent que leurs boissons sont bonnes pour la santé de la clientèle de ces marchés. En Amérique du Nord, les gens utilisent leur téléphone cellulaire presque partout : dans leur voiture, le métro, les halls d'entrée, les restaurants et les stades de base-ball et de hockey. En revanche, au Japon, taper frénétiquement un message sur son téléphone cellulaire en présence d'autres personnes – disons pendant un dîner ou un match de la Petite Ligue de baseball – pourrait être vu comme un accroc à l'étiquette[49].

Le défi auquel font face les gestionnaires marketing a trait au fait que toute culture comporte des subtilités et que, s'ils ignorent celles-ci, ils risquent de commettre des bévues très gênantes et très coûteuses. Les exemples suivants illustrent ce qui se passe quand les gestionnaires marketing décodent mal la culture de leurs marchés internationaux[50].

● Un importateur canadien de chemises turques destinées au Québec s'est servi d'un dictionnaire pour traduire l'étiquette « Made in Turkey » en français. Sa traduction : « Fabriqué en Dinde ». Il est vrai que *turkey* se traduit par « dinde », mais ici il est question non pas de l'oiseau de basse-cour, mais du pays, la Turquie.

● Une présentation réalisée par Otis Engineering Corp. à Moscou a provoqué autant de gloussements que d'éloges parmi les Russes. Les cadres de l'entreprise ont eu la mauvaise surprise d'apprendre que, sur un panneau visant à identifier un « équipement de complétion », un traducteur avait écrit « équipement pour orgasme » en russe.

● L'entreprise japonaise Olfa Corp. a vendu aux États-Unis des couteaux portant la mise en garde suivante : « Attention : lame très coupante. Garder hors des enfants. »

En Israël, les restaurants cashers de McDonald's affichent les couleurs du drapeau israélien, soit le bleu et le blanc.

- Aux États-Unis, le slogan populaire de Frank Perdue Co. « Il faut un homme rude pour fabriquer un poulet tendre », une fois traduit en espagnol, signifiait quelque chose comme « Il faut un homme sexuellement excité pour rendre un poulet affectueux ».

- Et que dire de ce dentiste de Hong Kong qui annonçait: « Extraction de dents par les derniers méthodistes »?

- Ou de cet hôtel de Mexico, une ville notoirement polluée, qui annonçait: « Le gérant a personnellement évacué toute l'eau servie ici. »

- En Belgique, General Motors a diffusé une publicité relative à une voiture dotée d'une « carrosserie Fisher », qui est devenue, dans la traduction flamande, un « cadavre Fisher ».

- Que penser de la pelle à neige Bigfoot Snow Pusher savoureusement baptisée « Revendeur de drogue de neige »; d'un paquet de « Polissez la saucisse » (*Polish sausage*), ou encore d'un sachet d'« écrous mélangés » (*mixed nuts*)?

- Comme McDonald's exploite plus de 28 000 restaurants dans plus de 25 pays, on s'attendrait à ce que la culture de ses divers marchés lui soit familière. Or, apparemment, ce n'était pas le cas en Inde. Tout en sachant que la vache est un symbole religieux sacré dans ce pays, McDonald's utilisait un assaisonnement au bœuf dans ses frites. Lorsque les clients ont appris ce fait, ils ont protesté massivement et engagé des poursuites contre l'entreprise. Soucieuse d'apaiser sa clientèle indienne, McDonald's s'est excusée, a modifié sa recette et versé un don substantiel à un organisme de charité.

Analyser l'infrastructure et le potentiel technologique d'un pays

infrastructure
(*infrastructure*)
Installations, services et matériel nécessaires au bon fonctionnement d'une communauté ou d'une société. Elle comprend notamment les systèmes de transport et de communication, les canalisations et les lignes de transport de l'électricité ainsi que les institutions publiques comme les écoles, les bureaux de poste ou les prisons.

La composante suivante de toute évaluation du marché est une analyse de l'infrastructure et du potentiel technologique du pays. L'**infrastructure** est l'ensemble des installations, des services et du matériel nécessaires au bon fonctionnement d'une communauté ou d'une société. Elle comprend notamment les systèmes de transport et de communication, les canalisations et les lignes de transport de l'électricité ainsi que les institutions publiques comme les écoles, les bureaux de poste ou les prisons. Les gestionnaires marketing s'intéressent particulièrement à quatre éléments clés de l'infrastructure d'un pays: le système de transport, les canaux de distribution, le système de communication et l'infrastructure commerciale. Ces éléments influent sur leur capacité à acquérir des matières premières et des intrants de même que sur la distribution (*place*) – le troisième « P » du marketing mix – des produits finis.

Ces quatre éléments sont indispensables à la mise sur pied d'un système de marketing efficace. Premièrement, il faut un système pour transporter les marchandises vers les divers marchés et jusqu'aux consommateurs des marchés éparpillés. Deuxièmement, les canaux de distribution sont essentiels à la livraison des marchandises au moment opportun et à un coût raisonnable. Troisièmement, le système de communication doit être suffisamment développé pour permettre aux consommateurs d'obtenir des renseignements sur les produits et les services qui existent sur le marché. Quatrièmement, l'infrastructure commerciale se compose de systèmes judiciaire, bancaire et de réglementation qui permettent aux marchés de fonctionner. Les gestionnaires marketing, surtout ceux qui veulent externaliser la recherche, la production et la commercialisation, s'intéresseront particulièrement aux compétences technologiques de la main-d'œuvre du pays. En général, si celle-ci a reçu une formation technique poussée, une fraction plus importante de la conception et du développement des produits et des activités de commercialisation peut être décentralisée et confiée au pays étranger.

Pour considérer un pays comme une option commerciale viable, une entreprise doit évaluer son système de transport, ses canaux de distribution, son système de communication et son infrastructure commerciale.

La rubrique Marketing durable, à la page suivante, explique comment Bombardier, chef de file mondial de l'industrie du transport, met en œuvre des pratiques commerciales durables par l'entremise de l'ensemble de l'organisation avec un immense succès.

Après avoir évalué ces quatre aspects du marché, les gestionnaires marketing sont mieux à même de décider si un pays possède les atouts nécessaires pour être considéré comme un marché potentiel pour les produits et les services de l'entreprise. Dans les sections suivantes, nous expliquerons le processus décisionnel qui mène à la pénétration d'un marché, en commençant par les diverses stratégies de pénétration.

Choisir une stratégie de pénétration internationale

OA 3

Lorsqu'une entreprise a évalué les marchés les plus viables pour ses produits et ses services, elle doit ensuite effectuer une analyse interne de ses capacités (soit les forces et les faiblesses de l'analyse FFOM). Comme nous l'avons vu dans le chapitre 2, cette analyse englobe une évaluation de son accès au capital, de ses marchés du moment, de sa capacité de production, de ses actifs réels et du degré d'engagement de ses gestionnaires envers la stratégie proposée. En fin de compte, ces éléments influeront sur le succès ou l'échec de la stratégie d'expansion commerciale de l'entreprise sur le marché intérieur ou sur un marché étranger. Une fois cette évaluation interne terminée, l'entreprise peut arrêter une stratégie de pénétration.

Une entreprise qui souhaite pénétrer un marché a le choix entre un grand nombre de stratégies, cela dépendant du niveau de risque qu'elle est prête à courir. Beaucoup d'entreprises procèdent par étapes: elles commencent par adopter des stratégies moins risquées pour percer leurs premiers marchés étrangers et passent à des stratégies plus audacieuses à mesure qu'elles gagnent en assurance (*voir la figure 17.9 à la page suivante*). En général, le potentiel de rentabilité augmente proportionnellement au niveau de risque. Nous examinerons les différentes stratégies de pénétration du marché mondial en commençant par les moins risquées.

| Marketing durable | Bombardier se propulse vers l'avenir de façon responsable[51] |

Bombardier est une entreprise d'envergure internationale implantée dans plus de 60 pays sur 5 continents, dont le siège social est situé au Canada. Elle est un chef de file mondial dans la fabrication de solutions de transport novatrices dans le secteur des avions commerciaux et des biréacteurs d'affaires ainsi que dans celui du matériel de transport sur rail. Ses revenus pour l'exercice 2013 s'élevaient à 18,3 milliards $ US[52]. Dans le monde entier, les 76 400 employés de Bombardier s'occupent de tout, depuis la recherche et le développement jusqu'à la conception, la fabrication, la vente et le soutien d'une vaste gamme de véhicules aéronautiques et ferroviaires de renommée mondiale. Certains de ses projets de prestige comprennent une navette automatisée pour l'aéroport de Pékin et des voitures destinées à un train de haute altitude reliant la Chine à Lhassa, au Tibet.

L'entreprise a fait de la durabilité une partie intégrante de sa stratégie commerciale en mettant en œuvre un large éventail d'initiatives au sein de l'ensemble de l'organisation tant au niveau national qu'international. Voici ce qu'explique Pierre Beaudoin, président et chef de la direction de Bombardier : « Nos investissements continus témoignent de notre conviction que l'excellence en matière de responsabilité sociale d'entreprise a sa raison d'être en affaires, quelle que soit la situation économique. Voilà pourquoi nous avons fait de la responsabilité sociale d'entreprise l'un des éléments clés de notre nouvelle stratégie d'affaires. » La société est résolue à continuer de promouvoir les principes de responsabilité sociale inhérents au Pacte mondial des Nations Unies et a intégré ces principes dans son *Code d'éthique et de conduite*. Afin de prouver son engagement ainsi que de mesurer et de communiquer ses progrès, Bombardier produit désormais un rapport annuel intitulé *Se propulser vers l'avenir de façon*

responsable, dans lequel elle décrit ses nombreuses initiatives et réalisations.

Dans le domaine de la création de nouveaux produits, par exemple, Bombardier a conçu l'avion commercial *Cseries* de conception entièrement nouvelle. Ainsi, selon le rapport d'activité de la responsabilité sociale, un avion Cs100 pourrait réduire d'environ 6 000 tonnes les émissions de CO_2, et diminuer de près de 2 000 tonnes les quantités de carburant utilisé[53].

Quant aux trains à grande vitesse du portefeuille *ZEFIRO*, ce sont les plus économiques au monde et les plus respectueux de l'environnement. Ils font appel aux technologies ECO_4, lesquelles peuvent entraîner des économies globales d'énergie pouvant atteindre 50 %.

Entre 2010 et 2013, Bombardier a réduit de 11 % sa consommation d'eau, de 1 % sa consommation d'énergie et de 4 % ses émissions de gaz à effet de serre. Les progrès réalisés par l'entreprise dans le domaine de la durabilité lui ont permis de figurer dans le classement associé à deux des indices de durabilité Dow Jones et, pour la seconde fois, dans celui de l'organisme Carbon Disclosure Project (CDP), considéré comme la référence internationale en matière de méthodologies et de processus de divulgation de l'information relative aux émissions de carbone. Le CDP a classé Bombardier parmi les 10 premiers chefs de file canadiens pour la qualité des réponses fournies à son questionnaire.

Fidèle à son désir de se propulser vers l'avenir de manière responsable, Bombardier a ciblé quatre secteurs qui réclameront des investissements additionnels au cours des prochaines années : les investissements dans la collectivité ; l'engagement des parties prenantes ; le bénévolat des employés ; les rapports et les communications en matière de responsabilité sociale d'entreprise.

FIGURE 17.9 Les stratégies de pénétration

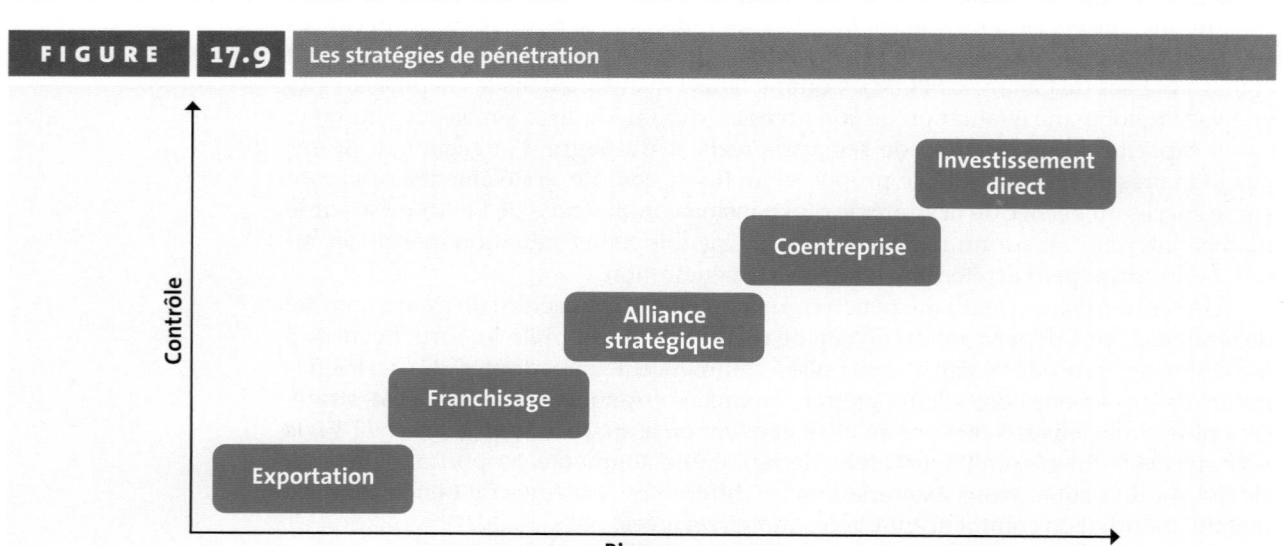

L'exportation

L'**exportation** est la vente d'un bien dans un pays (pays hôte) autre que celui dans lequel il a été fabriqué. Cette stratégie de pénétration est la moins risquée financièrement, mais elle entraîne des profits limités pour l'entreprise exportatrice. Une commande reçue d'un autre pays marque souvent le début d'une expansion mondiale. Dans ce cas, l'entreprise court peu de risques, puisqu'elle peut exiger d'être payée avant d'expédier la marchandise. De même, une entreprise peut difficilement réaliser des économies d'échelle lorsqu'elle doit expédier tous ses produits à l'étranger. Campagnolo, un fabricant italien de pièces de vélo, vend des pièces assez petites mais chères partout dans le monde. Comme ses coûts de transport sont relativement faibles comparativement au coût des pièces, le meilleur moyen pour l'entreprise de pénétrer n'importe quel marché est d'exporter à partir de l'Italie. L'exportation crée généralement moins d'emplois dans le pays importateur qu'une coentreprise ou un investissement direct.

L'exportation peut être indirecte ou directe. Elle est indirecte quand l'entreprise exportatrice vend ses produits dans le pays hôte par l'entremise d'un intermédiaire. Par exemple, Apple vend son iPhone au Japon par NTT DOCOMO, le plus gros fournisseur japonais de services de téléphonie mobile[54]. Une entreprise a recours à cette stratégie quand elle a des contacts limités dans le pays étranger, mais souhaite y vendre ses produits. Dans le cas de l'exportation directe, l'entreprise exportatrice vend ses produits dans le pays hôte sans intermédiaire. Cette méthode est plus risquée, mais elle rapporte davantage à l'exportateur que l'exportation indirecte. Par exemple, Christie Digital, une société de Kitchener, en Ontario, fabrique une variété de solutions d'affichage destinées à divers clients et utilisations: cinémas, salons grand public, salles de régie, présentations commerciales, centres de formation, environnement 3D et réalité virtuelle, simulation, éducation, médias et gouvernements. Christie Digital a installé plus de 75 000 systèmes de projection aux États-Unis, au Royaume-Uni, au Japon, en Chine et dans beaucoup d'autres pays[55]. De façon similaire, Cognos, une entreprise d'Ottawa qui fabrique des outils et des solutions d'informatique décisionnelle, vend ses produits à des entreprises du monde entier au moyen de sa propre force de vente.

Selon les dernières données disponibles, le Canada comptait 47 637 exportateurs en 2009. Précisons cependant que les 5 plus grands exportateurs canadiens réalisent 25 % des exportations et que les 50 plus importants sont responsables de 50 % des exportations canadiennes. L'autre moitié est répartie entre les 45 210 exportateurs restants. La valeur des exportations des trois quarts (72,6 %) ou presque des exportateurs canadiens était inférieure à un million de dollars. Plus des deux tiers (67,3 %) des exportations canadiennes sont issus de deux secteurs: manufacturier et commerce de gros[56]. Le tableau 17.2, à la page suivante, présente quelques-unes des plus importantes multinationales canadiennes. L'importance du commerce international pour le succès et la croissance de ces sociétés se reflète dans le rapport entre leurs revenus de source étrangère et leur rentabilité. Dans le cas de Magna International, ce pourcentage s'élevait à 33 % ; de la Banque Scotia, à 35 % ; et de Potash Corporation of Saskatchewan, à 17 %[57].

Le franchisage

Le franchisage est une entente contractuelle par laquelle une entreprise (le franchiseur) permet à une autre entreprise (le franchisé) de diriger une entreprise (un commerce de détail, de services ou interentreprises) dont le nom et la formule ont été créés par le franchiseur, qui s'engage à lui fournir son assistance. Un grand nombre de détaillants bien connus au Canada ont essaimé des franchises rentables un peu partout dans le monde: McDonald's, Pizza Hut, Starbucks, Domino's Pizza, KFC ou PFK Poulet Frit Kentucky et Holiday Inn, pour n'en nommer que quelques-uns. Tous ont constaté que le franchisage mondial comporte moins de risques et exige un

exportation (*exporting*)
Vente d'un bien dans un pays autre que celui dans lequel il a été fabriqué.

TABLEAU 17.2	Les ventes et les bénéfices de quelques multinationales canadiennes (en millions de dollars)						
Entreprise	**Domaine**	**Ventes**	**Bénéfices**	**Entreprise**	**Domaine**	**Ventes**	**Bénéfices**
Encana	Opérations pétrolières	30,6	5,94	**Agrium**	Chimie	10,03	1,32
Power Corporation du Canada	Finance	30,05	0,7	**BlackBerry**	Nouvelles technologies	9,48	1,79
RBC	Banque	30,01	3,52	**Potash Corporation of Saskatchewan**	Chimie	9,45	3,5
Financière Manuvie	Assurances	26,73	0,4	**ACE Aviation**	Transport	8,98	−0,1
George Weston	Alimentation	25,99	0,67	**Talisman Energy**	Opérations pétrolières	7,94	2,85
Suncor Énergie	Opérations pétrolières	24,37	1,73	**Barrick Gold**	Métaux lourds	7,91	0,82
Magna International	Pièces automobiles	23,7	0,07	**TransCanada**	Services	6,98	1,22
Petro-Canada	Opérations pétrolières	22,51	2,54	**Nexen**	Opérations pétrolières	6,67	1,39
Onex	Finance	21,77	−0,23	**Résolu**	Produits forestiers	6,65	−1,05
Banque Scotia	Banque	21,62	2,54	**SNC-Lavalin**	Construction	5,76	0,25
TD Canada Trust	Banque	20,8	2,88	**Teck Resources**	Métaux lourds	5,59	0,53
Husky Energy	Opérations pétrolières	20,01	3,04	**Saputo**	Alimentation, boissons et tabac	4,54	0,23
Bombardier	Aéronaval et défense	19,56	0,94	**Addax Petroleum**	Opérations pétrolières	3,76	0,78
Couche-Tard	Alimentation	17,17	0,21	**Goldcorp**	Métaux lourds	2,42	1,48
BMO	Banque	15,37	1,57	**Cameco**	Métaux lourds	2,32	0,36
Enbridge	Opérations pétrolières	13,07	1,08	**Tim Hortons**	Hôtels, restaurants et loisirs	1,66	0,23
Empire	Alimentation	11,98	0,21	**Kinross Gold**	Métaux lourds	1,62	−0,81
Canadian Natural Resources	Opérations pétrolières	11,47	4,04	**Yamana Gold**	Métaux lourds	1,05	0,43
CIBC	Banque	11,15	−0,37	**Mines Agnico-Eagle**	Métaux lourds	0,33	0,07

investissement moins important que l'ouverture d'unités qui demeurent la propriété entière de l'entreprise. Toutefois, l'entreprise qui accorde une franchise a un contrôle limité sur les opérations commerciales menées dans le pays étranger, sa rentabilité est réduite parce qu'elle doit partager ses profits avec le franchisé et, une fois la franchise établie, il y a toujours un risque que le franchisé fasse cavalier seul et ouvre un commerce concurrent sous un autre nom.

Au Canada, il existe plus de 78 000 franchises qui emploient plus de 1 million de personnes et génèrent des ventes annuelles dépassant les 100 milliards de dollars[58].

La rubrique Marketing entrepreneurial ci-dessous décrit comment White Spot, l'une des plus anciennes chaînes de restaurants du Canada, a eu recours au franchisage pour s'implanter en Asie avec un immense succès.

Les logos de ces franchises sont célèbres dans le monde entier.

 | **Marketing entrepreneurial** | **White Spot : un parcours sans tache**[59]

Il y a plus de 80 ans, soit un peu avant la crise de 1929, un entrepreneur solitaire, Nat Bailey, fonde White Spot. Voyant que des visiteurs et des touristes affamés se pressent au belvédère du mont Lookout Point, à Vancouver, Nat Bailey convertit sa Ford Modèle T en cantine mobile. Celle-ci connaît un tel succès que Nat doit bientôt embaucher des employés pour répondre à la demande. En 1928, le premier service au volant White Spot ouvre ses portes à l'angle de la rue Granville et de la 67e Avenue, à Vancouver. White Spot devient si populaire que la plupart des Vancouvérois, et bientôt des touristes, reconnaissent Nat et son nœud papillon typique. Les célébrités fréquentent le restaurant et l'on vient y célébrer des occasions spéciales, comme des anniversaires de mariage ou de naissance, ou même un premier rendez-vous amoureux.

Dans les années 1960, White Spot compte 10 restaurants et modifie son logo. Lors de l'Expo 86, White Spot est le restaurant officiel du pavillon de la Colombie-Britannique et il comprend alors deux concepts : un qui accueille les dignitaires en visite, comme le prince Charles et la princesse Diana, et l'autre qui sert des hôtes du monde entier. Au début des années 2000, White Spot s'implante

en Alberta et subit une restructuration qui vise à lui donner une nouvelle identité et à lui permettre d'attirer un public plus jeune. Dans le cadre de cette restructuration, la façade extérieure des magasins est entièrement restylée. La microbrasserie Granville Island crée une bière spécialement pour White Spot : la Nat Bailey Pale Ale and Lager. En l'honneur de cette nouvelle bière, White Spot aménage des salons dans ses restaurants afin d'offrir à ses hôtes un environnement plus social, où l'on sert une variété de boissons alcoolisées appréciées d'un marché cible plus jeune. Bien que le hamburger « Triple O », les boissons fouettées et les frites fraîches soient toujours très appréciés, bon nombre de clients se délectent des salades et des plats de pâtes et de poulet. Tous les restaurants offrent maintenant un vaste choix de boissons, y compris des vins, des martinis, des margaritas, des *bloody cesar* et la toujours populaire Nat Bailey Pale Ale and Lager.

En 2008, l'entreprise franchit une nouvelle étape dans l'innovation culinaire et la qualité en devenant la première chaîne de restaurants à offrir des contrats d'apprentissage en cuisine conformes au programme du Sceau rouge. La mention « Sceau rouge » apposée sur un certificat d'aptitude professionnelle est reconnue comme la norme d'excellence interprovinciale dans les métiers spécialisés, comme ceux ayant trait aux arts culinaires. Les projets d'expansion de White Spot ne s'arrêtent toutefois pas là, mais empruntent plutôt une voie audacieuse : l'entreprise s'implante en Asie plutôt que dans d'autres provinces canadiennes.

En novembre 2003, White Spot ouvre son premier restaurant dans le district de l'Amirauté de Hong Kong, sur la place Pacifique. Pourquoi l'Asie ? Quelques années auparavant, les dirigeants de White Spot observent une montée en flèche des ventes de hamburgers aux champignons. Ils comprennent très vite que cette hausse est imputable aux étudiants asiatiques expatriés. Quelque chose dans la combinaison des champignons, du petit pain brioché et de la relish piquante plaît aux palais asiatiques. Les dirigeants ont alors une révélation : si ce goût plaît aux consommateurs asiatiques ici, il leur plaira là-bas aussi. Le reste appartient à l'histoire.

C'est ainsi que débute l'aventure de White Spot en Asie. Le restaurant est situé dans une aire de restauration haut de gamme appelée Great et considérée comme un emplacement de premier choix à Hong Kong. Selon Warren Erhart, PDG de White Spot, pour pénétrer un nouveau marché, il est important de trouver le meilleur emplacement possible ; la réussite dépend de « l'emplacement, l'emplacement, l'emplacement »[60]. Aujourd'hui, White Spot exploite plusieurs restaurants à Hong Kong et évalue constamment d'autres possibilités en Asie.

Selon Erhart, les nouveaux marchés doivent être analysés en fonction de chaque pays, puisque chacun applique des règles différentes qu'il faut prendre en compte. Par exemple, certains pays (comme la Thaïlande et la Corée du Sud) ont adopté des mesures protectionnistes concernant l'importation de produits de bœuf. De plus, il faut contrôler les coûts dans les nouveaux marchés tout comme sur le marché domestique. C'est pour cette raison aussi que White Spot a dominé le marché asiatique avec sa bannière Triple O's, comportant moins de produits et un système simplifié[61].

L'expansion de White Spot en Asie se fait au moyen du franchisage. Dans une certaine mesure, cela restreint la croissance de l'entreprise, puisque celle-ci doit trouver des franchisés appropriés avant de pouvoir ouvrir d'autres restaurants. En raison des risques associés au franchisage, White Spot a pris des mesures pour protéger la réputation de sa marque. Ainsi, elle fournit aux franchisés le soutien de superviseurs d'expérience afin d'assurer la conformité des franchises asiatiques. Elle procède aussi à des révisions des opérations et a mis sur pied un programme de type « client mystère ». L'inspection régulière des usines des fabricants alimentaires fait partie de la procédure opérationnelle normalisée. Les franchisés sont tenus d'affecter un pourcentage de leurs recettes au marketing de la marque et au marketing local, et White Spot leur fournit une assistance pour le marketing des produits commerciaux standards et le marketing adapté à un endroit particulier afin d'assurer l'uniformité de la marque et de son image.

De plus, White Spot a modifié son marketing mix afin de l'adapter au marché asiatique et de préserver ses normes élevées. Ainsi, elle a élargi son menu pour l'ajuster au système alimentaire et aux goûts du marché local. En Colombie-Britannique, le hamburger au saumon de l'entreprise est très populaire ; mais à Hong Kong, le poisson à chair blanche est plus prisé que le saumon : White Spot a donc créé un hamburger au poisson contenant de la morue de Nouvelle-Zélande. Par ailleurs, White Spot expédie sa relish, ses cornichons et sa sauce au jus de viande depuis Vancouver jusqu'en Asie parce que ces ingrédients sont difficiles à reproduire à Hong Kong.

L'alliance stratégique

alliance stratégique
(*strategic alliance*)
Accord de collaboration entre des entreprises concurrentes ou complémentaires. L'accord se limite à une collaboration stratégique. Il n'y a pas d'investissement dans une nouvelle entreprise (co-entreprise) ni de prise de participation directe d'une entreprise sur l'autre.

Une **alliance stratégique** est un accord de collaboration entre des entreprises concurrentes ou complémentaires, qui n'implique ni prise de participation ni investissement réciproque. Star Alliance, par exemple, forme l'une des alliances stratégiques les plus complexes du monde avec 27 compagnies aériennes représentant les cinq continents : Adria Airways (Slovénie), Aegean Airlines (Grèce), Air Canada, Air China, Air India, Air New Zealand, All Nippon Airways (Japon), Asiana Airlines (Corée du Sud),

Star Alliance est une alliance stratégique qui regroupe 27 compagnies aériennes, dont la compagnie polonaise LOT Polish Airlines.

Austrian Airlines, Avianca (Amérique Latine), Brussels Airlines (Belgique), Copa Airlines (Panama), Croatia Airlines, EgyptAir, Ethiopian Airlines, Eva Air (Taiwan), LOT Polish Airlines, Lufthansa (Allemagne), Scandinavian Airlines, Shenzhen Airlines (Chine), Singapore Airlines, South African Airways, Swiss, TAP Portugal, Thai Airways International, Turkish Airlines, United Airlines (États-Unis)[62].

Tout a commencé par une série d'ententes bilatérales entre cinq compagnies aériennes qui, avec le temps, ont fini par former Star Alliance. Celle-ci constitue aujourd'hui une personne morale; chaque membre est une partie intéressée, mais aucun membre n'a de participation dans les autres membres. Star Alliance coordonne des projets d'intérêt mutuel; ainsi, elle soutient les efforts des membres individuels pour construire leur marque en créant de la valeur grâce à leur adhésion à Star Alliance. Ce partenariat permet aux passagers de bénéficier des avantages offerts par les compagnies aériennes membres de Star Alliance. Par exemple, les membres du programme *Grands voyageurs* d'Air Canada peuvent accumuler des milles Aéroplan en volant avec Air China. Cette association permet aussi aux passagers d'effectuer facilement des réservations et d'autres transactions auprès de tous les membres de Star Alliance.

La coentreprise

Une **coentreprise** est formée lorsqu'une entreprise qui veut pénétrer un marché étranger met ses ressources en commun avec une entreprise locale avec laquelle elle forme une nouvelle entité. Dans ce type d'association, la propriété, le pouvoir et les profits sont partagés.

Outre qu'elle partage le fardeau financier, l'entreprise locale permet à la nouvelle venue de mieux comprendre le marché et d'accéder à des ressources comme des fournisseurs et des biens immobiliers. Tesco, la grande vedette britannique de l'épicerie, de la finance, des télécommunications et de l'assurance, a pénétré le marché chinois en fondant une coentreprise avec Ting Hsin, qui possède et exploite la chaîne Hymall (25 hypermarchés), dont elle a acheté la moitié des actions pour 250 millions de dollars[63]. Comme de nombreux autres pays, la Chine exige ordinairement la propriété conjointe des entreprises qui entrent sur son marché, bien que cette restriction risque de s'adoucir à la suite de négociations avec l'OMC. Cette stratégie de pénétration peut poser problème si les partenaires ne s'entendent pas ou si le gouvernement restreint la capacité de l'entreprise à sortir ses profits du

coentreprise (*joint venture*) Nouvelle entité créée lorsqu'une entreprise qui veut pénétrer un marché étranger met ses ressources en commun avec une entreprise locale. Dans ce type d'association, la propriété, le pouvoir et les profits sont partagés.

Tesco, la chaîne de supermarchés britannique, a fondé une coentreprise avec la société chinoise Ting Hsin en achetant la moitié des actions de celle-ci. Ting Hsin possède et exploite la chaîne Hymall, qui comprend 25 hypermarchés.

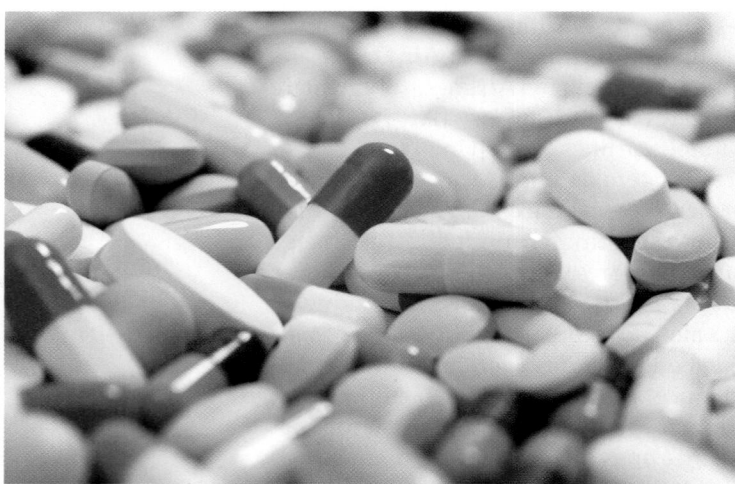

NutraLab Canada fabrique notamment des nutraceutiques (vitamines, produits naturels et suppléments alimentaires).

pays et à les rapporter dans son pays d'origine. Dans le cas des coentreprises, des difficultés peuvent surgir si les objectifs, les responsabilités et la répartition des bénéfices ne sont pas clairement établis au départ. Des conflits risquent aussi de survenir si le partenaire plus gros fait davantage de profits que le plus petit, une situation qui pourrait menacer la coentreprise. Les différences relatives à la culture organisationnelle de même qu'au style de gestion et de leadership, ainsi que les désaccords concernant la mise en marché et les politiques d'investissement, peuvent nuire gravement à la performance de la coentreprise.

La sous-traitance et la passation de contrat de gestion sont deux variantes de la coentreprise. Dans le premier cas, une entreprise étrangère confie la fabrication de son produit à une entreprise locale du pays hôte. Par exemple, NutraLab Canada fabrique des équipements d'origine (FEO) et des nutraceutiques (vitamines, produits naturels et suppléments alimentaires) de marque maison depuis plus de 10 ans[64]. L'entreprise produit une grande partie des gélules, capsules, liquides et comprimés que nous avalons.

On parle de passation de contrat de gestion lorsque l'entreprise locale fournit des services de conseil en gestion à une entreprise étrangère. Par exemple, de nombreuses entreprises canadiennes spécialisées en technologie vendent à des sociétés et à des gouvernements de pays en développement et se réservent, au moyen d'un accord spécifique, le droit exclusif d'entretenir leurs produits ou de transmettre le savoir-faire concernant leur utilisation et leur réparation. La passation de contrat de gestion est une façon peu risquée de pénétrer le marché d'un pays sans établir d'opérations dans ce pays. De plus, elle génère des profits dès l'exécution du contrat et s'étale généralement sur une longue période, puisqu'elle couvre la durée de vie de la technologie.

L'investissement direct

investissement direct (*direct investment*) Détention par une entreprise de la totalité de ses usines, de ses installations et de ses bureaux en sol étranger, ce qui est rendu possible, le plus souvent, par la création de filiales à 100 %.

Dans le cas d'un **investissement direct**, l'entreprise détient la totalité de ses usines, de ses installations et de ses bureaux en sol étranger, ce qui est rendu possible, le plus souvent, par la création de filiales à 100 %. Cette stratégie de pénétration exige un investissement très important et expose l'entreprise à des risques majeurs, notamment la perte de son investissement initial ou de son investissement d'exploitation. Un important ralentissement de l'économie causé par un cataclysme, une guerre, l'instabilité politique ou une modification des lois du pays peut augmenter considérablement ces risques. Beaucoup d'entreprises estiment que, sur certains marchés, le potentiel de rentabilité l'emporte sur ces risques; l'entreprise qui recourt à l'investissement direct n'a pas à partager ses profits éventuels avec d'autres entreprises. Outre son potentiel de rentabilité élevé, l'investissement direct donne à l'entreprise le contrôle total sur ses opérations dans le pays étranger.

Des centaines de sociétés minières, de fabricants et d'entreprises spécialisées dans la technologie ont des filiales à 100 % dans plusieurs pays. Ainsi, Barrick Gold est le plus gros producteur d'or au monde, avec un portefeuille de 25 mines en exploitation ainsi que des projets d'exploration avancée et de développement en Amérique du Sud et du Nord, en Afrique et en Australie. De même, Bombardier a fait des investissements directs au Japon, aux États-Unis, au Danemark et en Irlande[65].

Comme nous l'avons souligné, chacune de ces stratégies de pénétration comporte différents niveaux de risque et d'avantages pour l'entreprise étrangère. Mais même après qu'une entreprise a estimé le niveau de risque qu'elle est prête à courir et arrêté sa stratégie de pénétration du marché mondial, elle doit encore élaborer sa stratégie de marketing, un sujet que nous aborderons maintenant.

Choisir une stratégie de marketing internationale

OA **4**

Tout comme n'importe quelle stratégie de marketing, une stratégie de marketing internationale s'appuie sur deux actions: la première consiste à définir le ou les marchés cibles et la seconde, à élaborer un marketing mix qui permettra à l'entreprise de conserver un avantage concurrentiel au fil du temps. Nous étudierons les composantes d'une stratégie de marketing adaptée en particulier aux marchés internationaux.

Le marché cible : segmentation, ciblage et positionnement

Au niveau mondial, la segmentation, le ciblage et le positionnement (SCP) sont plus complexes qu'au niveau local, et ce, pour plusieurs raisons. En premier lieu, les entreprises qui visent une expansion mondiale saisissent souvent mal les subtilités de la culture des autres pays. En deuxième lieu, elles doivent aussi tenir compte des sous-cultures de ces pays. En troisième lieu, les consommateurs de différents pays ne perçoivent pas tous de la même manière les produits ainsi que leur rôle en tant que consommateurs[66].

Souvent, l'entreprise doit positionner son produit ou son service différemment selon le marché. Par exemple, Tang, la boisson aromatisée aux fruits produite par Kraft, se positionne comme une boisson bon marché aux États-Unis, mais cette stratégie ne fonctionnerait pas au Brésil où le jus d'orange constitue déjà une boisson bon marché. Kraft y vend donc un Tang à l'ananas qu'elle positionne comme une boisson réservée aux occasions spéciales. De la même façon, McDonald's mise habituellement sur la commodité et sur les prix modiques de ses produits, mais dans des pays comme la Chine et l'Inde, où les consommateurs bénéficient déjà d'options moins chères et plus pratiques, l'entreprise se positionne comme un restaurant «américain»[67].

La façon la plus efficace consiste à élaborer et à maintenir une stratégie de positionnement international; une position est égale à un message. Par exemple, Tropicana, qui est la marque de jus d'orange la plus vendue aux États-Unis, occupe 6 % du marché mondial du jus. Dans sa stratégie de positionnement international, sa société mère, PepsiCo, met donc l'accent sur le fait que le jus Tropicana est un «jus d'orange fraîchement pressé»[68].

Une fois que l'entreprise a défini le positionnement de son produit sur le marché, elle doit décider de la manière dont elle déploiera ses stratégies de marketing au moyen de son marketing mix. De même que les entreprises adaptent leurs produits et leurs services aux besoins de leurs marchés cibles nationaux, elles doivent aussi modifier leur marketing mix afin de répondre aux besoins des marchés internationaux.

Dans sa stratégie de positionnement international, Tropicana met en valeur le fait que son jus est un «jus d'orange fraîchement pressé».

Le marketing mix international

Les facteurs PEST décrits plus tôt dans ce chapitre ainsi que les facteurs psychologiques, sociaux et conjoncturels qui influent sur les consommateurs déterminent la façon dont les gestionnaires marketing configurent le marketing mix et mettent en œuvre leur stratégie de marketing. Nous examinerons les quatre «P» (produit, prix, distribution et communication) dans une perspective internationale.

Les stratégies internationales en matière de produit ou de service

Aujourd'hui, les entreprises ont le choix entre trois stratégies internationales en matière de produit ou de service :

● Vendre le même produit ou service dans le pays d'origine et dans le pays hôte.

● Vendre un produit ou un service semblable à celui qui est vendu dans le pays d'origine en le modifiant légèrement.

● Vendre un produit ou un service entièrement nouveau.

La stratégie choisie par l'entreprise dépendra des besoins de son marché cible. Le niveau de développement économique de même que les différences de normes en ce qui a trait aux produits et aux spécifications techniques lui permettront de déterminer si elle doit adapter son produit. Les différences culturelles comme les préférences alimentaires, la langue et la religion jouent aussi un rôle dans la planification de la stratégie en matière de produit. Par exemple, au Japon, Kit Kat est l'une des marques de friandises les plus populaires. Or, Nestlé vient de créer 20 saveurs uniques de Kit Kat, chacune reflétant une spécialité régionale de ce pays. Nestlé espère que ses clients achèteront ses Kit Kat exclusives en guise de souvenirs. On trouve, par exemple, une Kit Kat au melon yubari de l'île de Hokkaidō; une autre aux haricots verts et aux cerises de Tōhoku, au nord-est du Japon; une Kit Kat au yuzu et aux pommes de terre rouges de Kyushu-Okinawa, une région située à la pointe la plus méridionale du Japon. La région de Kantō, où se trouve Tokyo, est représentée par une Kit Kat à saveur de patate douce, de bleuet et de sauce soja. La Kit Kat au chocolat blanc parfumée au wasabi est aussi très prisée des consommateurs japonais[69].

Le niveau de développement économique influe également sur la stratégie internationale en matière de produit parce qu'il a un effet direct sur les comportements des consommateurs. Par exemple, les consommateurs des pays développés ont tendance à exiger des produits plus complexes que les consommateurs des pays moins développés.

En raison du prix de l'iPhone, le consommateur indien peut acheter une Tata Nano pour le prix de trois téléphones.

Ainsi, en Amérique du Nord, les ventes d'iPhone ont monté en flèche le jour même de son lancement, tandis qu'Apple s'est cassé le nez en Inde. En effet, on estime à environ 20 000 le nombre d'iPhone vendus en Inde au cours des six premiers mois suivant son lancement tandis que les fournisseurs de téléphones cellulaires indiens ajoutaient 20 millions d'abonnés à leur clientèle pendant cette même période. Plusieurs facteurs expliquent cette performance désastreuse de l'iPhone, mais son prix est le plus déterminant. En effet, à 700 $ pièce, l'iPhone n'est pas à la portée de nombreux consommateurs indiens, même issus de la classe moyenne. Ce prix contraste fortement avec celui demandé au Canada ou aux États-Unis, qui est de 199 $ avec un contrat de deux ou trois ans. Selon des observateurs indiens, le prix de trois iPhone équivaut au coût d'une Nano, la voiture à 2 000 $ lancée par Tata Motors en Inde en 2009[70].

Par contre, reconnaissant que les millions de consommateurs indiens à faible revenu ne peuvent se payer ses barres de chocolat de format géant, Cadbury a lancé les Cadbury Dairy Milk Shots, des boules chocolatées de la taille d'un petit pois enrobées de sucre pour les protéger de la chaleur. Ce produit a été lancé en 2010 au prix de deux roupies, soit environ quatre cents, pour un paquet de cinq grammes. Cadbury vend aussi d'autres friandises, comme les caramels Eclairs, à deux cents afin qu'elles soient plus accessibles aux consommateurs indiens. Le marché du chocolat vaut près de 500 millions de dollars par année et Cadbury en contrôle environ 70 %. Il n'est pas étonnant, dans ce cas, que l'entreprise se mette en quatre pour satisfaire sa clientèle indienne[71].

Certaines entreprises normalisent leurs produits à l'échelle mondiale, mais varient leurs campagnes publicitaires. Les croustilles Pringles Original sont les mêmes partout dans le monde. Les images et les thèmes de la campagne publicitaire sont aussi homogènes, et celle-ci comporte des adaptations linguistiques mineures pour les marchés locaux, bien que l'anglais soit utilisé partout où il est compris. Toutefois, l'entreprise varie la saveur des croustilles selon les pays : ainsi, elle offre des croustilles au paprika en Italie et en Allemagne[72]. McCain, qui commercialise des pommes de terre congelées dans une centaine de pays, localise son produit, par exemple en l'appelant *chips* en Angleterre et en élaborant des publicités adaptées aux marchés et aux gestionnaires de chaque région[73].

Il n'y a pas que les fabricants qui doivent adapter leurs offres. Au Royaume-Uni par exemple, sur le marché du commerce de détail, Whole Foods Market transforme le magasinage en une véritable expérience afin de rivaliser avec les chaînes de supermarchés biologiques locales.

Malgré les différences persistantes entre les pays, les gestionnaires marketing ont remarqué une convergence croissante dans les goûts et les préférences relatifs à de nombreuses catégories de produits. Starbucks est un bon exemple d'entreprise qui influe sur cette convergence mondiale des goûts et, en même temps, exploite celle-ci. Même en Chine et en Grande-Bretagne, fiefs traditionnels des buveurs de thé, le café gagne rapidement en popularité. De plus en plus, à cause d'Internet et d'autres technologies de l'information et de la communication, on remarque non seulement une convergence de goûts parmi les jeunes, mais aussi l'apparition de segments mondiaux plus homogènes, c'est-à-dire de groupes de consommateurs qui présentent les mêmes caractéristiques d'achat. Une étude a mis en lumière le « segment mondial des adolescents », composé de jeunes du monde entier – du Japon à Vancouver, en passant par Londres, Pékin et San Francisco – qui achètent à peu près les mêmes vêtements de marque, produits électroniques et accessoires, écoutent la même musique et mangent la même nourriture. Ces tendances permettent aux gestionnaires marketing de cibler plus facilement ces consommateurs avec des produits normalisés[74].

Les stratégies internationales de fixation des prix

Déterminer le prix de vente d'un produit ou d'un service sur le marché international est une tâche très complexe[75]. Dans bien des pays, le marché compétitif est soumis à des règles, entre autres des règles de fixation des prix. Ainsi, dans certains pays européens incluant la Belgique, l'Espagne, la France, la Grèce et l'Italie, les entreprises peuvent vendre leurs produits au rabais deux fois par année seulement, en janvier et en juin ou juillet. Dans la plupart des pays européens, les détaillants ne peuvent vendre au-dessous du coût de revient et les produits bradés doivent avoir passé plus d'un mois sur les tablettes avant que les détaillants puissent en réduire le prix et les annoncer en solde.

Pour les entreprises comme Walmart et d'autres magasins à bas prix, ces restrictions menacent leur position concurrentielle en tant que fournisseurs les moins chers du marché. D'autres restrictions, telles que les tarifs douaniers, les contingents, les lois antidumping et les politiques relatives aux taux de change, peuvent aussi influer sur la fixation des prix[76].

Les facteurs concurrentiels exercent un effet sur la fixation des prix à l'échelle mondiale de la même façon que dans le pays d'origine, mais, parce que les produits ou les services d'une entreprise n'ont pas toujours le même positionnement sur le marché international que sur le marché intérieur, les prix courants doivent être ajustés pour refléter la structure de prix locale. Zara, le détaillant de mode espagnol, pratique des prix relativement bas dans l'Union européenne, mais des prix modérés en Amérique du Nord. Dans le cas de l'iPhone d'Apple en Inde, il semble que le prix de 700 $ ait moins à voir avec le coût de production qu'avec les règles du commerce, la concurrence et les revendeurs indiens, qui semblent viser des objectifs différents de ceux d'Apple pour l'iPhone. Enfin, comme nous l'avons mentionné plus tôt dans ce chapitre, les fluctuations des devises ont une incidence sur les stratégies internationales de fixation des prix.

Les stratégies internationales de distribution

Les circuits internationaux de distribution forment des chaînes de valeur complexes comprenant des intermédiaires, des exportateurs, des importateurs et divers systèmes de transport. Ces intermédiaires ajoutent au coût du produit et augmentent son prix de vente final. En raison de ces coefficients de coût, les gestionnaires s'efforcent constamment de raccourcir les circuits de distribution partout où cela est possible.

En couvrant près de 80 000 villages indiens, Unilever a parfaitement adapté son réseau de distribution aux conditions du marché local.

Le nombre d'entreprises avec lesquelles le vendeur doit faire affaire pour livrer sa marchandise aux consommateurs détermine la complexité du circuit de distribution. Dans la plupart des pays en développement, les fabricants doivent passer par de nombreux intermédiaires pour acheminer leurs produits aux utilisateurs finaux qui, souvent, n'ont pas de moyen de transport adéquat pour se rendre dans des zones commerciales centrales ou de grands centres commerciaux. Ces consommateurs font donc leurs achats à proximité de leur foyer dans de petits commerces de détail familiaux. Pour atteindre ces petits commerces, dont la plupart sont situés loin des grandes gares ferroviaires ou des artères principales, les gestionnaires marketing doivent faire preuve de créativité. Au Brésil, dans la jungle amazonienne, par exemple, les produits Avon sont parfois livrés en canot. Toutefois, même si les circuits de distribution posent parfois problème, certaines entreprises vendent leurs produits de la même façon sur les marchés extérieurs que sur le marché intérieur. La stratégie d'Unilever en Inde est un excellent exemple de la façon dont une multinationale peut adapter son réseau de distribution aux conditions du marché local. En effet, l'entreprise a formé 25 000 Indiennes au rôle de distributrices, qui ont fait connaître Unilever dans près de 80 000 villages de partout en Inde. Le programme génère des revenus annuels de 250 millions de dollars dans des villages qu'il aurait été trop onéreux de servir autrement[77].

Les stratégies internationales de communication

L'entreprise qui élabore sa stratégie internationale de communication fait face à un défi : reconnaître les éléments de son message qui doivent être adaptés pour que celui-ci soit compris sur le marché international. Par exemple, même si le Japon a l'un des marchés des médias numériques les plus sophistiqués, Nestlé a emprunté un moyen peu technologique pour promouvoir ses 20 saveurs uniques de Kit Kat, lesquelles sont vendues comme souvenirs dans les gares ferroviaires, les aéroports et les haltes routières. Constatant que le mot Kit Kat prononcé à la japonaise donnait *Kitto Katsu* (qui signifie « Bonne chance, tu vas gagner ! »), Nestlé a lancé une campagne de publicité s'appuyant sur la tradition japonaise d'envoyer des cartes de vœux pour souhaiter bonne chance aux étudiants en période d'examen. Elle s'est associée au service postal japonais pour créer la Kit Mail, une boîte de Kit Kat sur laquelle on peut écrire un message, vendue exclusivement dans les bureaux de poste et qui peut être envoyée aux étudiants en guise de friandise porte-bonheur. Nestlé embellit les bureaux de poste avec ses Kit Kat ornées de fleurs de cerisier, un arbre dont la floraison a lieu pendant la période des examens annuels au Japon. Elle dispose d'un espace de vente dans chaque bureau de poste, une initiative rendue possible lors de la privatisation du service postal japonais en 2007. Si les bureaux de poste avaient encore appartenu au gouvernement, elle n'aurait sans doute pas pu faire cela : « Le bureau de poste est un excellent canal de distribution libre de toute concurrence, ce qui n'est pas le cas dans les magasins ou les épiceries », explique M. Kageyama, PDG de JWT Japan, l'agence de publicité de Nestlé au Japon[78].

La disponibilité des médias est aussi très variable et, dans certains pays, tous les médias sont contrôlés par l'État. De plus, les règlements relatifs à la publicité diffèrent eux aussi. Dès 2005, à des fins de normalisation, l'Union européenne a proposé des lignes de conduite communes pour ses États membres relativement à la publicité destinée aux enfants. Actuellement, elle étudie la possibilité d'interdire la publicité sur les aliments vides[79].

Les différences de langues, de coutumes et de culture compliquent aussi la communication entre les gestionnaires marketing et leurs clients de divers pays. La langue présente parfois un problème particulièrement délicat pour les annonceurs. Par exemple, en France, les gosses sont des enfants, tandis qu'au Canada ce mot désigne… autre chose. Afin d'éviter les ennuis potentiels découlant de la confusion linguistique, les entreprises dépensent des millions de dollars pour trouver des noms de marque qui ne veulent rien dire dans l'une ou l'autre langue. Accenture (une société de conseil en gestion) ou Avaya (une filiale de Lucent Technologies, ancienne-ment Bell Labs) en sont deux exemples.

Les habitants de nombreux pays s'expriment dans un dialecte qui est une forme régionale de la langue principale. En Chine, où l'on parle trois langues principales, des entreprises comme Mercedes-Benz ont adapté leur nom à chaque langue. L'entre-prise est donc connue sous trois noms chinois en Asie : *Peng zee* (cantonais) à Hong Kong, *Peng chi* (mandarin) à Taiwan et *Ben chi* (mandarin) en Chine continentale. D'autres entreprises utilisent un seul nom en Chine. Ainsi, Nokia devient *Nuo jee ya* en mandarin[80]. Comme la Chine continue de se développer, les désignations multiples d'un produit ou d'un service deviendront de plus en plus inefficaces. Contrairement aux entreprises ci-dessus, Apple commercialise son iPhone sous le même nom par-tout dans le monde.

Malgré toutes ces différences, de nombreux produits et services répondent aux mêmes besoins et désirs dans le monde entier sans qu'il soit nécessaire d'adapter leur forme ou leur message. Les entreprises comme Coca-Cola, dont les produits sont appréciés partout dans le monde, peuvent concevoir des campagnes publicitaires mondiales et ainsi réaliser des économies substantielles. Selon McCann-Erickson, l'agence de publicité de Coca-Cola, la société a économisé 90 millions de dollars en réu-tilisant ses annonces et en en modifiant seulement certains éléments pour les adapter à divers marchés locaux[81]. Bien que Microsoft soit une autre entreprise dont les produits exercent un attrait mondial, elle trouve avantageux de créer des liens avec les marchés locaux. La rubrique Marketing et médias sociaux ci-contre décrit comment l'entreprise utilise les médias sociaux pour communiquer avec sa clientèle internationale.

Toutefois, d'autres produits exigent une approche plus localisée en raison des dif-férences culturelles et religieuses. Dans l'annonce classique sur les montres Longines, une montre orne le bras nu d'une femme. Cette publicité a été jugée inadaptée aux pays musulmans où les femmes ne dévoilent jamais leurs bras en public. Or, l'entre-prise a simplement modifié son annonce de façon à présenter la même montre sur un bras et une main gantés.

La réglementation en vigueur dans le pays hôte peut aussi modifier les stratégies de communication. L'Organisation mondiale du commerce (OMC) a été mêlée à plu-sieurs cas relatifs au droit des entreprises d'utiliser certains noms et affiliations pour leurs produits et leurs promotions. Dans l'Union européenne, plusieurs produits de marque ont acquis une reconnaissance mondiale en raison de leur provenance. Par exemple, actuellement, dans l'Union européenne, seul le jambon provenant de Parme, en Italie, peut porter l'appellation « jambon de Parme » et seul le vin mous-seux produit dans la région de la Champagne, en France, peut s'appeler « cham-pagne ». Toutefois, l'Union européenne a refusé d'accéder à la demande de pays non membres de l'Union européenne de bénéficier de la même protection, notamment les États-Unis pour le jus d'orange de la Floride[82]. On s'attend à ce que l'OMC demande à l'Union européenne soit de supprimer toutes ces protections, soit de les accorder aussi aux États non membres. Dans un cas précis, un conflit similaire a même pro-voqué une dispute d'envergure mondiale opposant le géant de la bière américain Budweiser et la minuscule brasserie tchèque Budvar, vieille de 700 ans, qui prétend que l'entreprise américaine lui a volé le nom Budweiser. Les deux brasseries ont coexisté dans une paix relative avant la chute du mur de Berlin parce que Budweiser ne pouvait pas accéder au marché de l'Europe de l'Est et que Budvar ne pouvait pas facilement vendre ses produits à l'extérieur de cette région. Mais depuis, la rivalité entre les deux brasseries s'est intensifiée, incitant certains pays à enregistrer une seule des deux marques, alors que dans d'autres pays les deux marques se côtoient sur les tablettes. De nombreux indices laissent croire que l'OMC n'accordera à aucun des deux brasseurs l'exclusivité des noms Budweiser et Budvar, ce qui veut dire que, bientôt, les consommateurs devront peut-être préciser ce qu'ils veulent lorsqu'ils diront « Donnez-moi une Bud[83] ».

Les questions éthiques liées au marketing international

OA

Bien que les questions éthiques foisonnent sur les marchés intérieurs, elles sont encore plus complexes dans le cas du marketing international. Les entreprises qui vendent leurs produits à l'échelle planétaire doivent reconnaître qu'au fond elles sont des invitées dans les autres pays et qu'à ce titre elles doivent être conscientes des préoccupations éthiques de leurs clients potentiels. Trois types de préoccupations retiendront ici notre attention : les préoccupations environnementales, les enjeux relatifs à la mondialisation du travail et l'incidence de la présence d'entreprises étrangères sur la culture du pays hôte.

Les préoccupations environnementales

Les **préoccupations environnementales** comprennent, entre autres, l'utilisation abusive des ressources naturelles et de l'énergie, la production de déchets issus de la fabrication des produits, la quantité excessive de déchets que constituent l'emballage des biens de consommation et les biens qu'il est difficile de recycler, notamment les pneus, les téléphones cellulaires et les écrans d'ordinateurs.

préoccupations environnementales (*environmental concerns*) Prise de conscience, entre autres, de l'utilisation abusive des ressources naturelles et de l'énergie, de la production de déchets issus de la fabrication des produits, de la quantité excessive de déchets que constituent l'emballage des biens de consommation et les biens qu'il est difficile de recycler, notamment les pneus, les téléphones cellulaires et les écrans d'ordinateurs.

Marketing et médias sociaux

Microsoft renforce sa présence locale grâce aux médias sociaux

Il va de soi qu'une multinationale valant des millions de dollars et ayant des clients dans plus de 119 pays ne peut pas nouer une relation unique et personnelle avec chacun d'eux. Microsoft se heurte donc au défi constant de trouver un moyen de communiquer des nouvelles, des mises à jour, des renseignements et des ressources aux consommateurs d'une façon significative et pertinente pour eux. Les médias sociaux constituent une grande partie de la solution trouvée par l'entreprise.

Afin de maintenir une forte présence à l'échelle mondiale, Microsoft a élaboré un processus en quatre étapes pour écouter les consommateurs et répondre à leurs besoins[84]. La première étape consiste tout bonnement à surveiller les activités organisationnelles. Une équipe d'experts exerce une surveillance sur Internet, utilisant les plateformes Twitter, Digg, Delicious et Boardreader et d'autres outils pour repérer, évaluer et analyser tous les échanges virtuels pertinents, dans le but de déterminer s'ils proviennent de clients satisfaits ou mécontents.

L'équipe passe ensuite au crible toutes les nouvelles et les conversations à l'échelle de la planète afin de détecter des problèmes réels, tels que l'insatisfaction d'un client, ou flagrants, tels qu'un problème récurrent associé à un logiciel particulier. Elle détermine si une sorte d'interaction s'impose en surveillant la fréquence des plaintes en ligne et en étant attentive aux signes avant-coureurs de problèmes dont l'entreprise ne serait pas consciente sans cette surveillance des médias sociaux.

Une fois qu'elle a repéré un problème qui requiert une action, Microsoft commence à chercher des solutions.

Généralement, elle demande d'abord à un représentant de se joindre à une conversation, par exemple en répondant au gazouillis d'un client mécontent afin d'obtenir plus d'informations. Dans la plupart des cas, le problème peut être résolu instantanément, mais dans le cas contraire, l'équipe s'arrange pour gérer les attentes du client tout en étudiant la question.

La dernière étape de ce processus est la gestion du *programme de validation des internautes influents*. Cette expression compliquée désigne le recours aux outils employés dans les trois premières étapes du processus d'analyse afin d'identifier les internautes les plus influents, soit ceux qui génèrent le plus d'achalandage Web ou qui occupent une forte position de leaders en ligne. Au lieu de chercher à joindre chaque client, Microsoft concentre ses efforts sur ces internautes influents en leur transmettant de l'information sur ses nouveaux produits ou en leur permettant de communiquer directement avec l'équipe de Microsoft.

La mise en œuvre de ces étapes a eu un certain nombre de retombées positives pour Microsoft. L'entreprise a réussi à établir des relations solides avec plus de 2 000 groupes de tiers et à créer un noyau important de défenseurs de Microsoft[85]. De plus, malgré son envergure nationale, elle a réussi à établir une présence locale. Enfin, cela lui a permis de mieux comprendre comment les consommateurs utilisent ses produits quotidiennement. Si les médias sociaux n'avaient pas été la pierre angulaire de ce programme, Microsoft n'aurait pas pu atteindre les mêmes résultats ni réagir aussi rapidement.

enjeux relatifs à la mondialisation du travail (*global labour issues*) Problématiques portant notamment sur les conditions de travail et les salaires des ouvriers dans les pays en développement.

L'une des préoccupations environnementales répandues dans le monde entier concerne la quantité de déchets que nous produisons, surtout dans les pays développés. Un bon nombre d'entre eux produisent presque deux tonnes de déchets domestiques et industriels par personne par an[86]! Bien que les pays en développement soient loin de produire la même quantité de déchets, la plus grande partie de ceux-ci ne sont pas traités de façon adéquate.

Les enjeux relatifs à la mondialisation du travail

Les enjeux relatifs à la mondialisation du travail, notamment ceux qui portent sur les conditions de travail et les salaires des ouvriers dans les pays en développement, sont de plus en plus importants[87].

Nombre de grandes entreprises américaines ont été questionnées par divers groupes, y compris par des organismes non gouvernementaux et des défenseurs des droits de la personne, sur la question de savoir si leurs employés touchaient moins qu'un salaire suffisant ou étaient forcés de travailler de longues heures dans des conditions pénibles[88].

Dans ce contexte, des prix élevés ne garantissent aucunement que la chaîne d'approvisionnement ne compte pas d'ateliers de misère. Dernièrement, Apple a été interrogée à plusieurs reprises au sujet des conditions de travail qui règnent dans les usines qui produisent ses

Beaucoup de pays développés produisent presque deux tonnes de déchets domestiques et industriels par personne par an, qui doivent être traités de façon adéquate.

iPod et ses iPhone. Même si l'emballage de l'iPod annonce fièrement que le baladeur a été conçu en Californie, le processus de fabrication tout entier est confié en sous-traitance à des fabricants taïwanais et chinois[89]. Comme Apple ne possède pas les usines où ses produits sont fabriqués, elle doit négocier avec les propriétaires de celles-ci afin d'améliorer ou de promouvoir des conditions de travail et des salaires adéquats tout en s'efforçant d'obtenir les meilleurs prix. Or, comme Apple négocie férocement les prix, les fournisseurs tentent parfois de se rembourser en coupant les salaires des ouvriers, en rallongeant leurs horaires de travail ou en leur fournissant des conditions de travail peu sécuritaires. Comme l'explique la rubrique Question d'éthique ci-contre, les conditions de travail des ouvriers chinois de la « cité de l'iPod » se sont tellement détériorées dernièrement que bon nombre d'entre eux se sont enlevé la vie et que plusieurs grèves très médiatisées ont eu lieu pour protester contre ces conditions déplorables.

L'incidence de la présence d'entreprises étrangères sur la culture du pays hôte

ethnocentrisme (*cultural imperialism*) Croyance selon laquelle une culture est supérieure aux autres; il peut prendre la forme d'une politique officielle active ou d'une attitude générale plus subtile.

La dernière question relative à l'éthique concerne l'**ethnocentrisme**, la croyance selon laquelle une culture est supérieure aux autres; il peut prendre la forme d'une politique officielle active ou d'une attitude générale plus subtile[90]. Les critiques des entreprises américaines implantées sur des marchés étrangers soutiennent que les produits et les services américains submergent la culture locale, remplaçant souvent ses mets, sa musique, ses films et ses traditions par ceux de l'Occident.

En Iran, les autorités religieuses ont interdit la célébration de la Saint-Valentin[91]. Malgré les lois iraniennes strictes qui régissent les interactions entre hommes et femmes, surtout les célibataires, la Saint-Valentin est devenue une fête populaire chez les jeunes. Ces derniers y ont été exposés par l'entremise d'Internet et de la

Question d'éthique

La cité de l'iPod : privilégier les profits au détriment de l'éthique ?

Les iPhone, iPod, iPad et autres produits Apple jouissent d'une immense popularité auprès des Canadiens et des Américains ; tellement qu'ils sont régulièrement en rupture de stock et provoquent de longues files d'attente chez les détaillants à chaque lancement d'un nouveau modèle. Toutefois, combien d'entre nous lisent l'étiquette pour connaître l'endroit où ces produits sont fabriqués ? Bien qu'ils soient conçus aux États-Unis, ils sont fabriqués en Chine ou ailleurs. Ce n'est pas tant l'endroit qui importe. Ce qui pose problème pour Apple, ce sont les allégations répétées des médias touchant les conditions de travail déplorables dans les usines chinoises. Récemment, les agences de presse ont rapporté 10 cas de suicide à l'usine Foxconn, qui fabrique des produits Apple. Feu Steve Jobs, ex-PDG de l'entreprise, aurait déclaré : « Bien que chaque suicide soit une tragédie, le taux de suicide à l'usine Foxconn est très inférieur à la moyenne chinoise et nous nous attelons à cela avec vigueur[92]. » Apple doit prendre à cœur les questions comme l'équité salariale et les conditions de travail surtout parce que les principaux utilisateurs de son iPod ou de ses autres produits innovants sont des gens créatifs disposés à arrimer leurs comportements d'achat

à un point de vue politique[93]. L'entreprise ne peut tout bonnement pas se permettre de laisser sa clientèle riche se demander si elle tire profit de la souffrance humaine.

En réaction aux pressions des consommateurs, Apple a commencé à s'investir dans la responsabilité sociale en se joignant à un groupe industriel, la Coalition citoyenne de l'industrie électronique (EICC), qui a élaboré son propre code de conduite. Adopté par un groupe d'entreprises, notamment par les sociétés fondatrices Hewlett-Packard, Dell et IBM, ce code exige le respect de certaines exigences garantissant des conditions de travail sécuritaires, le respect des droits des ouvriers et l'endossement d'une responsabilité environnementale dans la chaîne d'approvisionnement mondiale des appareils électroniques[94]. Apple reconnaît que la responsabilité sociale est un processus continu ; désormais, elle mène des audits et surveille ses fournisseurs afin d'assurer de meilleures conditions de travail aux ouvriers[95]. D'après vous, Apple a-t-elle réagi de façon appropriée aux suicides survenus à l'usine Foxconn en alléguant que le taux de suicide dans son usine était inférieur au taux national et en épousant le code de conduite de l'EICC ?

télévision par satellite, deux sources d'information que le gouvernement ne peut pas contrôler. Les articles associés à la Saint-Valentin sont acheminés par des canaux de distribution clandestins et vendus dans les commerces locaux. Risquant des démêlés avec la justice, les fleuristes, les boutiques de cadeaux et les restaurants prennent des mesures spéciales pour souligner la fête. Beaucoup de parents parrainent des fêtes de la Saint-Valentin auxquelles sont conviés des hommes et des femmes. Apparemment, l'amour est plus fort que tout. La moitié de la population iranienne a moins de 25 ans ; elle a adopté cette fête et continue de la célébrer à la manière occidentale traditionnelle parce qu'elle représente le progrès et la modernité.

Cependant, d'autres Iraniens voient dans ce type de célébration une menace pour la culture iranienne. De nombreuses entreprises américaines sont coincées au milieu de ce conflit culturel[96]. Divers pays du monde sont tourmentés par des désirs contradictoires : se moderniser et participer au marché mondial, ou bien s'accrocher à leurs valeurs culturelles et à leurs modes de vie traditionnels. Il n'existe pas de solution facile à ces dilemmes. Les entreprises qui pénètrent de nouveaux marchés doivent simplement se faire discrètes, de sorte que leurs pratiques commerciales, leurs produits et leurs services ne créent pas de frictions inutiles ou ne soient pas considérés comme une source d'affronts dans le pays hôte.

Lorsque des entreprises occidentales pénètrent des marchés étrangers, elles doivent se familiariser avec la culture du pays hôte.

Faites le point

 **Nommez les facteurs qui favorisent la croissance de la mondialisation**

La technologie, particulièrement celle de la communication, favorise la croissance des marchés mondiaux. Les entreprises peuvent communiquer instantanément avec leurs fournisseurs et leurs clients, tirer parti des faibles coûts de production offerts dans d'autres pays et rassembler des pièces et des produits finis du monde entier. Des organisations comme l'Organisation mondiale du commerce, le Fonds monétaire international et la Banque mondiale ont réduit ou éliminé certains tarifs douaniers et contingents, fournissent une assistance aux habitants des pays moins développés et encouragent le commerce dans de nombreuses régions.

 **Décrivez les facteurs dont une entreprise doit tenir compte avant de décider de pénétrer un marché étranger**

Premièrement, l'entreprise doit déterminer si l'environnement politique et juridique du pays visé est favorable au commerce. Deuxièmement, elle doit évaluer l'environnement économique général. Par exemple, les pays dont les produits locaux et nationaux se vendent bien et qui enregistrent un excédent commercial ainsi qu'un taux démographique et des revenus en hausse représentent en général de meilleurs choix. Troisièmement, l'entreprise doit connaître les différences culturelles et sociales entre son pays et le pays hôte et s'adapter à ces différences si elle veut établir des relations commerciales durables. Quatrièmement, l'entreprise doit évaluer les capacités technologiques et l'infrastructure du pays. Pour réussir à pénétrer un marché, elle doit avoir accès à un système de transport, à des canaux de distribution, à un système de communication et à une infrastructure adéquats.

 **Décrivez les stratégies de pénétration appliquées à de nouveaux marchés étrangers**

Une entreprise qui veut percer un nouveau marché étranger a le choix entre plusieurs stratégies comportant chacune un niveau de risque et d'engagement différent.

L'investissement direct est la stratégie la plus risquée, mais potentiellement la plus lucrative. Les entreprises qui forment des coentreprises avec des sociétés qui existent déjà dans le pays hôte partagent les risques avec celles-ci; de plus, elles peuvent se familiariser plus rapidement avec le marché et la façon de commercer dans le pays. Une alliance stratégique s'apparente à une coentreprise, mais la relation n'est pas aussi officielle. Le franchisage est une méthode moins risquée. Comme dans le cas d'une franchise nationale, elle consiste pour un franchiseur à permettre à un franchisé, moyennant un coût, d'exploiter une entreprise dont il a créé le nom et la formule. La stratégie de pénétration la moins risquée est l'exportation.

 **Nommez les ressemblances et les différences entre une stratégie de marketing nationale et une stratégie de marketing internationale**

Au fond, une stratégie de marketing internationale n'est pas différente d'une stratégie de marketing nationale. L'entreprise commence par définir ses marchés cibles, choisit les marchés qu'elle veut percer et élabore une stratégie afin de répondre aux besoins de ces marchés. Toutefois, d'autres questions viennent compliquer l'expansion internationale. Par exemple, l'entreprise doit-elle modifier son produit ou son service pour l'adapter au nouveau marché? Doit-elle changer sa manière de fixer les prix dans les différents pays? Quelle est la meilleure façon de livrer le produit ou le service aux nouveaux clients? Comment l'entreprise doit-elle annoncer son produit ou son service dans d'autres pays?

 **Expliquez l'incidence des questions éthiques sur les pratiques commerciales internationales**

Les entreprises doivent surtout être conscientes de l'incidence de leurs activités sur l'environnement. Lorsqu'elles produisent des biens ou embauchent du personnel de service dans un autre pays, elles doivent s'assurer que les conditions de travail et les salaires sont équitables et adéquats, même si les travailleurs sont employés par une tierce partie. Enfin, les gestionnaires marketing doivent être sensibles à l'impact de leurs activités sur la culture du pays hôte.

Mots clés

- accord commercial, p. 582
- Accord général sur les tarifs douaniers et le commerce (AGETAC ou GATT), p. 580
- alliance stratégique, p. 600
- Banque mondiale, p. 580
- boycottage, p. 583
- coentreprise, p. 601
- commerce de contrepartie, p. 584
- contingent, p. 582
- contrôle des changes, p. 583
- déficit de la balance commerciale, p. 587

- dumping, p. 582
- enjeux relatifs à la mondialisation du travail, p. 610
- ethnocentrisme, p. 610
- excédent de la balance commerciale, p. 587
- exportation, p. 597
- Fonds monétaire international (FMI), p. 580
- indice de développement humain (IDH), p. 589
- infrastructure, p. 594
- investissement direct, p. 602
- mondialisation, p. 577

- mondialisation de la production, p. 579
- Organisation mondiale du commerce (OMC), p. 580
- parité des pouvoirs d'achat (PPA), p. 588
- préoccupations environnementales, p. 609
- produit intérieur brut (PIB), p. 588
- sanction commerciale, p. 582
- tarif douanier (ou droits), p. 582
- taux de change, p. 583
- zone d'échanges commerciaux, p. 584

Révision des concepts

1. Qu'est-ce que la mondialisation? Quels sont les facteurs qui la favorisent? Expliquez les effets de la mondialisation sur le marketing au Canada.

2. Nommez et décrivez les quatre aspects du marché que les entreprises doivent évaluer pour déterminer la viabilité de divers marchés internationaux.

3. Quels aspects de l'évaluation du marché sont souvent les plus difficiles à évaluer? Pourquoi?

4. Énumérez les cinq types de stratégies que les entreprises peuvent utiliser pour s'implanter sur un marché international. Comparez-les en ce qui a trait au niveau de risque, au potentiel de rentabilité et au contrôle de la fabrication.

5. Expliquez les avantages et les désavantages d'une stratégie mondiale en matière de produit (offrir le même produit sur le marché intérieur et sur des marchés extérieurs).

6. Quels sont les principaux facteurs dont les gestionnaires marketing devraient tenir compte pour décider s'ils doivent adapter leurs quatre « P » à un marché donné?

7. Qu'est-ce qu'un risque politique? Pourquoi est-il important d'évaluer le risque politique? Comment fait-on

pour l'évaluer? Nommez deux ou trois organisations canadiennes qui offrent aux gestionnaires marketing des services d'évaluation du risque politique.

8. Les politiques protectionnistes limitent le commerce et le marketing internationaux, tandis que les accords commerciaux favorisent ceux-ci. Expliquez les raisons pour lesquelles un pays voudrait imposer des politiques protectionnistes dans certains secteurs et libéraliser d'autres secteurs.

9. Expliquez comment des mesures comme le produit intérieur brut, la parité des pouvoirs d'achat (indice Big Mac) et l'indice de développement humain peuvent influer sur la décision des gestionnaires marketing de pénétrer ou non un marché international. Quels sont les points faibles de ces mesures?

10. Expliquez l'utilité des six dimensions de la culture établies par Hofstede pour comprendre les différentes cultures du monde. Où et comment les gestionnaires marketing peuvent-ils se renseigner sur la culture d'un pays dans lequel ils veulent commercialiser leurs produits?

Marketing appliqué

1. L'Organisation mondiale du commerce, la Banque mondiale et le Fonds monétaire international travaillent tous de diverses manières pour encourager la mondialisation. Quel rôle chaque organisation joue-t-elle au sein du marché mondial ?

2. Cervélo est un fabricant canadien de vélos haut de gamme. Supposons que l'entreprise envisage de pénétrer les marchés britannique et chinois. À l'étape de l'évaluation des marchés, de quels facteurs économiques Cervélo doit-elle tenir compte avant d'arrêter sa décision ? À votre avis, quel marché sera le plus lucratif pour elle ? Pourquoi ?

3. Maintenant, songeons aux systèmes politique, économique et juridique de la Chine par opposition à ceux du Royaume-Uni. Selon vous, pourquoi un pays pourrait-il se montrer plus accueillant que l'autre pour Cervélo ?

4. Volkswagen vend ses voitures dans de nombreux pays, y compris au Mexique et en Amérique latine. À votre avis, en quoi sa position sur les marchés de cette région du monde diffère-t-elle de sa position au Canada ?

5. Les marques internationales qui deviennent populaires au niveau local obtiennent le meilleur des deux mondes : la fidélité des clients locaux et les divers avantages des relations internationales. Comment les multinationales comme McCain, Philips et McDonald's s'y prennent-elles pour s'implanter avec succès sur de multiples marchés locaux ?

6. Qu'est-ce que l'ethnocentrisme ? Pourquoi une société de disques comme Def Jam Recordings doit-elle être sensibilisée à cette question ?

7. Décrivez une pratique douteuse sur le plan de l'éthique menée par une entreprise étrangère qui fait des affaires au Canada.

8. Beaucoup d'entreprises canadiennes et américaines relocalisent leurs usines de production et leurs services à l'étranger (externalisation ou délocalisation). Pourquoi, d'après vous ? Les avantages l'emportent-ils sur les pertes d'emplois que cette pratique peut entraîner au Canada et aux États-Unis ? Expliquez votre réponse.

9. Imaginons que vous travaillez pour une société financière canadienne qui s'annonce en disant que ses experts gèrent personnellement les comptes de ses clients. En fait, ces derniers ignorent que la majeure partie de la préparation des déclarations des revenus et de la tenue des comptes et des dossiers est effectuée par une entreprise en Inde. Le bureau local se contente de réviser les dossiers et de signer les lettres d'accompagnement. Néanmoins, comme votre supérieur vous l'a fait remarquer, une seule personne gère chaque compte. Les clients, qui ont entendu parler de la délocalisation de transactions sensibles comme la préparation des déclarations des revenus, se disent reconnaissants de pouvoir faire affaire avec une entreprise locale. Devriez-vous parler à vos clients de la délocalisation pratiquée par votre entreprise ? Si oui, que devriez-vous leur dire ?

10. Des entreprises canadiennes comme Tim Hortons et lululemon athletica ont élargi leurs opérations internationales de détail grâce à des magasins de compagnie. Dans quels cas pourraient-elles envisager de fonder des coentreprises comme stratégie de pénétration de nouveaux marchés étrangers ?

Internaute averti

1. Pour bon nombre de petites entreprises, l'idée de pénétrer un marché étranger peut sembler terrifiante. Le gouvernement du Canada ainsi que la plupart des gouvernements provinciaux et territoriaux offrent maintenant une assistance spéciale aux propriétaires de petites entreprises. C'est le cas, entre autres, du ministère des Affaires étrangères, Commerce et Développement Canada, et d'Industrie Canada. Consultez le site Web d'Industrie Canada (www.ic.gc.ca) et examinez les types de services que cet organisme fournit aux entreprises canadiennes qui veulent faire du commerce à l'étranger. Évaluez l'utilité des renseignements fournis sur le site.

2. McCain est aujourd'hui une marque mondiale, mais dans chaque pays elle modifie ses produits et ses promotions pour les adapter aux goûts locaux. Consultez le site canadien de l'entreprise à l'adresse www.mccain.ca. Ensuite, visitez les sites français (www.mccain.fr), sud-américain (www.mccain.com.ar) et américain (www.mccainusa.com). En quoi ces trois sites diffèrent-ils du site canadien ? Quels produits sont différents ? Quels éléments promotionnels sont différents ?

LULULEMON RÉVOLUTIONNE L'INDUSTRIE MONDIALE DES VÊTEMENTS DE GYMNASTIQUE ET DE SPORT[97]

En 2014, lululemon athletica comptait 254 magasins dans le monde entier, dont 171 aux États-Unis et 54 boutiques au Canada. L'entreprise est aussi présente en Europe (Allemagne, Pays-Bas et Royaume-Uni), en plus de se développer dans la zone Asie-Pacifique avec Singapour, la Nouvelle-Zélande, l'Australie et la Chine, pays dans lequel elle a ouvert six magasins. De plus, elle possède 35 salles d'exposition au Canada et aux États-Unis, et sa croissance ne s'arrête pas en si bon chemin. Quatorze de ses magasins de compagnie portent la bannière ivivva athletica, spécialisée dans les vêtements de danse pour les filles de 4 à 14 ans[98].

Le chiffre d'affaires de l'entreprise a crû, de 12 % entre 2012 et 2013 pour atteindre 1,6 milliard de dollars. Les profits de lululemon ont, eux aussi, connu une croissance exponentielle, passant de 40,7 millions de dollars en 2004 à 840,1 millions de dollars en 2013[99]. Toutefois, comme l'entreprise réalise une part croissante de ses profits au Canada, la force du dollar canadien aura une incidence négative sur ceux-ci. La main-d'œuvre de l'entreprise a augmenté de plus de 175 % entre 2007 et 2011, passant de 1 650 employés en janvier 2007 à 7 622 employés à la fin de 2014[100].

Les boutiques lululemon sont généralement situées dans des rues et des centres commerciaux où elles côtoient des bannières prestigieuses comme Banana Republic, Lacoste, Cartier, Gucci et Whole Foods Market. Outre ses magasins de compagnie et ses franchises, lululemon vend directement aux consommateurs par l'entremise de son site Web, lancé en 2009, et par l'intermédiaire de grossistes: studios de yoga, clubs de santé et centres de culture physique haut de gamme. En 2010, les ventes réalisées par le site Web de l'entreprise comptaient pour 9 % de ses revenus. Celui-ci est conçu de manière à renforcer l'image de marque de l'entreprise et à rendre ses produits accessibles sur d'autres marchés que les magasins physiques. Les grossistes de lululemon offrent un canal de distribution différent pour une certaine clientèle cible et rehaussent son image de marque. D'un point de vue stratégique, les ventes en gros ne devaient pas contribuer de façon importante aux ventes globales (à l'heure actuelle, elles représentent environ 1,4 % des ventes annuelles), mais, à l'instar du site de commerce électronique de l'entreprise, ce circuit a été conçu pour promouvoir la notoriété de la marque, en particulier sur de nouveaux marchés, y compris des marchés extérieurs à l'Amérique du Nord.

Le marché des vêtements de sport est très concurrentiel. Les rivaux de lululemon comprennent des entreprises bien établies qui continuent d'accroître leur production et leur mise en marché de vêtements techniques, ainsi que de nombreux nouveaux venus sur le marché. lululemon rivalise directement avec des grossistes et des détaillants de vêtements d'athlétisme tels que Nike, Adidas, Reebok, Under Armour et même Walmart. Elle entre aussi en concurrence avec des détaillants spécialisés dans les vêtements de sport pour femmes, notamment lucy Activewear, Gap avec sa collection Athleta et bebe avec sa collection Sport.

Dans l'industrie des vêtements de sport, les fabricants se font concurrence principalement sur l'image et la notoriété de la marque, la qualité des produits, l'innovation, le style, la distribution et les prix. D'entrée de jeu, lululemon a adopté une approche différente pour commercialiser ses vêtements de sport. Dans les années 1990, alors que les grandes marques se concentraient surtout sur les hommes et se contentaient de modifier légèrement les lignes de vêtements masculins pour les adapter aux femmes, lululemon a créé des vêtements de sport spécialement pour les femmes. De même, alors que les vêtements de sport étaient conçus principalement pour être confortables et fonctionnels, lululemon offrait à ses clientes des lignes de vêtements confortables, fonctionnels, à la mode et dans des tissus respirants. lululemon a tablé sur la présence croissante des femmes dans les sports et en particulier le yoga, et sur la demande de vêtements en tissus faits de fibres renouvelables. L'entreprise s'est démarquée de ses concurrents avec succès par son image de marque haut de gamme, par le fait qu'elle cible les femmes et par ses produits techniques innovants. De plus, la structure verticale de sa stratégie de distribution la distingue de ses concurrents et lui permet de contrôler plus efficacement son image de marque.

Les clientes de lululemon travaillent, s'amusent et partagent la vision de l'entreprise, qui est de créer des produits et des services pour que les gens vivent plus longtemps, en meilleure santé et de manière plus gaie!

Les activités de marketing de lululemon visent à faire connaître la marque surtout au moyen du bouche-à-oreille transmis par ses clients et ses ambassadeurs communautaires: professeurs de yoga, entraîneurs personnels et étoiles montantes locales. Ces ambassadeurs portent les vêtements lululemon et leurs photos sont généralement accrochées dans un endroit bien en vue dans les magasins. L'entreprise sollicite aussi l'opinion de ces professionnels afin d'obtenir une rétroaction sur la conception de ses modèles et d'autres aspects de ses produits. Elle imite rarement, sinon jamais, les marques concurrentes comme Nike ou Adidas, qui font appel à des célébrités pour annoncer leurs produits. Toutefois, lululemon organise des événements promotionnels choc et même controversés. Par exemple, pour promouvoir l'ouverture d'une nouvelle boutique à Kingston, en Ontario, elle a offert un ensemble neuf (un haut et un bas) aux 30 premières clientes à passer la porte en sous-vêtements ou les seins nus[101]. Elle compte aussi sur les médias locaux et nationaux pour médiatiser gratuitement ses événements, ses marchandises et son histoire.

Outre ses campagnes de marketing uniques, lululemon choisit avec soin les endroits où elle ouvre des magasins et les personnes avec qui elle s'associe, soit par des franchises ou par des coentreprises. Sa profonde compréhension de la culture des marchés visés et sa façon de pénétrer ces marchés et de tisser des liens avec sa clientèle constituent d'autres éléments cruciaux de sa stratégie. Elle a mis au point une organisation locale solide en s'associant avec des entreprises de la région. Par exemple, la plupart de ses magasins australiens sont des franchises, même si l'entreprise a récemment augmenté sa participation financière, qui est passée de 13% à 80,3%, dans la coentreprise australienne New Harbour Yoga Pty. Cette participation accrue est largement vue comme un tremplin pour l'expansion de lululemon sur le marché australien et comme un test de sa capacité à poursuivre son expansion internationale stratégique à long terme.

En ce qui a trait à sa stratégie d'approvisionnement, lululemon ne possède pas d'usines et n'en exploite pas, de même qu'elle ne fait pas affaire avec des fournisseurs indépendants pour les tissus et les produits finis. Ses fabricants s'approvisionnent en tissus auprès d'un nombre limité de fournisseurs approuvés au préalable. L'entreprise travaille avec un groupe d'environ 30 fabricants, dont 5 ont produit environ 63% de ses marchandises en 2013. Aucun fabricant ne fournit à lui seul plus de 25% de ses produits. En 2013, environ 67% des produits étaient fabriqués en Asie du Sud-Est, 23% en Chine et 3% en Amérique du Nord; le reste provenait d'autres pays. Les fabricants nord-américains offrent à l'entreprise la rapidité de mise en marché nécessaire pour réagir prestement à l'évolution des tendances et à l'accroissement de la demande. La distribution des produits finis en Amérique du Nord est centralisée et se fait à partir de centres de distribution situés à Vancouver, en Colombie-Britannique, et à Sumner, dans l'État de Washington. Les marchandises sont généralement acheminées aux magasins par des sociétés de transport indépendantes plusieurs fois par semaine, ce qui assure ainsi un flux constant de nouvelles marchandises.

Malgré sa croissance phénoménale et son image de marque forte, lululemon a traversé des périodes difficiles. Ainsi, en 2007, le *New York Times* rapportait que des tests indépendants avaient révélé que les allégations de l'entreprise concernant les bienfaits thérapeutiques de sa ligne VitaSea étaient fausses. Les clientes de lululemon étaient en colère et certaines ont même menacé de poursuivre l'entreprise en justice pour ses allégations fallacieuses. lululemon a réagi en présentant les résultats d'un laboratoire indépendant qui appuyaient ses déclarations; toutefois, par la suite, le Bureau de la concurrence du Canada l'a obligée à retirer toutes ses allégations similaires au sujet de ses produits. Puis, en 2008, lululemon a mis fin à ses opérations au Japon en raison de la faiblesse de ce marché. En 2009, l'entreprise a fait face à deux recours collectifs très médiatisés intentés par des employées aux États-Unis. En effet, trois anciennes employées à salaire horaire ont prétendu que lululemon violait divers articles du Code du travail de la Californie en obligeant son personnel à porter des vêtements lululemon pendant les heures de travail sans lui en rembourser le coût et en lui versant certaines primes sous forme de cartes-cadeaux échangeables uniquement contre des marchandises de la marque. Dans un autre cas, une ancienne employée à salaire horaire a déposé un recours collectif sous prétexte que lululemon violait divers articles du Code du travail de la Californie en refusant de payer ses employés pour certains jours de repos, pauses-repas et heures supplémentaires. lululemon a réglé ces deux cas.

L'entreprise a été plutôt lente au cours des dernières années en ce qui concerne son expansion mondiale. Elle voulait au préalable tester les marchés au moyen de magasins éphémères et dans certains cas, comme à Hong Kong, ne trouvait pas d'emplacement abordables pour s'installer de façon permanente. L'orientation que M. Potdevin, le PDG actuel, veut donner à la société ressemble à un coup sur l'accélérateur[102]. Comme l'entreprise vise à augmenter son empreinte internationale à long terme, les dirigeants doivent décider si cette expansion se fera au moyen de magasins de compagnie ou de franchises, d'acquisitions d'entreprises étrangères ou d'ententes de coentreprise. Ils savent que lululemon a tout intérêt à s'associer avec des entreprises expérimentées et prospères du pays ciblé. Toutefois, ils comprennent aussi qu'ils devront peut-être céder une partie de leur pouvoir de décision s'ils empruntent la voie du partenariat. Par exemple, les franchisés sont des exploitants indépendants et non des employés de lululemon, et l'équipe de gestion ne peut contrôler les opérations quotidiennes de leurs magasins de détail. Elle doit se contenter de leur offrir de la formation et du soutien, d'établir des normes opérationnelles et de les surveiller. En ce qui touche la croissance des revenus de lululemon, les dirigeants ont établi trois priorités dans l'ordre suivant : l'expansion des magasins existants, le commerce électronique et l'ouverture de nouveaux magasins, surtout à l'extérieur de l'Amérique du Nord.

Questions

1. Quels facteurs sont responsables du succès phénoménal de lululemon selon vous ? Ces facteurs de réussite sont-ils de nature à durer au cours de la prochaine décennie ?

2. Étant donnée la nature des stratégies d'approvisionnement, de fabrication et de marketing de lululemon, expliquez comment les facteurs PEST pourraient influer sur le succès et la performance de l'entreprise dans le futur.

3. Décrivez l'incidence des facteurs socioculturels sur le succès de lululemon.

4. Pourquoi les répercussions de l'article du *New York Times* sur les allégations fallacieuses de lululemon ont-elles été de courte durée ?

5. lululemon rapporte les profits réalisés au Canada en dollars canadiens, mais les profits réalisés au niveau international en dollars américains. En supposant que l'entreprise ait accumulé des profits de un milliard de dollars au Canada en 2020, quelle incidence une dépréciation du dollar canadien de 10 % par rapport au dollar américain aurait-elle sur les profits que l'entreprise déclarerait en dollars américains ?

6. Comme il est écrit à la fin de ce cas, l'équipe de gestion doit prendre deux décisions importantes quant à l'avenir de lululemon. L'une d'elles a trait au mode de pénétration des nouveaux marchés internationaux (c.-à-d. par des magasins de compagnie, des franchises ou des coentreprises). La seconde concerne la cible sur laquelle elle concentrera ses efforts pour accroître ses profits (c.-à-d. les magasins existants, puis le commerce électronique et, enfin, l'ouverture de nouveaux magasins). Expliquez les avantages et les inconvénients de chaque option. Quelle ligne de conduite recommanderiez-vous ?

ANNEXE

Le plan
marketing

Ayez un plan, suivez-le et vos progrès vous étonneront.
La plupart des gens n'ont pas de plan. C'est pourquoi ils
sont faciles à vaincre.

Paul « Bear » Bryant, entraîneur de football,
Université de l'Alabama

Pourquoi élaborer un plan marketing[1] ?

En tant qu'étudiant, vous planifiez sans doute la majeure partie de votre vie : où dîner avec vos amis, le temps passé à étudier en vue des examens, les cours à prendre au prochain trimestre, le mode de transport pour rentrer chez vos parents lors des fêtes de fin d'année, et ainsi de suite. Les plans nous permettent de clarifier notre destination et la façon d'y arriver.

Pour une entreprise, c'est à peu de choses près la même logique. Toute entreprise désireuse de faire des profits (autrement dit, toutes les entreprises) doit prévoir diverses contingences, et le marketing n'est pas la moindre de celles-ci. Un plan marketing, tel que nous l'avons défini au chapitre 2, est un document comprenant une analyse de la situation courante, des occasions d'affaires qui s'offrent à l'entreprise et des menaces possibles, les objectifs à atteindre, les stratégies relatives aux quatre « P », le plan d'action ainsi que l'état des résultats *pro forma* et prévus (et autres états financiers). Il permet aux gestionnaires marketing et à l'entreprise en tant qu'entité de comprendre leurs propres actions, le marché dans lequel ils opèrent, leur orientation future et les moyens d'obtenir du soutien pour leurs nouvelles initiatives[2].

Comme ces éléments – activités internes, environnement externe, objectifs et formes de soutien – diffèrent pour chaque entreprise, chacune dresse un plan marketing différent. Toutefois, plusieurs lignes de conduite s'appliquent à ce type de plan en général. La présente annexe résume ces lignes de conduite et présente un exemple annoté.

Le plan marketing et le plan d'affaires

Certes, les entreprises ne tiennent pas seulement compte de l'aspect marketing dans leurs plans et elles se dotent également d'un plan d'affaires. Néanmoins, comme il est souligné dans ce manuel, le marketing constitue un aspect tellement important des affaires que le plan d'affaires et le plan marketing coïncident de multiples façons[3]. Tous deux englobent généralement les éléments ci-dessous :

1. Le sommaire exécutif
2. La présentation de l'entreprise
3. Les objectifs de l'entreprise, généralement définis en fonction de son plan stratégique et de sa mission
4. L'analyse de la situation, soit les environnements interne et externe
5. L'analyse SCP (segmentation, ciblage et positionnement)
6. La stratégie de marketing
7. Les projections financières
8. Le programme de mise en œuvre
9. Les paramètres d'évaluation et de contrôle

Cependant, un plan d'affaires comprend aussi des détails sur la recherche et développement (R et D) ainsi que sur les opérations, et les deux plans présentent parfois des renseignements sur d'autres sujets clés en fonction de la mission de l'entreprise et du plan.

La structure d'un plan marketing

La présente section décrit brièvement chacun des éléments d'un plan marketing[4].

Le sommaire exécutif

En gros, le sommaire exécutif est un résumé qui indique au lecteur la raison pour laquelle il lit ce plan marketing : les changements qui requièrent son attention, les nouveaux produits dont il faut discuter et ainsi de suite ; il propose aussi des actions à mener en réponse à l'information contenue dans le plan.

La présentation de l'entreprise

Cette partie du plan présente une brève description de l'entreprise et peut comprendre son énoncé de mission, son historique et ses avantages concurrentiels.

Les objectifs de l'entreprise

Cette partie contient des précisions sur les raisons pour lesquelles le lecteur lit ce plan marketing. Que veut accomplir l'entreprise, à la fois dans l'ensemble et grâce à ce plan marketing particulier ?

L'analyse de la situation

Comme nous l'avons mentionné au chapitre 2, l'analyse de la situation s'appuie sur la matrice FFOM ; cette section aborde donc les forces et les faiblesses de l'entreprise, ainsi que les opportunités et les menaces observables dans son environnement.

L'analyse SCP

Cette analyse vise à évaluer le marché dans lequel l'entreprise opère, les produits qu'elle offre présentement ou prévoit offrir à l'avenir, et les caractéristiques de ses clients actuels ou potentiels.

La stratégie de marketing

Cette stratégie peut être très précise, surtout si le plan porte sur un produit existant dans un marché connu, par exemple ; ou elle peut tenir compte de diverses possibilités et indiquer, par exemple, le moment où l'entreprise prévoit pénétrer un nouveau marché avec un produit original.

Les projections financières

En s'appuyant sur les informations recueillies, le plan marketing devrait décrire les développements éventuels et le rendement attendu des investissements en marketing décrits dans la stratégie de marketing.

Le programme de mise en œuvre

Cette partie du plan marketing indique le calendrier des activités promotionnelles et des activités de contrôle, ainsi que les avenues de croissance probables de l'entreprise.

Les paramètres d'évaluation et de contrôle

Comme l'entreprise doit pouvoir évaluer les recommandations du plan marketing, ce dernier doit définir les méthodes qui serviront à cette évaluation, qu'elle soit quantitative ou qualitative.

L'annexe

La ou les sections finales contiennent des renseignements additionnels potentiellement utiles : liste du personnel clé, limites des données pouvant influer sur les résultats, recommandations, règlements pertinents, et ainsi de suite.

Les sources d'information[5]

Lorsque vous rédigez un plan marketing, vous pouvez consulter diverses sources d'information internes de votre entreprise, comme des rapports annuels, d'anciens plans marketing, l'énoncé de mission publié et ainsi de suite. Vous trouverez des suggestions et des exemples susceptibles de vous inspirer et d'orienter votre travail dans une variété d'autres sources. Les tableaux 5.1 et 5.2 (*voir p. 140 et 141*) en proposent un bon nombre que vous pourriez trouver très utiles.

- KnowThis.com – « une source de connaissances en marketing » (www.knowthis.com/principles-of-marketing-tutorials/how-to-write-a-marketing-plan/)
- Encyclopedia of American Industries – définit la structure de l'industrie ; information classée en fonction des codes CTI (Classification type des industries, plus connus sous l'acronyme anglais SIC) et SCIAN (Système de classification des industries de l'Amérique du Nord)
- Standard & Poor's NetAdvantage – sondages portant sur plus de 50 industries et données financières sur quelques sociétés de chaque domaine
- Investext Plus – rapports de firmes de courtage
- IBISWorld – études de marché réalisées par des milliers d'entreprises ; classées en fonction des codes SCIAN
- Statistique Canada – enquêtes sur pratiquement tous les aspects du commerce et de l'économie, statistiques sociales et démographiques ; grande variété de statistiques sur divers sujets
- Recensement, Statistique Canada – statistiques détaillées recueillies tous les 10 ans sur tous les aspects de la population canadienne
- LifeStyle Market Analyst – données sur le style de vie en fonction des régions géographiques, des groupes d'intérêt, des groupes d'âges et des catégories de revenu

- GfkMRI – données démographiques, information sur les styles de vie, l'utilisation des produits et des marques, et les préférences en matière de médias publicitaires
- Arbitron/Scarborough – information recueillie dans 75 marchés locaux pour divers médias et portant sur les comportements d'achat au détail, les habitudes de consommation, l'utilisation des médias, le style de vie et les données démographiques
- Simmons Study of Media and Markets – caractéristiques des produits et des consommateurs ; diverses audiences des médias et leurs caractéristiques
- Rand McNally *Commercial Atlas & Marketing Guide* – cartes et tableaux comportant des données démographiques et industrielles, ainsi que des données sur le transport, l'industrie ferroviaire, les compagnies aériennes et les hôpitaux
- Rapports annuels et rapports 10K par Thomson ONE Banker, Edgar, and LexisNexis – descriptions d'entreprises, codification de produits, circuits de distribution, répercussions éventuelles de règlements et de poursuites judiciaires, et discussions sur des questions stratégiques
- MarketResearch.com Academic – études de marché portant sur divers produits de consommation
- Mintel Reports Database – études de marché axées sur les produits de consommation, les styles de vie, le commerce de détail et l'industrie des voyages internationaux

Nous vous invitons également à consulter les ressources disponibles à la bibliothèque de votre université. Cette dernière est très certainement abonnée à de nombreuses ressources électroniques et papier de grand intérêt.

Le langage et l'aspect visuel

Encore une fois, rappelez-vous qu'aucun plan marketing ne ressemble à un autre parce que toutes les entreprises sont différentes. Toutefois, de même que la rédaction efficace d'un texte est assujettie à des règles, celle d'un plan marketing obéit aussi à des règles ou à des lignes de conduite.

- Conservez une attitude professionnelle dans l'écriture et la présentation.
- Soyez concis dans vos descriptions et vos résumés. Allez droit au but.
- Écrivez dans un français standard et corrigez vos fautes.
- Relisez votre plan en entier plusieurs fois afin de corriger vos erreurs de grammaire et d'orthographe ou d'autres erreurs qui pourraient atténuer le professionnalisme de votre texte.
- Adoptez un ton professionnel et évitez le langage fleuri et le jargon.
- Employez des formes directes plutôt que passives et mettez les temps de verbes au présent plutôt qu'au passé chaque fois que c'est possible (p. ex., « Nous prévoyons un taux de croissance de 30 % en deux ans » plutôt que « Nous avons prévu un taux de croissance de 30 % en deux ans »).
- Soyez positif.
- Cependant, évitez d'employer des superlatifs dénués de sens (p. ex., « Nous visons une croissance phénoménale »).
- Soyez précis ; présentez des données quantitatives autant que possible.
- Insérez des graphiques, des photos, des illustrations et des tableaux dans le texte afin de transmettre les concepts clés de façon succincte.

- Prenez toujours le temps de faciliter la tâche au lecteur en réalisant des synthèses sous forme de tableaux ou de graphiques pour récapituler les nombreux points d'une section importante.
- Toutefois, évitez de surcharger votre plan en utilisant un trop grand nombre d'éléments visuels.
- Agencez les éléments du plan d'une manière claire et logique.
- Organisez les sections de façon logique en recourant à divers niveaux de titrage pour lesquels vous emploierez des caractères typographiques différents (p. ex., caractères gras pour le titre et italiques pour les sous-titres).
- Utilisez des puces et des listes numérotées pour mettre en valeur les points importants.
- Exploitez la technologie moderne (p. ex., logiciel graphique, logiciel de mise en page, imprimante laser) afin de donner un style professionnel à votre plan.
- Choisissez une police appropriée pour que votre texte soit facile à lire et visuellement attrayant ; évitez les tailles de police inférieures à 10 points.
- Évitez les polices peu communes ou décoratives ; tenez-vous-en à une police courante avec empattement afin de faciliter la lecture de votre texte.
- Pensez à présenter votre rapport dans une reliure à couverture transparente avec une belle page de titre.
- Visez à rédiger un plan de 15 à 30 pages.

Le plan marketing
de PeopleAhead[6]

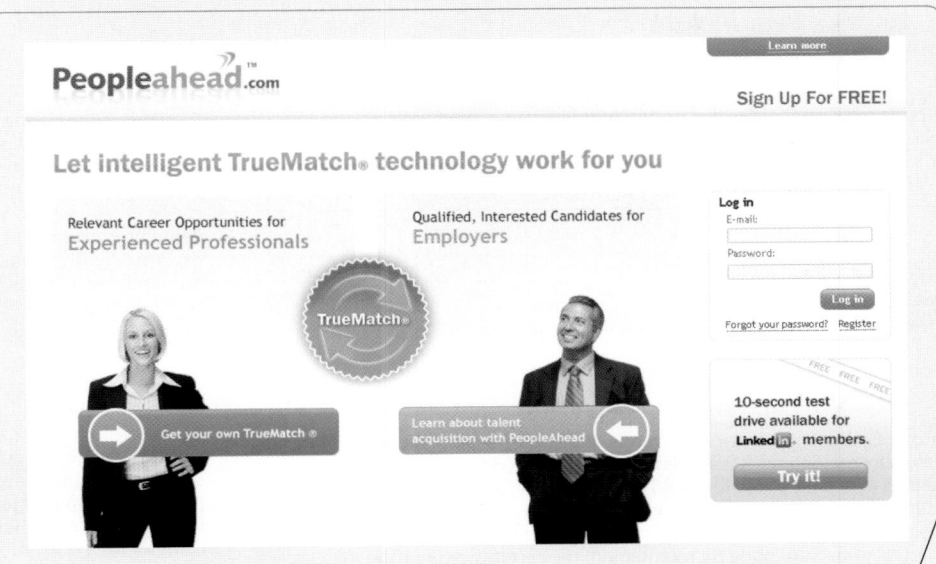

Le présent plan marketing ne comporte pas de sections « Le sommaire exécutif » et « La présentation de l'entreprise » distinctes, mais il commence avec un survol de ces deux aspects et répond aux questions clés : « Quel type d'entreprise sommes-nous ? » et « Que devons-nous faire pour atteindre nos objectifs ? » (*voir le chapitre 2*).

1. Le sommaire exécutif

PeopleAhead se concentre sur le développement professionnel bien fait. Au lieu d'offrir un service de recherche d'emploi ponctuelle, PeopleAhead propose une plateforme virtuelle sur laquelle les chercheurs d'emploi peuvent trouver un emploi et développer leur carrière en formulant leurs objectifs, en discutant de leurs plans de perfectionnement et en échangeant avec d'autres professionnels.

Comme ce plan, tout plan marketing devrait commencer par une évaluation positive et dynamique de ce que l'entreprise fait et espère continuer de faire.

PeopleAhead sublime l'expérience du développement professionnel grâce à sa technologie propriétaire TrueMatch®, qui établit des correspondances entre les entreprises qui veulent embaucher des talents (les employeurs) et les membres de PeopleAhead (les candidats) en quête d'un emploi. De façon anonyme, l'entreprise présente à ses membres uniquement les offres d'emploi pour lesquelles ils sont qualifiés. Ceux-ci confirment leur intérêt pour le poste ou recommandent des connaissances. C'est ainsi que PeopleAhead a transformé le processus inefficace de recrutement en ligne en un système efficace de jumelage entre candidats et employeurs. Carlos Larracilla et Tom Chevalier ont fondé PeopleAhead parce qu'ils voulaient améliorer la vie des gens en les aidant à réaliser leurs aspirations professionnelles. Leur vision de PeopleAhead a vu le jour en janvier 2006 ; elle reposait sur l'idée qu'il est essentiel d'harmoniser les personnalités si l'on veut réunir les bons candidats avec les bons employeurs. Depuis lors, l'idée a évolué et s'est concrétisée dans une entreprise qui assortit les candidats aux possibilités de carrière en fonction de leur personnalité, de leurs compétences, de <u>leur expérience et de leurs centres d'intérêt</u>.

Notez que les noms des fondateurs donnent au texte une note personnelle susceptible d'amener le lecteur à se sentir lié à l'entreprise.

Tom et Carlos allient les ressources humaines, le développement de systèmes et l'expérience de la vente pour créer un réseau innovateur de jumelage de talents soutenu par la technologie TrueMatch®. Grâce à celle-ci, les travailleurs pourront plus facilement réaliser leurs aspirations professionnelles et les entreprises trouveront plus rapidement les candidats susceptibles de contribuer à leur réussite à long terme. L'organigramme de PeopleAhead est présenté dans l'annexe A.

2. Les objectifs stratégiques

2.1. La mission

PeopleAhead s'est donné pour mission d'aider des professionnels dans leur cheminement de carrière et d'améliorer le capital humain des entreprises. Le site sert de plateforme de réseautage pour les professionnels. Il vérifie l'adéquation entre les candidats
et les postes affichés et met fin aux recherches interminables dans les offres d'emploi et
les CV.

2.2. Les objectifs

- Utiliser la plateforme de jumelage TrueMatch®.
- Bâtir une masse critique d'utilisateurs.
- Augmenter l'achalandage du site Web grâce à des campagnes de communication
  éclair.
- Exploiter le bouche-à-oreille créé par les utilisateurs satisfaits.

2.3. Le résumé d'affaires

- **Les clients commerciaux:** ces clients génèrent les revenus de PeopleAhead en achetant les coordonnées des «Dix meilleurs PROfils» issus de la banque de membres
  individuels, qui ont été triés et classés par le logiciel TrueMatch®. PeopleAhead se
  concentrera sur les petites et les moyennes entreprises (voir la section «La segmentation du marché»), mal servies par les gros recruteurs en ligne; de plus, les recherches
  ont démontré que ce marché utilise un mode de recrutement moins efficace et profi-
  terait vraiment des services offerts par PeopleAhead. Les clients de ce segment comprennent des gestionnaires en ressources humaines (RH) chargés de constituer une
  banque de candidats, des spécialistes du secteur fonctionnel qui ont besoin de nouveaux talents dans leur équipe et des cadres dont les objectifs professionnels reposent
  sur le capital humain et sur l'efficacité des opérations.

- **Les membres individuels:** ce segment ne paie pas les services, mais constitue la
  principale source de points de données pour le système TrueMatch®. PeopleAhead
  s'appliquera à constituer une banque de membres allant des diplômés récents aux
  candidats cumulant de cinq à sept années consécutives de travail. Les membres idéaux
  sont ceux qui obtiendront leur diplôme au cours des neuf mois subséquents et ceux
  qui occupent déjà un emploi, mais souhaitent changer de carrière sans être toutefois
  pressés. Ces personnes peuvent exploiter pleinement les services de PeopleAhead et
  constituent des candidats intéressants pour les clients commerciaux de l'entreprise.

2.4. L'avantage concurrentiel

- *TrueMatch® propose une technologie de marque* destinée tant aux clients d'affaires
  qu'aux chercheurs d'emploi grâce à sa proposition de valeur basée sur le modèle de
  la boîte noire, qui fait de PeopleAhead le chef de file dans le domaine du logiciel
  de jumelage employeur-travailleur. Cette technologie permet à l'entreprise de
  se démarquer de ses concurrents, qui possèdent peut-être un logiciel de jumelage
  similaire sur le plan technique, mais qui doivent constamment renforcer leurs communications de marketing en expliquant leur proposition de valeur.

- Les *membres individuels* trouveront en PeopleAhead une plateforme virtuelle
  d'avancement professionnel sur laquelle ils créeront avec enthousiasme une histoire
  et entretiendront des relations (amis invités, collègues de travail et mentors) qui feront
  de Peopleahead.com leur site de prédilection parmi leurs sites favoris. PeopleAhead
  propose des offres d'emploi TrueMatch®, des plans de carrière permettant aux candidats de constituer un dossier professionnel, ainsi que des outils de développement
  professionnel pratiques, notamment un système de rétroaction automatique sur le
  statut des candidatures, un onglet «Recommandez un ami» et un outil de réseautage
  professionnel basé sur le travail d'équipe.

Ce paragraphe donne une idée générale des objectifs de l'entreprise; la liste à puces présente des buts plus précis et les sections sub-séquentes expliquent plus en détail les divers facteurs susceptibles d'influer sur la réalisation de ces objectifs.

En renvoyant le lecteur à une autre section, l'auteur lui permet de recouper les infor-mations tout en indiquant clairement l'orientation du plan.

Le plan définit un marché cible général potentiel ainsi que les cibles idéales.

Comme on l'a vu au chapitre 2, PeopleAhead a mis en valeur son avantage concurrentiel durable et l'a intégré à son énoncé de mission général.

- Pour ses *clients commerciaux*, PeopleAhead rend la recherche et la sélection en ligne de candidats rapide et efficace en présélectionnant les candidats potentiels, en cherchant des recommandations pour les postes difficiles à pourvoir et en présentant seulement les dix candidats les plus qualifiés qui ont démontré leur intérêt pour le poste disponible.

    PeopleAhead sera la plateforme de jumelage employeur-travailleur la plus efficace sur le marché, puisqu'elle proposera des candidats présélectionnés ayant déjà confirmé leur intérêt pour le poste.

> En abordant les avantages tant externes qu'internes de PeopleAhead, le plan établit une nette distinction entre les chercheurs d'emploi individuels et les entreprises, et différencie ainsi la mission et les objectifs de l'entreprise en fonction de cette segmentation.

3. L'analyse de la situation – Le recrutement en ligne

Le recrutement en ligne est le processus par lequel les entreprises utilisent Internet pour chercher et sélectionner des candidats aptes à pourvoir leurs postes vacants. Les services offerts par les recruteurs en ligne vont du recoupement des CV aux tests d'évaluation en passant par les stratégies de mise en relation. Toutefois, l'objectif commun sous-jacent est de repérer les candidats qui passent entre les mailles des services de recrutement traditionnels et d'utiliser la puissance informatique pour les présélectionner rapidement et de façon plus précise que si cela était fait manuellement.

3.1. L'analyse de l'industrie

Les plus gros recruteurs en ligne rendent le processus d'embauche fastidieux en obligeant les entreprises à parcourir un grand nombre de CV manuellement dans le but de trouver le candidat idéal. D'autres entreprises sollicitent des recommandations pour les postes à pourvoir. Toutefois, les CV sont souvent « retouchés » de sorte que presque tous les candidats semblent qualifiés et les renseignements qu'ils contiennent ou qui proviennent d'une recommandation ne permettent pas à l'employeur de prendre une décision éclairée. Les entreprises ont besoin de plus d'informations et d'outils intelligents aptes à rendre la présélection plus précise.

3.1.1. La taille du marché

En 2005, aux États-Unis, la taille des deux segments de marché était la suivante :

> Les figures et les chiffres allègent le texte de manière attrayante et résument une foule de renseignements dans un format facile à lire.

Membres individuels

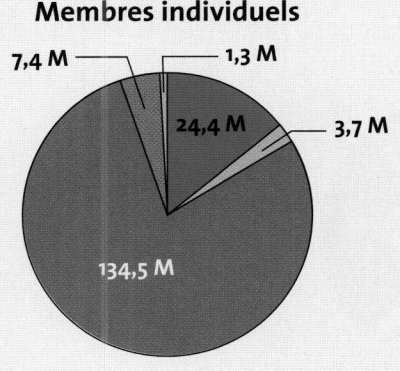

7,4 M   1,3 M

24,4 M   3,7 M

134,5 M

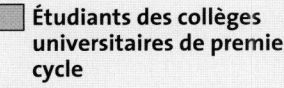 Étudiants des collèges universitaires de premier cycle

■ Étudiants d'autres collèges

■ Étudiants engagés dans un programme d'études supérieures

■ Travailleurs actuels

■ Demandeurs d'emploi

M : Millions

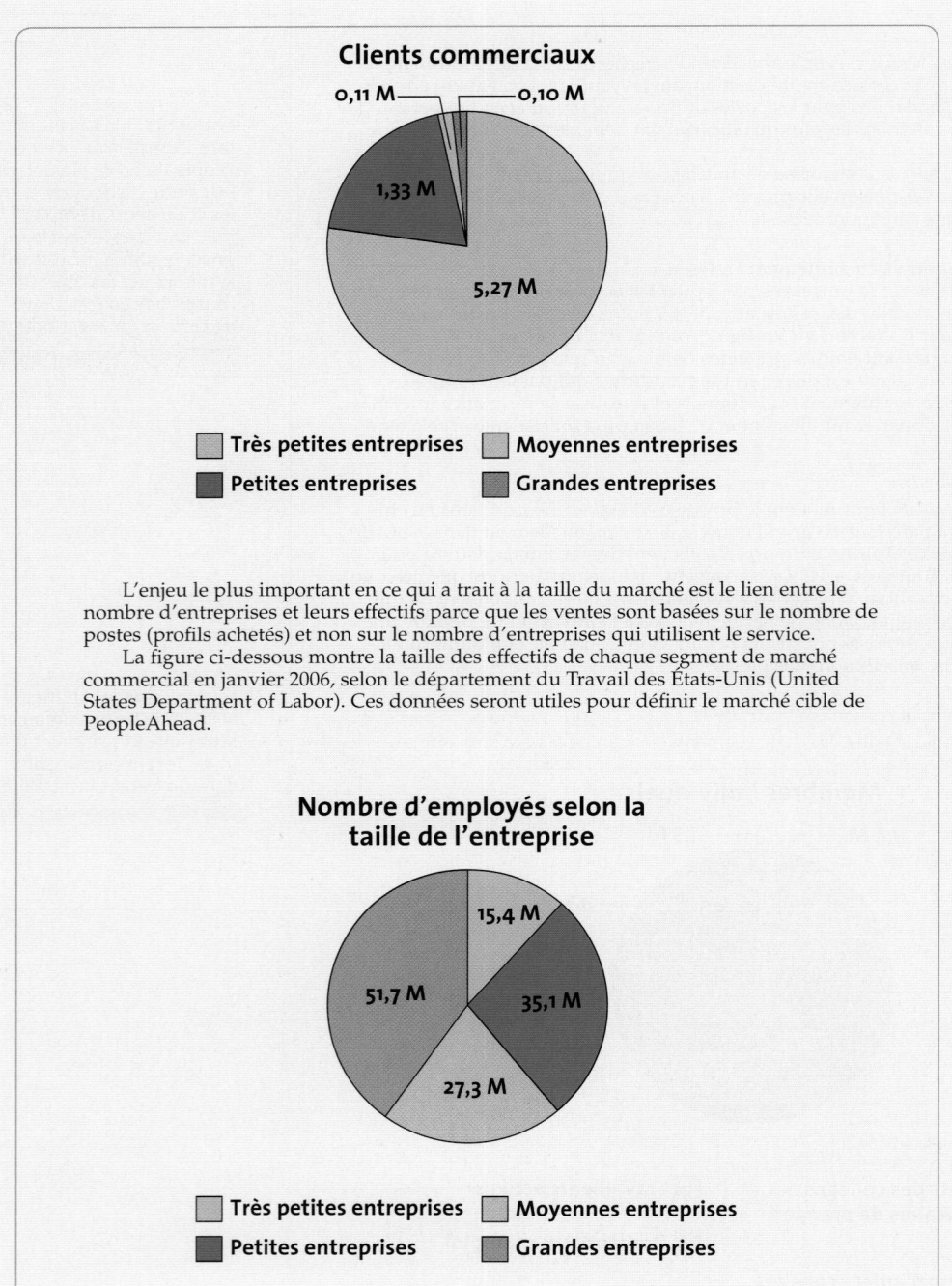

Clients commerciaux

0,11 M — 0,10 M

1,33 M

5,27 M

- Très petites entreprises
- Moyennes entreprises
- Petites entreprises
- Grandes entreprises

L'enjeu le plus important en ce qui a trait à la taille du marché est le lien entre le nombre d'entreprises et leurs effectifs parce que les ventes sont basées sur le nombre de postes (profils achetés) et non sur le nombre d'entreprises qui utilisent le service.

La figure ci-dessous montre la taille des effectifs de chaque segment de marché commercial en janvier 2006, selon le département du Travail des États-Unis (United States Department of Labor). Ces données seront utiles pour définir le marché cible de PeopleAhead.

Nombre d'employés selon la taille de l'entreprise

15,4 M

51,7 M

35,1 M

27,3 M

- Très petites entreprises
- Moyennes entreprises
- Petites entreprises
- Grandes entreprises

3.1.2. La croissance du marché

PeopleAhead œuvrera sur le marché du recrutement en ligne. La croissance de cette industrie est soumise à deux grandes contraintes : la santé de l'économie américaine et le taux d'adoption de la publicité de recrutement en ligne. Comprendre ces contraintes permettra de cerner les possibilités d'affaires qui s'offrent à PeopleAhead. Des indicateurs généraux révèlent que l'économie américaine (PIB) croîtra à un taux annuel moyen de 4 % pendant la prochaine décennie[7]. La publicité de recrutement en ligne devrait augmenter de 35 % par année pour atteindre 7,6 milliards de dollars en 2010[8]. Non seulement ce marché est en pleine croissance, mais, comme le montre le graphique ci-dessous, il démontre un taux d'adoption rapide par de nouvelles entités[9].

Un autre graphique visuellement attrayant résume avec facilité une information complexe. L'utilisation de couleurs de qualité supérieure peut donner une note professionnelle à un plan marketing.

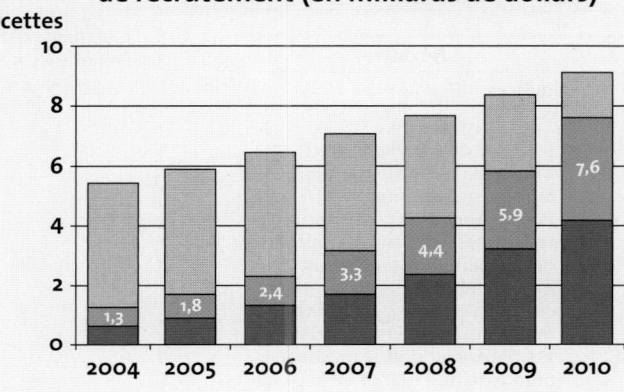

Croissance de l'industrie de la publicité de recrutement (en milliards de dollars)

- Valeur totale de la publicité de recrutement
- Valeur totale du marché de recrutement en ligne
- Principaux concurrents : Monster, CareerBuilder et HotJobs (Yahoo)

3.1.3. Les besoins du marché

- **Le candidat parfait pour le poste parfait :** le candidat idéal pour une entreprise ou un poste donné ne l'est pas nécessairement pour les autres employeurs. Non seulement les entreprises doivent-elles trouver des candidats intelligents ayant une expérience pertinente, mais encore elles préfèrent les candidats qui répondent aux exigences du poste en ce qui touche la personnalité, les compétences et la compatibilité avec la culture de l'entreprise.

- **Les outils de présélection :** il peut être avantageux d'accéder à une plus grande banque de candidats potentiels grâce au recrutement en ligne, mais cela peut aussi comporter des inconvénients. Lorsqu'ils cherchent des candidats, les recruteurs ont besoin d'outils pour déterminer leur admissibilité.

- **Des économies de temps :** les entreprises doivent effectuer rapidement la recherche et la présélection des candidats en ligne. En effet, les postes restés vacants peuvent provoquer de graves écarts de rendement au sein de l'entreprise.

3.1.4. Les tendances du marché

Les techniques utilisées par les spécialistes du recrutement en ligne ont changé ; le re-coupement des CV et les sites de recherche d'emploi comme Monster et CareerBuilder sont de plus en plus délaissés en faveur des nouvelles méthodologies Web 2.0, qui en-globent le recrutement passif, le « métabalisage » et le réseautage social.

L'objectif sous-jacent de ces services Web 2.0 est de faire en sorte que les internautes se concentrent sur quelques sites Web fiables tout en permettant aux entreprises de com-muniquer avec eux à des fins financières. En parallèle, ils visent non plus à rassembler les visiteurs uniques, mais à amener les utilisateurs existants à s'engager plus intensé-ment. Les internautes sont de plus en plus habitués aux sites qui encouragent la sociali-sation, la collaboration et la divulgation de renseignements personnels en ligne afin d'améliorer les avantages du réseau, et les entreprises doivent les amener à s'engager pour garder le contact avec eux.

> Avant de procéder à une analyse FFOM propre à l'entreprise (*voir le chapitre 2*), ce plan marketing évalue plus en détail l'environnement ex-terne incontrôlable de celle-ci et jette ainsi les bases de la future analyse FFOM.

3.2. L'analyse FFOM

> À l'aide d'un tableau et de puces, le plan résume un grand nombre de renseigne-ments d'une manière claire et succincte.

	Positives	Négatives
Environnement interne	**Forces**	**Faiblesses**
	• Meilleures pratiques de l'industrie : le modèle de réseautage utilisé par PeopleAhead s'appuie sur des protocoles de contact issus des « meilleures pratiques » et utilisés dans bon nombre d'industries, notamment la rétroaction en ligne, le recrutement, le réseautage social et le réseautage professionnel hors ligne. Le logiciel TrueMatch® assortit les objectifs de l'entreprise avec les candidats appropriés. • Expertise de l'équipe : les talents combinés des fondateurs de l'entreprise englobent la gestion des ressources humaines, le développement de systèmes, la vente et le marketing. • Expertise en développement Web : PeopleAhead s'est associée avec un développeur de logiciels européen primé. Cette entreprise fournit des produits dont la qualité est généralement réservée aux projets à gros budget à des conditions intéressantes pour une jeune entreprise.	• Absence de représentants influents de l'industrie : en tant que jeune entreprise, PeopleAhead ne possède pas les ressources nécessaires pour attirer des gestionnaires influents. • Incapacité de garantir la masse critique : comme c'est le cas de nombreuses cyberentreprises, PeopleAhead doit résoudre le paradoxe de l'œuf et de la poule pour bâtir une masse critique d'utilisateurs. • Vérification de l'efficacité du sys-tème : en théorie, l'efficacité du système est absolument garantie ; les décisions ne sont pas prises par des humains, mais par une machine à partir de ses calculs. Toutefois, il faut s'assurer que les appariements du système sont exacts pour que celui-ci soit largement accepté. • Vaste marché cible : comme PeopleAhead cible un large éventail d'entreprises, le produit qu'elle développe n'est pas adapté à chaque segment de façon optimale.

(à suivre)

Environnement externe	Opportunités	Menaces
	• Écart de service : les recruteurs ne sont pas satisfaits des recruteurs en ligne actuels.	• Convergence : les concurrents de PeopleAhead pourraient former des alliances stratégiques et s'implanter solidement sur le marché avant PeopleAhead.
	• Écart de l'industrie : un travailleur change d'emploi tous les 3,5 ans.	• Incapacité de protéger son modèle : la propriété intellectuelle électronique est rarement protégée par la loi. Même si PeopleAhead entend adopter des stratégies dynamiques de protection de la propriété intellectuelle, ses concurrents pourraient imiter ou copier son modèle.
	• Besoin de candidats productifs.	
	• La publicité de recrutement en ligne croît de 35 % par année et sa valeur devrait atteindre 7,6 milliards de dollars en 2010[10].	
	• Un marché du recrutement fragmenté : le marché du recrutement en ligne est fragmenté en fonction de la méthode de recherche : candidats actifs (les demandeurs d'emploi), candidats passifs (les personnes qui occupent un emploi, mais changeraient si elles trouvaient mieux), candidats posés (c'est-à-dire ceux qui sont prêts, car insatisfaits de leur emploi, mais non pressés) et réseau (trouver des perles rares en fonction de leur réseau de connaissances ou de leur savoir-faire).	• Différenciation inadéquate : si elle est incapable d'expliquer ce qui la différencie de ses concurrents, PeopleAhead s'expose à des comparaisons défavorables. Sans différenciation, PeopleAhead ne pourra pas croître en profitant d'un effet de réseau.

> Notez que l'auteur appuie ses assertions sur des sources externes qui doivent être clairement identifiées.

3.3. La concurrence

La plupart des services de recrutement en ligne, notamment Monster, CareerBuilder et HotJobs (Yahoo), se font concurrence sur ce marché actif. Ce segment omniprésent comprend des demandeurs d'emploi qui cherchent activement un emploi, affichent leur CV et écument les offres d'emploi sur les sites Web des entreprises. La plupart des recruteurs actifs offrent leurs services gratuitement à leurs utilisateurs et demandent des droits aux entreprises. Celles-ci peuvent afficher des offres d'emploi et chercher des CV dans la base de données des recruteurs (le prix moyen des recherches est de 500 $ à l'échelle locale et de 1 000 $ à l'échelle nationale). Dans ce modèle de recrutement en ligne de première génération, les concurrents se heurtent à un défi de taille : rendre le processus plus convivial et diminuer la somme d'efforts requise pour obtenir des résultats.

> Si PeopleAhead choisit d'adopter une stratégie de fixation des prix basée sur la concurrence (*voir le chapitre 12*), elle devra se renseigner en détail sur le fonctionnement d'autres entreprises de recrutement.

- **Monster :** Le site www.monster.com est le seizième site le plus visité aux États-Unis et compte plus de 43 millions de professionnels dans sa base d'utilisateurs. Ses revenus proviennent de la publication d'offres d'emploi, de l'accès à sa CVthèque et de publicités affichées sur les sites Web de ses partenaires.
- **CareerBuilder :** Le site www.careerbuilder.com a connu une croissance de 75 % au cours des cinq dernières années. Ce moteur de recherche d'emploi et de CV profite de son affiliation avec des médias pour attirer des candidats « passifs » provenant

> Les renseignements sur les profits, la clientèle, le taux de croissance, etc., de la concurrence sont souvent accessibles par le biais de diverses sources.

de sites Web partenaires. Sa croissance s'appuie sur un réseau de partenaires qui diffusent des offres d'emploi sur leurs pages Web, comme Google, MSN, AOL, USA Today, EarthLink, BellSouth et CNN. La diffusion d'offres d'emploi est sa principale activité et elle vend ce service avec ou sans l'accès à sa CVthèque.

- **Le recrutement passif :** les services de recrutement en ligne de deuxième génération repèrent des candidats qui ne cherchent pas nécessairement un emploi, mais pourraient changer d'emploi si une bonne occasion se présentait. Les concurrents les plus connus dans cette catégorie comprennent Jobster, LinkedIn et H3 (annexe B).

> Lorsque l'information s'éloigne du sujet du texte principal, elle peut être efficacement présentée en annexe sans distraire le lecteur.

3.4. L'analyse de l'entreprise

La mission de PeopleAhead est simple : améliorer la vie des gens grâce au développement professionnel. PeopleAhead reconnaît que le développement professionnel signifie différentes choses pour beaucoup de gens et elle offre une nouvelle perspective flexible, mais puissante sur le réseautage professionnel :

- **Les utilisateurs ne sont pas seuls :** trouver un emploi n'est pas facile. Pourquoi chercher seul ? PeopleAhead réunit des groupes d'amis, de collègues et de mentors pour explorer naturellement les possibilités de carrière en équipe.
- **L'affichage d'offres d'emploi est une approche sous-efficace :** à l'heure actuelle, beaucoup de chercheurs d'emploi voient leur candidature écartée parce que le style ou le format de leur CV ne plaît pas à un recruteur débordé. Ce sont les bons candidats qui font les bonnes entreprises, pas leurs CV. La technologie TrueMatch® de PeopleAhead assortit le candidat parfait avec le poste parfait. Pas d'affichage, pas de demande d'emploi, juste des correspondances parfaites.
- **Des professionnels vraiment professionnels :** il y a de la place sur Internet pour le réseautage social, le réseautage d'animaux de compagnie et le réseautage musical. Alors pourquoi n'y aurait-t-il pas de débouchés pour le réseautage professionnel en ligne, une activité qui occupe la plus grande partie de notre vie au travail ? PeopleAhead est un site où les professionnels décrivent leurs expériences, leurs réalisations et leurs objectifs à d'autres professionnels intéressés et peuvent être découverts par des employeurs qui apprécient leur professionnalisme.

> Cette section présente l'aspect « produit » de l'analyse SCP (segmentation, ciblage et positionnement). Comme PeopleAhead offre surtout un service (*voir le chapitre 11*), ce plan se concentre sur quelques caractéristiques intangibles de son offre.

3.5. L'analyse de la clientèle

Les efforts de PeopleAhead en matière de recherche et développement (R et D) montrent que la tendance à améliorer l'efficacité du recrutement est omniprésente et que les besoins non résolus tournent autour de quelques éléments clés : la capacité de trouver des candidats qualifiés, de déterminer le degré de compatibilité entre le candidat et la culture de l'entreprise, de vérifier le cheminement de carrière du candidat et de travailler rapidement et à moindre coût. Les caractéristiques ci-dessous représentent des attributs idéaux qui correspondent à l'offre de service de PeopleAhead. Cette information peut être utilisée conjointement avec la stratégie de marketing.

> Le dernier morceau – et non le moindre – du casse-tête de l'analyse : les clients.

3.5.1. Les clients commerciaux

- **L'industrie :** comme les entreprises qui misent sur le capital humain sont plus susceptibles de donner une chance à une jeune entreprise qui soutient le perfectionnement professionnel, PeopleAhead cible principalement l'industrie des services professionnels prise dans son sens large, qui englobe les assurances, les services bancaires et les services de consultation.
- **Le domaine fonctionnel :** le système de PeopleAhead repère les gens qui travaillent avec des gens ; les postes qui exigent des interactions humaines correspondent

mieux aux capacités du système que ceux qui demandent des compétences rigoureuses comme la programmation ou la comptabilité.

- **La taille :** les grandes entreprises (1 000 employés et plus) ont un grand nombre de postes à pourvoir et recherchent des recruteurs qui ont fait leurs preuves ; par ailleurs, les petites entreprises (25 employés et moins) embauchent moins de personnel de sorte qu'elles ne seraient peut-être pas intéressées à payer les coûts d'acquisition. Les services de PeopleAhead conviennent donc mieux aux entreprises de taille moyenne.
- **Les besoins en matière d'embauche :** PeopleAhead se spécialise dans deux types de recherche : les postes pour lesquels les candidats potentiels sont trop nombreux et les postes pour lesquels ils sont trop rares. En attirant les candidats qui sont ignorés par la plupart des systèmes et en proposant uniquement les travailleurs les plus qualifiés, le système trouve rapidement le candidat idéal.

3.5.2. Les membres individuels

- **En arrière-plan :** des candidats qui veulent progresser dans leur carrière et connaissent bien les technologies de réseautage informatique ; la plupart sont diplômés d'un collège ou de l'université, visent la réussite professionnelle et sont conscients de leurs compétences et de leurs lacunes.
- **La situation actuelle :** les membres devraient avoir un plan d'avancement professionnel qu'ils peuvent soumettre à des personnes aptes à les aider à atteindre leurs objectifs ; ce sont, pour la plupart, des gens qui s'interrogent sur leur avenir professionnel et ne sont pas satisfaits de leur emploi du moment, les « candidats posés ».
- **L'avenir :** des personnes proactives qui cherchent, planifient, se renseignent et parlent de leur carrière. Le meilleur exemple de proactivité est sans doute celui d'un étudiant qui investit du temps, de l'énergie et de l'argent dans son développement professionnel.

4. La stratégie de marketing

4.1. La segmentation du marché

4.1.1. Les clients commerciaux

- Les petites entreprises comptant entre 10 et 99 employés. Celles qui ont moins de 10 employés entrent dans la catégorie des « très petites entreprises » et ne constitueront pas un marché cible principal.
- Les moyennes entreprises comptant entre 100 et 1 000 employés.

4.1.2. Les membres individuels

- Les étudiants des collèges universitaires de premier cycle qui se préparent à entamer une première carrière.
- Les étudiants engagés dans un programme d'études supérieures ; les candidats au milieu de leur carrière qui cherchent de nouvelles possibilités, comme des internats, un emploi à temps partiel pendant leurs études ou un emploi à temps plein à la fin de leurs études.
- Les travailleurs actuels. Des personnes qui occupent un emploi, mais souhaitent explorer de meilleures possibilités de carrière.
- Les demandeurs d'emploi. Les personnes qui cherchent un emploi et ne font pas partie des segments ci-dessus.

Bien que l'introduction de cette annexe et l'organisation du plan laissent croire que l'analyse de la concurrence, des produits et des clients est distincte, une entreprise ne peut généralement pas traiter un aspect sans aborder l'autre, comme le montre ce plan. Ici, dans la section portant sur les clients commerciaux, l'auteur relève les lacunes des concurrents de PeopleAhead et indique pourquoi le service offert par celle-ci fournit une meilleure valeur.

On ne peut pas comprendre les clients du marché cible simplement en consultant des chiffres. PeopleAhead tente aussi de saisir ce que les chercheurs d'emploi pensent et ressentent.

Le plan respecte la même segmentation du début à la fin. Ici, on y décrit les cibles de l'entreprise et les attraits de chaque segment pour elle.

4.2. Le marché cible

PeopleAhead a l'intention de concentrer ses ressources sur les petites et les moyennes entreprises du marché métropolitain de la Nouvelle-Angleterre, notamment de Boston, Providence, Hartford, Stamford, Norwalk, Worcester et Springfield. Les recruteurs en ligne se font concurrence pour les dépenses en recrutement à l'échelle nationale, mais la plupart des chercheurs d'emploi limitent leurs recherches à leur lieu de vie, de sorte qu'il est possible pour PeopleAhead de pénétrer le marché en circonscrivant ses activités à une zone géographique précise, soit la Nouvelle-Angleterre. Avec cet objectif, PeopleAhead sera mieux en mesure de bâtir une masse critique d'utilisateurs représentant la population des chercheurs d'emploi et d'optimiser l'expérience tant des utilisateurs que de ses clients, ainsi que son service à la clientèle et l'utilisation des ressources financières.

4.3. Le positionnement stratégique

Pour le professionnel proactif, PeopleAhead représente le développement professionnel bien fait, puisqu'elle propose une plateforme permettant de découvrir, de planifier et de faire progresser sa carrière en jumelant des amis, des collègues de travail et des mentors avec des entreprises à la recherche du candidat idéal.

5. Le marketing mix

5.1. Les produits et les services offerts

La première offre prévue est le profilage de groupe ; les utilisateurs se joignent librement à des groupes, à qui ils dévoileront leurs plans de perfectionnement. Comme sur les sites de réseaux sociaux, l'accès à un groupe exige une autorisation. Les membres peuvent ainsi partager leurs expériences professionnelles avec des connaissances. Mentionnons que le profilage de groupe peut encourager le «voyeurisme» : des membres adhèrent à un groupe dans le but de consulter le profil de personnes qu'ils connaissent.

PeopleAhead offrira ensuite le profilage de groupe à ses clients commerciaux, qui auront alors accès aux groupes de membres, ce qui leur permettra de cibler les candidats qu'ils souhaitent embaucher.

Ensuite, PeopleAhead fournira de la rétroaction aux utilisateurs sur leurs plans de perfectionnement professionnel. Elle retracera les données relatives aux appariements réussis afin de donner de la rétroaction aux membres qui n'ont pas encore été jumelés avec succès.

5.2. Le prix

Outre un barème de prix de base, PeopleAhead offrira des prix de gros et des prix forfaitaires à ses clients commerciaux afin de répondre à leurs besoins uniques. Le barème de prix demeurera constant, mais l'entreprise analysera la rétroaction de ses clients afin de s'assurer qu'elle répond à leurs exigences.

Conformément à son plan d'acquisition de nouvelles recrues, PeopleAhead encouragera les essais en offrant des prix promotionnels aux nouveaux clients.

5.3. La stratégie de distribution

- **Le Défi PeopleAhead :** le Défi PeopleAhead constituera la principale stratégie d'acquisition d'utilisateurs déployée par l'entreprise. La sélection sera axée sur les segments cibles de chercheurs d'emploi visés par les clients commerciaux.

- **La vente directe :** PeopleAhead favorisera le contact direct pour communiquer avec sa clientèle au cours des six premiers mois. Elle prévoit recourir ensuite à la

---

Ayant défini les marchés clés dans la section précédente, on dresse ici les bases d'une description plus précise des marchés cibles.

L'étape finale de l'analyse SCP : le positionnement du segment de marché ciblé.

La mission de PeopleAhead

La conception du marketing mix constitue un élément clé du processus de planification stratégique (*voir le chapitre 2*) et une section de ce plan lui est consacrée.

Le marketing mix, un concept clé du marketing, est constitué par les quatre «P» : le produit (dans ce cas-ci, un service), le prix, la distribution [*place*] et la communication [*promotion*].

Le produit (le service) proposé doit fournir de la valeur aux consommateurs : pourquoi ceux-ci devraient-ils investir de l'énergie ou des ressources pour se le procurer ?

Faire en sorte que son produit (service) soit offert aux endroits et aux moments où les consommateurs le veulent peut sembler en quelque sorte plus facile pour PeopleAhead en raison de l'envergure d'Internet ; toutefois, l'entreprise doit quand même réfléchir à la façon dont elle s'assurera que les consommateurs savent où et comment se procurer son offre.

télévente afin de réduire ses coûts et d'accélérer le cycle de vente, bien que cette méthode ne permette pas d'entretenir des relations aussi chaleureuses avec la clientèle. Au cours des premières phases du projet, PeopleAhead préfère nettement établir un contact étroit avec ses clients et leur fournir un excellent service plutôt que de réduire ses coûts, et la vente directe répond à cet objectif.

- **Les événements professionnels :** la participation à des événements liés aux ressources humaines et à des activités de recrutement complétera les efforts de PeopleAhead en matière de vente directe.

- **Les groupes de motivation :** ils seront constitués par le bouche-à-oreille répandu par les membres de PeopleAhead.

5.4. Les activités de communication

- **Le profilage des fondateurs :** une fois son produit prêt, PeopleAhead peut augmenter sa présence sur Internet en prenant les précautions nécessaires pour protéger son avantage concurrentiel. Elle peut recourir à diverses stratégies : rédaction d'articles pour les magazines sur le recrutement et pour les pages en regard de l'éditorial, publication du profil des fondateurs sur des sites Web comme LinkedIn, Ziggs et ZoomInfo, et blogage.

- **Les témoignages de la communauté des blogueurs :** PeopleAhead invitera des blogueurs influents à essayer son système et leur accordera un accès «exclusif» au fonctionnement interne du site. Ensuite, dans le cadre d'une campagne de communication éclair, l'entreprise présentera des articles d'opinion à des recruteurs et à des chercheurs d'emploi, ainsi qu'à la communauté financière.

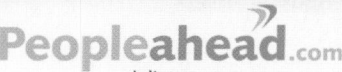

delivers:

- Target marketing for hard-to-fill positions
- Qualified & pre-confirmed candidates
- Intelligent candidate ranking tools
- Results

- **Les alliances stratégiques :** PeopleAhead offre un produit qui complète les services offerts par un grand nombre d'organisations importantes. Elle pourrait établir un partenariat avec :

    a. des universités, des collèges, des établissements d'enseignement ;

    b. des associations professionnelles, des clubs, des groupes affiliés à l'industrie ;

    c. des associations en ligne, des groupes virtuels et des blogues ;

    d. des cabinets de services professionnels, des cabinets de réorientation professionnelle et des agences de recrutement de cadres.

    Les alliances stratégiques sont utiles à bien des égards : elles peuvent contribuer à augmenter la visibilité de PeopleAhead, accroître sa base d'utilisateurs, lui permettre d'élargir son offre et augmenter ses possibilités de revenus. L'entreprise tiendra compte de ces avantages et des partenariats proposés avant le lancement officiel de sa plateforme. Pour des raisons stratégiques, PeopleAhead préfère se concentrer sur le développement de son produit à court terme (trois mois). Ensuite, elle réévaluera les alliances potentielles après que l'efficacité de son système aura été démontrée.

6. **L'aspect financier**

    Les frais de mise en exploitation sont principalement liés à la conception et au développement du site Web, à la représentation juridique (création de l'entreprise, négociation des contrats et protection de la propriété intellectuelle) et aux coûts indirects. PeopleAhead prévoit des frais initiaux de 70 000 $ pendant la phase de mise en exploitation, desquels 30 000 $ proviennent des membres fondateurs.

> Le plan propose un calendrier précis, qui tient compte de la nécessité éventuelle d'effectuer des changements dans le futur afin de répondre aux besoins du marché.

> Le plan marketing doit définir non seulement les coûts, mais aussi les ventes potentielles qui permettront de couvrir ces coûts.

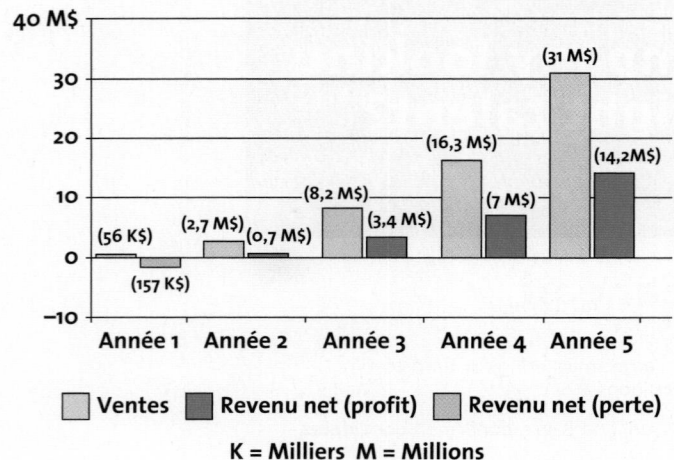

Prévisions de ventes et de revenu net

- Ventes
- Revenu net (profit)
- Revenu net (perte)

K = Milliers   M = Millions

Après le lancement du site Web, la structure de coûts comprendra le salaire des vendeurs, les coûts d'exploitation et d'administration, et les coûts de marketing. Au cours de la première année, l'entreprise estime que ces coûts s'élèveront à 6 250 $ par mois. Les coûts indirects mensuels, quant à eux, devraient atteindre 24 750 $ et demeurer constants.

> L'estimation des frais de mise en exploitation s'appuie sur certaines hypothèses ou recherches en marketing.

A. Les états financiers prévisionnels

Les états financiers *pro forma*

	Année 1	Année 2	Année 3	Année 4	Année 5
Ventes	56 453 $	2 683 665 $	8 170 655 $	16 312 843 $	30 921 013 $
Marge brute	54 194 $	2 316 318 $	7 383 829 $	14 780 329 $	28 244 172 $
Marge brute %	96 %	86,31 %	90,37 %	90,61 %	91,34 %
Bénéfice net	(156 906 $)	717 403 $	3 356 768 $	7 035 155 $	14 180 041 $

> Cette section contient beaucoup de nombres dans un espace restreint; les graphiques et les tableaux permettent de présenter ces nombres clairement et visuellement.

7. Le programme de mise en œuvre

PeopleAhead compte utiliser une approche par étapes. Elle commencera par construire la notoriété de sa marque, notamment par la participation des fondateurs aux activités professionnelles, les recherches en ligne, l'adhésion à des associations professionnelles, le réseautage et les alliances stratégiques. Cette visibilité permettra à l'entreprise de recueillir des capitaux d'investissement.

7.1. L'objectif de l'entreprise: la croissance

Au cours des six premiers mois qui suivront le lancement de son produit, PeopleAhead vise principalement à augmenter sa banque d'utilisateurs et de clients commerciaux de façon à maintenir un rapport de 100 à 1.

> Le plan aborde ces trois catégories d'objectifs: globaux, commerciaux et financiers. Bien que ce plan soit un plan marketing, il doit aussi englober d'autres facteurs qui influent sur le marketing, tels que la situation financière de l'entreprise.

- **Les clients commerciaux:** recruter 24 clients réguliers et 72 clients occasionnels. Réaliser 117 jumelages employeur-travailleur.
- **Les membres individuels:** amener 10 000 personnes à adhérer à PeopleAhead.

7.2. Les objectifs de marketing: la croissance

- **Le Défi PeopleAhead:** solliciter l'adhésion des groupes qui étaient efficaces lors de l'essai bêta et qui représentent un ensemble homogène de profils. Élargir la portée du Défi et le perfectionner en tenant compte des leçons apprises.
- **Intensifier les activités de réseautage des membres:** accroître le nombre d'utilisateurs grâce aux activités de réseautage des membres existants. Améliorer l'expérience de l'utilisateur afin de promouvoir le réseautage.
- **Augmenter le nombre d'utilisateurs ayant complété leur profil:** accroître l'engagement des utilisateurs sur la plateforme.
- **Générer de l'achalandage sur le site Web.**
- **Lancer une campagne de relations publiques:** construire la notoriété de la marque PeopleAhead grâce à des activités de relations publiques concentrées, axées sur le marché cible de clients et d'utilisateurs.

7.3. *Les objectifs financiers*

- **Des coûts en marketing efficients :** 9 000 utilisateurs cibles (10 000 à la fin de l'année, 1 000 au cours de l'essai bêta) x 5 $ (coût d'acquisition projeté) = 45 000 $ (budget).
- **Recettes :** 482,50 $ par poste x 117 postes = 56 452,50 $.

En se fixant ainsi des objectifs quantitatifs et directs, PeopleAhead s'assure de pouvoir mesurer sa progression vers la réalisation de ces objectifs.

7.4. *Les facteurs clés de la réussite*

- **Un marketing économique axé sur des éléments pertinents :** PeopleAhead doit établir des canaux de distribution permettant de localiser des éléments pertinents avec précision et d'une manière conforme à ses valeurs et à sa mission. En raison des ressources limitées de l'entreprise, les canaux choisis doivent réunir un grand nombre d'éléments pertinents en entraînant des frais nuls ou minimes, ou à répartir sur plusieurs exercices.
- **La création d'une image de marque :** le contraste entre PeopleAhead et ses concurrents repose non seulement sur la différenciation du produit, mais également sur son énoncé de mission et sur la qualité de son service. Des milliers de recruteurs en ligne offrent un service de recherche d'emploi ponctuelle. Le réseautage social peut être utilisé de bien des manières et attire donc un grand nombre d'utilisateurs très différents. Le défi consiste à associer www.peopleahead.com et la technologie TrueMatch® avec l'idée de « développement professionnel bien fait ». PeopleAhead vise à être la seule entreprise dont le nom vient à l'esprit des candidats qui recherchent un emploi à long terme ou veulent faire progresser leur carrière.
- **Une création de valeur efficace :** les clients (tant les membres individuels que les clients commerciaux) doivent recevoir la valeur proposée en temps voulu. L'entreprise devra donc privilégier la qualité des résultats plutôt que la quantité, tout en prenant en considération ses objectifs courants et l'expérience globale du client avec la marque PeopleAhead.
- **Une masse critique de clients commerciaux et de membres individuels :** le processus de jumelage requiert d'entrée de jeu la présence d'un groupe de clients et d'utilisateurs dans le système. Ce besoin ramène à l'avant-plan le paradoxe de l'œuf et de la poule : en effet, pour constituer une banque de clients, il faut déjà avoir un bassin d'utilisateurs, et vice versa. Le nombre exact qui constitue la « masse critique » va de 100 utilisateurs par poste à 10 utilisateurs par poste selon la compatibilité entre chaque partie constituante.
- **L'efficacité du système :** la capacité du logiciel TrueMatch® de recommander des candidats pertinents est critique. Son efficacité dépend des algorithmes qui assortissent les utilisateurs avec des postes et du protocole de réseautage qui favorise l'échange de recommandations entre les utilisateurs et leurs connaissances. Proposer un jumelage inapproprié pourrait nuire à la crédibilité du système.
- **La protection de la propriété intellectuelle :** PeopleAhead est engagé dans deux segments primaires du commerce en ligne : le recrutement en ligne et le réseautage social. Ses concurrents ont fait beaucoup d'efforts pour protéger leurs méthodologies au moyen de brevets américains. Toutefois, les affirmations juridiques de ces entreprises ne s'appuient sur aucun précédent. En conséquence, PeopleAhead adoptera une stratégie offensive de protection de la propriété intellectuelle basée sur les éléments suivants : surveillance des cas de violation de la propriété intellectuelle, demande de brevet dans les cas appropriés et protection active de son secret commercial.

- **Le soutien financier:** l'investissement des fondateurs est suffisant pour constituer le noyau de l'entreprise et financer le site Web et le logiciel de PeopleAhead. Toutefois, l'entreprise aura besoin de fonds pour financer ses opérations, appliquer sa stratégie de protection de la propriété intellectuelle et trouver des clients et des utilisateurs afin d'atteindre ses objectifs financiers. Sans financement, PeopleAhead ne pourra pas aller au-delà de la phase du développement de produit.
- **Le processus de vente:** le modèle d'affaires de PeopleAhead nécessite l'acquisition tant de clients commerciaux qui ont des postes à pourvoir que d'utilisateurs qu'elle jumellera à ces postes. PeopleAhead peut atteindre ces deux parties au moyen de différents processus de vente sans chevauchement.

8. **L'évaluation et le contrôle**

PeopleAhead compte analyser les profils des utilisateurs afin de dégager les groupes de profils susceptibles d'intéresser ses nouveaux clients commerciaux, ce qui, par la suite, facilitera la sélection des clients de son marché cible.

8.1. Les clients commerciaux ─────────────────────

Les rencontres personnelles, les conversations téléphoniques ainsi que les sondages par courrier électronique auprès des membres de divers types d'industries, d'entreprises de tailles variées et de domaines fonctionnels permettront à l'entreprise: a) de développer des relations avec des clients potentiels; b) de comprendre les besoins des clients; et c) d'harmoniser le produit de PeopleAhead avec les préférences de ses clients en matière de recrutement. Voici un sommaire des principales conclusions:

- **L'adéquation entre le candidat et l'entreprise:** le candidat s'accorde-t-il avec notre culture d'entreprise? Pourra-t-il s'adapter à l'équipe que nous envisageons de former? Ses compétences répondent-elles aux exigences du poste?
- **Payer pour la performance:** la réticence à utiliser des services de recrutement découle non pas du prix de ces services (bien que ce facteur entre en jeu), mais plutôt de leur performance médiocre.
- **Des candidats non qualifiés:** de nombreux chercheurs d'emploi postulent à un emploi même s'ils n'ont pas les qualifications requises. Cela oblige les recruteurs à parcourir les CV pour retirer ceux des candidats non qualifiés au lieu de consacrer ce temps à mieux connaître les candidats qualifiés.
- **Les coûts de base et les coûts accessoires:** la plupart des entreprises tiennent compte des frais liés au recrutement des fournisseurs, mais rares sont celles qui analysent le temps-coût du recrutement, le coût d'opportunité afférent à l'embauche d'un candidat inapproprié ou les coûts liés à la productivité découlant de la vacance d'un poste. Le rendement en matière de recrutement doit être facile à mesurer. Vendre de la valeur est difficile dans le domaine des ressources humaines.
- **Des recommandations valables:** la plupart des recruteurs voient le recrutement en ligne comme un moyen nécessaire mais inefficace de constituer une banque de candidats; il passe donc après les recommandations. Celles-ci s'appuient entre autres sur le jugement de la personne qui recommande quant à l'adéquation du candidat avec le poste à pourvoir.

> La section sur l'évaluation reprend la segmentation précédemment établie entre les clients commerciaux et les membres individuels.

8.2. *Les membres individuels*

Des sondages périodiques menés auprès de divers utilisateurs potentiels des services de recrutement en ligne ont mis en lumière : a) la nature des services offerts actuellement ; b) les méthodes qui fonctionnent ; et c) les problèmes les plus épineux liés aux recruteurs en ligne. Voici un résumé qualitatif des principales conclusions :

- **La volonté d'essayer :** leur carrière est importante pour les chercheurs d'emploi, qui sont réticents à passer du temps à télécharger leur CV sur des sites de recrutement en ligne parce qu'ils ne perçoivent pas la valeur de ce service. Ils préfèrent consacrer du temps à cette tâche lorsque les possibilités de carrière leur paraissent intéressantes.
- **La frustration :** les chercheurs d'emploi sont déçus des recruteurs en ligne. Ils préfèrent développer leur carrière grâce au réseautage.
- **Le manque de différenciation :** peu importe les qualifications d'un chercheur d'emploi, celles-ci sont difficiles à mettre en valeur dans un CV traditionnel.
- **Le changement de motivation avec le temps :** les professionnels en début de carrière sont motivés par les récompenses financières. Les professionnels en milieu de carrière recommandent des candidats pour aider des connaissances. Les professionnels en fin de carrière espèrent accroître leurs propres possibilités de recherche d'emploi.

Annexe A – Organigramme de PeopleAhead

Annexe B – La concurrence : les recruteurs passifs

> Toute information utile qui risquerait d'encombrer le plan devrait être présentée dans une annexe. Les annexes ne sont pas incluses dans cet exemple de plan marketing.

accord commercial (*trade agreement*) Accord économique conclu entre deux ou plusieurs pays dans le but de gérer et de promouvoir les échanges commerciaux entre les pays membres.

Accord général sur les tarifs douaniers et le commerce (AGETAC ou GATT) (*General Agreement on Tariffs and Trade [GATT]*) Mécanisme créé en vue de réduire les barrières commerciales qui freinent les échanges entre les pays signataires, notamment les tarifs douaniers élevés imposés sur les produits importés et la restriction du nombre et du type de produits qu'il est possible d'importer. Créé en 1948 aux États-Unis, il a été remplacé par l'Organisation mondiale du commerce (OMC) en 1994.

achat d'espace média (*media buy*) Achat de temps d'antenne (à la radio ou à la télévision) ou d'espace publicitaire dans un média imprimé (journal, magazine, etc.).

acheteur professionnel (*buyer*) Membre du Service des achats chargé des formulaires relatifs à l'achat d'un produit ou d'un service.

acheteur réfractaire (*laggard consumer*) Consommateur qui évite le changement et se fie aux produits conventionnels jusqu'à ce qu'ils ne soient plus sur le marché. Lorsqu'il adopte un nouveau produit, c'est souvent contraint et à contrecœur.

acheteurs précoces (*early adopters*) Deuxième groupe de consommateurs après les innovateurs, dans la typologie de diffusion des innovations, à utiliser un produit ou un service innovateur.

agent indépendant (ou agent du fabricant) (*independent agent*) Personne chargée de la vente de produits d'un fabricant sur une base forfaitaire, mais qui ne fait pas partie des employés de l'entreprise.

aînés (*seniors*) Individus âgés de 65 ans et plus. Au Canada, les aînés représentent la cohorte générationnelle qui connaît la croissance la plus rapide.

alignement sur la concurrence (*competitive parity*) Stratégie visant à fixer le prix d'un produit ou d'un service pour qu'il soit semblable à celui des principaux concurrents du secteur.

alliance stratégique (*strategic alliance*) Accord de collaboration entre des entreprises concurrentes ou complémentaires. L'accord se limite à une collaboration stratégique. Il n'y a pas d'investissement dans une nouvelle entreprise (coentreprise) ni de prise de participation directe d'une entreprise sur l'autre.

analyse de la situation (*situation analysis*) Deuxième étape du plan marketing qui consiste à analyser les forces et les faiblesses (environnement interne) ainsi que les opportunités et les menaces (environnement externe) propres à l'entreprise.

appel d'offres (AO) (*request for proposals [RFP]*) Procédure au cours de laquelle un organisme acheteur invite des fournisseurs à présenter une offre précise en vue de l'attribution d'un marché.

appel émotionnel (*emotional appeal*) Approche visant à satisfaire les désirs des clients plutôt qu'à leur vendre un bien qui a une fonction utilitaire.

appel rationnel (*rational appeal*) Approche visant à aider les consommateurs à prendre une décision d'achat en leur offrant des renseignements précis et des arguments convaincants sur les enjeux qui les touchent. Le but est de faire pencher le consommateur pour les avantages que présente le produit annoncé.

apprentissage (*learning*) Changement du processus mental ou du comportement d'un individu issu d'une expérience. L'apprentissage se fait tout au long du processus décisionnel du client.

approche client (*customer orientation*) Approche qui consiste à tenir compte des clients et à établir le prix des produits afin de répondre à leurs attentes.

argument publicitaire unique (*unique selling proposition [USP]*) Stratégie par laquelle l'attrait du produit présenté réside dans ses caractéristiques uniques. Le caractère unique devient souvent le thème général de la campagne publicitaire ou le slogan.

assortiment de produits (ou gamme de produits) (*product assortment*) Ensemble de tous les produits offerts par une entreprise.

attitude (*attitude*) État d'esprit d'une personne à l'égard d'un objet ou d'une idée; l'attitude comprend des composantes affectives, cognitives et conatives.

attributs déterminants (*determinant attributes*) Éléments d'un produit ou d'un service qui sont importants aux yeux de l'acheteur et qui diffèrent d'une marque ou d'un magasin à l'autre.

autonomisation (*empowerment*) Dans un contexte de prestation de services, fait d'encourager les employés à prendre des décisions sur la façon d'offrir un service au client.

avancées technologiques (*technological advances*) Nouveautés technologiques qui ont grandement contribué à la production de biens et à la prestation de services de qualité au cours des dernières décennies.

avantage concurrentiel durable (*sustainable competitive advantage*) Situation de supériorité d'une entreprise qui lui permet de soutenir la concurrence.

avantage principal recherché (*core customer value*) L'avantage de base recherché par le consommateur et propre à résoudre son problème.

avis préalable d'expédition (*advanced shipping notice*) Document, généralement électronique, par lequel le fournisseur avertit le client d'une expédition à venir et lui fournit des détails sur la nature et la quantité des marchandises.

baby-boomers (*baby-boomers*) Cohorte démographique née après la Seconde Guerre mondiale, soit entre 1946 et 1964.

Banque mondiale (*World Bank Group*) Banque de développement spécialisée dans les prêts, les conseils stratégiques, l'assistance technique et le partage du savoir. Cette organisation offre ses services aux pays à revenu faible ou intermédiaire dans le but de réduire la pauvreté.

besoin (*need*) Sensation de manque lié à la condition humaine (se nourrir, se vêtir, avoir un toit, être en sécurité, avoir des relations affectives, combler ses aspirations, etc.).

besoins affectifs (*love needs*) Besoins que ressent un individu d'interagir avec les autres.

besoins d'accomplissement personnel (*personal needs*) Besoins ayant trait aux façons dont les individus se réalisent et s'épanouissent.

besoins de sécurité (*safety needs*) Besoins liés à un sentiment de protection et de bien-être physique.

besoins d'estime (*esteem needs*) Besoins d'être apprécié par les autres.

besoins fonctionnels (*functional needs*) Besoins relatifs à une fonction ou au rendement d'un produit ou d'un service.

besoins physiologiques (*physiological needs*) Besoins de base (se nourrir, boire, se reposer, avoir un toit).

besoins psychologiques (*psychological needs*) Besoins qui concernent le degré de satisfaction associé à un produit ou à un service par le consommateur.

bien (*good*) Produit physique, qui peut être touché.

blogue (ou carnet Web) (*blog, weblog, Web log*) Site Web sur lequel un ou plusieurs blogueurs s'expriment périodiquement sous forme de billets. Les blogues d'entreprise constituent une nouvelle forme de communication commerciale.

bouche-à-oreille négatif (*negative word of mouth*) Fait, pour un consommateur, de véhiculer une opinion négative à propos d'un produit, d'un service, d'un magasin ou d'une marque.

boucle de rétroaction (*feedback loop*) Dans le modèle de la communication, possibilité pour le récepteur de communiquer avec l'émetteur en vue de confirmer la réception et le décodage adéquats du message.

boycottage (*boycott*) Refus d'un groupe d'entretenir des relations commerciales avec une entreprise afin de protester contre ses politiques.

bruit (*noise*) Dans le modèle de la communication, toute interférence provenant du message d'un concurrent, tout manque de clarté du message ou tout ennui lié au média. Ce problème touche tous les modes de communication.

calendrier d'insertions continues (*continuous advertising schedule*) Calendrier qui s'étire sur toute l'année, donc adapté à des produits et à des services dont les consommateurs ont besoin sur une base relativement régulière et nécessitant ainsi une campagne publicitaire constante ou une publicité d'entretien.

calendrier d'insertions par vagues (*pulsing advertising schedule*) Combinaison de calendrier d'insertions continues et de calendrier d'insertions ponctuelles de manière à conserver un niveau de publicité de base et à en augmenter l'intensité pendant certaines périodes.

calendrier d'insertions ponctuelles (*flighting advertising schedule*) Calendrier d'insertions où des périodes très chargées en publicité sont suivies de périodes sans publicité.

calendrier publicitaire (*advertising schedule*) Calendrier où figurent les dates et la durée des annonces d'une campagne.

canal de communication (*communication channel*) Média utilisé pour transmettre un message (médias imprimés [journaux, magazines, etc.], médias électroniques [radio, télévision] ou hors média [Internet, affichage, etc.]).

canal de distribution (*distribution channel*) Réseau d'établissements par lequel transite un produit à partir du moment où il est fabriqué jusqu'à celui où il est utilisé par le consommateur.

capital de marque (*brand equity*) Actifs et passifs associés à la marque, lesquels ajoutent ou enlèvent de la valeur au produit ou au service offert.

carte perceptuelle (*perceptual map*) Reproduction de l'espace perceptuel, en deux ou trois dimensions, des produits ou des marques faisant partie de l'ensemble des marques proposées au consommateur.

catégorie de produits (*product category*) Ensemble des articles que le client voit comme étant des produits de substitution.

centre d'achats (*buying centre*) Groupe d'individus responsables de la prise de décision d'achat d'un produit ou d'un service au sein d'une entreprise.

centre d'achats autocratique (*autocratic buying centre*) Centre de décision en matière d'achats au sein duquel la décision d'achat est prise par une seule personne, même si l'unité de décision est composée de plusieurs participants.

centre d'achats consultatif (*consultative buying centre*) Centre de décision en matière d'achats qui formule un avis à l'intention du décideur.

centre d'achats démocratique (*democratic buying centre*) Centre de décision des achats au sein duquel les décisions sont prises en fonction de la majorité.

centre d'achats par consensus (*consensus buying centre*) Centre de décision en matière d'achats au sein duquel les membres doivent tous être d'accord en ce qui a trait à un certain achat.

centre de distribution (*distribution centre*) Installation conçue afin de recevoir de la marchandise, d'en entreposer et d'en redistribuer aux détaillants ou aux consommateurs.

chaîne d'approvisionnement (*supply chain*) Ensemble des entreprises qui fournissent des matières premières, et qui produisent et distribuent les produits finis vers les consommateurs cibles.

ciblage (*target marketing/targeting*) Évaluation des attraits de divers segments de marché en vue de tenter de percer l'un d'eux.

circuit de distribution (*distribution network*) Regroupement de l'ensemble des canaux de distribution par lesquels un même bien est acheminé du producteur au consommateur.

climat éthique (*ethical climate*) Valeurs véhiculées au sein d'une entreprise ou d'une division de l'entreprise, lesquelles orientent les décisions qui sont prises et le comportement de chacun.

codage (*encoding*) Dans le modèle de la communication, conversion des idées de l'émetteur en un message, qu'il soit verbal, visuel ou les deux.

code universel des produits (CUP) (*universal product code [UPC]*) Code à barres généralement imprimé sur tous les produits.

coentreprise (*joint venture*) Nouvelle entité créée lorsqu'une entreprise qui veut pénétrer un marché étranger met ses ressources en commun avec une entreprise locale. Dans ce type d'association, la propriété, le pouvoir et les profits sont partagés.

cohorte générationnelle (*generational cohort*) Groupe d'individus d'une même génération, qui ont ordinairement les mêmes habitudes de consommation, car ils ont vécu les mêmes expériences et sont rendus à la même étape de leur vie.

collusion (*collusion*) Entente entre des entreprises afin de déterminer le prix de vente d'un produit ou d'un service plutôt que de laisser faire le jeu de l'offre et de la demande. Cette approche est illégale.

collusion horizontale sur les prix (*horizontal price fixing*) Connivence ou collaboration entre des entreprises produisant et vendant des produits concurrents afin de fixer le prix d'un bien, de sorte que le prix ne fait plus partie du processus décisionnel du client.

collusion verticale sur les prix (*vertical price fixing*) Situation survenant lorsque les acteurs à divers niveaux d'un même réseau (p. ex., les fabricants et les détaillants) changent le prix de vente d'un produit ou d'un service, d'un commun accord.

comarquage (*cobranding*) Pratique commerciale par laquelle deux entreprises ou plus s'allient pour la promotion d'un produit ou d'un service.

combinaison de supports (*media mix*) Ensemble composé des médias choisis et de la fréquence des annonces diffusées dans chacun de ces médias.

commandite événementielle (*event sponsorship*) Soutien financier ou matériel d'un événement sportif ou culturel, en échange duquel une entreprise cherche à bénéficier d'une visibilité. Cette activité est très prisée en relations publiques.

commerce de contrepartie (*countertrade*) Opérations de troc, c'est-à-dire l'échange de produits excluant l'emploi d'une monnaie forte.

commerce de détail (ou B2C) (*business-to-consumers*) Activité économique (vente de produits ou de services) entre une entreprise et un consommateur.

commerce interconsommateurs (ou C2C) (*consumer-to-consumer*) Activité économique (vente de produits ou de services) entre deux consommateurs, comme on le voit souvent sur eBay, par exemple.

commerce interentreprises (ou B2B) (*business-to-business*) Activité économique (vente de produits ou de services) entre deux entreprises.

communication marketing intégrée (CMI) (*integrated marketing communication [IMC]*) Stratégie de communication interne qui englobe des objectifs, des cibles, un message et les outils de communication choisis (publicité, vente personnelle, promotion des ventes, marketing direct, relations publiques et médias électroniques) et décrit les mesures de contrôle de ces activités.

comportement d'achat axé sur la recherche de variété (*variety-seeking buying behaviour*) Perception de différences importantes entre les marques, malgré une faible implication du client.

comportement d'achat axé sur la réduction de la dissonance (*dissonance-reducing buying behaviour*) Comportement par lequel un consommateur tente de se persuader d'avoir fait le bon choix, soit en réduisant l'importance attachée à une performance décevante, soit en cherchant des indications positives qui correspondent à ses attentes.

comportement d'achat complexe (*complex buying behaviour*) Comportement typique du consommateur qui est fortement impliqué dans son achat et qui perçoit des différences importantes entre les produits des diverses marques qui lui sont offertes.

comportement d'achat routinier (*habitual buying behaviour*) Décision d'achat prise par un client sans qu'il y réfléchisse vraiment.

composante affective (*affective component*) Ensemble des attitudes qui reflètent ce qu'une personne ressent à l'égard d'un sujet précis, c'est-à-dire ce qu'elle apprécie et ce qu'elle n'apprécie pas.

composante cognitive (*cognitive component*) Ensemble des facteurs rationnels de formation des attitudes.

composante conative (*behavioural component*) Ensemble des actions prises par une personne à l'égard d'un sujet précis.

concept (*concept*) Brève description écrite d'un produit ou d'un service; présentation de la technologie à laquelle il fera appel, de la forme qu'il prendra et des besoins qu'il satisfera.

concepts associés à la marque (*brand association*) Liens établis par un consommateur entre une marque et ses principaux éléments, dont le logo, le slogan ou une personnalité connue.

concession de licence de marque (*brand licensing*) Entente entre deux entreprises où l'une d'entre elles permet à l'autre d'utiliser son nom de marque, son logo, ses symboles ou sa personnalité en retour d'une compensation (royautés).

conclusion d'une vente (*closing the sale*) Étape au cours de laquelle un vendeur a obtenu une promesse d'achat de la part d'un client.

concours (*contest*) Épreuve organisée par le fabricant d'une marque connue et qui requiert une certaine habileté ou un certain effort.

concurrence monopolistique (*monopolistic competition*) État du marché où bon nombre d'entreprises vendent des produits qui se ressemblent, mais qui ne sont pas identiques. On pourrait croire qu'il s'agit de biens de substitution, mais en réalité ils sont différenciés dans l'esprit du consommateur.

concurrence oligopolistique (*oligopolistic competition*) Domination d'un marché par quelques entreprises seulement, soit moins d'une dizaine.

concurrence pure (*pure competition*) État du marché où bon nombre d'entreprises vendent des produits que les consommateurs considèrent comme des articles de substitution.

conflit de réseau (*supply chain conflict [channel conflict]*) Absence d'entente entre les membres de la chaîne d'approvisionnement sur leurs buts, leurs rôles et leur rétribution.

conjoncture (*economic situation*) Changements dans la situation économique qui influent sur la manière dont les consommateurs font leurs achats et dépensent leur argent, tant sur le plan national qu'à l'étranger.

consommateurisme (*consumerism*) Mouvement social visant la protection des consommateurs contre les pratiques commerciales qui vont à l'encontre de leurs droits.

consommation rituelle (*ritual consumption*) Modèle de comportement associé à des événements et qui influe sur ce qu'un individu consomme et sur la façon dont il consomme.

contact non sollicité (*cold call*) Méthode de contact selon laquelle un représentant appelle un client potentiel ou se présente chez lui sans préavis.

contingent (*quota*) Quantité maximale d'une marchandise pouvant être importée pendant une certaine période.

contribution unitaire (*contribution per unit*) Différence entre le prix de vente et le coût variable. Donnée utilisée pour calculer le point mort.

contrôle des changes (*exchange control*) Contrôle exercé par un gouvernement sur les taux de change de devises.

coupon de réduction (*coupon*) Rabais sur le prix de vente final d'un produit. Les coupons de réduction sont distribués de plusieurs manières: impression dans des journaux, distribution dans des enveloppes promotionnelles à domicile, insertion dans les emballages, impression sur les emballages, distribution dans les présentoirs au point de vente, impression sur le coupon de caisse, courriels, SMS, etc.

courbe de demande (*demand curve*) Représentation graphique des quantités de produits ou de services qui sont demandées par le consommateur à des prix différents au cours d'un certain intervalle de temps.

coût fixe (*fixed cost*) Coût qui demeure pratiquement toujours au même niveau, indépendamment du volume de production.

coût perçu (*perceived cost*) Somme des coûts économiques et autres (p. ex., le temps passé à rechercher de l'information, à magasiner, à apprendre à faire fonctionner un bien) qu'un consommateur doit défrayer pour utiliser un bien.

coût total (*total cost*) Somme des coûts variables et des coûts fixes.

coût variable (*variable cost*) Coût lié principalement à la main-d'œuvre et aux matériaux et qui varie en fonction du volume de production.

couverture (*reach*) Nombre de personnes touchées pendant une campagne; pourcentage de la population cible touché au moins une fois par une communication commerciale (p. ex., annonce publicitaire). Couverture et fréquence servent à quantifier l'exposition d'une campagne publicitaire.

critères d'évaluation (*evaluative criteria*) Série d'éléments signifiants concernant un produit donné.

culture (*culture*) Ensemble des valeurs, des croyances, des mœurs et des coutumes communes à un groupe d'individus et qui se transmettent de génération en génération; il y a deux niveaux culturels: ce qui est perceptible (p. ex., le comportement, l'habillement, les symboles, les particularités physiques, les rites) et les valeurs sous-jacentes (p. ex., la façon de penser, les croyances et les impressions).

culture nationale (*country culture*) Caractéristiques propres à un pays, incluant les vêtements, les symboles, les rites, la langue, les particularités culinaires et celles relatives aux couleurs ainsi que certains aspects plus subtils, lesquels sont moins faciles à reconnaître et à comprendre (les normes, les valeurs, les mythes et les croyances).

culture organisationnelle (*organizational culture*) Ensemble de valeurs, de traditions et de coutumes qui influent sur le comportement des employés d'une entreprise.

cycle de vie d'un produit (*product life cycle*) Étapes que suit un nouveau produit : introduction sur le marché, établissement, retrait du marché. Le cycle de vie d'un produit exerce une influence considérable sur les stratégies des spécialistes du marketing.

décideur (*decider*) Personne ou membre du centre d'achats qui prend, au bout du compte, une ou toutes les décisions d'achat, qu'il s'agisse de faire un achat ou de choisir quoi acheter, comment et où le faire.

décision heuristique (*decision heuristics*) Processus mental simple par lequel l'acheteur évalue les choix qui s'offrent à lui à l'aide de divers éléments, comme le prix, la marque ou la présentation du produit (p. ex., acheter la marque à plus bas prix, acheter toujours la même marque, acheter les produits en promotion).

décodage (*decoding*) Processus par lequel le récepteur interprète le message que lui envoie l'émetteur.

déficit de la balance commerciale (*trade deficit*) Situation survenant lorsqu'un pays importe plus de biens qu'il n'en exporte.

délai d'approvisionnement (*lead time*) Délai qui s'écoule entre le moment où une commande est placée et le moment où la marchandise entre en stock pour être vendue.

demande dérivée (*derived demand*) Lien entre la demande d'un produit par les consommateurs et l'achat des intrants nécessaires à la fabrication ou à l'assemblage du produit demandé.

démarque (*markdown*) Réduction du prix de vente d'un produit ou d'un service initialement marqué à un prix plus élevé.

désir (*want*) Façon particulière dont une personne décide d'assouvir son besoin. Cela dépend de ses connaissances, de sa culture et de sa personnalité.

détaillant (*retailer*) Commerçant qui vend des produits directement aux consommateurs.

détaillant de marchandises diverses (*general merchandise retailer*) Magasin à prix réduits, magasin spécialisé, grande surface spécialisée, magasin à rayons, pharmacie, magasin de liquidation et magasin d'escomptes (ou à très bas prix) ; ce type de détaillant peut avoir recours à plusieurs canaux de distribution, dont Internet et la vente par catalogue.

détaillant multicanal (*multichannel retailer*) Détaillant qui vend de la marchandise par l'entremise de plusieurs canaux de distribution (p. ex., en magasin, par catalogue, par Internet).

développement du produit (ou conception du produit) (*product development*) Processus d'élaboration d'un produit au cours duquel sont pris en compte les aspects technique, commercial, économique et ceux relatifs à la fabrication.

différentiel de valeur (*improvement value*) Estimation du supplément de prix que le consommateur est prêt à payer (ou non) pour un produit donné, en comparaison d'autres produits semblables.

diffusion des innovations (*diffusion of innovation*) Processus par lequel l'utilisation d'un produit ou d'un service innovateur se répand au sein d'un marché, sur une certaine période et parmi diverses catégories d'utilisateurs.

dilution de marque (*brand dilution*) Situation survenant lorsqu'une extension de marque a une influence défavorable sur la perception qu'a le consommateur des attributs de la marque de base.

discompteur spécialisé (ou casseur de prix) (*category killer*) Grande surface spécialisée à prix réduits dans une catégorie de produits, dont l'assortiment est tel que les autres détaillants peinent à demeurer concurrentiels.

discrimination par le prix (*price discrimination*) Fixation de prix différenciés pour un même produit destiné à des revendeurs (grossistes, distributeurs, détaillants) ou à des consommateurs finaux différents.

dissonance cognitive (*postpurchase dissonance*) État d'inconfort psychologique suscité par une incohérence entre les attentes d'un consommateur et les résultats observés. Si le consommateur est incapable de rationaliser la situation, il éprouvera le « remords de l'acheteur ». (La situation inverse est tout aussi possible, mais moins fréquente ; ainsi, un acheteur qui a l'impression d'en avoir « trop » pour son argent commencera typiquement par imaginer des justifications, avant de se sentir enchanté.)

distribution exclusive (*exclusive distribution*) Stratégie où un petit nombre de détaillants a le droit exclusif de vendre les produits d'une certaine marque.

distribution intensive (*intensive distribution*) Stratégie qui vise la distribution d'un produit par l'intermédiaire du plus grand nombre possible de détaillants.

distribution sélective (*selective distribution*) Stratégie qui se situe entre la distribution intensive et la distribution exclusive ; distribution à quelques clients qui ont été sélectionnés sur un territoire donné.

donnée (*data*) Chiffre brut ou toute autre information factuelle dont la portée est restreinte.

données démographiques (*demographics*) Données dénombrables portant sur la population et sur les groupes sociaux, particulièrement celles qui caractérisent les divers marchés de consommation (p. ex., âge, sexe, origine ethnique, revenu, niveau de scolarité).

données primaires (*primary data*) Données recueillies spécifiquement dans le but de répondre à une question de recherche et de satisfaire les besoins en information soulevés par cette question.

données secondaires (*secondary data*) Données qui existaient avant le début du projet de recherche concerné.

données souscrites (*syndicated data*) Données accessibles moyennant des frais et vendues par des entreprises telles que SymphonyIRI Group, NPD Group, Nielsen et le CEFRIO.

double marque (*corporate and product line brand*) Stratégie de marque utilisant de manière conjointe une marque d'entreprise et une marque-produit afin de distinguer les produits d'une même entreprise.

dumping (*dumping*) Vente d'un produit sur un marché extérieur à un prix inférieur à celui qui est pratiqué sur le marché national ou même à un prix inférieur à son coût de revient.

écart de communication (*communication gap*) Différence entre le service réel offert au client et le service dont l'entreprise fait la promotion.

écart de compréhension (*knowledge gap*) Mesure de la différence entre les attentes du client et la perception de ces attentes par l'entreprise. De même nature que l'écart relatif au service.

écart de livraison (*delivery gap*) Différence entre les normes de service d'une entreprise et le service réel qu'elle offre au client.

écart de standards (*standards gap*) Différence entre les attentes du client telles que perçues par l'entreprise et les standards liés au service qui ont été établis.

écart relatif au service (*service gap*) Écart qui survient quand le service offert ne répond pas aux attentes du client.

échange (*exchange*) Activité commerciale entre un vendeur et un acheteur au cours de laquelle chacun échange des biens de manière que chacun y trouve son compte.

échange de données informatisé (EDI) (*electronic data interchange [EDI]*) Échange de documents entre les systèmes des membres d'un réseau logistique.

échange privé (*private exchange*) Marché créé par une entreprise, qu'elle soit l'acheteuse ou la vendeuse, qui invite d'autres entreprises à s'y joindre. Cette pratique peut simplifier l'approvisionnement et la distribution.

échantillon (*sample*) Petite quantité d'un produit qui permet aux clients éventuels d'essayer le produit avant de prendre une décision d'achat.

échantillon (*sample*) Segment ou sous-ensemble de la population qui représente adéquatement la population à l'étude.

échantillonnage (*sampling*) Processus de sélection d'un échantillon de la population.

écomarketing (ou marketing vert ou marketing durable) (*green marketing*) Stratégie utilisée par une entreprise et qui consiste à présenter ses produits ou ses services comme avantageux pour l'environnement.

économie d'expérience (*experience curve effect*) Réduction du coût unitaire à mesure que la production augmente; plus l'expérience de production est grande, plus le coût diminue, ce qui permet des réductions de prix. On parle parfois d'économie de complexité parce que cette économie résulte de l'apprentissage du producteur. Elle est irréversible, alors que les économies d'échelle se perdent dès que le volume de production n'est plus optimal.

écrémage (*price skimming*) Stratégie visant à fixer à un niveau assez élevé le prix de lancement d'un nouveau produit ou service, prix que les innovateurs et les acheteurs précoces seront prêts à payer.

effet de substitution (*substitution effect*) Capacité d'un client à remplacer un produit donné par un produit de substitution, ce qui augmente l'élasticité de la demande de ce produit.

effet décalé (*lagged effect*) Réponse tardive à une campagne publicitaire.

effet différé (*lagged effect*) Réponse tardive du consommateur à une campagne publicitaire.

effet revenu (*income effect*) Changement relatif à la quantité du produit demandé par les consommateurs en raison d'un changement dans leurs revenus.

élasticité croisée des prix (*cross-price elasticity*) Variation en pourcentage de la demande d'un produit A qui survient à la suite d'une variation en pourcentage du prix d'un produit B.

élasticité de la demande (*price elasticity of demand*) Mesure de l'effet d'une variation du prix d'un bien sur la quantité demandée; plus précisément, le rapport entre la variation en pourcentage de la quantité demandée et la variation en pourcentage du prix d'un bien donné.

élastique (*elastic*) Qualifie un marché, pour un produit ou un service particulier, qui est sensible au prix. Tout changement du prix entraînera des changements proportionnellement plus importants quant à la demande.

émetteur (*sender*) Personne ou entreprise qui envoie un message; les lois obligent les annonceurs à s'identifier clairement.

enchère à l'anglaise (*English auction*) Enchère telle que nous la connaissons généralement, où les prix augmentent progressivement et où l'adjudication va à l'acheteur le plus offrant.

enchère inversée (*reverse auction*) Vente au cours de laquelle l'acheteur fournit à un groupe de vendeurs des détails sur ce qu'il recherche. Les vendeurs proposent des prix de plus en plus bas. L'acheteur conclut la transaction avec le vendeur offrant le plus bas prix.

enjeux relatifs à la mondialisation du travail (*global labour issues*) Problématiques portant notamment sur les conditions de travail et les salaires des ouvriers dans les pays en développement.

énoncé de mission (*mission statement*) Description générale des objectifs de l'entreprise et du champ d'activité qu'elle veut couvrir dans le but de répondre à deux questions principales : de quel genre d'entreprise s'agit-il ? Comment faire pour atteindre les buts et les objectifs qui ont été fixés ?

enquête (*survey*) Façon méthodique de recueillir des renseignements, le plus souvent au moyen d'un questionnaire.

entrevue de groupe (*focus group interview*) Technique de recherche qui consiste à réunir un petit groupe d'individus (habituellement entre 8 et 12 personnes) afin de faire le point sur un sujet en particulier. La discussion est guidée par un animateur formé à cet effet, qui pose aux participants des questions informelles.

entrevue individuelle (*in-depth interview*) Technique de recherche exploratoire au cours de laquelle un professionnel pose des questions, écoute et note les réponses de son interlocuteur, puis pose d'autres questions afin de clarifier une réponse ou d'aborder un thème plus en profondeur.

environnement politique et juridique (*political/legal environment*) Environnement qui comprend les partis politiques, les organisations gouvernementales et paragouvernementales ainsi que les mesures législatives et légales qui encouragent ou entravent les échanges commerciaux.

équité en matière de distribution (*distributive fairness*) Façon dont un client perçoit les avantages obtenus en comparaison des coûts (inconvénients ou perte) qu'il a subis.

équité en matière de procédure (*procedural fairness*) Perception du consommateur à l'égard de l'équité de la procédure utilisée pour traiter les plaintes relatives au service.

escompte de caisse (*cash discount*) Rabais consenti par le vendeur à un client qui règle une facture avant l'expiration d'une période déterminée.

étendue (ou largeur) de la gamme de produits (*product line breadth*) Nombre de lignes de produits proposées par une entreprise.

éthique des affaires (*business ethics*) Branche de la philosophie qui étudie les règles et les principes d'éthique au sein d'une entreprise, les problèmes éthiques qui pourraient survenir ainsi que les responsabilités et les engagements des personnes qui travaillent dans cette entreprise.

éthique du marketing (*marketing ethics*) Ensemble des problèmes d'éthique inhérents au marketing.

ethnocentrisme (*cultural imperialism*) Croyance selon laquelle une culture est supérieure aux autres ; il peut prendre la forme d'une politique officielle active ou d'une attitude générale plus subtile.

étiquette d'identification par radiofréquence (RFID) (*radio frequency identification [RFID] label*) Étiquette constituée d'une puce et d'un dispositif capables de transmettre à un lecteur spécialisé des informations relatives au contenu d'un conteneur ou à un produit en particulier.

étude ethnographique (*ethnography*) Observation et analyse de groupes humains dans leur vie quotidienne (à la maison, au travail, en communauté).

excédent de la balance commerciale (*trade surplus*) Situation survenant lorsqu'un pays exporte plus de biens qu'il n'en importe.

excellence de l'emplacement (*locational excellence*) Importance particulière accordée à l'emplacement physique de l'entreprise et à sa place sur Internet.

excellence des opérations (*operational excellence*) Importance particulière accordée à l'efficience en ce qui a trait aux opérations et à la gestion de la chaîne d'approvisionnement.

excellence du produit (*product excellence*) Importance particulière accordée à la fabrication de produits de haute qualité. Une valorisation de la marque efficace et un bon positionnement en sont la clé.

excellence du service à la clientèle (*customer excellence*) Approche où une importance particulière est accordée à la loyauté des clients et à la qualité du service à la clientèle.

exportation (*exporting*) Vente d'un bien dans un pays autre que celui dans lequel il a été fabriqué.

extension de marque (*brand extension*) Utilisation d'un nom de marque connu pour désigner un nouveau produit.

facteur situationnel (*situational factor*) Facteur susceptible d'influer sur le processus décisionnel du consommateur ; facteur relatif à une situation donnée qui peut l'emporter sur les facteurs psychologiques et sociaux.

fiabilité (*reliability*) Obtention des mêmes résultats lorsqu'une étude est répétée dans les mêmes conditions que l'étude initiale.

fidélité à la marque (*brand loyalty*) Attachement de certains consommateurs à une marque ou à une entreprise, lequel les pousse à acheter de façon systématique les produits ou les services de cette marque ou de cette entreprise plutôt que ceux d'autres fournisseurs.

filtre (ou portier) (*gatekeeper*) Membre du centre d'achats qui gère l'information ou qui communique avec les décideurs et les influenceurs.

fixation de frais de transport uniformes (*uniform delivered pricing*) Fixation d'un prix par le transporteur, peu importe où se trouve l'acheteur.

fixation des prix basée sur la concurrence (*competitor-based pricing*) Stratégie visant à fixer le prix d'un produit ou d'un service à une valeur inférieure, égale ou supérieure à celle de la concurrence.

fixation des prix basée sur la valeur (*value-based pricing*) Stratégie adoptée par une entreprise axée sur la valeur d'un produit ou d'un service telle que perçue par le client, qui l'évalue en comparant les avantages auxquels il peut s'attendre avec les sacrifices qu'il devra faire pour se procurer ce produit ou ce service.

fixation des prix basée sur les coûts (*cost-based pricing*) Stratégie qui consiste d'abord à calculer le coût de production d'un bien, puis à y ajouter un pourcentage ou une marge fixe, ce qui donne le prix de vente du bien en question.

fixation des prix de pénétration du marché (*market penetration pricing*) Stratégie visant à fixer un prix peu élevé pour un produit ou un service qui vient d'être introduit sur le marché dans le but d'en augmenter rapidement les ventes, la part de marché et les profits inhérents.

fixation des prix par rapport à la cible-bénéfice (*target profit pricing*) Stratégie visant à fixer le prix d'un produit ou d'un service dans le but d'atteindre une cible-bénéfice précise. Le prix sert donc à stimuler un certain niveau de vente auquel correspond un certain bénéfice par unité.

fixation des prix par rapport au rendement recherché (*target return pricing*) Stratégie visant à fixer le prix dans le but d'atteindre un certain rendement par rapport aux investissements au lieu d'une cible-bénéfice. Cette stratégie cherche à produire un rendement généralement exprimé en pourcentage fondé sur le chiffre d'affaires.

fixation d'un prix à perte (*loss leader pricing*) Notion qui pousse un peu plus loin celle de la tactique de prix d'appel en faisant passer le prix de vente d'un produit sous le prix coûtant.

fixation d'un prix supérieur (*premium pricing*) Méthode de fixation des prix axée sur la concurrence et selon laquelle une entreprise décide de vendre un produit à un prix plus élevé que ses concurrents en vue d'attirer les consommateurs qui cherchent toujours à acheter le meilleur produit ou pour qui le prix a peu d'importance.

fixation géographique des prix (*geographic pricing*) Fixation des prix en fonction de la division géographique de la zone de livraison.

fluctuations des devises étrangères (*foreign currency fluctuations*) Changements de la valeur d'une devise par rapport à une autre. Ces fluctuations peuvent avoir une incidence sur la manière dont les consommateurs du pays touché dépensent leur argent.

foire commerciale (*trade show*) Manifestation commerciale de grande envergure.

Fonds monétaire international (FMI) (*International Monetary Fund [IMF]*) Organisme fondé en même temps que le GATT, en 1948, dont le but premier est de promouvoir la coopération monétaire internationale et de faciliter l'expansion et la croissance du commerce international.

frais d'insertion (*slotting allowances*) Indemnités versées à un détaillant afin que ce dernier vende un nouveau produit ou qu'il offre plus d'espace ou encore un meilleur emplacement à un produit actuel.

franchisage (*franchising*) Entente contractuelle entre un franchiseur et un franchisé permettant à ce dernier de diriger une entreprise dont le nom et la formule ont été créés et sont soutenus par le franchiseur.

fréquence (*frequency*) Mesure du nombre de fois que l'audience est exposée à une communication sur une période donnée.

gamme de prix (*price lining*) Stratégie visant à déterminer un prix plancher et un prix plafond pour toute une ligne de produits semblables, puis à établir quelques niveaux de prix qui représentent les différences de qualité parmi ces produits.

génération X (*generation X*) Génération des individus nés entre 1965 et 1976.

génération Y (*generation Y*) Génération des individus nés entre 1977 et 1995; génération la plus imposante depuis l'explosion démographique de l'après-guerre.

gestion de la chaîne d'approvisionnement (*supply chain management*) Ensemble des méthodes et des techniques utilisées en vue d'intégrer de façon efficiente et efficace les fournisseurs, les fabricants, les entrepôts, les magasins et les compagnies de transport dans une chaîne de valeur continue où les bonnes quantités de marchandises sont produites et distribuées au bon endroit et au bon moment.

gestion de la force de vente (*sales management*) Ensemble des activités relatives à la planification, à l'orientation et à la gestion de la vente personnelle.

gestion de la relation client (*customer relationship management [CRM]*) Ensemble des approches, des stratégies et des systèmes publicitaires visant à reconnaître les clients loyaux et à encourager leur loyauté.

gestion logistique (*logistic management*) Intégration d'au moins deux activités dont le but est de planifier, de mettre en œuvre et de gérer efficacement l'écoulement des matières premières, le stock de protection et les produits finis du point d'origine au point de consommation.

grande surface spécialisée (*category specialist*) Commerce offrant un assortiment étroit (peu de lignes) mais profond (beaucoup de choix dans les lignes tenues).

grossiste (*wholesaler*) Commerçant qui achète des produits en grande quantité, qui en prend possession, qui bien souvent les entrepose et qui se charge de la manutention avant de revendre les produits en plus petites quantités aux détaillants ou encore aux clients industriels ou professionnels.

groupe de référence (*reference group*) Individu ou groupe auquel une personne s'identifie (croyances, sentiments et comportement) et qui sert de modèle à son propre comportement.

groupes PSYTE (*PSYTE cluster*) Regroupement de tous les quartiers canadiens en 60 groupes en fonction de leur mode de vie.

guerre des prix (*price war*) Situation qui survient quand il y a un excès de capacité dans une industrie qui cherche à éliminer les concurrents les plus faibles.

hétérogénéité (ou variabilité) (*heterogeneity [variability]*) Caractéristique d'un service. Étant donné que le service est offert par un humain, sa qualité peut varier d'une fois à l'autre.

hypothèse (*hypothesis*) Affirmation ou proposition provisoire concernant la relation entre plusieurs variables. L'hypothèse fait l'objet de recherches.

idées (*ideas*) Processus mental comprenant notamment les pensées, les opinions, les philosophies et les concepts.

image de soi (*self-concept*) Idée que chacun se fait de son identité.

indice de développement humain (IDH) (*human development index [HDI]*) Indice composite qui évalue, dans un pays donné, trois indicateurs inhérents à la qualité de vie : l'espérance de vie, le niveau de scolarité et le produit intérieur brut par habitant, et qui sert à déterminer si le revenu moyen estimé en fonction de la parité des pouvoirs d'achat permet de satisfaire les besoins essentiels.

indissociabilité (ou simultanéité) (*inseparable*) Fait, pour un service, d'être produit et consommé au même moment, ce qui signifie que le service et sa consommation sont indissociables.

inélastique (*inelastic*) Qualifie un marché, pour un produit ou un service particulier, qui est insensible au prix. Ainsi, un changement du prix n'entraînera pas de changements substantiels quant à la demande.

inflation (*inflation*) Augmentation continue du prix des biens et des services.

influenceur (*influencer*) Membre du centre d'achats dont l'opinion influence les autres membres et, par le fait même, la décision d'achat.

information (*information*) Donnée organisée, analysée, interprétée, puis convertie de façon qu'elle soit utile aux décideurs.

infrastructure (*infrastructure*) Installations, services et matériel nécessaires au bon fonctionnement d'une communauté ou d'une société. Elle comprend notamment les systèmes de transport et de communication, les canalisations et les lignes de transport de l'électricité ainsi que les institutions publiques comme les écoles, les bureaux de poste ou les prisons.

ingénierie inverse (*reverse engineering*) Analyse d'un produit fini élaboré par la concurrence en vue de créer un produit semblable en y apportant des améliorations, sans contrefaire le brevet du concurrent, s'il y a lieu.

initiateur (*initiator*) Membre du centre d'achats qui, le premier, suggère d'acheter un nouveau produit ou service.

innovateur (*innovator*) Acheteur qui désire être le premier à se procurer un nouveau produit ou service.

innovation (*innovation*) Processus au cours duquel les idées deviennent de nouveaux produits et services, permettant à une entreprise de prendre de l'expansion.

intangibilité (*intangible*) Fait, pour un service, de ne pouvoir être touché, goûté ou vu, contrairement à un produit tangible.

intensité de la distribution (*distribution intensity*) Nombre d'entreprises intervenant à chaque niveau de la chaîne d'approvisionnement.

investissement direct (*direct investment*) Détention par une entreprise de la totalité de ses usines, de ses installations et de ses bureaux en sol étranger, ce qui est rendu possible, le plus souvent, par la création de filiales à 100 %.

juste-à-temps (JAT) (*just-in-time [JIT]*) Méthode de gestion des stocks selon laquelle une moins grande quantité de marchandise est livrée plus souvent que dans le cadre d'une gestion des stocks traditionnelle ; l'entreprise reçoit donc la marchandise « juste à temps » pour qu'elle serve à la fabrication d'un autre produit. Porte aussi le nom de « réaction rapide » dans le domaine de la vente au détail.

ligne de produits (*product line*) Constituante d'une gamme de produits. Chaque ligne correspond à un groupe de produits similaires.

locus de contrôle externe (*external locus of control*) Sentiment éprouvé par le consommateur selon lequel ce qui lui arrive est l'effet du destin ou d'autres facteurs qui échappent à son contrôle.

locus de contrôle interne (*internal locus of control*) Sentiment éprouvé par le consommateur d'avoir un certain pouvoir sur ce qui lui arrive.

loterie promotionnelle (*sweepstake*) Technique de promotion des ventes qui offre la chance aux participants de gagner un prix si leur nom est tiré au hasard.

macroenvironnement (*macroenvironmental factors*) Aspects de l'environnement extérieur qui exercent une influence sur l'entreprise. Ils comprennent notamment la culture, la démographie, les tendances sociales, les percées technologiques, l'économie et les facteurs relatifs à la politique et aux juridictions.

magasin à prix réduits (*discount store*) Magasin de vente au détail offrant un vaste assortiment de produits bon marché, mais un service limité. On trouve ces détaillants également sous les termes de magasin minimarge, magasin de rabais, magasin à bas prix ou de discompteur.

magasin de liquidation (*off-price retailer*) Détaillant offrant aux clients un assortiment changeant de produits dont les prix sont relativement bas.

magasin d'escomptes (*extreme value retailer*) Détaillant de marchandises diverses à prix réduits d'une superficie ne dépassant habituellement pas 850 mètres carrés (9 000 pieds carrés).

magasin éphémère (*pop-up store*) Vitrine temporaire généralement axée sur la présentation d'un nouveau produit ou d'un petit groupe de produits en vente chez un détaillant, un fabricant ou un fournisseur de services.

magasin spécialisé (*specialty store*) Magasin relativement petit qui vend une quantité limitée de produits complémentaires.

magasin traditionnel (ou brique et mortier) (*brick-and-mortar*) Magasin traditionnel ayant une présence physique.

magasinage croisé (*cross-shopping*) Habitude qui consiste à acheter autant des articles de prestige que de la marchandise à bas prix ou à fréquenter des commerces axés sur le statut social aussi bien que sur les prix.

majorité précoce (*early majority*) Dans la typologie de diffusion des innovations, groupe de consommateurs qui correspond au tiers de la population.

majorité tardive (*late majority*) Dernier groupe d'acheteurs à adopter un produit sur un marché donné.

marché (*market*) Groupe d'individus auquel s'intéresse une entreprise en vue de lui vendre un produit, un service ou une idée.

marché à très grande surface (*big-box food retailer*) Magasin de détail se présentant sous trois formes : le supercentre, l'hypermarché et le club-entrepôt ; plus grand que le supermarché traditionnel, ce type de magasin propose souvent des produits alimentaires en plus de marchandises diverses (vêtements, produits électroniques, quincaillerie, etc.).

marché cible (*target market*) Segment du public ou groupe de clients à qui une entreprise cherche à vendre ses produits ou ses services ; clients éventuels qui s'intéressent au produit ou au service et qui ont les moyens de se le procurer.

marché gris (*grey market*) Forme de marché dont les méthodes présentent des irrégularités sans qu'elles soient illégales.

marché test (*test marketing*) Introduction d'un nouveau produit ou service dans un territoire restreint (habituellement quelques villes) avant de le lancer à l'échelle nationale.

marketing (*marketing*) Série de pratiques commerciales dont le but est de prévoir quels produits et services devraient être lancés sur le marché et de présenter ces derniers de manière à établir une relation durable avec la clientèle visée.

marketing axé sur la valeur (*value-based marketing*) Stratégie qui vise à offrir aux consommateurs un produit ou un service dont les avantages dépassent grandement les coûts perçus (argent, temps, efforts) d'achat et d'utilisation, tout en assurant un bon rendement à l'entreprise.

marketing direct (*direct marketing*) Technique de marketing qui procède par un contact direct auprès des clients potentiels afin de générer une réponse ou une transaction.

marketing direct télévisuel (*direct response TV [DRTV]*) Publicité ou infopublicité télévisée dont la durée varie de 1 à 30 minutes, dans laquelle un produit est présenté en détail, et au cours de laquelle le consommateur est incité à commander au moyen d'un numéro sans frais, d'une adresse postale ou d'un site Web.

marketing engagé (*cause-related marketing*) Activité commerciale dans le cadre de laquelle une entreprise et une œuvre de charité travaillent ensemble en vue de commercialiser une image, un produit ou un service dont les deux acteurs bénéficient ; type de campagne publicitaire.

marketing furtif (*stealth marketing*) Stratégie se servant de façon originale de tactiques promotionnelles pour attirer de nouveaux clients, sans que le public cible sache toujours que le message véhicule une intention de vente.

marketing mix (ou quatre « P ») (*marketing mix [four Ps]*) Dosage des moyens d'action dont une entreprise se sert pour satisfaire ses marchés cibles, soit le produit, le prix, la distribution (*place*) et la communication (*promotion*).

marketing social (*social marketing*) Application des principes de marketing à des enjeux sociaux en vue de susciter un changement d'attitude et de comportement du public ou d'un segment de la population en particulier.

marketing viral (*viral marketing*) Incitation des utilisateurs d'un produit ou d'un service à communiquer à d'autres clients potentiels de l'information sur ce produit ou ce service.

marque (*brand*) Nom, terme, dessin, symbole ou tout autre élément permettant de distinguer le produit d'un fabricant de celui des autres fabricants.

marque de distributeur (ou marque maison) (*private-label wbrand [store brand]*) Marque élaborée et mise en marché par un détaillant et en vente uniquement dans son magasin. Le détaillant a souvent recours à un sous-traitant (généralement une PME) pour faire fabriquer ce produit. Le Choix du Président (Loblaw et Maxi), Compliments (Sobeys-IGA) ou Mérite (Metro) sont quelques exemples de marques de distributeurs, parfois abrégées « MDD ». Porte aussi le nom de « marque de détaillant ».

marque de fabricant (ou marque nationale) (*manufacturer brand [national brand]*) Marque appartenant à un fabricant de produit et gérée par lui. On oppose la marque de fabricant à la marque de distributeur.

marque d'entreprise (ou marque-entreprise) (*corporate brand [family brand]*) Utilisation de la dénomination sociale d'une entreprise comme marque de toutes les gammes de produits et de tous les produits qu'elle met en marché.

marque-produit (*individual brand*) Stratégie de marque qui consiste à attribuer un nom unique à chaque produit mis en marché.

média de masse (*mass media*) Moyen de communication destiné à diffuser des informations auprès d'un très grand nombre de personnes (p. ex., journaux, magazines, radio, télévision).

média de niche (*niche media*) Véhicule de communication de masse qui s'adresse généralement à un petit segment de marché et qui est, la plupart du temps, utilisé pour rejoindre la clientèle de ce type de marché qui présente des caractéristiques démographiques et des champs d'intérêt particuliers (p. ex., un magazine qui s'adresse aux haltérophiles).

média social (*social media*) Un média social est un média numérique visant à faciliter la création et le partage de contenu (information, connaissances, idées) généré par des utilisateurs qui collaborent et interagissent socialement.

médias électroniques (*electronic medias*) Outils informatiques, notamment les courriels, les sites Web, les blogues d'entreprise, les jeux en ligne, les messages textes et les médias sociaux.

méthode du coût d'utilisation (*cost of ownership method*) Méthode de fixation des prix axée sur la valeur en utilisation et permettant d'établir un rapport entre le prix à payer pour posséder un certain produit et sa vie utile. Cette méthode considère les coûts de manutention, d'entreposage, d'entretien, d'assurance, l'impact en cas de défaillance et autres coûts pertinents.

méthode liée aux objectifs et aux tâches (*objective-and-task method*) Technique budgétaire simplifiée utilisée dans le domaine de la planification de la force de vente et de la publicité. Cette méthode comprend les étapes suivantes: établir les objectifs, évaluer l'efficacité des médias ou des représentants, estimer les besoins en ressources.

micromarketing (ou marketing spécialisé) (*micromarketing*) Formation de micromarchés qui proposent à un client unique un produit ou un service personnalisé correspondant à ses besoins.

mode de vie (*lifestyle*) Composante de la segmentation psychographique qui fait référence à la façon dont un individu mène sa vie en fonction de ses objectifs.

modèle AIDA (*AIDA model*) Modèle hiérarchique des effets d'une publicité sur un consommateur: L'Attention suscite l'Intérêt, lequel stimule un Désir qui provoque une Action.

modèle compensatoire (*compensatory decision rule*) Processus d'évaluation par lequel le consommateur compare l'ensemble des caractéristiques d'un produit ou d'un service considérées en vue d'un achat. Les points forts d'un produit compensent ses points faibles.

modèle non compensatoire (*non-compensatory decision rule*) Choix de la part du consommateur d'un produit ou d'un service en fonction d'un sous-ensemble de caractéristiques, sans prêter attention à l'ensemble de ses attributs.

mondialisation (*globalization*) Processus permettant aux biens, aux services, aux capitaux, aux individus, aux renseignements et aux idées de voyager à l'échelle planétaire.

mondialisation de la production (*globalization of production*) Fait de se procurer des biens et des services venant de n'importe où dans le monde afin de profiter des différences de prix et de qualité de divers facteurs de production (p. ex., main-d'œuvre, énergie, facteur géographique, différence de capitaux).

motif (*motive*) Besoin ou désir suffisamment fort pour pousser une personne à agir.

notoriété de la marque (*brand awareness*) Indicateur qui détermine le niveau de connaissance d'une marque (le nom de la marque et ce qu'elle représente) dans l'esprit du consommateur. La notoriété se crée à mesure que les consommateurs sont exposés aux divers éléments de la marque (nom de marque, logo, symbole, personnage, emballage ou slogan). On distingue la notoriété spontanée (les marques qu'un consommateur cite spontanément) et la notoriété assistée (les marques qu'un consommateur dit connaître parmi celles présentées sur une liste).

nouvel achat (*new buy*) Achat d'un produit ou d'un service pour la première fois. Les responsables de la décision d'achat sont habituellement très sollicités étant donné que l'acheteur ou l'organisme acheteur ne connaît pas encore le produit ou le service qu'il s'apprête à acheter.

observation (*observation*) Mode de recherche, souvent exploratoire, qui comprend une évaluation des comportements d'achat et de consommation. Historiquement employée directement par un observateur, cette méthode s'est appuyée sur l'utilisation de la caméra. Aujourd'hui, la principale source de données de ce type provient d'Internet.

offre groupée (*price bundling*) Stratégie servant à vendre plus d'un produit en même temps. Le prix de l'ensemble des produits est plus bas que le prix des mêmes produits vendus séparément.

Organisation mondiale du commerce (OMC) (*World Trade Organization [WTO]*) Organisation internationale qui a remplacé le GATT en 1994; au lieu de n'être qu'un accord, comme le GATT, l'OMC est une institution établie à Genève, en Suisse.

orientation profit (*profit orientation*) Objectif d'une entreprise pouvant être atteint en fixant les prix en fonction du profit à atteindre, en maximisant les profits ou en optant pour le rendement recherché.

orientation relationnelle (*relational orientation*) Principe selon lequel la transaction entre le vendeur et l'acheteur devrait se fonder sur l'hypothèse d'une relation à long terme.

orientation transactionnelle (*transactional orientation*) Lien qui unit l'acheteur au vendeur quant aux transactions qui sont effectuées.

orientation ventes (*sales orientation*) Objectif de l'entreprise fondé sur le principe selon lequel il vaut mieux augmenter le chiffre d'affaires plutôt que les profits.

orientation vers la concurrence (*competitor orientation*) Principe selon lequel l'entreprise devrait mesurer sa performance sur le marché en la comparant avec celle de ses concurrents.

parité des pouvoirs d'achat (PPA) (*purchasing power parity [PPP]*) Principe selon lequel si le taux de change entre deux pays est en équilibre, alors un même produit vendu dans les deux pays coûtera le même prix (montant exprimé par une unité commune).

part de marché client (*share of wallet*) Pourcentage des achats d'un client qui ont été effectués chez un détaillant donné.

part de marché relative (*relative market share*) Mesure de la position d'un produit sur un marché en particulier, que l'on calcule en divisant les ventes du produit analysé par celles de la plus grande entreprise de l'industrie.

participation publicitaire (*advertising allowance*) Avantage accordé à un distributeur s'il accepte d'insérer le produit d'un fabricant dans sa publicité et ses efforts promotionnels.

perception (*perception*) Processus par lequel un individu choisit, organise et interprète les stimuli externes en vue de se faire une image du monde qui l'entoure et de lui donner un sens.

périssabilité (*perishability*) État d'un service qui ne peut être entreposé en vue d'une utilisation future.

personnalisation de masse (*mass customization*) Interaction personnalisée avec un grand nombre d'individus en vue de concevoir des produits et des services adaptés à chacun d'eux ; marketing personnalisé offert à un grand nombre de personnes.

personnalité de la marque (*brand personality*) Ensemble de caractéristiques humaines attribuées à une marque, laquelle, selon les consommateurs, dégagerait une symbolique et une personnalité qui lui sont propres.

pharmacie (*drugstore*) Magasin spécialisé dans la vente de produits de soins de santé et d'hygiène, bien que la vente de produits pharmaceutiques y compte pour plus de 60 % des ventes.

phase de contrôle (*control phase*) Étape du plan marketing au cours de laquelle les gestionnaires marketing évaluent la performance de leur stratégie commerciale et y apportent des corrections, s'il y a lieu.

phase de croissance (*growth stage*) Étape du cycle de vie d'un produit pendant laquelle le produit en question est accepté par les consommateurs, ce qui entraîne une augmentation de sa demande et de ses ventes. Cette étape voit également l'apparition de nombreux concurrents, dans la même catégorie, attirés par le taux de croissance de la catégorie.

phase de déclin (*decline stage*) Étape du cycle de vie d'un produit pendant laquelle le volume des ventes diminue jusqu'à ce que le produit ne soit plus sur le marché.

phase de maturité (*maturity stage*) Étape du cycle de vie d'un produit pendant laquelle les ventes atteignent leur sommet. L'entreprise tente alors de rajeunir son produit en y ajoutant de nouvelles fonctions ou en le repositionnant.

phase de mise en œuvre (*implementation phase*) Étape au cours de laquelle les gestionnaires marketing reconnaissent et évaluent les occasions d'affaires en procédant à la segmentation, au ciblage et au positionnement. Ils développent ensuite et mettent en œuvre le marketing mix (les quatre « P »).

phase de planification (*planning phase*) Étape à laquelle les gestionnaires marketing et autres cadres supérieurs définissent la mission ou la vision de l'entreprise ainsi que ses objectifs, et analysent la situation actuelle en déterminant la façon dont les divers acteurs associés à l'organisation influent sur la réussite de l'entreprise.

phase d'introduction (*introduction stage*) Étape du cycle de vie d'un produit pendant laquelle ce dernier est mis en marché. Les premiers acheteurs du produit sont les consommateurs dits « innovateurs ».

pionnier (ou percée commerciale ou innovation radicale) (*pioneer*) Nouveau produit, le premier à percer un tout nouveau marché ou à changer les règles du jeu au sein d'un marché quant à la concurrence et aux préférences des consommateurs.

pistage (*tracking*) Surveillance d'indicateurs clés relativement au suivi des activités, dont l'évaluation quotidienne ou hebdomadaire du volume des ventes, pendant que la campagne de publicité est en cours, en vue de déceler tout problème qui pourrait survenir quant au message ou au média choisi.

placement de produit (*product placement*) Insertion d'un produit dans un contexte non publicitaire (p. ex., dans une scène d'un film ou d'une émission de télévision).

plan de communication (*advertising plan*) Partie du plan marketing global qui définit précisément les objectifs de la campagne publicitaire, la façon d'atteindre ces objectifs ainsi que la manière de déterminer si la campagne en question s'est avérée un succès.

plan marketing (*marketing plan*) Document écrit comprenant une analyse de la situation actuelle, des opportunités d'affaires qui s'offrent à l'entreprise et des menaces possibles, les objectifs à atteindre, les stratégies relatives aux quatre « P », le programme d'action ainsi que l'état des résultats (et autres états financiers) prévisionnels.

plan médias (*media planning*) Recherche de la combinaison de supports dont le message livré sera clair, cohérent et attirant aux yeux de l'audience ciblée.

point d'exposition brute (PEB) (*gross rating point [GRP]*) Unité servant à mesurer le nombre d'impressions produites par un message publicitaire (imprimé, radiodiffusé ou télédiffusé) ; est égal au pourcentage de l'auditoire multiplié par la fréquence.

point idéal (*ideal point*) Sur une carte perceptuelle, point où se situe le produit idéal d'un segment de marché donné.

point mort (*break-even point*) Point auquel le nombre d'unités vendues génère tout juste assez de revenus pour égaliser les coûts totaux ; à ce point, aucun profit n'est fait.

politique de bas prix de tous les jours (*everyday low pricing [EDLP]*) Stratégie utilisée par les entreprises pour montrer aux consommateurs que leurs prix de détail se situent toujours entre le prix courant et le prix de réclame offerts par leurs concurrents.

positionnement (*market positioning*) Définition des variables du marketing mix visant à permettre aux clients ciblés de comprendre clairement l'utilité du produit et ce qu'il représente par rapport aux produits de la concurrence.

positionnement recherché (*positioning statement*) Énoncé stratégique qui exprime de quelle manière l'entreprise voudrait être perçue par les consommateurs par rapport aux produits concurrents.

post-test (*posttesting*) Évaluation de l'effet d'une campagne publicitaire après sa mise en œuvre.

préadolescents (*tweens*) Individus nés entre 2003 et 2006 ; ce ne sont ni des enfants ni des adolescents. L'appellation anglaise provient du fait qu'un *tween* n'est plus un enfant, mais il n'est pas encore *teen* (adolescent, à partir de 13 ans – *thirteen*). Il est *between* (entre les deux), qui devient *be tween* (être *tween*).

pré-approche (*preapproach*) En vente personnalisée, étape qui précède la rencontre initiale avec le client. L'équipe de vente évalue le dossier du client et planifie le déroulement de la rencontre initiale. La pré-approche est une étape cruciale en vente industrielle.

premier entrant (*first mover*) Entreprise qui lance un produit innovateur dont l'apparition crée un marché ou une catégorie de produits. Ce produit est facilement reconnaissable et a une avance durable quant aux parts de marché.

préoccupations environnementales (*environmental concerns*) Prise de conscience, entre autres, de l'utilisation abusive des ressources naturelles et de l'énergie, de la production de déchets issus de la fabrication des produits, de la quantité excessive de déchets que constituent l'emballage des biens de consommation et les biens qu'il est difficile de recycler, notamment les pneus, les téléphones cellulaires et les écrans d'ordinateurs.

présentoir au point de vente (*point-of-purchase [POP] display*) Ensemble des supports promotionnels situés à un point de vente donné. Cela comprend notamment la signalétique (panneaux, banderoles, etc.), les présentoirs en carton au sol ou de comptoir, les annonces en magasin et les bornes interactives.

prétest (*pretesting*) Évaluation d'une campagne publicitaire avant sa diffusion en vue de s'assurer que ses divers éléments sont bien intégrés et produisent les résultats escomptés.

prime (*premium*) Article offert gratuitement ou vendu à bas prix à un client pour le récompenser d'avoir acheté, essayé ou testé un produit.

prix (*price*) Somme des efforts que le client est prêt à faire (quant au temps, à l'argent, à l'énergie) afin de se procurer un produit ou un service.

prix de référence (*reference price*) Prix avec lequel le consommateur compare le prix de vente actuel du produit qu'il souhaite se procurer, en vue de faciliter sa prise de décision.

prix de référence externe (*external reference price*) Prix étalon avec lequel le consommateur peut comparer le prix de vente d'un produit en vue de déterminer s'il s'agit d'une bonne affaire. Il peut s'agir du prix courant (c'est-à-dire hors promotion) du produit visé, du prix d'une marque concurrente jugée équivalente ou d'un prix standard calculé par un tiers (p. ex., prix du mazout rapporté par la Régie de l'énergie).

prix de référence interne (*internal reference price*) Prix auquel le consommateur se réfère en faisant appel à sa mémoire afin d'évaluer le prix indiqué sur un produit. Il peut s'agir du prix qu'il a payé la dernière fois qu'il a fait un tel achat ou encore du prix qu'il s'attend à payer pour cet article.

prix non arrondi (*odd price*) Prix de vente d'un produit qui se situe légèrement sous un seuil psychologique (p. ex., 199,95 $ plutôt que 200,00 $). La différence perçue est plus importante que la différence véritable.

processus de planification marketing (*marketing planning process*) Ensemble des étapes au travers desquelles passe un responsable lors de la conception d'un plan marketing.

produit (*product*) Objet tangible qui a une valeur aux yeux d'un consommateur et qui peut lui être proposé dans le cadre d'un échange commercial volontaire.

produit de consommation (*consumer product*) Produit ou service destiné à être utilisé à des fins personnelles.

produit générique (*generic*) Produit sans marque de commerce que l'on trouve surtout sur le marché des produits de base.

produit intérieur brut (PIB) (*gross domestic product [GDP]*) Valeur marchande des biens et des services produits par les résidants à l'intérieur d'un pays donné au cours d'une année. Il s'agit de la mesure normalisée la plus répandue pour évaluer la production d'un pays.

produit ou service de prestige (*prestige product or service*) Produit ou service dont l'achat est effectué parfois davantage pour sa visibilité que pour son caractère utilitaire.

produits complémentaires (*complementary products*) Produits dont les courbes de demande sont directement proportionnelles – elles se déplacent dans le même sens

(p. ex., imprimantes et cartouches de rechange, automobiles et pneus).

produits de substitution (*substitute products*) Produits dont la variation de la demande est inversement proportionnelle. Donc, si la demande du produit A connaît une augmentation en pourcentage, alors la demande du produit de substitution B connaîtra une diminution en pourcentage.

produits et services d'achat réfléchi (*shopping goods/services*) Produits et services auxquels les clients accordent beaucoup de temps afin de comparer les choix qui s'offrent à eux.

produits et services de consommation courante (*convenience goods/services*) Produits et services pour lesquels les clients ne veulent pas avoir à se poser de questions avant de les acheter.

produits et services de spécialité (*specialty goods/services*) Produits et services pour lesquels les clients démontrent une forte préférence et sont prêts à faire des efforts considérables en vue de trouver les détaillants qui les offrent.

profondeur de la ligne (*category depth*) Nombre de références (produits distincts) au sein d'une ligne de produits.

programme de fidélisation (*loyalty program*) Programme spécialement conçu pour permettre à l'entreprise de garder sa clientèle et de s'assurer qu'elle reviendra en lui offrant une prime ou en se servant de toute autre mesure incitative.

programme d'écoute des consommateurs (*voice-of-customer [VOC] program*) Méthode de recherche commerciale systématique fondée sur la collecte des impressions des consommateurs, lesquelles jouent ensuite un rôle dans la prise de décision de la direction.

promotion (*deal*) Réduction temporaire du prix d'un article.

promotion des ventes (*sales promotion*) Recours à des incitatifs qui visent à amener les consommateurs à se procurer un produit ou un service (p. ex., coupon de réduction, concours, échantillon gratuit, présentoir au point de vente, rabais).

prospection (*prospecting*) Fait de dresser une liste de clients potentiels.

prototype (*prototype*) Premier exemplaire d'un produit ou première description d'un service. Ce n'est pas le produit ou le service final, mais toutes les propriétés d'un nouveau produit ou service sont présentes. Le prototype est souvent fabriqué différemment, parfois même à la main.

psychographie (*psychographics*) Méthode de caractérisation utilisée pendant la segmentation qui s'appuie sur la perception que les consommateurs ont d'eux-mêmes.

publicité (*advertising*) Mode de communication payant utilisé par une source identifiée, dont le message est transmis par un moyen de communication et qui a pour but d'influer sur le comportement ou sur l'attitude d'un individu à l'endroit d'un produit, d'un service ou d'une marque, que ce soit dans l'immédiat ou à l'avenir.

publicité centrée sur le produit (factuelle) (*product-focused advertisement*) Publicité qui sert à informer un consommateur, à le persuader ou à lui rappeler les faits relativement à un produit ou à un service donné.

publicité coopérative (ou publicité à frais partagés) (*cooperative advertising*) Publicité qui permet d'indemniser les intermédiaires pour l'argent qu'ils ont investi dans la promotion de leurs produits et de les inciter à présenter ces derniers plus souvent.

publicité croisée (*cross-promoting*) Association d'au moins deux entreprises dans le but de percer un marché cible.

publicité de rappel (*reminder advertising*) Communication qui vise à rappeler aux consommateurs l'existence d'un produit ou à les inciter à se procurer ce produit de nouveau. Le plus souvent, la publicité de rappel est utilisée pour promouvoir un produit qui est déjà accepté par les consommateurs et qui est à la phase de maturité de son cycle de vie.

publicité informative (*informative advertising*) Annonce publicitaire visant la prise de conscience du client éventuel et cherchant à guider ce dernier tout au long du processus qui mène à l'achat d'un produit.

publicité institutionnelle (*institutional advertisement*) Publicité servant à informer un consommateur, à le persuader ou à lui rappeler certains faits en ce qui concerne un endroit, une politique, une industrie ou une entreprise en particulier.

publicité mensongère (*deceptive advertising*) Toute représentation, omission, pratique ou tout acte compris dans une publicité qui est susceptible de tromper l'acheteur qui agit raisonnablement dans les circonstances.

publicité persuasive (*persuasive advertising*) Annonce publicitaire visant à pousser le consommateur à l'action.

publicité sociétale (*public service advertising [PSA]*) Publicité axée sur le bien-être du public et qui est généralement commanditée par un organisme sans but lucratif, un groupe de citoyens, un groupe religieux, une association professionnelle ou un parti politique ; forme de marketing social.

publicité-leurre (*bait and switch*) Pratique commerciale trompeuse qui consiste à attirer le client en annonçant une offre spéciale portant sur un produit (leurre), puis à faire pression sur lui pour qu'il achète un autre produit (produit de substitution) en dénigrant le produit bon marché, en le comparant défavorablement ou en ne disposant que d'un stock symbolique du produit annoncé.

publipostage et courrier électronique (*direct mail and email*) Formes de communication écrites ciblées, envoyées par la poste ou par courriel à d'éventuels clients.

qualification (*qualification*) Processus d'évaluation des clients potentiels.

qualité du service (*service quality*) Aptitude d'un service à répondre aux attentes d'un client ou à dépasser celles-ci.

question non structurée (*unstructured question*) Question ouverte qui permet au participant de répondre dans ses propres mots.

question structurée (*structured question*) Question fermée pour laquelle une série de réponses précises sont proposées au participant.

questionnaire (*questionnaire*) Série de questions visant à recueillir des renseignements auprès du participant en vue d'atteindre un objectif de recherche ; les questions peuvent être structurées ou non.

rabais (*rebate*) Réduction de prix accordée au consommateur. Dans certains cas, le rabais est accordé pour des raisons de défaut ou de désuétude. Il peut aussi s'agir d'une forme de promotion, faite ordinairement au moyen de coupons émis par le fabricant et honorés par le détaillant.

rabais sur quantité (*size discount*) Forme la plus courante de remise sur quantité ; plus le client achète d'articles, plus le prix de chaque unité est réduit (p. ex., reduction par gramme).

rachat direct (ou rachat simple) (*straight rebuy*) Fait pour un acheteur ou un organisme acheteur de se procurer une quantité supplémentaire d'un produit qu'il a déjà acheté.

rachat modifié (*modified rebuy*) Fait, pour un acheteur industriel qui s'est déjà procuré un produit semblable, de changer certains éléments, comme le prix visé, la qualité du produit, le service à la clientèle ou les options offertes.

réaction rapide (*quick response*) Mode de gestion des approvisionnements utilisé dans la vente au détail ; les produits sont reçus uniquement au moment où le client veut se les procurer.

récepteur (*receiver*) Personne qui lit, entend ou voit le message ou l'annonce publicitaire, puis qui traite l'information.

récession (*recession*) Ralentissement qui provoque une croissance négative de l'activité économique durant au moins quelques trimestres consécutifs.

recherche d'informations externes (*external search for information*) Recherche menée par l'acheteur pour trouver des renseignements ne faisant pas partie de ses connaissances personnelles en vue de prendre une décision d'achat.

recherche d'informations internes (*internal search for information*) Recherche menée par l'acheteur pour trouver des renseignements parmi ses souvenirs ou ses connaissances personnelles en vue de prendre une décision d'achat.

recherche en marketing (*marketing research*) Processus qui consiste à recueillir, à enregistrer, à analyser et à interpréter des données qui pourraient aider les décideurs stratégiques.

recherche expérimentale (*experimental research*) Type de recherche quantitative au cours de laquelle on manipule au moins une variable en vue de savoir si elle produit un effet sur les autres variables.

recherche exploratoire (*exploratory research*) Recherche menée en vue de tenter de comprendre un phénomène. Ce type de recherche permet également d'amasser des renseignements lorsque le problème n'est pas bien défini.

recherche formelle (*conclusive research*) Recherche permettant de valider l'idée de départ. On s'appuie sur ce type de recherche pour poursuivre le plan d'action.

recherche par panel (*panel research*) Type de recherche quantitative qui consiste à recueillir des renseignements auprès d'un groupe relativement stable de consommateurs (le panel). Certains panels sont utilisés ponctuellement, permettant ainsi de constituer rapidement un échantillon présumé représentatif d'une population d'intérêt. D'autres sont consultés par intervalles, parfois sur le même sujet (p. ex., dans le cas d'études de cohortes où l'on s'intéresse aux comportements relatifs à la santé), parfois sur des sujets divers.

recherche par scanner (*scanner research*) Type de recherche quantitative au cours de laquelle les codes universels des produits (CUP) saisis aux caisses enregistreuses sont analysés.

réclame élogieuse (*puffery*) Éloge exagéré d'un produit. Cette forme de publicité est légale si elle ne trompe pas la clientèle.

reconnaissance des besoins (*needs recognition*) L'une des premières étapes du processus décisionnel, qui consiste, chez le consommateur, à reconnaître qu'il a un besoin inassouvi, puis à passer de l'état de nécessité actuel à l'état de satiété.

réduction saisonnière (*seasonal discount*) Réduction additionnelle offerte sur le prix de vente d'un article en vue d'inciter les détaillants à commander de la marchandise avant la période habituelle.

référence (*stock keeping unit [SKU]*) Chacun des articles compris dans une catégorie de produits ; la plus petite unité considérée au moment du contrôle des stocks.

règle simplifiée (ou heuristique) (*rule-of-thumb method*) Méthode selon laquelle le budget du plan de communication marketing intégrée est fondé soit sur les parts de marché de l'entreprise par rapport à la concurrence, soit sur un pourcentage fixe des ventes prévues ou sur ce qui reste une fois les frais d'exploitation et les profits prévus inscrits au budget.

règles de décision du consommateur (*consumer decision rules*) Série de critères dont le consommateur tient compte consciemment ou inconsciemment pour faire un choix rapide et éclairé parmi les produits ou les services qui s'offrent à lui.

relations publiques (*public relations*) Service d'une organisation chargé des communications, lesquelles ont plusieurs objectifs, dont la projection et le maintien d'une image positive de l'entreprise, la prise en charge des événements fâcheux et le maintien de bonnes relations avec les médias.

remise sur quantité (*quantity discount*) Réduction de prix consentie au client en fonction de la quantité de produits ou de services qu'il a achetée.

remise sur quantité non cumulative (*non-cumulative quantity discount*) Offre de réduction de prix pour les clients qui achètent en grosses quantités. L'offre n'est valide que pour une commande.

répartiteur (*dispatcher*) Personne responsable de la coordination des livraisons aux centres de distribution.

repositionnement de la marque (*brand repositioning [rebranding]*) Stratégie visant à repenser la marque en fonction des nouveaux marchés ou à la moderniser en vue de suivre les tendances.

responsabilité sociale de l'entreprise (*corporate social responsibility*) Actions volontaires menées par une entreprise dans le but d'évaluer les répercussions éthiques, sociales et environnementales de ses opérations et d'aborder les préoccupations des parties prenantes.

revendeur (*reseller*) Intermédiaire qui revend des produits manufacturés aux consommateurs et aux détaillants sans en avoir changé la forme.

risque économique (*financial risk*) Risque associé à une dépense.

risque fonctionnel (*performance risk*) Risque perçu lié à un produit ou à un service dont le fonctionnement pourrait être inadéquat.

risque psychologique (*psychological risk*) Risque lié au sentiment qu'un consommateur éprouve lorsqu'un produit ou un service ne projette pas la bonne image.

ristourne (*cumulative quantity discount*) Réduction établie en fonction du prix de vente et consentie si, au cours d'une période déterminée, une certaine quantité de marchandise est achetée.

sanction commerciale (*trade sanction*) Pénalité ou restriction imposée par un pays à un autre en ce qui a trait à l'importation et à l'exportation de biens, de services et d'investissements.

segment de marché (*market segment*) Groupe de consommateurs qui réagissent sensiblement de la même manière aux actions de marketing de l'entreprise.

segmentation comportementale (*behavioural segmentation*) Formation de groupes de consommateurs en fonction de leur utilisation d'un produit ou d'un service, notamment leur taux d'utilisation, leur statut d'utilisateur et leur fidélité à la marque.

segmentation démographique (*demographic segmentation*) Formation de segments de consommateurs en fonction de critères objectifs et facilement mesurables, tels l'âge, le sexe, le revenu, le niveau de scolarité, la profession et la résidence.

segmentation du marché (*market segmentation*) Division du marché en groupes de consommateurs selon leurs besoins, leurs désirs ou des éléments qui les caractérisent. Ces consommateurs désirent généralement se procurer des produits et des services conçus à leur intention.

segmentation en fonction de la fidélité (*loyalty segmentation*) Stratégie selon laquelle une entreprise investit dans les mesures de fidélisation afin de garder ses meilleurs clients.

segmentation géographique (*geographic segmentation*) Formation de groupes de consommateurs en fonction de l'endroit où ils habitent.

segmentation par bénéfices (*benefit segmentation*) Formation de groupes de consommateurs en fonction des avantages qu'ils retirent d'un produit ou d'un service.

segmentation sociodémographique (*geodemographic segmentation*) Formation de groupes de consommateurs en fonction des caractéristiques relatives au mode de vie ainsi que des caractéristiques géographiques et démographiques qui les unissent.

segmentation, ciblage et positionnement (SCP) (*segmentation, targeting and positioning [STP]*) Processus utilisé par les entreprises pour cerner et évaluer les occasions d'affaires qui s'offrent à elles en vue d'augmenter les ventes et les profits.

service (*service*) Offre intangible qui requiert une action, une performance ou un effort qui n'est pas matériel.

service à la clientèle (*customer service*) Actions tant humaines que mécaniques menées par l'entreprise en vue de satisfaire les besoins et les désirs de ses clients.

services connexes (ou produit augmenté) (*associated services [or augmented product]*) Les avantages non tangibles d'un produit, qui englobent la garantie, le financement, le soutien technique et le service après-vente.

stratégie d'aspiration (*pull strategy*) Stratégie qui vise à stimuler la demande, par le truchement de la publicité et de prix attrayants, de sorte que les consommateurs forcent le réseau de distribution à offrir le produit. Les consommateurs « attirent » le produit à travers le réseau de distribution.

stratégie de développement de marchés (*market development strategy*) Stratégie de croissance se servant d'une offre déjà existante pour atteindre de nouveaux segments de marché, qu'ils soient intérieurs ou internationaux.

stratégie de développement de produits (*product development strategy*) Stratégie de croissance selon laquelle une entreprise propose à un marché cible existant un nouveau produit ou service.

stratégie de diversification (*diversification strategy*) Stratégie d'expansion par laquelle une entreprise lance un nouveau produit ou service, ou développe un segment de marché qu'elle ne couvre pas encore.

stratégie de marketing de masse (*mass marketing*) Stratégie de marketing à laquelle une entreprise peut avoir recours si le produit ou le service qu'elle offre apporte les mêmes avantages à tous, donc lorsqu'il n'est pas nécessaire d'élaborer une stratégie pour chaque segment de marché.

stratégie de marketing de niche (ou marketing concentré) (*concentrated segmentation strategy*) Marketing pratiqué en canalisant tous les efforts vers un seul segment de marché afin de proposer un produit qui répond le mieux possible aux besoins de ce segment de marché.

stratégie de marketing différencié (*differentiated segmentation strategy*) Stratégie selon laquelle une entreprise cible plusieurs segments de marché et présente une offre différente à chacun d'entre eux.

stratégie de maximisation des profits (*maximizing profits strategy*) Orientation stratégique qui vise à maximiser le profit total, par opposition à la part de marché ou au volume des ventes.

stratégie de pénétration de marchés (*market penetration strategy*) Stratégie de croissance qui se sert du marketing mix existant et qui est axée sur la clientèle déjà établie.

stratégie de pression (*push strategy*) Stratégie qui vise à écouler un produit en incitant les vendeurs (grossistes, distributeurs ou représentants) à le mettre en évidence. Le fabricant proposera souvent des programmes de publicité coopérative et des ristournes importantes.

stratégie multicanal (*multichannel strategy*) Politique de marketing faisant appel, simultanément, à plusieurs canaux de distribution (p. ex., magasin, catalogue, kiosque et Internet).

style de vie (*lifestyle*) Façon de vivre organisée autour d'une ou de plusieurs valeurs dominantes.

supermarché traditionnel (*conventional supermarket*) Détaillant libre-service où l'on vend des denrées alimentaires, de la viande et des produits non alimentaires, bien qu'en quantité limitée, tels des produits de santé et de beauté et des articles d'usage courant.

Système de classification des industries de l'Amérique du Nord (SCIAN) (*North American Industry Classification System [NAICS]*) Système standard de classification des entreprises par secteur d'activité. Le niveau le plus détaillé compte six chiffres; les grands groupes vont du secteur de l'agriculture (11) au secteur de l'administration publique (91).

système de marketing vertical (*vertical marketing system*) Chaîne d'approvisionnement dont les membres forment un système uni. Il y a trois types de systèmes: administré, contractuel et d'entreprise.

système de marketing vertical administré (*administered vertical marketing system*) Chaîne d'approvisionnement dans laquelle il n'y a ni propriété commune, ni relation contractuelle; la partie la plus puissante du système a le contrôle des relations au sein de ce dernier.

système de marketing vertical contractuel (*contractual vertical marketing system*) Chaîne d'approvisionnement dans laquelle des entreprises indépendantes à tous les niveaux d'approvisionnement sont liées par des contrats afin de réaliser des économies d'échelle, de simplifier la coordination et d'éviter les conflits.

système de marketing vertical d'entreprise (*corporate vertical marketing system*) Chaîne d'approvisionnement dans laquelle la société mère exerce tout le contrôle et peut imposer les priorités et les objectifs de l'entreprise au reste de la chaîne. Ce type de système peut être instauré dans des installations telles que les usines de confection, les entrepôts, les magasins de détail et les studios de design.

tactique de prix (*pricing tactic*) Ajustement à court terme, contrairement aux stratégies de fixation des prix qui sont conçues pour une longue durée, utilisé pour s'adapter aux objectifs de l'entreprise, aux clients, aux coûts, à la concurrence ou aux membres du circuit de distribution.

tactique de prix d'appel (*leader pricing*) Stratégie qui vise à accroître l'achalandage d'un commerce en réduisant fortement le prix d'un produit courant.

tarif douanier (ou droits) (*tariff*) Taxe imposée sur les produits importés dans un pays.

taux de change (*exchange rate*) Valeur d'une devise établie par rapport à une autre devise.

taux de clics publicitaires (*click-through tracking*) Rapport, exprimé en pourcentage, entre le nombre de clics publicitaires constatés et le nombre de fois qu'une page Web a été consultée.

taux de croissance du marché (*market growth rate*) Taux d'accroissement annuel d'un marché sur lequel un produit est présent.

taux de notoriété assistée (*aided recall*) Pourcentage de personnes qui disent connaître une marque présentée dans une liste ou citée par un enquêteur.

taux de notoriété spontanée (*top-of-mind awareness*) Pourcentage de personnes qui citent spontanément une marque, sans aucune forme d'aide.

taux d'intérêt (*interest rate*) Pourcentage appliqué à une somme empruntée.

technique projective (*projective technique*) Type de recherche qualitative qui consiste à fournir un scénario ou à demander un collage d'images à des personnes afin qu'elles donnent leurs impressions sur un sujet.

télémarketing (*telemarketing*) Technique de marketing visant à entrer en contact avec le client potentiel, le plus souvent par téléphone.

territoire exclusif (*exclusive geographic territory*) Nombre limité de détaillants qui se voient attribuer un territoire selon la stratégie de distribution exclusive. Ainsi, aucun autre détaillant ne peut vendre les produits d'une marque donnée sur le même territoire.

test alpha (*alpha testing*) Premier essai d'un produit en vue de déterminer la pertinence de sa conception et d'évaluer s'il répond au besoin pour lequel il a été créé ; ce test est effectué par le Service de recherche et développement (R et D) du fabricant.

test bêta (*beta testing*) Essai d'un prototype effectué auprès de consommateurs potentiels dans un cadre réel afin d'en analyser le fonctionnement, le niveau de performance, les problèmes possibles ou tout autre point précis relativement à son utilisation. Ce test est consécutif au test alpha.

test de concept publicitaire (*concept testing*) Présentation d'un concept de publicité destinée à présenter un produit ou un service aux clients éventuels en vue de recueillir leurs impressions.

test de précommercialisation (*premarket test*) Mené avant la mise en marché d'un produit ou d'un service, test servant à évaluer le nombre de clients qui vont essayer ce produit ou ce service, puis l'adopter.

transmetteur (*transmitter*) Agent ou intermédiaire avec qui l'émetteur travaille à l'élaboration de techniques de communication marketing (p. ex., le service artistique d'une entreprise ou une agence de publicité).

unité d'affaires stratégique (*strategic business unit [SBU]*) Division de l'entreprise qui peut être gérée et menée de façon pratiquement indépendante par rapport aux autres divisions. Elle peut également avoir une mission et des objectifs différents.

utilisateur (*user*) Individu qui consomme ou utilise le produit ou le service acheté par le centre d'achats.

utilisateur de pointe (*lead user*) Acheteur d'un produit innovateur qui a décidé de modifier ce produit selon ses goûts afin qu'il réponde à ses besoins.

valeur (*value*) Rapport entre les avantages et les coûts d'un produit ou d'un service, ou encore ce que le consommateur obtient en retour de ce qu'il a donné.

valeur perçue (*perceived value*) Somme des bénéfices que le consommateur s'attend à recevoir en consommant un produit. Selon le contexte, on parle des bénéfices bruts ou des bénéfices nets, c'est-à-dire en tenant compte des coûts perçus.

valeurs personnelles (*self-values*) Balises que chacun se crée. Les valeurs personnelles sont un élément de la psychographie qui a trait aux désirs profonds des individus, ces désirs qui déterminent la façon dont une personne choisit de vivre sa vie.

validité (*validity*) Qualité d'une étude qui mesure ce qu'elle est censée mesurer.

VALS^MD (*VALS*) Instrument psychographique élaboré par la SRI Consulting Business Intelligence (désormais appelée Strategic Business Insight [SBI]) qui classe les consommateurs en huit groupes : les innovateurs, les penseurs, les croyants, les performants, les battants, les curieux, les artisans et les survivants.

veille concurrentielle (*competitive intelligence [CI]*) Collecte et traitement de renseignements portant sur le positionnement dans le marché relativement aux concurrents. Elle permet aux entreprises d'anticiper le développement des marchés au lieu de seulement y réagir.

vente à prix élevé/bas (*high/low pricing*) Stratégie selon laquelle un magasin propose des articles à prix courant élevé et, au moment des soldes, réduit grandement ses prix pendant une certaine période en vue d'inciter les clients à acheter.

vente à prix prédatoire (ou d'éviction) (*predatory pricing*) Vente d'un ou de plusieurs biens à un prix déraisonnablement bas pour détruire la concurrence. Cette pratique est illégale en vertu de la *Loi sur la concurrence*.

vente au détail (*retailing*) Activité commerciale qui consiste à vendre des produits et des services aux consommateurs à dës fins de consommation personnelle. Elle comprend les produits vendus en magasin, par catalogue, sur Internet ainsi que des services offerts par les restaurants rapides, les compagnies aériennes et les hôtels.

vente par réseau coopté (*relationship selling*) Philosophie et processus de vente qui mettent l'accent sur la relation à long terme et sur l'importance de saisir des occasions bénéfiques pour tous les acteurs.

vente personnelle (*personal selling*) Dialogue entre un acheteur et un vendeur. L'acheteur fait connaître ses besoins, le vendeur propose des solutions. Éventuellement, une transaction pourrait se conclure.

zone d'échanges commerciaux (*trading bloc*) Ensemble des pays qui ont conclu un accord commercial donné.

zone de tolérance (*zone of tolerance*) Écart entre les attentes du client quant au service désiré et ce qu'il considère comme tout juste acceptable, ou différence entre ce que le client recherche vraiment et ce qu'il est prêt à accepter avant de changer de prestataire de services.

Références

AVANT-PROPOS

1. Euromonitor International.
2. International Bottled Water Association, *Challenging Circumstances Persist: Future Growth Anticipated*, par John G. Rodwan Jr., U.S. and International Developments and Statistics, mai-juin 2010, www.bottledwater.org/files/2009BWstats.pdf (Page consultée le 15 janvier 2015).

CHAPITRE 1

1. Association canadienne du marketing, www.the-cma.org (Page consultée le 17 décembre 2007). Lire aussi les propos sur le marketing de Stephen L. Vargo et Robert F. Lusch, « Evolving to a New Dominant Logic for Marketing », *Journal of Marketing*, vol. 68, janvier 2004, p. 1-17; et ceux de George S. Day, John Deighton, Das Narayandas, Evert Gummesson, Shelby D. Hunt, C.K. Prahalad, Roland T. Rust et Steven M. Shugan, « Invited Commentaries on "Evolving to a New Dominant Logic for Marketing" », *Journal of Marketing*, vol. 68, janvier 2004, p. 18-27. Voir aussi W. Stephen Brown, Frederick E. Webster Jr., Jan-Benedict E.M. Steenkamp, William L. Wilkie, Jagdish N. Sheth, Rajendra S. Sisodia, Roger A. Kerin, Deborah J. MacInnis, Leigh McAlister, Jagmohan S. Raju, Ronald J. Bauerly, Don T. Johnson, Mandeep Singh et Richard Staelin, « Marketing Renaissance: Opportunities and Imperatives for Improving Marketing Thought, Practice, and Infrastructure », *Journal of Marketing*, vol. 69, nº 4, 2005, p. 1-25.
2. Le marketing mix est un concept de E. Jerome McCarthy, *Basic Marketing: A Managerial Approach*, Homewood, Ill., Richard D. Irwin, 1960. Voir aussi Walter van Watershoot et Christophe Van den Bulte, « The 4P Classification of the Marketing Mix Revisited », *Journal of Marketing*, vol. 56, octobre 1992, p. 83-93.
3. Statistiques tirées du site de Beverage Marketing Corporation, une entreprise de recherche et de conseil établie à New York, www.bottledwaterweb.com (Page consultée le 12 juin 2006).
4. Bottled Water Free Campus, www.sustainable.uottawa.ca/index.php?module=CMS&id=52 (Page consultée le 5 août 2010).
5. D'après David Simchi-Levi, Philip Kaminsky et Edith Simchi-Levi, *Designing and Managing the Supply Chain: Concepts, Strategies and Case Studies*, 2ᵉ éd., New York, McGraw-Hill/Irwin, 2003; ainsi que Michael Levy et Barton A. Weitz, *Retailing Management*, 6ᵉ éd., New York, McGraw-Hill/Irwin, 2007.
6. Entrevue avec le président de The Country Grocer, Ottawa; Lisa Morrison, Rapport de consultation, MBA pour cadres, Université d'Ottawa, 2006.
7. "Toyota Plans European Shutdown", www.cbc.ca/news/business/story/2011/04/13/business-toyoa-europe.html (Page consultée le 22 avril 2011); "Toyota Faces Vehicles Shortage, U.S. Dealers Told", www.cbc.ca/news/business/story/2011/04/11/business-toyota-vehicles.html (Page consultée le 22 avril 2011).
8. "How companies manage sustainability: McKinsey Global Survey Results", www.mckinseyquarterly.com/How_companies_manage_sustainability_McKinse_Global_Survey_results__2558 (Page consultée le 22 avril 2011).
9. Référez-vous à la page Web suivante pour des exemples de cette campagne populaire, http://lafamilledulait.com/publivores/le-lait-fait-durer-le-plaisir (Page consultée le 5 février 2015).
10. « What is Social Media? A not so critical review of concepts and definitions », [En ligne], http://blog.metaroll.com/2008/11/14/what-is-socialmedia-a-not-so-critical-review-of-concepts-and-definitions/ (Page consultée le 2 décembre 2009); Thornley, Joseph, « Social networking isn't just about Facebook », [En ligne], www.itworldcanada.com/blogs/ahead/2009/04/08/social-networking-isnt-just-about-facebook/48460/ (Page consultée le 2 décembre 2009); Thornley, Joseph, « What is 'social media'? », [En ligne], http://propr.ca/2008/what-is-social-media/ (Page consultée le 2 décembre 2009); comScore, [En ligne], www.comscore.com (Page consultée le 2 décembre 2009); « Les adultes québécois toujours très actifs sur les médias sociaux », [En ligne], www.cefrio.qc.ca/netendances/medias-sociaux-2013/utilisation-des-medias-sociaux/ (Page consultée le 15 juin 2014).
11. "What is Social Media? A not so critical review of concepts and definitions," http://blog.metaroll.com/2008/11/14/whatis-social-media-a-not-so-critical-review-of-concepts-anddefinitions/ (Page consultée le 22 avril 2011); Joseph Thornley, "Social Media isn't just about Facebook", www.itworldcanada.com/blogs/ahead/2009/04/08/social-networking-isnt-just-aboutfacebook/48460/ (Page consultée le 22 avril 2011); Joseph Thornley, "What is Social Media?", http://propr.ca/2008/what-is-social-media/ (Page consultée le 22 avril 2011).
12. comScore, "Social Media Usage", 2009, www.comscore.com. (Page consultée le 15 mai 2010).
13. George S. Day, « Aligning the Organization with the Market », *Marketing Science Institute*, vol. 5, nº 3, 2005, p. 3-20.
14. Dhruv Grewal, Kent B. Monroe et R. Krishnan, « The Effects of Price Comparison Advertising on Buyers' Perceptions of Acquisition Value and Transaction Value », *Journal of Marketing*, vol. 62, avril 1998, p. 46-60; Kent B. Monroe, *Pricing: Making Profitable Decisions*, 3ᵉ éd., New York, McGraw-Hill, 2004.
15. Kotler, P., Kartajaya, H., Setiawan, I. et Vandercammen, M. (2012), Marketing 3.0, De Boeck, Bruxelles.
16. http://porcnagano.com/, www.agrireseau.qc.ca/porc/documents/PQ%20d%C3%A9cembre%202010%20S%C3%A9rie%20partenaires%20-%20Lucyporc.pdf, www.lesaffaires.com/archives/generale/plus-d-aliments-d-ici-acondition-qu-ils-se-demarquent/558453, http://affaires.lapresse.ca/portfolio/agroalimentaire/201209/27/01-4578036-une-industrie-a-lassaut-du-globe.php (Pages consultées le 16 juin 2014).
17. Shelley Emling « Low-cost Flying No Longer Just a U.S. Sensation », *Atlanta Journal*, 26 décembre 2003, p. F1.
18. En 2005, *Journal of Marketing* présentait un dossier entièrement consacré au marketing relationnel. Les articles suivants y figuraient: William Boulding, Richard Staelin, Michael Ehret et Wesley J. Johnston, « A Customer Relationship Management Roadmap: What Is Known, Potential Pitfalls, and Where to Go », *Journal of Marketing*, vol. 69, nº 4, 2005, p. 155-166; Jacquelyn S. Thomas et Ursula Y. Sullivan, « Managing Marketing Communications with Multichannel Customers », *Journal of Marketing*, vol. 69, nº 4, 2005, p. 239-251; Lynette Ryals, « Making Customer Relationship Management Work: The Measurement and Profitable Management of Customer Relationships », *Journal of Marketing*, vol. 69, nº 4, 2005, p. 252-261; et Martha Rogers, « Customer Strategy: Observations from the Trenches », *Journal of Marketing*, vol. 69, nº 4, 2005, p. 262-263.
19. Rajendra K. Srivastava, Tasadduq A. Shervani et Liam Fahey, « Marketing, Business Processes, and Shareholder Value: An Embedded View of Marketing Activities and the Discipline of Marketing », *Journal of Marketing*, vol. 63, numéro spécial, 1999, p. 168-179; R. Venkatesan et V. Kumar, « A Customer Lifetime Value Framework for Customer Selections and Resource Allocation Strategy », *Journal of Marketing*, vol. 68, nº 4, octobre 2004, p. 106-125; V. Kumar, G. Ramani et

T. Bohling, « Customer Lifetime Value Approaches and Best Practice Applications », *Journal of Interactive Marketing*, vol. 18, n° 3, été 2004, p. 60-72 ; et J. Thomas, W. Reinartz et V. Kumar, « Getting the Most Out of All Your Customers », *Harvard Business Review*, juillet août 2004, p. 116-123.

20. Hennes & Mauritz AB, www.hm.com/entrance.ahtml?orguri=/) (Page consultée le 15 janvier 2015).

21. Zara, www.zara.com (Page consultée le 15 janvier 2015).

22. Royal Ford, « Automobila : Toyota Makes Emotional Appeal with Zippy New Line », *Boston Globe*, 13 mars 2003, p. E1 ; Zachary Rodgers, « Toyota Bows Web/Mobile GamingCampaign for Scion », *Clickz*, 8 juillet 2004, www.clickz.com (Page consultée le 12 avril 2006) ; « Forehead Advertising Goes Mainstream with Toyota », *Adrants*, www.adrants.com (Page consultée le 8 avril 2004) ; et Jason Stein, « Scion National Launch Gets Offbeat Support », *Automotive News*, vol. 78, n° 6104, 2004, p. 18.

23. This box was prepared using Ward Hanson and Kirthi Kalyanan, *Internet Marketing & E-Commerce* (Thomson/South-Western, 2007) ; http://blog.buzzoodle.com/index.php/2008/09/03/evolution-ofinternet-marketing/ (Page consultée le 22 avril 2011) ; http://ezinearticles.com/? A-Brief- History- of-Internet-Marketing&id=434488 (Page consultée le 22 avril 2011) ; http://en.wikipedia.org/wiki/Internet_marketing (Page consultée le 22 avril 2011).

24. Exemple tiré de Loblaws Company Limited Supply Chain Management, www.acad.sheridanc.on.ca/syst35412/patenime/intro.htm (Page consultée le 29 mars 2007).

25. "HP Canada Social Investment," www.hp.com/canada/corporate/philanthropy/home.html (Page consultée le 22 avril 2011).

26. Calvert, « Corporate Responsibility and Investor Confidence Survey », 18 novembre 2003, www.harrisinteractive.com. Voir aussi The Trustees of Boston College, « The State of Corporate Citizenship in the United States : 2003 », juillet 2003. Luisa Kroll et Allison Fass, « The World's Billionaires », www.forbes.com (Page consultée le 29 mars 2007).

27. http://dictionary.reference.com/search?q=Entrepreneurship (Page consultée le 16 mai 2005).

28. Harpo Productions Inc., www2.oprah.com/about/press/about_press_bio.jhtml (Page consultée le 11 avril 2005).

29. Cas rédigé par le professeur Menvielle.

30. Tim Hortons, Renseignements sur la compagnie, [En ligne], www.timhortons.com/ca/fr/about/la-compagnie.php (Page consultée le 15 janvier 2015).

31. Les Affaires, Burger King songerait à acheter Tim Hortons, [En ligne], www.lesaffaires.com/bourse/nouvelles-economiques/burger-king-songerait-a-acheter-tim-hortons/571519 (Page consultée le 15 janvier 2015).

32. TVA nouvelles (2014), Burger King en discussion avec Tim Hortons, [En ligne], http://tvanouvelles.ca/lcn/economie/archives/2014/08/20140824-204330.html (Page consultée le 15 janvier 2015).

33. Cas rédigé par le professeur Menvielle pour l'utilisation dans une discussion de classe ; il n'a pas été conçu comme un exemple de pratiques marketing efficaces ou inefficaces.

34. Tim Hortons, Biographie de Marc Caira, [En ligne], www.timhortons.com/ca/fr/corporate/marc-caira.php (Page consultée le 15 janvier 2015).

35. Tim Hortons, Tim Hortons : le nouveau PDG commence à dévoiler son jeu, [En ligne], www.lesaffaires.com/bourse/analyses-de-titres/tim-hortons--le-nouveau-pdg-commence-a-devoiler-son-jeu--/561515 (Page consultée le 15 janvier 2015).

36. Tim Hortons, Biographie de Marc Caira.

37. Tim Hortons, Biographie de Marc Caira.

38. Tim Hortons, Biographie de Marc Caira.

39. Les Affaires (2013), Starbucks veut ouvrir un nombre record de cafés au Québec, [En ligne], www.lesaffaires.com/secteurs-d-activite/commerce-de-detail/starbucks-veut-ouvrir-un-nombre-record-de-cafes-au-quebec/554700

40. Les Affaires (2012), McDonald's veut vous vendre du café moulu, [En ligne], www.lesaffaires.com/secteurs-d-activite/commerce-de-detail/mcdonald-s-veut-vous-vendre-du-cafe-moulu/550500 (Page consultée le 15 janvier 2015).

41. Tim Hortons (2014), Tim Hortons fait son entrée dans la catégorie des sandwichs chauds au poulet avec son sandwich au poulet croustillant Tim, [En ligne], www.timhortons.com/ca/fr/corporate/why-did-the-chicken-cross-the-road.php (Page consultée le 15 janvier 2015).

42. Les affaires (2014), Burger King achète Tim Hortons pour 12,5G$, [En ligne], www.lesaffaires.com/bourse/nouvelles-economiques/burger-king-achete-tim-hortons-pour-125g/571546 (Page consultée le 15 janvier 2015).

CHAPITRE 2

1. Disney, www.wdisneyw.co.uk/palmickey.html (Page consultée le 14 octobre 2004) ; Disney, « Mickey Mouse », http://disney.go.com/vault/archives/characterstandard/mickey/mickey.html ; Disney, *Fact Book and Annual Report*, http://disney.go.com/corporate/investors, 2003 ; Debra D'Agostino, « Walt Disney World Resorts and CRM Strategy », *eWeek.com*, 1er décembre 2003.

2. *New York Times* quote from Stephanie Startz, "Disney to Rebrand Mickey Mouse," www.brandchannel.com/home/post/2009/11/05/Disney-To-Rebrand-Mickey-Mouse.aspx (Page consultée le 5 août 2010) ; Carmine Gallo, "How Disney Works to Win Repeat Customers," www.businessweek.com/print/small-biz/content/nov2009/sb20091130_866423.htm (Page consultée le 27 août 2010).

3. Startz, "Disney to Rebrand."

4. www.marketingpower.com/live/mg-dictionary.php?SearchFor=marketing+plan&Searched=1 (Page consultée le 31 août 2006).

5. Andrew Campbell, « Mission Statements », *Long Range Planning*, vol. 30, 1997, p. 931-933.

6. Alfred Rappaport, *Creating Shareholder Value : The New Standard for Business Performance*, New York, Wiley, 1988 ; Robert C. Higgins et Roger A. Kerin, « Managing the Growth-financial Policy Nexus in Marketing », *Journal of Marketing*, vol. 59, n° 3, 1983, p. 19-47 ; et Roger Kerin, Vijay Mahajan et P. Rajan Varadarajan, *Contemporary Perspectives on Strategic Market Planning*, Boston, Allyn & Bacon, 1991, chap. 6.

7. Datamonitor.

8. Datamonitor.

9. Walt Disney Company, SWOT Analysis, Datamonitor, www.datamonitor.com/companies/company/?pid=8C7AE530-4ECC-4EF5-AC18370E646FD097 (Page consultée le 27 août 2007).

10. Lisa D'Innocenzo, « Frito Lay Canada : Potato Chips... for Dinner ? », *Strategy Magazine*, janvier 2007, p. 11.

11. Andrew Martin, "Decaf Being Joined by De-Heartburn" *The New York Times*, 14 mars 2007 ; www.folgers.com/pressroom/press_release_05122006.shtml (Page consultée le 17 décembre 2007).

12. www.leevalley.com, "Conversations on working and well-being : Working by the Golden Rule : Lee Valley Tools," www.vifamily.ca/library/social/lee_valley.html (Page consultée le 30 avril 2007) ; "Lee Valley Tools Case Study," www.nerac.com/research-victories/lee-valleytools-case-study (Page consultée le 30 avril 2007) ; A visit to Lee Valley Tools : A Company built on Innovation and Customer Service, www.woodcentral.com/shots/shot643.shtml (Page consultée le 30 avril 2007).

13. Entrevue avec le propriétaire de Country Grocer.

14. Ajax Persaud and Judith Madill, *Assessing the Marketing Capability of the Websites of Canadian Non-Profit Organizations*, World Social Marketing Conference, Dublin, Ireland, janvier 2011.

15. Bios from W network, www.wnetwork.com/Shows/TheCupcakeGirls/CharacterBios.aspx (Page consultée le 27 août 2010) ; http://cupcakestakethecake.blogspot.com/2009/06/cupcake-reality-showcupcake-girls.html (Page consultée le 27 août 2010).

16. www.adstandards.com (Page consultée le 17 décembre 2007).

17. Based on an article by Carly Weeks, "Charities' cash conundrum," *The Globe and Mail*, www.theglobeandmail.com/life/

charities-cashconundrum/article1504383/ (Page consultée le 27 août 2010).

18. Human Resources and Skills Development Canada. "Social Participation—Charitable Donations", www4.hrsdc. gc.ca/.3ndic.1t.4r@-eng.jsp?iid=69 (Page consultée le 22 mai 2011).

19. Étude du cas de Fairmont Hotels and Resort, www.accenture. com/Global/Services/By_Industry/Travel/Client_Successes/ FairmontCrm.htm (Page consultée le 20 avril 2007).

20. *Globe and Mail* Report on Business Special Case Studies with Concordia University, "Can sustainability be luxury's new gold standard?" Mai 2010 : http://news.concordia.ca/pdf/GlobeMail_ Feb26.pdf (Page consultée le 09 août 2011).

21. Ressources naturelles Canada, Le processus de Kimberley pour les diamants bruts, [En ligne], http://www.rncan.gc.ca/mines-materiaux/processus-kimberley/8223 (Page consultée le 15 janvier 2015).

22. Birks, site Web de l'entreprise, rubrique Responsabilité sociale, [En ligne], http://fr.birkscareers.com/responsabilite-sociale (Page consultée le 15 janvier 2015).

23. Loblaw (2014), [En ligne], www.loblaw.ca/French/a-propos-de-nous/apercu-de-la-societe/default.aspx (Page consultée le 2 décembre 2014).

24. Cet exposé est adapté de Roger A. Kerin, Eric N. Berkowitz, Steven W. Hartley et William Rudelius, *Marketing*, 7e éd., Burr Ridge, Ill., McGraw-Hill/Irwin, 2003, p. 39.

25. Farris *et al.*, *Marketing Metrics : 50+ Metrics Every Executive Should Master* (Upper Saddle River, NJ : Prentice Hall, 2006), p. 17.

26. Part de marché relative = part de marché de la marque ÷ part de marché de plus gros concurrent. S'il y a seulement deux produits A et B sur un marché, et que le produit B détient 90% des parts de marché, alors la part de marché relative de A est : 10 ÷ 90 = 11.1%. Si, par ailleurs, B a seulement 50% des parts de marché, alors la part de marché relative de A est 10 ÷ 50 = 20%. Farris *et al.*, *Marketing Metrics*, p. 19.

27. Roger Kerin, Vijay Mahajan et P. Rajan Varadarajan, *Contemporary Perspectives on Strategic Market Planning*, Boston, Allyn & Bacon, 1991, chap. 6. Voir aussi Susan Mudambi, « A Topology of Strategic Choice in Marketing », *International Journal of Market & Distribution Management*, 1994, p. 22-25.

28. www.fairmont.com (Page consultée le 30 avril 2007).

29. Sharon Adams, « Hotels Sweeten the Pot for Travellers », *National Post*, 16 avril 2007, p. IS2.

30. www.fairmont.com (Page consultée le 30 avril 2007).

31. Hollie Shaw, « Forever 21 Targets Canadian Teens », *National Post*, 15 avril 2007, p. FP1.

32. « The Cisco Mobile Office Solution Power's Fairmont's Hotel E-Business Strategy for Mobile Professionals », www.cisco.com (Page consultée le 30 avril 2007) ; Jens Traenhart, « Fairmont's Award-winning Website Increases Online Bookings and Brand Awareness

33. www.fairmont.com (30 avril 2007).

34. Christina Valhouli, « Fairmont Hotel and Resorts », www.forbes. com/travel/2004/02/05/cx_cv_0205feat.html (Page consultée le 30 avril 2007).

35. Bios from W Network, www.wnetwork.com/Shows/ TheCupcakeGirls/CharacterBios.aspx (Page consultée le 27 août 2010) ; http://cupcakestakethecake.blogspot.com/ 2009/06/cupcake-reality-showcupcake-girls.html (Page consultée le 27 août 2010).

36. Cynthia Montgomery, "Creating Corporate Advantage," *Harvard Business Review* 76 (Mai–Juin 1998), p. 71-80 ; Shelby Hunt and Robert Morgan, "The Comparative Advantage Theory of Competition," *Journal of Marketing* 59, n° 2 (1995), p. 1-15 ; Kathleen Conner and C.K. Prahalad, "A Resource-Based Theory of the Firm : Knowledge versus Opportunism," *Organizational Science* 7 (Septembre–Octobre 1996), p. 477-501 ; David Collins and Cynthia Montgomery, "Competing on Resources : Strategy for the 1990s," *Harvard Business Review* 73 (Juillet-Août 1995), p. 118-128 ; William Werther and Jeffrey Kerr, "The Shifting Sands of Competitive Advantage," *Business Horizons* 38 (Mai-Juin 1995), p. 11-17 ; "10 Quick Wins to Turn Your Supply Chain into a Competitive

Advantage," http://marketindustry.about.com/library/bl/bl_ ksa0112.htm?terms=competitive+advantage (Page consultée le 30 avril 2002) ; Market Forward Inc., "Multi-Channel Integration : The New Market Battleground," www.pwcris.com (Page consultée le 4 août 2001).

37. Michael Treacy et Fred Wiersema, *The Disciplines of Market Leaders*, Reading, Mass., Addison Wesley, 1995.

38. Gerrard Macintosh et Lawrence Lockshin, « Market Relationships and Store Loyalty : A Multi-level Perspective », *International Journal of Research in Marketing*, n° 14, 1997, p. 487-497.

39. R. Venkatesan et V. Kumar, « A Customer Lifetime Value Framework for Customer Selections and Resource Allocation Strategy », *Journal of Marketing*, vol. 68, n° 4, octobre 2004, p. 106-125 ; V. Kumar, G. Ramani et T. Bohling, « Customer Lifetime Value Approaches and Best Practice Applications », *Journal of Interactive Marketing*, vol. 18, n° 3, été 2004, p. 60-72 ; J. Thomas, W. Reinartz et V. Kumar, « Getting the Most out of All Your Customers », *Harvard Business Review*, juillet-août 2004, p. 116-123.

40. Jo Marney, « Bringing Consumers Back for More », *Marketing Magazine*, n° 33, 10 septembre 2001 ; Niren Sirohi, Edward McLaughlin et Dick Wittink, « A Model of Consumer Perceptions and Store Loyalty Intentions for a Supermarket Marketer », *Journal of Marketing*, vol. 74, n° 3, p. 223-247, 1998.

41. Rosemary McCracken, « Rewards Have Their Own Virtues », *National Post*, 26 avril 2007, p. IS1.

42. Mary Jo Bitner, « Self Service Technologies : What Do Customers Expect? », *Marketing Management*, printemps 2001, p. 10-34 ; Mary Jo Bitner, Stephen W. Brown et Matthew L. Meuter, « Technology Infusion in Service Encounters », *Journal of Academy of Marketing Science*, vol. 28, n° 1, 2000, p. 138-149 ; Matthew L. Meuter, Amy L. Ostrom, Robert I. Roundtree et Mary Jo Bitner, « Self-service Technologies : Understanding Customer Satisfaction with Technology-based Service Encounters », *Journal of Marketing*, vol. 64, n° 3, 2000, p. 50-64 ; A. Parasuraman et Dhruv Grewal, « The Impact of Technology on the Quality-Value-Loyalty Chain : A Research Agenda », *Journal of the Academy of Marketing Science*, vol. 28, n° 1, 2000, p. 168-174.

43. S.A. Shaw et J. Gibbs, « Procurement Strategies of Small Marketers Faced with Uncertainty : An Analysis of Channel Choice and Behavior », *International Review of Market, Distribution and Consumer Research*, vol. 9, n° 1, 1999, p. 61-75.

44. Telus (2014), [En ligne], http://about.telus.com/servlet/ JiveServlet/previewBody/5562-102-1-6106/Q3%202014%20 Investor%20Fact%20Sheet%20FR.pdf (Page consultée le 2 décembre 2014).

45. « Telus Consumer Solution : Smart Desktop », www.cipa.com/ award_winners/winners_06/Telus.html (Page consultée le 30 avril 2007).

46. www.gallaugher.com/Netflix Case.pdf (Page consultée le 27 avril 2010) ; www.netflix.com/MediaCenter?id=5206 (Page consultée le 30 avril 2010) ; www.hdreport.com/2010/03/04/netfl ix-vs-blockbuster-why-is-netflix-winning/(Page consultée le 30 avril 2010).

47. "Netflix, Paramount sign Canadian rights deal," www.theglobe-andmail.com/globe-investor/netflix-paramount-sign-canadian-film-rights-deal/article1959932/ (Page consultée le 30 avril 2011).

48. David Lei and John Slocum Jr., "Strategic and Organizational Requirements for Competitive Advantage," *Academy of Management Executive* (Février 2005), p. 31-46.

49. Maria Halkias, "Penney Remakes Culture to Remake Image," *The Dallas Morning News*, 12 février 2007.

50. David Carey, "Canadian CIOs test social networking waters," www.itworldcanada.com/news/canadian-cios-test-social-net-workingwaters/139201 (Page consultée le 22 avril 2011).

51. Interbrand (2014), [En ligne], http://interbrand.com/assets/ uploads/Interbrand-Best-Canadian-Brands-2014.pdf (Page consultée le 2 décembre 2014).

52. William Werther et Jeffrey Kerr, « The Shifting Sands of Competitive Advantage », Business Horizons, vol. 38, mai-juin 1995, p. 11-17.

53. www.newswire.ca/en/releases/archive/April2007/23/c8051.html (Page consultée le 30 avril 2007).

54. Ce cas a été rédigé par Stacy Biggar, en collaboration avec Shirley Lichti et Ajax Persaud, aux fins de discussions en classe et non pour illustrer des pratiques de marketing plus ou moins efficaces. Stacy Biggar est assistante à la recherche auprès de Shirley Lichti.

55. www.globesports.com/servlet/story/RTGAM.20070428.wspt-TorFC-loses-28/GSStory/GlobeSportsSoccer/home (Page consultée le 24 janvier 2008).

56. www.usatoday.com/sports/soccer/mls/2007-04-28-kansascity-toronto_N.htm (Page consultée le 24 janvier 2008).

57. www.citynews.ca/news/news_10409.aspx (Page consultée le 24 janvier 2008).

58. Entrevue réalisée avec Paul Beirne.

59. www.citynews.ca/news/news_10409.aspx (Page consultée le 24 janvier 2008).

60. Entrevue réalisée avec Paul Beirne.

61. http://toronto.fc.mlsnet.com/t280/about (Page consultée le 24 janvier 2008).

62. www.righttoplay.com/site/PageServer (Page consultée le 24 janvier 2008).

63. www.thestar.com/Sports/article/208302 (Page consultée le 24 janvier 2008).

64. Entrevue réalisée avec Paul Beirne.

65. www.cbc.ca/sports/soccer/story/2007/05/12/mls-chi-tor.html (Page consultée le 24 janvier 2008).

CHAPITRE 3

1. Mary Clare Jalonick, "Health Law Will Make Calorie Counts Hard to Ignore," *Heraldnewsonline.com*, 24 mars 2010.

2. Deborah Kotz, "Should the Food Industry Ban Added Salt and Sugar?" *USNews.com*, 21 avril 2010.

3. Jason Ramsey, "Kellogg's to Reduce Salt in its Cereals by One-Third," *Dipity.com*, 1 février 2010.

4. www.kelloggcompany.com/content/dam/kelloggcompanyus/corporate_responsibility/pdf/2013/2013_Kellogg_Global_CR_Report.pdf (Page consultée le 3 novembre 2014).

5. Jane Byrne, "Kellogg Calls for Industrywide Engagement on Salt Reduction," *FoodNavigator.com*, 29 janvier 2010.

6. Theodore Levitt, *Marketing Imagination*, Detroit, The Free Press, 1983.

7. "Mattel Apologizes to China for Recall," *The New York Times* 21 septembre 2007: www.nytimes.com/2007/09/21/business/worldbusiness/21iht-mattel.3.7597386.html (Page consultée le 22 avril 2010); "Plenty of Blame to Go Around," *The Economist*, 29 septembre 2007.

8. http://en.wikipedia.org/wiki/Business_ethics (Page consultée le 30 août 2006).

9. William L. Wilkie et Elizabeth S. Moore, « Marketing's Contributions to Society », *Journal of Marketing*, vol. 63, numéro spécial, 1999, p. 198-219.

10. www.gallup.com/poll/151460/record-rate-honesty-ethics-members-congress-low.aspx (Page consultée le 3 novembre 2014).

11. www.cmomagazine.com/info/release/090104_ethics.html (Page consultée le 1 septembre 2006).

12. www.bsr.org (Page consultée le 1 septembre 2006).

13. News Centre, www.ipsos-na.com/news/pressrelease.cfm?id=3054 (Page consultée le 26 avril 2007).

14. Christopher Marquis *et al.*, "The Dannon Company: Marketing and Corporate Social Responsibility," *Harvard Business School Case 9-410-121*, 1 avril 2010.

15. www.competitionbureau.gc.ca (Page consultée le 17 décembre 2007).

16. www.competitionbureau.gc.ca/epic/site/cb-bc.nsf/en/02518e.html (Page consultée le 18 décembre 2007).

17. « Corporate Social Responsibility (CSR) In Canada », Ipsos News Centre, www.ipsos-na.com/news/pressrelease.cfm?id=3054 (Page consultée le 26 avril 2007).

18. www.timhortons.com/ca/en/pdf/Annual_Report_2013.pdf (Page consultée le 3 novembre 2014).

19. Fondation pour les enfants (2014), [En ligne], www.lechoixdu-president.ca/fr_CA/community/pccc/what-we-have-done.html (Page consultée le 27 octobre 2014).

20. Naresh K. Malhotra et Gina L. Miller, « An Integrated Model for Ethical Decisions in Marketing Research », *Journal of Business Ethics*, vol. 17, février 1998, p. 263-280; A. Parasuraman, Dhruv Grewal et R. Krishnan, *Marketing Research*, 2e éd., Boston, Houghton Mifflin Company, 2007, p. 44-49; J.R. Sparks et S.D. Hunt, « Marketing Researcher Ethical Sensitivity: Conceptualization, Measurement, and Exploratory Investigation », *Journal of Marketing*, avril 1998, p. 92-109; Allan J. Kimmel et N. Craig Smith, « Deception in Marketing Research: Ethical, Methodological and Disciplinary Implications », *Psychology & Marketing*, vol. 18, n° 7, 2001, p. 663; Ralph W. Giacobbe et Madhav N. Segal, « A Comparative Analysis of Ethical Perceptions in Marketing Research: U.S.A. vs. Canada », *Journal of Business Ethics*, vol. 27, octobre 2000, p. 229-246.

21. www.generalmills.com/corporate/index.aspx (Page consultée le 29 août 2006).

22. www.newstarget.com/007572.html (Page consultée le 29 août 2006).

23. www.eatwell.gov.uk/foodlabels/trafficlights (Page consultée le 2 mai 2007); « British Food Industry Opposes Traffic Light Labelling », *The Guardian* (R.-U.), 28 décembre 2006 (Page consultée le 2 mai 2007); http://findarticles.com/p/articles/mi_qn4158/is_20060310/ai_n16140493 (Page consultée le 2 mai 2007); « Consumers Misled by Food Labels– Report »; www.guardian.co.uk/food/Story/0,,2013425,00.html (Page consultée le 2 mai 2007); « Canada's Obesity Epidemic Worsening, Study Finds », www.cbc.ca/health/story/2005/04/07/obesity-canada050407.html (Page consultée le 2 mai 2007).

24. Statistique Canada, 2013. Embonpoint et obésité chez les adultes (mesures autodéclarées), [En ligne], www.statcan.gc.ca/pub/82-625-x/2014001/article/14021-fra.htm (Page consultée le 3 octobre 2014).

25. www.caru.org/news/2005/sparkle.pdf (Page consultée le 30 août 2006).

26. www.scu.edu/ethics/publications/iie/v7n2/fetzer.html (Page consultée le 26 août 2006).

27. www.scu.edu/ethics/publications/iie/v7n2/fetzer.html.

28. www.therecord.com/links/links_070410155331.html; www.killercoke.org (Pages consultées le 2 mai 2007); http://thetyee.ca/News/2007/02/06/CokeOnCampus/ (Page consultée le 26 avril 2007).

29. www.drj.com/bookstore/drj502a.htm (Page consultée le 30 août 2006).

30. Ce problème est basé sur la théorie de l'utilitarisme de la règle, qui exige qu'une personne agisse de telle façon que la règle sur laquelle son action est basée produise plus d'avantage que d'inconvénients. Par exemple, la règle « Je ferai toujours tout ce qu'il faut pour être premier » ne peut pas toujours produire de l'avantage, notamment si cette règle exige que la personne ignore les conséquences que ses actions peuvent entrainer chez d'autres; dans ce cas, la règle est immorale. Voir Kate McKone-Sweet, Danna Greenberg, et Lydia Moland, "Approaches to Ethical Decision Making," Babson College Case Development Center, 2003.

31. Michael Connor, "Clinton Urges 'Principled Stand' on Internet Censorship," *business-ethics.com*, 21 janvier 2010.

32. Jessica E. Vascellaro and Loretta Chao, "Google Defies China on Web: Search Giant Stops Censoring Its Results; A Toehold Is in Place in Hong Kong," *WallStreetJournal.com*, 23 mars 2010.

33. Miguel Helft and David Barboza, "Google Shuts China Site in Dispute over Censorship," *The New York Times*, 22 mars 2010.

34. James Hyatt, "Google Halts Censorship on Chinese Search," *business-ethics.com*, 23 mars 2010.

35. www.ipsos-na.com/news/pressrelease.cfm?id=3054 (Page consultée le 26 avril 2007).

36. Loblaw, *Rapport 2013 sur la responsabilité sociale de l'entreprise*, [En ligne], www.loblaw.ca/files/6.%20Responsibility/Loblaw_fre_2013_CSR_May_20.pdf (Page consultée le 27 octobre 2014).

37. www.ec.gc.ca/epr/inventory/en/DetailView.cfm?intInitiative=72 (Page consultée le 14 mai 2007).

38. www.cooperators.ca/en/homepage/homepageEnglish.html (Page consultée le 17 décembre 2007).

39. L'Actualité (2013), *Les 50 entreprises canadiennes championnes de la responsabilité sociale*, [En ligne], www.lactualite.com/lactualite-affaires/palmares-50-entreprises-championnes-de-la-responsabilite/ (Page consultée le 27 octobre 2014).

40. http://environment.about.com/od/recycling/a/harry_potter.htm (Page consultée le 9 mai 2007).

41. www.cmomagazine.com/info/release/090104_ethics.html (Page consultée le 1er septembre 2006).

42. Daoust-Boisvert, Le Devoir (2011), *Vaccin contre les virus du papillome humain - Même critiqué, Québec défend sa publicité*, [En ligne], www.ledevoir.com/societe/sante/330432/vaccin-contre-les-virus-du-papillome-humain-meme-critique-quebec-defend-sa-publicite (Page consultée le 3 octobre 2014).

43. Vecchi, La Presse (2012), *Publicité beauté. Ou tracer la limite?* [En ligne], www.lapresse.ca/arts/et-cetera/201212/04/01-4600487-publicites-beaute-ou-tracer-la-limite.php?utm_categorieinterne=trafficdrivers&utm_contenuinterne=cyberpresse_B4__455032_section_POS1 (Page consultée le 3 octobre 2014).

44. Carolyn Hotchkiss, *Business Ethics: One Slide Cases*, Babson College, Wellesley, Mass., 2004; www.usatoday.com/news/nation/2004-03-23-tshirts_x.htm (Page consultée le 25 août 2006); www.marketingpower.com/live/mgdictionary.php?SearchFor=direct+marketing&Searched=1 (Page consultée le 5 août 2006).

45. Bernadette Franjieh (Université d'Ottawa) a rédigé ce cas sous la supervision d'Ajax Persaud, à partir de sources d'information publiques et d'un documentaire d'Adrianne Arsenault, journaliste à la CBC, sur l'empreinte carbone; ce cas a été rédigé aux fins de discussions en classe et non pour illustrer des pratiques de marketing plus ou moins efficaces.

46. www.ec.gc.ca/climate/overview_science-e.html (Page consultée le 15 mai 2007).

47. www.carbonfootprint.com/carbon_footprint.html (Page consultée le 15 mai 2007).

48. www.cbc.ca/news/reportsfromabroad/arsenault/20070202./html (Page consultée le 15 mai 2007).

49. www.cbc.ca/news/background/consumers/carbon-footprints.html (Page consultée le 15 mai 2007).

50. www.cbc.ca/news/background/consumers/carbon-footprints.html (Page consultée le 15 mai 2007).

51. www.etravelblackboard.com/index.asp?id=65261&nav=2 (Page consultée le 6 juin 2007).

52. www.carbonneutral.com/pages/whatwedo.asp (Page consultée le 15 mai 2007).

53. Kerry Gillespie, «Province Targets Plastic», www.thestar.com/news/article/211921 (Page consultée le 15 mai 2007).

54. Environnement Canada (2013), Planifier un avenir durable: Stratégie fédérale de développement durable pour le Canada 2013-2016, Bureau du développement durable, novembre 2013, [En ligne], www.ec.gc.ca/dd-sd/A22718BA-0107-4B32-BE17-A438616C4F7A/1339_FSDS2013-2016_f_v10.pdf (Page consultée le 27 octobre 2014).

CHAPITRE 4

1. Q1 2010 Canadian Tire Corporation Earnings Conference Call, http:// corp.canadiantire.ca/EN/Investors/EventsPresentations/Pages/QuarterlyWebcast.aspx (Page consultée le 5 août 2010).

2. Canadian Tire Outlines Strategy for Growth Focused on Core Business, http://www.newswire.ca/en/releases/archive/April2010/07/c8276.html (Page consultée le 6 août 2010).

3. "Canadian Tire maintains growth strategy," Canwest News Service, 3 octobre 2007: www.canada.com/vancouversun/news/business/story.html?id=38979fb4-178f-4f3b-b009-435b918de558&k=18791 (Page consultée le 27 août 2010).

4. "Canadian Tire Corporation, Limited," www.referenceforbusiness.com/history/Ca-Ch/Canadian-Tire-Corporation-Limited.html (Page consultée le 27 août 2010).

5. "Canadian Tire Corporation, Limited."

6. "2010 Strategic Objectives, Strengthen the core, Create a great CTR with a strong automotive division," http://corp.canadiantire.ca/EN/Investors/CorporateInformation/Pages/BusinessStrategy.aspx (Page consultée le 27 août 2010).

7. Q1 2010 Canadian Tire Corporation Earnings Conference Call.

8. Peter F. Drucker, *The Essential Drucker*, New York, HarperCollins, 2001.

9. Michael Tchong, *Trendscape*, 2004, www.trendsetters.com.

10. www.crestcanada.com and www.colgate.com (Page consultée le 22 avril 2007).

11. Matt Fish, "Silicon Belly: The Value of Competitive Intelligence," 10 novembre 2003: http://lexis-nexis.com (Page consultée le 29 août 2006).

12. Steve Mossop, "Companies Not Spending Enough on Business Intelligence Activities," www.ipsos-na.com/news/pressrelease.cfm?id=2874 (Page consultée le 15 mai 2007).

13. Steven Gray, "Gillette in a Lather over Schick's Challenge for $1.7 Billion Razor Market," *Seattle Times*, 14 janvier 2004.

14. Jack Neff, "Gillette, Schick Fight with Free Razors," *Advertising Age* 74, n° 48, p. 8.

15. Andrew Caffey, "Gillette Wins Legal Fight with Schick," *Knight Ridder Tribune Business News*, 30 avril 2005.

16. Caffey, "Gillette Wins."

17. Jean Abelson, "For Fusion, Gillette Plans a Super Bowl Blitz," *Knight Ridder Tribune Business News*, 27 janvier 2006, vol.1.

18. "Air Canada, WestJet Settle Spying Lawsuit," www.cbc.ca/canada/calgary/story/2006/05/29/ca-westjet-settlement-20060529.html (Page consultée le 15 mai 2007).

19. www.nau.com (Page consultée le 29 avril 2010); Polly Labarre, "Leap of Faith," *Fast Company*, Juin 2007.

20. Michael Solomon, *Consumer Behavior: Buying, Having and Being* (Upper Saddle River, NJ: Prentice Hall, 2006).

21. Rob Gerlsbeck, "Research: A Distinct Shopping Society," www.marketingmag.ca/magazine/current/quebec_rpt/article.jsp?content=20070625_69884_69884 (Page consultée le 25 juin 2007).

22. John Feto, "Name Games," *American Demographics*, 15 février 2003.

23. «Orthodox», *American Demographics*, mai 2004, p. 35.

24. Dhru Grewal and Michael Levy, *Marketing*, 2nd U.S. ed. (Boston: McGraw-Hill/Irwin, 2010), p. 50-51.

25. "2005 YTV Tween Report, Solutions Research Group, A Corus Entertainment Inc. Company," www.corusmedia.com/ytv/research/index.asp (Page consultée le 15 mai 2007); J.K. Wall, "Tweens Get Retailers into Parents' Wallets," *Knight Ridder Tribune Business News*, 12 septembre 2003, vol. 1. Recherche attribuée au WonderGroup de Cincinnati.

26. L'expression *speeders* (fous de vitesse) a été créée par Cynthia Cohen, présidente de Strategic Mindshare.

27. www.statscan.ca (Page consultée le 15 mai 2007).

28. Pamela Paul, "Getting Inside Gen Y," *American Demographics* 23, n°. 9.

29. Noah Rubin Brier, "Move Over Prime-Time!" *American Demographics* (Juillet-Août 2004), p. 14-20; John Hoeffel, "The Next Baby Boom," *American Demographics* (Octobre 1995), p. 22-31.

30. www.statscan.ca (Page consultée le 15 mai 2007); James Tenser, "Ageless Aging of Boom-X," *Advertising Age* 77, n°. 1 (2 janvier 2006), p. 18-19; Tabitha Armstrong, "GenX Family Values," *The Lane Report*, 1 janvier 2005, vol.41.

31. "Lesley Young, Portrait of the New Family," www.market-ingmag.ca/magazine/current/feature/article.jsp?content=20040315_61585_61585 (Page consultée le 11 mai 2007).

32. Michael Weiss, "Chasing Youth," *American Demographics* (Octobre 2002), p. 35-41.

33. www.statscan.ca (Page consultée le 15 mai 2007).

34. www12.statcan.ca/census-recensement/2006/dp-pd/hlt/97–551/pages/page.cfm?Lang=F&Geo=PR&Code=01&Table=1&Data=Dist&Sex=1&StartRec=1&Sort=2&Display=Page

35. Social Welfare Research Institute, « Good Tidings for a New Year: The $41 Trillion Transfer of Wealth Is Still Valid », www.bc.edu/research/swri/meta-elements/ssi/wcvol3.html

36. www.statscan.ca, (Page consultée le 15 mai 2011).

37. Kristin Davis, « Oldies but Goodies; Marketers, Take Note: Baby boomers Have Lots of Money to Spend », *U.S. News & World Report*, édition de Washington, 14 mars 2005, p. 45.

38. Statistique Canada (2014), [En ligne], www.statcan.gc.ca/tables-tableaux/sum-som/l02/cst01/famil107a-fra.htm (Page consultée le 12 décembre 2014).

39. www.statscan.ca (Page consultée le 23 avril 2011).

40. www.hammacher.com (Page consultée le 22 mai 2010).

41. www.statscan.ca (Page consultée le 29 mai 2008).

42. U.S. Bureau of the Census, www.census.gov/population/; www/socdemo/educ-attn.html

43. www.statscan.ca (Page consultée le 23 avril 2011).

44. Bethany Clough, « Home-improvement Store Empower Female Customers with Do-it-herself Tools », *Knight Ridder Tribune Business Service*, 20 mars 2005, p. 1; Fara Warner, « Yes, Women Spend (And Saw and Sand) », *The New York Times*, 29 février 2004, p. C1.

45. www.statscan.ca (Page consultée le 15 mai 2007).

46. www.statscan.ca (Page consultée le 23 avril 2011); *OECD Employment Outlook 2010*. Chart LMF1.5.A: Gender gap in median earnings of full-time employees, www.oecd.org/dataoecd/1/35/43199347.xls (Page consultée le 25 mai 2011).

47. www.theglobeandmail.com/servlet/story/RTGAM.20071205.wcensusmain1005/BNStory/census2006/home (Page consultée le 18 décembre 2007).

48. www.statscan.ca (Page consultée le 15 mai 2007).

49. "Tapping into the Hot Chinese and South Asian Marketplace," *Ipsos Ideas*, www.ipsos-ideas.com/article.cfm?id=3391 (Page consultée le 15 mai 2007).

50. Rebecca Harris, "Skin Deep, Canada's Big Banks Have Taken Great Strides to Reach Newcomers to the Country. But, They Need to Look Beneath the Surface to Truly Connect to Multicultural Consumers," *MarketingMagazine*, 29 janvier 2007.

51. Harris, "Skin Deep."

52. "How Sobey's is taking on Loblaws," www.theglobeandmail.com/reporton-business/rob-magazine/top-1000/how-sobeys-is-taking-on-loblaws/article1603663/ (Page consultée le 23 avril 2011); Andy Holloway, "Getting Fresh," *Canadian Grocer* (Juin/Juillet 2010), p. 23; "Sobeys Inc. Launches FreshCo.Discount Stores" (Presse), www.sobeyscorporate.com/App_Themes/SobeysCorporate/media/en/Sobeys-Inc-Launches-FreshCo-Discount-Stores.pdf (Page consultée le 23 avril 2011).

53. "How Sobey's,"; Holloway, "Getting Fresh," p. 23; "Sobeys Inc. Launches FreshCo."

54. "How Sobey's,"; Holloway, "Getting Fresh," p. 23; "Sobeys Inc. Launches FreshCo."

55. Cette partie s'inspire largement de Jacquelyn A. Ottman, *Green Marketing: Opportunity for Innovation*, Chicago, NTC Publishing, 1997, également accessible en ligne à l'adresse www.greenmarketing.com.

56. Jeremy Lloyd, "Polar Bear Tweets Make Environmental Stand," www.marketingmag.ca/english/news/marketer/article.jsp?content=20091007_143731_9936 (Page consultée le 6 août 2010); http://polartweets.com (Page consultée le 6 août 2010).

57. http://polartweets.com (Page consultée le 28 novembre 2009).

58. Centre for Science in the Public Interest, "Guidelines for Marketing Food to Kids Proposed" (Presse), 5 janvier 2005.

59. Kristin Laird (2010), "BullFrog Invites Consumers to Pay More," www.marketingmag.ca/english/news/marketer/article.jsp?content=20100422_145930_3524 (Page consultée le 6 août 2010).

60. "Massive Epsilon E-mail Breach Hits Citi, Chase, and many more," www.pcworld.com/article/224147/massive_epsilon_email_breach_hits_citi_chase_many_more.html (Page consultée le 23 avril 2011).

61. www.statscan.ca (23 avril 2011).

62. www.statscan.ca (15 mai 2011).

63. www.statscan.ca (15 mai 2011).

64. www.cbc.com (24 avril 2011).

65. www.thenorthface.com/webapp/wcs/stores/servlet/TNFAttachmentDisplay?langId=-1&storeId=207&attachment=/corporate/about_us/company_news/articles/

66. YourDictionary.com, www.yourdictionary.com (Page consultée le 5 septembre 2006).

67. www.bankofcanada.ca/en/ (Page consultée le 15 mai 2007).

68. La presse Canadienne (2013), *Canada - L'endettement des ménages atteint un sommet*, [En ligne], www.ledevoir.com/economie/actualites-economiques/395221/l-endettement-des-menages-atteint-un-sommet (Page consultée le 12 décembre 2014).

69. "BP Won't Pay Dividends This Year," http://money.cnn.com/2010/06/16/news/bp.dividend.fortune/index.htm (Page consultée le 6 août 2010); Steve Hargreaves, "Oil spill damage spreads through Gulf economies," http://money.cnn.com/2010/05/30/news/economy/gulf_economy/index.htm (Page consultée le 6 août 2010).

70. Ce cas a été écrit par les auteurs du manuel (Ajax Persaud et Shirley Lichti) pour une utilisation dans une discussion de classe; il n'a pas été écrit comme un exemple de pratiques efficaces ou inefficaces de marketing. Il est basé sur des informations publiquement disponibles.

71. Ce cas a été développé sur la base des sources suivantes: Frederic Lardinois, "EReader and E-book Market Ready for Growth," www.readwriteweb.com/archives/report_ereader_and_ebook_market_ready_for_growth.php (Page consultée le 24 avril 2011); www.kobobooks.com/about_us (Page consultée le 24 avril 2011); "The 30 Benefits of E-books," http://epublishersweekly.blogspot.com/2008/02/30-benefi ts-of-ebooks.html (Page consultée le 24 avril 2011); Anton Shilov, "E-books Industry Set to Raise," www.xbitlabs.com/news/multimedia/display/20091071528l0_Electronic_Book_Industry_Set_to_Explode_in_2010_Analysts.html (Page consultée le 24 avril 2011); "The Great Canadian Debate: Future of eBooks in Canadian Retail," http://knol.google.com/k/the-greatcanadian-ebook-debate# (Page consultée le 24 avril 2011); "Looking into the Future: Price, Color, Video—and the End of the Chain Bookstore," www.readwriteweb.com/archives/report_ereader_and_ebook_market_ready_for_growth.php (Page consultée le 6 août 2010); Paul Miller, "Kobo's $149 eReader gets reviewed" www.engadget.com/2010/04/11/kobos-149-ereader-gets-reviewed/ (Page consultée le 9 juillet 2011); Mark Medley, "Testing the Kobo e-reader," http://network.nationalpost.com/NP/blogs/afterword/archive/2010/04/17/testing-the-kobo-ereader.aspx#ixzzorrO1lc7T (Page consultée le 24 avril 2011); "Test drive of Canadian company's new e-book hardware," cbc.ca (Page consultée le 24 avril 2011).

72. Associated Press, "Amazon says e-book sales pass paper," www.marketingmag.ca/news/media-news/amazon-says-e-book-sales-passpaper-27662 (Page consultée le 19 mai 2011).

CHAPITRE 5

1. Adapted from Natalia Williams, "For the Love of Jam," *Strategy Magazine*, www.strategymag.com/articles/magazine/20050701/mediaed.html?word=e.d.&word=smith (Page consultée le 24 avril 2011); www.edsmith.com/web/edsmith.nsf/eng/WhatsNew (Page consultée le 24 avril 2011).

2. A. Parasuraman, Dhruv Grewal et R. Krishnan, *Marketing Research*, Boston, Houghton Mifflin, 2004, p. 9.

3. Holly Bailey, « Where the Voters Are », *Newsweek*, vol. 143, n° 13, 29 mars 2004, p. 67.

4. www.whirlpool.com/home.jsp, consulté le 12 novembre 2004; A. Parasuraman, D. Grewal et R. Krishnan, *Marketing Research*, Boston, Houghton Mifflin, 2004; Greg Steinmetz et Carl Quintanilla, « Whirlpool Expected Easy Going in Europe, and It Got a Big Shock », *The Wall Street Journal*, 10 avril 1998, p. A1, A6.

5. Erhard K. Valentin, « Commentary: Marketing Research Pitfalls in Product Development », *Journal of Product & Brand Management*, vol. 3, n° 4, 1994, p. 66-69.

6. Un important débat a eu lieu en 2010 autour de cette question. La nouvelle formule du recensement décennal rend optionnelle la participation au questionnaire long, ce qui soulève des questions quant à la représentativité de l'échantillon et à sa fiabilité comme outil de prévision.

7. www.legermarketing.com/eng/qui.asp (Page consultée le 24 avril 2011).

8. Augustine Fou, "Metrics, Metric, Everywhere," www.clickz.com/3634816 (Page consultée le 6 août 2010).

9. Jim Barnes, "Dangers of Dumbing Down Customer Research," www.customerthink.com/article/dangers_of_dumbing_down_customer_research? (Page consultée le 6 août 2010).

10. Barnes, "Dangers of Dumbing Down."

11. Barnes, "Dangers of Dumbing Down."

12. Barnes, "Dangers of Dumbing Down."

13. Edward G. Carmines et Richard A. Zeller, *Reliability and Validity Assessment (Quantitative Applications in the Social Sciences)*, Londres, Sage University Press, 1979.

14. *Ibid.*

15. Virginia Galt, "Embedding Sustainability in Company Culture," www.theglobeandmail.com/report-on-business/your-business/businesscategories/sustainability/embedding-sustainability-in-companyculture/article1548519/ (Page consultée le 6 août 2010).

16. Emily Nelson, « P&G Wants the Truth: Did You Really Brush Your Teeth? », *The Globe & Mail*, 1 juin 2001, p. M2.

17. *Ibid.*

18. Lisa D'Innocenzo, « Cosying up to Shoppers to Really Get the Consumer's POV – And a Gain in a Competitive Edge –Talk-Face-to-Face », *Strategy*, novembre 2006, p. 32.

19. "Our Brands," www.jny.com/brand.jsp?event=brands (Page consultée le 2 février 2008).

20. Ross Tucker, "L.E.I. Gets New Look for Back-to-School," *Women's Wear Daily*, 5 juillet 2007, (Page consultée le 2 février 2008).

21. Allison Fass, « Collective Opinion », www.Forbes.com, (consultée le 11 novembre 2005).

22. Elisabeth A. Sullivan, "Be Sociable," *Marketing News*, 15 janvier 2008; Sarah Perez, "Despite Recession, More Than 50% of Marketers Increase Spending on Social Media," www.readwriteweb.com/enterprise/2009/03/despite-recession-more-than-50-of-marketersincrease-spending-on-social-media.php (Page consultée le 3 décembre 2009).

23. "Client Story: Kraft," www.communispace.com/assets/pdf/C_Cli_casestudy_kraft_fi nal.pdf (Page consultée le 6 avril 2010).

24. Sarah Needleman, "For Companies, a Tweet in Time Can Avert PR Mess," *The Wall Street Journal*, 3 août 2009.

25. D'après A. Parasuraman, Dhruv Grewal et R. Krishnan, *Marketing Research*, Boston, Houghton Mifflin, 2004, p. 64.

26. Stanley E. Griffis, Thomas J. Goldsby et Martha Cooper, « Web-based and Mail Surveys: A Comparison of Response, Data and Cost », *Journal of Business Logistics*, vol. 24, n° 2, 2003, p. 237-259; Chris Gautreau, « Getting the Answers », *The Greater Baton Rouge Business Report*, vol. 22, n° 29, 28 septembre 2004, p. 17; Alf Nucifora, « Weaving Web Surveys that Work », *njbiz*, vol. 15, n° 46, 11 novembre 2002, p. 28.

27. Cependant, les taux québécois sont nettement plus élevés, oscillant entre 25 % et 45 %.

28. https://pulse.asda.com (Page consultée le 15 avril 2010); Joel Warady, "Asda Takes the 'Pulse of the Nation,'" *Retail Wire* (Page consultée le 16 juillet 2009).

29. Perez, Sarah, Despite Recession, More Than 50% of Marketers Increase Spending on Social Media, http://www.readwriteweb.com/enterprise/2009/03/despite-recession-morethan-50-of-marketers-increase-spending-on-social-media.php (Page consultée le 3 décembre 2009.).

30. D'après l'information recueillie sur le site Web de Coinstar (www.coinstar) et un cas sur l'entreprise, accessible sur le site Web de SPSS Inc., www.spss.com (Page consultée le 18 septembre 2006).

31. Pour en savoir plus sur la rédaction de rapports efficace, consultez A. Parasuraman, Dhruv Grewal et R. Krishnan, *Marketing Research*, Boston, Houghton Mifflin, 2004, chap. 16.

32. "Canadian Privacy Legislation," www.media-awareness.ca/english/issues/privacy/canadian_legislation_privacy.cfm (Page consultée le 1 juin 2007).

33. Ce cas a été écrit par Priya Persaud en accord avec les auteurs du manuel (Ajax Persaud et Shirley Lichti) pour l'utilisation dans une discussion de classe; il n'a pas été conçu comme un exemple de pratiques marketing efficaces ou inefficaces. Priya Persaud est une étudiante qui fait des recherches et intervient comme assistante sur ce livre. Ce cas a été élaboré le 20 avril 2011.

34. www.shoelessjoes.com (Page consultée le 6 août 2010).

35. www.shoelessjoes.com (Page consultée le 6 août 2010).

36. "Shoeless Joe's gains access to real-time customer data," *Direct Marketing* (Septembre 2009), www.dmn.ca (Page consultée le 6 août 2010).

37. "Shoeless Joe's gains access."

CHAPITRE 6

1. "Worldwide Sales of TMC Hybrids Top 3 Million Units," http://media.toyota.ca/pr/tci/en/worldwide-sales-of-tmc-hybrids-193419.aspx (Page consultée le 2 juin 2011).

2. David Wigder, "Hybrids Shift into Mass Market, Marketing & Strategy Innovation" www.futurelab.net/blogs/marketing-strategyinnovation/2007/04/hybrids_shift_into_the_mass_ma.html (Page consultée le 24 avril 2011).

3. Dhruv Grewal, Gopalkrishnan R. Iyer, R. Krishnan et Arun Sharma, « The Internet and the Price-Value-Loyalty Chain », *Journal of Business Research*, vol. 56, mai 2003, p. 391.

4. Voir Henry Assael, *Consumer Behaviour and Marketing Action*, Boston, Kent Publishing, 1987; John A. Howard et Jadish Sheth, *The Theory of Consumer Behaviour in Marketing Strategy*, Upper Saddle River, N.J., Prentice Hall, 1989; Philip Kotler, Gary Amstrong et Peggy Cunningham, *Principles of Marketing*, 6ᵉ éd. canad., 2005, p. 279-280.

5. Pamela Sebastian, « "Aspirational Wants" Form the Basis of a Modern Retailing Strategy », *The Wall Street Journal*, 15 octobre 1998, p. A1; Barry Babin, William Darden et Mitch Griffin, « Work and/or Fun: Measuring Hedonic and Utilitarian Shopping Value », *Journal of Consumer Research*, vol. 20, mars 1994, p. 644-656.

6. « Prince Charming: Some 30 Years after His First Design, Manolo Blahnik Is Sitting Pretty atop Footwear's Highest Throne », *FN (Footwear News)*, 8 décembre 2003.

7. Brian T. Ratchford, Debabrata Talukdar, and Myung-Soo Lee, "The Impact of the Internet on Consumers' Use of Information Sources for Automobiles: A Re-Inquiry," *Journal of Consumer Research* 34, n° 1 (2007), p. 111-119; Glenn J. Browne, Mitzi G. Pitts, and James C. Wetherbe, "Cognitive Shopping Rules for Terminating Information Search in Online Tasks," *MIS Quarterly* 31, no1 (2007), p. 89-104.

8. "Canadian Product Reviews," http://forum.smartcanucks.ca/canadianproduct-reviews/ (Page consultée le 3 décembre 2009).

9. Lyndsie Bourgon, "Enter Social Media: The Twitterari effect," www.canadianbusiness.com/after_hours/lifestyle_activities/article.jsp?content=20091123_10010_10010 (Page consultée le 28 novembre 2009).

10. Bourgon, "Enter Social Media."

11. Bourgon, "Enter Social Media."

12. James Myers et Mark Alpert proposaient, il y a près de 30 ans, le terme anglais *determinance*. www.sawtoothsoftware.com/productforms/ssolutions/ss12.shtml (Page consultée le 4 septembre 2006).

13. www.sawtoothsoftware.com/productforms/ssolutions/ss12.shtml (Page consultée le 4 septembre 2006).

14. Jim Oliver, « Finding Decision Rules with GeneticAlgorithms », www.umsanet.edu.bo/docentes/gchoque/MAT420L07.htm (Page consultée en juin 2004).

15. Paul S. Richardson, Alan S. Dick et Arun K. Jain, « Extrinsic and Intrinsic Cue Effects on Perceptions of Store Brand Quality », *Journal of Marketing*, vol. 58, octobre 1994, p. 28-36 ; Rajneesh Suri et Kent B. Monroe, « The Effects of Time Constraints on Consumers' Judgments of Prices and Products », *Journal of Consumer Research*, vol. 30, juin 2003, p. 92-104.

16. Merrie Brucks, Valerie A. Zeithaml et Gillian Naylor, « Price and Brand Name as Indicators of Quality Dimensions for Consumer Durables », *Journal of the Academy of Marketing Science*, vol. 28, n° 3, 2000, p. 359-374 ; Niraj Dawar et Philip Parker, « Marketing Universals: Consumers' Use of Brand Name, Price, Physical Appearance, and Retailer Reputation as Signals of Product Quality », *Journal of Marketing*, vol. 58, avril 1994, p. 81-95 ; William B. Dodds, Kent B. Monroe et Dhruv Grewal, « Effects of Price, Brand, and Store Information on Buyers' Product Evaluations », *Journal of Marketing Research*, vol. 28, août 1991, p. 307-319.

17. Mary Jo Bitner, « Servicescapes: The Impact of Physical Surroundings on Customers and Employees », *Journal of Marketing*, vol. 56, avril 1992, p. 57-71 ; Dhruv Grewal et Julie Baker, « Do Retail Store Environmental Factors Affect Consumers' Price Acceptability? An Empirical Examination », *International Journal of Research in Marketing*, vol. 11, 1994, p. 107-115 ; Eric R. Spangenberg, Ayn E. Crowley et Pamela W. Henderson, « Improving the Store Environment: Do Olfactory Cues Affect Evaluations and Behaviors? », *Journal of Marketing*, vol. 60, avril 1996, p. 67-80 ; Kirk L. Wakefield et Jeffrey G. Blodgett, « Customer Response to Intangible and Tangible Service Factors », *Psychology and Marketing*, vol. 16, janvier 1999, p. 51-68.

18. www.expedia.com/daily/service/about.asp?rfrr=-1087 (Page consultée le 4 septembre 2006) ; www.expedia.ca (Page consultée le 17 mai 2007).

19. Youngme Moon et John A. Quelch, « Starbucks: Delivering Customer Service », *Harvard Business Review*, 31 juillet 2003.

20. www.forbes.com/home/2002/08/21/0821hatesites.html (Page consultée le 3 septembre 2006) ; Charles Wolrich, « The Best Corporate Complaint Sites », www.Forbes.com, 21 août 2002 ; Leslie Jaye Goff, « [Your company name here]sucks.com: When an Angry Consumer Slams Your Organization Online, You Want to Slam Back », www.computerworld.com/printhttis/1998/0,4814,31861,00.html ; John Simmons, « Stop Moaning about Gripe Sites and Log on », Fortune, 2 avril 2001, p. 181 ; « Canadian Tire Loses Fight for www.crappytire.com », www.cbc.ca/money/story/2001/05/31/crappytire_010531.html (Page consultée le 18 décembre 2007).

21. Voir Henry Assael, *Consumer Behaviour and Marketing Action*, Boston, Kent Publishing, 1987 ; John A. Howard et Jadish Sheth, *The Theory of Consumer Behaviour in Marketing Strategy*, Upper Saddle River, N.J., Prentice Hall, 1989 ; Philip Kotler, Gary Amstrong et Peggy Cunningham, *Principles of Marketing*, 6e éd. canad. 2005, p. 279-280.

22. A.H. Maslow, *Motivation and Personality*, New York, Harper & Row, 1970.

23. Agriculture, Pêcherie et Alimentation Québec, *Les produits biologiques: quel est leur avenir sur le marché canadien?* [En ligne], www.mapaq.gouv.qc.ca/fr/md/Bulletins/bioclips/BioClipsPlus-vol8-no1/Pages/BioClipsPlus_vol8_no1.aspx (Page consultée le 14 janvier 2015).

24. Helga Willer, Julia Lernoud and Lukas Kilcher (Eds.) (2013), *The World of Organic Agriculture. Statistics and Emerging Trends 2013*. Research Institute of Organic Agriculture (FiBL), Frick and International Federation of Organic Agriculture Movements (IFOAM), Bonn, Germany.

25. A. Kristallis and G. Chryssohoidis, "Consumers' willingness to pay for organic food: Factors that affect it and variation per organic product type." *British Food Journal* 107, n° 5 (2005), p. 320-343.

26. Helga Willer, Julia Lernoud and Lukas Kilcher (Eds.) (2013), *The World of Organic Agriculture. Statistics and Emerging Trends 2013*. Research Institute of Organic Agriculture (FiBL), Frick and International Federation of Organic Agriculture Movements (IFOAM), Bonn, Germany.

27. Filière biologique du Québec (2011), *Faits saillants du sondage sur la consommation des produits biologiques au Québec*, [En ligne], www.lequebecbio.com/Documents/Section%20medias/Publications%20etudes/Sondage%20Faits%20saillants_V%20M.pdf (Page consultée le 14 janvier 2015).

28. Filière biologique du Québec (2011), *Faits saillants du sondage sur la consommation des produits biologiques au Québec*, [En ligne], www.lequebecbio.com/Documents/Section%20medias/Publications%20etudes/Sondage%20Faits%20saillants_V%20M.pdf (Page consultée le 14 janvier 2015).

29. Michael Levy et Barton A. Weitz, *Retailing Management*, 6e éd., Burr Ridge, Ill., Irwin/Mc-Graw-Hill, 2007, chap. 4.

30. *2005 YTV Tween Report*, Solutions Research Group, A Corus Entertainment Inc. Company ; www.corusmedia.com/ytv/research/index.asp (Page consultée le 15 mai 2007).

31. Sandra Yin, « Kids; Hot Spots », *American Demographics*, 1 décembre 2003 ; Peter Francese, « Trend Ticker: Trouble in Store », *American Demographics*, 1 décembre 2003.

32. « Survey Reveals Teen Spending Habits, Retail Brand Perceptions », http://money.cnn.com/news/newsfeeds/articles/newstex/VNU-0016-16243010.htm (Page consultée le 20 mai 2007).

33. Rebecca Harris, « Skin Deep », *Marketing Magazine*, 29 janvier 2007.

34. La notion d'atmosphère a été introduite par Philip Kotler, « Atmosphere as a Marketing Tool », *Journal of Retailing*, vol. 49, hiver 1973, p. 48-64.

35. Anna S. Mattila et Jochen Wirtz, « Congruency of Scent and Music as a Driver of In-store Evaluations and Behavior », *Journal of Retailing*, vol. 77, n° 2, été 2001, p. 273-289 ; Teresa A. Summers et Paulette R. Hebert, « Shedding Some Light on Store Atmospherics: Influence of Illumination on Consumer Behavior », *Journal of Business Research*, vol. 54, n° 2, novembre 2001, p. 145-150 ; pour une recension de cette recherche, voir Joseph A. Bellizzi et Robert E. Hite, « Environmental Color, Consumer Feelings, and Purchase Likelihood », *Psychology and Marketing*, vol. 9, n° 5, septembre-octobre 1992, p. 347-363 ; J. Duncan Herrington et Louis Capella, « Effects of Music in Service Environments: A Field Study », *Journal of Services Marketing*, vol. 10, n° 2, 1996, p. 26-41 ; Richard F. Yalch et Eric R. Spangenberg, « The Effects of Music in a Retail Setting on Real and Perceived Shopping Times », *Journal of Business Research*, vol. 49, n° 2, août 2000, p. 139-148 ; Michael Hui, Laurette Dube et Jean-Charles Chebat, « The Impact of Music on Consumer's Reactions to Waiting for Services », *Journal of Retailing*, vol. 73, n° 1, 1997, p. 87-104 ; Julie Baker, Dhruv Grewal et Michael Levy, « An Experimental Approach to Making Retail Store Environmental Decisions », *Journal of Retailing*, vol. 68, hiver 1992, p. 445-60 ; Maxine Wilkie, « Scent of a Market », *American Demographics*, août 1995, p. 40-49 ; Eric R. Spangenberg, Ayn E. Crowley et Pamela W. Henderson, « Improving the Store Environment: Do Olfactory Cues Affect Evaluations and Behaviors? » ; Paula Fitzgerald Bone et Pam Scholder Ellen, « Scents in the Marketplace: Explaining a Fraction of Olfaction », *Journal of Retailing*, vol. 75, n° 2, été 1999, p. 243-263.

36. Abercrombie and Fitch, http://en.wikipedia.org/wiki/Abercrombie_&_Fitch (Page consultée le 20 mai 2007).

37. Julie Baker, Dhruv Grewal, Michael Levy et Glenn Voss, « Wait Expectations, Store Atmosphere and Store Patronage Intentions », *Journal of Retailing*, vol. 79, n° 4, 2003, p. 259-268.

38. "Collaborative Consumption," Wikipedia.com (Page consultée le 24 avril 2011) ; Rachel Botsman and Roo Rogers, *What's Mine Is Yours: The Rise of Collaborative Consumption* (New York: Harper Collins, 2011).

39. "Collaborative Consumption"; Botsman and Rogers, *What's Mine Is Yours*.

40. "Montreal's Bixi Rental Bikes are Rolling," www.cbc.ca/consumer/story/2009/05/12/montreal-bixi.html (Page consultée le 6 août 2010).

41. Ce cas a été écrit par Kate Woodworth sous la supervision des auteurs du manuel Dhruv Grewal et Michael Levy pour l'utilisation dans une discussion de classe; il n'a pas été conçu comme un exemple de pratiques marketing efficaces ou inefficaces.

42. www.theglobeandmail.com/life/health-and-fitness/most-canadians-struggle-to-maintain-weight-loss-poll-finds/article1366467/ (Page consultée le 15 janvier 2015).

43. www.statcan.gc.ca (Page consultée le 25 avril 2011).

44. Vauhini Vara, "New Gadets Aim to Help Users Watch Their Weight," *The Wall Street Journal Online*, 12 Mai 2005.

45. http://jennycraig.com/programs/ (Page consultée le 19 avril 2010).

46. Geoff Williams, "Weight Watchers Sues Jenny Craig for Misleading Ads: Let the Mudslinging Begin," *walletpop.com*, 20 janvier 2010.

47. Jennifer LaRue Huget, "Weight Watchers and Jenny Craig Offer Programs for Men Who Want to Shed Pounds," *The Washington Post*, 25 mars 2010.

CHAPITRE 7

1. Plus connu sous le nom anglais *business to business* et défini par l'acronyme B2B, le marketing interentreprises est aussi dénommé en français «marketing industriel» ou «marketing organisationnel».

2. Cette introduction est basée sur www.rbcroyalbank.com (Page consultée le 24 avril 2011).

3. Arun Sharma, R. Krishnan, and Dhruv Grewal, "Value Creation in Markets: A Critical Area of Focus for Business-to-Business Markets," *Industrial Marketing Management* 30, n° 4 (2001), p. 391-402; Ajay K. Kohli and Bernard J. Jaworski, "Market Orientation: The Construct, Research Propositions, and Managerial Implications," *Journal of Marketing* 54, n° 2 (1990), p. 1-13; John C. Narver and Stanly F. Slater, "The Effect of Market Orientation on Business Profi tability," *Journal of Marketing* 54, n° 4 (1990), p. 20-33.

4. www.magna.com (Page consultée le 24 avril 2011).

5. "Our Mission and Vision," www.burtsbees.com (Page consultée le 24 avril 2011).

6. "Burt's Bees Focuses on Production Efficiency," *Cosmetics Design*, 2 novembre 2006.

7. Retail Council Of Canada Canadian Retailer (2014). *MEDIA PACKAGE*, [En ligne], www.retailcouncil.org/sites/default/files/documents/canadian_retailer_media_kit_2014.pdf (Page consultée le 12 décembre 2014).

8. Statistique Canada (2012). *Structure des industries canadiennes*, [En ligne], https://strategis.ic.gc.ca/app/scr/sbms/sbb/cis/etablissements.html?code=41&lang=fra et https://strategis.ic.gc.ca/app/scr/sbms/sbb/cis/wholesaleRevenues.html?code=41&lang=fra (Pages consultées 12 décembre 2014).

9. www.charityvillage.com.

10. Air Transat, première compagnie aérienne certifiée par le World Green Aviation Council, CNW, [En ligne], http://synapse.uqac.ca/2011/air-transat-premiere-compagnie-aerienne-certifiee-par-le-world-greenaviation-council/ (Page consultée le 7 juillet 2014); www.resp.transat; Entreprises citoyennes: Transat remporte le Grand Prix 2014. [En ligne], http://www.novae.ca/actualites/distinction/juin-2014/entreprises-citoyennes-transat-remporte-le-grand-prix-2014 (Page consultée le 7 juillet 2014); Air Transat et Aerocycle jettent les bases d'un programme de démantèlement écoresponsable d'avions commerciaux, [En ligne], http://eco-energie-montreal.com/post/air-transat-aero-cycle-recyclage-avions (Page consultée le 7 juillet 2014).

11. www.pwgsc.gc.ca (Page consultée le 24 avril 2011).

12. https://achatsetventes.gc.ca et www.merx.com (Pages consultées le 18 décembre 2007).

13. www.merx.com (Page consultée le 18 décembre 2007).

14. "Bombardier Announces up to $4.7 Billion in orders at the Paris Air Show," *Reuters*, 24 juin 2011, www.reuters.com/article/2011/06/25/idUS20538+25-Jun-2011+HUG20110625 (Page consultée le 17 juillet 2011).

15. www.probeinternational.org (Page consultée le 17 mai 2007).

16. www.shepherd.ca (Page consultée le 21 mai 2007).

17. www.census.gov/epcd/naics02/SICN02E.HTM#S48; www.census.gov/epcd/www/naics.html; www.census.gov/epcd/naics02/N2SIC51.HTM.

18. Statistique Canada (2012), [En ligne], www.statcan.gc.ca/subjects-sujets/standard-norme/naics-scian/2012/introduction-fra.htm (Page consultée le 12 décembre 2014).

19. Cet exemple, qui illustre la relation entre Toyota et ses fournisseurs, s'inspire de Jeffrey K. Liker et Thomas Y. Choi, «Building Deep Supplier Relationships», *Harvard Business Review*, décembre 2004, p. 104-114.

20. www.toyotasupplier.com/sup_diversity/program_info.html#commitment.

21. *Ibid.*

22. Attention à ne pas confondre ce terme avec le terme générique «centre d'achat» qui renvoie à un espace commercial regroupant plusieurs magasins. Nous avons évité de traduire *buying center* par «centrale d'achat» en raison d'un autre rôle joué par cet acteur dans la distribution. Le terme «centre d'achats» d'une entreprise évoque donc, selon nous, le regroupement ponctuel d'individus d'une organisation en vue de décider d'un achat spécifique.

23. www.marketingpower.com/live/mg-dictionary-view435.php. Ces définitions sont celles que propose www.marketingpower.com (le site Web de l'American Marketing Association). Traduction libre.

24. Amber Bowerman, *The Economics of Donation*, [En ligne], www.avenuecalgary.com/May-2008/The-economics-of-Donations/ (Page consultée le 8 janvier 2015).

25. Kimberly Maul, "More B-to-B companies Find That Social Media Is an Essential Business Platform," PRweekus.com, Juin 2009; Ellis Booker, "B-to-B Marketers Apply Analytics to Social Media," *BtoB*, 12 avril 2010; Elisabeth A. Sullivan, "A Long Slog," *Marketing News*, 28 février 2009.

26. www.tweetdeck.com (Page consultée le 20 juillet 2010).

27. Daniel B. Honigman, "Make a Statement," *Marketing News*, 1 mai, 2008.

28. Sarah Mahoney, "Staples Launches Small-Biz Incentive Plan," *Marketing Daily*, 5 janvier 2010.

29. Susan Kuchinskas, «Data-based Dell», *Adweek Magazine's Technology Marketing*, vol. 23, n° 6, septembre 2003, p. 20.

30. Barton A. Weitz, Stephen B. Castleberry et John F. Tanner, *Selling Building Partnerships*, 5e éd., Burr Ridge, Ill., McGraw Hill/Irwin, 2003, p. 93.

31. Kate Maddox, "Marketers Face Challenges from Economy to Ecology," www.btobonline.com/apps/pbcs.dll/article?AID=/20071210/FREE/71210002/1109/FREE#seenit (Page consultée le 3 juin 2011).

32. "Microsoft's Looking Glass Will Let Marketers Peer into a Real-Time Social Stream," www.techcrunch.com/2009/09/23/microsofts-lookingglass-will-let-marketers-peer-into-the-social-stream/ (Page consultée le 25 avril 2011); Demonstration video available at "Microsoft Looking Glass Helps Businesses Catch the Social Media Wave at Advertising Week 2009," http://community.microsoftadvertising.com/blogs/analytics/archive/2009/09/23/microsoft-lookingglass-helps-businesses-catchthe-social-media-wave-at-advertising-week-2009.aspx (Page consultée le 2 décembre 2009); Video Demonstration of Microsoft's Looking Glass, www.youtube.com/watch?v=kSGO6SfaFRQ; "Canadians CIOs test socialnetworking waters," www.itworldcanada.com/news/canadian-ciostest-social-networking-waters/139201 (Page consultée le 3 décembre 2009).

33. Amanda C. Kooser, "Virtual Trade Shows Take Care of Some Very Real Business," *Entrepreneur*, août 2007.

34. K.C. Laudon et C.G. Traver, *E-Commerce : Business, Technology, Society*, 2ᵉ éd., Boston, Pearson, 2004.

35. www.Guru.com (Page consultée le 3 janvier 2008).

36. www.Guru.com

37. La firme Sun a été rachetée par Oracle en 2009.

38. Sandy Jap, « An Exploratory Study of the Introduction of Online Reverse Auctions », *Journal of Marketing*, vol. 67, nᵒ 3, juillet 2003, consulté en ligne ; R. Tassabehji, W.A. Taylor, R. Beach et A. Wood, « Reverse E-auctions and Supplier-Buyer Relationships : An Exploratory Study », *International Journal of Operations and Production Management*, vol. 26, nᵒ 2, 2006, p. 1-19 ; Sandy Jap, « Going Going, Gone », *Harvard Business Review*, vol. 78, nᵒ 6, consulté en ligne ; « Reverse Auctions Gain Momentum as Cost Toolchipmakers Grudgingly Join in Online Bids », *Spencer Chin*, 3 mars 2003, p. 1.

39. Andy Macaulay, fondateur et président de zig, une entreprise basée à Waterloo, Ontario. Présentation à la Wilfrid Laurier University.

CHAPITRE 8

1. "Heritage," www.thecocacolacompany.com/heritage/chronicle_birth_refreshing_idea.html (Page consultée le 5 juin 2010).

2. Coca-Cola Company, "Coca-Cola Announces Plans to Launch Coca-Cola Zero" (Presse), 21 mars 2005 (Page consultée le 5 juin 2010).

3. Betsy McKay, "Zero Is Coke's New Hero," *The Wall Street Journal*, 17 avril 2007.

4. "The Chronicle of Coca-Cola," www.thecocacolacompany.com/heritage/chronicle_global_business.html (Page consultée le 5 juin 2010).

5. Kate Fitzgerald, "Coke Zero," *Advertising Age*, 12 novembre 2007, (consultée le 14 janvier 2008).

6. "Brands," www.thecocacolacompany.com/brands/index.html (Page consultée le 5 juin 2010).

7. Kate MacArthur, "Coke bets on Zero to Save a Cola Category." *Advertising Age*, 1 janvier 2007, (consultée le 14 janvier 2008).

8. Au Canada, il est permis de faire de la publicité destinée aux enfants. Au Québec, il est par contre interdit de faire de la publicité destinée aux enfants de moins de 13 ans. Les entreprises peuvent diffuser des contenus qui sont pertinents pour ces clientèles, tout en veillant à ne pas contrevenir à la loi

9. Melanie Shortman, « Gender Wars », *American Demographics*, avril 2002, p. 22.

10. State of the Nation (2009), Canada, Online Presentation, [En ligne], www.comScore.com, (Page consultée le 3 décembre 2009) ; "Interactive website declares war on acne." [En ligne], www.clickweekly.com/articles/September 29_2009/pimples. htm (Page consultée le 3 décembre 2009) ; et Katie Bailey, *Marcelle gets in teen's faces with webisodes*, [En ligne], www.mediaincanada.com/articles/mic/20090929/marcelle.html (Page consultée le 3 décembre 2009).

11. Jagdish Sheth, Banwari Mittal et Bruce I. Newman, *Customer Behavior : Consumer Behavior and Beyond*, Fort Worth, Tex., The Dryden Press, 1999.

12. Tamara Mangleburg, M. Joseph Sirgy, Dhruv Grewal, Danny Axsom, Maria Hatzios, C.B. Claiborne et Trina Bogle, « The Moderating Effect of Prior Experience in Consumers' Use of User-image Based versus Utilitarian Cues in Brand Attitude », *Journal of Business & Psychology*, vol. 13, automne 1998, p. 101-113 ; M. Joseph Sirgy *et al.*, « Direct versus Indirect Measures of Self-image Congruence », *Journal of the Academy of Marketing Science*, vol. 25, nᵒ 3, 1997, p. 229-241.

13. Jagdish Sheth, Banwari Mittal et Bruce I. Newman, *Customer Behavior : Consumer Behavior and Beyond*, Fort Worth, Tex., The Dryden Press, 1999.

14. VALS1, le sondage original sur les modes de vie, sondait les valeurs et les modes de vie généraux. L'étude VALS s'intéresse davantage aux valeurs et aux modes de vie par rapport aux comportements de consommation ; elle offre donc plus d'applications commerciales. Le Yankelovich's Monitor Mindbase (www.yankelovich.com) est une autre approche de segmentation des modes de vie.

15. Michael D. Lam, « Psychographic Demonstration : Segmentation Studies Prepare to Prove Their Worth », *Pharmaceutical Executive*, janvier 2004.

16. Stowe Shoemaker et Robert Lewis, « Customer Loyalty : The Future of Hospitality Marketing », *Hospitality Management*, vol. 18, 1999, p. 349.

17. V. Kumar et Denish Shah, « Building and Sustaining Profitable Customer Loyalty for the 21st Century », *Journal of Retailing*, vol. 80, nᵒ 4, 2004, p. 317-330.

18. "About Us," www.corporateknights.ca/about-us/61-about-us/56-aboutus.html (Page consultée le 8 juin 2010).

19. Erin Millar and Ben Colli, "The new liberal education : Sustainability," http://oncampus.macleans.ca/education/2009/12/18/the-new-liberaleducation-sustainability/ (Page consultée le 8 juin 2010).

20. "Sustainability Pledge," www.sustain.ubc.ca/campus-sustainability/getting-involved/student-involvement/ubc-sustainability-pledge (Page consultée le 7 juin 2010).

21. Rebecca Harris, « Canadians Love Loyalty », *Marketing Daily*, 31 mai 2007.

22. www.aircanada.com (Page consultée le 1er juin 2007).

23. Michael J. Weiss, *The Clustered World*, Boston, Little, Brown and Company, 2000.

24. « PSYTE Advantage », www.tetrad.com/pricing/can/psyteadvantage.html (Page consultée le 1er juin 2007).

25. www.tetrad.com/demographics/canada/environics/prizmce.html (Page consultée le 1er juin 2007).

26. Pete Jacques, « Aspirational Segmentation », *LIMRA's Market Facts Quarterly*, vol. 22, printemps 2003, p. 2[0].

27. www.aa.com/content/AAdvantage/programDetails/eliteStatus/main.jhtml (Page consultée le 3 mars 2005).

28. Dhruv Grewal, « Marketing Is All about Creating Value : 8 Key Rules », dans *Inside the Mind of Textbook Marketing*, Boston, Aspatore Inc., 2003, p. 79-96.

29. www.microsoft.com/info/cookies.htm (Page consultée le 30 septembre 2005).

30. Gopalkrishnan R. Iyer, A.D. Miyazaki, D. Grewal et M. Giordano, « Linking Web-based Segmentation to Pricing Tactics », *Journal of Product & Brand Management*, vol. 11, nᵒ 5, 2002, p. 288-302 ; B. Jaworski et K. Jocz, « Rediscovering the Consumer », *Marketing Management*, septembre-octobre 2002, p. 22-27 ; L. Rosencrance, « Customers Balk at Variable DVD Pricing », *Computer World*, 11 septembre 2000, p. 4 ; M. Stephanek, « None of Your Business : Customer Data Were Once Gold to E-Commerce. Now, Companies are Paying a Price for Privacy Jitters », *BusinessWeek*, 26 juin 2000, p. 78 ; D. Wessel, « How Technology Tailors Price Tags », *The Wall Street Journal*, 23 juin 2001, p. A1

31. James L. Heskett, W. Earl Sasser Jr. et Leonard A. Schlesinger, *The Service Profit Chain : How Leading Companies Link Profit and Growth to Loyalty, Satisfaction, and Value*, New York, Simon & Schuster Adult Publishing Group, 1997 ; Christopher D. Ittner et David F. Larcker, « Are Nonfinancial Measures Leading Indicators of Financial Performance ? An Analysis of Customer Satisfaction », *Journal of Accounting Research*, vol. 35, supplément 1998, p. 1-35 ; Thomas O. Jones et E. Earl Sasser Jr., « Why Satisfied Customers Defect », *Harvard Business Review*, novembre-décembre 1995, p. 88-99 ; A. Parasuraman et Dhruv Grewal, « The Impact of Technology on the Quality-Value-Loyalty Chain : A Research Agenda », *Journal of the Academy of Marketing Science*, vol. 28, nᵒ 1, 2000, p. 168-174 ; Frederick F. Reichheld, « Loyaltybased Management », *Harvard Business Review*, vol. 2, mars-avril 1993, p. 64-73 ; Frederick F. Reichheld, « Loyalty and the Renaissance of Marketing », *Marketing Management*, vol. 2, nᵒ 4, 1994, p. 10-21 ; Frederick F. Reichheld et Phil Schefter, « E-Loyalty », *Harvard Business Review*, juillet-août 2000, p. 105-113 ; Anthony J. Rucci, Richard T. Quinn et Steven P. Kirn, « The Employee Customer-Profit Chain at Sears », *Harvard Business Review*, janvier-février 1998, p. 83-97 ; Roland T. Rust, Valerie A. Zeithaml et Katherine

N. Lemon, *Driving Customer Equity*, New York, The Free Press, 2000; Russell S. Winer, «A Framework for Customer Relationship Management», *California Management Review*, vol. 43, n° 4, 2001, p. 89-105; Valerie A. Zeithaml, Roland T. Rust et Katherine N. Lemon, «The Customer Pyramid: Creating and Serving Profitable Customers», *California Management Review*, vol. 43, n° 4, 2001, p. 118-142.

32. Datamonitor: Hallmark Cards, Inc., «Greeting Cards Facts and Figures», *Souvenirs, Gifts & Novelties*, mai 2005.

33. www.lasenza.com (Page consultée le 18 décembre 2007).

34. Amy Merrick, «Christopher & Banks Shuns Trends in Fashion, Targets Mothers in 40s», *The Wall Street Journal*, 9 mai 2003, www.wsj.com.

35. "Notre fondatrice", www.chezcora.com/entreprise/fondatrice (Page consultée le 15 janvier 2015).

36. Sabritir Ghosh, "Made to Order," *Report on [Small] Business* (septembre 2009), www.theglobeandmail.com/report-on-business/your-business/start/franchising/made-to-order/article1265158/ (Page consultée le 7 juin 2010).

37. "Notre fondatrice", www.chezcora.com/entreprise/fondatrice (Page consultée le 15 janvier 2015).

38. B. Joseph Pine, *Mass Customization: The New Frontier in Business Competition*, Cambridge, Mass., Harvard Business School Publishing, 1999; James H. Gilmore et B. Joseph Pine (dir.), *Markets of One: Creating Customer-Unique Value through Mass Customization*, Cambridge, Mass., *Harvard Business School Publishing*, 2000.

39. Vanessa O'Connell, "Fashion Journal: Bubble Gum at Bergdorf's," *The Wall Street Journal*, 15 février 2007, (consultée le 15 janvier 2008).

40. Vanessa O'Connell, "Fashion Bullies Attack—in Middle School." *The Wall Street Journal*, 25 octobre 2007, (consultée le 14 janvier 2008).

41. Jean Halliday, «Maloney Wants Volvo Viewed as Both Safe and Luxurious», *Advertising Age*, vol. 75, n° 12, 2004, p. 22.

42. www.jacob.ca; www.lasenza.com; www.abercrombie.ca (Pages consultées le 1er juin 2007).

43. «Avis: We Try Harder», www.buildingbrands.com/didyouknow/16_avis_we_try_harder.php (Page consultée le 18 décembre 2007).

44. «McDonald's legal cases», http://en.wikipedia.org/wiki/McDonald's_legal_cases (Page consultée le 18 décembre 2007).

45. Crane et al., *Marketing*, 6e éd. canad., Whitby, Ont., McGraw-Hill Ryerson, 2006, p. 243.

46. «McDonald's Global Sales Advance 4.8%: Burger Giant Now Top Seller of Chicken», *Bloomberg News* (Page consultée le 1 juin 2007).

47. Gogi Anand, Janine Chin, Cam Christie, Jonathan Lee, Jessica Liu, Rebecca Muise et Tobi Schlager, «Can Junk Food be Healthy? A Consumer Behaviour Response to Repositioning Junk Food as a Healthy Alternative», article non publié destiné au WLU Consumer Behaviour Project, Wilfrid Laurier University, Waterloo, Ont., 2007.

48. Stephen Brown, Robert V. Kozinets et John F. Sherry Jr., «Teaching Old Brands New Tricks: Retro Branding and the Revival of Brand Meaning», *Journal of Marketing*, vol. 67, n° 2, juillet 2003, p. 19.

49. Chuck Salter, «Whirlpool Finds Its Cool», *Fast Company*, vol. 95, juin 2005, p. 73.

50. Christine Bittar, «Cosmetic Changes beyond Skin Deep», *Brandweek*, 17 mai 2000, p. 20, 22.

51. Lisa Granatstein, «Back to Cool», *Mediaweek*, 21 juin 2004, p. 25-26.

52. Michelle Halpern, «Wonderland goes Hollywood», www.marketingmag.ca/magazine/marketingdaily/article.jsp?content=20040430_102845_3948 (Page consultée le 7 juin 2007).

53. Brian Wansink, «Making Old Brands New», *American Demographics*, décembre 1997, p. 53-58.

54. «Making Old Brands New.»: http://findarticles.com/p/articles/mi_m4021/is_n12_v19/ai_20038523/ (Page consultée le 16 mai 2008)

55. Shirley Lichti, coauteure de ce manuel, a rédigé ce cas aux fins de discussions en classe et non pour illustrer des pratiques de marketing plus ou moins efficaces.

56. Matt Semansky, «M&M Goes Downtown with Uptown», www.marketingmag.ca/daily/20071017/topstory.html (Page consultée le 16 octobre 2007).

CHAPITRE 9

1. www.unileverusa.com/ourbrands/personalcare/dove.asp (Page consultée le 6 juin 2007).

2. Karen Mazurkesich, «Dove Story», www.strategymag.com/articles/magazine/20070101/dove.html?word=dove&word=story (Page consultée le 6 juin 2007).

3. American Marketing Association, *Dictionary of Marketing Terms*, Chicago, Ill., American Marketing Association, 2004, www.marketingpower.com/live/mgdictionary-view329.php?

4. «All Colgate Toothpastes», www.colgate.com (Page consultée le 16 septembre 2006).

5. William P. Putsis Jr. et Barry L. Bayus, «An Empirical Analysis of Firms' Product Line Decisions», *Journal of Marketing Research*, vol. 38, n° 1, février 2001, p. 110-118.

6. Bruce G.S. Hardie et Leonard M. Lodish, «Perspectives: The Logic of Product-line Extensions», *Harvard Business Review*, novembre-décembre 1994, p. 54.

7. John A. Quelch et David Kenny, «Extend Profits, Not Product Lines», *Harvard Business Review*, septembre-octobre 1994, p. 153-160.

8. Rekha Balu, «Heinz to Trim Its Work Force as Much as 9%», *The Wall Street Journal*, 18 février 1999, consulté sur ProQuest (Document ID 39039688).

9. Jim Mateja, «Chicago Tribune New Cars Column», *Knight Ridder Tribune Business News*, 13 juillet 2003, consulté sur ProQuest (Document ID 357908581).

10. «J&J to Buy Skin-care Business», *The Wall Street Journal*, 18 décembre 1998, p. 1.

11. http://scjohnson.com/products/ (Page consultée le 20 septembre 2006).

12. *Ibid.*; Louis Lee, «Jean Therapy, $23 a Pop», *BusinessWeek*, 28 juin 2004, p. 91, 93.

13. Ernest Beck, «Unilever to Cut 25,000 Jobs, Close Factories – Consumer –Goods Company to Focus on Core Brands in Restructuring Asian», *The Wall Street Journal*, 23 février 2000, p. 2.

14. www.rbc.com/aboutus/index.html (Page consultée le 6 juin 2007).

15. www.rbcroyalbank.com/RBC:RmcqJo71A8UAAWzg3w8/products/deposits/view-all-bank-accounts.html (Page consultée le 6 juin 2007).

16. Kevin Lane Keller, *Strategic Brand Management: Building, Measuring, and Managing Brand Equity*, 2e éd., Upper Saddle River, N.J., Prentice Hall, 2003.

17. Cet exposé sur les avantages des marques fortes est adapté de Keller, *Strategic Brand Management*, 2e éd., Upper Saddle River, N.J., Prentice Hall, 2003, p.104-112; Elizabeth S. Moore, William L. Wilkie et Richard J. Lutz, «Passing the Torch: Intergenerational Influences as a Source of Brand Equity», *Journal of Marketing*, vol. 66, n° 2, avril 2002, p. 17.

18. Angela Y. Lee et Aparna A. Labroo, «The Effect of Conceptual and Perceptual Fluency on Brand Evaluation», *Journal of Marketing Research*, vol. 41, n° 2, mai 2004, p. 151-165.

19. www.interbrand.com/best_brands_2004.asp (Page consultée le 14 septembre 2006). La valeur actualisée nette des revenus au cours des 12 prochains mois sert de base de calcul de la valeur.

20. David A. Aaker, *Managing Brand Equity*, New York, The Free Press, 1991.

21. Interbrand (2014), [En ligne], www.interbrand.com/best_brands_2014.asp (Page consultée le 9 décembre 2014).

22. Rapport annuel 2004 de Polo Ralph Lauren, accessible à l'adresse http://media.corporate-ir.net/media_files/NYS/RL/

reports/04ar/PRL2004AR.pdf (Page consultée le 16 septembre 2006).

23. David A. Aaker, « Measuring Brand Equity across Products and Markets », *California Management Review*, vol. 38, printemps 1996, p. 102-120.

24. http://en.wikipedia.org/wiki/List_of_generic_and_genericized_trademarks (Page consultée le 22 décembre 2007).

25. Kevin Lane Keller, *Strategic Brand Management, op. cit.*

26. Jennifer L. Aaker, « Dimensions of Brand Personality », *Journal of Marketing Research*, vol. 34, n° 3, août 1997, p. 347-356.

27. Kevin Lane Keller, « Conceptualizing, Measuring, and Managing Customer-based Brand Equity », *Journal of Marketing*, vol. 57, n° 1, janvier 1993, p. 1-22.

28. Dave Larson, « Building a Brand's Personality from the Customer up », *Direct Marketing*, octobre 2002, p. 17-21.

29. www.marketingpower.com/live/mg-dictionary.php?SearchFor=brand+loyalty&Searched=1 (Page consultée le 17 septembre 2006).

30. James H. McAlexander, John W. Schouten et Harold F. Koenig, « Building Brand Community », *Journal of Marketing*, vol. 66, n° 1, janvier 2002, p. 38-54.

31. Russ Martin, "Nutella Launches Better Breakfast Challenge," www.marketingmag.ca/english/news/pr/article.jsp?content=20090512_173532_9460 (consultée le 30 mai 2010).

32. Martin, "Nutella Launches."

33. Christine Bittar, « Big Brands : Stronger than Dirt », *BrandWeek*, 23 juin 2003, p. S52-S53.

34. « President's Choice Continues Brisk Pace », *Frozen Food Age*, mars 1998, p. 17-18.

35. Laura Liebeck, « Private Label Goes Premium », *Discount Store News*, 4 novembre 1996, p. F38 ; « New Private-label Alternatives Bring Changes to Supercenters, Clubs », *DSN Retailing Today*, 5 février 2001, p. 66.

36. www.marketinghalloflegends.ca/visionaries_david_nichol.php (Page consultée le 7 juin 2007).

37. Michael Levy et Barton A. Weitz, *Retailing Management*, 6e éd., New York, McGraw-Hill/Irwin, 2007.

38. www.pg.com.

39. Harvey Schacter, « What's in a name? Plenty », *The Globe and Mail*, 5 mai 2004, p. C4.

40. Eve Lazarus, « New Beer Goes with Flies and a Croak », www.marketingmag.ca/magazine/marketingdaily/article.jsp?content=20060914_102950_5424 (Page consultée le 7 juin 2007).

41. Pour connaître les dernières recherches sur l'extension de marques, voir Subramanian Balachander et Sanjoy Ghose, « Reciprocal Spillover Effects : A Strategic Benefit of Brand Extensions », *Journal of Marketing*, vol. 67, n° 1, janvier 2003, p. 4-13 ; Kalpesh Kaushik Desai et Kevin Lane Keller, « The Effects of Ingredient Branding Strategies on Host Brand Extendibility », *Journal of Marketing*, vol. 66, n° 1, janvier 2002, p. 73-93 ; Tom Meyvis et Chris Janiszewski, « When Are Broader Brands Stronger Brands ? An Accessibility Perspective on the Success of Brand Extensions », *Journal of Consumer Research*, vol. 31, n° 2, septembre 2004, p. 346-357.

42. David Aaker, « Brand Extensions : The Good, the Bad, and the Ugly », *Sloan Management Review*, vol. 31, été 1990, p. 47-56.

43. www.braun.com.

44. www.dell.com.

45. www.fritolay.com/consumer.html.

46. Vanitha Swaminathan, Richard J. Fox et Srinivas K. Reddy, « The Impact of Brand Extension Introduction on Choice », *Journal of Marketing*, vol. 65, n° 3, octobre 2001, p. 1-15.

47. Jennifer Aaker, Susan Fournier et S. Adam Brasel, « When Good Brands Do Bad », *Journal of Consumer Research*, vol. 31, n° 1, juin 2004, p. 1-16.

48. Barbara Loken et Deborah Roedder John, « Diluting Brand Beliefs : When Do Brand Extensions Have a Negative Impact ? », *Journal of Marketing*, vol. 57, n° 3, juillet 1993, p. 71-84.

49. David A. Aaker, « Brand Extensions », p. 47-56.

50. David A. Aaker et Kevin Lane Keller, « Consumer Evaluations of Brand Extensions », *Journal of Marketing*, vol. 54, n° 1, janvier 1990, p. 27-41.

51. Susan M. Broniarczyk et Joseph W. Alba, « The Importance of the Brand in Brand Extension », *Journal of Marketing Research*, vol. 31, n° 2, mai 1994, p. 214-228.

52. www.ritzcarlton.com/corporate/about_us/history.asp (Page consultée le 16 septembre 2006).

53. Kate Fitzgerald, « A New Addition to Cobranding's Menu », *Credit Card Management*, vol. 16, novembre 2003, p. 40-44.

54. Cette partie s'inspire de Akshay R. Rao et Robert W. Ruekert, « Brand Alliances as Signals of Product Quality, », *Sloan Management Review*, vol. 36, automne 1994, p. 87-97.

55. « FedEx Expands Alliance with Kinko's », *Journal of Commerce*, 11 août 2000, p. WP.

56. « FedEx and Kinko's to Deliver Increased Threat », *DSN Retailing Today*, 17 mai 2004, p. 17.

57. T. Kippenberger, « Co-Branding as a Competitive Weapon », *Strategic Direction*, vol. 18, octobre, p. 31-33.

58. Tom Blacket et Bob Boad (dir.), *Branding : The Science of Alliance*, Londres, Macmillan Press, 1999.

59. David A. Aaker, *Brand Portfolio Strategy*, New York, The Free Press, 2004.

60. Kevin Lane Keller, *Strategic Brand Management, op. cit.*

61. Doug Desjardins, « LIMA Foresees Huge 2nd Half for Entertainment Properties », *DSN Retailing Today*, 21 juin 2004, p. 6, 37.

62. Hoover's Company Information, *Hoover's Online*, 2004 ; Melissa Master, « Overreaching », *Across the Board*, mars avril 2001, p. 20-26 ; David Taylor, *Brand Stretch : Why 1 in 2 Extensions Fail and How to Beat the Odds*, New York, John Wiley & Sons, 2004 ; Melanie Wells, « Red Baron », *Forbes*, 3 juillet 2000, p. 150.

63. www.hoovers.com/virgin-group/-ID_41676-/freecofactsheet.xhtml (Page consultée le 30 août 2005).

64. « NASCAR Launches New Stock Car Racing Series in Canada and National Title Sponsorship Agreement with Canadian Tire », CNW, www.newswire.ca/en/releases/archive/septembre2006/12/c5003.html (Page consultée le 7 juin 2007).

65. Kevin Lane Keller, *Strategic Brand Management, op. cit.*

66. www.lacoste.com/usa.

67. Dwight Oestricher, « Marvel : Powerhouse Potential ? Other Heroes Spawned by Spider-Man Creator Could Pay Off », *The Wall Street Journal*, 8 mai 2002, p. B9 et suivantes.

68. Anna Wilde Mathews, « Lord of the Things – Separate Companies Hold Rights to the Products from "Rings" Books, Films », *The Wall Street Journal*, 17 décembre 2001, p. B1 et suivantes.

69. William Makely, « Being the Beauty, Being the Brand », *Global Cosmetic Industry*, janvier 2004, p. 28-30.

70. "Corby's Annual Report 2009," p. 6, www.corby.ca/annualreports/237934acc243818cb2.pdf (Page consultée le 11 novembre 2009).

71. Kristen Laird, "Corby Has Social Media Fun with Polar Ice," www.marketingmag.ca/brands/corby-has-social-media-fun-with-polar-ice-10546 (Page consultée le 15 janvier 2015).

72. www.cdnaids.ca/polarice/english.html (Page consultée le 11 novembre 2009).

73. « Packages : Tracing an Evolution », *Packaging Digest*, décembre 2003, p. 37-42.

74. www.packagingdigest.com/articles/200605/6.php (Page consultée le 8 juin 2007).

75. Annette Bourdeau, « A Green Future : Three Eco-friendly Trends You Should Be Keeping an Eye on », www.strategymag.com/articles/magazine/20070501/what.html?word=biodegradable&word=palm&word=fibrebased&word=packaging (Page consultée le 7 juin 2007).

76. Annette Bourdeau, « P&G Rallies Allies (and Foes) », www.strategymag.com/articles/magazine/20071001/upfronttide.html (Page consultée le 22 décembre 2007).

77. Sustainable Agriculture, www.thecoca-colacompany.com/citizenship/sustainable_agriculture.html (Page consultée le 30 mai 2010).

78. David Ebener. "Green message in a bottle," *The Globe and Mail* 17 novembre 2009 : B3.

79. "Sourcing," www.thecocacolacompany.com/citizenship/plant-bottle_sourcing.html (Page consultée le 15 janvier 2015).

80. "The Coca-Cola Company PlantBottle™ Packaging Receives Prestigious Global Award," www.thecocacolacompany.com/presscenter/nr_20100525_plantbottle_award.html (Page consultée le 15 mai 2010).

81. The Coca-Cola Company (2014), [En ligne], www.coca-colacompany.com/plantbottle-technology/infographic-innovating-beyond-the-bottle (Page consultée le 9 décembre 2014) et www.coca-colacompany.com/plantbottle-technology/infographic-where-in-the-world-is-plantbottle-packaging (Page consultée le 27 février 2015).

82. « Danone Expands Goodies Low-fat Line of Desserts », *Marketing*, 12 février 2004, p. 4 ; www.landwriter.co.uk/landwriter/premium/TemplateParser.asp?aId=3778&page=FreeTemplate (Page consultée le 30 août 2005).

83. Alberta, Colombie-Britannique, Île-du-Prince-Édouard, Ontario, Nouveau-Brunswick, Nouvelle-Écosse, Terre-Neuve.

84. www.smartspot.com/about/criteria (Page consultée le 8 juin 2007).

85. Laura Penny, « When Health Meets Hedonism », *The Globe and Mail*, 2 juin 2007, p. F7.

86. Jeanne L. Munger et Julie Rusch ont rédigé ce cas en collaboration avec les auteurs du manuel Dhruv Grewal et Michael Levy, aux fins de discussions en classe et non pour illustrer des pratiques de marketing plus ou moins efficaces. Jeanne Munger est professeure agrégée à University of Southern Maine.

87. www.bandaid.com/brand_story.shtml ; www.bandaid.com/new_products.shtml ; Christine Bittar, « J&J Stuck on Expanding BAND-AID® Franchise », *Brandweek*, vol. 44, n° 93, mars 2003, p. 4 ; Richard Gutwillig, « Billion-Dollar Bandages », *Supermarket Business*, 15 août 2000, p. 58 ; « United States Top 10 First Aid Tape/Bandages/Gauze Brands Ranked by Dollar Sales and Unit Volume for 2003 », *Chain Drug Review*, 21 juin 2004, p. 238 ; Andrea M. Grossman, « Personal and Beauty Care : News Bites », *Drug Store News*, 11 janvier 1999, p. 61 ; « O-T-C Health Care : United States Over-the-Counter Heath Care Product Sales in Dollars and Percent Change for 2003 », *Chain Drug Review*, 24 mai 2004, p. 32.

88. Christine Bittar, « J&J Stuck on Expanding Band-Aid Franchise », *Brandweek*, vol. 44, n° 9, 3 mars 2003, p. 4.

CHAPITRE 10

1. About Inventables, www.inventables.com/about (Page consultée le 9 juin 2010).

2. "Thinking outside the cardboard box," www.metronews.ca/vancouver/live/article/264794 (Page consultée le 10 juin 2010).

3. "Doing the Right Thing," www.frogbox.com/therightthing.php (Page consultée le 10 juin 2010).

4. www.dove.com.

5. Koen Pauwels, Jorge Silva-Risso, Shuba Srinivasan et Dominique M. Hanssens, « New Products, Sales Promotions, and Firm Value : The Case of the Automobile Industry », *Journal of Marketing*, vol. 68, n° 4, octobre 2004, p. 142.

6. On trouve un grand nombre d'articles sur la quête de variété. Voir, par exemple, Andrea Morales, Barbara E. Kahn, Cynthia Huffman, Leigh McAlister et Susan M. Broniarszyk, « Perceptions of Assortment Variety : The Effects of Congruency between Consumer's Internal and Retailer's External Organization », *Journal of Retailing*, vol. 81, n° 2, 2005, p. 159-169.

7. Kalpesh Kaushik Desai et Kevin Lane Keller, « The Effects of Ingredient Branding Strategies on Host Brand Extendibility », *Journal of Marketing*, vol. 66, n° 1, janvier 2002, p. 73-93.

8. Rajesh K. Chandy, Jaideep C. Prabhu et Kersi D. Antia, « What Will the Future Bring ? Dominance, Technology Expectations, and Radical Innovation », *Journal of Marketing*, vol. 67, n° 3, juillet 2003, p. 1-18 ; Harald J. van Heerde, Carl F. Mela et Puneet Manchanda, « The Dynamic Effect of Innovation on Market Structure », *Journal of Marketing Research*, vol. 41, n° 2, mai 2004, p. 166-183.

9. Clayton M. Christensen et Michael E. Raynor, *The Innovator's Solution*, Boston, Harvard Business School Press, 2003.

10. Philip Kotler, *Marketing Management*, 11ᵉ éd., Upper Saddle River, N.J., Prentice-Hall, 2003, p. 330-331. L'ouvrage de Kotler s'appuyait sur la recherche de William T. Robinson et Claes Fornell, « Sources of Market Pioneer Advantages in Consumer Goods Industries », *Journal of Marketing Research*, vol. 22, n° 3, août 1985, p. 305-317 ; Glen L. Urban, T. Carter, S. Gaskin et Z. Mucha, « Market Share Rewards to Pioneering Brands : An Empirical Analysis and Strategic Implications », *Management Science*, vol. 32, juin 1986, p. 645-659 ; G.S. Carpenter et Kent Nakamoto, « Consumer Preference Formation and Pioneering Advantage », *Journal of Marketing Research*, vol. 26, n° 3, août 1989, p. 285-298.

11. Raji Srinivasan, Gary L. Lilien et Arvind Rangaswamy, « First in, First out ? The Effects of Network Externalities on Pioneer Survival », *Journal of Marketing*, vol. 68, n° 1, janvier 2004, p. 41.

12. Cyndee Miller, « Little Relief Seen for New Product Failure Rate », *Marketing News*, 21 juin 1993, p. 1, 10 ; « Flops », *BusinessWeek*, 16 août 1993, p. 76 et suivantes. ; Lori Dahm, « Secrets of Success : The Strategies Driving New Product Development at Kraft », *Stagnito's New Products Magazine*, vol. 2, janvier 2002, p. 18 et suivantes.

13. www.marketingpower.com (Page consultée le 18 septembre 2006).

14. www.appleinsider.com/articles/04/11/29/ipod_adoption_rate_faster_than_sony_walkman.html (Page consultée le 23 décembre 2007).

15. Ayant observé que la distribution du processus d'adoption ressemble à une courbe normale, Rogers a postulé des catégories délimitées par le nombre d'écarts-types autour du délai moyen d'adoption. Par exemple, à deux écarts-types de moins de la moyenne, vous êtes un innovateur, à un écart-type de part et d'autre de la moyenne, vous appartenez soit à la majorité précoce ou à la majorité tardive, etc. Il est important de comprendre que cette taxonomie est purement conceptuelle et ne tient pas compte de la situation de l'adoption, selon laquelle un individu typiquement réfractaire se retrouve accidentellement dans la catégorie des innovateurs parce qu'il a dû remplacer un équipement.

16. www.quickmba.com (Page consultée le 16 septembre 2006).

17. Subin Im et John P. Workman Jr., « Market Orientation, Creativity, and New Product Performance in High-Technology Firms », *Journal of Marketing*, vol. 68, n° 2, avril 2004, p. 114.

18. Standard & Poor's, « Industry Surveys : Healthcare : Pharmaceuticals », 24 juin 2004.

19. Geoffrey York et Simon Avery, « China's got RedBerry », www.theglobeandmail.com/servlet/story/RTGAM.20060411.wredberry11/BNStory/Business/home (Page consultée le 11 juin 2007).

20. Glen L. Urban et John R. Hauser, « "Listening In" to Find and Explore New Combinations of Customer Needs », *Journal of Marketing*, vol. 68, n° 2, avril 2004, p. 72 ; Steve Hoeffler, « Measuring Preferences for Really New Products », *Journal of Marketing Research*, vol. 40, n° 4, novembre 2003, p. 406-420.

21. Glen L. Urban et John R. Hauser, *Design and Marketing of New Products*, 2ᵉ éd., Upper Saddle River, N.J., Prentice Hall, 1993, p. 120-121.

22. Lisa D'Innocenzo, « Frito Lay Canada : Potato chips... for dinner ? », www.strategymag.com/articles/magazine/20070101/biz.html (Page consultée le 12 juin 2007).

23. *Ibid.*

24. www.betterproductdesign.net/tools/user/leaduser.htm (Page consultée le 12 novembre 2004) ; Eric von Hippel, « Successful Industrial Products from Consumers' Ideas », *Journal of Marketing*, vol. 42, n° 1, janvier 1978, p. 39-49 ; Eric von Hippel, « Lead Users : A Source of Novel Product Concepts », *Management Science*, vol. 32, 1986, p. 791-805 ; Eric von Hippel, *The Sources of Innovation*, New York, Oxford University Press, 1988 ; Glen L. Urban et Eric von Hippel, « Lead User Analysis for the Development of Industrial Products », *Management Science*, vol. 34, mai 1988, p. 569-582.

25. http://mystarbucksidea.force.com/apex/ideaList?lsi=2 (Page consultée le 9 juin 2010).

26. Karl T. Ulrich et Steven D. Eppinger, *Product Design and Development*, 2ᵉ éd., Boston, Irwin/McGraw-Hill, 2000.

27. www.marketingpower.com (Page consultée le 18 septembre 2006).

28. Karl t. Ulrich et Steven D. Eppinger, *Product Design and Development*, p. 166.

29. Ely Dahan et V. Srinivasan, « The Predictive Power of Internet-based Product Concept Testing Using Visual Depiction and Animation », *Journal of Product Innovation Management*, vol. 17, 2000, p. 99-109.

30. www.marketingpower.com (Page consultée le 18 septembre 2006).

31. Karl T. Ulrich et Steven D. Eppinger, *Product Design and Development*.

32. Tonya Vinas, « P&G Seeks Alternatives to Animal Tests », *Industry Week*, vol. 253, nᵒ 7, juillet 2004, p. 60 ; « EU to Ban Animal Tested Cosmetics », www.cnn.com (Page consultée le 31 mars 2006) ; www.leapingbunny.org ; Gary Anthes, « P&G Uses Data Mining to Cut Animal Testing », www.computerworld.com (Page consultée le 6 décembre 1999).

33. Noriko Suzuki, « The Truth about the Body Shop », www.tsujiru.net/compass/compass_1996/reg/suzuki_noriko.htm (Page consultée le 12 juin 2007).

34. www.nielsen.com/ca/en/solutions.html (Page consultée le 15 janvier 2015).

35. Philip Kotler, *Marketing Management*, 11ᵉ éd., Upper Saddle River, N.J., Prentice-Hall, 2003.

36. Patricia Sellers, « P&G : Teaching an Old Dog New Tricks », *Fortune*, 31 mai 2004, p. 166-180.

37. Norma Ramage, « Testing, testing 1-2-3 », www.marketing-mag.ca/magazine/current/in_context/article.jsp?content=20050718_69775_69775 (Page consultée le 12 juin 2007).

38. www.infores.com/public/us/analytics/productportfolio/bscan-newprodtest.htm (Page consultée le 2 avril 2006).

39. J. Daniel Sherman et William E. Souder, « Managing New Technology Development », http://books.google.com/books?id=6p3hdSUXOlsC&pg=PA104&lpg=PA104&dq=kellogg+%22toast+ems%22&source=web&ots=xP30aQrfMe&sig=YAxE8134Djzngytp3DcC_H8g_FA (Page consultée le 12 juin 2007).

40. Lisa D'Innocenzo, « Frito Lay Canada : Potato Chips…for dinner ? », www.strategymag.com/articles/magazine/20070101/biz.html (Page consultée le 12 janvier 2008).

41. Product Development Management Association, *The PDMA Handbook of New Product Development*, 2ᵉ éd., Kenneth K. Kahn (dir.), New York, John Wiley & Sons, 2004.

42. Ashwin W. Joshi et Sanjay Sharma, « Customer Knowledge Development : Antecedents and Impact on New Product Success », *Journal of Marketing*, vol. 68, nᵒ 4, octobre 2004, p. 47.

43. http://ca.blackberry.com/smartphones/blackberry-passport/buy.html (Page consultée le 16 février 2015).

44. Yuhong Wu, Sridhar Balasubramanian et Vijay Mahajan, « When Is a Preannounced New Product Likely to Be Delayed ? », *Journal of Marketing*, vol. 68, nᵒ 2, avril 2004, p. 101.

45. www.pdma.org (Page consultée le 15 septembre 2006).

46. Theodore Levitt, *Marketing Imagination*, New York, The Free Press, 1986.

47. Donald R. Lehmann et Russell S. Winer, *Analysis for Marketing Planning*, 6ᵉ éd., Boston, McGraw-Hill/Irwin, 2004.

48. Glen T. Urban et John R. Hauser, *Design and Marketing*.

49. Thomas K. Arnold, « VHS Is on Its Way to Becoming a Modern-day Dinosaur », *Video Store Magazine*, du 6 au 12 octobre 2002, p. 20 ; Erik Gruenwedel, « MPAA : Rising DVD Penetration at VHS Expense », *Video Store Magazine*, 28 mars - 3 avril 2004, p. 44.

50. Geoffrey Colvin, « Admit It : You, too, Are Paris Hilton », *Fortune*, 29 décembre 2003, p. 57.

51. Miriam Jordan et Jonathan Karp, « Machines for the Masses ; Whirlpool Aims Cheap Washer at Brazil, India and China ; Making Due with Slower Spin », *The Wall Street Journal*, 9 décembre 2003, p. A19.

52. Om Malik, « The New Land of Opportunity », *Business 2.0*, juillet 2004, p. 72-79.

53. Claire Briney, « Wiping Up the Market », *Global Cosmetic Industry*, vol. 172, nᵒ 4, avril 2004, p. 40-43.

54. Kara Swisher, « Home Economics : The Hypoallergenic Car ; Wave of Cleaning Products Caters to Finicky Drivers ; Premoistened Auto Wipes », *The Wall Street Journal*, 6 mai 2004, p. D.1.

55. www.toiletwand.com (Page consultée le 20 septembre 2006).

56. "Popularity of virtual rock 'n' roll fuels second national gaming tour," www.newswire.ca/en/releases/archive/February2009/24/c3087.html (Page consultée le 15 novembre 2009).

57. Jonathan Paul, "Pepsi amps it up on campuses," www.strategy-online.ca/articles/magazine/20091101/maoysilver.html?page=2 (Page consultée le 15 novembre 2009).

58. www40.statcan.ca/l01/cst01/arts28.html (Page consultée le 12 juin 2007).

59. « Vinyl Lovers Spur New Boom for Old Medium », www.cbc.ca/consumer/story/2007/01/03/vinyl-boom.html (Page consultée le 12 juin 2007).

60. *Ibid.*

61. Kevin J. Clancy et Peter C. Krieg, « Product Life Cycle : A Dangerous Idea », *Brandweek*, 1er mars 2004, p. 26 ; Nariman K. Dhalla et Sonia Yuseph, « Forget the Product Life-cycle Concept », *Harvard Business Review*, janvier-février 1976, p. 102 et suivantes.

62. Peter Golder et Gerard Tellis, « Cascades, Diffusion, and Turning Points in the Product Life Cycle », *MSI*, étude nᵒ 03-120, 2003.

63. Jay Bolling, « DTC : A Strategy for Every Stage », Pharmaceutical Executive, novembre 2003, p. 110-117.

64. « Apple Unveils Video iPod, » *AppleInsider*, 12 octobre 2005, www.appleinsider.com/article.php?id=1315 (Page consultée le 20 septembre 2006) ; « Video iPod Shocks Affiliates, Spawns New TV Industry », www.adrants.com/2005/10video-ipodshocks-affiliates-spawns-new.php (Page consultée le 17 octobre 2006) ; Kenhi Hall, « Sony's iPod Assault Is No Threat to Apple », *Business Week*, 13 mars 2006. p. 53 ; David Pogue, « Almost iPod, But in the End a Samsung », *The New York Times*, 9 mars 2006, www.nytimes.com (Page consultée le 20 septembre 2006) ; David Becker, « It's All about the iPod », *CNET Networks*, 18 avril 2005 ; Scott VanCamp, « They March to His Rhythm », *Brandweek*, vol. 45, nᵒ 36, 11 octobre 2004, cahier spécial, p. M36-M40 ; Beth Snyder Bulik, « The iPod Economy », *Advertising Age*, vol. 75, nᵒ 42, 18 octobre 2004, p. 1-2.

65. Susan White Newell et Jeanne L. Munger ont rédigé ce cas en collaboration avec Dhruv Grewal et Michael Levy, les coauteurs étatsuniens du manuel, aux fins de discussions en classe et non pour illustrer des pratiques de marketing plus ou moins efficaces.

CHAPITRE 11

1. Eve Lazarus, « Trash Talk », www.marketingmag.ca/magazine/current/in_context/article.jsp?content=20070226_68767_68767 (Page consultée le 13 juin 2007).

2. Matt Semansky, « 1-800-Got-Junk ? Makes a Beer Run », www.marketingmag.ca/daily/20070320/national2.html (Page consultée le 13 juin 2007).

3. Eve Lazarus, « Trash Talk », www.marketingmag.ca/magazine/current/in_context/article.jsp?content=20070226_68767_68767 (Page consultée le 13 juin 2007).

4. "Junk Collection Environmental Audit," www.1800gotjunk.com/ca_en/Files/System Wide Audit Summary.pdf (Page consultée le 13 juin 2010).

5. Leonard L. Berry et A. Parasuraman, *Marketing Services : Competing through Quality*, New York, The Free Press, 1991, p. 5.

6. Valerie A. Zeithaml, A. Parasuraman et Leonard L. Berry, *Delivering Quality Service : Balancing Customer Perceptions and Expectations*, New York, The Free Press, 1990.

7. C. Lovelock, J. Wirts, D. Lapert et A. Munos, *Marketing des services*, 6ᵉ éd., Toronto, Pearson Éducation, 2008, 620 p.

8. "myFinanceTracker from RBC a fi rst for Canada," www.click-weekly.com/articles/June 1_2010/RBC.htm (Page consultée le 13 juin 2010).

9. Konrad Yakabuski, « The Greatest Canadian Company on Earth », *Report on Business Magazine*, septembre 2007, p.

10. "Cineplex Entertainment Launches Online Social Networking Community, mycineplex," www.reuters.com/article/pressRelease/idUS92039+03-Sep-2008+MW20080903 (Page consultée le 17 novembre 2009).

11. "Privacy Concerns Fail to Slow Social Activity," www.emarketer.com/Article.aspx?R=1007773 (Page consultée le 1 juillet 2010).

12. "It's Quit Facebook Day. Who will dare delete their profile?" www.theglobeandmail.com/news/technology/personal-tech/its-quitfacebook-day-who-will-dare-delete-their-profi le/article1586482/ (Page consultée le 31 mai 2010).

13. "Youth Don't Trust Social Networking Sites," www.marketingmag.ca/english/news/media/article.jsp?conte nt=20100528_163244_13916 (Page consultée le 10 juin 2010).

14. David Brown, "Marketers Out of 'Experimentation' Phase with Facebook, Zuckerberg Tells Festival," *Marketing@Cannes*, 24 juin 2010 : www.marketingmag.ca/english/news/cannes/article.jsp?c ontent=20100624_101039_7692 (Page consultée le 28 juin 2010).

15. Brown, "Marketers Out of 'Experimentation.'"

16. Brown, "Marketers Out of 'Experimentation.'"

17. www.clubmed.com (Page consultée le 17 juin 2007).

18. Harris, Rebecca (2006). « Confident Customers », *Marketing Magazine,* Rogers Publishing Ltd. ISSN : 1196-4650.

19. Greg Michetti, « Webify Your Workout », www.backbonemag.com/Magazine/Hot_Tech_12310602.asp (Page consultée le 17 juin 2007).

20. Dhruv Grewal, Gopalkrishnan R. Iyer, Jerry Gotlied et Micheal Levy, « Developing a Deeper Understanding of Postpurchase Perceived Risk and Repeat Purchase Behavioral Intentions in a Service Setting », 2006, document de travail non publié, Babson College ; Mary Jo Bitner, Stephen W. Brown et Matthew L. Mueter, « Technology Infusion in Service Encounters », *Journal of the Academy of Marketing Science*, vol. 28, n° 1, 2000, p. 138-149 ; Jerry Gotlieb, Dhruv Grewal, Michael Levy et Joan Lindsey-Mullikin, « An Examination of Moderators of the Effects of Customers' Evaluation of Employee Courtesy on Attitude toward the Service Firm », *Journal of Applied Social Psychology*, vol. 34, n° 4, avril 2004, p. 825-847.

21. Choice Hotels, « Special Guest Policies », 2004, www7.choicehotels.com/ires/en-US/html/GuestPolicies?sid=hPTj.2R6oelpGw.7 (Page consultée le 10 septembre 2006).

22. Andrew Willis, « Sports Fan Munchies Fatten Cineplex's Bottom Line », www.theglobeandmail.com/servlet/story/LAC.20070104. RCINEPLEX04/TPStory/Entertainment (Page consultée le 17 juin 2007).

23. Steve Ladurantaye, "Introducing the biggest outdoor water park in Canada," www.theglobeandmail.com/report-on-business/yourbusiness/start/location/introducing-the-biggest-outdoor-water-parkin-canada/article1598930/ (Page consultée le 13 juin 2010).

24. "Waterpark Industry General & Fun Facts," www.waterparks.org/otherArticles/Waterpark Industry General & Fun Facts.pdf (Page consultée le 13 juin 2010).

25. Ladurantaye, "Introducing the biggest outdoor water park in Canada," www.theglobeandmail.com/report-on-business/yourbusiness/start/location/introducing-the-biggest-outdoor-water-park-in-canada/article1598930/ (Page consultée le 13 juin, 2010).

26. Ladurantaye, "Introducing."

27. "Canada's Largest Theme Waterpark Gearing up for Big Splash Grand Opening," www.calypsopark.com/_fi les/press_release_042010.pdf (Page consultée le 13 juin 2010).

28. Voir le Système de classification des industries de l'Amérique du Nord (SCIAN) Canada (2012), [En ligne], www23.statcan.gc.ca/ imdb/p3VD_f.pl?Function=getVD&TVD=118464&CVD=118465& CPV=61&CST=01012012&CLV=1&MLV=5 (Page consultée le 18 novembre 2014).

29. THE BANK, [En ligne], www.thebankamsterdam.nl/en/tenants/ starbucks (Page consultée le 18 novembre 2014).

30. G. Poulim (2014), *McDonald's, Subway et Starbucks deviennent partenaires officiels du service Apple Pay*, septembre, HRI Mag, [En ligne], www.hrimag.com/McDonald-s-Subway-et-Starbucks (Page consultée le 18 novembre 2014).

31. Adapté de E. N. Berkowitz, S. Gauvin, D. Pettigrew, W. Menvielle (2007), *Le marketing*, Chenelière McGrawHill, 700 p.

32. Planète Poutine (2014), [En ligne], www.planetepoutine.com/ index.php?page=quisommesnous (Page consultée le 18 novembre 2014).

33. Lovelock, C., Wirtz, J., Lapert, D. et Munos, A. (2014), *Marketing des Services*, 7e édition, Pearson Éducation France, 652 p.

34. L'exposé sur le modèle des écarts et ses implications s'inspire largement de Michael Levy et Barton A. Weitz, *Retailing Management*, 6ᵉ éd., Burr Ridge, Ill., Irwin/McGraw-Hill, 2007, ainsi que sur Deon Nel et Leyland Pitt, « Service Quality in a Retail Environment : Closing the Gaps », *Journal of General Management*, vol. 18, printemps 1993, p. 37-57 ; Valerie A. Zeithaml, Leonard Berry et A. Parasuraman, *Delivering Quality Customer Service – Balancing Customer Perceptions and Expectations*, New York, The Free Press, 1990 ; Valerie A. Zeithaml, Leonard Berry et A. Parasuraman, « Communication and Control Processes in the Delivery of Service Quality », *Journal of Marketing*, vol. 52, n° 2, avril 1988, p. 35-48.

35. M. Levy et B. Weitz, *Retailing Management*, 6ᵉ éd., Burr Ridge, Ill., McGraw Hill, 2007. Adapté de V. Zeithaml, A. Parasuraman et L. Berry, *Delivering Quality Customer Service*, New York, The Free Press, 1990, et de V. Zeithaml, L. Berry et A. Parasuraman, « Communication and Control Processes in the Delivery of Service Quality », *Journal of Marketing*, vol. 52, n° 2, avril 1988, p. 35-48.

36. Kenneth Clow, David Kurtz, John Ozment et Beng Soo Ong, « The Antecedents of Consumer Expectations of Services : An Empirical Study across Four Industries », *The Journal of Services Marketing*, vol. 11, mai-juin 1997, p. 230-248 ; Ann Marie Thompson et Peter Kaminski, « Psychographic and Lifestyle Antecedents of Service Quality Expectations », *Journal of Services Marketing*, vol. 7, n° 4, 1993, p. 53.

37. Valerie A. Zeithaml, Leonard Berry et A. Parasuraman, *Delivering Quality Customer Service*.

38. Rebecca Harris, « Marketing 2.0 », www.marketing-mag.ca/magazine/current/feature/article.jsp?conte nt=20070430_69539_69539 (Page consultée le 17 juin 2007).

39. *Ibid.*

40. *Ibid.*

41. Leonard Berry et A. Parasuraman, « Listening to the Customer – The Concept of a Service-Quality Information System », *Sloan Management Review*, vol. 38, n° 3, 1997, p. 65-77 ; A. Parasuraman et Dhruv Grewal, « Serving Customers and Consumers Effectively in the 21st Century », document de travail, 1998, University of Miami, Coral Gables, Floride.

42. www.enermodal.com/Canadian/company_profi le.html (Page consultée le 14 juin 2010).

43. www.enermodal.com/Canadian/news/EEL-Newsroom-Fifth.pdf (Page consultée le 14 juin 2010).

44. "Sustainable Waterloo," *The Record* (special advertising feature), 20 mars 2010 : D4.

45. www.enermodal.com/Canadian/company_building.html (Page consultée le 14 juin 2010).

46. www.enermodal.com/Canadian/company_green_policies.html (Page consultée le 14 juin 2010).

47. Joanna LaFleur, "Business Motivations for Sustainability," www.enermodal.com/Canadian/news/EEL-Newsroom-Sustainability.pdf (Page consultée le 14 juin 2010).

48. Diane Jermyn, "The Top 50 Greenest Employers," www.theglobeandmail.com/report-on-business/the-top-50-greenestemployers/article1543083/ (Page consultée le 14 juin 2010).

49. Teena Lyons, « Complain to Me-If You Can », *Knight Ridder Tribune News*, 4 décembre 2005, p. 1.

50. www.nwa.com/plan/index.html (Page consultée le 20 septembre 2006).

51. Wesjet Annual Report 2013, [En ligne], www.westjet.com/guest/en/media-investors/2013-annual-report/WestJet-Annual-Report-2013.pdf, (Page consultée le 18 novembre 2014).

52. Joe Castaldo, « Just Be Nice : Providing Good Customer Service », www.canadianbusiness.com/managing/strategy/article.jsp?content=20061009_81513_81513 (Page consultée le 17 juin 2007).

53. Wesjet Annual Report 2013, [En ligne], www.westjet.com/guest/en/media-investors/2013-annual-report/WestJet-Annual-Report-2013.pdf, (Page consultée le 18 novembre 2014).

54. Jim Poisant, *Creating and Sustaining a Superior Customer Service Organization : A Book about Taking Care of the People Who Take Care of the Customers*, Westport, Conn., Quorum Books, 2002 ; « People-Focused HR Policies Seen as Vital to Customer Service Improvement », *Store*, janvier 2001, p. 60 ; Michael Brady et J. Joseph Cronin, « Customer Orientation : Effects on Customer Service Perceptions and Outcome Behaviors », *Journal of Service Research*, février 2001, p. 241-251 ; Michael Hartline, James G. Maxham III et Daryl McKee, « Corridors of Influence in the Dissemination of Customer-oriented Strategy to Customer Contact Service Employees », *Journal of Marketing*, vol. 64, n° 2, avril 2000, p. 25-41.

55. Conrad Lashley, *Empowerment : HR Strategies for Service Excellence*, Boston, Butterworth/Heinemann, 2001.

56. « Future Success Powered by Employees », *DSN Retailing Today*, vol. 44, janvier 2006, p. 22-24.

57. AON, [En ligne], www.aon.com/canada/fr/products-services/human-capital-consulting/consulting/best_employers/bes_the_winners_fr.html (Page consultée le 18 novembre 2014).

58. Alicia Grandey et Analea Brauburger, « The Emotion Regulation behind the Customer Service Smile », dans *Emotions in the Workplace : Understanding the Structure and Role of Emotions in Organizational Behavior*, R. Lord, R. Klimoski et R. Kanfer (dir.), San Francisco, Jossey-Bass, 2002 ; Mara Adelman et Aaron Ahuvia, « Social Support in the Service Sector : The Antecedents, Processes et Consequences of Social Support in an Introductory Service », *Journal of Business Research*, vol. 32, mars 1995, p. 273-282.

59. Colin Armistead et Julia Kiely, « Creating Strategies for Managing Evolving Customer Service », *Managing Service Quality*, vol. 13, n° 2, 2003, p. 64-171 ; www.robertspector.com/NordWay_extract.html (Page consultée le 20 septembre 2006).

60. Barton Goldenburg, « Customer Self-service : Are you Ready ? », *CRM Magazine*, mai 2004, www.destinationcrm.com/articles/default.asp?ArticleID=4011 (Page consultée le 20 septembre 2006) ; www40.statcan.ca/l02/cst01/econ146c-fra.htm (Page consultée le 15 janvier 2015).

61. Rhett H. Walker, Margaret Craig-Lees, Robert Hecker et Heather Francis, « Technology-enabled Service Delivery : An Investigation of Reasons Affecting Customer Adoption and Rejection », *International Journal of Service Industry Management*, vol. 13, n° 1, 2002, p. 91-107 ; Mary Jo Bitner, Steven W. Brown et Matthew L. Meuter, « Technology Infusion in Service Encounters », *Journal of the Academy of Marketing Science*, vol. 28, n° 1, 2000, p. 138-149 ; Stephen W. Brown, « Service Recovery through IT », *Marketing Management*, vol. 6, automne 1997, p. 25-27 ; P.A. Dabholkar, « Technology-Based Service Delivery : A Classification Scheme for Developing Marketing Strategies », dans *Advances in Services Marketing and Management*, vol. 3, T.A. Swartz, Deborah E. Bowen et Stephen W. Brown (dir.), Greenwich, Conn., JAI Press, 1994, p. 241-271.

62. « Everyone's Internet = Poor Service & False Advertising », www.complaints.com, 11 juin 2000 (Page consultée le 20 septembre 2006).

63. Subimal Chatterjee, Susan A. Slotnick et Matthew J. Sobel, « Delivery Guarantees and the Interdependence of Marketing and Operations », *Production and Operations Management*, vol. 11, n° 3, automne 2002, p. 393-411 ; Piyush Kumar, Manohar Kalawani et Makbool Dada, « The Impact of Waiting Time Guarantees on Customers' Waiting Experiences », *Marketing Science*, vol. 16, n° 4, 1999, p. 676.

64. K. Douglas Hoffman, Scott W. Kelley et H.M. Rotalsky, « Tracking Service Failures and Employee Recovery Efforts », *Journal of Services Marketing*, vol. 9, n° 2, 1995, p. 49-61 ; Scott W. Kelley et Mark A. Davis, « Antecedents to Customer Expectations for Service Recovery », *Journal of the Academy of Marketing Science*, vol. 22, hiver 1994, p. 52-61 ; Terrence J. Levesque et Gordon H.G. McDougall, « Service Problems and Recovery Strategies : An Experiment », *Canadian Journal of Administrative Sciences*, vol. 17, n° 1, 2000, p. 20-37 ; James G. Maxham III et Richard G. Netemeyer, « A Longitudinal Study of Complaining Customers' Evaluations of Multiple Service Failures and Recovery Efforts », *Journal of Marketing*, vol. 66, n° 3, octobre 2002, p. 57-71 ; Amy K. Smith, Ruth N. Bolton et Janet Wagner, « A Model of Customer Satisfaction with Service Encounters Involving Failure and Recovery », *Journal of Marketing Research*, vol. 36, n° 3, août 1999, p. 356-372 ; Scott R. Swanson et Scott W. Kelley, « Attributions and Outcomes of the Service Recovery Process », *Journal of Marketing Theory and Practice*, vol. 9, automne 2001, p. 50-65 ; Stephen S. Tax et Stephen W. Brown, « Recovering and Learning from Service Failure », *Sloan Management Review*, vol. 40, n° 1, 1998, p. 75-88 ; Stephen S. Tax, Stephen W. Brown et Murali Chandrashekaran, « Consumer Evaluations of Service Complaint Experiences : Implications for Relationship Marketing », *Journal of Marketing*, vol. 62, n° 2, avril 1998, p. 60-76 ; Scott Widmier et Donald W. Jackson Jr., « Examining the Effects of Service Failure, Customer Compensation, and Fault on Customer Satisfaction with Salespeople », *Journal of Marketing Theory and Practice*, vol. 10, hiver 2002, p. 63-74 ; Valerie A. Zeithaml et Mary Jo Bitner, *Services Marketing : Integrating Customer Focus across the Firm*, New York, McGraw-Hill, 2003.

65. James G. Maxham III, « Service Recovery's Influence on Consumer Satisfaction, Positive Word-of-Mouth, and Purchase Intentions », *Journal of Business Research*, octobre 2001, p. 11-24 ; Michael McCollough, Leonard Berry et Manjit Yadav, « An Empirical Investigation of Customer Satisfaction after Service Failure and Recovery », *Journal of Service Research*, novembre 2000, p. 121-137.

66. « Correcting Store Blunders Seen as Key Customer Service Opportunity », *Stores*, janvier 2001, p. 60-64 ; Stephen W. Brown, « Practicing Best-in-Class Service Recovery : Forward-Thinking Firms Leverage Service Recovery to Increase Loyalty and Profits », *Marketing Management*, été 2000, p. 8-10 ; Stephen S. Tax, Stephen W. Brown et Rajesh Chandrashekaran, « Customer Evaluations » ; Amy Smith et Ruth Bolton, « An Experimental Investigation of Customer Reactions to Service Failures and Recovery Encounters : Paradox or Peril ? », *Journal of Service Research*, vol. 1, août 1998, p. 23-36 ; Cynthia Webster et D. S. Sundaram, « Service Consumption Criticality in Failure Recovery », *Journal of Business Research*, vol. 41, février 1998, p. 153-159.

67. Ko de Ruyter et Martin Wetsel, « The Impact of Perceived Listening Behavior in Voice-to-voice Service Encounters », *Journal of Service Research*, février 2000, p. 276-284.

68. Hooman Estelami, « Competitive and Procedural Determinants of Delight and Disappointment in Consumer Complaint Outcomes », *Journal of Service Research*, février 2000, p. 285-300.

69. Michael Tsiros, Anne Roggeveen et Dhruv Grewal, « Compensation as a Service Recovery Strategy : When Does It Work ? », document de travail non publié, Babson College, 2006 ; Amy K. Smith, Ruth N. Bolton et Janet Wagner, « A Model of Customer Satisfaction with Service Encounters Involving Failure and Recovery », *Journal of Marketing Research*, vol. 36, août 1999, p. 356-372 ; Scott R. Swanson et Scott W. Kelley, « Attributions and Outcomes of the Service Recovery Process », *Journal of Marketing : Theory and Practice*, vol. 9, automne 2001, p. 50-65.

70. Ce cas a été écrit par Colin Fox and Britt Hackmann en accord avec les auteurs du manuel pour l'utilisation dans une discussion de classe ; il n'a pas été conçu comme un exemple de

pratiques marketing efficaces ou inefficaces; Suzanne Marta, "As Ritz Opening Nears, Every Detail Counts," *Knight Ridder Tribune Business News*, 6 août 2007; Jack Gordon, "Redefi ning Elegance," *Training* 44, n° 2 (2007), p. 14-20; Jennifer Saranow, "Turning to Luxury Hotels for Service Ideas; Companies Lacking in Customer Savvy Try the Special Touch," *The Wall Street Journal*, 19 juillet 2006.

71. "Luxury Hotels–Business Is Up and Hotels Are Upgrading," *BusinessWeek* 20 janvier 2008 (consultée le 26 février 2008).

72. "Fact Sheet," http://corporate.ritzcarlton.com/en/Press/FactSheet.htm (Page consultée le 13 juin 2010).

73. "Our History," http://corporate.ritzcarlton.com/en/About/OurHistory.htm (Page consultée le 13 juin 2010).

74. "Working at the Ritz Carlton," http://corporate.ritzcarlton.com/en/Careers/WorkingAt.htm (Page consultée le 13 juin 2010).

CHAPITRE 12

1. "Company Profile," http://cineplexgalaxy.disclosureplus.com/SiteResources/ViewContent.asp?DocID=3&v1ID=&RevID=238&lang=1 (Page consultée le 23 juin 2010).

2. David Friend, "Cineplex plans to wow audiences with bigger screens, enhance sound," www.canadianbusiness.com/markets/headline_news/article.jsp?content=b3403333&utm_source=markets&utm_medium=rss (Page consultée le 23 juin 2010).

3. "Q1 2010 Final Report," http://cineplexgalaxy.disclosureplus.com/SiteResources/data/MediaArchive/pdfs/reports_fi lings/q1 2010 reportfinal.pdf (Page consultée le 23 juin 2010).

4. Kent B. Monroe, *Pricing: Making Profitable Decisions*, 3e éd., New York, McGraw-Hill, 2003; Dhruv Grewal, Kent B. Monroe et R. Krishnan, «The Effects of Price Comparison Advertising on Buyers' Perceptions of Acquisition Value and Transaction Value », *Journal of Marketing*, vol. 62, avril 1998, p. 46-60.

5. «American Shoppers Economize, Show Greater Interest in Nutrition and Awareness of Food Safety Issues, According to Trends in the United States: Consumer Attitudes and the Supermarket 2003 », www.fmi.org/media/mediatext.cfm?id=534 (Page consultée le 10 décembre 2005); le document révèle notamment que le prix était la troisième caractéristique la plus importante dans le choix d'un marché d'alimentation et que 83% des participants la jugeaient importante; voir aussi «The New Value Equation », *Supermarket News*, vol. 50, 10 juin 2002, p. 12.

6. Anthony Miyazaki, Dhruv Grewal et Ronnie Goodstein, «The Effects of Multiple Extrinsic Cues on Quality Perceptions: A Matter of Consistency », *Journal of Consumer Research*, vol. 32, juin 2005, p. 146-153; William B. Dodds, Kent B. Monroe et Dhruv Grewal, «The Effects of Price, Brand, and Store Information on Buyers' Product Evaluations », *Journal of Marketing Research*, vol. 28, août 1991, p. 307-319.

7. Robert J. Dolan, «Note on Marketing Strategy », Harvard Business School, novembre 2000, p. 1-17; Dhruv Grewal et Larry D. Compeau, «Pricing and Public Policy: An Overview and a Research Agenda », *Journal of Public Policy & Marketing*, vol. 18, printemps 1999, p. 3-11.

8. www.paradigm.com/en/paradigm/company (Page consultée le 19 juin 2007).

9. Kent B. Monroe, *Pricing: Making Profitable Decisions*, op. cit.

10. www.corporate.canada.travel/en/ca/research_statistics/trends_outlook/tib/tib.html

11. www.marketingpower.com/mg-dictionary-view669.php? (Page consultée le 19 septembre 2006).

12. Ruth N. Bolton et Venkatesh Shankar, «An Empirically Derived Taxonomy of Retailer Pricing and Promotion Strategies », *Journal of Retailing*, vol. 79, n° 4, 2003, p. 213-224; Rajiv Lal et Ram Rao, «Supermarket Competition: The Case of Every Day Low Pricing », *Marketing Science*, vol. 16, n° 1, 1997, p. 60-80.

13. A. R. Rao, M. E. Bergen et S. Davis, «How to Fight a Price War », *Harvard Business Review*, vol. 78, mars-avril 2000, p. 107-116.

14. *Ibid.*

15. *Merriam-Webster's Dictionary of Law*, 1996.

16. Tara Perkins et Tavia Grant, «White-label Cash Kings », www.globeinvestor.com/servlet/WireFeedRedirect?cf=GlobeInvestor/config&vg=BigAdVariableGenerator&date=20070423&archive=rtgam&slug=wrabm_Bsection23 (Page consultée le 18 juin 2007).

17. *Ibid.*

18. Tavia Grant et Tara Perkins, «Red Flags on White-labelABMS », www.theglobeandmail.com/servlet/story/RTGAM.20070424.wxrabm24/BNStory/Business (Page consultée le 18 juin 2007).

19. Tara Perkins et Tavia Grant, «White-label Cash Kings », *op.cit.*

20. www.ndp.ca/endatmfees (Page consultée le 18 juin 2007).

21. «Fujitsu Institutes New Warranty Policy for Plasmavision® Monitors », 15 mai 2002, www.plasmavision.com/buying_online.htm[o] (Page consultée le 25 janvier 2005).

22. Joseph P. Bailey, «Electronic Commerce: Prices and Consumer Issues for Three Products: Books, Compact Discs, and Software », *Organization for Economic Cooperation and Development, OECD, GD*, vol. 98, 1998, p. 4; J. Yannis Bakos, «Reducing Buyer Search Costs: Implications for Electronic Marketplaces », *Management Science*, vol. 43, n° 12, 1997, p. 1676-1692; Erik Brynjolfsson et Michael D. Smith, «Frictionless Commerce? A Comparison of Internet and Conventional Retailers », *Management Science*, vol. 46, n° 4, 2000, p. 563-585; Rajiv Lal et Miklos Sarvary, «When and How Is the Internet Likely to Decrease Price Competition? », *Marketing Science*, vol. 18, n° 4, 1999, p. 485-503; Xing Pan, Brian T. Ratchford et Venkatesh Shankar, «Can Price Dispersion in Online Markets be Explained by Differences in E-Tailer Service Quality? », *Journal of the Academy of Marketing Science*, vol. 30, n° 4, 2002, p. 433-445; Michael D. Smith, «The Impact of Shopbots on Electronic Markets », *Journal of the Academy of Marketing Sciences*, vol. 30, n° 4, 2002, p. 446-454; Michael D. Smith et Erik Brynjolfsson, «Consumer Decision-making at an Internet Shopbot: Brand Still Matters », *The Journal of Industrial Economics*, vol. 49, décembre 2001, p. 541-558; Fang-Fang Tang et Xiaolin Xing, «Will the Growth of Multi-channel Retailing Diminish the Pricing Efficiency of the Web? », *Journal of Retailing*, vol. 77, n° 3, 2001, p. 319-333; Florian Zettlemeyer, «Expanding to the Internet: Pricing and Communications Strategies When Firms Compete on Multiple Channels », *Journal of Marketing Research*, vol. 37, août 2000, p. 292-308; Dhruv Grewal, Gopalkrishnan R. Iyer, R. Krishnan et Arun Sharma, «The Internet and the Price-Value-Loyalty Chain », *Journal of Business Research*, vol. 56, mai 2003, p. 391-398; Gopalkrishnan R. Iyer, Anthony D. Miyazaki, Dhruv Grewal et Maria Giordano, «Linking Web-based Segmentation to Pricing Tactics », *Journal of Product & Brand Management*, vol. 11, n° 4/5, 2002, p. 288-302.

23. Amy Verner, «Carried away with Eco-bags », www.theglobeandmail.com/servlet/story/LAC.20070623.BAG23/TPStory/?query=%22holt+renfrew%22 (Page consultée le 23 juin 2007).

24. Independent Equity Research Corp., "Coastal Contacts Inc. Update Report" (eResearch coastal contacts.pdf), http://eresearch.ca/profile.asp?companyID=437 (Page consultée le 24 juin 2010).

25. Mary Biti, "Clearly a Winning Strategy," http://investors.coastal-contacts.com/mediacoverage.asp?ticker=T.COA&report=show&id=6151&lang=EN&title=null (Page consultée le 24 juin 2010).

26. Eve Lazarus, "Trevor Linden Plays with Clearly Contacts," www.marketingmag.ca/english/news/marketer/article.jsp?content=20100528_164119_13472 (Page consultée le 24 juin 2010).

27. Biti, "Clearly a Winning Strategy."

28. "The Timeline," http://investors.coastalcontacts.com/custom-message.asp?ticker=t.coa&message=fi fth&title=null (Page consultée le 24 juin 2010).

29. http://twitter.com/iwearyourshirt (Page consultée le 17 novembre 2009).

30. "Man makes living by selling the shirt on his back," www.reuters.com/article/lifestyleMolt/idUSTRE5A50K620091106 (Page consultée le 17novembre 2009).

31. Thomas T. Nagle et Reed K. Holden, *The Strategy and Tactics of Pricing*, 3ᵉ éd., Upper Saddle River, N.J., Pearson, 2002.

32. Dhruv Grewal et Jeanne Munger, « Carpet Pro Solutions », étude de cas non publiée, Babson College, 2005.

33. www.amazon.ca (Page consultée le 19 juin 2007).

34. Lisa E. Bolton, Luk Warlop et Joseph W. Alba, « Consumer Perceptions of Price (Un)Fairness », *Journal of Consumer Research*, vol. 29, mars 2003, p. 474-491 ; Margaret C. Campbell, « Perceptions of Price Unfairness : Antecedents and Consequences », *Journal of Marketing Research*, vol. 36, mai 1999, p. 187-199 ; Peter R. Darke et Darren W. Dahl, « Fairness and Discounts : The Subjective Value of a Bargain », *Journal of Consumer Psychology*, vol. 13, nᵒ 3, 2003, p. 328-338 ; Sarah Maxwell, « What Makes a Price Increase Seem "Fair" ? », *Pricing Strategy & Practice*, vol. 3, nᵒ 4, 1995, p. 21-27.

35. A. Biswas, E.J. Wilson et J.W. Licata, « Reference Pricing Studies in Marketing : A Synthesis of Research Results », *Journal of Business Research*, vol. 27, nᵒ 3, 1993, p. 239-256 ; A. Biswas, « The Moderating Role of Brand Familiarity in Reference Price Perceptions », *Journal of Business Research*, vol. 25, 1992, p. 251-262 ; A. Biswas et E. Blair, « Contextual Effects of Reference Prices in Retail Advertisements », *Journal of Marketing*, vol. 55, 1991, p. 1-12 ; Larry D. Compeau et Dhruv Grewal, « Comparative Price Advertising : An Integrative Review, » *Journal of Public Policy & Marketing*, vol. 17, automne 1998, p. 257-273 ; Rajesh Chandrashekaran et Dhruv Grewal, « Assimilation of Advertised Reference Prices : The Moderating Role of Involvement », *Journal of Retailing*, vol. 79, nᵒ 1, 2003, p. 53-62 ; David M. Hardesty et William O. Bearden, « Consumer Evaluations of Different Promotion Types and Price Presentations : The Moderating Role of Promotional Benefit Level », *Journal of Retailing*, vol. 79, nᵒ 1, 2003, p. 17-25.

36. Sonia Verma, "Can Canadian perfume help Afghanistan break its poppy habit ?" *The Globe and Mail*, 19 mars 2010 : A1.

37. Trisse Laxley, "A Fragrance with a Political Scent," *The Globe and Mail*, 19 mars 2010 : A18.

38. Verma, "Can Canadian perfume help ?"

39. Andrea Nemetz, "Opportunity blossoms," www.the7virtues.com/AnyNewsM/1177760.html (Page consultée le 24 juin 2010).

40. Nemetz, "Opportunity blossoms."

41. Dhruv Grewal, Kent B. Monroe et R. Krishnan, « The Effects of Price Comparison Advertising on Buyers' Perceptions of Acquisition Value and Transaction Value », *Journal of Marketing*, vol. 62, avril 1998, p. 46-60.

42. Noreen M. Klein et Janet E. Oglethorpe, « Reference Points in Consumer Decision Making », dans *Advances in Consumer Research*, vol. 14, Melanie Wallendorf et Paul Anderson (dir.), Provo, Utah, Association for Consumer Research, 1987, p. 183-187.

43. J.E. Urbany, W.O. Bearden et D.C. Weilbaker, « The Effect of Plausible and Exaggerated Reference Prices on Consumer Perceptions and Price Search », *Journal of Consumer Research*, vol. 15, 1988, p. 95-110.

44. Michael Levy et Barton A. Weitz, *Retailing Management*, 6ᵉ éd., Burr Ridge, Ill., Irwin/McGraw-Hill, 2007.

45. Robert Schindler, « The 99 Price Ending as a Signal of a Lowprice Appeal », *Journal of Retailing*, vol. 82, nᵒ 1, 2006.

46. Merrie Brucks, Valerie A. Zeithaml et Gillian Naylor, « Price and Brand Name as Indicators of Quality Dimensions for Consumer Durables », *Journal of the Academy of Marketing Science*, vol. 28, nᵒ 3, 2000, p. 359-374 ; William B. Dodds, Kent B. Monroe et Dhruv Grewal, « Effects of Price, Brand, and Store Information on Buyers' Product Evaluations », *Journal of Marketing Research*, vol. 28, août 1991, p. 307-319.

47. Merrie Brucks, Valerie A. Zeithaml et Gillian Naylor, « Price and Brand Name as Indicators of Quality Dimensions for Consumer Durables » ; Niraj Dawar et Philip Parker, « Marketing Universals : Consumers' Use of Brand Name, Price, Physical Appearance, and Retailer Reputation as Signals of Product Quality », *Journal of Marketing*, vol. 58, avril 1994, p. 81-95 ; William B. Dodds, Kent B. Monroe et Dhruv Grewal, « Effects of Price, Brand, and Store Information on Buyers' Product Evaluations » ; Paul S. Richardson, Alan S. Dick et Arun K. Jain, « Extrinsic and Intrinsic Cue Effects on Perceptions of Store Brand Quality »,

Journal of Marketing, vol. 58, octobre 1994, p. 28-36 ; Anthony Miyazaki, Dhruv Grewal et Ronnie Goodstein, « The Effect of Multiple Extrinsic Cues on Quality Perceptions : A Matter of Consistency », *Journal of Consumer Research*, vol. 32, juin 2005, p. 146-153.

48. "Our Commitment," http://waterontap.ca/our_commitment.php (Page consultée le 28 juin 2010).

49. "Frequently Asked Questions," http://waterontap.ca/faqs.php#Q3 (Page consultée le 28 juin 2010).

50. Cette partie s'inspire de Michael Levy et Barton A. Weitz, *Retailing Management*, op. cit.

51. Sha Yang et Priya Raghubir, « Can Bottles Speak Volumes ? The Effect of Package Shape on How Much to Buy », *Journal of Retailing*, vol. 81, nᵒ 4, 2005, p. 269-281.

52. « Competition Bureau Investigation Leads to $1-Million Settlement with Suzy Shier Inc. », www.competitionbureau.gc.ca/internet/index.cfm?itemID=305&lg=e (Page consultée le 24 juin 2007).

53. Larry D. Compeau et Dhruv Grewal, « Comparative Price Advertising » ; Larry D. Compeau, Dhruv Grewal et Diana S. Grewal, « Adjudicating Claims of Deceptive Advertised Reference Prices : The Use of Empirical Evidence », *Journal of Public Policy & Marketing*, vol. 14, automne 1994, p. 52-62 ; Dhruv Grewal et Larry D. Compeau, « Comparative Price Advertising : Informative or Deceptive ? », *Journal of Public Policy & Marketing*, vol. 11, printemps 1992, p. 52-62 ; Larry Compeau, Joan Lindsey-Mullikin, Dhruv Grewal et Ross Petty, « An Analysis of Consumers' Interpretations of the Semantic Phrases Found in Comparative Price Advertisements », *Journal of Consumer Affairs*, vol. 38, été 2004, p. 178-187.

54. Joanna Grossman, « The End of Ladies Night in New Jersey », *Find Law's Legal Commentary*, 2004, www.writ.news.findlaw.com/grossman/20040615.html (Page consultée le 29 novembre 2005) ; Joyce Howard Price, « Ladies Night Ruled Discriminatory », *The Washington Times*, 2004, www.washingtontimes.com/national/20040602-111843-2685r.htm (Page consultée le 29 novembre 2005).

55. Larry D. Compeau a rédigé ce cas en collaboration avec Dhruv Grewal et Michael Levy, auteurs de la version états unienne du manuel, aux fins de discussions en classe et non pour illustrer des pratiques de marketing plus ou moins efficaces.

CHAPITRE 13

1. www.inditex.com/en/our_group/international_presence (Page consultée le 24 novembre 2014).

2. Carol Toller, "The push for pull," *Report on Business Magazine*, 13 octobre 2009.

3. Rebecca Harris, « Buy a Coffee, Remember a Veteran », www.marketingmag.ca/magazine/current/the_briefing/article.jsp?content=20041101_6478_64784 (Page consultée le 2 janvier 2008).

4. "Royal Canadian Mint Raises $3,000 for the Canadian Breast Cancer Foundation," www.mint.ca/store/news/royal-canadian-mint-auctionraises-3000-for-the-canadian-breast-cancer-foundation-5800042?cat=News+Releases&nId=700002&nodeGroup=About+the+Mint (Page consultée le 2 juin 2010).

5. Shirley Lichti, « When it Comes to Packaging, it Pays to Be Different », www.marketingmagic.ca/articles/Packaging.htm (Page consultée le 2 janvier 2008).

6. « American Shoppers Economize, Show Greater Interest in Nutrition and Awareness of Food Safety Issues, According to Trends in the United States : Consumer Attitudes and the Supermarket 2003 », www.fmi.org/media/mediatext.cfm?id=534 (Page consultée le 10 décembre 2005) ; le document révèle notamment que le prix était la troisième caractéristique la plus importante dans le choix d'un marché d'alimentation et que 83 % des participants la jugeaient importante ; voir aussi « The New Value Equation », *Supermarket News*, vol. 50, 10 juin 2002, p. 12.

7. D'après David Simchi-Levi, Philip Kaminsky et Edith Simchi-Levi, *Designing and Managing the Supply Chain : Concepts, Strategies*

and Case Studies, 2ᵉ éd., New York, McGraw-Hill/Irwin, 2003 ; Michael Levy et Barton A. Weitz, *Retailing Management*, 5ᵉ éd., New York, McGraw-Hill/Irwin, 2004.

8. "The Pop Shoppe Story," http://thepopshoppe.com/#/The Pop ShoppeStory/ (Page consultée le 28 juin 2010).

9. Renee Alexander, "The Pop Shoppe Pops Back," www.business-week.com/innovate/content/dec2005/id20051216_985463.htm (Page consultée le 28 juin 2010).

10. Blair Matthews, "The Pop Shoppe Returns to the Market," http://duxelle.info/soft-drink-industry-analysis/the-pop-shoppe-returns-tothe-market (Page consultée le 28 juin 2010).

11. Joanna Pachner, "Retro Cool : Entrepreneur revives the Pop Shoppe," www.theglobeandmail.com/report-on-business/your-business/start/fi nancing/retro-cool-entrepreneur-revives-the-pop-shoppe/article1589947/ (Page consultée le 13 juin 2010).

12. www.marketingpower.com/live/mg-dictionary. Définition proposée par le Council of Logistics Management.

13. Bloomberg, "Nestle to sail Amazon rivers to reach consumers," *The Globe and Mail*, 18 juin 2010 : B8.

14. Adapté de Shirley Lichti, « Listing Fees Can Decide A Food Product's Fate », www.marketingmagic.ca/listing-fees-can-decide-a-products-fate.html (Page consultée le 22 août 2014).

15. Michael Posner, "He brought Hush Puppies to Canada and took his dogs on the road for the soft sell," *The Globe and Mail*, 26 novembre 2009 : S7.

16. Emily York, "Social Media Allows Giants to Exploit Niche Markets," http://adage.com/article?article_id=137870 (Page consultée le 24 novembre 2009).

17. York, "Social Media Allows Giants."

18. York, "Social Media Allows Giants."

19. Omar El Akkad, "Google bookstore plan could be boon to Canada," *The Globe and Mail*, 5 mai 2010 : B1.

20. Frederic Lardinois, "Is Google Getting Ready to Enter the eBook Market?" www.readwriteweb.com/archives/is_google_getting_ready_to_enter_the_ebook_market.php (Page consultée le 27 juin 2010).

21. J.R. Raphael, "Google Editions : Bringing E-Books to Your Browser," www.pcworld.com/article/195594/google_editions_bringing_ebooks_to_your_browser.html (Page consultée le 27 juin 2010).

22. "Google sparks e-books fi ght with Kindle," www.reuters.com/article/idUSTRE59E28H20091015 (Page consultée le 27 juin 2010).

23. Jon Pareles, « The Once and Future Prince », www.nytimes.com/2007/07/22/arts/music/22pare.html?ei=5124&en=b52b49b65411b345&ex=1342670400&adxnnl=1&partner=per&adxnnlx=1185567590-yTMSuMcGbwfz6rtKVoJjhw (Page consultée le 3 janvier 2008).

24. Thomas W. Gruen, Daniel S. Corsten et Sundar Bharadwaj, « Retail out of Stocks : A Worldwide Examination of Extent, Causes, and Consumer Responses », document de travail non publié, 7 mai 2002 ; Nirmalya Kumar, « The Power of Trust in Manufacturer-Retailer Relationships », *Harvard Business Review*, novembre-décembre 1996, p. 92-106 ; Mark E. Parry et Yoshinobu Sato, « Procter & Gamble : The Wal-Mart Partnership », University of Virginia, cas nᵒ M-0452, 1996.

25. www.marketingpower.com/live/mg-dictionary.

26. Selon le Canadian Franchise Directory, www.franchisedirectory.ca (Page consultée le 28 juin 2007).

27. "Franchise Guide Fast Facts," www.canadianfranchisedirectory.ca/franchiseguide.aspx (Page consultée le 27 juin 2010).

28. Pankaj Ghemawat et Jose Luis Nueno, « ZARA : Fast Fashion », *op. cit.*

29. www.marketingpower.com/live/mg-dictionary.

30. Sharyn Leaver, Joshua Walker et Tamara Mendelsohn, « Hasbro Drives Supply Chain Efficiency with BPM », *Forrester Research*, 22 juillet 2003.

31. Erin Anderson et Anne Coughlan, « Structure, Governance, and Relationship Management », dans *Handbook of Marketing*, B. Weitz et R. Wensley (dir.), Londres, Sage, 2002.

32. Erin Anderson et Barton Weitz, « The Use of Pledges to Build and Sustain Commitment in Distribution Channels », *Journal of Marketing Research*, vol. 29, février 1992, p. 18-34.

33. Cette partie s'inspire de Michael Levy et Barton A. Weitz, *Retailing Management*, *op. cit.*, chap. 10.

34. Larry Kellam, « P&G Rethinks Supply Chain », *Optimize*, octobre 2003, p. 35.

35. Protegez-vous (2010), Retrait du sac de croustilles trop bruyant, [En ligne], http://www.protegez-vous.ca/sante-et-alimentation/retrait-du-sac-de-croustilles-trop-bruyant.html (Page consultée le 15 janvier 2015).

36. Pepsico Canada, Donner un sens à la performance, [En ligne], http://www.pepsico.ca/fr/downloads/PEPC_PwP_Environment_FRE_FINAL%202013.pdf (Page consultée le 15 janvier 2015).

37. Voir note précédente.

38. "Frito Lay Canada is Canada's First Food Manufacturer to Introduce Zero-Emission Electric Vehicles into Delivery Fleet," http://smr.newswire.ca/en/frito-lay-canada/frito-lay-canada-is-canadas-fi rstfood-manufacturer (Page consultée le 29 juin 2010).

39. "Frito Lay Canada," www.pepsico.ca/en/Purpose/ES_ENG_FLC.html (Page consultée le 29 juin 2010).

40. Voir note 34.

41. Jeanne L. Munger a rédigé ce cas en collaboration avec Dhruv Grewal et Michael Levy, auteurs de la version étatsunienne du manuel, aux fins de discussions en classe et non pour illustrer des pratiques de marketing plus ou moins efficace.

42. Mellissa S. Monroe, « Wal-Mart Is Rewriting Rules, Dominating World's Supply Chain », *Knight Ridder Tribune Business News*, 10 novembre 2003, p. 1.

43. Richard J. Schonberger, « The Right Stuff, Revisited », *MSI*, vol. 21, nᵒ 9, septembre 2003, p. 26.

44. Sharon Gaudin, "Some Suppliers Gain from Failed Wal-Mart RFID Edict," *Computer World*, 28 avril 2008.

45. Stephanie Rosenbloom, "Wal-Mart Unveils Plan to Make Supply Chain Greener," *The New York Times*, 26 février 2010.

46. William B. Cassidy, "Wal-Mart Tightens the Chain," *The Journal of Commerce*, 18 janvier 2010.

CHAPITRE 14

1. Stephen Fenech, "Apple's Theme Park," *Herald Sun*, 28 mai 2008 ; www.apple.com (Page consultée le 28 mai 2008) ; Jerry Useem, "Apple : America's Best Retailer," *Fortune*, 8 mars 2007.

2. Apple, *L'endroit idéal pour tout savoir sur les produits Apple*, [En ligne], www.apple.com/ca/fr/retail/learn/one-to-one/ (Page consultée le 27 octobre 2014).

3. Apple, *L'endroit idéal pour faire des achats pour votre entreprise*, [En ligne], www.apple.com/ca/fr/retail/business/ (Page consultée le 27 octobre 2014).

4. http://blogs.marketwatch.com/behindthestorefront/2014/04/24/apples-plan-to-triple-store-count-makes-it-its-own-worst-enemy/ (Page consultée le 27 février 2014).

5. www.stores.org/pdf/GlobalRetail04.pdf.

6. https://strategis.ic.gc.ca/app/scr/sbms/sbb/cis/etablissements.html?code=44-45&lang=fra (Page consultée le 27 février 2014).

7. www.retailcouncil.org/news/media/profile/print/default.asp (Page consultée le 4 janvier 2008).

8. Voir Michael Levy et Barton A. Weitz, *Retailing Management*, 7ᵉ éd. (Burr Ridge, IL : McGraw-Hill/Irwin, 2009), Chapitres 2 et 3.

9. http://books.google.fr/books?id=bnxLr47KHT4C&pg=PA31&dq=category+killer&hl=fr&ei=cIIvTbyJCYO8lQfxrb3UCw&sa=X&oi=book_result&ct=result&resnum=6&ved=0CEQQ6AEwBQ#v=onepage&q=general%20merchandise%20retailer&f=false (Page consultée le 15 janvier 2015).

10. "Nutrition Center," www.petesfrootique.com/LorieMcNeil.asp (Page consultée le 23 juin 2007).

11. « Shoppers Drug Mart Opens its 1,000th Drug Store in Canada », www.shoppersdrugmart.ca/english/corporate_information/

investor_relations/press_releases/articles/avril_26_2007.html (Page consultée le 25 juin 2007).

12. « An Industry that's Regaining Its Fighting Trim », *Chain Drug Review*, 7 juin 2004, p. 20.

13. Marina Strauss, "The Bay steps up its game with a focus on shoes," *The Globe and Mail*, 5 juin 2010 : B3.

14. Marina Strauss, "HMV Moves Beyond Music," *The Globe and Mail*, 14 juin 2010 : B1.

15. "Canadian Tire introduces new barcode app," *Click! Weekly*, 30 novembre 2010.

16. Wes Lafortune, "Concept Retailing Trend Costly But Growing," www.businessedge.ca/article.cfm/newsID/11401.cfm (Page consultée le 24 juin 2007).

17. "About Giant Tiger—History," www.gianttiger.com/en/about_gt/history/index.php (Page consultée le 20 juin 2007).

18. "Facts and Questions," www.gianttiger.com/en/faq.php (Page consultée le 20 juin 2007).

19. "Facts and Questions."

20. "Community/Murals," www.gianttiger.com/en/community/murals/ (Page consultée le 20 juin 2007).

21. "The North West Company : Alberta," www.northwest.ca/BackOffice/DesktopDefault.aspx?tabindex=0&tabid=10080 (Page consultée le 20 juin 2007).

22. Marina Straus, "Does this blouse make Sears look plugged-in?," *The Globe and Mail*, 22 avril 2011 : B4.

23. Shel Israel, "In Business, Early Birds Twitter Most Effectively," www.businessweek.com/managing/content/oct2009/ca2009106_370257.htm (Page consultée le 19 novembre 2009).

24. https://twitter.com/DellOutlet/followers (Page consultée le 27 janvier 2015).

25. www.dell.com/learn/us/en/vn/secure/2012-08-15-dell-fy14-q2-earnings (Page consultée le 27 janvier 2015).

26. Anyd Sernovitz, "Andy's Answers : How Dell finds ROI from social media," http://smartblogs.com/socialmedia/2011/04/06/andys-answers-howdell-generating-roi-from-social-media/ (Page consultée le 1 mai 2011).

27. Julie Baker et al., "The Influence of Multiple Store Environment Cues on Perceived Merchandise Value and Patronage Intentions," *Journal of Marketing* 66 (Avril 2001), p. 120-141 ; Eric R. Spangenberg, Ayn E. Crowley, and Pamela W. Henderson, "Improving the Store Environment : Do Olfactory Cues Affect Evaluations and Behaviors ?" *Journal of Marketing* 60 (Avril 1996), p. 67-80 ; Michael K. Hui and John E.G. Bateson, "Perceived Control and the Effects of Crowding and Consumer Choice on the Service Experience," *Journal of Consumer Research* 18 (Septembre 1991), p. 174-184.

28. "Shelf Help : A Guide to Shopper Marketing," *Strategy Magazine* (Juillet 2010), p. S56.

29. Leonard Berry, Kathleen Seiders, and Dhruv Grewal, "Understanding Service Convenience," *Journal of Marketing* 66 (juillet 2002), p. 1-17.

30. For descriptions of the Wheel of Retailing theory, see Stanley Hollander, "The Wheel of Retailing : What Makes Skilled Managers Succumb to the 'Prosper, Mature, and Decay' Pattern ?" *Marketing Management* (Summer 1996), p. 63-65 ; Stephen Brown, "Postmodernism, the Wheel of Retailing, and Will to Power," *The International Review of Retail, Distribution, and Consumer Research* (juillet 1995), p. 387-412 ; Arieh Goldman, "Institutional Change in Retailing : An Updated Wheel of Retailing," in *Foundations of Marketing Channels*, eds. A. Woodside *et al.* (Austin, TX: Lone Star, 1978), p. 193-201. For a description of the Accordion Theory, see Stanley C. Hollander, "Notes on the Retail Accordion," *Journal of Retailing* 42 (Summer 1966), p. 20-40, 54. For a description of the Dialectic Process theory, see Thomas J. Maronick and Bruce J. Walker, "The Dialectic Evolution of Retailing," in *Proceedings : Southern Marketing Association*, ed. Barnett Greenberg (Atlanta : Georgia State University, 1974), p. 147. For descriptions of Natural Selection theory, see A.C.R. Dreesmann, "Patterns of Evolution in Retailing," *Journal of Retailing* (Spring 1968), p. 81-96 ; Murray

Forester, "Darwinian Theory of Retailing," *Chain Store Age* (août 1995), p. 8. A summary of these theories can be found in Michael Levy and Barton A. Weitz, *Retailing Management*, 6e éd. (Burr Ridge, IL : Irwin/McGraw- Hill, 2007).

31. Reuters, "Would You Like Fries with your Tiramisu ?" www.theglobeandmail.com/servlet/story/LAC.20070628.RTICK28SEC/TPStory/Business (Page consultée le 28 juin 2007).

32. "IKEA Canada Launches New Sustainability Program—The Never Ending List," www.newswire.ca/en/releases/archive/February2010/02/c6012.html (Page consultée le 28 juin 2010).

33. "Greener Ways to Get Here," http://theneverendinglist.ikea.ca/en/Greener-Ways-to-Get-Here.html (Page consultée le 28 juin 2010).

34. "Blue Bag Program," http://theneverendinglist.ikea.ca/en/Blue-Bag-Program.html (Page consultée le 28 juin 2010).

35. "Top Green Employers," http://theneverendinglist.ikea.ca/en/Top-Green-Employers.html (Page consultée le 28 juin 2010).

36. Paul Brent, "McLatte Anyone ?" *Marketing Magazine*, 10 décembre 2007.

37. Amit Shilton, "Convenience is Key for Pizza Pizza's new app," *The Globe and Mail*, 5 avril 2011 : B9.

38. "Can't Find That Dress on the Rack ? Retailers Are Pushing More Shoppers to the Net," *Knowledge@Wharton*, 1 novembre 2006.

39. Kenneth Hein, "Study : Web Research Nets In-Store Sales," *Brandweek*, 7 mai 2007 (consultée le 14 décembre 2007).

40. Brad Stone, "Amazon Accelerates Its Move to Digital," *The New York Times*, 7 avril 2008 ; Joe Nocera, "Put Buyers First ? What a Concept," *The New York Times*, 5 janvier 2008. http://blogs.wsj.com/digits/2014/04/24/amazon-shipping-costs-outpace-revenue-gain/ et www.geekwire.com/2014/amazon-adds-30-million-customers-past-year/ (Page consultée le 15 janvier 2015).

41. Sandra Forsythe et al., "Development of a Scale to Measure the Perceived Benefits and Risks of Online Shopping," *Journal of Interactive Marketing* 20, n° 2 (2006), p. 55-75.

42. www.thestar.com/business/2014/05/05/target_ceo_resigns_after_security_breach_canadian_fiasco.html (Page consultée le 27 janvier 2015).

43. Forsythe et al., "Development of a Scale."

44. Jon Brodkin, "TJX Breach : Rethinking Corp. Security," *Network World* 24, n° 13 (2007) (consultée le 14 décembre 2007).

45. For more information on approaches for increasing share of wallet, see Tom Osten, *Customer Share Marketing* (Upper Saddle River, NJ : Prentice Hall, 2002).

46. Barry Berman and Shawn Thelen, "A guide to developing and managing a well-integrated multi-channel retail strategy," *International Journal of Retail & Distribution Management* 32, n° 3 (2004), p. 4.

47. Jeanne L. Munger (University of Southern Maine) a rédigé ce cas en collaboration avec Dhruv Grewal et Michael Levy, coauteurs de la version états unienne de ce manuel, aux fins de discussions en classe et non pour illustrer des pratiques de marketing plus ou moins efficaces. Les auteurs remercient Max Ward, vice-président de Technology at Staples, pour sa précieuse collaboration à la préparation de ce cas. Ils soulignent également que des parties de ce cas reposent sur des renseignements fournis par W. Caleb McCann (en collaboration avec J.P. Jeannet, Dhruv Grewal et Martha Lanning), « Staples », dans *Fulfillment in E-Business*, Petra Schuber, Ralf Wolfle et Walter Dettling (dir.), Hanser, Allemagne, 2001, p. 239-252 (en allemand).

48. www.staplescontract.com/stapleslinktour/index.asp (Page consultée le 6 avril 2010).

49. Staples, 2009 Annual Report, [En ligne], http://investor.staples.com/phoenix.zhtml?c=96244&p=irol-reportsannual (Page consultée le 26 janvier 2015).

50. Entretien avec Demos Parneros (vice-president de Staples) et Jevin Eagle (vice-president exécutif du Marketing), 21 juin 2009.

CHAPITRE 15

1. Emily Bryson York, "McDonald's Unveils 'I'm Lovin' It' 2.0," http://adage.com/article?article_id=143453 (Page consultée le 28 juin 2010).

2. Kate MacArthur, "McD's to Shops: Make 'Lovin' It' More Than Tag," http://adage.com/article?article_id=107083 (Page consultée le 28 juin 2010).

3. MacArthur, "McD's to Shops."

4. Randall Frost, "Lost in Translation," www.brandchannel.com/features_effect.asp?pf_id=340 (Page consultée le 28 juin 2010).

5. T. Duncan et C. Caywood, «The Concept, Process, and Evolution of Integrated Marketing Communication», dans *Integrated Communication: Synergy of Persuasive Voices*, E. Thorson et J. Moore (dir.), Mahwah, N.J., Lawrence Erlbaum Associates, 1996.

6. Deborah J. MacInnis et Bernard J. Jaworski, «Information Processing from Advertisements: Toward an Integrative Framework», *Journal of Marketing*, vol. 53, n° 4, octobre 1989, p. 1-23.

7. Deborah J. MacInnis, Christine Moorman et Bernard J. Jaworski, «Enhancing and Measuring Consumers' Motivation, Opportunity», *Journal of Marketing*, vol. 55, n° 4, octobre 1991, p. 32-554; Joan Meyers-Levy, «Elaborating on Elaboration: The Distinction between Relational and Item-Specific Elaboration», *Journal of Consumer Research*, vol. 18, décembre 1991, p. 358-367.

8. Canadian Media Directors' Council, «Media Digest», 2013/2014.

9. www.oxygen.com/basics/founders.aspx (Page consultée le 5 septembre 2006); www.oxygen.com/press (Page consultée le 6 septembre 2006); Nadine Heintz, «Thinking Inside the Box», *Inc.*, vol. 26, n° 7, juillet, 2004, p. 90-95; Jon Lafayette, «Oxygen Turns to Its Stars», *TelevisionWeek*, vol. 24, n° 9, 28 février 2005, p. 3-4.

10. http://online.wsj.com/article/SB1000142405274870348100457464690423486041z.html; George E. Belch and Michael A. Belch, *Advertising and Promotion: An Integrated Marketing Communications Perspective* (New York: McGraw-Hill, 2007).

11. Ruth Stevens, "Crash Course in Direct Marketing," www.marketingprofs.com/premium/seminar_detail.asp?adref=semsrch&semid=104 (Page consultée le 25 juin 2007).

12. Canadian Media Directors' Council, "Media Digest."

13. Postes Canada, *Publipostage et médias numériques*, [En ligne], www.postescanada.ca/cpo/mc/assets/pdf/business/dm_dm_fr.pdf (Page consultée le 6 novembre 2014).

14. «Marketing Research Group Fact Sheet: Canadian Consumer Attitudes to Direct Mail» (deuxième partie), [En ligne], www.canadapost.ca/cpo/mc/assets/pdf/business/consumer2_en.pdf (Page consultée le 6 novembre 2014).

15. Fondation des maladies du cœur, «Qui sommes-nous?», http://www.fmcoeur.com/site/c.ntJXJ8MMIqE/b.3562079/k.A765/Qui_sommesnous.htm (Page consultée le 6 novembre 2014).

16. Fondation des maladies du cœur, rapport annuel 2013, www.fmcoeur.com/atf/cf/%7B3CB49E24-0FB7-4CEE-9404-67F4CEE1CBC0%7D/HSF_AR2013_Digital_French_v3_Sept_F14.pdf (Page consultée le 6 novembre 2014).

17. USA Today, *Why retail catalogs survive, even thrive, in Internet Age*, [En ligne], http://usatoday30.usatoday.com/money/industries/retail/story/2012-05-28/catalogs-in-the-internet-age/55188676/1 (Page consultée le 6 novembre 2014).

18. Straight.com, *Mountain Equipment Co-op mails out final catalogue*, [En ligne], www.straight.com/blogra/mountain-equipment-co-op-mails-out-final-catalogue (Page consultée le 6 novembre 2014).

19. Direct Marketing News, *Catalogs Are Part of a Balanced Marketing Diet*, [En ligne], www.dmnews.com/catalogs-are-part-of-a-balanced-marketing-diet/article/283668/ (Page consultée le 6 novembre 2014).

20. KurtSalmon.com, *Is the Catalog Dead?*, [En ligne], www.kurtsalmon.com/en-us/Retail/vertical-insight/936/Is-the-Catalog-Dead-#.VEQVK75x-ot (Page consultée le 6 novembre 2014).

21. «Marketing Research Group Fact Sheet: Canadian Consumer Attitudes to Direct Mail» (deuxième partie), [En ligne], www.canadapost.ca/cpo/mc/assets/pdf/business/consumer2_en.pdf (Page consultée le 6 novembre 2014).

22. Direct Response Television, [En ligne], www.direct-response-television.com (Page consultée le 6 novembre 2014).

23. "Canadian Blood Services & Northern Lights to Present at Interactive Marketing Conference," www.nldrtv.com/news/CBS_CaseStudy_PressRelease.htm (Page consultée le 26 juin 2007).

24. "Northern Lights and Canadian Blood Services Capture Gold at CMA Awards," www.nldrtv.com/news/CMA_PressRelease.htm (Page consultée le 26 juin 2007).

25. Paul-Mark Rendon, "Virgin Builds on Buzz," www.marketingmag.ca/magazine/current/feature/article.jsp?content=20051212_73030_73030 (Page consultée le 26 juin 2007).

26. "About Rogers Centre," www.rogerscentre.com/inaround/visitors/policies/index.html (Page consultée le 26 juin 2007).

27. Katherine Rosman, "And the Loser Is . . . Fashion," *The Wall Street Journal*, 9 janvier 2008.

28. www.yoplait.com/breastcancer_lids.aspx (Page consultée le 22 septembre 2006).

29. "Video Sponsorships," www.eepybird.com/video-sponsorships/ (Page consultée le 28 juin, 2010).

30. "The Original Coke & Mentos Sensation," www.eepybird.com/originalcoke-mentos-sensation/ (Page consultée le 28 juin 2010).

31. "Inside the EepyLab," www.eepybird.com/about/ (Page consultée le 28 juin 2010).

32. Jackie Huba, «A Just Cause Creating Emotional Connections with Customers», 2003, www.inc.com/articles/2003/05/25537.html (Page consultée le 15 janvier 2015).

33. www.yoplait.com/breastcancer_lids.aspx (Page consultée le 25 octobre 2004).

34. www.coneinc.com/Pages/buzz3.html (Page consultée le 22 octobre 2004).

35. www.tomsshoes.com/ourcause.aspx (Page consultée le 31 juillet 2010).

36. www.insightargentina.org (Page consultée le 31 juillet 2010).

37. Carl Obermiller et Eric R. Spangenberg, «On the Origin and Distinctness of Skepticism toward Advertising», *Marketing Letters*, vol. 11, n° 4, 2000, p. 311.

38. "Critical Mass," www.dmnews.com/critical-mass/article/136612/ (Page consultée le 31 juillet 2010).

39. Annette Bourdeau, "Critical Mass: The Unagency," www.strategyonline.ca/articles/magazine/20070601/bizcritical.html (Page consultée le 31 juillet 2010).

40. www.criticalmass.com/about/news/profi le-dianne-wilkins-ceo-criticalmass.htm (Page consultée le 31 juillet 2010).

41. Christina Reynolds, "Q & A with Ted Hellard Founder and Chairman of Critical Mass Inc," excerpted from the *Calgary Herald*, www.criticalmass.com/about/news/259.htm (Page consultée le 31 juillet 2010).

42. "iUpload Takes Datamations First Blogging Win", 28 février 2006, www.itmanagement.eartweb.com (Page consultée le 19 avril 2006); Nicole Ziegler Dizon, "Corporations Enter into World of Blogs," *San Francisco Gate*, 6 juin 2006, www.sfgate.com (Page consultée le 26 septembre 2006); Mark Berger, "Annie's Homegrown: 'Bernie's Blog' Case Study," www.backbonemedia.com (Page consultée le 26 septembre 2006); "Corporate Blogging Survey," www.backbonemedia.com (Page consultée le 26 septembre 2006).

43. Bret A.S. Martin, Bodo Lang, and Stephanie Wong, "Conclusion, Explicitness in Advertising: The Moderating Role of Need for Cognition and Argument Quality on Persuasion," *Journal of Advertising* 32, n° 4 (2004), p. 57-65.

44. Dynmark, *Big Data: Profiling your mobile customers*, [En ligne], http://info.dynmark.com/hs-fs/hub/307137/file-650880813-pdf/whitepapers/Intelligence_Review_Edition2.pdf (Page consultée le 7 novembre 2014).

45. Jayne O'Donnell, "Teens Targeted with Cellphone Marketing," *USA Today*, 20 mars 2007.

46. Trust Canada, [En ligne], www.facebook.com/TDCanada/app_137694236399423 (Page consultée le 7 novembre 2014).

47. www.statista.com/statistics/276623/number-of-apps-available-in-leading-app-stores/ (Page consultée le 7 novembre 2014).

48. http://retailindustry.about.com/library/bl/q2/bl_um041701.htm (Page consultée le 26 septembre 2006).

49. www.inastrol.com/Articles/990601.htm (Page consultée le 26 septembre 2006).

50. Garine Tcholakian, "Honda tunes into Civic Nation via anthem mix-off," www.mediaincanada.com/articles/mic/20091015/hondatuner.html (Page consultée le 17 novembre 2009).

51. Tcholakian, "Honda tunes into Civic Nation."

52. http://advertising.utexas.edu/research/terms/index.asp#O (Page consultée le 26 septembre 2006).

53. Cette partie s'inspire de Michael Levy et Barton A. Weitz, *Retailing Management*, 6e éd., Burr Ridge, Ill., McGraw-Hill/Irwin, 2007.

54. Theodore Leavitt, *The Marketing Imagination*, New York, The Free Press, 1986.

55. George E. Belch et Michael A. Belch, *Advertising and Promotion: An Integrated Marketing Communications Perspective*, 7e éd., New York, McGraw-Hill/Irwin, 2007.

56. www2.kleenex.com/fr/antiviral/antiviral.html.

57. Bret A.S. Martin, Bodo Lang et Stephanie Wong, « Conclusion, Explicitness in Advertising: The Moderating Role of Need for Cognition and Argument Quality on Persuasion », *Journal of Advertising*, vol. 32, n° 4, 2004, p. 57-65.

58. wps.prenhall.com/ca_ph_ebert_busess_3/0,6518,224378-,00.html.

59. e-marketer.com, Tableau *Total Media Ad Spending*, Canada, 2012 - 2018, [En ligne] www.emarketer.com/Article/Total-US-Ad-Spending-See-Largest-Increase-Since-2004/1010982 (Page consultée le 7 novembre 2014).

60. William F. Arens, *Contemporary Advertising*, 8e éd., New York, McGraw-Hill, 2003.

61. « Cassies Canadian Advertising Success Stories 2006 », http://cassies.ca/winners/2006Winners/winners_04.html (Page consultée le 4 juillet 2007).

62. www.nestle-nespresso.com/about-us/faqs/brand-related et www.pubenstock.com/2014/saga-nespresso-clooney-dujardin-malkovich-damon/ (Pages consultées le 27 janvier 2015).

63. Dean M. Krugman, Leonard N. Reid, S. Watson Dunn et Arnold M. Barban, *Advertising: Its Role in Modern Marketing*, New York, The Dryden Press, 1994, p. 221-226.

64. Stanford L. Grossbart et Lawrence A. Crosby, « Understanding Bases of Parental Concern and Reaction to Children's Food Advertising », *Journal of Marketing*, vol. 48, n° 3, 1984, p. 79-93; Brian M. Young, « Does Food Advertising Influence Children's Food Choices? A Critical Review of Some of the Recent Literature », *International Journal of Advertising*, vol. 22, n° 4, 2003, p. 441.

65. www.riger.com/know_base/media/understanding.html (Page consultée le 15 novembre 2004).

66. Matt Semansky and David Brown, "It's an Evolution at the Marketing Awards," www.marketingmag.ca/daily/20070330/topstory.html (Page consultée le 29 juin 2007).

67. Dove Men+Care Media Kit, pdf fourni par Unilever via Harbinger, a marketing consulting and communications company (Page consultée le 30 juillet 2010).

CHAPITRE 16

1. Mary Dickie, "Don Durst, the Change Provoker," www.strategyonline.ca/articles/magazine/20081201/moydurst.html (Page consultée le 4 août 2010).

2. "Cassies 2009 Cases, Brand/Case: Subaru Forester," http://cassies.ca/caselibrary/winners/2009pdfs/26_C09_Forester_Web.pdf (Page consultée le 4 août 2010).

3. "Cassies 2009 Cases, Brand/Case: Subaru Forester."

4. "Sexy Sumos sizzle at 2009 CMA Awards," www.newswire.ca/en/releases/archive/November2009/30/c6106.html (Page consultée le 4 août 2010).

5. E.K. Strong, *The Psychology of Selling* (New York: McGraw-Hill, 1925).

6. Karl Greenber, "Toyota Promotes Yaris in 'TV Guide,' Fox Deal," *Marketing Daily*, 3 octobre 2007: http://publications.media-post.com/index.cfm?fuseaction=Articles.showArticle&art_aid=68554 (Page consultée le 14 février 2008).

7. Seth Stevenson, "Toyota's Violent Yaris Car Ads", 6 juillet 2007, www.npr.org/templates/story/story.php?storyId=5538263 (Page consultée le 14 février 2008).

8. www.emarketer.com/Article/Global-Ad-Spending-Growth-Double-This-Year/1010997 (Page consultée le 15 janvier 2015).

9. William F. Arens, Michael F. Weigold, and Christian Arens, *Contemporary Advertising*, 11e éd. (New York: McGraw-Hill, 2008), p. 255.

10. John Philip Jones, « What Makes Advertising Work? », *The Economic Times*, 24 juillet 2002.

11. www.legamedia.net/lx/result/match/0591dfc9787c111b1b24dde6d61e43c5/index.php (Page consultée le 15 janvier 2015).

12. Jef I. Richards et Catherine M. Curran, « Oracles on "Advertising": Searching for a Definition », *Journal of Advertising*, vol. 31, n° 2, été 2002, p. 63-77.

13. www.brandweek.com/bw/news/financial/article_display.jsp?vnu_content_id=1001615315 (Page consultée le 26 septembre 2006); « Global Ad Spending Expected To Grow 6% », *Brandweek*, 6 décembre 2005.

14. Raymond R. Burke et Thomas K. Srull, « Competitive Interference and Consumer Memory for Advertising », *Journal of Consumer Research*, vol. 15, juin 1988, p. 55-68; Kevin Lane Keller, « Memory Factors in Advertising: The Effect of Advertising Retrieval Cues on Brand Evaluation », *Journal of Consumer Research*, vol. 14, décembre 1987, p. 316-333; Kevin Lane Keller, « Memory and Evaluation Effects in Competitive Advertising Environments », *Journal of Consumer Research*, vol. 17, mars 1991, p. 463-477; Robert J. Kent et Chris T. Allen, « Competitive Interference Effects in Consumer Memory for Advertising: The Role of Brand Familiarity », *Journal of Marketing*, vol. 58, n° 3, juillet 1994, p. 97-106.

15. Anthony Bianco, « The Vanishing Mass Market », *BusinessWeek*, 12 juillet 2004, p. 61-68.

16. "Cassies January 24, 2011 Official Winners Guide," http://cassies.ca/winners/2011Winners/winners.html (Page consultée le 4 mai 2011).

17. Matthew Shum, « Does Advertising Overcome Brand Loyalty? Evidence from the Breakfast Cereal Market », *Journal of Economics and Management Strategy*, vol. 13, n° 2, 2004, p. 77-85.

18. Rob Gerlsbeck, « The Military Draws Recruits by Putting Combat Life Front and Centre », *Marketing Magazine*, 26 novembre 2007, p. 22.

19. Department of National Defence, "Decima DND Advertising Pre-Test Revised reportv2.pdf," p. 21.

20. Department of National Defence, "Final Report DND Advertising Pre-Test Winter 2008.doc," p. 22.

21. Department of National Defence, "Decima DND Advertising."

22. Kelly Gadzala, "Entrepreneur credits her son, 6, for eco-savvy idea," www.mytowncrier.ca/entrepreneur-credits-her-son-6-for-eco-savvyidea.html (Page consultée le 3 août 2010).

23. "Media Hook," www.thesmarthanger.com/media_hook.html (Page consultée le 2 août 2010).

24. Mike Friskney, "E-Hanger In Home Media wears green well," *Direct Marketing* (juin 2010), p. 6.

25. Diane Jermyn, "No more (environmentally insensitive) wire hangers," www.theglobeandmail.com/report-on-business/your-business/business-categories/sustainability/no-more-environmentallyinsensitive-wire-hangers/article1654921/ (Page consultée le 2 août 2010).

26. "Toronto fi rm launches recyclable clothes hanger," www.cbc.ca/consumer/story/2009/09/16/smart-hanger.html (Page consultée le 2 août 2010).

27. www.cashmere.ca/wcc_2010/francais/2004.php (Page consultée le 15 janvier 2015).

28. "Cashmere," *Strategy Magazine*, Novembrr 2007, p. 48.

29. http://advertising.utexas.edu/research/terms/index.asp#P (Page consultée le 15 novembre 2004).

30. www.grantstream.com/glossary.htm (Page consultée le 26 septembre 2006).

31. « The Battle to Ban Advertising », www.idrc.ca/en/ev-28820-201-1-DO_TOPIC.html (Page consultée le 2 juillet 2007).

32. Grant Robertson, « Tobacco Ban Stays, but Expect Ad Blitz Anyway », www.theglobeandmail.com/servlet/ArticleNews/freeheadlines/LAC/20070629/TOBACCO29/national/National (Page consultée le 2 juillet 2007).

33. http://advertising.utexas.edu/research/terms/index.asp#O (Page consultée le 26 septembre 2006).

34. Voir http://fr.wikipedia.org/wiki/Juin_2003 et http://en.wikipedia.org/wiki/Marc_Kasky (Pages consultées le 15 janvier 2015).

35. Richard Kielbowicz et Linda Lawson, « Unmasking Hidden Commercials in Broadcasting : Origins of the Sponsorship Identification Regulations 1927–1963 », 2004, www.law.indiana.edu/fclj/pubs/v56/no2/Kielbowicz%20Finals%20round%20IV.pdf (Page consultée le 4 septembre 2005). D'autres cas et règlements détaillés dans IM.

36. www.onpoint-marketing.com/stealth-marketing.htm (Page consultée le 20 septembre 2006).

37. www.cnn.com/2004/TECH/internet/04/26/godsend.controversy.reut/ (Page consultée le 5 septembre 2005).

38. www.momcentralcanada.com/im-a-mom/ (Page consultée le 15 janvier 2015).

39. http://www.darefoods.com/ca_fr (Page consultée le 15 janvier 2015).

40. www.marketingterms.com/dictionary/viral_marketing/ (Page consultée le 26 septembre 2006).

41. « The Global Fund », www.joinred.com/globalfund (Page consultée le 4 juillet 2007).

42. www.joinred.com/red/#shopred (Page consultée le 15 janvier 2015).

43. « Letter to the Editor », www.joinred.com/archive/adage/ (Page consultée le 4 juillet 2007).

44. « Point/Counter Point », www.joinred.com/archive/adage/pcp.asp (Page consultée le 4 juillet 2007).

45. www.theglobalfund.org/en/partners/privatesector/red/ (Page consultée le 15 janvier 2015).

46. K. Onah Ha, « It's a Neopet World : Popular Site for Kids Stirs Controversy », *San Jose Mercury News*, 14 septembre 2004.

47. Christopher Reynolds, « Game Over », *American Demographics*, vol. 26, n° 1, 2004, p. 35-39.

48. www.w2.nchmarketing.com/ResourceCenter/assets/0/22/459/535/e89b0fb5dcf14d6ca28ad5f99b3a60f4.pdf et www.canadiandealsassociation.com/coupon-redemption-in-canada-some-interesting-data/ (Pages consultées le 15 janvier 2015).

49. Share of US Companies Using Mobile Coupons for Marketing Purposes, 2013-2016 (% of total) Date de publication : 3 novembre 2014 via la base de données emarketer.

50. www.pillsbury.com/our-makers/bake-off-contest/about-the-new-bakeoff/rules (Page consultée le 15 janvier 2015).

51. "Pop-up branding," www.strategymag.com/articles/magazine/20070601/escapism.html (Page consultée le 3 juillet 2007).

52. Paul Crowe, "Alexander Keith's Birthday," http://adjoke.blogspot.com/2009/09/alexander-keiths-birthday.html (Page consultée le 22 octobre 2009).

53. Crowe, "Alexander Keith's Birthday."

54. "Cheesy's Luky Lunchbox," www.cheestrings.ca/luckylunchbox/ (Page consultée le 23 novembre 2009).

55. Meliata Kuburas, "Students 'scream cheese' at Doritos Guru coronation," www.mediaincanada.com/articles/mic/20090504/doritosguru.html (Page consultée le 28 novembre 2009).

56. Ben Lucier, "Doritos GURU contest update : Cast your vote as semifinalists fight for millions !," www.benlucier.ca/work/marketing/doritosguru-contest-update-cast-your-vote-as-semi-finalists-fight-for-millions/ (Page consultée le 28 novembre 2009).

57. Amy Bostock, "Canada Post goes viral with video contest aimed at increasing product line awareness," http://www.clickweekly.com/articles/October%2027_2009/lead.htm (Page consultée le 15 janvier 2015).

58. "Nabob Over the Years," www.nabob.ca/en/history.html (Page consultée le 27 juillet 2010).

59. Paul-Mark Rendon, "Agency of the Year," *Capital C Blog*, http://capitalc.typepad.com/my_weblog/agency_of_the_year/index.html (Page consultée le 25 juin 2007).

60. www.msnbc.msn.com/id/7357071 (Page consultée le 26 septembre 2006).

61. www.engadget.com/entry/ 1234000103038638 (Page consultée le 26 septembre 2006).

62. www.itvx.com/SpecialReport.asp (Page consultée le 26 septembre 2006).

63. Bill Shepard, "Jumping on the Brand Wagon : The Allure of Product Placement," *Wisconsin Business Alumni Update* 25, n° 1 (June 2007) ; http://priceonomics.com/the-economics-of-product-placements/ (Page consultée le 15 janvier 2015).

64. www.itvx.com/SpecialReport.asp (Page consultée le 26 septembre 2006).

65. G. E. Belch, M. A. Belch, M. A. Guolla, P. Ballofet, F. Coderre, *Communication marketing*, 2e éd., Chenelière/McGraw-Hill, 2008, 688 p.

66. Betsy Spethmann, "For a Limited Time Only," *Promo : Ideas, Connections and Brand*, 2004.

67. Statistique Canada, *Canada Year Book*, Ottawa, 2005.

68. Cette partie s'inspire de Mark W. Johnston et Greg W. Marshall, *Relationship Selling and Sales Management*, Burr Ridge, Ill., Irwin/McGraw-Hill, 2004.

69. *Corporate Advertising Research Reports (CARR)*, www.a-i-m.com/docs/reports/carr-reports.pdf (Page consultée le 26 février 2015).

70. Michael Beverland, « Contextual Influences and the Adoption and Practice of Relationship Selling in a Businessto-Business Setting : An Exploratory Study », *Journal of Personal Selling and Sales Management*, été 2001, p. 207.

71. Bill Stinnett, *Think Like Your Customer*, 1e éd., Burr Ridge, Ill., McGraw-Hill, 2004.

72. Mark W. Johnston et Greg W. Marshall, *Relationship Selling and Sales Management*, op. cit.

73. IncentiveWorks, Canada's Meetings & Promotions Show, www.meetingscanada.com/cmits_pi/exhibitinfo_cmits.jsp (Page consultée le 24 juin 2007).

74. www.webopedia.com/TERM/P/phishing.html (Page consultée le 11 janvier 2008) ; www.mcafee.com/mx/resources/reports/rp-economic-impact-cybercrime.pdf (Page consultée le 11 février 2015).

75. www.pensezcybersecurite.gc.ca/cnt/rsrcs/nfgrphcs/nfgrphcs-2012-10-11-fra.aspx (Page consultée le 11 février 2015).

76. Barton A. Weitz, Harish Sujan et Mita Sujan, « Knowledge, Motivation, and Adaptive Behavior : A Framework for Improving Selling Effectiveness », *Journal of Marketing*, octobre 1986, p. 174-191.

77. www.marketingpower.com/live/mg-dictionary.

78. Rene Y. Darmon, « Where Do the Best Sales Force Profit Producers Come from ? », *Journal of Personal Selling and Sales Management*, vol. 13, n° 3, 1993, p. 17-29.

79. Julie Chang, « Born to Sell ? » *Sales and Marketing Management*, juillet 2003, p. 36.

80. Mark W. Johnston et Greg W. Marshall, *Relationship Selling and Sales Management, op. cit.*, p. 368 ; Bill Kelley, « Recognition Reaps Rewards », *Sales and Marketing Management*, juin 1986, p. 104 [repris de Thomas R. Wotruba, John S. Macfie et Jerome A. Collem, « Effective Sales Force Recognition Programs », dans *Industrial Marketing Management*, vol. 20, p. 9-15].

81. On peut lire un exposé sur les moyens couramment utilisés pour évaluer le personnel de vente, voir Mark W. Johnston et Greg W. Marshall, *Churchill/Ford/Walker's Sales Force Management*, 9ᵉ éd., Boston, McGraw-Hill/ Irwin, 2009, p. 482.

82. Ce cas a été écrit par Elisabeth Nevins Caswell sous la supervision des auteurs du manuel (Dhruv Grewal and Michael Levy) pour l'utilisation dans une discussion de classe; il n'a pas été conçu comme un exemple de pratiques marketing efficaces ou inefficaces.

83. "Best Laid Plans," *Adweek* (special report), 18 juin 2007: www.mediaweek.com/mediaweek/images/pdf/MediaPlan6_18.pdf (Page consultée le 3 mars 2008).

84. "Lionsgate and Warcon Records Promote 'Saw III' with Live Musical Event", 13 octobre 2007, www.indiescene.net/archives/lionsgate_films/lionsgate_and_warcon_records_p.htm (Page consultée le 3 mars 2008).

85. http://vids.myspace.com/index.cfm?fuseaction=vids.channel&ChannelID=77571500 (Page consultée le 3 mars 2008).

CHAPITRE 17

1. http://investor.lululemon.com/financials.cfm (Page consultée le 15 décembre 2014).

2. The Globe and Mail, *Lululemon's declining margins cause for concern, but hope on the horizon*, [En ligne], www.theglobeandmail.com/report-on-business/lululemon-profit-falls-14-as-expenses-rise/article20529025/ (Page consultée le 22 octobre 2014).

3. Presse Release, *Lululemon athletica inc. announces fourth quarter and full year fiscal 2013 results*, [En ligne], http://investor.lululemon.com/releasedetail.cfm?ReleaseID=835961 (Page consultée le 22 octobre 2014) et Bloomberg Businessweek, *Lululemon Athletica Inc*, [En ligne] http://investing.businessweek.com/research/stocks/snapshot/snapshot.asp?ticker=LULU (Page consultée le 22 octobre 2014).

4. www.lululemon.com; http://en.wikipedia.org/wiki/Lululemon; www.mindspring.com/~wilma-munsey/uhcw/BBCNews; http://sev.prnewswire.com/retail/20061003/LAM02203102006-1.html; www.hoovers.com/lululemon/--ID__156721--/freecofactsheet.xhtml (Pages consultées le 23 mai 2007); Laura Bogomolny, «Toned and Ready», *Canadian Business*, 24 avril – 7 mai 2006, p. 59-63; Martha Strauss, «As It Stretches, Lululemon Tries Not to Bend», *The Globe and Mail*, 2 octobre 2006.

5. Martha Strauss, «As It Stretches, Lululemon Tries Not to Bend», *The Globe and Mail*, 2 octobre 2006.

6. http://investor.lululemon.com/releasedetail.cfm?releaseid=302771 (Page consultée le 15 janvier 2015).

7. Pierre-Richard Agenor, *Does Globalization Hurt the Poor?*, Washington, D.C., World Bank, 2002; «Globalization: Threat or Opportunity», Fonds monétaire international, www.imf.org/external/np/exr/ib/2000/041200.htm#II (Page consultée le 18 septembre 2006).

8. Elie, C. (2014), La Corée du sud, une destination d'exportation pas comme les autres. Exportateurs avertis, [En ligne], http://exportateursavertis.ca/coree-du sud-destination-dexportation/ (Page consultée le 27 janvier 2015).

9. Charles W.L. Hill, *Global Business Today*, 3ᵉ éd., New York, Irwin/McGraw-Hill, 2004.

10. David Rosenbaum, «Next Stop, New Delhi; The Strategic Debate over Off-Shoring is Over», *CIO*, vol. 19, nº 8, 1er février 2006, p. 1.

11. Jack Ewing, "Why Krakow Still Works for IBM," *BusinessWeek*, 25 septembre 2007 (consultée le 7 janvier 2008).

12. OMC. Statistiques du commerce mondial (2013). Graphique 7, *Parts des Membres de l'OMC dans le commerce mondial des marchandises*, 2012 - Format PDF, [En ligne], www.wto.org/french/res_f/statis_f/its2013_f/its13_charts_f.htm (Page consultée le 22 octobre 2014).

13. "Japan starts WTO dispute with Canada on clean power," www.reuters.com/article/2010/09/13/us-trade-japan-canadaidUSTRE-68C2RN20100913 (Page consultée le 25 avril 2011).

14. http://www.worldbank.org/en/about (Page consultée le 15 janvier 2015).

15. On peut lire la version complète des critiques adressées au Fonds monétaire international à l'adresse www.imf.org/external/np/exr/ccrit/cri.htm; on peut lire la liste des critiques dont fait l'objet la Banque mondiale à l'adresse www.artsci.wustl.edu/~nairobi/wbissues.html (Pages consultées le 28 août 2005).

16. "Canada Imposes Wide Range of Sanctions against Libya," www.theglobeandmail.com/news/politics/canada-imposes-wide-range-ofsanctions-against-libya/article1922800/ (Page consultée le 25 avril 2011).

17. Affaires étrangères, Commerce et Développement Canada (2014), *Régimes de sanctions imposés par le Canada*, [En ligne], www.international.gc.ca/sanctions/countries-pays/index.aspx?lang=fra (Page consultée le 27 janvier 2015).

18. David L. Scott, *Wall Street Words: An A to Z Guide to Investment Terms for Today's Investor*, Boston, Houghton Mifflin, 2003.

19. www.international.gc.ca/eicb/softwood/menu-en.asp (Page consultée le 26 mai 2007).

20. http://economics.about.com/library/glossary/bldefdumping.htm (Page consultée le 11 septembre 2006); Scott, *Wall Street Words*, op. cit.

21. www.international.gc.ca/eicb/softwood/menu-en.asp (Page consultée le 26 mai 2007).

22. http://actionplan.gc.ca/fr/blogue/all-gement-tarifaire-l-gard-des-intrants-manufacturiers-ainsi-des-machines-et-du-mat-riel (Page consultée le 27 janvier 2015).

23. www.bloomberg.com/apps/news?pid=10000103&sid=ajtpC2UYVKwk&refer=us (Page consultée le 15 janvier 2015).

24. La Presse, *Chasse au phoque: Aglukkaq à l'audience d'appel du boycott*, [En ligne], www.lapresse.ca/actualites/national/201403/16/01-4748213-chasse-au-phoque-aglukkaq-a-laudience-dappel-du-boycott.php (Page consultée le 22 octobre 2014).

25. http://en.wikipedia.org/wiki/Exchange_rate (Page consultée le 15 janvier 2015).

26. «Philippines Implement Countertrade Program for Vietnamese Rice», *Asia Pulse Pte Limited*, 27 avril 2005.

27. Nicolino Strizzi et G. S. Kindra, «A Survey of Canadian Countertrade Practices with Asia-Pacific Countries», *Revue Canadienne des Sciences de l'Administration*, 1997.

28. http://ucatlas.ucsc.edu/trade/subtheme_trade_blocs.php (Page consultée le 5 mars 2005).

29. www.unescap.org/tid/mtg/postcancun_rterta.pps#1 (Page consultée le 15 janvier 2015).

30. www.fas.usda.gov/itp/CAFTA/cafta.html (Page consultée le 10 septembre 2006).

31. http://en.wikipedia.org/wiki/Purchasing_power_parity (Page consultée le 19 septembre 2005); Arthur O'Sullivan et Steven M. Sheffrin, *Macroeconomics: Principles and Tools activeBook*, 3ᵉ éd., Upper Saddle River, N.J., Prentice Hall, 2002.

32. http://hdr.undp.org/reports/global/2001/en/ (Page consultée le 15 janvier 2015). Selon Amartya Sen, Prix Nobel d'économie, les pays en développement devraient aussi être évalués selon les capacités de leurs populations et les possibilités qui leur sont offertes.

33. T.N. Ninan, "Six Mega-Trends That Defi ne India's Future," *Rediff.com*, 6 janvier 2007 (consultée le 15 novembre 2007).

34. "India," *The CIA World Factbook*, 13 décembre 2007 (consultée le 8 janvier 2008).

35. "Canadians in Context—Aging Population," http://www4.hrsdc.gc.ca/.3ndic.1t.4r@-eng.jsp?iid=33 (Page consultée le 25 avril 2011).

36. «Who's Getting It Right? American Brands in the Middle Kingdom», *Time*, vol. 164, nº 17, 25 octobre 2004, p. A14; «Cracking China», www.chiefexecutive.net, juin 2004; Normandy Madden et Jack Neff, «P&G Adapts Attitude towards Local Markets,» *Advertising Age*, vol. 75, nº 8, 23 février 2004, p. 28; www.pg.com.eg/history4.cfm.

37. Loretta Chao and Betsy Mckay, "Pepsi Steps into Coke Realm: Red, China," *The Wall Street Journal*, 12 septembre 2007: B4 (consultée le 9 janvier 2008).

38. Marketing Chine, *Coca Cola a lancé sa campagne de bouteilles personnalisées en Chine*, [En ligne], www.marketing-chine.com/chine/coca-cola-a-lance-sa-campagne-de-bouteilles-personnalisees-en-chine-3 (Page consultée le 22 octobre 2014).

39. Marketing Chine, *Les campagnes publicitaires délirantes de Coca-Cola en Chine*, [En ligne], www.marketing-chine.com/communication-en-chine/coca-cola-ses-campagnes-marketing-delirantes-instructives (Page consultée le 22 octobre 2014).

40. « Rural India, Have a Coke », www.businessweek.com/magazine/content/02_21/b3784134.htm (Page consultée le 24 janvier 2008).

41. International Telecommunication Union, *Key ICT indicators for developed and developing countries and the world (totals and penetration rates)*, ICT statistics, [En ligne], www.itu.int/en/ITU-D/Statistics/Documents/statistics/2014/ITU_Key_2005-2014_ICT_data.xls (Page consultée le 22 octobre 2014).

42. « Cellphones Catapult Rural Africa to 21st Century », www.nytimes.com/2005/08/25/international/africa/25africa.html (Page consultée le 18 décembre 2007).

43. Training Management Corporation (TMC), *Doing Business Internationally: The Cross Cultural Challenges, Seminar and Coursebook*, Princeton, N.J., Trade Management Corporation, 1992.

44. Geert Hofstede, « Management Scientists Are Human », *Management Science*, vol. 40, janvier 1994, p. 4-13 ; Geert Hofstede et Michael H. Bond, « The Confucius Connection from Cultural Roots to Economic Growth », *Organizational Dynamics*, vol. 16, printemps 1988, p. 4-21 ; Masaaki Kotabe et Kristiaan Helsen, *Global Marketing Management*, Hoboken, N.J., John Wiley & Sons, 2004.

45. www.geert-hofstede.com (Page consultée le 10 septembre 2006).

46. Donghoon Kim, Yigang Pan et Heung Soo Park, « High versus Low Context Culture: A Comparison of Chinese, Korean and American Cultures », *Psychology and Marketing*, vol. 15, n° 6, 1998, p. 507-521.

47. www.brandchannel.com/features_effect.asp?pf_id=261 (Page consultée le 15 janvier 2015).

48. Betsy Mckay, Procter & Gamble, « Coca-Cola Formulate Vitamin Drinks for Developing Countries », *The Wall Street Journal*, cité sur le site www.chelationtherapyonline.com/articles/p9.htm (Page consultée le 26 mai 2007).

49. Amy Chozick, « Japan Finally Opens », *The Globe and Mail*, 26 septembre 2006.

50. Laurel Delaney, « Global Marketing Gaffes », 19 mars 2002, www.marketingpofs.com (Page consultée le 18 décembre 2007).

51. http://csr.bombardier.com/pdf/ONLINE_Bombardier_2009_CSR_Report_fr.pdf (Page consultée le 15 décembre 2014).

52. Bombardier, *Rapport financier 2013*, [En ligne], http://ir.bombardier.com/modules/misc/documents/20/17/79/12/14/Bombardier-FinancialReport-Fiscal-Year-2013-fr.pdf (Page consultée le 22 octobre 2014).

53. Bombardier, *Bâtir l'avenir de la mobilité, rapport d'activité 2013*, [En ligne] http://csr.bombardier.com/Rapport-Activite-2013.pdf (Page consultée le 22 octobre 2014).

54. Amy Chozick, « Japan Finally Opens », *op. cit.*

55. www.christiedigital.com (Page consultée le 18 décembre 2007).

56. Statistics Canada (2011).

57. Compiled from the annual reports for 2010 of the respective companies.

58. www.cfa.ca/Publications_Research/FastFacts.aspx (Page consultée le 24 janvier 2008).

59. www.whitespot.com (Page consultée le 25 avril 2011); Patrick Brethour, "Burgers go from Burnaby to Bangkok" (entretien avec Warren Erhart, président de White Spot Restaurants), www.theglobeandmail.com/report-onbusiness/your-business/start/franchising/burgers-go-from-burnabyto-bangkok/article1336289/ (Page consultée le 25 avril 2011).

60. Brethour, "Burgers go from Burnaby."

61. Brethour, "Burgers go from Burnaby."

62. www.staralliance.com/fr/about/member_airlines/ (Page consultée le 15 décembre 2014).

63. « Joint Venture with Ting Hsin Brings Tesco to China », *MMR[o]*, vol. 11, n° 11, 26 juillet 2004, p. 13.

64. www.nutralab.ca (avril 2011).

65. Bruce D. Keillor, Michael D'Amico, and Veronica Horton, "Global Consumer Tendencies," *Psychology and Marketing* 18, n° 1 (2001), p. 1-20.

66. Bruce D. Keillor, Michael D'Amico et Veronica Horton, « Global Consumer Tendencies », *Psychology and Marketing*, vol. 18, n° 1, 2001, p. 1-20.

67. www.consumerpsychologist.com/food_marketing.htm (Page consultée le 15 janvier 2015).

68. http://ro.unctad.org/infocomm/anglais/orange/market.htm ; www.tropicana.com/index.asp?ID=27 (Pages consultées le 24 janvier 2008).

69. Normandy Madden, "Soy-Sauce-Flavored Kit Kats? In Japan, They're No 1," http://adage.com/globalnews/article?article_id=142461 (Page consultée le 6 août 2010)

70. Mehul Srivastava, "Apple's iPhone, an Indian Flop, Prepares for China," www.businessweek.com/print/globalbiz/content/apr2009/gb2009041_266236.htm (Page consultée le 6 août 2010).

71. Sonya Misquitta, "Cadbury Redefines Cheap Luxury—Marketing to India's Poor, Candy Maker Sells Small Bites for Pennies," http://online.wsj.com/article/SB124440401582092071.html (Page consultée le 6 août 2010).

72. www.pringles.it (2011)

73. "Local Success on a Global Scale," www.brandchannel.com/features_effect.asp?pf_id=261 (Page consultée le 18 décembre 2007).

74. H.M. Hayes, P.V. Jenster et N.-E. Aaby, *Business Marketing: A Global Perspective*, Boston, Irwin/McGraw-Hill, 1996.

75. Mary Anne Raymond, John F. Tanner Jr. et Jonghoon Kim, « Cost Complexity of Pricing Decisions for Exporters in Developing and Emerging Markets », *Journal of International Marketing*, vol. 9, n° 3, 2001, p. 19-40.

76. Terry Clark, Masaaki Kotabe et Dan Rajaratnam, « Exchange Rate Pass-through and International Pricing Strategy: A Conceptual Framework and Research Propositions, » *Journal of International Business Studies*, vol. 30, n° 2, 1999, p. 249-268.

77. Satish Shankar *et al.*, "How to Win in Emerging Markets," *Bain Briefs*, 29 novembre 2007 (consultée le 9 janvier 2008).

78. Madden, "Soy-Sauce-Flavored Kit Kats?"

79. www.aeforum.org/latest.nsf (Page consultée le 24 janvier 2008).

80. www.brandchannel.com/features_effect.asp?pf_id=274 (Page consultée le 15 janvier 2015).

81. Charles W.L. Hill, *Global Business Today*, 3e éd., New York, Irwin/McGraw-Hill, 2004.

82. George Hager, « Bush Plays Free-Trade Game », *USA Today*, 2 mai 2002.

83. Meller, "The W.T.O. Said."

84. Kimberly Smith, "Case Study: Tips from Microsoft on Cultivating Customer Satisfaction & Loyalty on a Global Scale," www.marketingprofs.com/casestudy/143 (Page consultée le 28 novembre 2009).

85. Smith, "Case Study: Tips from Microsoft."

86. BBC News, « Disposable Planet », http://news.bbc.co.uk/hi/english/static/in_depth/world/2002/disposable_planet/waste/statsbank.stm (Page consultée le 5 septembre 2005).

87. Alladi Venkatesh, « Postmodernism Perspective for Macromarketing: An Inquiry into the Global Information and Sign Economy », *Journal of Macromarketing*, vol. 19, n° 12, 1999, p. 153-169.

88. Michael R. Czinkota et Ilkka A. Ronkainen, « An International Marketing Manifesto », *Journal of International Marketing*, vol. 11, n° 1, 2003, p. 13-27.

89. Bruce Einhorn, "Apple's Chinese Supply Lines," *BusinessWeek*, 8 janvier 2008 (consultée le 9 janvier 2008).; "Responsible Supplier

Management," www.apple.com/supplierresponsibility/ (Page consultée le 9 janvier 2008).

90. http://users.aber.ac.uk/pjm04/linguisticimperialism.html (Page consultée le 24 janvier 2008).

91. Farnaz Fassihi, « As Authorities Frown, Valentine's Day Finds Place in Iran's Heart ; Young and in Love Embrace Forbidden Holiday ; A Rush on Red Roses », *The Wall Street Journal*, 12 février 2004, p. A.1.

92. ZNet.fr, *Pour Steve Jobs, travailler chez Foxconn, « c'est plutôt sympa »*, [En ligne], www.zdnet.fr/actualites/pour-steve-jobs-travailler-chez-foxconn-c-est-plutot-sympa-39752128.htm (Page consultée le 22 octobre 2014).

93. "Steve Jobs and 'The Maker.'"

94. Arik Hesseldahl, "Apple Answers 'Sweatshop' Claims," *BusinessWeek*, 21 août 2006 (consultée le 9 janvier 2008).

95. "Electronic Industry Code of Conduct," www.eicc.info/code.html (Page consultée le 9 janvier 2008).

96. Thomas Friedman, *The Lexus and the Olive Tree : Understanding Globalization*, New York, Anchor, 2000.

97. Ce cas a été écrit par Ajax Persaud et Shirley Lichti pour l'utilisation dans une discussion de classe ; il n'a pas été conçu comme un exemple de pratiques marketing efficaces ou inefficaces.

98. Lululemon Athletica, Rapport annuel 2013, [En ligne], http://files.shareholder.com/downloads/LULU/3766722533x0x766923/AC87B033-1A64-47B5-9DAE-978862EF7D81/2013_10K.pdf (Page consultée le 15 décembre 2014).

99. Lululemon athletica inc. *Announces Fourth Quarter and Full Year Fiscal 2013 Results,* [En ligne], http://media.lululemon.com/media-releases/lululemon-athletica-inc-Announces-Fourth-Quarter-and-Full-Year-Fiscal-2013-Results-104.aspx (Page consultée le 22 octobre 2014).

100. www.marketwatch.com/investing/stock/lulu/profile (Page consultée le 15 décembre 2014).

101. www.financialpost.com/story.html?id=f8a5fa39-bccb-4b13-80c1-fa073d703e6d (Page consultée le 15 janvier 2015).

102. Strauss (2014), *Lululemon's global expansion takes local routes,* The Globe and Mail, [En ligne], www.theglobeandmail.com/report-on-business/lululemon-beats-lowered-forecast/article17691711/ (Page consultée le 22 octobre 2014).

ANNEXE

1. Cette annexe a été écrite par Tom Chevalier, Britt Hackmann et Elisabeth Nevins Caswell sous la supervision des auteurs (Dhruv Grewal et Michael Levy) pour l'utilisation dans une discussion de classe ; elle n'a pas été conçue comme un exemple de pratiques marketing efficaces ou inefficaces.

2. "How to Write a Marketing Plan," www.knowthis.com/tutorials/principles-of-marketing/how-to-write-a-marketing-plan.htm (Page consultée le 16 mai 2008); also see "Marketing Plan Online," www.quickmba.com/marketing/plan/ (Page consultée le 16 mai 2008); "Marketing Plan," www.businessplans.org/Market.html (Page consultée le 16 mai 2008).

3. Roger Kerin, Steven Hartley, and William Rudelius, *Marketing* (New York : McGraw-Hill/Irwin, 2008), p. 53.

4. Kerin, Hartley, and Rudelius, p. 54 ; "How to Write a Marketing Plan."

5. Ces sources viennent principalement du *Babson College Library Guide*, 12 mai 2008, http://www3.babson.edu/Library/research/marketingplan.cfm (Page consultée le 15 mai 2008). Merci à Nancy Dlott.

6. Ce plan marketing présente une version abrégée du véritable plan de PeopleAhead. Quelques informations ont été changées pour maintenir la confidentialité.

7. Publishers' and Advertising Directors' Conference, 21 septembre 2005.

8. Mintel International Group, "Online Recruitment–US," 1 janvier 2005, www.marketresearch.com (Page consultée le 1 septembre 2005).

9. Corzen Inc., www.wantedtech.com (Page consultée le 17 mai 2004).

10. Mintel International Group, "Online Recruitment–US."

Sources iconographiques

Couverture : Paul Tearle/Thinkstock.

Chapitre 1 : p. 3 : Amero/Shutterstock.com • p. 4 : Valentino Visentini/Dreamstime.com • p. 7 : Brian Patterson/Corbis • p. 8 : Gracieuseté de Clearly Canadian • p. 9 : AP Photo/Mark Allan • p. 10 : Gracieuseté de The Country Grocer • p. 11 : Gracieuseté de Parasuco Jeans Ltd. • p. 14h : © 2014 – A Piece of Africa • p. 14b : Les Producteurs de lait du Québec. Campagne Affichage Le lait 2014. BBDO • p. 15 : cowardlion/Shutterstock.com – BrAt82/Shutterstock.com – BrAt83/Shutterstock.com – Songquan Deng/Shutterstock.com – Nik Merkulov/Shutterstock.com • p. 17 : © 2015 – Porc Nagano • p. 19 : TonyV3112/Shutterstock.com • p. 20 : Gracieuseté d'EasyJet • p. 21h : Dusit/Shutterstock.com – Halfpoint/Shutterstock.com – Marcin Balcerzak/Shutterstock.com – cleanfotos/Shutterstock.com – nenetus/Shutterstock.com – Lucky Business/Shutterstock.com – Rawpixel/Shutterstock.com – wavebreakmedia/Shutterstock.com • p. 21b : Vytautas Kielaitis/Shutterstock.com – © Errol Rait/Alamy • p. 22 : Tooykrub/Shutterstock.com • p. 24 : © 2014 – Scion/Toyota • p. 26 h et b : Joe Seer/Shutterstock.com • p. 30 : © Phil Mcdonald/Dreamstime.com.

Chapitre 2 : p. 33 : Roberto Machado Noa/Getty Images • p 34 : © Chrisstanley/Dreamstime.com – Mickey Mouse Photo • p. 40 : © Clearvista/Dreamstime.com – Inside A Disney Store Photo • p. 42 : Gracieuseté de Frito-Lay Inc. • p. 43 : © 2014 – Folgers • p. 45 : © 2014 – Armée du Salut • p. 49 : MidoSemsem/Shutterstock.com • p. 50 : © 2015 – President Choice Mobile • p. 52 : GuoZhongHua/Shutterstock.com • p. 54 : © Mark Hryciw/Dreamstime.com • p. 57 : Ingram Publishing/Thinkstock • p. 60 : Roberto Machado Noa/Getty Images • p. 61 : Gracieuseté de Kelli Wood • p. 65 : © Fred Thornhill/Reuters/Corbis.

Chapitre 3 : p. 67 : tbradford/iStockphoto • p. 68 : urbanbuzz/Shutterstock.com • p. 70 : Grantland®. © Grantland Enterprises; www.grantland.net • p. 73 : © adisa/Fotolia • p. 75 : © 2014 – RBC • p. 76 : © 2015 – Tim Hortons • p. 80h : tulpahn/Shutterstock.com • p. 80b : Tyler McKay/Shutterstock.com • p. 81 : © Alex Segre/Alamy • p. 82 : Goodluz/Shutterstock.com • p. 83 : © 2007 Waterloo Region Record, Ontario, Canada • p. 85h : © tbradford/iStockphoto • p. 85b : Grantland®. © Grantland Enterprises; www.grantland.net • p. 86 : Grantland®. © Grantland Enterprises; www.grantland.net • p. 88 : © McGraw-Hill Ryerson.

Chapitre 4 : p. 95 : Zuma Press, Inc./Alamy • p. 96 : ValeStock/Shutterstock.com • p. 101 : © M. Hruby • p. 102 : © 2015 – Nau • p. 104 : Courtesy MINI USA • p. 105 : Blend Images/Shutterstock.com • p. 106 : Mandy Godbehear/Shutterstock.com • p. 107 : Monkey Business Images/Shutterstock.com • p. 108 : Zuma Press, Inc./Alamy • p. 110 : Gracieuseté de Hammacher Schlemmer • p. 111h : Pavel L. Photo and Video/Shutterstock.com • p. 111b : © D. Bouchet • p. 112 : © Tracy Leonard • p. 114 : Gracieuseté de Ford Motor Company • p. 116 : Eugenio Marongiu/Shutterstock.com • p. 117 : Ulrich Baumgarten/Getty Images • p. 119 : Gracieuseté de Domino's Pizza, LLC • p. 120 : Blue Jean Images/Alamy • p. 122 : © US Coast Guard/Handout/Corbis • p. 129 : Catherine Murray/Shutterstock.com.

Chapitre 5 : p. 133 : monticello/Shutterstock.com • p. 135 : Andresr/Shutterstock.com • p. 136 : Gracieuseté de Whirlpool Corporation • p. 138 : iStock/Thinkstock • p. 139 : Pressmaster/Shutterstock.com • p. 146 : CandyBox Images/Shutterstock.com • p. 147 : Pavel L. Photo and Video/Shutterstock.com • p. 148h : auremar/Shutterstock.com • p. 148b : © 2006 – The LEGO Group • p. 151 :

© 2014 – Simple Sondage • p. 159 : Gracieuseté de Coinstar, Inc. • p. 164 : © 2015 – ShoelessJoe.

Chapitre 6 : p. 167 : Bloomberg/Getty Images • p. 168 : © Bankerwin/Dreamstime.com • p. 171 : © Viorel Dudau/Dreamstime.com • p. 173 : Sean D/Shutterstock.com • p. 174 : Tyler Olson/Shutterstock.com • p. 175 : Bloomberg/Getty Images • p. 177 : © 2015 – Expedia.ca • p. 178 : Mopic/Shutterstock.com • p. 181 : © 2015 – CAA • p. 185 : The McGraw-Hill Companies, Inc./Andrew Resek, photographe • p. 186 : © Teddyleung/Dreamstime.com • p. 187 : © LPettet/iStockphoto • p. 189 : Goran Bogicevic/Shutterstock.com • p. 190 : Monkey Business Images/Shutterstock.com • p. 192 : © Richard Cummins/CORBIS • p. 193 : EQRoy/Shutterstock.com • p. 194 : Canadapanda/Shutterstock.com • p. 199 : Undrey/Shutterstock.com.

Chapitre 7 : p. 201 : Mario Beauregard/Dreamstime.com • p. 203 : Gracieuseté de Burt's Bees, Inc. • p. 205 : Sylvie Bouchard/Shutterstock.com • p. 206 : Avec la permission de MERX • p. 210g : Eldad Carin/Shutterstock.com • p. 210d : Konstantin Yolshin/Shutterstock.com • p. 211h : Anna Grigorjeva/Shutterstock.com • p. 211b : Grantland®. Copyright Grantland Enterprises; www.grantland.net • p. 212h : © Toyota Motor Engineering & Manufacturing North America • p. 212b : 360b/Shutterstock.com • p. 213 : Gracieuseté de CTC • p. 216 : Grantland®. Copyright Grantland Enterprises; www.grantland.net • p. 219 : Tupungato/Shutterstock.com • p. 223 : © 2015 – Dell.ca • p. 224 : Gracieuseté de Ryan Burgio et Sourov De • p. 230 : EpicStockMedia/Shutterstock.com.

Chapitre 8 : p. 233 : Olga Kolos/Shutterstock.com • p. 234 : M. Unal Ozmen/Shutterstock.com • p. 238 g et d : Gracieuseté de The Gillette Company • p. 240 : © Benetton Group SPA; Photo Oliviero Toscani • p. 241h : Stanislav Fridkin/Shutterstock.com • p. 241g : baranq/Shutterstock.com • p. 241d : Dmitry Kalinovsky/Shutterstock.com • p. 244 : Avec la permission de la Wilfrid Laurier University • p. 246g : © Endostock/Dreamstime.com • p. 246m : © Galina Barskaya/Dreamstime.com • p. 246d : Photographerlondon/Dreamstime.com • p. 247 : Alexander Raths/Shutterstock.com • p. 250h : © La Senza • p. 250g : © Maocheng/Dreamstime.com • p. 250d : JStone/Shutterstock.com • p. 251g : Kiselev Andrey Valerevich/Shutterstock.com • p. 251d : Maridav/Shutterstock.com • p. 252 : Niloo/Shutterstock.com • p. 253 : Avec la permission de Kettleman Bagel Co • p. 254h (figure 8.5) : Olga Kolos/Shutterstock.com; lightpoet/Shutterstock.com; iStock/Thinkstock; Pressmaster/Shutterstock.com • p. 254b : © Peter McCabe/CP photos • p. 256 : Martin Good/Shutterstock.com • p. 257 : © 2015 – Nike • p. 258 : solominviktor/Shutterstock.com • p. 261 : Fingerhut/Shutterstock.com • p. 265 : Photo fournie par MABE Canada Inc. • p. 266 : ® Marque déposée de Whirlpool, U.S.A., Whirlpool Canada LP, fabricant autorisé au Canada. Marques déposées et photo utilisées avec la permission de la société Whirlpool • p. 271 : © Aliments M&M.

Chapitre 9 : p. 273 : Bloomua/Shutterstock.com • p. 274 : Avec la permission de Unilever Canada inc. • p. 276g : © 1995-2015 Trek Bicycle Corporation • p. 276d : © David Hills/iStockphoto • p. 278 : Avec la permission de Starbucks Corporation • p. 281 : Bloomua/Shutterstock.com • p. 282 : Eric Broder Van Dyke/Shutterstock.com • p. 285 : © American Honda Motor Co. Inc. • p. 286h : M. Hruby • p. 286b : Dmytro Zinkevych/Shutterstock.com • p. 287 : LunaseeStudios/Shutterstock.com • p. 288 : © 2011 – Ferrero • p. 290 : © 2015 – Loblaws inc. Tous droits réservés • p. 291 : © General Electric • p. 292h :

© 2006 – Kellogs North America • p. 292b : M. Hruby • p. 295 : s_bukley/Shutterstock.com • p. 296 : © Lacoste S.A. • p. 298 : © The Coca-Cola Company • p. 299h : M. Hruby • p. 299b : © The Coca-Cola Company • p. 300h : Chris Gardiner/Shutterstock.com • p. 300b : © Pure Fun Confections Inc. • p. 304 : © Johnson & Johnson Inc. 2008-2014.

Chapitre 10 : p. 307 : Avec la permission de Frogbox ; photo Phil Harbut • p. 309g : Ingvar Bjork/Shutterstock.com • p. 309d : © Prykhodov/Dreamstime.com • p. 311h : Avec la permission de Frogbox ; photo Phil Harbut • p. 311b : M. Hruby • p. 314 g et d : Gracieuseté de NewProductWorks, www.newproductworks.com • p. 316h : Masson/Shutterstock.com • p. 316b : © 2015 – BlackBerry • p. 317 : Ahmad Faizal Yahya/Shutterstock.com • p. 319 : HomeArt/Shutterstock.com • p. 321 : Goodluz/Shutterstock.com • p. 322 : areeya_ann/Shutterstock.com • p. 324 : Kzenon/Shutterstock.com • p. 326 : Gracieuseté de Petro-Canada • p. 330h : Chuck Rausin/Shutterstock.com • p. 330b : © Ian Leonard/Alamy • p. 332 : M. Hruby • p. 333 : © 2015 – Twitter • p. 334 : Gourmantra Foods Inc. • p. 340 : Canadapanda/Shutterstock.com.

Chapitre 11 : p. 343 : Dmitry Kalinovsky/Shutterstock.com • p 344 : Jeremy Hainsworth/Presse canadienne • p. 346 : Goodluz/Shutterstock.com • p. 347 : David McNew/Getty Images • p. 348 : Philip Lange/Shutterstock.com • p. 349h : JaysonPhotography/Shutterstock.com • p. 349b : Gracieuseté de Nerds on Site • p. 350 : Gracieuseté de Enterprise Rent-a-car • p. 351 : Gracieuseté de NCR Corporation • p. 352 : © Oleksii Nykonchuk/Dreamstime.com • p. 353 : Calypso Theme Waterpark Limoges Canada © Copyright 2011 • p. 354 : Mila Supinskaya/Shutterstock.com • p. 358 : michaeljung/Shutterstock.com • p. 359 : Edward Fielding/Shutterstock.com • p 363 : AP Photo/Scott Eisen • p. 364 : dmaster/Shutterstock.com • p. 365 : stefanolunardi/Shutterstock.com • p. 367 : © Chih-Chung Johnny Chang/Alamy • p. 370 : © vgajic/iStockphoto • p. 372 : Dmitry Kalinovsky/Shutterstock.com • p. 372 : Gracieuseté de Simon Plante • p. 376 : Michael Blann/Thinkstock.

Chapitre 12 : p. 379 : Photobank gallery/Shutterstock.com • p. 380 : Twentieth Century-Fox Film Corporation/The Kobal Collection • p. 382 : LuckyImages/Shutterstock.com • p. 384 : © 2014 – Ryanair Ltd. Tous droits réservés • p. 385 : Gracieuseté de Paradigm Electronics inc. • p. 388g : Niloo/Shutterstock.com • p. 388d : Monkey Business Images /Shutterstock.com • p. 389 : jiawangkun/Shutterstock.com • p. 390 : Tana Lee Alves/Shutterstock.com • p. 393g : Photobank gallery/Shutterstock.com • p. 393d : himawari_dew/Shutterstock.com • p. 394 : Vladru/Shutterstock.com • p. 396 : Mario Tama/Getty images • p. 397 : © 2015 – Clearly Contacts. Tous droits réservés • p. 399 : minik/Shutterstock.com • p. 400 : Hadrian/Shutterstock.com • p. 402 : Jens-Ulrich Koch/Getty Images • p. 404 : © 2015 – The 7 Virtues • p. 405 : Courtesy Sears, Roebuck and Co • p. 406 : cleanfotos/Shutterstock • p. 407 : Gracieuseté de The Regional Municipality of Waterloo • p. 412 : M. Hruby.

Chapitre 13 : p. 421 : Don Pablo/Shutterstock.com • p. 422 : © Zara International Inc. • p. 425 : © 2015 – M&M MEAT SHOPS 1997-2015 • p. 427 : © The Pop Shoppe • p. 428 : © The Stanley Works • p. 433 : © General Mills • p. 434 (figure 13.4) : Martin Good/Shutterstock.com ; Ken Wolter/Shutterstock.com ; Muskoka Stock Photos/Shutterstock.com ; Tyler McKay/Shutterstock.com ; 360b/Shutterstock.com ; Goran Bogicevic/Shutterstock.com • p. 435h : mandritoiu/Shutterstock.com • p 435b : © Lee Snider/Dreamstime.com • p. 437 : © Tessuto E Colore srl • p. 439 : © Izabela Habur/iStockphoto • p. 441 : © Gianni Giansanti/Sygma/Corbis • p. 443 : Business Wire/Getty Images • p. 445 : © Harry Rosen Inc. • p. 447h : iStock/Thinkstock • p. 447b : Don Pablo/Shutterstock.com • p. 449 : Hans Pennink/Invision for Frito-Lay/AP images • p. 450 : Gracieuseté de Mark Montpetit • p. 454 : Ken Wolter/Shutterstock.com.

Chapitre 14 : p. 457 : pio3/Shutterstock.com • p. 459 : © Gloria P. Meyerle/Dreamstime.com • p. 460 : © 2015 – Mooresclothing.com ; Tous droits réservés • p. 464 : © Radub85/Dreamstime.com • p. 465 : mandritoiu/Shutterstock.com • p. 466 : © 2015 – La Baie d'Hudson ; Tous droits réservés • p. 468 : © Copyright 2008 Shoppers Drug Mart Inc. Shoppers Drug Mart est une marque déposée de 911979 Alberta Ltd., utilisé sous licence • p. 469 : Courtesy of Tiger Giant Stores Limited • p. 470 : ValeStock/Shutterstock.com • p. 471 : Gracieuseté de Shoppers Drug Mart • p. 472 : Niloo/Shutterstock.com • p. 473 : Ikea Canada ; jennifer.hughes2@ikea.com • p. 474g : © James Leynse/Corbis • p. 474d : phloxii/Shutterstock.com • p. 479 : Gracieuseté de H&M, Hennes & Mauritz LP • p. 483g : Niloo/Shutterstock.com • p. 483d : Avec la permission de Sears Canada Inc • p. 489 : © Tupungato/Dreamstime.com.

Chapitre 15 : p. 491 : © 2010-2015 – McDonald's • p. 492 : Gil C/Shutterstock.com • p. 495 : Gracieuseté de LG Electronics • p. 496 : Ken Wolter/Shutterstock.com • p. 498 : iStock/Thinkstock • p. 501 : Gracieuseté de Sears Roebuck and Co • p. 502h : Anthony Harvey/Getty Images • p. 502b : Scott Olson/Getty Images • p. 504 : AP Photo/Charles Sykes • p. 505 : Donato Sardella/Getty Images • p. 506 : CP Photo/Penticton Herald/Mark Brett • p. 508 : © 2010-2015 – McDonald's • p. 510 : Gracieuseté de The Diamond Trading Company, Agence : J. Walter Thompson, USA • p. 511 : Zavatskiy Aleksandr/Shutterstock.com • p. 512 : Gracieuseté de TJX Companies. Winners Canada • p. 514 : Gracieuseté de Ford Motor Company • p. 515 : © société Kimberly-Clark • p. 516 : Gracieuseté de BBH Tokyo • p. 517 : Gracieuseté de MINI USA • p. 519h : Avec la permission d'IKEA • p. 519g : DFree/Shutterstock.com • p. 519d : © Christopher Ames/iStockphoto • p. 520 : CURB Media • p. 522 : Gracieuseté de Ami Shah • p. 527 : New York Daily News/Getty Images • p. 528 : Gracieuseté de Unilever Canada Inc.

Chapitre 16 : p. 531 : Les Producteurs de lait du Québec. Campagne Affichage Le lait 2014. BBDO • p. 532 : DDB Canada • p. 537 : Meg Wallace Photography/Shutterstock.com • p. 538 : Radu Bercan/Shutterstock.com • p. 539 : Gracieuseté de Leigh Meadow • p. 540 : Les Producteurs de lait du Québec. Campagne Affichage Le lait 2014. BBDO • p. 541 : Gracieuseté de MIRA • p. 543 : © Bill Aron/Photo Edit, inc. • p. 545 : David Paul Morris/Getty Images • p. 546 : ® Denotes Reg. USPTO. Tous droits réservés • p. 548 : Gracieuseté de David Brice • p. 549 : Gracieuseté de Payless Shoe Source • p. 552 : Tra To Nha/Shutterstock.com • p. 553h : Paolo Bona/Shutterstock.com • p. 553b : Gracieuseté de CTV • p. 555 : Christian Bertrand/Shutterstock.com • p. 557 : Stanley Fellerman/Corbis • p. 558 : Peter Bernik/Shutterstock.com • p. 560 : © 2015 – Expedia, Inc. Tous droits réservés • p. 561 : Adriano Castelli/Shutterstock.com • p. 562 : wk1003mike/Shutterstock.com • p. 567 : © WebSubstance/iStockphoto • p. 572 : Gracieuseté de Initiative Public relations.

Chapitre 17 : p. 575 : Bloomberg via Getty Images • p. 576 : © Richard Levine/Demotix/Corbis • p. 580 : © Dominic Chavez/World Bank • p. 583g : © Walmart 2014 • p. 583d : © 2015 – bebe Studio, Inc. • p. 584 : Club4traveler/Shutterstock.com • p. 585 : Kletr/Shutterstock.com • p. 591 : Tengku Bahar/Getty Images • p. 593 : imtmphoto/Shutterstock.com • p. 594 : © Sean Pavone/Dreamstime.com • p. 595 : Charlie Edward/Shutterstock.com • p. 599 : © Yum! Brands Inc. ; © Starbuck's Corporation ; ©Perfume316/Dreamstime.com • p. 599b : Gracieuseté de White Spot • p. 600 : Star Alliance • p. 601 : © Tesco PLC • p. 601 : © AlexRaths/iStockphoto • p. 603 : urbanbuzz/Shutterstock.com • p. 604g : © Paul Prescott/Dreamstime.com • p. 604d : © Eranicle/Dreamstime.com • p. 606 : Bloomberg via Getty Images • p. 610 : Tomo Jesenicnik/Shutterstock.com • p. 611 : Ritu Manoj Jethani/Shutterstock.com • p. 616 : Andresr/Shutterstock.com.